Aleitamento Materno

3ª edição

PEDIATRIA NEONATOLOGIA

Livros de interesse

- Abdome Agudo em Pediatria – **Schettini**
- A Criança que não Come - Guia de Tratamento e Prevenção – **Bello, Macedo e Palha**
- Adolescência - Prevenção e Risco – **Saito**
- Adolescência - Uma Abordagem Prática – **Barros**
- Adolescência... Quantas Dúvidas! – **Fisberg e Medeiros**
- A Estimulação da Criança Especial em Casa - Um Guia de Orientação para os Pais de como Estimular a Atividade Neurológica e Motora – **Rodrigues**
- Aleitamento Materno 2ª ed. – **Dias Rego**
- Alergia e Imunologia na Infância e na Adolescência 2ª ed. – **Grumach**
- Alergias Alimentares – **De Angelis**
- Algoritmo em Terapia Intensiva Pediátrica – Werther **Brunow de Carvalho**
- Algorítmo em Terapia Intensiva Pediátrica – Werther **Brunow de Carvalho**
- Aspectos Cardiológicos em Terapia Intensiva Neonatal e Pediátrica – **Troster, Kimura e Abellan**
- Assistência Integrada ao Recém Nascido – **Leone**
- Atlas de Imaginologia Pediátrica – **Flores Barba**
- Atlas de Pediatria em Cores - O Recém-nascido e o Primeiro Trimestre de Infância e Adolescência - Síndromes Especiais - Neoplasias – **Klein**
- Atualização em Doenças Diarreicas da Criança e do Adolescente – **Dorina Barbieri**
- Atualizações em Terapia Intensiva Pediátrica – **SPSP – Souza**
- Autismo Infantil: Novas Tendências e Perspectivas – **Assumpção Júnior**
- Avaliação Neurológica Infantil nas Ações Primárias da Saúde (2 vols.) – **Coelho**
- A Vida por um Fio e por Inteiro – Elias **Knobel**
- Banco de Leite Humano – **Feferbaum**
- Cardiologia Pediátrica – **Carvalho**
- Cardiopatias Congênitas no Recém-nascido 2ª ed. – Revisada e ampliada – **Virgínia Santana**
- Como Ter Sucesso na Profissão Médica - Manual de Sobrevivência – Mario Emmanuel **Novais**
- Condutas de Urgência em Pediatria - Uma Abordagem Prática e Objetiva – **Prata Barbosa**
- Criando Filhos Vitoriosos - Quando e como Promover a Resiliência – **Grunspun**
- Cuidados Paliativos – Diretrizes, Humanização e Alívio de Sintomas – **Franklin Santana**
- Cuidando de Crianças e Adolescentes sob o Olhar da Ética e da Bioética – **Constantino**
- Dilemas Modernos - Drogas – **Fernanda Moreira**
- Dinâmica de Grupo – **Domingues**
- Distúrbios do Sono na Criança – **Pessoa**
- Distúrbios Neuróticos da Criança 5ª ed. – **Grunspun**
- Emergências e Terapia Intensiva Pediátrica – **Carvalho, Souza e Souza**
- Emergências em Cardiopatia Pediátrica – **Lopes e Tanaka**
- Endocrinologia para o Pediatra 3ª ed. (2 vols.) – **Monte e Longui**
- Epidemiologia 2ª ed. – **Medronho**
- Fitoterapia - Conceitos Clínicos (com CD) – **Degmar Ferro**
- Guia de Aleitamento Materno - 2ª ed. – **Dias Rego**
- Humanização em UTI em Pediatria e Neonatologia – Sonia Maria **Baldini** e Vera Lucia Jornada **Krebs**
- Hematologia para o Pediatra – **SPSP Braga**
- Imagem em Pediatria – **Barba Flores e Costa Vaz**
- Imunizações - Fundamentos e Prática 4ª ed. – **Farhat**
- Infectologia Pediátrica 2ª – **SPSP**
- Infectologia Pediátrica 3ª ed. – **Farhat, Carvalho e Succi**
- Insuficiência Ventilatória Aguda - Série Terapia Intensiva Pediátrica – Werther **Brunow de Carvalho**
- Intervenção Precoce com Bebês de Risco – Cibelle Kayenne M. R. **Formiga**
- Leite Materno - Como Mantê-lo sempre Abundante 2ª ed. – **Bicalho Lana**
- Livro da Criança – Ana Goretti Kalume **Maranhão**
- Manual de Hepatologia Pediátrica – Adriana Maria **Alves** de Thommaso e Gilda **Porta**
- Nefrologia para Pediatras – Maria Cristina de **Andrade**
- Neurologia Infantil 5ª ed. (2 vols.) – Aron Juska **Diament** e Saul **Cypel**
- Normas e Condutas em Neonatologia Santa Casa – **Rodrigues Magalhães**
- Nutrição do Recém-nascido – **Feferbaum**
- O Cotidiano da Prática de Enfermagem Pediátrica – **Peterline**
- Oncologia Pediátrica – **Renato Melaragno e Beatriz de Camargo**
- Obesidade na Infância e na Adolescência – **Fisberg**
- Oftalmologia para o Pediatra - SPSP – Rosa Maria **Graziano** e Andrea **Zin**
- Organização de Serviços em Pediatria – **SPSP**
- Otorrinolaringologia para o Pediatra – **SPSP – Anselmo Lima**
- Pai – O que é Microbrio? – **Althertum**
- Pediatria Clinica – HUFMUSP – **Alfredo Gilio**
- Pneumologia Pediátrica 2ª ed. – **Tatiana Rozov**
- Prática Pediátrica 2ª ed. – **Grisi e Escobar**
- Práticas Pediátricas 2ª ed. – **Aires**
- Puericultura - Princípios e Prática: Atenção Integral à Saúde da Criança 2ª ed. – **Del Ciampo**
- Reanimação Neonatal – **Dias Rego**
- Reumatologia Pediátrica – **SPSP**
- Saúde Materno-Infantil - Autoavaliação e Revisão – **Gurgel**
- Série Atualizações Pediátricas SPSP - Otorrinolaringologia para o Pediatra – **Anselmo Lima**
- Série Atualizações Pediátricas – **SPSP (Soc. Ped. SP)**
    - Vol. 1 - Sexualidade e Saúde Reprodutiva na Adolescência – **Françoso**
    - Vol. 2 - Gastrenterologia e Nutrição – **Palma**
    - Vol. 3 - Atualidades em Doenças Infecciosas: Manejo e Prevenção 2ª ed. – Helena **Keico** Sato
    - Vol. 4 - O Recém-nascido de Muito Baixo Peso 2ª ed. – Helenilce P. F. **Costa** e Sergio T. **Marba**
    - Vol. 5 - Segurança na Infância e na Adolescência – **Waksman**
    - Vol. 6 - Endocrinologia Pediátrica – **Calliari**
    - Vol. 7 - Alergia, Imunologia e Pneumologia – **Leone**
    - Vol. 8 - Tópicos Atuais de Nutrição Pediátrica – **Cardoso**
    - Vol. 9 - Emergências Pediátricas 2ª ed. – Emilio Carlos **Baracat**
- Série Clínicas Brasileiras de Medicina Intensiva – **AMIB**
    - Vol. 17 - Emergências em Pediatria e Neonatologia – **Carvalho e Proença**
- Série Terapia Intensiva – **Knobel**
    - Vol. 8 - Pediatria
- Série Terapia Intensiva Pediatrica – Desmame e Extubação – **Carvalho e Cintia Johnston**
- Temas em Nutrição Pediátrica – **SPSP – Cardoso**
- Terapia Nutricional Pediátrica – Simone Morelo **Dal Bosco**
- Terapêutica e Prática Pediátrica 2ª ed. (2 vols.) – **Carvalho e Brunow**
- Terapêutica em Pediatria – **Schettino**
- Terapia Intensiva Pediátrica 3ª ed. (2 vols.) – **Brunow de Carvalho e Matsumoto**
- Terapias Avançadas - Células-tronco – **Morales**
- Tratado de Alergia e Imunologia – **ASBAI**
- Tratado de Psiquiatria da Infância e da Adolescência – **Assumpção**
- Tuberculose na Infância e na Adolescência 2ª ed. – **Clemax**
- Ventilação não Invasiva em Neonatologia e Pediatria - Série Terapia Intensiva Pediátrica e Neonatal (vol. 1) – **Carvalho e Barbosa**
- Ventilação Pulmonar Mecânica em Neonatologia e Pediatria 2ª ed. – Werther **Brunow de Carvalho**
- Ventilação Pulmonar Mecânica na Criança – **Carvalho, Proença e Hirschheimer**
- Vias Urinárias - Controvérsias em Exames Laboratoriais de Rotina 2ª ed. – **Paulo** Antonio Rodrigues **Terra**

Facebook.com/editoraatheneu   Twitter.com/editoraatheneu   Youtube.com/atheneueditora

Aleitamento Materno

3ª edição

EDITOR

José Dias Rego

Membro da Academia Brasileira de Pediatria da SBP. Membro do Departamento Científico de Aleitamento Materno da Sociedade Brasileira de Pediatria. Membro do Comitê de Aleitamento Materno da SOPERJ. Ex-consultor do Ministério da Saúde no Grupo de Trabalho de Humanização da Assistência ao Recém-nascido de Baixo Peso – Método Canguru. Ex-chefe do Serviço de Pediatria do Hospital Maternidade Alexander Fleming – Secretaria Municipal de Saúde do Rio de Janeiro. Preceptor de Ensino da Fundação Técnica Educacional Souza Marques

EDITORA ATHENEU

São Paulo —	*Rua Jesuíno Pascoal, 30*
	Tel.: (11) 2858-8750
	Fax: (11) 2858-8766
	E-mail: atheneu@atheneu.com.br
Rio de Janeiro —	*Rua Bambina, 74*
	Tel.: (21)3094-1295
	Fax: (21)3094-1284
	E-mail: atheneu@atheneu.com.br
Belo Horizonte —	*Rua Domingos Vieira, 319 — conj. 1.104*

CAPA: Paulo Verardo

PRODUÇÃO EDITORIAL: Rosane Guedes

Dados Internacionais de Catalogação na Publicação (CIP)
(Câmara Brasileira do Livro, SP, Brasil)

Aleitamento materno / editor José Dias Rego. -- 3. ed. -- São Paulo : Editora Atheneu, 2015.

Vários colaboradores.
Bibliografia.
ISBN 978-85-388-0671-4

1. Aleitamento materno 2. Amamentação 3. Leite humano I. Rego, José Dias.

15-07940

CDD-649.33
NLM-WS 120

Índices para catálogo sistemático:
1. Aleitamento materno : Puericultura 649.33
2. Amamentação materna : Puericultura 649.33

REGO, J. D.

Aleitamento Materno – 3ª edição

© *EDITORA ATHENEU*

São Paulo, Rio de Janeiro, Belo Horizonte, 2015

Colaboradores

Adriana Estela Pinesso Morais
Enfermeira do CELAC – Clínica de Lactação do Ambulatório do Hospital de Clínicas – Universidade Estadual de Londrina

Ana Lucia Martins Figueiredo
Chefe da Unidade de Neonatologia do Hospital Federal dos Servidores do Estado, RJ. Presidente do Comitê de Aleitamento Materno da Sociedade de Pediatria do Estado do Rio de Janeiro, SOPERJ

Ana Paula Viana
Graduada em Fonoaudiologia. Pós-graduada em Fonoaudiologia Hospitalar. Consultora de Lactação (IBCLC, 2003 a 2013). Facilitadora nos Cursos IHAC e Aconselhamento em Amamentação/MS. Fonoaudióloga da SMS – Lotada na Maternidade Leila Diniz/RJ

Antonio Carlos de Almeida Melo
Diretor do Hospital Maternidade Carmela Dutra – SMS/RJ. Membro do Comitê de Perinatologia da SBP. Membro do Comitê de Aleitamento Materno da SOPERJ. Instrutor do Programa de Reanimação Neonatal da SOPERJ/SBP

Carmen Silvia Martimbianco de Figueiredo
Professora de Pediatria e Neonatologia da Universidade Federal de Mato Grosso do Sul – UFMS. Mestre em Pediatria. DC Aleitamento Materno – SBP

Celia Regina da Silva
Coordenadora do Ambulatório de Planejamento Familiar da Maternidade Escola da Universidade Federal do Rio de Janeiro – UFRJ. Membro do Grupo Técnico de Incentivo ao Aleitamento Materno da Secretaria Estadual de Saúde do Rio de Janeiro (Representante da SGORJ). Membro da Diretoria da FEBRASGO e SGORJ. Membro Titular do Colégio Brasileiro de Cirurgiões

Claudia Orthoff Pereira Lima
Coordenadora do Grupo Amigas do Peito

Elsa Regina Justo Giugliani
Médica Pediatra. Doutora em Medicina, Pediatria pela Universidade de São Paulo, Ribeirão Preto. Professora Titular da Faculdade de Medicina da Universidade Federal do Rio Grande do Sul

Colaboradores

Fabiana Swain Müller
Enfermeira Obstetra. Mestre em Enfermagem pela Escola de Enfermagem da Universidade de São Paulo – USP. Coordenadora Nacional da IBFAN Brasil

Fernanda Ramos Monteiro
Nutricionista. Mestre em Ciências da Saúde pela Universidade de Brasília – UnB. Coordenadora das Ações de Aleitamento Materno do Ministério da Saúde, Brasil

Fernando José de Nóbrega
Orientador do Curso de Pós-graduação de Nutrição da UNIFESP/EPM. Diretor Executivo da International Society of Pediatric Nutrition. Diretor das Relações Internacionais da Sociedade Brasileira de Pediatria. Coordenador do Núcleo de Ensino e Pesquisa em Nutrição Humana do Instituto de Ensino e Pesquisa do Hospital Israelita Albert Einstein. Membro da Academia Brasileira de Pediatria

Franz Reis Novak
Doutor em Microbiologia. Ex-professor nos Cursos de Mestrado e Doutorado do Instituto Fernandes Figueira (IFF) – Fundação Oswaldo Cruz – Núcleo de Pesquisa, Ensino e Desenvolvimento Tecnológico do Banco de Leite do IFF

Geisy Maria de Souza Lima
Professora Assistente da Universidade de Pernambuco – UPE. Mestre em Saúde Materno-infantil pela Universidade Federal de Pernambuco – UFPE. Chefe da Unidade Neonatal do Instituto Materno-infantil de Pernambuco – IMIP

Graciete Oliveira Vieira
Professora-titular da Universidade Estadual de Feira de Santana. Coordenadora do Centro Estadual de Referência em Aleitamento Materno e Banco de Leite Humano SESAB/MS. Doutorado em Medicina e Saúde pela Universidade Federal da Bahia. Especialista em Pediatria e Gastroenterologia Pediátrica pela Sociedade Brasileira de Pediatria

Hélcio Villaça Simões
Coordenador da Comissão Executiva do Título de Especialista em Pediatria da Sociedade Brasileira de Pediatria – SBP

Ivis Emília de Oliveira Souza
Enfermeira Obstétrica pela Escola de Enfermagem Anna Nery da Universidade Federal do Rio de Janeiro – EEAN/UFRJ. Doutora em Enfermagem pela EEAN/UFRJ. Professora Titular de Enfermagem Obstétrica do Departamento de Enfermagem Materno-infantil da EEAN/UFRJ. Pesquisadora do Núcleo de Pesquisa de Enfermagem em Saúde da Mulher (NUPESM) e do Núcleo de Pesquisa de Enfermagem em Saúde da Criança (NUPESC) da EEAN/UFRJ. Ex-membro do Grupo Técnico Interinstitucional de Aleitamento Materno da Secretaria de Estado de Saúde do Rio de Janeiro – SES/RJ

Jayme Murahovschi
Livre-docente em Pediatria Clínica. Membro da Academia Brasileira de Pediatria

Jefferson Pereira Guilherme
Pediatra pela UFU. Neonatologista pela SBP. Consultor em Lactação pelo IBLCE.
Professor da Universidade Estadual do Amazonas – UEA

João Aprígio Guerra de Almeida
Doutor em Saúde Pública. Professor nos Cursos de Mestrado e Doutorado do Instituto
Fernandes Figueira (IFF) – Fundação Oswaldo Cruz. Chefe do Banco de Leite do IFF.
Coordenador da Rede Brasileira de Bancos de Leite Humano

Joel Alves Lamounier
Especialista em Nutrologia Pediátrica pela Sociedade Brasileira de Pediatria e ABRAN.
Professor Titular de Pediatria da Universidade Federal de Minas Gerais – UFMG.
Professor Titular de Pediatria da Universidade Federal de São João Del Rei – UFSJ.
Ex-presidente do Departamento de Aleitamento Materno da Sociedade Brasileira de
Pediatria. Membro do Comitê de Aleitamento Materno da Sociedade Mineira de Pediatria.
Membro do Comitê de Nutrologia da Sociedade Mineira de Pediatria. Doutorado em
Saúde Pública da University of California Los Angeles – UCLA

José Martins Filho
Professor Titular Emérito de Pediatria da Universidade Estadual de Campinas – Unicamp.
Presidente da Academia Brasileira de Pediatria. Escritor e Conferencista. Professor de
Pós-graduação e Pesquisador do Centro de Investigação em Pediatria da Unicamp

José Vicente de Vasconcellos
Pediatra da Maternidade Leila Diniz – Hospital Municipal Lourenço Jorge, Rio de Janeiro.
Membro do Comitê de Aleitamento Materno da Sociedade de Pediatria do Estado Rio de
Janeiro. Membro do Comitê de Perinatologia da Sociedade de Pediatria do Estado do Rio
de Janeiro

Júlio César Veloso
Medico Pediatra, Neonatologista e Intensivista Pediátrico. Especialista em Pediatria
pela Sociedade Brasileira de Pediatria. Especialista em Terapia Intensiva Pediátrica pela
Sociedade Brasileira de Pediatria e AMIB. Especialista em Neonatologia pela Sociedade
Brasileira de Pediatria. Professor Auxiliar de Pediatria da Universidade Federal de São
João del Rei – UFSJ

Keiko Miyasaki Teruya
Especialista em Pediatria. Doutora em Medicina Preventiva pela Universidade de São
Paulo – USP. Professora Aposentada de Pediatria do Curso de Medicina da Universidade
Lusíada – UNILUS. Consultora do Ministério da Saúde em Amamentação e Membro do
Comitê Nacional de Aleitamento Materno

Lais Graci dos Santos Bueno
Mestre em Pediatria pelo Centro Universitário Lusíada – UNILUS. Professora de Pediatria
da UNILUS. Co-diretora do Centro de Lactação de Santos – Hospital Guilherme Álvaro
(HGA/UNILUS). Membro do Departamento de Aleitamento da Sociedade de Pediatria de
São Paulo

Lélia Cardamone Gouvêa
Especialista em Nutrologia Pediátrica pela Sociedade Brasileira de Pediatria. Professora Titular de Pediatria da Faculdade de Medicina da Universidade de Santo Amaro. Professora do programa de Pós-graduação do Centro de Desenvolvimento do Ensino Superior em Saúde – CEDESS, Universidade Federal de São Paulo. Mestre e Doutora em Pediatria pela Universidade Federal de São Paulo. Ex-presidente do Departamento de Aleitamento Materno da Sociedade de Pediatria de São Paulo. Membro do Departamento de Aleitamento Materno da Sociedade de Pediatria de São Paulo

Luciano Borges Santiago
Doutor em Pediatria pela Universidade de São Paulo – USP. Presidente do Departamento de Aleitamento Materno da SBP. Coordenador do Curso de Medicina da Universidade Federal do Triângulo Mineiro (UFTM). Professor Adjunto de Pediatria do Departamento Materno-infantil da UFTM

Luiz Felipe Bittencourt de Araujo
Professor Adjunto de Ginecologia da Faculdade de Medicina da Universidade Federal Fluminense e Escola de Medicina da Fundação Técnico-Educacional Souza Marques. Mestre em Ginecologia pela Universidade Federal de São Paulo – Unifesp. Doutor em Medicina pela Universidade Federal do Rio de Janeiro – UFRJ. Coordenador do Setor de Reprodução Humana do Hospital Universitário Antônio Pedro – Universidade Federal Fluminense – UFF

Magda M. S. Carneiro-Sampaio
Professora Titular do Departamento de Pediatria da Faculdade de Medicina da Universidade de São Paulo – FMUSP. Membro da Academia Brasileira de Pediatria – ABP

Márcia Regina Mazalotti Teixeira
Nutricionista. Mestre em Saúde Pública pela Escola Nacional de Saúde Pública – FIOCRUZ. Nutricionista da Área Técnica de Alimentação e Nutrição da Secretaria de Estado de Saúde do Rio de Janeiro e do Centro Educacional Miraflores

Marcos Augusto Bastos Dias
Médico Ginecologia-obstetra. Mestre em Saúde da Mulher pelo IFF/FIOCRUZ. Doutor em Ciências pelo IFF/FIOCRUZ. Professor da Pós-graduação em Saúde da Mulher, Criança e Adolescente do IFF/FIOCRUZ

Maria Auxiliadora de S. Mendes Gomes
Pesquisadora e Docente – PGSCM. Coordenadora do Núcleo de Avaliação de Tecnologias em Saúde IFF/FIOCRUZ

Maria da Conceição Monteiro Salomão
Pediatra Membro do Grupo Interinstitucional de Aleitamento Materno – SES/RJ. Avaliadora da Iniciativa Hospital Amigo da Criança/MS. Avaliadora da Iniciativa Unidade Básica Amiga da Amamentação – SES/RJ

Maria da Graça Mouchrek Jaldin
Professora Auxiliar I de Pediatria da Universidade Federal do Maranhão. Neonatologista do Hospital Universitário Materno-infantil no Maranhão. Membro do Departamento Científico do Aleitamento Materno da SBP – Triênio 1998-2000

Maria Inês Couto de Oliveira
Doutora em Saúde Pública pela Escola Nacional de Saúde Pública/FIOCRUZ. Professora Associada do Departamento de Epidemiologia e Bioestatística, Instituto de Saúde Coletiva – UFF. Vice-coordenadora do Grupo Técnico Interinstitucional de Aleitamento Materno da Secretaria de Estado de Saúde do Rio de Janeiro. Membro da IBFAN

Maria Sidneuma Melo Ventura
Mestre em Saúde Pública pela Universidade Federal do Ceará. Pediatra e Neonatologista – Títulos Conferidos pela Sociedade Brasileira de Pediatria. Membro da Diretoria da Sociedade Cearense de Pediatria. Vice-presidente Norte/Nordeste da Associação Médica Brasileira. Presidente da Associação Médica Cearense

Marinice Midlej Joaquim
Doutora em Pediatria pela Escola Paulista de Medicina da Universidade Federal de São Paulo – EPM/UNIFESP. Ex-consultora da Área Técnica de Saúde da Criança do MS

Miriam Vasconcelos
Professora Aposentada do Serviço de Pediatria do Hospital Walter Cantídeo da Universidade Federal do Ceará

Mírian Torres Cordeiro
Graduada em Fonoaudiologia. Pós-graduação em Fonoaudiologia Hospitalar. Fonoaudióloga Lotada na Maternidade Leila Diniz – SMS/RJ (1996 a 2014). Facilitadora nos Treinamentos IHAC, Aconselhamento e IUBAAM. Membro do Grupo Técnico Interinstitucional de Aleitamento Materno da Secretaria de Estado de Saúde, RJ. Membro do Comitê de Aleitamento Materno da Sociedade de Pediatria do Estado do Rio de Janeiro (2001-2009)

Myrian Coelho Cunha da Cruz
Nutricionista. Mestre em Epidemiologia pela Escola Nacional de Saúde Pública – FIOCRUZ. Doutora em Saúde da Criança e da Mulher pelo Instituto Fernandes Figueira – FIOCRUZ. Coordenadora da Área Técnica de Alimentação e Nutrição da Secretaria de Estado de Saúde do Rio de Janeiro

Nelson Diniz de Oliveira
Doutor em Pediatria pela Escola Paulista de Medicina da Universidade Federal de São Paulo – EPM/UNIFESP. Consultor da Área Técnica de Saúde da Criança do MS

Nicole Oliveira Mota Gianini
Chefe de Clínica do Centro de Tratamento Intensivo Neonatal – CETRIN-RJ. Neonatologista da Gerência de Programas de Saúde da Criança da SMS-RJ. Mestre em Saúde da Criança pelo Instituto Fernandes Figueira – FIOCRUZ

Patricia Palmeira
Doutora em Ciências pela Universidade de São Paulo – USP. Pesquisadora Científica do Laboratório de Investigação Médica 36, Departamento de Pediatria – HC/FMUSP

Paulo Vicente Bonilha Almeida
Médico Pediatra e Sanitarista. Mestre em Saúde da Criança e do Adolescente pela Universidade Estadual de Campinas – UNICAMP. Coordenador da Coordenação Geral de Saúde da Criança e Aleitamento Materno, Ministério da Saúde, Brasil

Regina Célia de Menezes Succi
Professora-associada, Livre-docente do Departamento de Pediatria da Escola Paulista de Medicina da Universidade Federal de São Paulo – UNIFESP

Rejane de Brito Santana
Banco de Leite Humano do Hospital Geral Dr. Cesar Cals. Área de Aleitamento Materno da Secretaria de Saúde do Estado do Ceará. DC Aleitamento Materno SBP

Roberto Gomes Chaves
Médico Especialista em Pediatria e Nutrologia Pediátrica. Mestre e Doutor em Pediatria pela Universidade Federal de Minas Gerais – UFMG. Professor Titular do Curso de Medicina da Universidade de Itaúna, MG. Membro do Comitê de Aleitamento Materno da Sociedade Mineira de Pediatria

Roberto Mario Silveira Issler
Doutor em Saúde da Criança e do Adolescente da Faculdade de Medicina da UFRGS. Professor de Pediatria da Faculdade de Medicina da UFRGS. Consultor Internacional em Lactação (IBCLC) – IBLCE

Rosa Maria Negri Alves
Coordenadora do Banco de Leite do Hospital Antonio Bezerra de Faria. Avaliadora da Iniciativa Hospital Amigo da Criança

Rosane Valéria Viana Fonseca Rito
Professora-adjunta do Departamento de Nutrição e Dietética da Faculdade de Nutrição Emilia de Jesus Ferreiro, Universidade Federal Fluminense

Silvana Salgado Nader
Secretária do Departamento Científico de Aleitamento Materno da Sociedade Brasileira de Pediatria. Professora Adjunta de Pediatria do Curso de Medicina da ULBRA

Siomara Roberta de Siqueira
Psicóloga e Enfermeira. Doutoranda em Enfermagem pela Escola de Enfermagem da Universidade de São Paulo. Mestre em Ciências da Saúde pela Coordenadoria de Controle de Doenças da Secretaria de Estado da Saúde de São Paulo – SES/SP. Assistente-técnico de Pesquisa Científica e Tecnológica V do Instituto de Saúde – SES/SP

Sonia Bechara Coutinho
Professora Adjunto da Disciplina de Neonatologia e Puericultura da Universidade Federal de Pernambuco – UFPE. Mestre em Pediatria

Sonia Maria Salviano Matos de Alencar
Membro da Comissão Nacional de Banco de Leite Humano do MS. Coordenadora dos Bancos de Leite Humano e do Programa de Aleitamento Materno da Secretaria de Saúde do DF

Tatiana de Oliveira Vieira
Doutora em Medicina e Saúde – UFBA. Professora Adjunta do Departamento de Saúde da Universidade Estadual de Feira de Santana – UEFS. Diretora de Ensino e Pesquisa do Hospital Estadual da Criança – IMIP. Coordenadora da Comissão de Residência Médica do Hospital Estadual da Criança HEC/IMIP. Título de Especialista em Pediatria – SBP/AMB. Título de Especialista em Neonatologia – SBP/AMB

Tereza Maria Pereira Fontes
Mestre em Ginecologia pela Universidade Federal de São Paulo. Doutora em Medicina pela Universidade Federal de São Paulo. Membro da Comissão de Anticoncepção da Federação Brasileira das Associações de Ginecologia e Obstetrícia – FEBRASGO

Tereza Setsuko Toma
Médica. Doutora em Nutrição em Saúde Pública pela Faculdade de Saúde Pública da USP. Pesquisadora Científica VI do Instituto de Saúde da SES-SP

Vilneide Maria Santos Braga Diégues Serva
Coordenadora do Banco de Leite Humano do Instituto Materno-infantil de Pernambuco – IMIP. Professora de Pediatria da Universidade de Pernambuco – UPE. Consultora da Área Técnica da Saúde da Criança da Secretaria de Políticas de Saúde do Ministério da Saúde. Mestre em Saúde Materno-infantil pela Universidade de Londres

Walter Palis Ventura
Professor-assistente do Curso de Pós-graduação em Ginecologia da Pontifícia Universidade Católica do Rio de Janeiro. Professor Assistente da Disciplina de Ginecologia do Departamento de Tocoginecologia da Escola de Medicina da Fundação Técnico-educacional Souza Marques, Rio de Janeiro. Coordenador de Ensino do Departamento de Tocoginecologia da Escola de Medicina da Fundação Técnico-educacional Souza Marques – Rio de Janeiro. Coordenador do Internato em Ginecologia da Escola de Medicina da Fundação Técnico-educacional Souza Marques, Rio de Janeiro. Chefe de Clínica do Serviço de Ginecologia do Hospital Nossa Senhora da Saúde da Santa Casa da Misericórdia do Rio de Janeiro. Médico do Serviço de Ginecologia do Hospital Federal dos Servidores do Estado, RJ, Ministério da Saúde. Chefe do Centro Cirúrgico Ambulatorial do Hospital Federal dos Servidores do Estado, RJ, Ministério da Saúde. Preceptor da Residência Médica em Ginecologia do Hospital Federal dos Servidores do Estado, RJ, Ministério da Saúde

Zuleika Thomson
Professora Adjunta do Departamento Materno-infantil de Saúde Comunitária. Ex-coordenadora do Centro de Ciências da Saúde (CELAC) Universidade Estadual de Londrina

Agradecimentos

*A todos aqueles que
tendo filhos, ou não,
ajudaram as mulheres
a amamentar.*

*A todas as mães que,
amamentando ou não,
amaram seus filhos.*

Prefácio à 3ª edição

"Todos sabemos o quanto é difícil escrever um livro. Sabemos também que, apesar de difícil, é gratificante, pois, como diz o ditado popular, depois de "plantar uma árvore, ter um filho e escrever um livro" podemos nos considerar realizados na vida.

Todos, e em especial os profissionais de saúde que lerão este livro, sabem o quanto é difícil escrever um livro sobre um assunto de medicina.

Mais difícil ainda é escrever sobre o Aleitamento Materno, uma prática geneticamente programada, secularmente praticada não só com o objetivo de alimentar um bebê, mas também de protegê-lo de doenças e da morte e de proporcionar contatos entre mãe e filho que certamente irão gerar segurança e menores chances de abandono e violência".

Essas foram as palavras reunidas em frases com as quais, lá no já longínquo passado, em 2001) eu iniciava a Introdução ao livro *Aleitamento Materno*. E elas são atemporais... Aprendemos muito da cultura humana, da fisiologia da lactação, da técnica da amamentação, de como contornar problemas, desde os locais, das mamas, até os mais complexos das estruturas do sistema de saúde, no mínimo não facilitadores, da estrutura do ser humano, em especial do pessoal da saúde em aprender, entender, aceitar e ensinar um fenômeno, ao mesmo tempo, fisiológico, biológico, antropológico e, naquela época desconhecido e desvalorizado, ainda, por muitos.

No parágrafo anterior, disse que as palavras utilizadas desde a 1ª edição eram "atemporais" (Aurélio: que não é afetado pelo tempo ou que o transcende). Um certo exagero! Grande parte de nós, em especial os que persistiram em seus propósitos de "pessoal de saúde" e de "pessoal de vida", aprendemos, ensinamos, e lutamos por leis, portarias, e decretos que nos garantissem o exercício do que acreditávamos.

Uma coisa que me deixou comovido na edição da então ainda não chamada 1ª Edição do livro, foi constar escrito na 4ª capa "da introdução, com modificações do Departamento Editorial da Atheneu", 17 itens que pontuavam verdades. Com destaque aparecia o de número 10: "E a mãe, de sua parte, está ali quase num corpo só, dando o peito, o carinho, conversando, cantando, mantendo o filho junto dela, e fortalecendo os novos laços que os manterão unidos. E aí se fortalece "o coração por toda a vida", do autor desconhecido que perpetuou a frase: "A mulher carrega o filho no útero nove meses; dois anos no colo e, no coração, por toda a vida".

E em destaque gráfico, dentro de um retângulo:

Nove meses = útero + dois anos = colo + amor por toda a vida = vínculo mãe-filho

E ainda aproveitando parte da introdução, em que eram posicionadas e cobradas mudanças, foi escrito : "A resposta não deve ficar no ar..."

E algumas vieram, inteiras, outras, aos pedaços, desnudando a todos nós, com nossas inseguranças e desconhecimentos de coisa tão fisiológica e ao mesmo tempo, tão dependente de nosso "humanismo" (palavra que não deveria ser utilizada como qualidade questionável do humano e de maior envolvimento de todos, incluídos aí, nossas autoridades gestoras em saúde.

Em 2006 saiu a 2ª Edição do livro *Aleitamento Materno*.

E lá, em sua introdução, eu falava de como o nosso filho (cerca de 50 pais e mães) havia sido bem aceito, sem testes de DNA, com festa, com certezas, dúvidas, disponibilidade, lutas, mas empenho de muitos companheiros, a provar que "um mais um é sempre mais que dois". Ainda nessa introdução, enfatizava nossa responsabilidade: ele, o nosso livro-filho, não era uma simples reedição e sim uma 2ª Edição, totalmente revista e ampliada por seus colaboradores, também ampliados em número. Sugeria perguntas aos leitores: Mudou o quê? Onde estão as coisas novas? Como se faz agora? Cadê os resultados?

E terminava, quase vaticinando algumas incompletudes frente à prática milenar: *"Eu não tenho um caminho novo; o que eu tenho de novo é o jeito de caminhar"* (Thiago de Mello).

Agora, aqui estamos de novo, com ampliações e introdução de novos temas, com antigos e novos colaboradores, os maiores responsáveis por mais esta edição. Alguns deles não puderam mais colaborar, mas serão incluídos, sempre, nessa homenagem, citando-os nominalmente:

Adriana Estela Pinesso Moraes

Adriano Rubini Gimenez

Ana Goretti Kalume Maranhão

Ana Lucia Martins Figueiredo

Ana Paula Viana

Antonio Carlos Bagatin

Antonio Carlos de Almeida Melo

Carmen Silvia Martimbiando de Figueiredo

Celia Regina da Silva

Claudia Orthoff Pereira Lima

Dione Alencar Simons

Elsa Regina Justo Giugliani

Elvira Garcez de Castro Dória

Ernesto Teixeira do Nascimento
Fabiana Swain Müller
Fernanda Ramos Monteiro
Fernando José da Nóbrega
Franz Reis Novak
Geisy Lima
Graciete Oliveira Vieira
Hélcio Viliaça Simões
Ivis Emília de Souza
Jayme Murahovschi
Jefferson Pereira Guilherme
João Aprígio de Almeida
Joel Alves Lamounier
José Dias Rego
José Martins Filho
José Vicente de Vasconcellos
Júlio César Veloso
KeikoTeruya
Lais Graci dos Santos Bueno
Lélia Cardamone Gouvea
Luceli Pinheiro
Luciane Maria Oliveira Brito
Luciano Borges Santiago
Luiz Felipe Bittencourt de Araújo
Magda Carneiro Sampaio
Márcia Regina Mazalotti Teixeira
Maria Auxiliadora Gomes
Maria da Conceição Monteiro Salomão
Maria da Graça Mouchrek Jaldin
Maria de Fátima Moura de Araujo
Maria Emília Maneta
Maria Inês Couto de Oliveira
Maria Sidneuma Melo Ventura
Marinice Midlej Joaquim
Miriam Vasconcelos
MiriamTorres Cordeiro
Myrian Coelho Cunha da Cruz
Nelson Diniz de Oliveira

Nicole Gianini
Patrícia Palmeira
Paulo Vicente Bonilha Almeida
Regina Célia de Menezes Succi
Rejane de Brito Santana
Roberto Gomes Chaves
Roberto Mario Silveira Issler
Rosa Maria Alves Albuquerque
Rosane Valéria Viana Fonseca Rito
Silvana Salgado Nader
Siomara Roberta de Siqueira
Solange Barros Carbonare
Sonia Bechara Coutinho
Sonia Maria Salviano Matos de Alencar
Tatiana de Oliveira Vieira
Tereza Maria Pereira Fontes
Tereza Setsuko Toma
Vilneide Maria Santos Braga Diégues Serva
Walter Palis Ventura
Zuleika Thomson

Com os meus agradecimentos,
José Dias Rego

Prefácio à 2ª edição

Julho de 2001. Lançávamos o livro *Aleitamento Materno*: um conjunto de dados palpáveis: 36 capítulos, 50 colaboradores, distribuídos em 538 páginas.

Carregava ele um outro tanto de dados não palpáveis: os verdes anos onde nos perplexava o desconhecimento e o desrespeito às práticas facilitadoras ao aleitamento materno; onde nos incomodavam as descrenças a respeito de uma prática de saúde natural, milenar, quase geneticamente programada para o ser humano. Verdes anos em que ganhávamos apelidos ou alcunhas como os amigos do peito, os "Dom Quixote de las mamas" e outros.

Com o passar dos anos, o conhecimento se aprofundava. Aqui e ali, e cada vez mais frequentemente, surgiam publicações a respeito do tema aleitamento materno. Aqui e ali valorizavam-se as informações que sempre estiveram a nosso lado sem que a elas déssemos o devido valor.

As taxas de morbimortalidade infantil valorizavam o que dizia Morquio: "a criança alimentada ao seio, raramente adoece; quando adoece, raramente morre". As normas ministeriais, os códigos protetores do aleitamento materno, os trabalhos, agora apresentados e premiados em congressos científicos, faziam com que Budin, fosse, então, melhor entendido: "na arte de bem alimentar um lactente mais vale um bom par de mamas que os hemisférios cerebrais do mais douto professor".

Chegavam os consensos, nacionais e internacionais, a nos dizer que o empirismo da observação clínica de nossos velhos mestres estava comprovado: vivemos em um mundo em que precisamos comprovar, com números, dados que a vida sempre mostrou. Aceitávamos os desafios! Ampliavam-se, no mundo e no Brasil, os Hospitais Amigos da Criança: íamos em frente! Se, no Brasil, aumentavam mais cinco critérios, associados aos já cumpridos Dez Passos, respondíamos com franca adaptação aos novos desafios.

E continuávamos o caminho. Nele encontrávamos companheiros que nos proporcionavam evidenciar que, não sendo a medicina uma ciência exata, muitas vezes, "um mais um é sempre mais que dois". E os pares transformavam-se em trios, quartetos, e, se multiplicando, transformaram-se em muitos. Deles, tive a sorte de poder contar com a fantástica colaboração de 36 para escrever o livro, o meu primeiro livro!

Prefácio à 2ª edição

No dia da festa (sim foi uma grande festa o lançamento do livro) em meio a amigos, emocionado, comparei-o a um filho. Até falei que, já com filhos, com um livro e tendo também já plantado uma árvore, como diz o povo, poderia considerar-me realizado...

Nosso livro-filho, com tantos pais e mães, não precisou de nenhuma prova de DNA para provar a que vinha: tal qual uma semente, brotou e cresceu, dando flor, fruto e sombra a quem dele precisasse... Saiu por aí a mostrar em seu conjunto de informações, dados expressos em gramas, calorias, mililitros, mOsm e coisas outras, não mensuráveis com facilidade: deixar claro, também, que como um esquema superdimensionado para manter e fortalecer o vínculo mãe-filho, tem importante papel na prevenção primária da violência! Saiu por aí, como saem nossos filhos...

Junho de 2005: a Editora nos solicita uma 2ª edição do livro.

Ela aí está: não só uma reedição e sim uma 2ª edição totalmente revista e ampliada por seus colaboradores, também ampliados em número.

Às perguntas que poderão ser feitas (Mudou o quê? Onde estão as coisas novas? Como se faz agora? Cadê os resultados?), todas dirigidas à prática milenar do aleitamento materno, depois de ler e reler a nova edição, tento responder com as palavras do poeta Thiago de Mello:

"Eu não tenho um caminho novo; o que eu tenho de novo é o jeito de caminhar."

José Dias Rego

Prefácio à 1ª edição

Todos sabemos o quanto é difícil escrever um livro. Sabemos também que, apesar de difícil, é gratificante, pois, como diz o ditado popular, depois de "plantar uma árvore, ter um filho e escrever um livro" podemos nos considerar realizados na vida.

Todos, e em especial os profissionais de saúde que irão ler este livro, sabem o quanto é difícil escrever um livro sobre um assunto de medicina.

Mais difícil ainda escrever sobre aleitamento materno, uma prática geneticamente programada, secularmente praticada não só com o objetivo de alimentar um bebê, mas também de protegê-lo de doenças e da morte, e de proporcionar contatos entre mãe e filho que certamente irão gerar segurança e menores chances de abandono e violência.

Tão claro é isso, que, mais uma vez citando a sabedoria popular, lembramos que "a mãe carrega o filho no útero por nove meses, no colo por dois anos e no coração por toda a vida".

Tentemos fazer uma decodificação técnica do ditado popular que mostra a ontogenia facilitadora do vínculo mãe-filho. No útero, a criança recebe tudo o que precisa para o seu crescimento e desenvolvimento, através do sangue que chega pelos vasos umbilicais e o ambiente materno. Lá ela fica banhada pelo líquido amniótico, morno, a 26°C, esperando o oitavo mês para dar a fantástica cambalhota, encaixando-se na bacia materna.

Enquanto isso, a mãe prepara-se para recebê-lo: prepara "o colo". Em torno do sétimo mês de gravidez, por estímulos hormonais, começa a ser formado um líquido especial, que flui das mamas, o colostro, verdadeiro alimento-vacina contra doenças.

Aí ele nasce: sai da água morna e vem para o ambiente aéreo, às vezes descuidadamente frio. O cordão umbilical é cortado e o bebê é literalmente separado de sua mãe: não dispõe mais da proteção e da nutrição que recebia através dos vasos umbilicais. Acabou "o útero". Começa, então, "o colo": a criança passa a receber tudo o que precisa por meio do leite materno, o substituto do sangue, um verdadeiro "sangue branco", tal a semelhança das substâncias existentes no sangue e no leite maternos. Dele o bebê recebe todos os elementos necessários para o crescimento e desenvolvimento adequados, agora fora do útero. Não há nenhum leite, nem animal nem vegetal, que lhe seja semelhante. Por isso, somos impedidos de usar a expressão "maternizado", pois nada existe sequer semelhante ao leite materno e que mereça a alcunha de maternizado. O leite materno fornece tudo que o bebê necessita para se tornar uma criança e um adulto sadio. Desde a gestação ("o útero") a mãe produz anticorpos contra doenças e os armazena em seu organismo, para, aos poucos, fornecê-los, depois, através do leite. Por isso, a criança que mama no peito tem menos doenças, como a diarreia e a infecção respiratória, as principais causas de mortalidade infantil em nosso meio. Já dizia Morquio: "a criança alimentada ao seio, raramente adoece; quando adoece, raramente morre." Também as doenças alérgicas são menos frequentes, bem como algumas doenças endócrinas, como o diabetes insulino-dependente, no lactente alimentado ao seio. E o leite é mais barato, poupa divisas caseiras, comunitárias e do país como um todo; só o gasto com a compra do leite é de cerca de 40% do salário mínimo.

E enquanto a criança mama, está em contato íntimo com o colo de sua mãe. Sente seu cheiro, seu calor, ouve sua voz e a batida de seu coração. E a mãe está ali, quase num corpo só, dando o peito, o carinho, conversando, cantando, mantendo o filho junto dela, fortalecendo os novos laços que os manterão unidos. E aí se fortalece "o coração por toda a vida".

O mundo em que vivemos sofre influências socioculturais com grandes mudanças do comportamento humano. Estas se refletem naquilo que alguns chamam "o maior experimento não controlado que envolve a espécie humana" e que tem, como já falamos, reflexos a curto, médio e longo prazos. Assim, alguns não dão credibilidade à sequência natural dos "nove meses/dois anos/toda a vida". Contudo, hoje, a tecnologia nos ajuda a demonstrar cientificamente o amor e a relação do ato amoroso (e o aleitamento materno é um deles) como necessário ao equilíbrio do ser humano.

Desde os tempos de Teilhard de Chardin, há 50 anos, previa-se que o ser humano iria aprender a utilizar as energias do amor, o que seria fundamental na história da humanidade.

Hoje, sabemos que imediatamente após o nascimento há um período, dito período sensível, curto e crucial, e que nunca mais será repetido, com forte influência na formação do vínculo mãe-filho. Os etologistas chegaram a um acordo tácito: o vínculo mãe-filho é o protótipo de todas as formas de amor. Imediatamente após o parto há alterações em alguns hormônios da mulher que influenciam o comportamento materno, assim, o estrogênio e a queda dos níveis de progesterona, estimulam o comportamento materno. O estrogênio, além disso, ativa os receptores sensíveis da ocitocina e da prolactina. A ocitocina, que estimula a contração uterina para o parto e para a saída da placenta, também estimula o reflexo de ejeção do leite. Experiências mostram que injeções intraventriculares de ocitocina, em mamíferos, podem induzir um comportamento materno. Segundo Niles Newton, a ocitocina é o *hormônio do amor* e, em qualquer faceta do amor que considerarmos, ela estará envolvida. E, sabemos, ela está envolvida, amplamente, na lactação, podendo seus níveis de pico, logo após o parto, superar os apresentados durante o parto.

Sabemos ainda da liberação de hormônios do tipo morfina, as endorfinas, durante o trabalho de parto e parto. O mesmo acontece com o bebê, que também libera suas próprias endorfinas no processo de seu nascimento. Hoje não há dúvidas de que, durante um certo período após o parto, a mãe e o bebê estão impregnados dessa substância opiácea que tem a propriedade de induzir estados de dependência. Portanto, é fácil antecipar que o começo de uma "dependência" – um vínculo mãe-filho – provavelmente se desenvolverá.

Com tais conhecimentos podemos dar um salto da impressão simplista, primitiva, dos "nove meses/dois anos/toda a vida" para um moderno e tecnológico conhecimento da importância do aleitamento no vínculo mãe-filho.

E, já que é difícil escrever um livro sobre aleitamento materno, munimo-nos de uma plêiade de autores que evidenciaram, mais do que sua técnica, sua tática, sua crença e seu amor ao tema.

É como se, ao mesmo tempo, escrevendo um livro sobre aleitamento materno, déssemos à luz um filho e plantássemos uma árvore que dará sombra para descansarmos e frutos e sementes para continuarmos acreditando, trabalhando...

José Dias Rego

Sumário

1. **Evolução do Aleitamento Materno no Brasil, 1**
José Martins Filho
José Dias Rego

2. **Sobrevivência Infantil e Aleitamento Materno, 15**
Keiko Miyasaki Teruya
Sonia Bechara Coutinho

3. **Anatomia da Mama e Fisiologia da Lactação, 41**
Maria da Graça Mouchrek Jaldin
Rejane de Brito Santana

4. **Composição do Leite Humano – Fatores Nutricionais, 55**
Joel Alves Lamounier
Graciete Oliveira Vieira
Lélia Cardamone Gouvêa
Tatiana de Oliveira Vieira

5. **A Importância Nutricional do Leite Materno, 75**
Fernando José de Nóbrega

6. **Composição do Leite Humano – Aspectos Imunológicos, 101**
Magda M. S. Carneiro-Sampaio
Patrícia Palmeira

7. **Promovendo o Aleitamento Materno no Pré-natal, Pré-parto e Nascimento, 121**
Walter Palis Ventura

8. **Manejo da Lactação, 137**
Keiko Miyasaki Teruya
Lais Graci dos Santos Bueno
Vilneide Maria Santos Braga Diégues Serva

9. **Postura, Posição e Pega Adequadas: Um Bom Início para a Amamentação, 159**
Mírian Torres Cordeiro
Ana Paula Viana

10. **Momento do Pediatra/Pessoal de Saúde com a Mãe, 185**
Lais Graci dos Santos Bueno
Keiko Miyasaki Teruya

11. **Aleitamento Natural e Infecção, 195**
Regina Célia de Menezes Succi

12. **Problemas Precoces e Tardios das Mamas: Prevenção, Diagnóstico e Tratamento, 209**
Zuleika Thomson
Adriana Estela Pinesso Morais

13. **Uso de Medicamentos, Drogas e Cosméticos durante a Amamentação, 227**
Roberto Gomes Chaves
Joel Alves Lamounier
Graciete Oliveira Vieira
Tatiana de Oliveira Vieira
Vilneide Maria Santos Braga Diégues Serva

14. **Aleitamento Materno em Situações Especiais da Criança, 257**
Carmen Silvia Martimbianco de Figueiredo

15. **Leite Materno e Prematuridade, 271**
Nicole Oliveira Mota Gianini

16. **Amamentando um Prematuro, 291**
José Dias Rego
Silvana Salgado Nader
Luciano Borges Santiago

17. **Baixa Produção de Leite, 305**
José Vicente de Vasconcellos

18. **Bebês que Recusam o Peito, 315**
Ana Lucia Martins Figueiredo

19. **Métodos Especiais de Alimentação: Copinho, Relactação, Translactação e Sonda-peito, 327**
Geisy Maria de Souza Lima

Sumário

20. **Ordenha de Leite: Como, Quando e Por Que Fazê-la?, 343**
Ivis Emília de Oliveira Souza

21. **Anticoncepção na Nutriz, 355**
Luiz Felipe Bittencourt de Araujo
Tereza Maria Pereira Fontes
Celia Regina da Silva

22. **Alimentação Complementar Oportuna e Saudável: o Cuidado na Forma de Comida, 365**
Myrian Coelho Cunha da Cruz
Márcia Regina Mazalotti Teixeira

23. **Aleitamento Materno: um Ato Ecológico, 393**
Rosa Maria Negri Alves

24. **Bancos de Leite Humano, 403**
João Aprígio Guerra de Almeida
Franz Reis Novak

25. **A Iniciativa Hospital Amigo da Criança no Brasil, 415**
Joel Alves Lamounier
Júlio César Veloso
Fernanda Ramos Monteiro

26. **Iniciativa Unidade Básica Amiga da Amamentação: Chegamos a 100!, 427**
Maria Inês Couto de Oliveira
Rosane Valéria Viana Fonseca Rito

27. **Semana Mundial de Aleitamento Materno, 439**
Siomara Roberta de Siqueira
Tereza Setsuko Toma
Fabiana Swain Müller

28. **As Amigas do Peito: a Importância dos Grupos de Apoio no Incentivo ao Aleitamento Materno, 479**
Claudia Orthof Pereira Lima

29. **A Atenção Humanizada ao Recém-nascido de Baixo Peso (Método Canguru) e a Amamentação. Quinze Anos de Mudanças no Cuidado Perinatal Brasileiro, 493**
Nelson Diniz de Oliveira
Marinice Midlej Joaquim

30. **Mudanças no Modelo de Atenção ao Parto e Nascimento no Brasil: Implicações para a Promoção do Aleitamento Materno, 501**
José Dias Rego
Marcos Augusto Bastos Dias
Maria Auxiliadora de S. Mendes Gomes

31. **Proteção Legal ao Aleitamento Materno: uma Visão Comentada, 513**
José Dias Rego
Maria da Conceição Monteiro Salomão
Sonia Maria Salviano Matos de Alencar

32. **Política Nacional de Aleitamento Materno no Brasil, 533**
Elsa Regina Justo Giugliani
Paulo Vicente Bonilha Almeida
Fernanda Ramos Monteiro

33. **Consultor Internacional em Lactação pelo IBLCE: um Selo de Qualidade no Atendimento de Mães, Bebês e Famílias em Aleitamento Materno, 547**
Roberto Mario Silveira Issler
Elsa Regina Justo Giugliani

34. **O Título de Especialista em Pediatria da Sociedade Brasileira de Pediatria e o Incentivo ao Aleitamento Materno – Perguntas e Respostas Comentadas, 557**
Antonio Carlos de Almeida Melo
Hélcio Villaça Simões
José Dias Rego

35. **Aleitamento Materno em Versos, 591**
Maria Sidneuma Melo Ventura
Miriam Vasconcelos

36. **Colostroterapia, 599**
Jefferson Pereira Guilherme

37. **A Mãe Contemporânea e a Amamentação, 615**
Jayme Murahovschi

Índice Remissivo, 619

Evolução do Aleitamento Materno no Brasil

1

José Martins Filho
José Dias Rego

Convidado para escrever este capítulo sobre a evolução do aleitamento materno no Brasil, senti-me lisonjeado, mas temeroso, pois desde o primeiro momento identifiquei os riscos de não corresponder às expectativas e, mais do que isso, o temor de que, tentando reviver uma história da qual participei ativamente com todos os meus dias de professor e médico, pudesse esquecer de datas, pessoas, enfim, cometer lacunas imperdoáveis...

Fiquei imaginando qual seria a melhor forma, a de um historiador preocupado tão somente com os fatos, fazendo "história" cientificamente, ou a de um escriba, contador de acontecimentos, como os sentiu e como os viu, colocando aqui e acolá sua visão particular. Por isso, os que me estiverem lendo neste capítulo, saibam que optei pelo relato da história vivida e sentida... e, até, de uma certa forma, cabe melhor em mim esta maneira de falar da evolução da luta pelo aleitamento materno, porque foi dessa forma que a senti desde os primeiros momentos, na fase, que eu chamo de retomada, dos primórdios da luta em prol do aleitamento materno, na década de 1970.

A maioria dos professores de pediatria brasileiros, os grandes nomes de nossa história científica, não deixou de se preocupar com a lactação natural. Tenho receio de citar alguns, para não esquecer de outros..., Martinho da Rocha, Torres Barbosa, Fernandes Figueira, Jacob Renato Woiski, Azarias de Carvalho, Pedro de Alcântara, em suas falas, conferências e escritos, não deixaram de defender a lactação, mas o que se sente é que, afora essas vozes isoladas, a defesa da lactação natural, na primeira metade do século XX, era algo muito individual no Brasil, e principalmente depois da Segunda Guerra Mundial, com a chegada em larga escala da industrialização e dos avanços na rede de frios e dos laticínios, a divulgação do aleitamento artificial constituiu ocorrência rotineira em muitos documentos relacionados à alimentação infantil. Conhecia-se muito pouco, nessa época, sobre imunologia e o papel protetor do colostro, com seus constituintes imunológicos, e à amamentação eram muito mais atribuídos os aspectos psicológicos e emocionais do que verdadeiramente de fato poderia estar acontecendo.

Por toda parte, a defesa da desnutrição infantil era muito mais enfatizada como uma luta em busca de nutrição adequada, entendendo-se esta como a oferta adequada de calorias, proteínas, lipídeos e carboidratos, não importando muito se a fonte era o leite humano ou bovino. Por toda parte multiplicavam-se "as gotas de leite", locais onde as crianças mais desvalidas recebiam leite de vaca como complementação dietética.

Na década de 1970 e já no final dos anos 1960, alguns trabalhos internacionais e nacionais começam de fato a se preocupar um pouco mais com a qualidade de vida de crianças precocemente desmamadas. No Brasil, quase simultaneamente, em vários estados, alguns pediatras iniciam a discussão sobre o papel protetor do aleitamento materno.

Em 1973, estive na França, em Paris, mais especificamente no Centro Internacional da Infância, realizando o curso, já então célebre, dirigido pela profa. Natalie Masse, diretora do Centro Internacional da Infância, situado no Bois de Boulogne, e onde outros pediatras do Terceiro Mundo também estudaram, inclusive outros brasileiros, a então nascente disciplina de pediatria social, e foi lá em Paris, longe do Brasil, que pela primeira vez, de maneira sistemática e didática, pude aprender sobre a importância do aleitamento materno e seu papel na proteção e implementação da saúde infantil, particularmente no primeiro ano de vida. Na verdade, apesar de já estar, antes disso, me dedicando à pediatria, desde 1968, conhecia pouco sobre aleitamento materno e, como muitos pediatras de minha geração, não dava a verdadeira importância ao aleitamento materno, nem sabia como incentivar, ajudar, promover e resolver a maioria dos problemas que as mulheres enfrentavam para amamentar. Foi lá, na França, que aprendi sobre a discussão que em todo o mundo se iniciava naquele momento, do papel danoso causado pela introdução precoce de mamadeiras, do equívoco que era permitir a distribuição de amostras de latas de leite nos berçários e nos ambulatórios de pediatria, o que, naquela época, se fazia sem nenhum cuidado.

Na minha volta ao Brasil, encontrei nosso país ainda não sensibilizado para a luta em prol do aleitamento materno. Os estudantes de medicina e os residentes de pediatria ainda não haviam despertado para a realidade nutricional inadequada e antinatural. Era muito comum, nessa época, que pediatras recebessem e solicitassem, com avidez, amostras de latas de leite para seus próprios filhos, como se isso fosse algo muito importante. Médicos, enfermeiras, psicólogos, assistentes sociais, nutricionistas... enfim, toda a equipe de saúde ainda não tinha se dado conta da necessidade de voltar a se preocupar com a lactação, com a fisiologia da produção do leite, com o estudo da anatomia mamária. Os pediatras ainda se preocupavam intensamente, no período, com fórmulas, composições bioquímicas e concentrações calóricas, muito mais do que com o ato de amamentar. Os obstetras e os cirurgiões plásticos ainda não se preocupavam com a mama como fundamental para a alimentação infantil. Por incrível que possa parecer aos que me leem hoje, simplesmente o problema não existia. Estávamos deixando de ser mamíferos e já estávamos quase nos transformando em "mamadeiríferos". Algo precisava ser feito. Não poderíamos continuar a ser "receitadores" de fórmulas substitutas do leite humano, simplesmente porque acreditávamos, e era essa a tônica dos comentários de então, que o mundo moderno, com a mulher cada vez mais intensamente voltada e dedicada para o trabalho fora do lar, não podia nem tinha como amamentar. Aos primeiros sinais de dificuldades, imediatamente era receitada uma mamadeira porque a preocupação era com a quantidade de calorias, com o ganho ponderal (havia um padrão aceito que, visto hoje, é totalmente inexplicável), e não com a qualidade do alimento ofertado e nem com as defesas imunológicas, com os aspectos do vínculo mãe filho etc. Aliás, em alguns textos mais sensíveis aos aspectos emocionais, podíamos encontrar referências à necessidade de se dar a mamadeira sempre com o bebê ao colo, se possível da mãe, e do carinho e da calma etc., mas nada, absolutamente nada, a respeito da diminuição da proteção imunológica. Quando muito, alguns textos se preocupavam com a possível alergia ao leite de vaca e a necessária substituição pelo leite de soja ou de cabra. Claro, porque poucos achavam ou acreditavam que era possível fazer uma relactação ou, coisa do outro mundo, quem acreditaria que seria possível ou necessária a utilização do leite de outra mulher? Interessante que, nesse período, uma prática comum no final do século anterior e comum nas primeiras décadas do século XX, a da ama de leite, também era pouco recomendada ou usada como se fosse algo não muito "científico" ou moderno.

Por falar em ama de leite, vale a pena voltar ao passado e examinar essa questão do aleitamento materno e das suas relações com o desmame epidêmico que se observaria mais tarde, particularmente na segunda metade do século XX. Era prática bastante disseminada nos séculos XVIII e XIX e mesmo nas primeiras décadas do século XX, o uso das amas de leite, geralmente da "mãe preta". Era comum que as senhoras da elite da época usassem as amas de leite como substitutas do seu leite, que nem sempre era oferecido aos filhos da classe mais abastada. Pode-se ver em vários jornais brasileiros e reproduzo aqui alguns "proclames" e anúncios do Jornal do Commercio (21 de outubro de 1841), século XIX, em que se ofereciam para alugar ou vender, negras, com filhos pequenos, que poderiam ser compradas ou alugadas como escravas, para amamentar os bebês de seus proprietários (Fig. 1.1).

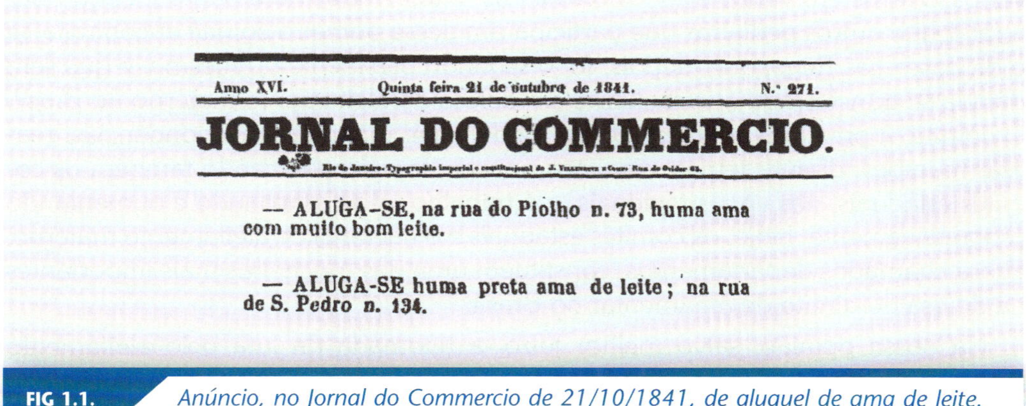
Anno XVI. Quinta feira 21 de outubro de 1841. N.º 271.

JORNAL DO COMMERCIO.

— ALUGA-SE, na rua do Piolho n. 73, huma ama com muito bom leite.

— ALUGA-SE huma preta ama de leite; na rua de S. Pedro n. 134.

FIG 1.1. *Anúncio, no Jornal do Commercio de 21/10/1841, de aluguel de ama de leite.*

CAPÍTULO 1 Evolução do Aleitamento Materno no Brasil

Com a abolição da escravidão, ainda se viam muitas mulheres servindo de amas de leite e algumas delas até conseguiam ganhar suas vidas (na pobreza, é claro) com essa prática benéfica aos bebês. É no final do século XIX e no começo do século XX, mais particularmente com a Primeira Guerra Mundial, que chegam ao Brasil e à América Latina os primeiros leites industrializados, no princípio leites "evaporados" ou condensados, com alto teor de carboidratos, que eram inicialmente de procedência alemã e que se começavam a usar na Europa como o famoso leite "ideal"! Começa-se então a ver as primeiras propagandas estimuladoras do desmame, da substituição do seio pelas fórmulas, no início timidamente, mas já insinuando que a modernidade iria abolir esse ato retrógrado e conservador de amamentar. Claro que a propaganda maciça a favor do aleitamento artificial começa para valer, principalmente no Brasil, bem mais tarde, particularmente a partir do final da Segunda Guerra Mundial, com a chegada dos "leites em pó", no princípio ainda não muito fáceis de reconstituir e sem modificações que os tornavam, como dizia a propaganda, "maternizados". Aos poucos foram chegando os altamente solúveis, os modificados, os adaptados, sempre tentando chegar o mais perto possível do padrão inquestionável – o leite humano.

Voltemos às minhas lembranças pessoais e de como entrei nesta luta. Voltei de meu estágio na Europa, França e Espanha. Lá, particularmente na França, já senti de perto a importância que se dava ao aleitamento materno, particularmente nas comunidades carentes.

Iniciamos, como outros pediatras, alguns trabalhos sobre aleitamento materno. Começamos a participar de simpósios e reuniões em que pouco se falava do assunto, mas logo após ter realizado minha tese de livre-docência na Unicamp, que intitulei "Contribuição ao Estudo do Aleitamento na Região de Campinas", no ano de 1976, fui convidado a participar de uma viagem com vários outros colegas da Sociedade Brasileira de Pediatria, pelo querido e saudoso prof. Nicola Albano, então Presidente da SBP. Foi naquela viagem que falei sobre aleitamento materno em algumas das mais importantes cidades nordestinas (Recife, Fortaleza, Natal, João Pessoa, Campo Grande etc.) e que fui convidado pelo prof. Nicola Albano a criar e a ser o primeiro presidente do Comitê Nacional de Estímulo ao Aleitamento Materno da Sociedade Brasileira de Pediatria. Esse comitê inicial já contava com vários colegas em vários estados brasileiros, interessados no assunto lactação natural. Entre outros pediatras que participaram desse primeiro comitê encontrava-se o dr. José Dias Rego, que, depois, foi o segundo presidente do mesmo, e que sem dúvida se transformou num baluarte em defesa do aleitamento materno no Brasil. O comitê, a princípio, se encarregava de divulgar, mandar correspondências, realizar reuniões, discutir temas, mas, aos poucos, foram aparecendo também os comitês estaduais, nas várias regionais, e o trabalho foi se ampliando e aumentando progressivamente. Hoje, os comitês estaduais e o nacional de aleitamento materno, agora chamados departamentos, constituem uma das trincheiras mais importantes na defesa do direito de amamentar no Brasil.

Na nossa opinião, salvo melhor juízo, a retomada da luta pelo aleitamento materno no Brasil se inicia com esse fato auspicioso, a criação, pela Sociedade Brasileira de Pediatria, por volta de 1976/1977, do Comitê Nacional de Aleitamento

4

Materno. Um órgão de classe dos pediatras brasileiros chamava para si uma tarefa que, até aquele momento, a própria Universidade, a Academia ainda não achavam que era importante. Apesar das pesquisas e dos trabalhos, aqui e acolá, ainda não se via no Brasil nenhum projeto que tentasse reverter a situação, ou seja, o progressivo, contínuo, alarmante e epidêmico desmame que nas várias análises feitas (na época ainda muito incipientes e carentes de uma metodologia mais adequada) mostrava-se inexorável. Nesse sentido, vale a pena registrar que é nesse ano de 1977 e nos seguintes, 1978 e 1979, que alguns projetos começam a surgir em partes do Brasil, como o programa que se fez na região de Campinas, realizado pela Secretaria Municipal (Diretoria Municipal de Saúde) de Paulínia, uma pequena cidade, onde estava instalada uma refinaria muito importante. Foi nessa localidade que tivemos a oportunidade de treinar, pela primeira vez, no meu caso, todos os projetos que começávamos a idealizar e que falávamos e apresentávamos nos vários congressos dos quais participávamos por todo o Brasil. Foi lá que vimos a modificação das grades curriculares dos ensinos de alunos do pré-primário, primário, secundário, com a realização de palestras para professores e alunos, com os primeiros concursos de fotografia, de redação, de desenhos, de bonecos de plastilina ou de barro, sobre o tema amamentação. Foi lá, também, que lutamos pelas primeiras implantações de creches e despertamos para a necessidade de criação de condições para as mães que trabalhavam amamentar. Lembro-me, até hoje, que, nesse período, no Departamento de Pediatria da Unicamp, que dirigíamos à época, começamos a colocar em todas as propagandas (cartas, ofícios etc.) os dísticos a favor da amamentação, como por exemplo: "Ajude um pouco mais seu filho, amamente-o." Digo isto com detalhes porque me recordo inclusive das primeiras resistências ao programa, algumas com conteúdo ideológico-político e outras de alguns grupos feministas que, a princípio, achavam que nossa luta em prol do aleitamento materno era mais um discurso "machista" culpando as mulheres pela doença e morte das crianças, quando deveríamos (sic) incriminar a ditadura que assolava o país. Lembro-me como, em algumas ocasiões, tivemos de mostrar que, independentemente da melhoria sanitária, da melhor nutrição de mulheres e crianças, de melhores empregos etc., mesmo assim era fundamental que a amamentação se realizasse. Nem sempre tínhamos êxito e só conseguimos realmente atravessar essa fase difícil um pouco mais tarde, principalmente quando mães, com coragem e muita garra, se organizaram e conseguiram ir à luta, como o grupo de mães que se autodenominou Amigas do Peito (Fig. 1.2).

Essa era uma época, final da década de 1970, que muitas outras áreas da pediatria e especialmente da neonatologia iriam se desenvolver e se modificar em todo o Brasil.

Nos berçários, vivíamos a época das proibições das visitas, dos isolamentos para prematuros, do início do desenvolvimento das UTIs neonatais; ninguém falava em alojamento conjunto, em parto natural (começávamos a despertar para a luta contra as cesáreas). Amamentação precoce ninguém imaginava, e sempre se tinha a impressão de que o pediatra, se não atrapalhava, devia apenas se preocupar com a "receptação" do recém-nascido, com as intubações, com os cateterismos umbilicais de emergência, com os soros glicosados. Sem dúvida alguma, começávamos a nos

FIG 1.2. Três componentes do grupo de mães denominado Amigas do Peito.

preocupar com as dificuldades respiratórias, com as membranas hialinas, com as altas tensões de oxigênio nas incubadoras, mas, evidentemente, por todo o Brasil, salvo raras exceções, as condições físicas de atendimento eram precárias, poucos eram os berçários com equipamentos adequados para a época; estávamos na pré-era dos atendimentos mais organizados para grandes prematuros e crianças de alto risco. Tínhamos grande preocupação com as infecções e, obviamente, existia o berçário de isolamento e, claro, os pais tinham que se paramentar e se cuidar, colocando máscaras, gorros, botas etc., para ir ver seu filho no berçário. Aliás, uma prática lamentável nessa época era a "observação" dos bebês obrigatoriamente por 12 horas no berçário e a introdução da alimentação só depois de ter certeza de que não haveria uma má-formação ou coisa semelhante e, no caso dos prematuros, às vezes 24 horas! Como preveníamos a hipoglicemia neonatal? Dando mamadeiras ("chucas") com água e glicose a 5 ou 10%, já depois da primeira hora e, claro, quando, depois disso tudo, o bebê era levado para as mães nos quartos, ninguém estava treinado e preparado para orientar essas mulheres sobre o aleitamento, a técnica de pega adequada, a prevenção das fissuras etc.; além disso, não tínhamos banco de leite, sala de amamentação, mas tínhamos os lactários, onde centenas de mamadeiras eram preparadas para praticamente todos os bebês e, muitas vezes, preocupados com a falta de ganho de peso adequado, já se começava a complementação dentro do próprio berçário ou se entregava à mãe um cartão em que se dizia que se o leite não fosse suficiente ou se o bebê chorasse ou apresentasse sinais de fome, talvez pudesse complementar com "tal leite, preparado da seguinte maneira", e lá ia a fórmula láctea prescrita para o bebê, e para uma mãe muitas vezes ansiosa e muito preocupada com a "fome" do seu bebê, principalmente se, preocupado com o peso, alguém já tivesse sugerido uma prática que naquela época era muito comum, pesar antes e após as mamadas para verificar se a criança estava ganhando ou perdendo peso, vejam vocês como era quase impossível amamentar naquela época, e o pior é que no começo daqueles tempos, quando se descobriu a maravilha do aleitamento materno, muita gente ainda imaginava que a culpa era da mãe por não amamentar. Estou cada vez mais convencido, depois destes 30 e poucos anos de luta em defesa do direito de amamentar, que, se alguém não é ou não era culpado pela não amamentação, essa pessoa era a mãe. Era o sistema que desmamava, que impedia um bom início de lactação. Eram os profissionais de saúde que, infelizmente, conheciam muito pouco de amamentação e que praticamente não conseguiam de forma adequada ajudar as jovens mães a lactar. Eram tempos difíceis, de muita improvisação nos projetos. Não havia alojamento conjunto, início de amamentação precoce, logo após o parto, luta por partos não operatórios, não introdução de mamadeiras com água e açúcar nos berçários. Faltavam bancos de leite (falaremos um pouco mais detalhadamente dos mesmos logo adiante), salas de amamentação, pessoal treinado para ajudar as mães nas dificuldades e, o mais importante, inadvertidamente o vínculo mãe-bebê era muito dificultado, retardando-se exageradamente o contato, impedindo-se a entrada do casal no berçário, dificultando-se a ida da criança ao quarto, e muitas maternidades não possuíam alojamento conjunto, alegando que isso favorecia a infecção!

É nesse momento que a Sociedade Brasileira de Pediatria, um órgão de classe dos pediatras brasileiros, começa a lutar e a divulgar conhecimentos sobre aleitamento materno em todo o Brasil, chamando para si uma atitude que até então se esperaria das entidades de governo, mas que infelizmente não havia acontecido. Aos poucos, com a constante divulgação de palestras, conferências, e com a realização de encontros, a princípio com a participação de pediatras, inúmeros outros profissionais começam a se reunir aos médicos para lutar em defesa da lactação natural. Começam a aparecer muitos trabalhos escritos por enfermeiros, nutricionistas, psicólogos e outros profissionais, colaborando e dando importante contribuição ao desenvolvimento destas atividades. No final da década de 1970, aos poucos, o governo começava a participar, principalmente depois de uma primeira reunião ocorrida em Brasília, por volta de 1979, patrocinada pela OPAS e com participação do Unicef, em que profissionais de toda a América Latina vieram discutir as questões do aleitamento materno. Por essa época, o INAN (Instituto Nacional de Nutrição), órgão do Ministério da Saúde, começa a se interessar pelo assunto, e convida alguns profissionais para criar o GTENIAM, Grupo Técnico Nacional de Incentivo ao Aleitamento Materno, do qual venho participando como assessor científico, e uma série de profissionais, como nutricionistas, psicólogos, obstetras, integram uma ação conjunta que, associada à Sociedade Brasileira de Pediatria, começa a chamar para si as ações de estímulo ao aleitamento materno. Juntam-se ao INAN, além da Sociedade Brasileira de Pediatria, a FEBRASGO, Federação Brasileira de Ginecologia e Obstetrícia, a LBA, Legião Brasileira de Assistência, além de várias pessoas de outros ministérios, como o MEC (Ministério da Educação e Cultura) etc. (Figs. 1.3 a 1.10).

Esse trabalho pioneiro durou alguns anos e tinha ações em vários estados brasileiros, mas ainda não tinha o cunho abrangente e político que passou a ter mais tarde, principalmente a partir de 1982, quando definitivamente é criado o Programa Nacional de Aleitamento Materno, bem mais conhecido e que desenvolveu centenas de ações que, mais recentemente, todos reconhecem e louvam, inclusive com as avaliações de incidência, a criação das normas sobre alojamento conjunto, bancos de leite humano, parto natural etc.

FIG 1.3. Propaganda do Ministério da Saúde de incentivo à amamentação.

FIG 1.4. Propaganda do Ministério da Saúde incentivando as mães que trabalham fora a amamentar.

Vista neste "voo de pássaro", a evolução do aleitamento materno no Brasil deve ser sentida não como um projeto organizado, institucional, de decisão de governo, especificamente, mas muito mais como um movimento amplo, que albergou todos os tipos de pessoas e de sentimentos, principalmente, com o sentido de busca a um direito fundamental de maternidade, numa sociedade cada vez mais materializada e complexa, em que todos os atos, até mesmo o de parir, dar à luz, e o de amamentar uma criança estavam se tornando cada vez mais mecanicistas e controlados. Na nossa visão, em que pese toda a organização posterior que o movimento acabou adquirindo, e mesmo toda a sua complexidade, que vemos hoje, com um imenso número de trabalhos científicos publicados sobre aleitamento materno em nosso país, de teses de mestrado, doutorado, livre-docência etc., seria impossível

FIG 1.5. *Propaganda do Ministério da Saúde incentivando o núcleo familiar a se unir em torno da amamentação.*

FIG 1.6. *Propaganda da Sociedade Brasileira de Pediatria incentivando o ato de amamentar.*

FIG 1.7. *Propaganda de incentivo à amamentação.*

FIG 1.8. *Propaganda de incentivo à amamentação.*

imaginar que isto teria acontecido se encarássemos o movimento pró-aleitamento materno em nosso país como uma simples decisão de saúde pública e uma sequência de ensinamentos e/ou normas que deveriam ser estabelecidas para lograr um resultado final em saúde pública. A maneira como os projetos de estímulo ao aleitamento materno evoluíram, com dezenas de subprodutos sociais aderidos ao movimento, nos parece algo muito importante que aconteceu na pediatria e na obstetrícia brasileiras (embora esta última não se tenha dado conta, até hoje, desse movimento). A participação da sociedade organizada e de parcelas importantíssimas dela, com pessoas de destaque (artistas, desportistas, cientistas, políticos),

FIG 1.9. Propaganda de incentivo à amamentação.

FIG 1.10. Propaganda da Prefeitura Municipal de Paulínia de incentivo à amamentação.

o envolvimento de ONGs, de pessoas simples do povo, bem como de entidades religiosas, mostra bem o grau de sensibilização que a discussão sobre o aleitamento materno desencadeou na sociedade brasileira dos anos 1980 e 1990.

O Programa Nacional de Aleitamento Materno acabou se transformando numa luta que envolveu muitos atores, como descrevi, mas o maior destaque começou a acontecer com a divulgação dos programas e dos projetos que aqui se desencadeavam, que incluíram facetas nunca imaginadas ou tentadas em outros países, como treinamento de pessoal de saúde (auxiliares de enfermagem, atendentes, enfermeiros, pediatras, obstetras), formação de professores de todos os níveis, inclusão de conhecimentos específicos nas grades curriculares dos ensinos de universidades que formavam profissionais de saúde, mas, além disso, nas grades curriculares de ensino primário, secundário, terciário e, mais do que tudo isso, com as consequências paralelas dessas lutas, quais sejam, as pesquisas sobre relactação e lactação adotiva, o desenvolvimento dos sistemas de banco de leite, que, aos poucos, foi se transformando num dos mais importantes da América Latina, desde que estabeleceu e normatizou o funcionamento da coleta, conserva e distribuição, criando posteriormente um amplo grupo nacional.

Nos anos 1980, o programa se notabilizou internacionalmente, principalmente com a visita de uma das maiores autoridades mundiais em nutrição infantil e em aleitamento materno na época, prof. Derrick Jelliffe e de sua esposa, a profa. Patrice Jellife, que, depois de percorrerem o Brasil e saberem o que se estava fazendo, concederam várias entrevistas à imprensa, dizendo que o Programa Brasileiro de Incentivo ao Aleitamento Materno era um dos mais importantes do mundo. Tudo isso, obviamente, era muitas vezes contestado e algumas pessoas achavam, como acham até hoje, infelizmente, que amamentar era apenas uma questão de opção da mãe!

Mas coisas importantes também se constituíram em notáveis subprodutos do Projeto Nacional de Incentivo ao Aleitamento Materno, tais como a modificação, na Constituição Brasileira de 1988, do tempo de licença à gestante, que foi aumentado de 84 dias para 4 meses. Essa foi uma vitória bastante apoiada no então Grupo de Incentivo ao Aleitamento Materno. Além disso, uma série de outras decisões posteriores, principalmente com o apoio definitivo do Unicef, foi sendo implantada, tais como a criação da iniciativa Hospital Amigo da Criança, os Dez Passos para estabelecimento da lactação e a luta pelo alojamento conjunto, pelo parto natural, pela introdução precoce da amamentação já na própria sala de parto, entre outros.

Hoje, olhando estes últimos 30 anos, posso me lembrar de muitas pessoas que participaram efetivamente desta luta. Talvez, quando avaliamos o tempo médio de amamentação exclusiva ao peito, que em algumas capitais brasileiras ainda é baixo, sentimos que ainda temos muito a lutar e a ajudar, mas seguramente o que mais nos deixa felizes é lembrar que se não fossem estas décadas de trabalho intenso, de tantas pessoas, seguramente não teríamos um país como o nosso, em que praticamente todos os profissionais de saúde e a imensa maioria de mulheres sabem das vantagens do aleitamento natural. Talvez, nos últimos 50 anos de história da medicina, bem poucas vezes uma sociedade inteira, com todos os seus segmentos e apoiada pelos seus profissionais de saúde, lutou de forma tão sistemática e objetiva para lograr modificar um hábito cultural e profundamente humano que estava desaparecendo por uma série de variáveis conjunturais, principalmente socioeconômicas – a amamentação ao seio.

Sinto-me profundamente realizado porque, ao lado de centenas de companheiros das mais variadas profissões, e apoiado por pessoas do povo e, principalmente, pelas mulheres deste nosso país, estamos levando uma batalha complexa e fundamental para lograrmos modificar uma tendência que muitas pessoas julgavam ser inexorável.

Valeu a pena. Precisamos continuar lutando e mantendo constantemente informados, apoiados e ajudados todos os interessados nesta luta. Sabemos que, se pararmos por poucos momentos para discutir, mostrar, publicar, incentivar, as outras variáveis começam a se fazer sentir. Estamos ainda numa luta que, na minha opinião, deve continuar ininterruptamente.

BIBLIOGRAFIA CONSULTADA

Aleitamento Materno e Alimentação na Primeira Infância e sua repercussão no Estado Nutricional: Elaboração por um grupo de "Experts" do INAN/OPAS – com a colaboração de Martins Filho, J., documento publicado pelo Ministério da Saúde, Instituto Nacional de Alimentação e Nutrição. Distribuído na I Convenção Nacional de Nutrição e Dietética e mencionado no Catálogo Geral de Documentação do INAN/Brasília, 1979.

Coletânea de Recortes de Jornais de várias Capitais Brasileiras, sobre o andamento do Programa Nacional de Incentivo ao Aleitamento Materno, cedidos gentilmente por Dr. José Dias Rego. Rio de Janeiro, 1982, 1983, 1984.

Como e Porque Amamentar – Martins Filho, J. Salvier Editora de Livros Médicos Ltda, São Paulo/SP/Brasil, 220 páginas, 1984.

Conjunto de 48 Slides sobre o desenvolvimento do Programa Nacional de Aleitamento Materno, Patricia Marin, Outubro, 1983.

Del Ciampo LA, Ricco RG. Aleitamento Materno e Meio Ambiente. Editora e Gráfica Scala, Ribeirão Preto/SP, 1998.

Estratégia de Estímulo ao Aleitamento Materno no Brasil. Grupo Técnico da OPAS/INAN, Universidade Federal do Paraná (com a colaboração de Martins Filho, J.). Publicado pela Universidade Federal do Paraná, Ministério da Saúde e INAN, Curitiba, 1979.

Jelliffe DB, Jelliffe EFP. Human Milk in the Mordem World. Oxford Medical Publications, Oxford University Press, 1979.

Jelliffe DB, Jelliffe EFP. Programmes to Promote Breastfeeding. Oxford Medical Publications, 1988.

Jornal do Commercio. Anúncio sobre Ama de Leite, Anno XVI, número 271, 21 de outubro de 1841.

LBA – Fundação Legião Brasileira de Assistência, Ministério da Previdência Social – Programa Nacional de Incentivo ao Aleitamento Materno – Subprograma Grupo de Mães – detalhamento de atividades a serem desenvolvidas, número 3, jul/ago, Brasília, 1983.

Lechtig A, Jelliffe DB, Tudisco ES, Mora G, Martins Filho J, Villar MH, Jelliffe P. I Seminário Latino-americano de Programas Nacionais de Incentivo ao Aleitamento Materno – Revista da FCM/UNICAMP, Vol.II, número 1, páginas 49 a 53, Fevereiro 1990.

Lidando com Crianças, Conversando com os Pais – Mais de 700 Perguntas que você faria ao Pediatra – Martins Filho, J. Editora Papirus, Campinas/SP/Brasil, Dezembro 1995.

Martins Filho J. Filhos, Amor e Cuidados – Reflexões de um Pediatra. Editora Papirus, Campinas/SP/Brasil, 2000.

Martins Filho J. Qual é a Questão da Amamentação – Editora Brasiliense S.A., São Paulo/SP/Brasil, 68 páginas, 1985.

Martins Filho J. Tese de Livre-docência: Contribuição ao Estudo do Aleitamento Materno no Brasil – Repercussões sobre a Saúde da Criança e da Mãe, Faculdade de Ciências Médicas da Universidade Estadual de Campinas, 1977.

Ministério da Saúde, INAN – Instituto Nacional de Alimentação e Nutrição, Ações Integradas de Promoção da Saúde da Criança, Brasília, Janeiro, 1983.

Murahovisch J, Nascimento ET do, Teruya KM, Bueno LG dos S. Cartilha de Amamentação – Doando Amor. Editora Almed, 1982.

Murahovschi J, Teruya KM, Bueno LG dos S, Baldin PEA. Amamentação – da Teoria à Prática – Manual para Profissionais de Saúde, Centro de Lactação de Santos, Fundação Lusiada, Santos, 1990.

Programa Nacional de Incentivo ao Aleitamento Materno – Ministério da Saúde – INAN (Instituto Nacional de Alimentação e Nutrição), Julho, 1991.

Sociedade Brasileira de Pediatria, Grupo de Incentivo ao Aleitamento Materno – Dr. José Dias Rego, Coordenador, Rio de Janeiro.

Uechi DP, Martins Filho J, Viana Costa MFT. Situação do Aleitamento Materno no Brasil – Documento elaborado pelo Instituto de Alimentação e Nutrição (INAN) com apoio da OPAS e OMS, 1978.

Sobrevivência Infantil e Aleitamento Materno

2

Keiko Miyasaki Teruya
Sonia Bechara Coutinho

A definição de sermos animais cordatos, da classe *Mammalia*, fêmea com glândulas mamárias que segregam leite para alimentar os filhos, nos leva a refletir:

O que é este leite?

Substância extraordinária contendo nutrientes e enzimas perfeitamente balanceadas, com substâncias imunológicas de proteção da vida, fator de crescimento epidérmico, que se ajustam adequadamente para prover todas as mudanças necessárias na criança.

Por que é importante amamentar?

O ato de amamentar transcende o prisma biológico, da promoção nutricional e de adaptação da criança. O momento da amamentação supre desde o início as necessidades emocionais, o contato pele a pele, olhos nos olhos entre dois seres, tornando a mãe a primeira professora de amor de seus filhos.

A lactação (produção de leite) inerente aos mamíferos e a sucção instintiva não são suficientes para assegurar a amamentação (manutenção da lactação), tornando hoje este ato uma arte a ser apreendida e ensinada.

Inúmeras pesquisas têm mostrado o efeito protetor do leite materno na redução da mortalidade e morbidade infantil, assim como sua importância na construção do emocional do ser humano, assegurando sua sobrevivência com qualidade de vida futura.

Em 2005, a Academia Americana de Pediatria publicou uma revisão da Política de Aleitamento Materno – "A Amamentação e o Uso do Leite Materno". Nela está resumida os benefícios para a mãe, criança e comunidade, bem como as recomendações para orientar o pediatra e outros profissionais de saúde na promoção, proteção e apoio à amamentação. Estabelece princípios para orientar os pediatras e outros profissionais de saúde na assistência à mulheres e crianças na iniciação e manutenção da amamentação.

Sete anos após, em 2012, é publicada uma nova revisão em que a Academia reafirma que amamentação e o leite humano são os padrões normativos de referência para a alimentação e nutrição infantil. Mantém também a recomendação da Organização Mundial de Saúde de amamentação exclusiva por cerca de 6 meses, continuando a amamentação com alimentos saudáveis e seguros por 1 ano ou durante o tempo que for mutuamente desejado pela mãe e pelo bebê.

MÃE

Aspecto Fisiológico

Efeito Contraceptivo

Após o parto a mulher lactante passa por um período de amenorreia fisiológica. Isso ocorre devido à secreção da prolactina, responsável pela produção do leite que também atua sobre os ovários, inibindo a ovulação e mantendo a amenorreia. O período em que a amamentação suprime a menstruação e a fertilidade é chamado de amenorreia lactacional. O método que utiliza a amenorreia lactacional como método contraceptivo é denominado Método da Amenorreia Lactacional (LAM) e está na lista de métodos de planejamento familiar recomendado como eficaz pela Organização Mundial de Saúde.

Para que a mulher utilize a amamentação como prática contraceptiva, ela deve: (1) estar nos primeiros 6 meses pós-parto; (2) não ter menstruado; e (3) amamentar exclusivamente ou quase exclusivamente. Se essas 3 condições não ocorrem, ela é aconselhada a começar outro método de planejamento familiar, de preferência um que não tenha efeitos negativos sobre a lactação; o encorajamento de espaçamento entre os nascimentos é de cerca de 2,5-3 anos, permitindo a recuperação pós-parto materna antes de uma nova gravidez. Essas recomendações continuam se apoiando no assim chamado Consenso de Bellagio, de 1988, baseado na revisão de todos os estudos sobre o tema publicados até aquela época. Em 1995, um novo Consenso de Bellagio confirmou a eficácia da LAM através de estudos prospectivos, e sugere que o Método da Amenorreia Lactacional deve receber o apoio programático e político, ser disponível em todo mundo e um método adicional que aumenta as opções de planejamento familiar para mulheres pós-parto. Segundo o Consenso, seguindo as orientações, a proteção contra nova gravidez nas primeiras 8 semanas é de 100% e de 98% até o bebê completar 6 meses, proteção semelhante à da pílula anticoncepcional, caso a mulher não tiver menstruado depois do 56º dia e se estiver amamentando exclusiva ou quase exclusivamente (sempre que manifesta fome, dia e noite).

Embora esse mecanismo ainda não esteja totalmente esclarecido em um ciclo de uma mulher não lactante, o hipotálamo secreta hormônio gonadotrófico em pulsos, o qual estimula a secreção de hormônio luteinizante (LH) da pituitária anterior; o hormônio luteinizante leva a um crescimento no volume e número dos folículos ovarianos, produção de estrógeno e consequente ovulação. Sabe-se que nas populações em que a amamentação prolongada em livre demanda é a regra, os intervalos intergestacionais são prolongados, assim como o período da amenorreia.

Entre os vários fatores estudados que poderiam estar envolvidos na manutenção da infertilidade no período pós-parto, a sucção do bebê parece ser o mais importante. A grande dificuldade para medir a eficácia da lactação como método anticoncepcional encontrada pelos pesquisadores tem sido a quantificação adequada da sucção: frequência, força, volume de leite extraído. Diversos métodos foram usados – expressão das mamas, pesagem antes e depois da mamada, uso de isótopos –, mas com pouco sucesso.

Estudos realizados nas Filipinas e nos Estados Unidos utilizaram um método que se mostrou mais confiável: mediu-se a frequência relativa de mamadas e observou-se que as mulheres que amamentaram menos vezes foram as que tiveram a ovulação antes do sexto mês de vida do bebê.

Resumo da Amenorreia Lactacional

O LAM tem sido amplamente aceito como um método de planejamento familiar natural que não exige abstinência. Ele é usado como um método de introdução para o período pós-parto para a mulher amamentar, que hesita em usar um método hormonal ou químico. Ele tem a vantagem de incentivar o comportamento ideal de aleitamento materno, fornecendo suporte para a saúde da mãe e da criança (Fig. 2.1).

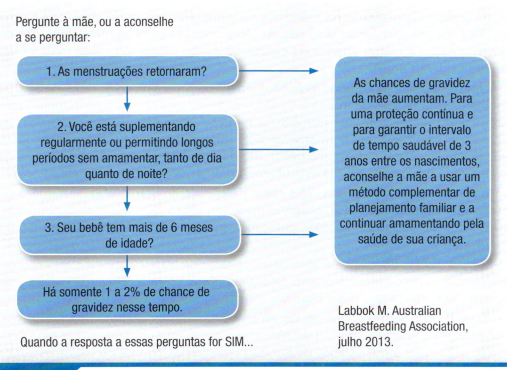

FIG 2.1. LAM (Método da Amenorreia Lactacional) (Miriam Labbock, 1994). Para espaçamento das gestações durante os primeiros 6 meses após o parto.

Efeito Protetor Contra Anemia

A liberação de ocitocina iniciada na hora do parto para a promoção da contração uterina é continuada e potencializada com o estímulo da sucção da amamentação e da interação emocional, favorecido pelo contato pele a pele e estímulos auditivos do bebê. O aumento da quantidade de ocitocina na corrente sanguínea é responsável pela expulsão da placenta, fechamento dos vasos sanguíneos uterinos, redução do tamanho do útero, do sangramento pós-parto, atraso na menstruação e consequente prevenção da anemia materna. Assim, a amamentação na primeira hora de vida traz benefícios tanto para os bebês quanto para as mães. Por outro lado, Penny Van Esterik (2003), refere que a mulher quando amamenta já na maternidade corre menos risco de ter hemorragias no pós-parto, uma das principais causas de mortalidade materna no Brasil.

Proteção Contra Câncer de Mama, Ovário e Endométrio

Vem de longa data a constatação do papel protetor da amamentação contra câncer de mama, ovário e endométrio. Entretanto existe controvérsia se essa proteção ocorre durante toda vida reprodutiva ou somente após a menopausa.

Outro ponto de discussão é quanto à duração da amamentação, quando ela for exclusiva ou não.

Um estudo feito na China mostrou que essa proteção ocorria apenas em mulheres mais velhas e após a menopausa.

Já um estudo realizado na Islândia, envolvendo 993 casos de câncer de mama e 9.729 controles, mostrou uma relação dose-resposta entre número de meses de amamentação e menor chance de câncer de mama em grupo etário mais jovem (menores de 40 anos).

Uma revisão de 47 estudos realizados em 30 países envolvendo cerca de 50.000 mulheres com câncer de mama e 97.000 controles sugere que o aleitamento materno pode ser responsável por 2/3 da redução estimada no câncer de mama. Quanto mais prolongada a amamentação, maior foi a proteção. Estimou-se que a incidência de cânceres de mama nos países desenvolvidos seria reduzida a mais da metade (de 6,3 para 2,7%) se as mulheres amamentassem por mais tempo.

Em outra etnia, a coreana, 753 casos de câncer de mama e igual número de controles foram comparados, observando-se um efeito protetor dose-dependente, sendo que 11-12 meses de amamentação reduziram em 54% o risco, comparado a 1-4 meses.

Riman e cols., ao estudar 655 mulheres suecas de 50 a 74 anos e 3.899 controles, também encontraram proteção da amamentação contra câncer de ovário, mas apenas de tumores de células claras.

Tung e cols., também em estudo de casos e controles realizado na Califórnia, observaram que o menor risco de câncer de ovário entre mulheres que amamentaram se dá para todos os tipos de tumores epiteliais de ovário, exceto os invasivos mucinosos. Esses autores também notaram uma relação inversa e significativa: quanto mais prolongada a duração da amamentação, menor o risco de câncer de ovário não mucinoso – de células claras e endometrioides.

Um estudo japonês de caso-controle envolvendo 155 mulheres com câncer do endométrio e 96 controles encontrou um maior risco deste câncer entre aquelas multíparas que nunca haviam amamentado e da paridade.

Em uma revisão de 9.000 *abstracts* com relação aos benefícios para mãe foi observado que história de lactação está associada a redução do risco de câncer de mama e ovário.

Já o Manual do Plano de Ação para Apoiar o Aleitamento Materno do Cirurgião Geral – Washington de 2011, refere que um dos benefícios da amamentação para a mãe é a proteção contra o câncer da mama e ovário.

Efeito Protetor Contra Osteoporose e Fraturas

Embora os efeitos da proteção da amamentação contra osteoporose e fraturas ainda não estejam bem definidos, inúmeras pesquisas consistentes têm demonstrado esse efeito.

Pesquisas que Demonstram o Efeito Protetor da Amamentação Contra Osteoporose e Fraturas

O efeito protetor da amamentação contra osteoporose e fraturas é citado nos seguintes artigos: Labbok, 2001; Dermer, 2001; Michaelsson, 2001 e Rea, 2004.

No Pediatrics de 2005, Paton de 2003 confirma a associação da amamentação com a diminuição do risco de fraturas de quadril e osteoporose na pré e pós-menopausa.

Pesquisa mais consistente foi feita na Noruega por Bjørnerem (2011), que pesquisou 4.681 mulheres entre as idades de 50 e 94 anos, para analisar o efeito da paridade e amamentação sobre o risco de fratura. O estudo constatou que o risco de fratura não diferiu significativamente para mulheres multíparas e nulíparas. Observou que mulheres que amamentaram eram 50% menos propensos a sofrer uma fratura de quadril e 27% menos chances de sofrer outro tipo de fratura por fragilidade do que as mulheres que não amamentam, apesar de terem um risco semelhante de fratura no punho.

Ainda em 2011, o Journal of Bone and Mineral Research publicou que, embora evidências sejam conflitantes, não conseguiram ainda confirmar se a gravidez e lactação resultam em um aumento do risco de fratura, ou se protegem contra futuras fragilidades, especialmente a longo prazo. Na mesma conclusão chegaram Mclvor e cols., em 2011.

Em 2012, a National Institutes of Health Osteoporosis and Related Bone Diseases publicou que estudos demonstravam que as mulheres, muitas vezes, perdem 3-5% da sua massa óssea durante a amamentação, embora se recuperem rapidamente, em 6 meses, após o desmame. Refere que a perda ocorre porque, durante a amamentação, elas produzem menos estrogênio, que é o hormônio que protege os ossos.

Pesquisas que *Não Mostram* Efeito Protetor da Amamentação Contra Osteoporose e Fraturas

Pesquisas que mostram ser a amamentação a longo prazo um fator de risco de osteoporose na pós-menopausa são citados por Dursun, 2006; Canto, 2010 e Zach, 2010.

Michaelsson (2001) observou mulheres suecas na pós-menopausa (50-81 anos) entre 1.328 casos e 3.312 controles selecionados aleatoriamente, e não houve associação entre duração do período de lactação, com risco de fratura de quadril.

A uma semelhante conclusão chegaram: Karlsson, 2001; Carranza-Lira, 2002; Hadji, 2002; Kalkwarf, 2002; Chung, 2007.

Já em 2014, Bolzettaemai mostrou em seu estudo que havia uma associação entre longos períodos de amamentação e fraturas vertebrais, concluindo a longa lactação como um fator de risco para fraturas osteoporóticas após a menopausa. Tendo em conta todos os benefícios do aleitamento materno, ele sugere a importância de uma ingestão adequada de cálcio e vitamina D durante a gravidez e a amamentação, com a ajuda de suplementos dietéticos, se necessário.

Melhor Recuperação de Peso Pré-gestacional

Embora vários estudos apontem que a amamentação promove a melhor recuperação de peso pré-gestacional, esse fato ainda não está convincentemente demonstrado. Apresentaremos aqui pesquisas realizadas após o ano 2000 que tratam desse assunto.

Controvérsias sobre essa vantagem da amamentação são referidas por Coitinho (2001), que demonstrou em seu estudo que o estado nutricional pré-gestacional tem grande efeito na perda de peso associada ao aleitamento e que as mulheres com sobrepeso pregresso pouco se beneficiaram desta prática. Sichieri (2003) por sua vez refere que, durante a amamentação, a mãe às vezes deixa de consumir a quantidade de calorias necessária para suprir a demanda do seu filho, e com isso pode emagrecer e retornar rapidamente ao seu peso anterior, principalmente quando a amamentação for de modo exclusivo. Caso a mãe desmame precocemente seu filho, suas reservas acumuladas durante a gestação não serão consumidas, e levará mais tempo para voltar ao peso anterior à gravidez. Por outro lado, nos primeiros meses após o parto, a mãe quando amamenta produz níveis elevados de prolactina, que é responsável pelo aumento do apetite e que pode desencadear um aumento de peso. Assim se, por um lado, espera-se a perda de peso decorrente da demanda energética da lactação, por outro se pode esperar um aumento de peso em função do aumento do apetite. Olson (2003) também observou, em uma revisão, que a relação amamentação e perda de peso pós-parto é contraditória e necessita de estudos cuidadosamente conduzidos para o esclarecimento dessa questão. Outra refutação foi realizada por Lacerda, em 2004, quando observou que, embora ganho de peso gestacional, raça negra e paridade estejam associados positivamente com a retenção de peso pós-parto, as evidências para a variável lactação são contraditórias e insuficientes para as variáveis consumo alimentar e atividade física. A pesquisa de Somvanshi (2002) observou que o aleitamento pode não facilitar a perda de peso, especialmente se a paciente consome uma dieta de alto teor calórico e não pratica exercícios físicos. Já um estudo de Hogan (2003), afirma não ser a amamentação um preditor da retenção de peso. Outro fato a salientar é que, embora a perda de peso das mulheres lactantes em amamentação exclusiva possa chegar a 500 g por semana, entre a 4ª e a 14ª semana, e não interferir no crescimento dos bebês, sua associação com perda de peso é contraditória.

Entretanto, inúmeras são as pesquisas que afirmam a associação entre amamentação e a recuperação pré-gestacional. Dentre elas podemos citar a de Lovelady (2000), que refere a perda de peso de aproximadamente 0,5 kg por semana entre 4 e 14 semanas após o parto entre as lactantes.

Gigante e cols. mostraram que as mulheres que amamentaram de 6 a 12 meses apresentaram os menores índices de massa corpórea e medidas de prega cutânea. Além disso, as que amamentaram de forma exclusiva ou predominante tenderam a ser mais magras do que as que amamentaram parcialmente ou deram fórmulas.

No estudo prospectivo realizado por Rooney e Schauberger observou-se um efeito protetor do aleitamento sobre o ganho de peso materno a longo prazo. As mulheres que amamentaram seus filhos por mais de 3 meses ganharam menos peso ao longo de 10 anos de seguimento do que as mulheres que não amamentaram, ou amamentaram por tempo inferior a 3 meses. Foi observado em um estudo brasileiro com 405 mulheres, que a média de redução do peso de 0,44 kg da mãe ocorria a cada mês a mais de amamentação. Rea (2004) refere que tanto a duração quanto a intensidade da lactação exercem importantes influências na demanda nutricional e energética materna para a produção de leite, podendo contribuir com até 20% do gasto energético diário total. Além disso, também indica que a retenção de peso pós-parto está relacionada com inúmeros fatores como: ganho de peso gestacional, paridade, período muito próximo entre partos, amamentação, idade, situação marital e raça, estilo de vida, incluindo consumo energético e atividade física. Lawrence, em 2005, afirma que o aleitamento materno pode ajudar a mãe a perder peso, após nascimento do bebê e retornar rapidamente ao peso pré-gestacional. Nas análises realizadas por Amorim e cols. (2007), com os dados de 483 mulheres suecas monitoradas durante 15 anos de seguimento no período do pós-parto, foi observada uma menor retenção de peso aos 6 meses, 1 ano e 15 anos entre as mães com maior escore de aleitamento. Os resultados obtidos por Castro (2009) mostram como principais fatores associados com a variação de peso no pós-parto o ganho de peso gestacional acima das recomendações do Institute of Medicine, índice de massa corporal pré-gestacional ≥ 25 kg/m^2, dieta, tempo e intensidade do aleitamento materno e os fatores sociodemográficos como raça negra, primiparidade, idade materna, baixa renda e baixa escolaridade.

A mesma conclusão de que o aleitamento pode facilitar a perda de peso pós-parto após 6 meses chegou Krause, em 2010. Katrina (2010) também observou que a amamentação foi inversamente associada à retenção de peso em 6 meses pós-parto numa amostra de quase 20.000 mulheres, racialmente diversificado e de baixa renda. Além disso, indicou que a amamentação exclusiva tem efeito protetor maior do que quando a amamentação é mista ou de quando a criança é alimentada com fórmula. A Academia Americana de Pediatria (2011), em seu manual, refere que estudos mostram que as mulheres que amamentam exclusivamente são mais propensas a perder o seu peso em cerca de 6 meses depois do parto, em comparação com mulheres que não amamentam.

E no Pediatrics, em 2012 (Executive Summary), refere que o aleitamento favorece o retorno ao peso anterior à gestação.

Amamentação Reduz Risco de Doenças Cardíacas, Hipertensão, Diabetes, Hipercolesterolemia e Acidente Vascular Cerebral

Schwarz (2009), analisando cerca de 140.000 mulheres na pós-menopausa, observou que quanto maior o tempo de amamentação, menor o risco de uma mulher desenvolver doenças cardíacas, diabetes, hipertensão, hipercolesterolemia e acidente vascular cerebral. Já o estudo de Stube e cols., em 2005, mostrou que maior tempo de duração da amamentação é associado com a menor incidência de diabetes tipo 2.

A associação entre o maior tempo de duração da lactação e menor incidência dos anos da síndrome metabólica foi observada em pesquisa realizada por Gunderson e cols., em 2010.

Melhor Transição Parto/Pós-parto

A sucção eficaz e repetida do bebê logo nos primeiros dias faz liberar a ocitocina pela hipófise materna. Esse hormônio, liberado durante a amamentação, além de provocar a ejeção do leite do peito, também age na contração uterina, promovendo a involução do útero mais rapidamente e favorecendo uma melhor transição parto/pós-parto.

Aspectos Psicológicos

Vínculo Afetivo, Diminuição da Ansiedade e Depressão Pós-parto

Através da amamentação, nutrem-se seres em seus primeiros estágios de desenvolvimento e solidificam-se relações interpessoais, formando vínculos e condições que facilitam a sobrevivência e a caminhada em direção à maturidade.

Um estudo de Henderson (2003) mostrou que a duração do aleitamento apresenta um impacto negativo significativo na depressão pós-parto, e a ajuda com problemas de amamentação devem ser incluídos no tratamento da depressão pós-parto.

Lawrence (2005) cita em seu livro que as mães que amamentam são menos ansiosas, têm desejos de interagir com seus filhos e expressam maior satisfação em alimentá-los.

A Academia Americana de Pediatria, em 2008, referiu que a saúde emocional da mãe pode ser reforçada pela relação que desenvolve com seu bebê durante a amamentação, resultando em menos sentimentos de ansiedade e um forte senso de conexão com seu bebê.

Já Oddy (2010) observou em seus estudos que a menor duração da amamentação pode ser um preditor de resultados adversos em saúde mental ao longo da trajetória de desenvolvimento da infância e início da adolescência.

Por outro lado, Figueredo (2013), em sua pesquisa, apontou que a amamentação pode proteger as mães da depressão pós-parto. Contudo, ainda existem resultados ambíguos na literatura que poderão ser explicados pelas limitações metodológicas apresentadas por alguns estudos.

Em 2014, um estudo efetuado com mais de 10.000 mães mostrou que as mulheres que amamentaram seus bebês tiveram um risco significativamente menor de depressão pós-parto do que aquelas que não o fizeram.

Maior Interação Mãe-Filho

O contato pele a pele, imediatamente após o parto e durante a amamentação exclusiva, favorece o desenvolvimento do apego e reduz o índice de rejeição e abandono.

Aspectos Econômicos

Economia

Uma nutriz produz quantitativamente (600/800 mL de leite/dia em média), e qualitativamente um alimento completo, equilibrado, adequado e suficiente, para uma criança até os 6 meses, não sendo necessário acréscimo de água, chá ou outro líquido ou alimento. A partir de então, a amamentação deve ser mantida complementada com outros alimentos até 2 anos ou mais, pois ainda se constitui em importante fonte de vitaminas, energia e proteínas e, principalmente, em proteção contra as doenças. O leite materno está sempre pronto para servir, na temperatura ideal, sem necessidade de gastos com água, gás, bicos, mamadeiras, sabão, açúcar, embalagens etc.

Além destas economias, devemos ressaltar o que se poupa em tratamentos de diarreia, pneumonias, otites, alergias e com dentistas, fonoaudiólogos etc., e tudo isso pode ser revertido em benefício para a própria criança.

Bonyata, em 2013, publicou que o custo aproximado para alimentar um bebê com fórmula ao longo do primeiro ano é de cerca de R$ 1.733,75, independentemente dos custos indiretos, e que o custo de ser amamentado seria praticamente nenhum.

Por outro lado, a Kaiser Permanente, uma das maiores seguradoras de saúde do mundo, referiu que "As crianças que foram amamentadas por um período mínimo de 6 meses experimentaram $ 1.435,00 menos reivindicações de saúde do que alimentados com fórmula infantil."

Se 90% das famílias dos EUA seguissem as recomendações médicas para amamentar exclusivamente por 6 meses, os Estados Unidos iriam economizar cerca de $ 13.000.000.000 por ano e evitar um excesso de 911 mortes, quase todas as quais estariam em lactentes (10.500 milhões dólar e 741 mortes em 80% de adesão)".

Praticidade

É um alimento pronto para servir a qualquer hora!

FILHO

Proteção Contra Doenças

Os vários estudos que comprovam o efeito protetor do aleitamento materno frente às doenças mostram que os efeitos são ainda maiores em crianças com sintomas como desnutrição severa ou moderada e que esses efeitos são também mais significantes naquelas crianças com menos de 1 ano de idade.

Em 2012, a Academia Americana de Pediatria na Seção de Aleitamento Materno, após revisões sistemáticas e pesquisas científicas recentes, reforçou que a amamentação e o leite humano são referência em padrões normativos para a alimentação infantil e nutrição. Reafirma também as recomendações de amamentação exclusiva por cerca de 6 meses, seguida de continuidade da amamentação com alimentos complementares por 1 ano ou mais, conforme mutuamente desejado pela mãe e seu filho.

Proteção Contra Alergias

Alergias em Geral

Existem, ainda, controvérsias sobre o papel protetor da amamentação no desenvolvimento de alergia ou de ser ela um fator de risco. Assim, a alegação de que a amamentação reduz o risco de alergia e asma não está ainda apoiada completamente pela evidência científica. Em geral, os estudos revelam que crianças alimentadas com fórmulas, seja de vaca ou soja, quando comparadas com as amamentadas no peito têm uma maior incidência de dermatite atópica e doenças sibilantes na primeira infância. Essa proteção é maior quando a amamentação for exclusiva nos primeiros 6 meses, independentemente do histórico de asma materna.

A revista Pediatrics, de 2012, refere que o aleitamento materno exclusivo durante 3 a 4 meses, está associado com uma redução na asma, dermatite atópica e eczema em 27% na população de baixo risco e 42% em crianças com história familiar de atopia.

Uma revisão feita por Kelly e Coutts sugere que o crescimento da incidência das desordens imunológicas, como por exemplo atopias, em países do oeste, seja atribuído ao aumento da prevalência de fórmulas para bebês.

Rinite Alérgica

Uma revisão sistemática de estudos prospectivos que avaliou a associação entre a duração da amamentação exclusiva durante os primeiros 3 meses e rinites alérgicas concluiu que, nas crianças amamentadas, havia um efeito protetor mesmo em crianças com história familiar de atopia.

Asma

Em um estudo prospectivo de coorte de 2.602 crianças australianas, observou-se uma redução significativa de risco de asma em crianças abaixo de 6 anos, quando a amamentação exclusiva era continuada por mais de 4 meses.

Outra amostra, de 2.184 crianças canadenses com idade entre 12 e 24 meses, mostrou ser a duração do aleitamento materno protetora contra o desenvolvimento de asma e sibilância em crianças pequenas.

Uma metanálise de 12 estudos prospectivos mostrou que o aleitamento materno, durante os primeiros meses após o nascimento, estava associado com baixa frequência de asma durante a infância; fato explicado pela qualidade de imunomoduladores presentes no leite materno. Outra observação nesse estudo foi que as vantagens ocorriam principalmente se na família havia história de atopia, com aleitamento materno exclusivo nos primeiros 3 meses e que essa proteção se estendia também para as dermatites atópicas.

Por outro lado, um estudo conduzido na Austrália, observando uma coorte de 516 crianças aos 5 anos também oriundas de famílias com história de atopia, não encontrou associação entre tempo prolongado de amamentação e presença de asma, eczema ou atopia.

Outro estudo mostrou que existem também diferenças na presença de atopia por sexo da criança e conforme seus pais tenham sido portadores de asma.

Num estudo de prevalência de asma com 14.170 crianças aborígenes de 0 a 6 anos observou-se que o aleitamento materno, especialmente em aleitamento materno exclusivo, foi protetor de asma de maneira significativa.

Dermatite Atópica

Uma pesquisa de coorte randomizada foi feita na República de Belarus (ensaio controlado multicêntrico) com acompanhamento até 12 meses, de um total de 17.046 pares mãe-bebê, de 15 hospitais Amigo da Criança e 16 controles. Uma das conclusões foi que a promoção do aleitamento materno reduziu significativamente o risco de infecções do trato gastro-intestinal em 40% e aparição de eczema atópico em 46%. Outra conclusão foi que a implementação da IHAC aumenta a duração e a exclusividade da amamentação, e diminui o risco de infecção do trato gastrointestinal e de eczema atópico no primeiro ano de vida. Os resultados proporcionam uma sólida base científica para futuras intervenções de promoção da amamentação.

Após o estudo de uma metanálise de 18 estudos prospectivos, mostrando resultado positivo de associação entre aleitamento materno exclusivo durante os primeiros 3 meses e dermatite atópica no grupo de crianças com uma história familiar de atopia, os autores recomendam a amamentação exclusiva, como possível meio de prevenir eczema atópico nessas crianças.

Entre 1995 e 1998 foram acompanhados, 2.252 crianças a termo, durante 2 anos com história familiar de atopia em um estudo de coorte para avaliar o efeito preventivo do aleitamento materno exclusivo na dermatite atópica. Os autores demonstraram que em crianças com risco de atopia, a amamentação exclusiva por pelo menos 4 meses foi efetiva em reduzir a dermatite atópica no 1° ano de vida.

Um estudo de coorte de 15.430 pares mãe-filho dinamarqueses foi realizado para estudar a associação entre amamentação e desenvolvimento de dermatite atópica durante os primeiros 18 meses de vida entre as crianças com e sem história familiar de alergia. Os autores não encontraram associação conclusiva entre risco de dermatite atópica e da amamentação exclusiva por 4 meses ou mais.

Embora Kramer, em 2001, tenha encontrado um resultado positivo de proteção da amamentação na aparição de eczema atópico em 46%, a continuação do seguimento de sua coorte com 13.889 pares mãe-filho inscritos, seguidos até a idade de 6,5 anos, não mostrou resultados que suportam um efeito protetor do aleitamento materno prolongado e exclusivo sobre a asma ou alergia.

Outro estudo prospectivo de mais de 1.000 crianças belgas seguidas desde a gravidez até os primeiros 12 meses, também mostrou que no primeiro ano de vida a amamentação não teve efeito protetor quanto ao eczema.

Proteção Contra Câncer

Um estudo mostrou que o nível de "DNA *damage*" (que levam ao desenvolvimento de câncer), nos linfócitos do sangue periférico de crianças que foram alimentados principalmente por leite de vaca era significativamente maior que nas crianças amamentadas no peito.

Crianças exclusivamente amamentadas por no mínimo 6 meses apresentaram 1 a 8 vezes menos chances de desenvolver câncer antes dos 15 anos do que crianças não amamentadas. O mesmo fato já havia sido observado por Davis.

Toma T, 2008, em uma revisão de pesquisas sobre amamentação, observou, em um estudo de coorte com 4.999 mulheres iniciada nos anos 30 e uma extensa metanálise de outros estudos, que ter sido amamentada quando bebê apresentava associação com a incidência de câncer de mama na idade adulta. Concluiu que ter sido amamentada quando bebê está relacionado a um menor risco de câncer na pré-menopausa.

Um estudo mais recente sugere importante papel da amamentação na prevenção de certos tipos de câncer infantil, como leucemia linfoblástica, doença de Hodgkin, neuroblastoma e certos tipos de câncer do sistema nervoso central. Davanzo, 2013 em seu estudo, refere que os altos níveis de TNF-*trail* existentes no colostro e leite humano podem desempenhar um papel importante na mediação da atividade anticâncer.

Câncer de Mama, de Endométrio e de Ovário

O fato de uma mulher ter sido amamentada quando criança pode estar associada com a redução de 20 a 35% no risco de ter câncer de mama na pré-menopausa. Isso foi observado em 4 dos 6 estudos que avaliaram a associação amamentação *versus* risco de câncer de mama. Também foi verificada, em outro estudo, uma redução de aproximadamente 25% do risco de ter câncer de mama pré e pós-menopausa. Nesse estudo, as mulheres haviam sido amamentadas quando criança por um curto espaço de tempo e foram comparadas com mulheres que tomaram mamadeira na infância.

Doença de Hodgkin e Leucemia

Berner (2001) observou que as crianças amamentadas por menos de 6 meses tiveram 2,76 vezes mais chances de desenvolver as malignidades do que aquelas que foram amamentadas por mais de 6 meses nos casos de leucemia e linfoma. Já em 2008, confirmou que uma maior duração do aleitamento materno tinha efeito protetor contra leucemia linfoide aguda e linfoma de Hodgkin.

No estudo de caso-controle realizado por Perrilat (2002), foi observada uma associação significativa de proteção quanto mais prolongada era o tempo de amamentação para leucemia linfoblástica e não linfoblástica aguda.

Flores-Lujano, em 2009, observou que a amamentação foi um fator protetor para o desenvolvimento de leucemia aguda e leucemia linfoide aguda, e durante o primeiro ano de vida em crianças com síndrome de Down.

Em 2013, Wang KL observou em seu estudo que a evidência da associação entre amamentação e risco de linfoma de Hodgkin na infância era limitada.

Neuroblastoma

Um estudo feito nos Estados Unidos e Canadá mostrou que, entre 393 crianças de 6 meses ou mais que tiveram neuroblastoma e 376 crianças controle, a amamentação estava inversamente associada com neuroblastoma.

Tumores de Crescimento

A lactoferrina é uma glicoproteina que é naturalmente encontrada no leite materno, apresentada anteriormente com propriedades antimicrobianas e, recentemente, tem sido relacionada a uma ação anticitotóxica e de inibição do tumor malígno de crescimento.

Proteção Contra Desnutrição

Desnutrição

O desmame precoce constitui um risco aumentado de mortalidade nos dois primeiros anos de vida. A restrição de crescimento fetal, pequeno para idade gestacional, deficiências de vitamina A e zinco somado com o desmame precoce foram causa de 3,1 milhões de mortes de crianças por ano ou 45% de todas as mortes infantis em 2011. O sobrepeso e a obesidade materna resultam em aumento da morbidade materna e mortalidade infantil.

A associação entre amamentação e crescimento ainda é controversa. Sempre se comparou o crescimento de crianças amamentadas aos padrões de curvas de crescimento do NCHS que não são adequadas para as crianças em aleitamento materno, pois foram construídas a partir de dados provenientes das décadas de 1960 e 1970 de crianças americanas, cuja alimentação predominante era constituída por fórmulas infantis.

Em 2006, a Organização Mundial de Saúde (OMS), com intenção de estabelecer um novo padrão internacional de crescimento, elaborou um conjunto de curvas adequadas para avaliar o crescimento e o estado nutricional de crianças até a idade pré-escolar. Ao todo, 8.440 crianças da Gana, Índia, Noruega, Omã, Estados Unidos e Brasil foram acompanhadas. O padrão da OMS deve ser usado para avaliar crianças de qualquer país, independente de etnia, condição socioeconômica e tipo de alimentação. O conjunto das novas curvas da OMS é um instrumento tecnicamente robusto e representa a melhor descrição existente do crescimento físico para crianças menores de 5 anos de idade. O novo padrão representa o crescimento infantil normal sob condições ambientais ótimas. As novas cruvas de crescimento já estão disponíveis no site da OMS: www.who.int/childgrowth

As curvas de crescimento da OMS são representativas de crianças amamentadas saudáveis em todo o mundo.

Temos já o uso das novas curvas nas pesquisas sobre crescimento e amamentação. Podemos citar o estudo de Sprides (2008), por exemplo, que observou que crianças com maior duração de aleitamento predominante apresentaram maior velocidade de crescimento durante os primeiros meses de vida, mas alcançaram peso e comprimento de equilíbrio menor quando comparadas com crianças que receberam outros leites não humanos no início da vida.

Em 2012, a Academia Americana de Pediatria, na sua declaração política sobre amamentação e uso do leite humano, afirmou que "o crescimento infantil deve ser monitorado com as curvas da OMS." Os Centros dos EUA para Controle de Doenças também recomendam que as curvas de crescimento da OMS sejam utilizadas para crianças de idade 0-2 anos.

O primeiro estudo a documentar a superposição de curvas de crescimento pôndero-estatural de crianças de 0 a 6 meses em aleitamento materno exclusivo foi feito em Santos, comparando 242 crianças de um ambulatório de baixa renda com 352 crianças de consultório de bom nível socioeconômico. Comprovando que crianças amamentadas no peito, independentemente da renda crescem sobre a mesma curva.

Proteção Contra Diabetes Melito

A Academia Americana de Pediatria, através do grupo de trabalho sobre proteína do leite de vaca e diabetes melito, recomenda o aleitamento materno como a principal fonte de nutrição durante o primeiro ano de vida. Se há história familiar de diabetes, devem ser evitados produtos que contenham proteínas do leite de vaca durante todo o primeiro ano de vida.

Um estudo medindo a resposta de anticorpos à β-caseína bovina mostrou que os níveis elevados da mesma eram encontrados em bebês alimentados com mamadeira em comparação com crianças amamentadas ($p < 0,0001$), confirmados por *Western blot*. Os resultados deste estudo indicaram que a amamentação nos primeiros 4 meses de vida previne a geração de resposta de anticorpos à β-caseína bovina, apesar do consumo de leite de vaca durante o período de amamentação.

Num estudo, com 2.949 crianças com diabetes tipo 1 (insulino dependente), foi sugerido que a amamentação a curto prazo e a precoce introdução do leite de vaca predispõem as crianças jovens geneticamente suscetíveis à diabetes tipo 1 a uma progressiva autoimunidade às células β.

Young observou, em 46 pacientes de menos de 18 anos amamentados e 92 controles, que a amamentação reduzia o risco da diabetes tipo 2.

Um estudo de Kuehne, em 2004, demonstrou que a introdução precoce de leite de vaca substituindo o leite materno é um fator de aumento do risco da diabetes tipo 1 na vida futura da criança.

Já o estudo de Stuebe, em 2005, mostrou que a maior duração de aleitamento materno foi associada com menor incidência de diabetes tipo 2 em dois grandes grupos norte-americanos de mulheres jovens e de meia-idade, melhorando a homeostase da glicose.

Em outros estudos foi observada a redução em até 30% na incidência de diabetes melito tipo 1 em crianças amamentadas exclusivamente por pelo menos 3 meses, e isso decorria da exposição da criança à β-lactoglobulina no leite de vaca, que estimula um processo de reação cruzada imunológica mediada por células β-pancreáticas. Observou-se também uma redução de 40% na incidência de diabetes melito tipo 2, possivelmente devido ao efeito positivo a longo prazo da amamentação sobre o controle de peso e autorregulação alimentar.

Outra revisão sistemática de 1.010 estudos identificou a relação entre a alimentação infantil e diabetes tipo 2. Os indivíduos que foram amamentados tiveram um menor risco de diabetes tipo 2 que aqueles alimentados com fórmula. Também foi observado que além do risco reduzido de diabetes tipo 2, as concentrações de insulina eram ligeiramente mais baixas, assim como as de glicose no sangue.

Proteção Contra Doenças Digestivas

O papel protetor do colostro e leite maduro sobre as infecções, parasitoses e processos inflamatórios intestinais foi demonstrado em vários estudos (Bhandari, 2003).

Qualquer amamentação está associada com uma redução de 64% na incidência de infecções do trato gastrointestinal inespecíficas, e este efeito dura por 2 meses após a cessação da amamentação.

No Brasil, um estudo de coorte evidenciou que o aleitamento materno diminuiu em 21 vezes o risco de mortes por diarreia, infecções respiratórias agudas e outros agravos infecciosos.

Estudos de Coppa (2006) mostraram que os oligossacarídeos presentes no leite humano foram capazes de inibir a adesão às células epiteliais não só de *Escherichia coli* enteropatogênica sorotipo O119, mas também de *Vibrio cholerae* e de *Salmonella fyris*. Esse fato já tinha sido observado por Newburg, 2004 no México.

Embora a proteção da amamentação contra rotavírus tenha sido demonstrada em alguns estudos, um estudo feito na Uganda não revelou essa proteção.

Uma pesquisa na comunidade rural do Egito refere que o aleitamento materno pode ser considerado como efetivo protetor contra a giardíase, demonstrando que a amamentação deve ser incentivada em regiões de alta endemicidade.

Proteção Contra Enterovirose

Em 2007, Sadeharju K observou que a amamentação tem um efeito protetor contra infecções por enterovírus na infância e que este efeito parece ser mediado principalmente por anticorpos maternos no leite materno.

Proteção Contra Doenças Inflamatórias do Intestino (Crohn e Colite Ulcerativa)

A Academia Americana de Pediatria refere uma possível proteção do leite materno contra a colite ulcerativa, doença de Crohn e doenças crônicas do aparelho digestivo.

Segundo Penders (2006), a amamentação está associada com um redução de 31% no risco de doenças inflamatórias do intestino na infância. A hipótese desse efeito ocorre como resultado da interação do efeito imunomodulador do leite humano e da susceptibilidade genética da criança.

A proteção da amamentação para doença de Crohn é referida por Thompson.

Proteção Contra Doença Celíaca

Crianças amamentadas com leite materno têm proteção contra doença celíaca e essa proteção se mantém mesmo após a introdução de uma dieta com glúten, quando a amamentação é continuada.

Um efeito protetor significativo na incidência da doença celíaca foi observado variando conforme a duração do aleitamento materno e tipo de aleitamento (aleitamento parcial, bem como o aleitamento materno exclusivo) no estudo feito por Peters em 2001.

Infecção por Helicobacter pylori na Idade Futura

O papel protetor da amamentação sobre o *Helicobacter pylori* foi descrito por Malaty, em 2001, em crianças negras entre 2 e 16 anos atendidas em 13 Centros de Saúde em Houston.

Proteção Contra Enterocolite Necrosante

Um estudo multicêntrico realizado na Inglaterra demonstrou que a amamentação foi capaz de prevenir o surgimento de ECN. Nesta pesquisa, 926 prematuros foram agrupados de acordo com o tipos de alimentação. Entre as crianças acompanhadas, 5,6% desenvolveram a doença, dos quais 26% faleceram. A mortalidade entre as crianças alimentadas com fórmulas infantis foi de 5 a 6 vezes maior do que as que eram exclusivamente amamentadas.

Uma metanálise de ensaios clínicos randomizados foi realizada por MacGuire e cols. (2003) e observou-se que crianças que receberam o leite humano de banco de leite tiveram 3 vezes menos probabilidade de desenvolver NEC (RR 0,34), e 4 vezes menos probabilidade de ter confirmado NEC (RR 0,25) do que aqueles que receberam leite de fórmula.

Sullivan (2010) estudou prematuros alimentados de maneira exclusiva com leite materno, e os comparou com outros que recebiam leite humano e suplementação com fórmulas infantis. Ele observou que crianças que receberam apenas leite humano apresentaram uma redução de 77% em enterite necrosante.

BIBLIOGRAFIA CONSULTADA

Abu-Ekteish F, Zahraa J. Hypernatraemic dehydration and acute gastro-enteritis in children. Annals of Tropical Paediatrics 2002 Sep; 22(3):245-249.

Academia Americana de Pediatria. Guia de nova mãe à amamentação. Nova Iorque: Bantam Books, 2011.

Almeida JA, Gomes R. Prefácio in amamentação, um híbrido natureza-cultura. Rio de Janeiro: Editora Fiocruz, 1999.

American Academy of Pediatrics (AAP) highlights. The benefits of breastfeeding for mothers Last Updated 7/10/2014

American Academy of Pediatrics Section on Breastfeeding. Breastfeeding and the use of human milk. Pediatrics 2012 Mar; 129(3):e827-41. Epub 2012 Feb 27.

Amorim AR, Rössner S, Neovius M, Lorenço PM, Linné Y. Does excess pregnancy weight gain constitute a major risk for increasing long-term BMI? Obes Res 2007; 15:1278-86.

Bachrach VR, Schwarz E, Bachrach LR. Breastfeeding and the risk of hospitalization for respiratory disease in infancy: a meta-analysis. Arch Pediatr Adolesc Med 2003; 157:237-43.

Bartick M, Reinhold A. The burden of suboptimal breastfeeding in the United States: a pediatric cost analysis. Pediatrics 2010; 125(5):e1048-56.

Bener A et al. Does prolonged breastfeeding reduce the risk for childhood leukemia and lymphomas? Minerva Pediatrica 2008; 60(2):155-161.

Benn C, Wohlfart J, Aaby P et al. Amamentação e risco de atópica dermatite por história familiar de alergia, durante os primeiros 18 meses de vida American Journal of Epidemiology 2004; 160(3):217-223.

Berner A, Denic S, Galadari S. Longer breastfeeding and protection against childhood leukaemia and lymphomas. Eur J Cancer 2001; 37:234-238.

Bhandari N, Bahj R, Mazumdar S, Martines J, Black RE, Bhan MK et al. Effect of community-basesd promotion of exclusive breastfeeding on diarrhoeal illness and growth: a cluster randomised controlled trial. Lancet 2003; 361:1418-23.

Bjørnerem A, Ahmed LA, Jørgensen L, Størmer J, Joakimsen RM. Breastfeeding protects against hip fracture in postmenopausal women: the Tromsø study. J Bone Miner Res 2011 Dec; 26(12):2843-50. Nature Reviews Endocrinology 7, 632 (November 2011).

Black RE, Victora CG, Walker SP et al. Maternal and child undernutrition and overweight in low-income and middle-income countries. Lancet 2013; 382:427-451.

Bloch AM et al. Does breastfeeding protect against allergic rhinitis during childhood? A meta-analysis of prospective studies. Acta-Paediatrica 2002; 91(3):275-279.

Boccolini CS, Boccolini PMM, Carvalho ML, Oliveira MIC. Padrões de aleitamento materno exclusivo e internação por diarreia entre 1999 e 2008 em capitais brasileiras. Cienc Saúde Coletiva 2012 Jul; 17(7):1857-1863.

Boccolini CS, Carvalho ML, Oliveira MIC, Boccolini PMM. O papel do aleitamento materno na redução das hospitalizações por pneumonia em crianças brasileiras menores de 1 ano. Jornal de Pediatria 2011 Oct; 87(5):399-404.

Bolzettaemai Fl et al. Duration of breastfeeding as a risk factor for vertebral fractures. Bone 2014 Nov; 68:41-5.

Borra C, Iacovou M, Sevilla A. New evidence on breastfeeding and postpartum depression: the importance of understanding women's intentions. Maternal Child Health Journal 20 Aug 2014.

Canto P. Centro Médico Nacional na Cidade do México. Reuters Health 2010.

Carranza-Lira S, Mera JP. Influence of number of pregnancies and total breastfeeding time on bone mineral density. Int J Fertil Womens Med 2002; 47:169-71.

Castro MBT, KAC G, Sichieri R. Determinantes nutricionais e sociodemográficos da variação de peso no pós-parto: uma revisão da literatura. Rev Bras Saúde Mater Infant [online]. 2009; 5(2):125-137. ISSN 1519-3829. http://dx.doi.org/10.1590/S1519-38292009000200002.

Cesar JA, Victora CG, Barros FC, Santos IS, Flores JA. Impact of breastfeeding on admission for pneumonia during posnatal period in Brazil nested case control study. BJM 1999; 318:1316-20.

Coitinho DC, Sichieri R, Benício MHD. Obesity and weight change related to parity and breastfeeding among parous women in Brazil. Public Health Nutr 2001; 4:865-70.

Collaborative Group on Hormonal Factors in Breast Cancer. Breast cancer and breastfeeding: collaborative reanalysis of individual data from 47 epidemiological studies in 30 countries, including 50302 women with breast cancer and 96973 women without the disease. Lancet 2002; 360:187-95.

Coppa GV et al. Human milk oligosaccharides inhibit the adhesion to Caco-2 cells of diarrheal pathogens: Escherichia coli, Vibrio cholerae, and Salmonella fyris. Pediatr Res 2006 Mar; 59(3):377-82.

Daniels JL et al. Breastfeeding and neuroblastoma, USA and Canada. Cancer Causes and Control 2002; 13(5):401-405.

Das UN. Breastfeeding prevents type 2 diabetes mellitus: but, how and why? Am Clin Nutr 2007; 85(5):1436-1437.

Davanzo R et al. Human colostrum and breast milk contain high levels of TNF-Related Apoptosis-Inducing Ligand (TRAIL). J Hum Lact February 2013; 29:23-25.

Davis MK. Infant feeding and childhood cancer. Lancet 1988; 13;2(8607):365-8.

Dell S, To T. Breastfeeding and asthma in young children – Findings from a population-based study. Arch Ped Adol Med 2001 Nov; 155(11):1261-1265.

Dermer A. IBCLC Old Bridge NJ EUA. New Beginnings, Julho-Agosto 2001; 18(4):124-127.

Dermer A. IBCLCA Well-Kept Secret Breastfeeding's Benefits to Mothers. New Beginnings Julho-Agosto 2001; 18(4):124-127.

Duffy LC, Faden H, Wasiewski R, Wolf J, Krystofik D. Exclusive breastfeeding protects against bacterial colonization and day care exposure to otites media. Pediatrics 1997; 100(4):7-7.

Duijts L, Jaddoe VW, Hofman A, Moll HA. Prolonged and exclusive breastfeeding reduces the risk of infectious diseases ininfancy. Pediatrics 2010;126.

Dundaroz R et al. Analysis of DNA damage using the comet assay in infants fed cow's milk. Biol Neo 2003; 84(2):135-141.

Dundaroz R. Preliminary study on DNA damage in non breast-fed infants. Ped Int 2002; 44(2):127-130.

Dursun N, Akin S, Dursun E, Sade I, Korkusuz F. Influence of duration of total breastfeeding on bone mineral density in a Turkish population: does the priority of risk factorsdiffer from society to society? Osteoporos Int 2006; 17:651-5.

Enciclopédia sobre o Desenvolvimento na Primeira Infância Centre of Excellence for Early Childhood Development . Escamilla RPA. A influencia do aleitamento Materno sobre o desenvolvimento psicossocial, 2011.

Esterik PV. Amamentação e segurança alimentar, "Activity Sheets" WABA. Fórum Brasileiro de Segurança Alimentar e Nutricional, 2003.

Estudo da Kaiser Permanente em Aleitamento Materno e Saúde, dados de 1992-1993.

Executive Summary. Breastfeeding and the Use of Human Milk, Pediatrics (ISSN Numbers: Print, 0031-4005; Online, 1098-4275). Copyright © 2012 by the American Academy of Pediatrics. www.pediatrics.org/cgi/doi/10.1542/peds.2011-3553 doi:10.1542/peds.2011-3553

Figueiredo B et al. Amamentação e depressão pós-parto: revisão do estado de arte. Porto Alegre: J Pediatr 2013 July/Aug; 89(4).

Flores-Lujano J, Perez-Saldivar ML, Fuentes-Panana EM et al. Amamentação e infecção precoce na etiologia da leucemia infantil na síndrome de Down. Br J Cancer 2009; 101(5):860-4.

Freudenheim J. Exposure to breast milk in infancy and the risk of breast cancer. Epidemiology 1994; 5:324-331.

Friedman NJ, Zeiger RS. O papel do aleitamento materno na o desenvolvimento de alergias e asma. J Allergy Clin Immunol 2005 Jun; 115(6):1238-1248.

Galson SK. Mothers and Children Benefit from Breastfeeding. Journal Amer Diet Assoc 2008 July; 108(7):1106.

Gao Y-T, Shu X-O, Dai Q, Potter JD, Brinton LA, Wen W, Sellers TA et al. Association of menstrual and reproductive factors with breast cancer risk: results from the Shanghai Breast Cancer Study. Int J Cancer 2000; 87:295-300.

Gdalevich M et al. Breastfeeding and the onset of atopic dermatitis in childhood: a systematic review and meta-analysis of prospective studies. J Am Acad Dermatol 2001 Oct; 45(4):520-7.

Gdalevich M et al. Breastfeeding and the risk of bronchial asthma in childhood: a systematic review with meta-analysis of prospective studies. J Pediatr 2001 Aug; 139(2):261-6.

Gigante D, Victora CG, Barros FC. Breastfeeding has a limited long-time effect on anthropometry and body composition of Brazilian mothers. J Nutr 2001; 131:78-84.

Giugliani ERJ. O aleitamento materno na prática clínica. J Ped 2000; 76(3):238-52.

Gottlieb Z. Duration Breastfeeding linked to osteoporosis risk. Source: link.reuters.com/wed48p Menopause, 2010. University of Padova, Italy, 2014.

Gunderson EP, Jacobs DR Jr, Chiang V, Lewis CE, Feng J, Quesenberry CP Jr et al. Duration of lactation and incidence of the metabolic syndrome in women of reproductive age according to gestational diabetes mellitus status: a 20-Year prospective study in CARDIA (Coronary Artery Risk Development in Young Adults). Diabetes 2010 Feb; 59(2):495-504.

Hadji P, Ziller V, Kalder M, Gottschalk M, Hellmeyer L, Schulz KD. Influence of pregnancy and breastfeeding on quantitative ultrasonometry of bone in postmenopausal women. Climacteric 2002; 5:277-285.

Halpern R, Giugliani ERJ, Victora CG, Barros FC, Horta BL. Fatores de risco para suspeita de atraso no desenvolvimento neuropsicomotor aos 12 meses de vida. J Pediatr 2000; 76:421-8.

Henderson JJ, Evans SF, Straton JAY, Priest SR, Hagan R. Impact of postnatal depression on breastfeeding duration. Birth 2003 Sep; 30(3):175-180.

Hogan VK. Centers for Disease Control and Prevention (CDC)/ Pregnancy and Infant Health Branch/Division of Reproductive Health. Disparities in Perinatal Outcomes in the U.S. Nov 2001. Acesso em nov/2003. Página eletrônica: http://webmedia.unmc.edu/community/citymatch/ PPOR/ KeyIssues/Prevention Strategies/RaceEthnicDisparity.pdf.

Huh SY, Rifas-Shiman SL, Taveras EM, Oken E, Gillman MW. Timing of solid food introduction and risk of obesity in preschool-agedchildren. Pediatrics 2011 Mar; 127(3):e544–551

Ip S, Chung M, Raman G, Chew P, Magula N, DeVine D, Trikalinos T, Lau J. Breastfeeding and maternal and infant health outcomes in developed countries. Evid Rep Technol Assess (Full Rep) 2007 Apr; 153:1-186.

Ip S, Chung M, Raman G et al. Tufts-New England Medical Center Evidence-based Practice Center. Breastfeeding and maternal and infant health outcomes in developed countries. Evid Rep Technol Assess (FullRep) 2007; 153:1-186.

Ip S, Chung M, Raman G, Trikalinos TA, Lau J. A summary of the Agency for Healthcare Research and Quality's evidence report on breastfeeding in developed countries. Breastfeed Med. 2009; 4(suppl 1):S17-S30.

Ivarsson A et al. Breastfeeding protects against celiac disease. Amer J Clin Nutr 2002 May; 75(5):914-921.

Jones G, Steketee RW, Black RE, Bhutta ZA, Morris SS, Bellagio Child Survival Study Group. How many child deaths can we prevent this year? Lancet 2003; 362(9377):65-71.

Kac G, Benicio MHD, Melendez GV, Valente JG, Struchiner CJ. Breastfeeding and postpartum weight retention in a cohort of Brazilian women. Am J Clin Nutr 2004; 79:487-93.

Kalkwarf HJ, Specker BL. Bone mineral changes during pregnancy and lactation.Endocrine 2002; 17:49-53

Karlsson C, Obrant KJ, Karlsson M. Pregnancy and lactation confer reversible bone loss in humans. Osteoporos Int 2001; 12:828-34.

Kelly D, Coutts AG. Early nutrition and the development of immune function in the neonate. Proc Nutr Soc 2000 May; 59(2):177-185.

Kennedy K, Rivera R, McNeilly A. Consensus statement on the use of breastfeeding as a family planning method. Contraception 1989; 39:477-496.

Kim Y, Choi JY, Lee KM, Park SK, Ahn SH, Noh DY et al. Dose-dependent protective effect of breastfeeding against breast cancer among ever-lactated women in Korea. Eur J Cancer Prev 2007; 16:124-9.

Kimpimaki T et al. Short-term exclusive breastfeeding predisposes young children with increased genetic risk of type I diabetes to progressive beta-cell autoimmunity. Diabetologia 2001; 44(1):63-69.

Klaus MH, Canil JH. Cuidados com os pais em "Cuidados com o recém-nascido de alto risco", 5 ed. WB Saunders 2001; 195-222.

Kramer MS, Chalmers B, Hodnett ED, Sevkovskaya Z, Dzikovich I, Shapiro S, Collet JP, Vanilovich I, Mezen I et al. Promotion of breastfeeding intervention trial (PROBIT): a randomized trial in the Republic of Belarus. JAMA 2001; 285:413-20.

Kramer MS, Kakuma R. The optimal duration of exclusive breastfeeding: a systematic review. Geneva, Switzerland: World Health Organization, Department of Health and Development, Department of Child and Adolescent health and Development, 2002.

Kramer MS, Matush L, Vanilovich I, Platt R, Bogdanovich N, Sevkovskaya Z et al. Promotion of Breastfeeding Intervention Trial (PROBIT) Study Group. Effect of prolonged and exclusive breastfeeding on risk of allergy and asthma: cluster randomised trial. BMJ 2007; 335:815.

Krause KM, Lovelady CA, Peterson BL, Chowdhury N, Ostbye T. Efeito da amamentação -on peso retenção em 3 e 6 meses pós-parto: dados do Programa WIC Carolina do Norte. Nutrição e Saúde Pública 2010; 13:2019-2026.

Krause KM, Lovelady CA, Peterson BL, Chowdhury N, Stbye T. Effect of breastfeeding on weight retention at 3 and 6 months postpartum: data from the North Carolina WIC Programme Public Health Nutrition 2010 Dec; 13:12.

Kuehne VS et al. Longer aleitamento materno é um fator protetor independente contra o desenvolvimento de diabetes mellitus tipo 1 na infância. Diabetes Metabolism Research e Análises. 2004 Mar-abr; 20(2):150-157.

Kuiper S, Muris JW, Dompeling E, Kester AD, Wesseling G, Knottnerus JA et al. Interactive effect of family history and environmental factors on respiratory tract-related morbidity in infancy. J Allergy Clin Immunol 2007; 120:388-95.

Kull I, Wickman M , Lilja G , Nordvall S L, Pershagen G. Breastfeeding and allergic diseases in infants – a prospective birth cohort study. Arch Dis Child 2002; 87:478-481.

Kwan Ml et al. Breastfeeding and the risk of childhood leukemia: a meta-analysis. Pub Health Rep 2004 Nov-Dec; 119(6):521-535.

Wang K-L et al. Breastfeeding and the risk of childhood hodgkin lymphoma: a systematic review and meta-analysis. Asian Pac J Cancer Prev 2013; 14(8):4733-4737.

Labbok M. Australian Breastfeeding Association, julho 2013.

Labbok MH. Effects of breastfeeding on the mother. Pediatr Clin North Am 2001; 48:143-58.

Lacerda EMA, Leal M. Fatores associados com a retenção e o ganho de peso pós-parto: uma revisão sistemática. São Paulo: Rev Bras Epidemiol 2004; 7:2.

Lambert DK, Christensen RD, Henry E, Besner GE, Baer VL, Wiedmeier SE, Stoddard RA, Mineiro CA, Burnett J. Enterocolite necrosante em neonatos a termo: froma de dados do sistema de cuidados de saúde multihospital. J Per 2007; 27:437-443.

Langer-Gould A, Huang SM, Gupta R, Leimpeter AD, Greenwood E, Albers KB et al. Exclusive breastfeeding and the risk of postpartum relapses in women with multiple sclerosis. Arch Neurol 2009 Aug; 66(8):958-963.

Lawrence RA, Lawrence RM. Breastfeeding a guide for the medical profession sixth edition. Philadelphia: Mosby, 2005.

Lovelady CA, Garner KE, Moreno KL, Williams JP. The effect of weight loss in overweight, lactating women on the growth of their infants. N Engl J Med 2000; 342:449-53.

Mahmud MA et al. Impact of breastfeeding on Giardia lamblia infections in Bilbeis, Egypt. Amer J Trop Med Hyg 2001 Sep; 65(3):257-260.

Malaty HM et al. Helicobacter pylori infection in preschool and school-aged minority children: effect of socioeconomic indicators and breastfeeding practices. Clin Infect Dis 2001 May; 15;32(10):1387-92.

Mandhane PJ, Greene JM, Sears MR. Interactions between breastfeeding, specific parental atopy, and sex on development of asthma and atopy. J Allergy Clin Immunol 2007; 119:1359-66.

Marild S, Hansson S, Jodal U, Oden A, Svedberg K. Efeito protetor fazer aleitamento materno contra a infecção do trato urinário. Acta Paediatr 2004; 93: 164-168.

Martin RM, Middleton N, Gunnell D, Owen CG, Smith GD. Breastfeeding and cancer: the Boyd Orr cohort and a systematic review with meta-analysis. J Natl Cancer Inst 2005; 97:1446-57.

McGuire W, Anthony MY. Donor human milk versus formula for preventing necrotising enterocolitis in preterm infants: systematic review. Archives of Disease in Childhood. 2003; 88(1)SI:11-14.

McIvor C. Breastfeeding reduces hip fracture risk postmenopause. A amamentação reduz o risco de fratura do quadril pós-menopausa. J Bone Min Res 2011. Advance online publication.

Mediratta RP et al Risk factors and case management of acute diarrhoea in North Gondar Zone, Ethiopia. J Health Popul Nutr 2010 Jun; 28(3):253-63.

Michaelsson K, Baron JA, Farahmand BY, Ljunghall S. Influence of parity and lactation on hip fracture risk. Am J Epidemiol 2001; 153:1166-72.

Mihrshahi S, Ampon R, Webb K, Almqvist C, Kemp AS, Hector D et al. The association between infant feeding practices and subsequent atopy among children with a family history of asthma. Clin Exp Allergy 2007; 37:671-9.

Ming Y et al. Association of breastfeeding with asthma in young Aboriginal children in Canada. Can Respir J 2012 Nov-Dec; 19(6):361-366.

Möller T. Breast cancer and breastfeeding: collaborative reanalysis of individual data from 47 epidemiological studies in 30 countries, including 50,302 women with breast cancer and 96,973 women without the disease. Collaborative Group on Hormonal Factors in Breast Cancer, Möller, Torgil, Olsson, Håkan and Ranstam. Lancet 2002; 360(9328):187-195.

Monetini L. Bovine beta-casein antibodies in breast- and bottle-fed infants: their relevance in Type 1 diabetes. Diab Met Res Rev 2001; 17(1):51-54.

Murahovschi J, Teruya KM, Santos Bueno LG, Baldin PE. Amamentação: da teoria à prática. Santos: Fundação Lusíada 1996; p.10-11.

National Institutes of Health Osteoporosis and Related Bone Diseases. National Resource Center. Pregnancy, Breastfeeding, and Bone Health, January 2012, 2.

Newburg-DS et al. Innate protection conferred by fucosylated oligosaccharides of human milk against diarrhea in breastfed infants. Glycobiology Mar 2004; 14(3):253-263.

Nobre EB, Issler H, Ramos JLA, Grisi SJFE. Aleitamento materno e desenvolvimento neuropsicomotor: uma revisão da literatura. Pediatria 2010; 32(3):204-10.

Oddy WH et al. Breastfeeding and a birth cohort study respiratory morbidity in infancy: a birth cohort study. Arch Dis Child Mar 2003; 88(3):224-228.

Oddy WH, Kendall GE et al. The long-term effects of breastfeeding on child and adolescent mental health: a pregnancy cohort study followed for 14 years. J Ped 2010; 156(4):568-74.

Oddy WH, Peat JK, de Klerk NH. Maternal asthma, infant feeding, and the risk of asthma in childhood. J Allergy Clin Immun 2002 Jul; 110(1):65-67.

Okamura C, Tsubono Y, Ito K, Niikura H, Takano T, Nagase S et al. Lactation and risk of endometrial cancer in Japan: a case-control study. Tohoku J Exp Med 2006; 208:109-15.

Olson CM, Strawderman MS, Hinton PS, Pearson TA. Gestational weight gain and postpartum behaviors associated with weight change from early pregnancy to 1 y postpartum. Int J Obes Relat Metab Disord 2003; 27(1):117-27.

Onis M, Garza C, Victora CG, Bhan M K, Norum KR. The WHO multicentre growth reference study (MGRS): rationale, planning, and implementation. Food and Nutr Bull 2004; 25(1):55-589.

OVER 10/12/2013.kellymom.com

Owen CG et al. Será que influenciam o risco de amamentação de diabetes tipo 2 mais tarde na vida? Uma análise quantitativa da publicação provas. Am J Clin Nutr 2006 Nov; 84 (5):1043-1054.

Paton LM, Alexander JL, Nowson CA et al. Pregnancy and lactation have no long-term deleterious effect on measures of bone mineral in healthy women: a twin study. Am J Clin Nutr 2003; 77:707-714.

Pediatrics 2012, Section on Breastfeeding. Breastfeeding and the use of human milk 129:e827.

Pediatrics Vol. 115 N. 2 February 1, 2005; 496-506.

Pediatrics Vol. 129 N. 3 March 1, 2012; e827-e841.Disponível em: www.pediatrics.org/content/129/3/e827.

Penders J, Thijs C, Vink C et al. Factors influencing the composition of the intestinal microbiota in early infancy. Pediatrics 2006; 118(2):511-521.

Perrillat F. Day-care, early common infections and childhood acute leukaemia: a multicentre French case-control study. Brit J Cancer 2002; 86(7):1064-1069.

Peters U et al. A case-control study of the effect of infant feeding on celiac disease. Ann Nutr Met 2001 Jul-Aug; 45(4):135-142.

Pillegi MC, Policastro A, Abramovici S, Cordioli E, Deutsch AD'A. A amamentação na primeira hora de vida e a tecnologia moderna: prevalência e fatores limitantes. Einstein 2008; (6):467-72.

Potischman N, Troisi R. In-utero and early life exposures in relation to risk of breast cancer. Cancer Causes Control 1999; 10(6):561-573.

Quigley MA et al. How protective is breastfeeding against diarrhoeal disease in infants in 1990s England? A case-control study. Arch Dis Child 2006 Mar; 91(3):245-50.

Quigley MA, Kelly YJ, Sacker A. Breastfeeding and hospitalization for diarrheal and respiratory infection in the United Kingdom Millennium Cohort Study. Pediatrics 2007; 119(4).

Ramos CV, Almeida JAG. Alegações maternas para o desmame: estudo qualitativo. J Pediatr 2003; 79(5):385-90.

Rea MF. Benefits of breastfeeding and women's health. J Pediatr 2004; 80(5 suppl): s142-s146.

Riman T, Dickman PW, Nilsson S, Correia N, Nordlinder H, Magnusson CM et al. Risk factor for invasive epithelial ovarian cancer: results from a Swedish case-control study. Am J Epidemiol 2002; 156:363-73.

Rooney BL, Schauberger CW. Excess pregnancy weight gain and long-term obesity: one decade later. Obstet Gynecol 2002; 100:245-52.

Rosenbauer J, Herzig P, Giani G. Early infant feeding and risk of type 1 diabetes

Rosenbauer J, Herzig P, Giani G. Mellitus – a nation-wide population based case control study in pre-school children. Diabetes Metab Res Rev 2008; 24(3):211-222.

Sadeharju K et al. Maternal antibodies in breast milk protect the child from enterovirus infections. Pediatrics 2007 May; 119(5):941-6.

Sariachvili M, Droste J, Dom S, Wieringa M, Vellinga A, Hagendorens M, et al. Is breastfeeding a risk factor for eczema during the first year of life? Pediatr Allergy Immunol 2007; 18:370-1.

Schanler RJ et al. Feeding strategies for premature infants: beneficial outcomes of feeding fortified human milk versus preterm formula. Pediatrics 1999 Jun; 103(6 Pt 1): 1150-7.

Schoetzau A, Filipiak-Pittroff B, Koletzko S, Franke K, von Berg A, Grübl A et al. Effect of exclusive Breastfeeding and early solid food avoidance on the incidence of atopic dermatitis in high-risk infants at1 year of age. Pediatr Allergy Immunol 2002; 13:234-42.

Schwarz EB et al. Duration of lactation and risk factors for maternal cardiovascular disease. Obst Gynec 2009 May; 113(5):974-982.

Shaaban OM, Glasier AF. Pregnancy during breastfeeding in rural Egypt. Contraception 2008; 77:350-354.

Sichieri R, Field AE, Rich-Edwards J, Willet WC. Prospective assessment of exclusive breastfeeding in relation to weight change in women. Int J Obes 2003; 27:815-20.

Silfverdal SA et al. Long term enhancement of the IgG2 antibody response to Haemophilus influenzae type B by breastfeeding. Ped Infec Dis J 2002 Sep; 21(9):816-821.

Somvanshi P. Preventing postpartum weight retention. Am Fam Physician 2002; 66(3):380-3.

Spyrides MHC et al. Efeito da duração da amamentação predominante no crescimento infantil: um estudo prospectivo com modelos não lineares de efeitos mistos. J Pediatr 2008 May-June; 84(3):237-243.

Stoney RM et al. Maternal breast milk long-chain n-3 fatty acids are associated with increased risk of atopy in breastfed infants. Clinical and Experimental Allergy 2004 Feb; 34(2):194-200.

Strassburger SZ, Vitolo MR, Bortolini GA, Pitrez PM, Jones MH, Stein RT. Nutritional errors in the first months of life and their association with asthma and atopy in preschool children. J Pediatr 2010 Oct; 86(5):391-399.

Stuebe AM, Rich-Edwards JW, Willett WC, Manson JE, Michels KB. Duration of lactation and incidence of type 2 diabetes. JAMA 2005 Nov; 294(20):2601-2610.

Sullivan S, Schanler RJ, Kim JH et al. An exclusively human milk-based diet is associated with a lower rate of necrotizing enterocolitis than a diet of human milk and bovine milk-based products. J Pediatr 2010; 156(4):562-567.

Thompson NP, Montgomery SM, Wadsworth MEJ, Pounder RE, Wakefield AJ. Early determinants of inflammatory bowel disease: use of two national longitudinal birth cohorts. Eur J Gastr Hepat 2000 Jan; 12(1):25-30.

Toma T, Rea M. Benefícios da amamentação para a saúde da mulher e da criança: um ensaio sobre as evidências. Rio de Janeiro: Cad Saúde Pública 2008; 24(Sup 2): S235-S246.

Tommaselli GA, Guida M, Palomba S, Barbato M, Nappi C.Using complete breastfeeding and lactational amenorrhoea as birth spacing methods. Contraception 2000; 61(4):253-257.

Tryggvadottir L, Tulinius H, Eyfjord JE, Sigurvinsson T. Breastfeeding and reduced risk of breast cancer in an Icelandcohort study. Am J Epidemiol 2001; 154:37-42.

Tung KH, Goodman MT, Wu Anna H, McDuffie K, Wilkens LR, Kolonel LN et al. Reproductive factors and epithelial ovarian cancer risk by histologic type: a multiethnic case-control study. Am J Epidemiol 2003; 158:629-38.

UK Childood Cancer Study Investigators. Breastfeeding and childhood cancer. Br J Cancer 2001; 85:1685-1694.

US Department of Health and Human Services. The Surgeon General's Call to Action to Support Breastfeeding. Washington, DC: Department of Health and Human Services, 2011.

Van der Wijden C, Kleijnen J, Van Den Berk T. Lactational amenorrhea for family planning. Cochrane Database System Review 2008; Issue 4. Art. N.: CD001329. DOI: 10.1002/14651858.CD001329.

van Odijk J, Kull I, Borres MP, Brandtzaeg P, Edberg U, Hanson LA et al. Breastfeeding and allergic disease: a multidisciplinary review of the literature (1966-2001) on the mode of early feeding in infancy and its impact on later atopic manifestations. Allergy 2003; 58:833-43.

Victora CG, Smith PG, Vaughan JP. Evidence for the protection by Breastfeeding against infant death from infections diseases in Brazil. Lancet 1987; (8554):319-22.

The WHO Child Growth Standards: Geneva, Switzerland: Published April 27, 2006.

Wikipedia the free Encyclopedia, Family (biology). Linnaean taxonomy site na internet) disponível http://en.wikipedia.org/wiki/Carolus. Acessado em 30 de julho de 2004.

Wobudeya E et al. Breastfeeding and the risk of rotavirus diarrhea in hospitalized infants in Uganda: a matched case control study. BMC Pediatrics 2011; 11:17.

Wolf JS. Lactoferrin inhibits growth of malignant tumors of the head and neck. Orl Journal Oto-Rhino-Laryngology and its Related Specialties 2003; 65(5):245-249.

Young TK et al. Type 2 diabetes mellitus in children – Prenatal and early infancy risk factors among native canadians. Arch Ped Adol Med 2002 Jul; 156(7):651-655.

Zutavern A, Brockow I, Schaaf B et al. LISA Study Group. Timing of solid food introduction in relation to atopic dermatitis and atopic sensitization: results from a prospective birth cohort study. Pediatrics 2006; 117(2):401-411.

Anatomia da Mama e Fisiologia da Lactação

3

Maria da Graça Mouchrek Jaldin
Rejane de Brito Santana

ANATOMIA DA MAMA

A Mama

As mamas, características dos mamíferos, são fundamentalmente destinadas à nutrição, apesar de na mulher desempenharem importante papel na sexualidade.

A palavra mama refere-se à glândula mamária acrescida dos elementos do tecido conjuntivo, ligamentos (ligamentos de Cooper) e do tecido adiposo que lhe circundam e dão sustentação. É um órgão derivado do tecido epidérmico e considerado anexo cutâneo.

As mamas, em número par, são estruturas complexas localizadas superficialmente na parede anterior do tórax, e cada uma situa-se ventralmente aos músculos peitoral maior, serrátil anterior e oblíquo externo, estendendo-se da segunda, terceira a sexta e sétima costelas, e do bordo lateral do esterno à linha axilar anterior. As duas mamas estão separadas pelo sulco intermamário que é mais pronunciado quanto maior for o volume mamário, e abaixo, na posição de pé, observa-se o sulco inframamário.

As mamas têm a forma, firmeza e volume variáveis de acordo com uma série de fatores, como raça, idade, obesidade, estado de atividade funcional etc. Na mulher jovem e nulípara elas apresentam forma hemisférica, e nas multíparas e obesas são de maior tamanho e pêndulas. Com o passar do tempo, as mamas geralmente diminuem de tamanho, são mais pêndulas e menos firmes.

O volume da mama e seu contorno arredondado estão diretamente ligados à quantidade de gordura que circunda o tecido glandular, e não indica sua capacidade funcional. Normalmente, há uma assimetria de volume entre ambas. Na mulher adulta não gestante, a mama pesa em média 200 a 400 g, durante a gestação pode atingir aproximadamente 600 g e no período de lactação o peso varia de 600 a 800 g.

Pele

A pele que recobre a mama é delgada, lisa, elástica, mais clara que a do restante do corpo, diferenciando-se em sua porção central, onde se torna mais espessa, enrugada, pigmentada, formando o complexo areolopapilar.

Complexo Areolopapilar

O complexo compreende duas estruturas, a aréola e a papila. A aréola é uma área circular, pigmentada, de tamanho variado, tendo em média 3 a 6 cm de diâmetro, com superfície irregular e folículos pilosos ao seu redor. Esta região contém glândulas sebáceas, sudoríparas e areolares. Estas, conhecidas como glândulas de Montgomery apresentam uma estrutura intermediária entre o tecido glandular mamário verdadeiro e as glândulas sudoríporas.

A superfície areolar é marcada por pequenas elevações, os tubérculos de Montgomery, correspondentes aos orifícios dos ductos das glândulas de Montgomery e que aumentam de volume durante a gestação. A secreção destas parece servir para lubrificar e proteger a papila e aréola, com efeito antibacteriano durante a gravidez e lactação. Tem sido observada, ainda, a saída de secreção láctea com a expressão dos tubérculos e, após a lactação, as glândulas voltam ao seu estado inicial.

O cheiro exalado pelas glândulas de Montgomery atrai o bebê à mama, de onde irá retirar o leite materno, alimento completo, que entre outras vantagens, favorece o crescimento satisfatório do lactente quanto ao peso, comprimento e perímetro cefálico. Por esse e outros motivos, é importante favorecer o contato pele a pele, entre a mãe e o bebê, imediatamente após o nascimento e nos primeiros dias da amamentação, como também deve ser evitada a retirada dessa secreção e o uso de cremes na aréola e mamilo.

Na mulher de cor clara, a aréola apresenta-se com uma coloração rósea, enquanto na mulher negra é mais escura. Durante a gravidez aumenta de tamanho, torna-se mais escura e nunca volta à sua cor de origem. Essa cor mais escura pode ser um estímulo visual para o recém-nascido buscar não somente o mamilo, mas a aréola, a fim de obter o leite materno.

No centro da aréola, à altura do quarto espaço intercostal, temos a papila ou mamilo, formação cilíndrica, pigmentada, de tamanho variado, tendo em média 10 a 12 mm de largura e 9 a 10 mm de altura. Sua pele é semelhante à da aréola, porém não apresenta pelos e glândulas sudoríporas, mas sim, numerosas glândulas sebáceas. Cada mamilo contém, em média, 23 ductos lactíferos principais que terminam como pequenos orifícios no seu vértice, por onde o leite se exterioriza. Algumas vezes esses orifícios são em quantidade menor que o respectivo lobo mamário, e em média o mamilo possui 9 orifícios por onde o leite sai da mama.

A papila e a aréola são inervadas por uma densa rede de fibras nervosas, importante na condução da informação sensorial da sucção à medula espinhal e cérebro, regulando a secreção de ocitocina e prolactina.

O complexo areolopapilar não possui tecido subcutâneo e tem grande elasticidade. A aréola está sobre uma fina camada de músculo liso, o músculo areolar, cujas fibras se distribuem nos sentidos circular e radial, e continua na papila, com fibras longitudinais e circulares que envolvem os ductos lactíferos juntamente com o tecido conjuntivo de sustentação. A sua contração é responsável pelo enrijecimento da papila ou mamilo (telotismo), e durante a amamentação, pelo esvaziamento da secreção láctea dos ductos lactíferos imediatamente abaixo da aréola, através de orifícios estreitos no mamilo.

Até pouco tempo, acreditava-se que os ductos, sob a aréola, formavam os seios lactíferos que armazenavam o leite. Mas investigação ultrassonográfica mostra a ausência dos seios lactíferos, e que os ductos servem mais para transportar do que armazenar o leite materno. O que realmente ocorre é que no momento da produção e ejeção do leite, devido à elasticidade do sistema ductal, os ductos se enchem de leite e se apresentam dilatados.

No ato da sucção, a criança deve abocanhar o mamilo e grande parte da aréola, onde logo abaixo estão os ductos lactíferos cheios de leite, para que eles possam ser pressionados pela língua e o leite ser expelido em direção à boca da criança.

Glândula Mamária

É uma verdadeira glândula sudorípara modificada que se especializou para secretar leite em vez de suor. A sua diferenciação estrutural e funcional está sob controle dos hormônios da hipófise e ovarianos, sofrendo as mudanças do nascimento até a gravidez, lactação e involução.

Na puberdade, em geral os hormônios estrogênio e do crescimento estimulam o crescimento dos ductos mamários, enquanto a progesterona favorece a formação dos lóbulos e alvéolos. É durante a gravidez que a mama completa seu crescimento e maturação sob a influência dos hormônios, dentre estes, a prolactina, a progesterona, o estrogênio, hormônio de crescimento, lactogênio placentário. Após a menopausa, ao cessar o estímulo hormonal, ela regride gradual e lentamente, ocorrendo o desaparecimento do tecido glandular e sua substituição por tecido conjuntivo e adiposo.

O corpo mamário é uma estrutura constituída pelo parênquima e estroma. O parênquima inclui os ductos, lobos e alvéolos, enquanto o estroma inclui o tecido conjuntivo, tecido gorduroso, nervos, vasos sanguíneos e linfáticos.

Os ductos lactíferos irradiam-se a partir da base do mamilo e seguem por baixo da aréola, estendendo-se radialmente em direção à parede torácica, ramificando-se em ductos menores até terminarem em formações pequenas e saculares – os alvéolos ou ácinos (em números de 10 a 100). O número de ductos e o tamanho das estruturas acinares variam nos diferentes períodos da vida. Os alvéolos formam lóbulos que, por sua vez, se reúnem para formar 15 a 20 lobos mamários, independentes, que tem entre si projeções do tecido fibroso (ligamentos de Cooper) envolvendo a mama, depósitos de gordura e por onde passam os vasos sanguíneos, vasos linfáticos e nervos.

Cada lobo mamário corresponde a um ducto lactífero e suas ramificações intra e extralobulares. Os lobos variam consideravelmente de tamanho e são mais numerosos na parte superior da mama (Fig. 3.1). A elasticidade do sistema ductal favorece o aumento do diâmetro do ducto durante a produção e descida do leite.

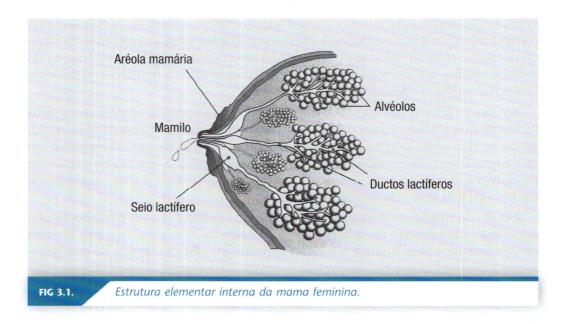

FIG 3.1. Estrutura elementar interna da mama feminina.

Os alvéolos, responsáveis pela produção do leite, são constituídos de uma membrana basal e uma de células cilíndricas secretoras produtoras de leite. Entre a membrana basal e as células secretoras existe uma camada de células achatadas, as células mioepiteliais, com função contrátil, que, ao se contraírem, expulsam o leite para dentro e ao longo dos ductos menores, destes aos ductos principais, indo exteriorizar-se através dos orifícios do mamilo (Fig. 3.2). O leite materno fica armazenado nos alvéolos e ductos, no período entre as mamadas.

Na gravidez, a formação dos verdadeiros alvéolos secretores é controlada pela ação sinérgica dos estrogênios, progesteronas (produzidos principalmente pela placenta), prolactina (produzida pela adenoipófise) e hormônio do crescimento.

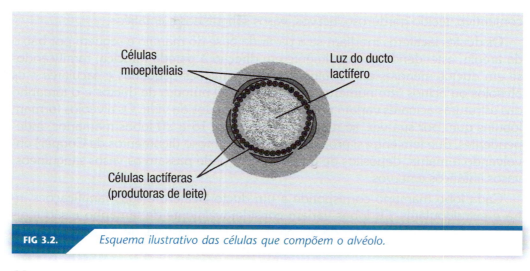

FIG 3.2. Esquema ilustrativo das células que compõem o alvéolo.

Anatomia da Mama e Fisiologia da Lactação **CAPÍTULO 3**

A glândula mamária é envolvida por uma camada de tecido celuloadiposo ou subcutâneo que se projeta no seu interior. Esse tecido separa a glândula da pele, exceto na região abaixo do mamilo e aréola. Os depósitos de gordura conferem ao seio um contorno superficial liso.

Abraçando a mama de modo a envolvê-la quase totalmente, temos a fáscia superficial, que anteriormente a separa do tecido subcutâneo. A fáscia superficial se divide em dois folhetos, anterior e posterior. O folheto anterior da fáscia superficial emite projeções em direção ao parênquima mamário que se fusionam com as expansões fibrosas que partem do corpo glandular, formando os ligamentos suspensores da mama, ligamentos de Cooper, que vão terminar na derme e delimitam espaços no tecido adiposo.

O folheto posterior da fáscia superficial separa o corpo mamário do músculo grande peitoral, delimitando o espaço retromamário preenchido por tecido conjuntivo frouxo. Entre a fáscia e o corpo glandular está a gordura retromamária. A bolsa retromamária contribui para a mobilidade das mamas sobre a parede torácica.

ANOMALIAS

Em aproximadamente 2 a 6% da população feminina, glândulas mamárias acessórias (polimastia) estão presentes. Em geral, estão situadas no curso da linha mamária embrionária cranial e lateralmente, ou caudal e medialmente ao mamilo normal. Muito raramente, pode estar ausente uma ou ambas as mamas (amastia).

Mamilos supranumerários (politelia) podem estar presentes; um pouco menos rara é a ausência dos mamilos (atelia). O mamilo pode permanecer invertido, o que pode causar dificuldade na amamentação. Anormalidades adquiridas são devidas a traumas, queimaduras, radiação, biopsia etc.

Vascularização da Mama

A glândula mamária é extremamente vascularizada. A irrigação arterial da mama provém de múltiplas fontes, mas principalmente da artéria mamária externa, da artéria mamária interna e das artérias intercostais. Secundariamente, o suprimento arterial da mama é feito pelos ramos da artéria axilar, ramos da acromiotorácica e artéria toracodorsal.

A drenagem venosa acompanha basicamente o sistema arterial. As veias da mama são divididas em dois sistemas: superficial e profundo. O plexo venoso superficial dilata-se durante a gestação e lactação, sendo visível através da pele, constituindo a rede vascular de Haller. O sistema superficial possui ampla ligação com as veias do estroma da glândula.

Drenagem Linfática

A rede linfática da mama é complexa e bem desenvolvida, drenada principalmente para região axilar (linfonodos axilares). A drenagem linfática da glândula se faz através de dois plexos: superficial ou subareolar e profundo. O plexo profundo drena para o plexo subareolar. Os vasos linfáticos da aréola e do mamilo desembocam nos que drenam para o parênquima da glândula.

45

Inervação

A inervação da superfície cutânea da mama é feita pelos 6 primeiros nervos intercostais, pelo ramo supraclavicular do plexo cervical superficial e ramos torácicos do plexo braquial.

O mamilo e aréola são inervados pelo quarto nervo intercostal; a glândula mamária recebe inervação do quarto, quinto e sexto nervos intercostais, além de fibras simpáticas que acompanham a mamária externa. A inervação sensitiva é encontrada, em especial, na base do mamilo, onde os lábios do lactente produzem maior estimulação à sucção. No parênquima da glândula, poucos receptores são encontrados.

A rica inervação sensorial sobre todo o mamilo e aréola é de grande importância funcional, já que a sucção desencadeia uma série de mecanismos nervosos e neuro-humorais que trazem como consequência a liberação do leite e a manutenção da diferenciação glandular essencial para que se continue a lactação.

FISIOLOGIA DA LACTAÇÃO

O ser humano, como todos os mamíferos, possui uma característica peculiar, a lactação, que é a capacidade de produzir o alimento ideal para seus filhos.

Independentemente da situação socioeconômica-cultural, a amamentação é sempre a forma mais perfeita de suprir as necessidades nutricionais dos bebês, proporcionando melhor qualidade de vida, bem como protegendo a saúde da mãe, e o "aconchego da amamentação" cria laços afetivos mais fortes entre mãe e filho, de crucial importância para a formação de uma personalidade ajustada socialmente e feliz consigo.

A mama, para cumprir sua função prioritária, passa por transformações durante a gravidez e após o parto, a fim de se tornar capaz de sintetizar, armazenar e liberar os constituintes do leite.

No período da gravidez, a glândula mamária sofre modificações resultantes da interação da progesterona, estrogênios, lactogênio placentário, gonadotrofinas, corticoides placentários, hormônios tireoidianos, hormônio da paratireoide, insulina, corticoides suprarrenais e, possivelmente, do hormônio do crescimento hipofisário, sendo que a prolactina e o lactogênio placentário são os mais importantes na regulação da mamogênese.

No início da gestação, o tecido mamário sofre modificações que consistem na proliferação de ductos e ácinos e formação de novos alvéolos. Entre a quinta e a oitava semanas, ocorre dilatação das veias superficiais e aumento da pigmentação da aréola e mamilo. No fim do primeiro trimestre, há um grande aumento do fluxo sanguíneo por dilatação dos vasos e pelo aparecimento de novos capilares.

Secreção do Leite

As células epiteliais dos alvéolos sintetizam alguns componentes do leite e retiram outros do plasma sanguíneo. Cada célula alveolar é capaz de produzir leite com todos os seus constituintes.

Anatomia da Mama e Fisiologia da Lactação **CAPÍTULO 3**

A síntese dos constituintes do leite se faz através dos mecanismos que se seguem:

- Difusão: passagem de água e íons monovalentes (Na, K e Cl) através da membrana celular até o interior do alvéolo;
- Exocitose: a membrana celular se funde com a membrana da proteína e se abre, deixando a proteína livre;
- Secreção apócrina: mecanismo de secreção dos lipídeos;
- Pinocitose: transporte de imunoglobulinas pelas células alveolares através de um receptor transcelular;
- Via paracelular: as células encontradas no leite são secretadas através de solução de continuidade entre as células alveolares.

A produção de leite se faz numa sequência de eventos governada por ação hormonal, didaticamente assim apresentada:

- Lactogênese I;
- Lactogênese II;
- Galactopoese.

A lactogênese I se dá no último trimestre, a partir da 20ª semana de gravidez, quando a mama está pronta para produzir leite (pré-colostro), mas o faz em pequena quantidade, porque a presença da placenta inibe a prolactina, hormônio responsável pela produção do leite, devido às altas concentrações de esteroides sexuais, especialmente progesterona. Portanto, o controle da produção inicial do leite é endócrino, isto é, depende da presença de hormônios. Por este motivo, após o parto, na fase inicial da lactação acontece a produção do leite mesmo sem a sucção da mama.

Após o parto, com a saída da placenta, cai o nível sanguíneo de progesterona, e ocorre uma rápida elevação na concentração de prolactina no sangue. Este pico de prolactina induz o começo da síntese do leite (colostro). Entre 24 e 48 horas, a mama se apresenta intumescida por causa da grande migração de água, atraída pela força hiperosmolar da lactose, com dilatação de ductos e alvéolos. Esse fenômeno é conhecido como apojadura. Logo depois acontece a descida do leite, fenômeno que marca o início da lactogênese II.

A partir de então, a regulação passa a ser feita no próprio local da produção do leite, ou seja, o controle passa a ser autócrino. O volume de leite passa a depender da demanda da criança e do esvaziamento da mama, e é diretamente proporcional ao número de mamadas. Quanto maior a frequência em um dado intervalo de tempo, maior será o aumento do volume de leite produzido.

A sucção do bebê no peito estimula as terminações nervosas do mamilo e aréola, enviando impulsos via neuronal reflexa aferente para o hipotálamo, estimulando a hipófise anterior a secretar o hormônio prolactina e a hipófise posterior, o hormônio ocitocina. A prolactina é transportada até os alvéolos e estimula essas células secretoras a produzir leite, reflexo materno de produção de leite (Fig. 3.3).

No hipotálamo, encontram-se fatores estimulantes e inibidores da produção de prolactina. A ação inibidora é mediada pelo PIF (*Prolactin Inhibiting Factor*) que é a dopamina que atua sobre as células lactotróficas da hipófise anterior, inibindo a produção da prolactina.

47

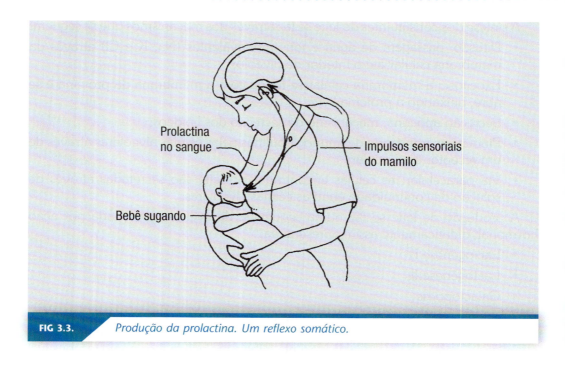

FIG 3.3. *Produção da prolactina. Um reflexo somático.*

Os fatores estimulantes hipotalâmicos da prolactina são o TRH (*Thyrotropin Releasing Hormone*), o VIP (*Vasoactive Intestinal Peptide*) e a angiotensina II.

A liberação da prolactina ocorre como consequência da inibição da secreção de dopamina, quando as terminações nervosas do mamilo e da aréola são estimuladas pela sucção do bebê ou de outras formas. A pele do mamilo e da aréola contém terminações nervosas livres que, juntamente com os corpúsculos táteis localizados na derme, são responsáveis pelo aumento da sensibilidade dessa região depois do parto. O estímulo originado na região mamilo-areolar percorre as fibras nervosas, alcança a medula espinhal e se conecta com o hipotálamo. Acontece, então, a inibição da secreção de dopamina e a consequente liberação de prolactina que, por via sanguínea, atinge as células do alvéolo mamário, estimulando a secreção do leite.

Aproximadamente 30 minutos depois do início da mamada, há um pico de elevação da prolactina basal. Isso faz com que a mama produza o leite para a próxima mamada. Quando a criança mama, ela está tomando o leite que foi produzido depois da mamada anterior. Essa elevação da prolactina basal pode se manter por 3 a 4 horas; a amamentação frequente mantém esses níveis de prolactina elevados, isto é, sobre uma linha basal. Com a diminuição da frequência das mamadas ocorre, consequentemente, diminuição da quantidade da prolactina.

A prolactina é produzida mais à noite; sua produção dá à mãe uma sensação de relaxamento e, algumas vezes, até sonolência. Mãe que tem parto cesariano possui menor nível de prolactina que aquela cujo parto é por via vaginal.

A ocitocina é transportada até os alvéolos, onde estimula as células mioepiteliais, localizadas ao seu redor. Estas células, ao se contraírem, promovem a expulsão do leite, reflexo materno da descida do leite (Fig. 3.4).

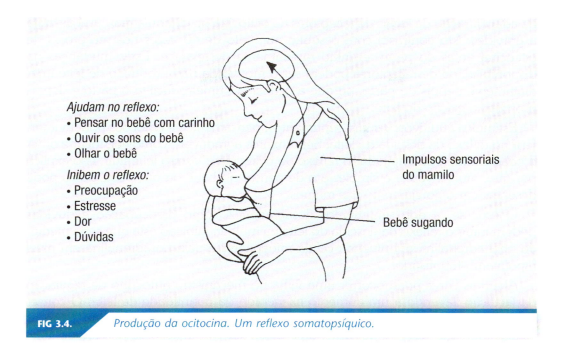

FIG 3.4. *Produção da ocitocina. Um reflexo somatopsíquico.*

Controle Neuroendócrino da Ejeção do Leite

A ejeção do leite envolve tanto estimulação neural como endocrinológica. Uma via neural aferente e uma via endocrinológica eferente são necessárias. O reflexo de ejeção depende dos receptores localizados no sistema canalicular da mama. Quando os canalículos estão dilatados, a liberação reflexa da ocitocina é desencadeada. Os receptores táteis para a ocitocina e a liberação reflexa da prolactina estão no mamilo. Nem as pressões negativas nem as positivas exercidas pela sucção, e nem mudanças térmicas desencadeiam a ejeção do leite.

Há algum efeito menor das pressões negativas, mas a estimulação tátil é o fator mais importante. A simples sucção do bebê não é suficiente para a saída do leite. É necessário que a ocitocina esteja atuando, estimulando as fibras mioepiteliais que envolvem os alvéolos, fazendo as células se contraírem, expulsando o leite para dentro dos ductos mais largos até que ele possa ser removido pelo bebê.

Estudos sobre a estimulação tátil mostram mudanças na sensibilidade na puberdade, durante o ciclo menstrual e no parto. Mudanças dramáticas ocorrem dentro das 24 horas depois do parto. O mamilo é a área mais sensível, seguindo-se a aréola. A sensibilidade aumentada se mantém por vários dias, mesmo que a mulher não esteja amamentando. Sensibilidade tátil aumentada pode ser o evento-chave que ativa a liberação, induzida pela sucção, da ocitocina e prolactina no parto. Daí a importância do contato do bebê com a mama, ainda na sala de parto. Estudos confirmam que os níveis de ocitocina sobem significativamente durante a estimulação do mamilo, com pequenos picos de ocitocina, durante a contração uterina que acompanha. Os locais de ligação da ocitocina são na membrana de base dos alvéolos e ao longo dos ductos interlobulares. Há um aumento gradual de 10 vezes da concentração de locais de receptores de ocitocina na glândula mamária durante a gravidez. Isto contrasta com o súbito aumento de 40 vezes nos receptores de ocitocina antes do parto, e então rapidamente desaparece. Estas mudanças na disponibilidade de receptores podem ser o motivo da não produção de leite imediatamente depois do parto, porque a ocitocina primeiro facilita o parto e depois promove a ejeção do leite.

Estímulos auditivos, visuais, sentimentos, pensamentos e emoções podem interferir no reflexo da descida do leite. Sentimentos agradáveis, como ver, tocar e ouvir o bebê chorar, podem ajudar o reflexo da ocitocina e fazer o leite fluir. Isso explica por que, muitas vezes, o simples ato de pensar no bebê ou ouvir seu choro pode desencadear o gotejamento nas mamas.

O estresse, a dor, sentimentos desagradáveis como preocupação e dúvidas podem inibir o reflexo da descida do leite na mulher, inibição esta que seria mediada pela adrenalina em nível da célula mioepitelial e pela noradrenalina em nível hipotálamo-hipofisário.

Algumas vezes pode ocorrer uma falha no mecanismo autócrino de regulação da lactação, levando a um aumento exagerado da quantidade de leite. O consequente aumento da pressão interalveolar bloqueia a ação da ocitocina sobre as células mioepiteliais. Há, portanto, uma dificuldade no reflexo da descida do leite. Nesses casos, deve-se procurar esvaziar as mamas mediante ordenha para diminuir a pressão.

A liberação da ocitocina como consequência da sucção do complexo mamilo-areolar também produz contração das fibras musculares uterinas, determinando contrações do útero durante a amamentação. Este processo fisiológico colabora com a involução uterina, reduzindo o risco de anemia ferropriva da mãe no puerpério.

Galactopoese

É a manutenção da secreção de leite estabelecida e também denominada lactogênese III. Um eixo hipotalâmico-pituitário intacto para regular os níveis de prolactina e ocitocina é essencial para manter a lactação. O processo de lactação requer a síntese de leite e a liberação do leite para os alvéolos e seios lactíferos. Quando o leite não é removido, afetando a diminuição do fluxo sanguíneo capilar, o processo de lactação pode ser inibido. Falta de estímulo de sucção significa falta de liberação de prolactina pela glândula pituitária.

Regulação do Volume de Leite Produzido ao Nível Alveolar

Logo após a descida do leite, o volume produzido tende a ser maior do que o necessário para o lactente, devido ao elevado nível de prolactina no sangue. O acúmulo de leite no interior da mama inicia o sistema de regulação no nível da célula alveolar, com o objetivo de ajustar a produção de leite às necessidades da criança.

Esse sistema de regulação é formado pelos peptídeos supressores presentes no leite. É um mecanismo de proteção da própria mama contra os efeitos possivelmente danosos de seu enchimento demasiado. Este mecanismo age bloqueando a ação da prolactina na célula alveolar. Se a mama não for esvaziada, ocorre acúmulo desses peptídeos supressores e a produção cessa, mas se o leite é removido por sucção ou expressão, os peptídeos supressores são removidos e a mama volta a produzir leite.

Esse mecanismo permite que a produção do leite seja determinada pela demanda da criança. É importante, pois, entender que a mama precisa ser esvaziada para continuar a produzir leite. A sucção do bebê e o esvaziamento da mama são os controles da produção de leite.

No período neonatal os reflexos primitivos de alimentação desempenham um papel principal na alimentação, de uma forma integrada e na sequência discriminada a seguir.

Reflexo de Busca ou Procura

É a abertura da boca de uma forma ampla, para pegar o seio. Pode ser desencadeado pelo contato do seio com o lábio superior do bebê. O bebê vira a cabeça em direção ao estímulo tátil.

Reflexo de Extrusão

É o movimento de colocação da língua sobre a gengiva inferior para pegar o mamilo e a aréola, que vai preencher todo o espaço disponível da cavidade oral. A colocação correta da língua permite que o bebê faça uma "teta" efetiva do tecido mamário e previne a lesão do mamilo. O tecido mamário toca a junção do palato duro e palato mole e isto estimula o reflexo de sucção.

Reflexo de Sucção

O movimento peristáltico da língua comprime o tecido mamário contra o palato duro, em combinação com o fechamento dos lábios e gengivas, e o leite é "ordenhado" dos ductos lactíferos dilatados. Quando o mamilo toca o céu da boca (palato), a língua apresenta um movimento ondulatório que se inicia na ponta dos mamilos e se move para trás, comprimindo ritmicamente a "teta" contra o palato duro.

Preensão Reflexa ou Mordida Fásica

É a abertura e o fechamento rítmicos da mandíbula em resposta ao estímulo das gengivas, à medida que a boca se fecha sobre o seio. Um gradiente de pressão é criado no sistema ductal pela pressão positiva nos alvéolos e ductos, e pressão negativa no final do mamilo. Isto transfere o leite para os ductos lactíferos, de onde ele é então retirado.

Reflexo de Deglutição

É o movimento do leite da faringe para o esôfago. Exige uma coordenação entre deglutição e respiração.

A remoção do leite requer, portanto:

- Boa abertura da boca;
- Posicionamento dos lábios para fora;
- Movimento e colocação da língua;
- Compressão do seio pela mandíbula do bebê.

Na alimentação com mamadeira, como uma "teta" de material rígido já está formada, a compressão desta "teta" e a gravidade são os únicos elementos necessários para o bebê obter leite. O reflexo de extrusão não é utilizado por causa de diferente posicionamento e movimento da língua, podendo desaparecer por falta de uso. Isto pode ser visto em crianças que, tendo sido alimentadas com mamadeira, "aceitam" alimentos sólidos mais cedo do que bebês amamentados.

Embora aprender a mamar comece logo após o nascimento, através dos reflexos que permitem pegar e sugar o seio, os reflexos de alimentação devem ser estimulados para que o aprendizado continue. O bebê que é forçado a se posicionar durante a pega pode ainda abrir a boca e procurar o seio, mas terá prejudicados o movimento e a colocação da língua, refletindo-se em perturbação do seu reflexo de extrusão. A compreensão do funcionamento desses reflexos permitirá aos profissionais de saúde e às mães, lidarem melhor com a alimentação durante os primeiros dias. A habilidade inata do bebê para se alimentar precisa ser reconhecida por todos aqueles que cuidam do binômio mãe-filho.

Os reflexos da amamentação estão presentes em recém-nascidos normais. No entanto, podem ser fracos ou ausentes em prematuros extremos, de muito baixo peso ou em bebês com alguma patologia. No entanto, as causas mais comuns da diminuição dos reflexos são de origem iatrogênica, tais como sedação ou analgesia obstétrica e ações inadequadas que interferem no processo de aprendizagem do bebê no período do puerperal, como o uso de chupetas ou bicos, pois as ações instintivas do bebê precisam ser consolidadas em comportamentos apreendidos.

Quando a pega é correta, vemos:

- A boca do bebê bem aberta;
- O queixo do bebê encostado no peito da mãe;
- O lábio inferior do bebê virado para fora;
- Mais aréola acima da boca do que abaixo.

Para conseguir a pega correta, a mãe aprende a posicionar o bebê e este aprende a pegar o seio, usando seus reflexos de alimentação.

A Natureza prepara a mama para sua função prioritária, a lactação. Reflexos maternos, fatores socioculturais e os reflexos primitivos do bebê interagem, proporcionando condições para que a amamentação aconteça naturalmente.

BIBLIOGRAFIA CONSULTADA

Akré J. Alimentação infantil: bases fisiológicas. São Paulo: Instituto de Saúde, Versão em português, 1994.

Bland KI, Copeland III EM. La mama: manejo multidisciplinario de las enfermedades benignas y malignas. Buenos Aires: Editorial Panamericana, 1993.

Donoso E. Evaluación de la edad gestacional, madurez y condición fetal durante el embarazo. In: Sánchez P, Siña D. Obstetrícia, 2 ed. Santiago de Chile: Metiterráneo 1992; 321-336.

Franco JM. Mastologia: formação do especialista. São Paulo: Atheneu, 1997.

Freitas F, Menke CH, Rivoire W, Passos EP. Rotinas de ginecologia. Porto Alegre: Artes Médicas, 1997.

Gardner E, Gray DJ, O'Rahilly R. Anatomia. 3 ed. Rio de Janeiro: Guanabara Koogan, 1971.

Giordano MG. Ginecologia endócrina e da reprodução. São Paulo: Editora BYK, 1998.

Giugliani ERJ. Aleitamento materno: aspectos gerais. In: Duncan BB, Schmidt MI, Giugliani ERJ, Duncan MS, Giugliani C. Medicina ambulatorial: condutas de atenção primária baseadas em evidência. São Paulo: Artmed 2013; 235-253.

Hamilton WJ. Tratado de anatomia humana. 2 ed. Rio de Janeiro: Interamericana, 1982.

Hollinshead WH. Texto de anatomia humana. São Paulo: Harbra, 1980.

Jaldin MGM, Pinheiro, FS. Crescimento infantil e aleitamento materno exclusivo: estudo comparativo com uma referência e um padrão internacional de crescimento. São Paulo: Novas Edições Acadêmicas, 2014.

Lain JM. Anatomia da mama. In: Doenças Benignas da Mama II, fascículo 1:5-9.

Larson BL. Lactation. Ames, Iowa State University Press, 1985.

Lawrence RA, Lawrence RM. Breastfeeding: a guide for the medical profession, 7 ed. São Paulo: Elsevier, 2011.

Lawrence RA. Breastfeeding: a guide for the medical profession, 4 ed. St Louis: Moshy, 1994.

Lincoln DW. Neuroendocrine control of milk ejection. J Reprod Fertil 1982; 2:571.

Mitchell GW, Basset LW. Mastologia prática. Rio de Janeiro: Revinte, 1993.

Neme B. Obstetrícia násicabásica, 2 ed. São Paulo: Sarvier, 2000.

Netter FH. Reproductive system. In: The Ciba Collection of Medical Illustration, v. 2. Ohio: Eighth Printing 1988; 245-250.

Ramsey DT, Kent JC, Hartmann RA, Hartmann PE. Anatomy of lactating human breast redefined with ultrasound imaging. J Anat 2005; 206(6):525-34.

Ramsey DT, Kent JC, Owens RA, Hartmann PE. Ultrasound imaging of the milk ejection in the breast of the lacting women. Pediatrics 2004; 113(2):361-7.

Riodan J. Anatomy and physiology of lactation. In: Riordan J, Wambach K. Breastfeeding and human lactation, 4 ed. Boston: Jones & Bartlett Publishers: 2010; 79-116.

Silva VG, Almeida JAG, Novak FR, Carvalho NV, Silva LGP. Aleitamento materno: aspectos anatômicos, funcionais e farmacológicos. J Bras Ginecol 1997; 107(3):49-55.

Stephens J, Kotowsky J. The extrusion reflex; its relevance to early breastfeedind. Breastfeeding Review 1994; 9:418-421.

Taneri F, Kurukahvecioglu O, Akyurek N, Tekin EH, Ilhan MN, Cifter C et al. Microanatomyof milk ducts in the nipple. Eur Surg Res 2006; 38(6):545-9.

Viana LC, Geber S, Martins M. Ginecologia. Rio de Janeiro: Medsi, 2001.

Walker M. Breastfeeding management for the clinician: using the evidence, 3 ed. Boston: Jones & Bartlett Learning, 2014.

World Health Organization. Infant and Young child feeding: model chapter for textbooks for medical students and allied health professionals. Geneva: WHO, 2009.

Composição do Leite Humano – Fatores Nutricionais

4

Joel Alves Lamounier
Graciete Oliveira Vieira
Lélia Cardamone Gouvêa
Tatiana de Oliveira Vieira

INTRODUÇÃO

O leite humano é muito mais do que um simples conjunto de nutrientes; pela sua complexidade biológica é uma substância viva, com atividade protetora e imunomoduladora com efeitos benéficos para a saúde em curto e longo prazo. Estimula o desenvolvimento do sistema imunológico, a maturação do sistema digestivo e neurológico, propiciando maior pontuação nos testes de inteligência, além de proporcionar proteção contra infecções, alergias e outras doenças, como a diabetes tipo 1, diabetes tipo 2, obesidade e enterocolite necrosante. Também está adaptado de forma natural para atender às necessidades nutritivas e promover um crescimento e desenvolvimento adequados.

Na alimentação da criança, o leite humano é considerado o alimento perfeito para o lactente, por conter macronutrientes (proteínas, lipídeos e carboidratos), micronutrientes (minerais e vitaminas) e numerosas substâncias biologicamente ativas. É consenso que a alimentação deve ser exclusivamente com leite humano até o sexto mês de vida, e complementada com outras fontes nutricionais até os 2 ou mais anos de idade.

Portanto, esta é a forma adequada de alimentação da criança, pois a introdução precoce de alimentos complementares, antes dos 4 meses de idade, aumenta a probabilidade de desenvolver obesidade na infância. A boa nutrição, além de assegurar a sobrevivência infantil, é indispensável para o bom crescimento e desenvolvimento e o estabelecimento de bons hábitos alimentares, que perduram na adolescência e idade adulta.

SINGULARIDADES DO ALEITAMENTO MATERNO

A despeito de todas as vantagens do leite humano, para uma amamentação bem-sucedida, é preciso boa preparação da mãe desde o início da gestação, sendo enfatizados os aspectos nutricionais e as vantagens do aleitamento materno. A mãe deve ser encorajada a amamentar imediatamente após o parto. Esse contato íntimo logo após o nascimento, além de contribuir para o desenvolvimento do vínculo afetivo, também ajuda a adaptação da criança ao meio ambiente, favorecendo a colonização da pele e do trato gastrointestinal por microrganismos maternos, os quais tendem a ser não patogênicos e contra os quais o leite materno possui anticorpos.

Para o sucesso da amamentação devem ser eliminados, na medida do possível, fatores que diminuam a duração, eficiência e frequência da sucção pelo lactente. Estes fatores incluem a limitação do tempo de mamada, horários fixos, posicionamento incorreto, uso de objetos orais (bicos, chupetas), fornecimento de líquidos como água, chás, soluções açucaradas, outros leites. A frequência e a eficiência com que a criança suga o peito são os fatores que determinam o volume de leite produzido em cada mama. Quanto mais o bebê suga, mais leite a mãe produz.

Os problemas mais comuns durante a lactação, como mamas ingurgitadas, mamilos sensíveis, fissuras, ductos obstruídos, mastite, entre outros, podem ser prevenidos através de orientações adequadas no pré-natal. Informações importantes sobre o preparo das mamas para a lactação, pega correta, ordenha do leite no caso de ingurgitamento mamário. O insucesso na amamentação pode estar ligado também à falta de apoio e orientação à mãe, tanto por parte dos profissionais de saúde como de familiares.

COMPOSIÇÃO DO LEITE HUMANO

A composição do leite varia para cada espécie de mamífero (Tabela 4.1). O leite adequado para alimentação dos mamíferos é o homólogo, ou seja, produzido pela espécie em função das necessidades imunológicas, fisiológicas e nutricionais do recém-nascido e do lactente. O ideal é que o leite oferecido a qualquer mamífero recém-nascido seja o leite de sua própria mãe. A composição do leite humano é determinada de forma natural para fornecer energia e nutrientes necessários e em quantidades apropriadas ao lactente. O leite humano contém fatores que conferem a proteção contra infecções virais e bacterianas. As reações alérgicas raramente ocorrem com o seu uso. O conteúdo calórico do leite humano é dado pela composição de lactose, gordura e proteínas.

Em uma visão sistêmica da composição, o leite humano reúne mais de 150 substâncias diferentes. Uma mistura homogênea que ao microscópio apresenta-se em 3 frações: emulsão, suspensão e solução. A fração emulsão corresponde à fase lipídica do leite humano, na qual se concentram os óleos, as gorduras, os ácidos graxos livres, as vitaminas e demais constituintes lipossolúveis. A fração suspensão refere-se à fase suspensa do leite humano, na qual as proteínas e quase a totalidade do cálcio e fósforo encontram-se presentes na forma micelar, constituindo uma suspensão coloidal do tipo gel. A fração solução congrega todos os constituintes hidrossolúveis, como vitaminas, minerais, carboidratos, proteínas do soro, enzimas e hormônios.

O colostro é o primeiro produto de secreção láctica da nutriz e permite a boa adaptação fisiológica do recém-nascido à vida extra-uterina. É secretado desde

Composição do Leite Humano – Fatores Nutricionais **CAPÍTULO 4**

TABELA 4.1. *Constituintes do leite (g/100 g) de mamíferos específicos*

ESPÉCIES DE MAMÍFEROS (EM POSIÇÃO TAXONÔMICA)	SÓLIDOS TOTAIS	GORDURA	CASEÍNA	PROTEÍNAS DO SORO	PROTEÍNAS TOTAIS	LACTOSE	CINZA
Humano	12,4	3,8	0,4	0,6	–	7,0	0,2
Babuíno	14,4	5,0	–	–	1,6	7,3	0,3
Orangotango	11,5	3,5	1,1	0,4	–	6,0	0,2
Urso preto	44,5	24,5	8,8	5,7	–	0,4	1,8
Leão marinho californiano	52,7	36,5	–	–	13,8	0,0	0,6
Rinoceronte preto	8,1	0,0	1,1	0,3	–	6,1	0,3
Golfinho manchado	31,0	18,0	–	–	9,4	0,6	–
Cão doméstico	23,5	12,9	5,8	2,1	–	3,1	1,2
Rato norueguês	21,0	10,3	6,4	2,0	–	2,6	1,3
Lebre de cauda branca	40,8	13,9	19,7	4,0	–	1,7	1,5

Adaptado de Lawrence, 2011.

o último trimestre da gestação e na primeira semana pós-parto. Tem aspecto de secreção líquida de cor amarelada, perfeito como primeiro alimento da criança. Comparado com leite maduro, tem elevado conteúdo de proteínas e menos carboidratos e gordura; concentrações maiores de sódio, potássio e cloro. O volume secretado nos 3 primeiros dias varia de 40 a 50 mL/dia, mas é suficiente para as necessidades nutricionais nesta idade. Entre 30 e 40 horas após o parto há uma rápida mudança na composição do leite, com o aumento da concentração da lactose e consequente aumento do volume do leite. O colostro é rico em glóbulos brancos e anticorpos, especialmente a IgA, contém maior quantidade de proteína, minerais e vitaminas lipossolúveis (A, E e K) do que o leite maduro. A vitamina A, que confere a cor amarelada ao colostro, é importante para a protecção do olho do recém-nascido e para a integridade de superfícies epiteliais.

A lactação é estabelecida progressivamente e resulta no leite de transição, produzido entre o sétimo e o 14º dia, e no leite maduro, após a segunda semana de lactação. O leite maduro possui dezenas de componentes conhecidos e sua composição varia não apenas entre mães, como na mesma mãe entre as mamas, em mamadas diferentes e no decurso da mesma mamada. Também foi constatado

57

CAPÍTULO 4 Composição do Leite Humano – Fatores Nutricionais

grande variabilidade nos constituintes do leite humano durante a lactação. As variações podem ser de um dia para outro, diferentes horários de mamada num mesmo dia, e até no decurso de uma única mamada. A lactação é por si só um fenômeno individualizado. As variações individuais podem ser afetadas por fatores como idade materna, paridade, idade gestacional, estado nutricional materno, nível socioeconômico, saúde materna e uso de drogas e medicamentos. As mudanças na composição do leite são mais intensas no início da lactação, no colostro, e por ocasião do desmame.

O leite humano maduro apresenta a menor concentração de proteínas entre os mamíferos, porém, é adequado para o crescimento normal do lactente. O excesso de ingestão de proteína nos primeiros 2 anos de vida pode associar-se com maiores índices de massa corpórea e de adiposidade na adolescência e idade adulta. Crianças alimentadas artificialmente com leites ou fórmulas com teores elevados de proteínas têm níveis elevados de ureia e aminoácidos no sangue e, portanto, cargas maiores de soluto renal, situação que, possivelmente, a longo prazo pode estar associada com as doenças circulatórias e renais do adulto. Adicionalmente, o alto teor de proteínas ou de sal presente no leite de vaca ou nas fórmulas lácteas pode ser associado à desidratação hipertônica.

O leite humano, em sua composição, apresenta 87,5% de água resultando em baixa carga de soluto quando comparado ao leite de vaca. Bebês alimentados com leite materno exclusivo não precisam de água adicional, a não ser que haja perda de volumes excessivos de água por diarreia ou vômitos ou em caso de ocorrer superaquecimento. Oferecer água regularmente diminui a frequência das mamadas e também dilui os fatores nutricionais e de defesa. Além do risco potencial de ingestão de água contaminada aumentar o risco de diarreia. Nas Tabelas 4.2 e 4.3 estão ilustrados os principais nutrientes do leite humano.

TABELA 4.2. *Macronutrientes por 100 mL no colostro e no leite humano maduro*

MACRONUTRIENTE (POR 100 ML)	COLOSTRO	LEITE MADURO
Energia	58 kcal	58-72 kcal
Proteínas totais	2,3 g	0,9 g
IgA	364 mg	142 mg
Caseina	140 mg	187 mg
Lactoferrina	330 mg	167 mg
Alfa-lactoalbumina	218 mg	161 mg
Gordura total	2,9 g	4,2 g
Lactose	5,3 g	7,0 g
Colesterol	27 mg	16 mg

Adaptado de Kretchmer e Zimmermann, 1997; Lawrence, 2011.

TABELA 4.3. *Micronutrientes do colostro e do leite humano maduro*

MICRONUTRIENTE (POR 100 ML)	COLOSTRO	LEITE MADURO
Vitaminas		
Vitamina A	189 µg	60 µg
β-caroteno	112 µg	23 µg
Vitamina E	1.280 µg	315 µg
Vitamina D	0 µg	0,05 µg
Ácido ascórbico	4,4 µg	4,0 µg
Tiamina	1,5 µg	14 µg
Riboflavina	25 µg	35 µg
Niacina	75 µg	150 µg
Ácido fólico	0 µg	8,5 µg
Vitamina B6	12 µg	18 µg
Biotina	0,1 µg	0,6 µg
Ácido pantotênico	183 µg	240 µg
Vitamina B12	200 µg	45 µg
Minerais		
Ca	23 mg	28 mg
P	14 mg	15 mg
Na	48 mg	18 mg
MG	3,4 mg	3,0 mg
K	74 mg	58 mg
Traço de minerais		
Fe	45 µg	40 µg
I	12 µg	11 µg
Se	0 µg	2,0 µg
Zn	540 µg	120 µg

Adaptado de Kretchmer e Zimmermann, 1997.

Proteínas

Com relação ao conteúdo total de proteínas, o leite da vaca contém 3 vezes mais proteínas que o leite humano. As proteínas do leite humano são quantitativamente diferentes das do leite da vaca. Estudos constataram que crianças que receberam no primeiro ano de vida fórmulas infantis com menor conteúdo proteico ganharam menos peso até os 2 anos de idade em relação àquelas que se alimentaram com fórmulas de maior conteúdo proteico, sem prejuízo de ganho estatural e da circunferência craniana; por outro lado, apresentaram menor risco de obesidade na infância e adolescência.

Do conteúdo proteico do leite materno, 60% é constituído de lactoalbumina; no leite da vaca a principal proteína é a caseína, que representa 80% da proteína total. O leite materno contém menos caseína, além de ter uma estrutura molecular diferente, formando coágulos mais suaves e de mais fácil digestão, do que as caseínas dos outros leites. A caseína impede a aderência da *Helicobacter pylori* às células da mucosa intestinal; portanto, é um dos constituintes do leite materno com função protetora contra infeções intestinais.

Embora existam semelhanças, nenhuma proteína do leite bovino é idêntica a qualquer proteína do leite humano. As proteínas do leite bovino, caseína ou proteínas do soro, são estrutural e qualitativamente diferentes das proteínas do leite humano e podem gerar respostas antigênicas. A lactoferrina bovina age diferentemente no bezerro e na criança. As diferenças na estrutura dos receptores para lactoferrina humana podem explicar a não liberação dos minerais ligados à lactoferrina bovina. As proteínas do soro do leite humano consistem principalmente de α-lactoalbumina, componente importante do sistema enzimático da síntese da lactose. A β-lactoglobulina, proteína do soro do leite bovino de alto poder alergênico, inexistente no leite humano, quando ingerida pela mãe pode passar para o leite e provocar resposta antigênica em lactentes com atopia.

O leite humano possui concentrações maiores de cistina e aminoácidos livres e menores de metionina. A taurina e cistina, aminoácidos essenciais para prematuros, estão presentes em maiores concentrações no leite humano. A cistina é essencial para fetos e prematuros, pois a enzima *cistationase,* que catalisa a transulfuração de metionina em cistina, está ausente no fígado e no cérebro do recém-nascido prematuro. A concentração de taurina é elevada no leite humano, sendo necessária para conjugação de sais biliares e absorção de gorduras, além de exercer o papel de neurotransmissor e neuromodulador no desenvolvimento do sistema nervoso central.

Carboidratos

A lactose, açúcar dissacarídeo encontrado apenas em leites, é o principal carboidrato do leite humano, no qual também estão presentes pequenas quantidades de galactose, frutose e outros oligossacarídeos. No colostro, a concentração de lactose é de 4% e aumenta até 7% no leite maduro. A lactose para ser absorvida necessita ser hidrolisada em monossacarídeos. A lactase, enzima presente na membrana das microvilosidades do enterócito, desdobra a lactose em glicose e galactose. Nos mamíferos, a lactase está presente desde o nascimento e diminui sua atividade após o desmame e o crescimento da criança. A intolerância a lactose pode ocorrer em determinados indivíduos como resultado de deficiência da lactase, que pode ser de origem primária ou secundária às agressões da mucosa intestinal, a exemplo de diarreia aguda. A deficiência primária pode ser dois tipos: alactasia congênita, doença genética muito rara e a hipolactasia do tipo adulto, em que ocorre diminuição da atividade da lactase, geneticamente determinada, a partir dos 3 a 4 anos de idade, com maior prevalência em determinados grupos raciais, como os negros e amarelos.

Além de seu papel nutricional, a lactose tem outras funções como efeito protetor. A lactose é metabolizada em glicose (fonte de energia) e galactose, constituinte dos galactolípides, necessários para o desenvolvimento do sistema nervoso central. Por outro lado, facilita a absorção de cálcio e ferro e promove a colonização intestinal com *Lactobacillus bifidus*, que são bactérias fermentativas. A ação destas bactérias é promover o meio ácido no trato gastrointestinal e inibir o crescimento de bactérias patogênicas, fungos e parasitas. O crescimento do *Lactobacillus bifidus* em presença do leite humano resulta em um carboidrato nitrogenado chamado de "fator *bifidus*", o qual, em um meio rico em lactose, produz ácido láctico, ácido acético e traços de ácido fórmico e ácido succínico. Com isto, ocorre uma diminuição do pH intestinal, tornando assim o meio desfavorável ao crescimento de enterobactérias. Suplementos alimentares administrados à criança nos primeiros dias de vida interferem neste mecanismo protetor.

Lipídeos

Lipídeos são considerados a principal fonte energética para os recém-nascidos, pois suprem 40 a 50% das calorias necessárias ao seu desenvolvimento. Os ácidos graxos são essenciais para o metabolismo cerebral, assim como no transporte de vitaminas e hormônios lipossolúveis. Os ácidos graxos têm sua concentração variando com o estado da lactação. A dieta é um dos fatores determinantes na qualidade das gorduras do leite. Se a dieta for composta predominantemente de gordura animal, terá um aumento no leite de ácidos graxos saturados. Alternativamente, se a dieta for baseada em gordura de origem vegetal, ácido linoleico e seus derivados poli-insaturados, estarão presentes em maior proporção no leite. Assim como nas lactantes cuja dieta é baseada em carboidratos, haverá uma predominância de ácidos graxos de cadeia média e curta entre os constituintes do leite.

As concentrações de gordura passam de aproximadamente 2 g/100 mL no colostro para 4 a 4,5 g/100 mL no 15º dia após o parto. Em seguida, permanecem relativamente estáveis durante a lactação, embora com variações tanto no conteúdo total de lipídeos quanto na composição de ácidos graxos e apresentando também flutuações circadianas. Às vezes, ocorrem variações numa mesma mamada. A concentração de gordura do leite final é superior à do leite inicial, chegando a 4 a 5 vezes mais. O maior teor no final da mamada é responsável pela saciedade. A limitação da duração da mamada, além de interferir na produção do leite, pois, não ocorre o esvaziamento completo da mama, pode reduzir a quantidade de gordura do leite ingerido. Deste modo, a criança necessita mamar com mais frequência. É importante na ordenha do leite humano coletar tanto o leite inicial quanto o final, devido ao valor energético da gordura.

A criança consome uma dieta rica em gorduras numa idade em que tanto a secreção de lipase pancreática quanto a eficiência da conjugação de sais biliares ainda são imaturas. Esta imaturidade é compensada parcialmente por lipases linguais e gástricas e por uma lipase não específica adicional, encontrada na fração não gordurosa do leite humano. Esta enzima, estimulada pelos sais biliares no duodeno, contribui para a digestão de gorduras, principalmente da hidrólise de triglicérides, processo importante para prematuros, cuja produção de sais biliares e de lipase pancreática é ainda menor. Ao ser utilizado o leite humano ordenhado, deve-se lembrar que o aquecimento destrói a lipase. A gordura do leite humano é secretada em glóbulos microscópicos, menores que as gotículas de gordura do leite da vaca. Aproximadamente 98% dos lipídeos dos glóbulos são triglicérides. As membranas globulares são compostas por fosfolipídeos, proteínas e esteróis (especialmente o colesterol). A composição de ácidos graxos é relativamente estável, sendo 57% de ácidos graxos insaturados de cadeia longa e 42% de ácidos graxos saturados. O conteúdo de colesterol do leite materno é de 10 a 20 mg/dL. Maiores níveis de colesterol são necessários nos primeiros meses de vida, e evidências de estudos com animais de laboratório sugerem que esses níveis poderiam contribuir para a regulação do metabolismo do colesterol na idade adulta.

O ácido oleico monoinsaturado é o ácido graxo predominante no leite materno. Os ácidos graxos insaturados de cadeia longa (ácido docosahexaenoico ou DHA e ácido araquidônico ou ARA) são importantes para a mielinização cerebral e o desenvolvimento da criança. DHA e ARA não estão disponíveis em outros leites e quando adicionados a algumas fórmulas infantis, não conferem qualquer vantagem sobre o leite materno e podem não ser tão eficazes quanto os do leite materno.

As concentrações de ácido linoleico e de outras gorduras polinsaturadas sofrem influências tanto pela dieta quanto da composição dos lipídeos corpóreos maternos. Os ácidos aracdônico e linoleico, gorduras polinsaturadas, são importantes na síntese de prostaglandinas envolvidas numa série de funções biológicas. As prostaglandinas atuam na digestão e maturação de células intestinais, contribuindo para os mecanismos globais de defesa do lactente.

Vitaminas

O leite materno contém vitaminas suficientes para a criança, com exceção da vitamina D. O conteúdo de vitamina A, no leite humano, é adequado para o lactente. A quantidade de vitamina A no colostro é o dobro no leite maduro.

A vitamina D é conhecida por desempenhar um importante papel no metabolismo ósseo através da regulação de cálcio e fosfato, além de desempenhar relevante função na regulação do sistema imunológico. É produzida pelo organismo durante a exposição ao sol, mas também é encontrada em peixes, ovos e alimentos fortificados. As crianças são especialmente vulneráveis à deficiência de vitamina D, com manifestação de raquitismo carencial, convulsões e dificuldades respiratórias.

Os bebês nascem com baixos estoques de vitamina D e são dependentes do leite materno, da luz solar ou suplementos como fontes desta vitamina, nos primeiros meses de vida. A concentração de vitamina D no leite humano é baixa, sendo insuficiente para as necessidades da criança, que são de 10 mcg/dia. Portanto, se não houver exposição adequada ao sol ou em crianças com maiores índices de melanina (pele escura) deve ser suplementada a vitamina D na forma medicamentosa. A Academia Americana de Pediatria recomenda que para manter adequados níveis séricos de vitamina D, todas as crianças amamentadas devem receber rotineiramente um suplemento oral de vitamina D, de 400 U/dia, começando na alta hospitalar. A Organização Mundial da Saúde chama a atenção para a necessidade de mais pesquisas para que sejam realizadas recomendações bem fundamentadas.

O leite humano fornece 2 UI/L de vitamina E, quantidade que geralmente atende às necessidades do lactente normal, a menos que a mãe esteja consumindo excesso de gordura polinsaturada na dieta, sem o concomitante aumento de ingestão da vitamina E. A concentração da vitamina E no colostro, independentemente da idade materna, atende às necessidade do recém-nascido a termo.

A concentração de vitamina K, nos primeiros dias de pós-parto é maior no colostro e no leite do final das mamadas. Nos recém-nascidos prematuros, que não são amamentados nas primeiras horas de vida, há risco maior de desenvolver a doença hemorrágica. Duas semanas após o nascimento, a flora intestinal já fornece a maior parte da vitamina K. Por isso, é recomendada administração profilática de vitamina K a todo recém-nascido imediatamente após o parto.

O conteúdo de vitaminas hidrossolúveis no leite materno reflete a ingestão da mãe. Casos de deficiências são raros, mas podem ocorrer em mães gravemente desnutridas ou vegetarianas estritas. A vitamina C está em concentração adequada no leite humano. Cuidados especiais devem ser tomados em ambientes onde a deficiência de algumas vitaminas é endêmica como a vitamina A ou tiamina. Também em mulheres que usam anticoncepcionais orais por muito tempo podem ter níveis diminuídos de vitamina B6 no leite humano. A maneira mais eficiente de evitar qualquer deficiência vitamínica para o lactente é orientar a dieta da gestante e conscientizá-la da importância de consumo de leguminosas, hortaliças e frutas como um hábito saudável e acessível a ser incorporado na dieta da família.

Minerais e Oligoelementos

O recém-nascido, para ter um bom crescimento e saúde, depende também de uma alimentação com oferta adequada em oligoelementos. Os oligoelementos também denominados de microelementos, ou elementos traços, são elementos de baixo peso molecular, podendo ser definidos como os catalisadores das reações enzimáticas dos seres vivos. Apesar de sua presença no organismo ser em quantidades pequenas ou até ínfimas (representados por mg/kg ou ppm – partes por milhão – expressos como traços em exames laboratoriais), sua função é imprescindível para que o equilíbrio orgânico se mantenha. As concentrações de certos minerais e oligoelementos (cálcio, fósforo, zinco, ferro, magnésio, potássio e flúor) não são afetadas significativamente pela dieta materna. Mecanismos compensatórios, como a diminuição da excreção urinária de cálcio, entram em funcionamento e somente em casos extremos as reservas e tecidos maternos são depletados.

A concentração de minerais é menor no leite humano do que no leite de vaca e nas fórmulas; porém, no leite materno a concentração está adaptada às necessidades nutricionais e capacidades metabólicas do lactente. A relação cálcio-fósforo (2:1) no leite humano é fisiológica e facilita a absorção de cálcio pelo trato gastrointestinal. A osmolalidade do leite materno é de 286 mOsm/kg e no leite de vaca de 400 mOsm/kg. A menor osmolaridade do leite humano é adaptada ao rim do recém-nascido, com capacidade de concentração limitada. Mais uma vez, vale ressaltar que não há necessidade de se oferecer água aos lactentes em aleitamento materno exclusivo.

O Ferro é um dos oligoelementos mais importantes no metabolismo das células vivas e é necessário para a eritropoese e síntese de enzimas. A anemia ferropriva traz comprometimento no desenvolvimento neuropsicomotor, na função cognitiva e na imunidade. A deficiência de zinco causa diminuição no crescimento, prejudica a função imune e aumenta a suscetibilidade às doenças. O Cobre deficiente pode causar anemia, prejudicar a função imune e causar anormalidade óssea e do tecido conjuntivo.

A elevada biodisponibilidade do ferro no leite humano também resulta em uma série de interações complexas entre os componentes do leite materno e o organismo da criança. A maior acidez do trato intestinal e a presença de quantidades adequadas de zinco, cobre e lactoferrina são fatores importantes para aumentar a absorção de ferro. O ferro está presente em quantidades baixas (0,3 mg/L) tanto no leite humano como no de vaca. No entanto, a absorção e a biodisponibilidade do ferro são muito maiores no leite humano. Cerca de 70% do ferro no leite materno são absorvidos. Em contrapartida a absorção é de apenas 30% no leite de vaca. Em lactentes alimentados exclusivamente com leite materno nos primeiros 6 a 8 meses de vida é muito rara a ocorrência de anemia ferropriva. A introdução precoce de outros alimentos (cereais, vegetais) na dieta de crianças amamentadas ao seio pode comprometer a absorção do ferro por mecanismo de quelação, assim como, o uso de chás, muito comum em crianças em aleitamento materno, reduz a absorção desse mineral. No trato gastrointestinal, o tanino do chá forma quelato com o ferro, reduzindo a sua biodisponibilidade. Portanto, a recomendação da OMS é de que seja oferecido exclusivamente leite materno nos primeiros 6 meses de vida do lactente.

O zinco é um nutriente essencial na estrutura de enzimas e no funcionamento da imunidade celular. As quantidades de zinco no leite humano são pequenas, mas suficientes para as necessidades do lactente sem interferir na absorção de ferro e cobre. Os níveis de cobre, selênio e cobalto no leite humano são menores que no leite de vaca. Em geral, o leite humano apresenta pouco risco tanto de deficiência quanto de excesso desses nutrientes. Deficiência de cobre com anemia hipocrômica e microcítica somente ocorre em lactentes alimentados artificialmente.

Björklund e col. observaram que a glândula mamária é capaz de regular a concentração dos oligoelementos: ferro, zinco e cobre, evitando a deficiência ou excesso destes elementos no leite, característica também descrita por Lönnerdal, quando estudou os mecanismos de transporte de oligoelementos pela glândula mamária. A situação nutricional do selênio é melhor em lactentes alimentados ao seio.

A concentração de flúor no leite humano é suficiente e a Academia Americana de Pediatria não recomenda suplementação de flúor para crianças amamentadas exclusivamente. No leite da vaca e fórmulas, as concentrações de alumínio, cromo e manganês podem ser até 100 vezes maiores do que no leite humano. Os metais cádmio e chumbo podem contaminar fórmulas em latas confeccionadas com soldas desses materiais. A ingestão de chumbo é muito menor em crianças amamentadas ao seio, mesmo em casos em que a água utilizada pela população exceda os padrões recomendados pela Organização Mundial da Saúde, que é de 0,1 mcg/ mL.

LEITE HUMANO EM SITUAÇÕES ESPECÍFICAS

Em relação à composição do leite humano em situações consideradas de desvantagem social e econômica, há grande preocupação pelas alterações na composição e qualidade do leite humano. Com base na influência que certos fatores podem exercer na composição do leite, pesquisadores nacionais e internacionais estudaram os principais constituintes do leite humano, considerando uma ou mais das variáveis, como: idade materna, condição social, paridade, estado nutricional, idade gestacional e início da lactação, com o objetivo de constatar se essas variáveis poderiam influir na qualidade do leite humano.

Condição Social

Os minerais: cálcio, fósforo e magnésio, e os oligoelementos: ferro, cobre e zinco, importantes no crescimento e metabolismo do recém-nascido, foram motivo de investigação de Escrivão e col. no trabalho sobre colostro de mães adultas de dois níveis sociais distintos. Os autores não encontraram diferenças significantes entre os elementos no colostro de mães adultas de dois níveis socioeconômicos distintos.

Anemia

Com relação ao conteúdo de ferro, Murray e col. não observaram relação entre a hemoglobina materna e a concentração de ferro no leite. Fransson e col. afirmaram haver uma relação inversa entre a concentração de ferro no leite e o nível de hemoglobina materno, não havendo relação entre os níveis de cobre e zinco no leite e o estado de ferro materno.

Infecção

Um estudo de Zavaleta e col. mostrou o efeito da infecção materna aguda na composição e quantidade do leite humano. Foi constatado que, embora os valores do ferro, zinco e cobre, diminuam no soro da lactante doente, não houve alteração na quantidade do leite ingerido pela criança e nem na concentração desses oligoelementos no leite. Esses autores concluíram que mãe doente pode amamentar sem comprometer nutricionalmente seu filho.

Idade Materna

Gouvêa e cols. dosaram o conteúdo dos minerais cálcio, fósforo e magnésio no colostro de mães adolescentes de dois grupos etários, as menores de 17 anos e de 17 a 19 anos, provenientes de dois níveis socioeconômicos distintos. Os valores médios encontrados não diferiram dos descritos para as adultas. A idade não mostrou ser um fator de desvantagem na composição destes minerais. A condição socioeconômica também não se refletiu de forma significante nos valores dos minerais no colostro. As adolescentes pertencentes ao grupo etário mais jovem (< 17 anos), independentemente do nível socioeconômico, apresentaram tendência a valores médios dos minerais superiores aos do grupo de 17-20 anos. Lipsman, Dewey, Lönnerdal analisaram a composição mineral do leite maduro de adolescentes lactantes entre 14-20 anos. Da mesma forma, encontraram no leite maduro das adolescentes mais jovens valores de magnésio e outros íons superiores aos das adolescentes mais velhas. Isso demonstra que a menor idade materna não se refletiu em menores concentrações destes minerais no colostro. Gouvêa estudou também a composição dos seguintes oligoelementos: zinco, ferro e cobre no colostro de mães adolescentes em 3 condições de desvantagem: idade (adolescentes mais jovens comparadas às de 17 a 19 anos), estado nutricional (adolescentes eutróficas comparadas com desnutridas), condição social distinta.

- *Idade:* adolescentes mais jovens, portanto consideradas de maior risco nutricional, apresentavam valores maiores dos oligoelementos no colostro em relação às de 17 a 19 anos.
- *Condição social:* condição social desfavorável determinou tendência a valores maiores dos oligoelementos no colostro, significante para zinco no grupo das adolescentes de 17 a 19 anos.
- *Estado nutricional materno:* adolescentes desnutridas com tendência a valores maiores de oligoelementos no colostro. O ferro foi significantemente maior no colostro das adolescentes desnutridas do grupo de 17 a 19 anos.

Em situações de desvantagem em mães adolescentes não houve repercussão de forma desfavorável na composição dos oligoelementos no colostro. De forma semelhante, Severi e cols., em 2013, analisaram a concentração do zinco, no plasma e leite materno e constataram que os níveis de zinco no leite não são afetados pelos valores baixos de zinco no plasma materno. Assim como não houve diferença na concentração média de zinco no leite, quando comparou lactantes adultas e adolescentes.

A glândula mamária parece ter mecanismos específicos para regular a concentração de minerais e oligoelementos no leite, mesmo nas condições especiais de variação da dieta e situações maternas especiais. A glândula mamária tem uma capacidade extraordinária de se adaptar tanto à deficiência como ao excesso de ferro, cobre e zinco, além de controlar homeostaticamente a concentração desses elementos essenciais. Mecanismos de absorção e secreção no leite materno de ferro, cobre e zinco são capazes de regular as modificações que ocorrem durante o período de lactação, protegendo o lactente contra o excesso ou a deficiência destes elementos. Revisão de literatura confirma que situações tais como desnutrição materna, estágio da lactação, idade materna, duração da gravidez, infecção, variação na dieta dos oligoelementos cobre e ferro não afetaram a concentração desses oligoelementos no leite humano. Portanto, não há suporte clínico ou científico que justifique a necessidade extra de ferro ou cobre para o recém-nascido a termo que esteja em aleitamento materno exclusivo durante os 6 primeiros meses de vida. Os resultados sugerem que todas as situações de desvantagem foram compensadas com maior secreção dos oligoelementos pela glândula mamária. Embora não estejam ainda bem esclarecidso todos os mecanismos dessa admirável adaptação metabólica entre a lactante e seu filho, os resultados destes vários estudos sugerem que deva existir um mecanismo inteligente e sincronizado de adaptação na produção do leite pela mãe, se ajustando e atendendo às necessidades do recém-nascido. Jutte e col., em 2014, publicaram um estudo *in vivo* sobre os orifícios dos ductos na papila mamária, local onde, durante as mamadas, há a interação entre o organismo materno e o do lactente e provável sítio destas informações ao organismo materno.

LEITE HUMANO E PREMATURIDADE

O leite humano, por suas propriedades nutricionais e imunológicas, é caracterizado como um alimento funcional, pois contém em sua composição algumas substâncias biologicamente ativas, que desencadeiam processos metabólicos ou fisiológicos, resultando em redução do risco de doenças e manutenção da saúde. Por sua vez, as propriedades nutricionais e anti-infecciosas do leite da mãe do recém-nascido prematuro são adequadas às necessidades fisiológicas e imunológicas do imaturo tubo digestivo do recém-nascido. Os prematuros têm necessidades nutricionais especiais decorrentes da velocidade de crescimento aumentado. O suporte nutricional no prematuro busca garantir adequado crescimento e desenvolvimento adequados. O leite da mãe do prematuro possui maior quantidade de nitrogênio, é rico em proteínas, tem menor quantidade de lactose e mais energia. Os macronutrientes cálcio, fósforo, magnésio, zinco e sódio estão em maior quantidade. Contém também maior capacidade anti-infecciosa, maior quantidade de IgA, lisozima e lactoferrina.

O valor calórico total e de gordura total no colostro de mães de prematuros com relação ao estado nutricional materno e paridade não mostra diferença. O mesmo foi observado no leite humano e em colostro de mães de recém-nascidos a termo e nos colostros das mães de recém-nascidos pequenos para a idade gestacional. O colostro das mães adolescentes de recém-nascidos pequenos para a idade gestacional comparado ao das mães adolescentes de termo também não mostram diferenças significantes entre o valor calórico total e a gordura total. O colostro de mães adultas de recém-nascidos grandes para a idade gestacional, provenientes de dois níveis socioeconômicos distintos não mostraram diferenças entre valor calórico total, gordura total e total de ácidos graxos saturados e insaturados. Estudos clínicos indicam uma diminuição de incidência, a curto e longo prazo, de variadas afecções em prematuros e lactentes alimentados com leite humano em comparação com fórmula infantil, a exemplo da enterocolite necrosante. A decisão entre leite humano ou fórmula para alimentar o prematuro é complexa, tanto do

TABELA 4.4. *Composição do colostro de mães de recém-nascido a termo e prematuro*

ELEMENTO	PREMATURO	TERMO
Proteínas totais (g/L)	0,43 ± 1,3	0,31 ± 0,05
IgA (mg/g de proteínas)	310,5 ± 70	168,2 ± 21
IgG (mg/g de proteínas)	7,6 ± 3,9	8,4 ± 1
IgM (mg/g de proteínas)	39,6 ± 23	36,1 ± 16
Lisozima (mg/g de proteínas)	1,5 ± 0,5	1,1 ± 0,3
Lactoferrina (mg/g de proteínas)	165 ± 37	102 ± 25
Células totais	6.794 ± 1.946	3.064 ± 424
Macrófagos	4.041 ± 1.420	1.597 ± 303
Linfócitos	1.850 ± 543	954 ± 143
Neutrófilos	842 ± 404	512 ± 178

Adaptado de Kretchmer e Zimmermann, 1997; Lawrence, 2011.

ponto de vista nutricional e imunológico quanto por razões práticas. Entretanto, o leite da própria mãe é alimento-padrão para a alimentação do prematuro; quando não for possível ou suficiente, o leite de banco de leite humano representa a melhor alternativa, embora alguns elementos nutricionais são inativados pelo processo de pasteurização, mas ainda com documentadas vantagens, quando comparado ao uso de fórmulas.

Na prática clínica, no período neonatal, o colostro por via orofaríngea, higiene oral ou lavagem gástrica pode ser usado como terapêutica, isto é, sem finalidade de nutrição. Tem efeito na prevenção de doenças, sobretudo para os recém-nascidos de muito baixo peso, devido às propriedades antimicrobianas, anti-inflamatórias e imunomoduladoras do leite humano. A administração orofaríngea de pequenas doses de colostro (0,2 a 0,4 mL) demonstrou ser medida fácil, barata e bem tolerada pelos recém-nascidos, além de promover satisfação materna pelo uso do leite humano para nutrição e sobrevivência da criança. A nutrição enteral mínima antes do início da alimentação não parece aumentar o risco de enterocolite necrosante. Na Tabela 4.4 estão apresentados alguns elementos da composição do colostro de mães de recém-nascido a termo e prematuro.

LEITE HUMANO E FÓRMULAS LÁCTEAS

Os leites de outras espécies de mamíferos apresentam diferenças importantes quando comparados ao leite humano, nas quantidades de vários nutrientes, bem como na sua qualidade. As concentrações dos principais nutrientes do leite de vaca e leite humano estão ilustradas na Tabela 4.5.

TABELA 4.5. *Composição do leite humano e do leite de vaca*

NUTRIENTE	LEITE HUMANO	LEITE DE VACA
Água (mL/100 mL)	87,1	87,2
Energia (kcal/100 mL)	70	67
Proteínas (g/100 mL)	1,1	3,3
Gordura (g/100 mL)	4,5	3,8
Açúcar (g/100 mL)	7	4,8
Caseína (% total de proteínas)	20	82
Seroproteínas (% total de proteínas)	80	18
Sais minerais totais/100 mL	0,2	0,7
Cálcio (mg/L)	340	1.170
Fósforo (mg/L)	140	920
Sódio (mEq/L)	7	30
Potássio (mEq/L)	13	35
Cloreto (mEq/L)	11	30
Magnésio (mg/L)	40	120
Zinco (mg/L)	1,2	3,9
Ferro (mg/L)	0,5	0,5
Tiamina (mg/L)	0,14	0,4
Riboflavina (mg/L)	0,38	1,5
Niacina (mg/L)	1,8	0,7
Piridoxina (mg/L)	0,1	0,6
Pantotenato (mg/L)	2,46	3,46
Folato (mg/L)	0,4	0,55
Vitamina A (UI/L)	1.898	1.025
Vitamina B12 (mcg/L)	Traços	6
Vitamina C (mg/L)	50	11
Vitamina D (UI/L)	22	14
Vitamina E (mg/L)	2	0,5
Vitamina K (mcg/L)	15	60

Adaptado de: Jelliffe & Jelliffe, 1979; Lawrence, 2011.

CAPÍTULO 4 Composição do Leite Humano – Fatores Nutricionais

As fórmulas lácteas infantis são fabricadas industrialmente com leite de vaca ou produtos de soja, com ajustes nas quantidades dos nutrientes para torná-las mais comparáveis com o leite humano. No entanto, as diferenças qualitativas na gordura na proteína, bem como a ausência de fatores anti-infecciosos e bioativos permanecem. Tem sido relatado o risco de contaminação das fórmulas por bactérias patogênicas, como a Enterobacter sakazakii, resultando em infecções fatais em recémnascidos. As fórmulas de soja contêm fitoestrogênios, com atividade semelhante ao hormônio estrógeno humano, substâncias que podem potencialmente reduzir a fertilidade em meninos e contribuir para a puberdade precoce em meninas.

Alguns componentes estão presentes no leite humano, mas ausentes nas fórmulas infantis. Podem ser considerados como exemplos: oligossacarídeos que estimulam o crescimento da microflora intestinal benéfica, *Lactobacillus bifidus* que impedem a colonização do intestino da criança por bactérias nocivas, mais de 40 diferentes enzimas (lipase, amilase, fosfatase alcalina, peroxidases e lisozima), fatores de crescimento importantes para maturação e desenvolvimento do trato gastrointestinal, lactoferrina, imunoglobulinas A, G, M, E, mucinas, células sanguíneas brancas e vermelhas que protegem a criança contra a ação de patógenos.

CONSIDERAÇÕES FINAIS

Pesquisas têm sido realizadas para entender melhor o processo desta interação perfeita, que possibilita ser a produção do leite ajustada às necessidades da criança em cada dia, justificando, dessa forma, a variabilidade na composição dos nutrientes do leite humano de uma mamada a outra e de um dia a outro. A demanda do lactente é o fator determinante não só na produção, mas também na composição do leite. Fato evidenciado quando permitimos que ocorra o contato direto entre a pele do complexo aréola-mamilo e a boca do bebê. Nesse processo complexo da produção diária de leite para atender um lactente a termo, amamentado exclusivamente, a glândula mamária consome 25% da energia diária requerida pela lactante, 2.400 kcal/dia. Isto mostra a importância desta fase de lactação no ciclo de vida da mulher, priorizando ¼ da energia total do metabolismo materno para a produção de leite ao lactente.

A teoria de origem desenvolvimentista da saúde e da doença baseia-se no conceito de que a origem da doenças crônicas do adulto são relacionadas com exposições precoces durante o desenvolvimento. O conceito de programação traz a ideia de que eventos acontecidos em fase precoce da vida têm efeitos duradouros com repercussões para a saúde. Neste aspecto, a nutrição inadequada no período neonatal e nos primeiros 2 anos de vida, período crítico ou sensível do desenvolvimento, representa um estímulo ou agressão que pode exercer um impacto a longo prazo para as funções fisiológicas do organismo com manifestações de doenças a curto e longo prazo a exemplo de enterocolite necrosante, obesidade, diabetes, dentre outras. O avanço científico tem proporcionado melhor conhecimento sobre a composição do leite humano em seus constituintes nutricionais e outros elementos de fundamental importância para a criança. Desta forma, os profissionais de saúde devem promover e estimular o aleitamento materno, tendo o leite humano como ideal para a criança nos primeiros anos de vida.

BIBLIOGRAFIA CONSULTADA

Almeida JAG. A rede sociológica desenhada pelo leite humano. In: Almeida JAG. Amamentação: um híbrido natureza – cultura [online]. Rio de Janeiro: Editora Fiocruz 1999; 55-88.

American Academy of Pediatrics. Work Group Of Breast Feeding. Breastfeeding and the use of human milk. Pediatrics 2012; 129:827-841.

Andersson O, Domellöf M, Andersson D, Hellström-Westas L. Effect of delayed vs early umbilical cord clamping on iron status and neurodevelopment at age 12 months: a randomized clinical trial. JAMA Pediatr 2014; 168(6):547-554.

Ballard O, Morrow AL. Human milk composition: nutrients and bioactive factors. Pediatr Clin North Am 2013; 60(1):49-74.

Bertino E, Arslanoglu S, Martano C, Di Nicola P, Giuliani F, Peila C, Cester E, Pirra A, Coscia A, Moro G. Biological, nutritional and clinical aspects of feeding preterm infants with human milk. J Biol Regul Homeost Agents 2012; 26:3(Suppl):9-13.

Björklund KL, Vahter M, Palm B, Grandér M, Lignell S, Berlung M. Metals and trace element concentrations in breast milk of first time healthy mothers: a biological monitoring study. Environ Health 2012; 11:92-100.

Calil VMLT, Leone C, Ramos JLA. Composição nutricional do colostro de mães de recém-nascidos de termo adequados e pequenos para a idade gestacional II – Composição nutricional do leite humano nos diversos estágios da lactação. Vantagens em relação ao leite de vaca. São Paulo: Pediatria 1992; 14-23.

Costa COM, Queiroz SS, Nóbrega FJ, Vitolo MR, Solé D. Total proteins, albumin, globulin, immunoglobulins (A, M, G) and C3 complement fraction in the colostrum of adolescent nursing mothers of preterm infants. In: Nóbrega FJ. Human milk composition. São Paulo: Revinter 1996; 83-98.

Dorea JG. Iron and copper in human milk. Nutrition 2000; 16(3):209-20.

Eglash A, Michael A. The office-nurse of breastfeeding champion: a nurse's guide to breastfeeding triage and support. School of Medicine and Public Health 2013; 64.

Gouvêa LC, Queiroz SS, Nóbrega FJ, Novo NF. Calcium, magnesium and phosphorus content of colostrum from high and low socioeconomic level adolescent mothers. In: Nóbrega FJ. Human milk composition. São Paulo: Revinter 1996; 30-42.

Gouvêa LC. Zinco, ferro e cobre no colostro de mães adolescentes eutróficas e desnutridas de dois níveis sociais. São Paulo [tese doutorado, Universidade Federal de São Paulo], 1998.

Hassiotou F, Geddes D. Breastmilk composition is dynamic: infant feeds, mother responds. SPLASH! milk science update: December 2013 issue. Disponível em: http://milkgenomics.org/issue/splash-milk-science-uptade-december-2013-issue/. Acesso em 24 ago. 2014.

Henderson G, Anthony MY, McGuire W. Formula milk versus maternal breast milk for feeding preterm or low birth weight infants. Cochrane Database of Systematic Reviews, Issue 4. Art. No.: CD002972. DOI: 10.1002/14651858.CD002972.pub2. 2007.

Horta BL, Victora CG. Long-term effects of breastfeeding: a sistematic review. Geneva: WHO 2013; 74.

Jellife DB, Jellife EFP. Human milk in the modern world. Oxford University Press, 1979.

Jutte J, Hohoff A ,Sauerland C ,Wierchmann D,Stamm T. In vivo assessment of number of milk duct orifices in lactating women and association with parameters in the mother and the infant. BMC Pregnancy and Childbirth 2014; 14:124-132.

Kelishadi R, Hadi B, Iranpour R, Khosravi-Darani K, Mirmoghtadaee P, Farajian S, Poursafa P. A study on lipid content and fatty acid of breast milk and its association with mother's diet composition. J Res Med Sci 2012; 17(9):824-7.

Kent J. How breastfeeding works. J Midwifery Womens Heath 2007; 52:564-9.

Kerbs N, Hambidge MK. Complementary feeding: clinically relevant factors affecting timing and composition milk. Am J Clin Nutr 2007; 85:639S-45.

Koletzko B, von Kries R, Monasterolo RC, Subías JE, Scaglioni S, Giovannini M, Beyer J, Demmelmair H, Anton B, Gruszfeld D, Dobrzanska A, Sengier A, Langhendries JP, Cachera MF, Grote V. Infant feeding and later obesity risk. Adv Exp Med Biol 2009; 646:15-29.

Koletzko B, von Kries R, Monasterolo RC, Subías JE, Scaglioni S, Giovannini M, Beyer J, Demmelmair H, Anton B, Gruszfeld D, Dobrzanska A, Sengier A, Langhendries JP, Cachera MFR, and Veit Grote for the European Childhood Obesity Trial Study Group. Can infant feeding choices modulate later obesity risk? Am J Clin Nutr 2009; 89(Suppl):1502S-8S.

Kretchmer N, Zimmermann MMD. Developmental nutrition. Boston: Allyn and Bacon 1997; 682.

Kunz C, Rodriguez-Palmero M, Berthold K, Jensen R. Nutritional and biochemical properties of human milk. Part I: general aspects, proteins and carbohydrates. Clinics in Perinatology 1999; 26:307-333.

Lamounier JA, Leão E. Nutrição na infância. In: Ciências Nutricionais. Dutra de Oliveira JE, Marchini JS. São Paulo: Sarvier 1998; 216-237.

Lamounier JA, Xavier CC, Moulin ZS. Leite materno e proteção à criança. In: Doenças infecciosas na infância e adolescência. Rio de Janeiro: Tonelli E, Freire LMS. 2 ed. Medsi Editora 2000; 89-103.

Lawrence RA, Lawrence RM. Breasfeeding: a guide for the medical professional. 7 ed. Elsevier Health Science 2011; 1128.

Lin H-Y, Chang J-H, Chung M-Y, Lin H-C. Prevention of necrotizing enterocolitis in preterm very low birth weight infants: Is it feasible? Journal of the Formosan Medical Association 2013; 1-8.

Lipsman S, Dewey KG, Lönnerdal B. Breastfeeding among teenage mothers: milk composition, infant growth and intake maternal dietary. J Pediatr Gastroenterol Nutr 1985; 4:426-34.

Lonnerdal B. Regulation of mineral and trace elements in human milk: exogenous and endogenous factors. Nutr Rev 2000; 223-9.

Lonnerdal B. Trace element transport in the mammary gland. Annu Rev Nutr 2007; 27:165-77.

Lopez LA, Nóbrega FJ, Lopez FA, Amâncio OMS. Total fats, total energy and fatty acids in the colostrum of low socioeconomic level adult mothers of preterm infants. In: Nóbrega FJ. Human Milk composition. São Paulo: Revinter 1996; 215-224.

Melnik BC, John SM, Schmitz G. Milk is not just food but most likely a genetic transfection system activating mTORC1 signaling for postnatal growth. Nutr J 2013; 12:103.

Ministério da Saúde (Brasil). Saúde da criança: Nutrição Infantil. Aleitamento Materno e Alimentação Complementar. Brasília: Ministério da Saúde 2009; 111.

Nishimura RY, Castro GSF, Jordão Junior AA, Sartorelli DS. Breast milk fatty acid composition of women living far from the coastal area in Brazil. J Pediatr 2013; 89(3):263-268.

Nolasco Silva MPB, Nóbrega FJ, Lopez, FA, Vítolo, MR, Queiro, SS. Lipid composition (total fats, caloric value and fatty acids) in the colostrum of adult nursing mothers of large for gestational age infants. In: Nóbrega FJ. Human milk composition. São Paulo: Revinter 1996; 83-98.

Pearce J, Taylor MA, Langley-Evans SC. Timing of the introduction of complementary feeding and risk of childhood obesity: a systematic review. Int J Obes, 2013.

Pretto FM, Silveira TR, Menegaz V, Oliveira J. Má absorção de lactose em crianças e adolescentes: diagnóstico através do teste do hidrogênio expirado com o leite de vaca como substrato. J Pediatr 2002; 78(3):213-18.

Ramani M, Ambalavanan N. Feeding practices and necrotizing enterocolitis. Clin Perinatol 2013; 40:1-10.

Rodriguez NA, Meier PP, Groer MW, Zeller JM, Engstrom JL, Fogg L. Pilot study to determine the safety and feasibility of oropharyngeal administration of own mother's colostrum to extremely low birth weight infants. Adv Neonatal Care 2010; 10(4):206-212.

Rodriguez NA, Meier PP, Groer MW, Zeller JM. Oropharyngeal administration of colostrum to extremely low birth weight infants: theoretical perspectives. J Perinatol 2009; 29(1):1-7.

Rogier EW, Frantz AL, Bruno ME, Wedlund L, Cohen DA, Stromberg AJ, Kaetzel CS. Secretory antibodies in breast milk promote long-term intestinal homeostasis by regulating the gut microbiota and host gene expression. Proc Natl Acad Sci USA; 2014; 111(8):3074-9.

Sarni RS, Vítolo MR, Lopez FA, Lopes F, De la Torre LP, Nóbrega FJ. Study of total lipids, caloric value, and fatty acids content of colostrum from puerperal adolescent mothers of term newborn infants small for gestational age. Act Pediatr Esp 1993; 51:184-88.

Severi C, Hambidge M, Krebs N, Alonso R, Atalah E. Zinc in plasma and breast milk in adolescents and adults in pregnancy and postpartum: a cohort study in Uruguay. Nutr Hosp 2013; 28:223-228.

Sociedade Brasileira de Pediatria (SBP). Manual de orientação para a alimentação do lactente, do pré-escolar, do escolar, do adolescente e na escola/Sociedade Brasileira de Pediatria. Departamento de Nutrologia, 3 ed. Rio de Janeiro: SBP 2012; 148 p.

Tackoen M. Breast milk: its nutritional composition and functional properties. Rev Med Brux 2012; 33(4):309-17.

Vieira GO, Vieira TO. Aleitamento materno. In: Silva LR. Gastroenterologia e Nutrição em Pediatria. Barueri: Manole 2012; 31-55.

Walker A. Breast milk as the gold standard for protective nutrients. J Pediatr 2010; 156(2 Suppl):S3-7.

Wijnhoven TWA, Bollars C, Tabacchi G, Hermoso M. Collate and review data on the composition and volume and intake of breast milk Results from a systematic literature review. Disponível em: http://www.google.com.br/url?sa=t&rct=j&q=&esrc=s&source=web&cd=1&cad=rja&uact=8&ved=0CB4QFjAA&url=http%3A%2F%2Fwww.eurreca.org%2Fdownloadattachment%2F8565%2F9807%2FReport%2520on%2520the%2520composition%2C%2520volume%2520and%2520intake%2520of%2520breast%2520milk.pdf&ei=CRDUU7rOKJCbyATes4CAAw&usg=AFQjCNGbQj5KCRIwx5D2RdLb1tjSVPNvrg&bvm=bv.71778758,d.aWw. Acesso em 03 jul. 2014.

World Health Organization (WHO). Infant and young child feeding: model chapter for textbooks for medical students and allied health professionals. Geneva: WHO 2009; 99.

World Health Organization (WHO). Vitamin D supplementation in infants. Disponível em: <http://www.who.int/elena/titles/vitamind_infants/en/>. Acesso em: 26 jul. 2014.

Yang T, Zhang Y, Ning Y, You L, Ma D, Zheng Y, Yang X, Li W, Wang J, Wang P. Breast milk macronutrient composition and the associated factors in urban Chinese mothers. Chin Med J 2014; 127:1721-1725.

Zavaleta N, Lonata C, Butron B, Peerson JM, Brown KH. Effect of acute maternal infection on quantity and composition of breast milk. Am J Clin Nutr 1995; 62:559-563.

A Importância Nutricional do Leite Materno

5

Fernando José de Nóbrega

INTRODUÇÃO

Até cem anos atrás, o aleitamento materno era a forma natural e simples da alimentação da criança nos primeiros meses de vida.

De acordo com Badinter, no século XVII e durante grande parte do século XVIII, não aleitar ao seio era um sinal de alto *status*, na França e em alguns países da Europa. Não somente as mães aristocratas, mas também de outras classes sociais, passaram a "utilizar" amas de leite para amamentar seus filhos. Ao final do século XVIII, a mortalidade infantil era muita alta entre crianças amamentadas por amas de leite que, em sua maioria, trabalhavam no campo, com precárias condições sanitárias e mesmo de alimentação. Somente famílias de alto nível econômico poderiam selecionar e pagar amas de leite mais diferenciadas. Em função desta situação, autoridades da área de saúde decidiram estimular as mães a utilizarem o aleitamento materno. A sociedade começou a valorizar as crianças como uma potencial força de trabalho, surgindo a mãe como centro da família, situação que se manteve por muito tempo.

Com a revolução industrial, se iniciou um intenso processo de urbanização, provocando alterações estruturais na sociedade e na dinâmica familiar, modificando o papel das mulheres, como mães, pela sua participação muito intensa, na força de trabalho. Consequentemente, o processo de industrialização propiciou o aleitamento artificial em fases precoces da vida. A falta de higiene e o ainda pequeno conhecimento científico no preparo dos substitutos do leite materno proporcionaram o aumento da mortalidade infantil.

Pergunto agora, se no século XXI, com o grande avanço do conhecimento científico, com a modernização de técnicas que privilegiam a composição de substitutos do leite materno, de forma bioquímica bastante adequada, deveríamos, contudo e ainda, lutar com todas as forças do coração e do intelecto, pela preservação e utilização do aleitamento materno.

A resposta óbvia é que SIM!

Há uma série enorme de razões conhecidas e que serão, sem dúvida, mostradas nesta obra e, como acredito, muitas outras ainda por conhecer.

Gostaria, entretanto, de lembrar que a saudável prática do aleitamento materno inclui muito mais fatores do que a simples composição bioquímica, como por exemplo a enorme carga afetiva desenvolvida com esta prática.

Devemos lembrar que o aleitamento materno é composto por duas criaturas, uma que recém chegou a este mundo e outra que, após a formação da "semente", foi responsável pelo crescimento e desenvolvimento do novo ser. Enquanto a primeira chega a um mundo totalmente novo, assustada com todas as coisas absolutamente novas, a segunda carrega consigo todas as coisas boas e as vicissitudes vividas durante toda a sua existência, responsáveis pela formação do seu caráter e sua personalidade. Pode-se entender, portanto, como às vezes é difícil para uma mulher aleitar seu filho.

Acredito, por isso, que grande parte do nosso esforço deva ser dirigida para os aspectos mental e psicológico da futura nutriz. E quando deve ser iniciada esta atividade? O mais cedo possível, porque uma mulher pensa em ser mãe, não quando fica grávida, e sim quando, muito jovem, inicia a sua identificação com a própria mãe – é ainda uma criança!

Muito se tem discutido sobre a sobrevivência da espécie humana. Diversos trabalhos evidenciaram fatores importantes que propiciaram esta sobrevivência. Não cabe, nesse capítulo, discutir estes aspectos e realmente não o farei, mas não posso deixar de destacar, entre os grandes responsáveis pela nossa sobrevivência, o aleitamento materno.

A prática do aleitamento ao seio é um importante tema, e reconhecido com grande destaque entre os povos mais antigos. Quando procuramos saber como os gregos antigos – povo extremamente rico em arte e filosofia e que, sem dúvida, teve a maior influência na chamada cultura ocidental – viam o aleitamento materno, basta lembrar que a criação da via Láctea, onde minimamente estamos inseridos, foi o resultado do "derramamento" do leite de Juno no espaço. Assim, resumidamente, se conta a história: a mitologia grega aceitava um grande número de deuses que tinham, praticamente, todas as qualidades boas e más, dos mortais. Zeus/Júpiter tinha, entre suas qualidades, grande atração pelas mortais e teve muitas aventuras que, inúmeras vezes, resultaram em complicações, por ser ele casado como a deusa Hera/Juno, o que simbolizava a fidelidade. Uma de suas aventuras resultou em um filho, Hércules, que Júpiter queria tornar imortal. Tarefa difícil, pois para a consecução do seu objetivo, seu filho teria que mamar o leite de sua esposa, aquela que simbolizada a fidelidade. Tramou então Zeus, com seu filho Hermes, uma estratégia: quando Hera/Juno estivesse dormindo, Hermes levaria Hércules para mamar. Assim aconteceu. Hera, entretanto, no momento da sucção, acordou assustada e seu leite foi derramado no firmamento, constituindo, então, a Via Láctea (Fig. 5.1).

É interessante pensar na interpretação deste episódio. Um mortal se tornará imortal se for alimentado pelo leite de uma deusa. *Tintoretto* imortalizou esta passagem.

Outros artistas, principalmente na Renascença, projetaram em seus quadros a "madona" alimentando, com seu leite o lactente Jesus (Fig. 5.2).

No século XIX também se observa a preocupação pelo aleitamento materno, e Renoir retrata sua esposa com seu filho, desenvolvendo a prática do aleitamento materno (Fig. 5.3).

Infelizmente se constatou, nos últimos 50-60 anos, o início do abandono do aleitamento materno, cujas causas serão discutidas em outros capítulos desta obra, mas não poderemos deixar de considerar, como primeira, a integração da mulher na força de trabalho, como já discutido no início deste capítulo.

VÍNCULO MÃE-FILHO

Há cerca de 10 anos, no atendimento às crianças, estamos considerando de extrema importância, o vínculo mãe-filho. O fraco vínculo é um fator negativo de destaque e deve ser considerado em um grande número de situações como, por exemplo, a desnutrição e a não utilização do aleitamento materno (Nóbrega, Campos, Nascimento). Nessa última condição, devemos destacar que não é o aleitamento materno que favorece o vínculo, e sim o inverso, isto é, só praticarão o aleitamento mães com bom vínculo. É claro que, na condição de bom vínculo, ocorrerá um reforço do mesmo.

FIG 5.1. *Quadro de Tintoretto representando a origem da Via Láctea. Hermes levando o lactente Hércules para mamar, Hera assustando-se e derramando no espaço seu leite, representado por estrelas. Zeus assiste à cena, disfarçado de águia.*

FIG 5.2. *Quadro de Leonardo da Vinci, misturando a Virgem Maria, amamentando ao seio, seu filho, Jesus.*

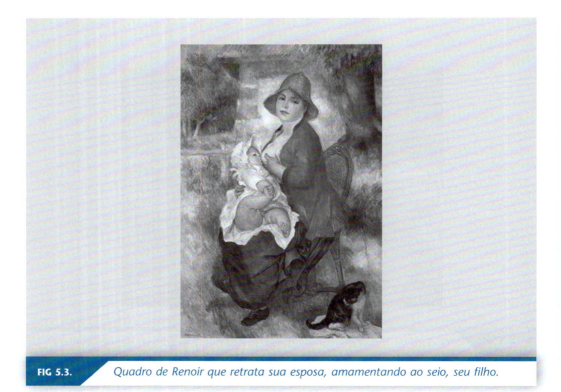

FIG 5.3. *Quadro de Renoir que retrata sua esposa, amamentando ao seio, seu filho.*

Pensando assim, temos desenvolvido em nossos serviços, com mães e gestantes, a prática do reforço do vínculo. No grupo de gestantes temos conseguido excelentes resultados, obtendo altos índices de aleitamento materno em população de baixo nível socioeconômico.

Partindo da premissa que a atuação no vínculo deve ser tão precoce quanto possível, trabalhamos esse princípio com as gestantes.

O período que vai da concepção ao nascimento e o primeiro ano de vida concentram o ritmo mais acelerado do crescimento e desenvolvimento do ser humano. Trata-se, portanto, de uma fase muito especial da vida, em que se formam alicerces da comunicação entre a criança e sua família e as bases da saúde integral desse novo habitante do mundo, um ser sensível, inteligente e peceptivo. Dessa forma, um trabalho que aborde a interação mãe-filho, já durante a gestação, é extremamente importante para o desenvolvimento de um vínculo sadio.

As mães adequadamente assistidas por seus parceiros, familiares e equipe de saúde durante o pré-natal, estarão mais preparadas para estabelecer relações precoces com seus bebês na gravidez, à medida que dão a eles um lugar dentro da família. Consequentemente, conseguirão exercer a maternidade com maior tranquilidade e adequação.

Os movimentos do feto, ao serem sentidos pela mãe e pessoas da família, propiciam reações, tais como, brincar, conversar, passar a mão na barriga para sentí-lo, cantar para ele, sendo estes momentos importantes para a interação entre eles, reconhecendo-o como um ser independente da mãe.

Nesta fase, existe uma sintonia materno-fetal, sendo importante que a mãe converse com ele, assim como, com o recém-nascido, tudo o que imagina que possa contribuir para seu bem-estar, principalmente para reassegurar a presença do amor. Relaxamento, meditação e a música suave, trazem efeitos altamente benéficos para a dupla.

Dando um lugar cada vez mais crescente à percepção do bebê como agente gerador de sua própria ação, estaremos fazendo um trabalho de caráter preventivo na saúde mental de ambos os integrantes da díade.

Assim, deve ser considerado o fortalecimento do vínculo materno-fetal, dando condições de:

- Propiciar momentos de prazer entre a mãe e o feto;
- Auxiliar a mãe a conhecer cada vez melhor as reações do feto;
- Criar um repertório de canções de ninar e infantis;
- Introduzir técnica de massagem de gestante;
- Conhecimento sobre aleitamento materno.

Nessa atividade devem ser ressaltados os seguintes pontos:

- Objetivos do grupo (apresentação dos participantes e profissionais e das propostas a serem desenvolvidas);
- Expectativas das mães em relação ao trabalho;
- Relação entre mãe e feto;

CAPÍTULO 5 A Importância Nutricional do Leite Materno

- Função do pai;
- Cuidados com o bebê;
- Massagem, fundamentada na técnica de Shantala;
- Importância do aleitamento materno.

Ao final desta introdução, constatamos que muitos aspectos intelectuais afetivos e culturais tiveram que ser esquecidos para que a saudável prática fisiológica do aleitamento materno tivesse sido quase abandonada.

IMPORTÂNCIA DA NUTRIÇÃO

Já há muito temos procurado enfatizar a importância da nutrição em todos os segmentos da economia orgânica. Entretanto, só nos últimos anos passou a fazer parte da avaliação do paciente sua condição nutricional, mesmo assim, somente em alguns serviços diferenciados. Ainda estamos longe, não do ideal, mas do mínimo aceitável. Situação difícil de ser entendida porque é bastante óbvio que a fisiologia orgânica necessita de um *status minimus* para atuação adequada nos diversos setores do organismo. A Nutrição ressalta sua grande importância pela contribuição dos diferentes componentes macro e micronutrientes. Um princípio que é claro – boa nutrição, bom desempenho orgânico –, ainda é ignorado.

Devem ser agora destacadas algumas características do leite materno para se entender sua importância nutricional:

1. Capacidade que tem a glândula mamária materna de se adaptar às necessidades do lactente, mudando as concentrações dos diferentes componentes para oferecer condições mais adequadas às características da criança;
2. O leite materno é constituído de nutrientes em concentrações adequadas, além da presença de enzimas, hormônios e fatores de crescimento;
3. Apresenta fatores importantes de defesa, face à presença de indutor e imunomoduladores do sistema imune, além da presença de agentes anti-infecciosos;
4. Lembrar que a presença de ácidos graxos essências, conduzem ao melhor desenvolvimento visual, contribuindo também para a maturação intestinal, propiciando a queda da prevalência de alergia intestinal;
5. Sucção ao seio facilita a abertura e drenagem da faringe e trompa de Eustáquio, propiciando diminuição de infecções, com consequente melhor nutrição;
6. Prevenção de desnutrição energético-proteíca o que acarreta menor morbimortalidade.

Assim, é fácil entender que, em condições normais, o leite materno oferece todos os elementos para o bom desenvolvimento nutricional do lactente.

Algumas perguntas, entretanto, têm sido levantadas:

- Existe o "leite fraco"?
- A nutriz desnutrida tem concentrações adequadas dos diversos nutrientes para manter condição nutricional adequada à sua criança?
- A adolescente tem concentrações desejadas dos diversos nutrientes de modo a propiciar boa condição nutricional ao seu lactente?

Leite Fraco

Uma das causas mais apontadas pela nutriz/familiares/vizinhos /amigos é que o leite elaborado pela mãe é fraco e, portanto, não é capaz de fornecer, de forma adequada, todos os elementos necessários ao bom crescimento da criança. Aqueles que trabalham nesta área, aleitamento materno, tem ouvido essa "desculpa" para o abandono do aleitamento. Infelizmente, até alguns profissionais da saúde fazem este "diagnóstico", sem que haja alguma preocupação no sentido de explicar que tal situação não existe. Muitas vezes, os aludidos profissionais acham que é mais fácil concordar com esta afirmativa, contribuindo assim, para o abandono do aleitamento materno.

A nutriz desnutrida tem concentrações adequadas dos diversos nutrientes para manter condição nutricional ideal ao seu filho?

Esse é um ponto importante e que merece consideração especial, face à realidade que vivemos, uma vez que parcela importante da população tem algum grau de desnutrição.

Com relação à adolescente, foram levantadas as mesmas perguntas.

São assuntos palpitantes que despertaram muito interesse em responder tais perguntas. Assim, há cerca de 20 anos, discutindo com um grupo do UNICEF, nos foi sugerido estudar a concentração do leite de nutrizes de alto e baixo nível socioeconômico, desnutridas e eutróficas, além de acompanhar o crescimento dos lactentes, em apreço. O interesse destes trabalhos iniciais nos levou a desenvolver uma grande linha de pesquisa, resultando em muitos trabalhos e teses de mestrado e doutorado (Nóbrega FJ, Amâncio OMS, Marin P, Kôppel S, Sangh M, Vasconcelos M/Nóbrega FJ, Amâncio OMS, Moraes RM, Marin P/Spring PCM, Amâncio OMS, Nóbrega FJ, Araújo G, Kôppel SM, Dodge JA).

Os primeiros trabalhos, como já referidos, pesquisaram o leite de nutrizes de alto e baixo nível econômico, eutróficas e desnutridas, com amostras colhidas em vários estados do Brasil. Estudamos as seguintes variáveis: gorduras totais, valor calórico total e ácidos graxos saturados e insaturados e não encontramos diferenças significativas, quer em mulheres de alto ou baixo nível econômico, eutróficas ou desnutridas.

Esse mesmo trabalho estudou também a evolução ponderal das crianças filhas de mães eutróficas e desnutridas, até o final do primeiro ano de vida em ambos os grupos. Ressalta-se que os dois grupos de crianças receberam aleitamento materno exclusivo até o sexto mês e após, introdução dos outros alimentos. O ganho ponderal dos lactentes de mães desnutridas e eutróficas não mostrou diferença significativa, ocorrendo ganho de peso de maneira satisfatória em ambos os grupos. A Tabela 5.1 mostra a evolução ponderal dos dois grupos.

Agora vamos apresentar os resultados de nossas pesquisas que foram, inicialmente, compilados no livro "Human Milk Composition" e que esclarecem muitas dúvidas.

TABELA 5.1. *Estado nutricional materno (eutróficas e desnutridas) e média do peso de lactentes amamentados exclusivamente no seio (6 meses)*

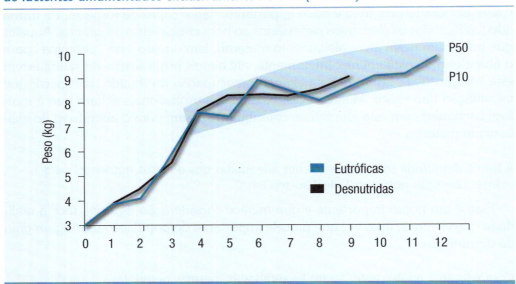

Apresentaremos apenas os itens estudados e os resultados ou as conclusões das investigações, pela limitação da extensão do artigo:

1. Conteúdo de cálcio, magnésio e fósforo no colostro de adolescentes de alto e baixo nível socioeconômico (Gouvêa LC, Souza Queiroz S, Nóbrega FJ, Novo NF)

As nutrizes se constituíram em um grupo de 53 adolescentes, com idade variando de 13 a menos de 20 anos, primíparas, com idade ginecológica de 2 ou mais anos, sem complicações clínicas durante a gestação e no pós-parto. Não receberam nenhum tipo de droga nem medicações que incluíssem os minerais estudados. As mães foram subdivididas em dois grupos: menos de 17 anos e de 17 a menos de 20 anos.

Os lactentes eram de termo, de peso adequado para idade gestacional, sem complicações nos primeiros 3 dias de vida.

Conclusões:
- As diferenças socioeconômicas, nos grupos estudados, não influenciaram a concentração dos minerais;
- Independentemente dos *status* socioeconômico, ocorreram níveis mais elevados dos minerais no grupo menor de 17 anos com significantes níveis maiores de cálcio e magnésio no nível socioeconômico mais elevado;
- A composição mineral encontrada em todos os grupos atingiu as necessidades dos recém-nascidos.

2. Composição do colostro de nutrizes adolescentes: gorduras totais, energia, proteínas totais, IGA, IGM, IGG e ácidos graxos (Vítolo MR, Brasil ALD, Ancona Lopez F, Nóbrega FJ)

População estudada:

Foram estudadas nutrizes primíparas e eutróficas, das quais 68 eram adolescentes e 50 eram adultas. As participantes apresentaram ganho de peso de $11,8 \pm 4,5$ kg (adolescentes) e $11,5 \pm 3,2$ kg (adultas), durante o período gestacional, de 38 a 42 semanas. Os recém-nascidos pesavam > 2.500 g.

As nutrizes foram selecionadas durante um período de 6 meses. Aquelas cujos partos haviam ocorrido nas 24 horas anteriores e que preencheram os critérios do estudo foram incluídas. As mulheres de baixo nível socioeconômico (BNSE) (67 adolescentes e 21 adultas) foram recrutadas em maternidades da rede pública de saúde e as de alto nível socioeconômico [ANSE] (29 adultas e 19 adolescentes), em hospitais privados. As rotinas hospitalares de aleitamento e de intervalos entre mamadas eram similares. Nenhuma outra prática específica de aleitamento foi observada em qualquer dos hospitais incluídos.

O grupo de adolescentes consistiu em nutrizes com idades de 13 a 19 anos, enquanto o grupo de adultas incluiu as mães > 20 anos. As adolescentes de BNSE foram subdivididas em dois subgrupos etários (13-16 anos e 17-19 anos), de forma que qualquer diferença na composição do leite pudesse ser observada. Isso somente foi possível no grupo de BNSE, pois havia um número muito reduzido de mães adolescentes < 17 anos no grupo de ANSE. Finalmente, o intervalo entre menarca e início da gravidez foi considerado, formando-se dois grupos: < 3 e ≥ 3 anos de intervalo.

Resultados:

Nível socioeconômico

As concentrações de IgG (mg/dL) se mostraram significativamente mais elevadas nos grupos de mães adolescentes e adultas de ANSE ($125,9 \pm 68,6$ e $101,9 \pm 49,6$, respectivamente), quando comparadas àquelas das pacientes de BNSE ($66,1 \pm 25,7$ para as adolescentes e $68,3 \pm 45,6$ para as adultas). Não foram encontradas, entretanto, diferenças significativas entre as concentrações de IgA e de IgM (mg/dL) entre os grupos. As adultas de BNSE apresentaram níveis significativamente mais altos dos ácidos láurico (12:0), mirístico (14:0) e palmítico (16:0) e níveis mais baixos dos ácidos esteárico (18:0) e oleico (18:1) do que os outros grupos estudados. O percentual total de ácidos graxos saturados nas adultas de BNSE foi maior do que os dos outros grupos, enquanto o total de ácidos graxos insaturados foi mais alto nas adolescentes de ambos os grupos socioeconômicos do que nas adultas das mesmas condições. O nível socioeconômico não demonstrou influenciar concentrações de energia (E), gorduras totais (GT), proteínas totais (PT) ou de ácidos palmitoleico e linoleico. Tais concentrações, portanto, assim como as de IgA e IgM, foram analisadas por idade e intervalo entre menarca e início da gestação, independentemente do nível socioeconômico. Isto levou a uma alteração no numero de amostras para o estudo estatístico das mesmas variáveis.

Idade e intervalo entre menarca e início da gravidez

A idade (13-16 anos e 17-19 anos) e a idade ginecológica à época da gravidez ($<$ 3 e $\geq$ 3 anos) não afetaram significativamente as variáveis estudadas nas adolescentes. Quando as variáveis foram analisadas entre os grupos de adolescentes e adultas, não foram observadas diferenças para GT (3,3 $\pm$ 1,6 e 2,7 $\pm$ 1,5, respectivamente), E (64,7 $\pm$ 16,1 e 59,6 $\pm$ 14,7 kcal/dL), PT (5,5 $\pm$ 2,2 e 4,8 $\pm$ 2,0 g/dL) e ácido linoleico (22,6 $\pm$ 3,3 %). Os níveis de IgA e IgM, entretanto, mostraram-se significativamente mais altos nas adolescentes (1.667,7 g/dL) quando comparados aos das adultas (1.077,0 g/dL). Da mesma forma, os níveis de ácido palmitoleico (16:1) foram significativamente mais altos em adolescentes (2,6 $\pm$ 0,9%) quando comparados aos das nutrizes adultas (2,3 $\pm$ 0,9%). A concentração dos elementos estudados, em todos os grupos, estava dentro das necessidades dos lactentes.

3. Concentração de lactose no colostro de nutrizes adultas e adolescentes, eutróficas e desnutridas (Vítolo MR, Brasil ALD, Vega Patin R, Nóbrega FJ)

População estudada:

Foram estudadas 43 nutrizes adultas e adolescentes de baixo nível socioeconômico [BNSE], recrutadas em uma maternidade da rede pública de saúde da cidade de São Paulo.

Segundo os critérios de seleção, não seriam incluídas as mulheres que tivessem apresentado complicações clínicas durante o período de gestação/parto ou que houvessem dado à luz recém-nascidos com peso ao nascimento $\geq$ 2.500 g.

As nutrizes foram divididas em dois grupos: menores de 20 anos de idade, classificadas como adolescentes (OMS, 1975), e como adultas, aquelas com mais de 20 anos. Para a análise dos resultados, as participantes foram subdividas em 4 grupos:

- G1 – adolescentes eutróficas;
- G2 – adolescentes desnutridas;
- G3 – adultas eutróficas;
- G4 – adultas desnutridas.

Resultados:

O estudo demonstrou não haver diferenças nas concentrações de lactose no colostro das nutrizes observadas, independentemente de faixa etária e de estado nutricional, sugerindo que não ocorrem diferenças no desenvolvimento mamário causadas por imaturidade (adolescência) ou desnutrição.

4. Perfil lipídico do colostro de mães adolescentes de recém-nascidos prematuros (Costa MCO, Souza Queiroz S, Nóbrega FJ, Vítolo MR)

População estudada:

Nutrizes

Foram estudadas nutrizes adolescentes de baixo nível socioeconômico [BNSE], primíparas e eutróficas.

A idade das participantes variou de 13 a 19 anos e nenhuma das nutrizes incluídas apresentou complicações clínicas durante a gestação. Foram subdivias em um grupo ≤ 16 anos e outro de 16 a 19 anos de idade. A idade ginecológica foi de pelo menos 2 anos e o nível socioeconômico foi determinado pelo tipo de instituição em que o parto fora realizado, uma maternidade pública na cidade de São Paulo.

Recém-nascidos

Os recém-nascidos foram selecionados de acordo com idade gestacional, tendo sido considerados como prematuros todos os nascidos com menos de 37 semanas; como termo, 38 a 42 semanas.

Foram estudados: gorduras totais, energia, ácidos graxos saturados e insaturados.

Resultados:

Os resultados deste estudo indicam que tanto a idade gestacional como a cronológica afetam a composição do colostro. Ao mesmo tempo, no caso de adolescentes, observamos que até os grupos mais jovens demonstram efeitos, devido principalmente à imaturidade constitucional da glândula mamária. As alterações são potencializadas pela idade precoce e pela prematuridade.

Apesar dos achados, o estímulo ao aleitamento materno é justificado. Maiores concentrações de ácidos graxos saturados totais nas nutrizes do grupo ≤ 16 anos, representadas pelos ácidos graxos de cadeia média, e maiores concentrações de ácidos graxos insaturados totais no grupo com 16 a 19 anos de idade podem ser adequadas, já que estes ácidos graxos são facilmente absorvidos pelos recém-nascidos.

5. Lipídeos totais, valor calórico e conteúdo de ácidos graxos do colostro de mães adolescentes de recém-nascidos de termo, pequenos para a idade gestacional (Sarni RS, Vítolo MR, Ancona Lopez F, La Torre LPFG, Nóbrega FJ)

População estudada:

Foram analisadas 70 nutrizes, com idades de 13 a 19 anos, sem ocorrências patológicas durante a gestação. As adolescentes foram divididas em 4 grupos:

- G1: Mães ≤ 16 anos de idade (n = 10), com recém-nascidos pequenos para a idade gestacional (PIG), com idade gestacional entre 38 e 42 semanas e peso ao nascimento abaixo do 10° percentil.
- G2: Mães entre 16 e 19 anos de idade (n = 20), com recém-nascidos pequenos para a idade gestacional (PIG).
- G3: Mães ≤ 16 anos de idade (n = 20), com recém-nascidos adequados para a idade gestacional (AIG).
- G4: Mães entre 16 e 19 anos de idade (n = 20), com recém-nascidos adequados para a idade gestacional (AIG), com classificação pelos mesmos critérios que o G3.

Todas as mães selecionadas para inclusão neste estudo eram de baixo nível socioeconômico, recrutadas em uma maternidade pública, primíparas e eutróficas.

Resultados:

Com base nos dados obtidos neste estudo, a composição do colostro de mães de recém-nascidos PIG não é inferior, não se constituindo, portanto, em contraindicação ao aleitamento materno nesse tipo de população. As diferenças observadas em comparação com o grupo de mães de recém-nascidos AIG provavelmente constituem uma adaptação fisiológica às necessidades nutricionais deste grupo de recém-nascidos.

6. Proteínas totais, albumina – globulina, imunoglobulinas (A, M e G) e fração do complemento C3, no colostro de mães adolescentes de recém-nascidos prematuros (Costa MCO, Souza Queiroz S, Nóbrega FJ, Vítolo MR, Solé D)

População estudada:

Foram estudadas nutrizes adolescentes, com idades entre 13 e 19 anos, divididas em dois grupos (G1 e G2). O G1 foi composto por meninas com < 16 anos e o G2 por mães com 16 a 19 anos de idade. Os grupos foram subdivididos em mães de recém-nascidos (RN) de termo e pré-termo. A idade ginecológica foi de pelo menos 2 anos em todos os casos. Idades gestacionais ≤ 36 semanas foram consideradas como pré-termo, enquanto aquelas entre 37 e 42 semanas, como de termo, conforme distribuição abaixo:

- Grupo 1: ≤ 16 anos: mães de RN pré-termo e mães de RN de termo
- Grupo 2: 16-19 anos: mães de RN pré-termo e mães de RN de termo

  Um terceiro grupo, o G3, foi formado por mães adultas (20-31 anos de idade), que deram à luz RN pré-termo.
- Grupo 3 > 19 anos: mães de RN pré-termo.

Este estudo incluiu apenas mães primíparas, sem complicações clínicas durante suas gestações, porém todas de pré-termo, e de baixo nível socioeconômico, que foi determinado pelo local dos partos. Todas as amostras e dados foram colhidas de mães recrutadas em uma maternidade do sistema público de saúde da cidade de São Paulo.

Resultados:

Ver Tabelas 5.2 e 5.3.

Os níveis dos diversos elementos estudados eram adequados para amamentação dos recém-nascidos desses grupos.

7. Proteínas totais, albumina, imunoglobulinas e fração do complemento C3 no colostro de mães adolescentes de recém-nascidos de termo, pequenos para a idade gestacional (Sarni RS, Nóbrega FJ, Vítolo MR)

População estudada:

Cinquenta e nove nutrizes atendidas em uma maternidade pública foram recrutadas para este estudo, conforme os critérios de seleção abaixo:

- Ausência de complicações clínicas durante os períodos de gravidez e de pós-parto;
- Ausência de uso de álcool, drogas ou medicações, primiparidade, gestação univitelina, eutrofia, gestação de termo, idade ginecológica ≥ 2 anos.

A Importância Nutricional do Leite Materno **CAPÍTULO 5**

TABELA 5.2. *Comparação dos níveis de proteínas totais (PT), albumina (A), IgA, IgM, IgG e C3 entre o colostro de nutrizes adolescentes, mães de RN de pré-termo (P-T) e de termo (T) nos dois grupos etários (1 e 2). Resultados estatísticos e tamanho das amostras ( )*

RN IDADE VARIÁVEIS	PT			T		
	G1 $\leq$ 16	G2 16-19	TESTE DE MANN-WHITNEY	G1 $\leq$ 16	G2 16-19	TESTE DE MANN-WHITNEY
PT (g/dL)	6,1 (12)	6,2 (18)	N.S.	5,9 (12)	6,6 (11)	N.S.
A (g/Dl)	1,4 (12)	1,2 (12)	N.S.	1,2 (12)	1,3 (11)	N.S.
IgA (mg/dL)	1.790,5 (11)	1.681,1 (14)	N.S.	1.421,3 (12)	1.463,9 (11)	N.S.
IgM (mg/dL)	205,8 (12)	249,3 (18)	N.S.	148,6 (12)	256,4 (11)	U calc. = 30,5 U crit. = 33,0
IgG (mg/dL)	108,7 (11)	88,5 (12)	N.S.	85,9 (12)	81,1 (11)	N.S.
C_3 (mg/dL)	49,2 (12)	55,2 (18)	N.S.	22,2 (12)	55,1 (11)	U calc. = 30,5* U crit. = 33,0

N.S. – Não Significativo.

P-T X T

PT, A, IgA, IgM, IgG: S.S.

C_3:
$\leq$ 16	16-19
U calc.	= 21,5*
U crit.	= 33,0 S.S.

TABELA 5.3. *Comparação dos níveis de proteínas totais (PT), albumina (A), IgA, IgM, IgG e C3 entre o colostro de nutrizes adolescentes e adultas, mães de RN de pré-termo (P-T). Resultados estatísticos e tamanho das amostras ( )*

RN IDADE VARIÁVEIS	PT			TESTE DE KRUSKALL-WALLIS
	$\leq$ 16 (G1)	16-19 (G2)	> 19 (G3)	
PT (g/dL)	6,1 (12)	6,2 (18)	7,8 (12)	N.S.
A (g/dL)	1,4 (12)	1,2 (18)	1,2 (12)	N.S.
IgA (mg/dL)	1.790,5 (11)	1.681,1 (14)	2.115,3 (12)	N.S.
IgM (mg/dL)	205,8 (12)	249,3 (18)	260,4 (12)	N.S.
IgG (mg/dL)	108,7 (11)	88,5 (12)	119,1 (12)	N.S.
C_3 (mg/dL)	49,2 (12)	55,2 (18)	48,8 (12)	N.S.

N.S. – Não Significativo.

TABELA 5.4. *Comparação dos níveis de proteínas totais (PT), albumina (A), IgA, IgM, IgG e C3 entre o colostro de nutrizes adolescentes, mães de RN de pré-termo (P-T) e de termo (T) nos dois grupos etários (1 e 2). Resultados estatísticos e tamanho das amostras ( )*

VARIÁVEIS ESTUDADAS	PIG			AIG		RESULTADOS ESTATÍSTICOS
	≤ 16	16-19	ADULTOS	≤ 16	16-19	
Proteína total	6,4	7,4	6,0	6,0	6,6	N.S.
Albumina	1,8*	2,2	1,3	1,2*	1,3	Adolescentes PIG × AIG
IgA	2.052,0	2.119,5	1.457,0	1.421,3	1.463,9	N. S.
IgG	152,6*	168,5*	141,6	85,9*	81,1	Adolescentes PIG × AIG
IgM	257,2	277,4	158,7	148,6*	256,4*	AIG* (≤ 16 × 16-19)
Fração C_3	74,2*	723,7*	46,4*	22,2*	55,0*	AIG* (≤ 16 × 16-19)

N.S. – Não Significativo.

As nutrizes foram divididas em 5 grupos, com base na idade materna e características dos RN:

- Mães adolescentes (≤ 16 anos de idade) de RNs PIG de termo (38-42 semanas de idade gestacional) [n = 12];
- Mães adolescentes (16 – 19 anos de idade) de RNs PIG [n = 12];
- Mães adultas (≥ 20 anos de idade) de RNs PIG [n = 12];
- Mães adolescentes (< 16 anos de idade) de RNs AIG [n = 12];
- Mães adolescentes (16-19 anos de idade) de RNs AIG [n = 11].

Resultados:

Ver Tabela 5.4.

Os resultados mostraram que, ainda que ocorressem diferenças entre os grupos, a composição dos elementos estudados estava em níveis adequados para alimentação dos recém-nascidos desses grupos.

8. Composição do colostro (gorduras totais, energia total, imunoglobulinas, zinco, cálcio e ácidos graxos) de mães adultas de níveis socioeconômicos alto e baixo, eutróficas e desnutridas (Vítolo MR, Nóbrega FJ, Ancona Lopez, F)

População estudada:

As nutrizes incluídas neste estudo não apresentaram complicações clínicas durante a gravidez ou parto, tendo dado à luz recém-nascidos com idades gestacionais entre 38 e 42 semanas. Foram classificadas por paridade e divididas em 3 grupos:

- G1 – Primíparas;
- G2 – Multíparas (2 a 3 gestações);
- G3 – Grandes multíparas (> 4 gestações).

O nível socioeconômico foi determinado pelo local dos partos, com as mães de baixo nível socioeconômico recrutadas em uma maternidade pública na cidade de São Paulo e as de alto nível socioeconômico em hospitais privados.

Resultados:

Ver Tabelas 5.5 a 5.8.

TABELA 5.5. *Níveis médios (%) de lipídeos totais (g/dL), energia (kcal/dL), proteína total (g/dL), imunoglobulinas (mg/dL), zinco (mg/dL) e cálcio (mg/dL) no colostro de nutrizes eutróficas (E) e desnutridas (D) de baixo (BNSE) e alto (ANSE) nível socioeconômico, distribuídas de acordo com a paridade. Amostra ( )*

VARIÁVEIS	GRUPOS	PRIMÍPARAS	PARIDADE 2-3	PARIDADE > 4	FCAL
Lipídeos	ANSE-E	2,8 ± 0,6(11)	3,2 ± 2,6 (12)	1,9 ± 0,5 (9)	1,43
	BNSE-E	2,7 ± 2,3(11)	2,9 ± 0,1(13)	3,6 ± 1,2 (13)	0,98
	BNSE-D	2,8 ± 2,1(10)	3,5 ± 3,3 (12)	3,2 ± 2,5 (12)	0,45
Energia	ANSE-E	59,5 ± 6,6(11)	68,5 ± 26,2(12)	52,1 ± 5,4 (9)	1,76
	BNSE-E	59,8 ± 23,1(11)	60,8 ± 9,6(13)	67,3 ± 11,7 (13)	0,87
	BNSE-D	58,5 ± 20,9 (10)	60,5 ± 13,6 (12)	64,2 ± 24,5 (12)	0,23
Proteína	ANSE-E	4,9 ± 2,1(10)	3,9 ± 0,7(11)	4,7 ± 1,4 (8)	1,28
	BNSE-E	5,7 ± 2,5 (11)	5,8 ± 2,2 (14)	4,9 ± 1,6 (10)	0,73
	BNSE-D	4,9 ± 2,2 (10)	5,5 ± 2,8 (12)	4,5 ± 1,8 (8)	0,46
IgA	ANSE-E	1.240,5 ± 986,6 (9)	830,3 ± 724,5 (9)	1.011,3 ± 513,2 (9)	0,65
	BNSE-E	1.076,5 ± 559,7 (8)	1.164,7 ± 835,5 (12)	809,3 ± 563,8 (11)	0,82
	BNSE-D	1.292,4 ± 882,5 (9)	1.500,2 ± 911,4 (10)	825,7 ± 599,6 (10)	1,82
IgM	ANSE-E	270,5 ± 225,3 (9)	172,2 ± 115,8 (9)	164,6 ± 127,3 (9)	0,25
	BNSE-E	138,9 ± 119,8 (9)	119,0 ± 56,5 (12)	147,0 ± 66,1 (9)	0,37
	BNSE-D	177,6 ± 53,6 (9)	216,0 ± 199,8 (10)	133,8 ± 60,6 (9)	0,97
IgG	ANSE-E	113,1 ± 75,4 (9)	128,2 ± 67,1 (8)	121,3 ± 90,5 (9)	0,16
	BNSE-E	97,8 ± 76,4 (7)	66,0 ± 63,4 (12)	54,2 ± 41,7 (12)	1,22
	BNSE-D	139,5 ± 91,9 (9)	140,0 ± 68,7 (9)	86,5 ± 25,0 (9)	0,05
Zinco	ANSE-E	0,48 ± 0,19 (10)	0,47 ± 0,24 (16)	0,34 ± 0,13 (13)	2,58
	BNSE-E	0,49 ± 0,23 (11)	0,50 ± 0,26 (16)	0,37 ± 0,25 (11)	1,84
	BNSE-D	0,51 ± 0,21 (10)	0,46 ± 0,26 (11)	0,38 ± 0,25 (9)	0,84
Cálcio	ANSE-E	22,3 ± 10,4 (10)	24,0 ± 7,6 (12)	20,3 ± 7,1 (9)	0,11
	BNSE-E	18,5 ± 4,7 (8)	21,3 ± 6,9 (14)	18,8 ± 6,7 (11)	1,08
	BNSE-D	21,1 ± 5,7 (11)	20,9 ± 5,0 (11)	19,5 ± 6,4(10)	0,23

TABELA 5.6. *Níveis médios (%) de ácidos graxos selecionados no colostro de nutrizes eutróficas (E) e desnutridas (D) de baixo (BNSE) e alto (ANSE) nível socioeconômico, distribuídas de acordo com a paridade. Amostra ( )*

VARIÁVEIS	GRUPOS	PRIMÍPARAS		PARIDADE 2-3		PARIDADE > 4		TESTE DE KRUSKALL-WALLIS
		X	N	X	N	X	N	
Láurico	ANSE-E	1,51	(8)	1,64	(8)	1,95	8)	2,13
(12:0)	BNSE-E	2,59	(10)	3,32	(12)	2,46	(11)	2,85
	BNSE-D	3,02	(8)	2,65	(11)	3,63	(11)	2,86
Mirístico	ANSE-E	5,63	(8)	4,69	(10)	5,04	(11)	3,28
(14:0)	BNSE-E	5,56	(10)	6,79	(12)	6,58	(11)	1,47
	BNSE-D	6,21	(9)	5,97	(11)	6,60	(11)	0,82
Palmítico	ANSE-E	25,45	(8)	24,88	(11)	24,49	(9)	0,37
(16:0)	BNSE-E	28,93	(10)	26,78	(12)	26,79	(11)	3,39
	BNSE-D	26,43	(9)	27,64	(11)	27,38	(11)	0,38
Esteárico	ANSE-E	6,08	(8)	5,80	(11)	5,72	(9)	0,74
(18:0)	BNSE-E	5,09	(10)	5,06	(12)	4,83	(11)	0,58
	BNSE-D	5,80	(9)	4,90	(11)	4,84	(11)	0,16
Oleico	ANSE-E	33,94	(8)	37,02	(11)	35,19	(9)	1,81
(18:1)	BNSE-E	32,98	(10)	32,24	(12)	33,01	(11)	2,10
	BNSE-D	30,50	(9)	31,83	(11)	33,09	(11)	0,30
Palmitoleico	ANSE-E	2,54	(8)	2,08	(11)	2,10	(9)	0,35
(16:1)	BNSE-E	2,07	(10)	2,14	(12)	2,21	(11)	0,24
	BNSE-D	2,28	(9)	2,27	(11)	2,24	(11)	0,10
Linoleico	ANSE-E	20,81	(8)	23,01	(11)	2449	(9)	4,40
(16:1)	BNSE-E	22,48	(10)	24,08	(12)	22,70	(11)	1,93
	BNSE-D	22,81	(9)	24,27	(11)	22,38	(11)	1,07

$X^2 = (2 \text{ gL}; 5\%) = 5,99.$

Embora tenham ocorrido diferenças significantes, entre algumas variáveis, os resultados mostraram que em qualquer grupo estava preservada a composição adequada dos elementos estudados, garantindo ao recém-nascido boa alimentação.

9. Concentrações de ferro, zinco, cobre, cálcio, fósforo e magnésio no colostro de mães adultas de dois níveis socioeconômicos (Escrivão MAMS, Souza Queiroz S, Nóbrega FJ, Vítolo MR, Fisberg M, Ancona Lopez F)

População estudada:

Foram estudadas 60 nutrizes adultas eutróficas. As participantes eram mães primíparas de RNs de peso adequado para a idade gestacional (AIG) de termo, com idades gestacionais entre 37 e < 42 semanas. As nutrizes selecionadas não

TABELA 5.7. *Concentrações de ácidos graxos (%) no colostro de nutrizes eutróficas (E) e desnutridas (D) de baixo (BNSE) e alto (ANSE) nível socioeconômico, distribuídas de acordo com a paridade. Amostra ( ) e média*

| | ANSE | BNSE | | |
ÁCIDOS GRAXOS	EUTRÓFICAS G1	EUTRÓFICAS G2	DESNUTRIDAS G3	KRUSKALL-WALLIS
Láurico	1,50 (27)	2,81 (33)	3,01 (31)	Hcal = 23,42* G1 < G2 = G3
Mirístico	5,13 (28)	6,35 (33)	6,26 (31)	Hcal = 8,92* G1 < G2 = G3
Palmítico	24,94 (29)	27,64 (32)	27,21 (31)	Hcal = 7,54* G1 < G2 = G3
Esteárico	5,86 (29)	4,99 (33)	4,90 (31)	Hcal = 14,69* G1 < G2 = G3
Palmitoleico	2,23 (29)	2,14 (33)	2,26 (31)	Hcal = 0,91* G1 = G2 = G3
Oleico	35,49 (29)	32,87 (33)	32,56 (31)	Hcal = 9,56* G1 > G2 = G3
Linoleico	22,84 (29)	23,13 (33)	23,18 (31)	Hcal = 0,36* G1 = G2 = G3
Saturados totais	37,41 (29)	41,24 (33)	41,20 (31)	Hcal = 10,87* G1 < G2 = G3
Insaturados totais	60,55 (29)	57,41 (33)	58,37 (31)	Hcal = 6,07* G1 > G2 = G3

apresentaram complicações clínicas durante o período de gestação-parto, e foram divididas em dois grupos, de acordo com seus respectivos níveis sócioeconômicos:

- Alto nível socioeconômico (ANSE): recrutadas em maternidades privadas.
- Baixo nível socioeconômico (BNSE): recrutadas em maternidades públicas.

Conclusões:

As concentrações de Ferro (Fe), Zinco (Zn), Cobre (Cu), Cálcio (Ca), Fósforo (F) e Magnésio (Mg) no colostro apresentaram grandes variações, com as mais pronunciadas ocorrendo com Fe, Cu e Zn. Esta variabilidade está relacionada às mudanças extremamente rápidas que ocorrem nos níveis destes elementos no início da lactação, e não representa efeitos do estado nutricional materno.

As concentrações médias encontradas nos elementos analisados não foram diferentes dos resultados descritos por outros autores, que utilizaram métodos similares aos desse estudo.

TABELA 5.8. *Níveis médios de gorduras totais (g/dL), energia (kcal/dL), proteína total (g/dL), IgA, IgM, IgG (mg/dL), zinco (mg/dL) e cálcio (mg/dL) no colostro de nutrizes eutróficas (E) e desnutridas (D) Amostra ( ), média, desvio-padrão (DP) e conclusão estatística (Teste "t" de Student)*

	EUTRÓFICAS X + DP	DESNUTRIDAS X + DP	TESTE "T" DE STUDENT
Gorduras totais	2,9 ± 1,6 (69)	3,1 ± 2,3 (34)	tcal = 0,52 tcrit = 102 gL; 5% = 2,0 (N.S.)
Valor calórico total	61,1 ± 16,4 (69)	63,8 ± 19,3 (34)	tcal = 0,69 tcrit = 102gl; 5% = 2,0 (N.S.)
Proteínas	5,1 ± 1,9 (66)	5,0 ± 2,3 (32)	tcal = 0,14 tcrit = 96 gL; 5% = 1,96 (N.S.)
IgA	1021 ± 709,2 (58)	1203 ± 830,7 (29)	tcal = 1,01 tcrit = 85 gL; 5% = 2,0 (N.S.)
IgM	157,8 ± 136,3 (57)	177,2 ± 128,2 (28)	tcal = 0,64 tcrit = 83 gL; 5% = 2,0 (N.S.)
IgG	93,3 ± 72,0 (55)	133,7 ± 79,7 (27)	tcal = 2,11* tcrit = 80 gL; 5% = 2,0 (N.S.)
Zinco	0,45 ± 0,2 (70)	0,44 ± 0,2 (32)	tcal = 0,25* tcrit = 100 gL; 5% = 2,0 (N.S.)
Cálcio	2,13 ± 7,7 (63)	20,5 ± 6,1 (29)	tcal = 0,51* tcrit = 50 gL; 5% = 1,96 (N.S.)

N.S. – Não Significativo.

Os níveis de oligoelementos (Fe, Cu e Zn) e minerais (Ca, F e Mg) no colostro (até 72 horas do pós-parto) não apresentaram diferenças estatisticamente significativas entre os dois grupos estudados, demonstrando que o nível socioeconômico não influenciou as concentrações destes elementos no colostro, durante as primeiras 72 horas.

A suplementação de Fe durante a gestação não afetou os seus níveis no colostro.

Os resultados permitem concluir que, nesse estudo, os oligoelementos (Fe, Cu e Zn) e minerais (Ca, F e Mg) no colostro se mantiveram em concentrações adequadas, de modo a preencher as necessidades imediatas dos RNs de ambos os níveis socioeconômicos analisados. Isto reforça a importância do continuado estímulo ao aleitamento materno em populações de baixo nível socioeconômico.

10. Composição lipídica e proteica do leite maduro de mães adolescentes e adultas de alto e baixo nível socioeconômico (Brasil ALD, Vítolo MR, Ancona Lopez F, Nóbrega FJ)

População estudada:

Noventa e duas nutrizes foram recrutadas para este estudo, em maternidades públicas e privadas, abrangendo, portanto, tanto o alto nível socioeconômico, como o baixo. As participantes foram escolhidas de acordo com os seguintes critérios:

- Ausência de complicações clínicas durante os períodos de gravidez, parto e pós-parto, ausência de uso de álcool, drogas ou medicações, gestação univitelina, de termo, eutrofia materna, parto normal, idade ginecológica ≥ 2 anos, RNs com peso ≥ 2.500 g, sem complicações no período perinatal ou malformações congênitas;
- Idade materna. As mães foram divididas em dois grupos:
  - Adolescentes (< 20 anos de idade, OMS – 1975);
  - Adultas (> 20 anos de idade).

As adolescentes de baixo nível socioeconômico foram subdivididas em dois subgrupos:

- 13-17 anos de idade;
- 17-19 anos de idade.

As adolescentes de alto nível socioeconômico não foram subdivididas, pois foi muito difícil encontrar nutrizes abaixo de 17 anos naquele grupo, durante o período do estudo.

Amostras de leite maduro foram obtidas dos seguintes grupos de mães:

- 18 mães adolescentes de ANSE (AdoA);
- 30 mães adolescentes de BNSE (AdoB);
- 24 mães adultas de ANSE (AduA);
- 20 mães adultas de BNSE (AdoB).

Conclusões:

- O nível socioeconômico não interferiu na composição proteica do leite materno. A idade, entretanto, afetou esta variável, com maior concentração no leite de adolescentes.
- Nem o nível socioeconômico nem a idade afetaram significativamente as quantidades de gorduras totais ou o valor calórico do leite. Observou-se, no entanto, certa tendência a maiores níveis de gorduras e de calorias entre as adolescentes;
- A composição dos ácidos graxos saturados e insaturados não foi influenciada pela idade;

- O nível socioeconômico, por meio da determinação quantitativa e qualitativa dos padrões dietéticos, demonstrou exercer significativo efeito sobre os ácidos graxos no leite materno. As diferenças encontradas nos níveis dessa variável entre adolescentes e adultas foram, na realidade, devidas ao nível socioeconômico, e não à idade cronológica;
- A composição lipídica e proteica do leite de adolescentes de BNSE não apresentou diferenças entre os dois subgrupos etários analisados;
- Apesar das diferenças em lipídeos e proteínas detectadas nos grupos estudados, em relação ao seu valor calórico total, essencial para sustentar o crescimento adequado da criança, se pode concluir que o leite materno promove condições ideais de desenvolvimento para os recém-nascidos, independentemente da idade materna ou de seu nível socioeconômico.

11. Composição lipídica (gorduras totais, valor calórico e ácidos graxos) do colostro de nutrizes adultas de recém-nascidos grandes para a idade gestacional e de termo (Silva MPBN, Nóbrega FJ, Ancona Lopez F, Vítolo MR, Souza Queiroz S)

População estudada:

Setenta nutrizes primíparas foram incluídas neste estudo. Todas as mulheres tinham mais de 20 anos de idade, não apresentaram complicações clínicas durante os períodos de gravidez, parto e pós-parto, e deram à luz RNs grandes (GIG) ou adequados (AIG) para a idade gestacional. Os períodos gestacionais foram de ≥ 38 e < 43 semanas.

As nutrizes foram divididas em dois grupos, conforme níveis socioeconômicos, determinados de acordo com os locais dos partos:

- Baixo nível socioeconômico (BNSE): mães provenientes de ambientes urbanos, recrutadas em uma maternidade pública na cidade de São Paulo; e mulheres provenientes de ambiente rural, recrutadas em hospital universitário na cidade de Botucatu, no estado de São Paulo;
- Alto nível socioeconômico (ANSE): mães provenientes de ambientes urbanos, recrutadas em duas maternidades privadas na cidade de São Paulo.

Conclusões:

- O nível socioeconômico não afetou a composição lipídica do leite de nutrizes de RNs GIG de termo;
- As porcentagens de ácido esteárico foram significativamente mais altas nas mães de BNSE de RNs GIG, em comparação às mães de RNs AIG, do mesmo nível socioeconômico;
- Não foram encontradas diferenças significativas nas outras variáveis quando o colostro das mães de RNs AIG e GIG foi comparado;
- A composição lipídica é adequada para alimentar os recém-nascidos.

12. Vitamina E, gorduras totais e ácidos graxos: suas relações no colostro de nutrizes adolescentes e adultas (Brasil ALD, Vítolo MR, Vitalle MSS, Nóbrega FJ)

População estudada:

Trinta nutrizes foram recrutadas para este estudo, em uma maternidade da rede pública de saúde da cidade de São Paulo. A sua seleção foi baseada nos seguintes critérios:

- Ausência de complicações clínicas durante os períodos de gravidez e de pós-parto;
- Ausência de uso de álcool, drogas ou medicações;
- Primiparidade;
- Gestação univitelina, de termo, de feto único.
- Eutrofia;
- Idade. As nutrizes foram divididas em dois grupos:
  - Adolescentes: com idades entre 10 e 19 anos de idade (OMS, 1975), subdivididas em outros dois subgrupos: ≤ 16 anos e > 16 anos de idade (Grupo 1 = todas adolescentes);
  - Adultas: nutrizes > 19 anos de idade (Grupo 2);
  - Parto normal;
  - Idade ginecológica ≥ 2 anos;
  - Recém-nascidos com peso ao nascimento ≥ 2.500 g, sem anomalias congênitas ou complicações no período perinatal.

Conclusões:

- As concentrações de vitamina E no clostro não apresentou diferenças entre os dois grupos etários de adolescentes (≤ 16 e 16-19 anos de idade), demonstrando que mesmos as mais jovens contam com a mesma capacidade de secreção de vitamina E;
- O colostro das mães adolescentes apresentou menores concentrações de vitamina E, em comparação com o das adultas. Essa constatação nos leva a crer que a via secretória de colesterol e de vitamina E não se encontra totalmente desenvolvida nas glândulas mamárias da adolescente. Entretanto, todos os níveis mostraram-se adequados para as necessidades dos recém-nascidos;
- A idade materna não influenciou as concentrações de gorduras totais, de ácido linoleico, de ácido graxos polinsaturados ou a relação ácido graxos polinsaturados/saturados no colostro;
- A concentração de vitamina E se correlacionou significativamente apenas com as gorduras totais no colostro de mães adolescentes. Nas adultas, não houve correlação com qualquer dos lipídeos estudados. Esse fato confirma a hipótese de que a função da via secretória em mães adolescentes é cumprida pela menbrana apical da célula secretória, comum à vitamina E aos lipídeos totais.

13. Composição de selênio no leite de nutrizes adultas de alto e baixo nível socioeconômico (Souza Queiroz S, Nóbrega FJ)

População estudada:

Para este estudo, foram selecionadas nutrizes adultas (> 19 anos de idade), e eutróficas, e foram divididas em dois grupos socioeconômicos:

- Baixo nível socioeconômico (BNSE);
- Alto nível socioeconômico

Este estudo incluiu apenas nutrizes de RNs de termo e adequados para a idade gestacional.

Conclusões:

Os resultados encontrados indicam que o NSE materno não determinou diferenças significativas nas concentrações de selênio nos 3 períodos de lactação estudados. Este fato pode ser devido aos critérios de pré-seleção que resultaram em dois grupos similares em realção ao aspecto nutricional.

A duração da lactação teve um efeito importante na concentração de selênio, à medida que detectamos um declínio similar durante o curso da lactação, em ambos os grupos, do colostro ao leite maduro, possivelmente devido ao aumento da demanda por selênio, durante a fase inicial da vida do recém-nascido.

14. Gorduras totais, energia total e ácidos graxos no colostro de nutrizes adultas de baixo nível socioeconômico, mães de recém-nascidos de pré-termo (Lopes LA, Nóbrega FJ, Ancona Lopez F, Amâncio, OMS)

População estudada:

Para este estudo, foram selecionadas nutrizes com as seguintes características:

- Idade: ≥ 20 e < 38 anos;
- Ausência de enfermidades crônicas ou agudas, com exceção da desnutrição energético-proteica;
- Período gestacional sem complicações clínicas;
- Parto normal;
- Paridade: mães primíparas e multíparas;
- Mães que aleitaram seus RNs de pré-termo ao peito, pelo menos uma vez;
- Baixo nível socioeconômico (BNSE): as participantes foram recrutadas em maternidades do sistema público de saúde;
- Condição nutricional: eutróficas e desnutridas.

Grupos:

Com base no nível socioeconômico, condição nutricional e paridade, as mães foram assim divididas:

- BEP: de BNSE, eutróficas e primíparas;
- BEM: de BNSE, eutróficas e multíparas;
- BDP: de BNSE, desnutridas e primíparas;
- BDM: de BNSE, desnutridas e multíparas.

Conclusões:

- Nem a condição nutricional materna nem a paridade influenciaram de forma significativa os níveis de energia total ou de gorduras totais nos grupos estudados;
- A condição nutricional materna não influenciou os níveis de ácidos graxos saturados ou in saturados, exceto no caso do ácido palmítico, o qual se encontrava presente em níveis mais altos nas mães desnutridas primíparas;
- Mães primíparas ou multíparas de RNs de pré-termo revelaram, neste estudo, níveis mais baixos do ácido linoleico e mais altos tanto do ácido palmítico, como do esteárico;
- Inversamente, as multíparas desnutridas revelaram níveis mais altos do ácido linoleico e mais altos tanto do ácido palmítico, como do esteárico;
- A composição estudada propicia boa alimentação para o recém-nascido.

15. Proteína total, nitrogênio proteico e não proteico no colostro, no leite de transição e no leite maduro de mães de recém-nascidos de diferentes níveis socioeconômicos, de termo e pré-termo (Souza Queiroz S, Nóbrega FJ, Rúgulo LMSS, Trindade CEP, Curi PR)

População estudada:

Nutrizes

Amostras de colostro, de leite de transição e maduro foram obtidas de nutrizes saudáveis e eutróficas, subdivididas em dois grupos socioeconômicos:

- Baixo nível socioeconômico [BNSE];
- Alto nível socioeconômico [BNSE].

Recém-nascidos

Os RNs incluídos no estudo eram adequados para a idade gestacional, de termo ou pré-termo.

Conclusões:

Os resultados do presente estudo sugerem que o nível socioeconômico influencia alguns dos componentes do leite materno, durante os diversos estágios da lactação. Isso, entretanto, não significa que tais alterações sejam prejudiciais ao recém-nascido. Por exemplo, o nível mais alto de nitrogênio não proteico, que ocorre possivelmente devido à elevação das imunoglobulinas, pode representar vantagem, em termos de capacidade de sobrevivência.

Nota: todos os estudos aqui apresentados tiveram o consentimento das participantes após conhecerem a pesquisa.

Como se pode comprovar, o aleitamento materno é um alimento completo e deve ser utilizado, independentemente da condição nutricional da nutriz e da sua idade. Portanto, é sempre indicado, uma vez que os diversos nutrientes contidos no leite, da mesma espécie, são suficientes para proporcionar o adequado crescimento e desenvolvimento do ser humano, concluindo pela *grande importância nutricional do leite materno*.

FIG 5.4. *Propaganda de incentivo ao leite materno.*

Muitas vidas seriam salvas se o aleitamento materno chegasse até o fim do primeiro ano de vida (Fig. 5.4).

Recém-nascidos e lactentes têm o *direito* de receber a melhor alimentação, ou seja, o aleitamento materno. Nós, profissionais da área da saúde, temos o *dever* de lutar para preservar, orientar e indicar o aleitamento materno, que contribuirá para melhor condição de saúde das crianças e, para as mães, a agradável sensação do dever cumprido, com carinho e amor.

BIBLIOGRAFIA CONSULTADA

Annals of Tropical Paediatrics 1985; 5:83-7.

Badinter E. L'amour en plus Paris Flamarion, 1980. Rio de Janeiro: Nova Fronteira, 1985.

Brasil ALD, Vítolo MR, Ancona Lopez F, Nóbrega FJ. Lipid and protein composition of mature milk of high and low socieconomic level adolescent and adult mothers. in human milk composition. 1 ed. Rio de Janeiro: Revinter 1996; 153-170.

Brasil ALD, Vítolo MR, Vitalle MSS, Nóbrega FJ. Vitamin E, total fats and fatty acids and their relations in the colostrum of adolescent and adult mothers. In: Human Milk Compositio. 1 ed. Rio de Janeiro: Revinter 1996; 181-205.

Costa MCO, Souza Queiroz S, Nóbrega FJ, Vítolo MR, Solé D. Total proteins, albumin – globulin, immunoglobulins (A, M and G) and C_3 complement fraction in the colostrum of adolescent nursing mothers of preterm infants. In: Human Milk Composition 1 ed. Rio de Janeiro: Revinter 1996; 83-98.

Costa MCO, Souza Queiroz S, Vítolo MR, Nóbrega FJ. Lipid profile of the colostrum of adolescent nursing mothers of preterm infants. In: Human Milk Composition 1 ed. Rio de Janeiro: Revinter 1996; 63-72.

Escrivão MAMS, Souza Queiroz S, Nóbrega FJ, Vítolo MR, Fisberg M, Ancona Lopez F. Concentrations of iron, zinc, copper, calcium, phosphorus and magnesium in the colostrum of adult mothers from two socioeconomic levels. In: Human Milk Composition 1 ed. Rio de Janeiro: Revinter 1996; 135-152.

Gouvêa LC, Souza Queiroz S, Nóbrega FJ, Novo NF. Calcium, magnesium and phosphorus content of colostrum from high and low socieconomic level adolescent mothers. in human milk composition 1 ed. Rio de Janeiro: Revinter 1996; 30-42.

Lopes LA, Nóbrega FJ, Ancona Lopez F, Amâncio OMS. Total fats, total energy and fatty acids in the colostrum of low socioeconomic level adult mothers of preterm infants. in human milk composition 1 ed. Rio de Janeiro: Revinter 1996; 215-224.

Nóbrega FJ, Amâncio OMS, Marin P, Kôppel S, Sangh M, Vasconcelos M. Leite de nutrizes de alto e baixo nível econômico, eutróficas e desnutridas. I. Gorduras totais, valor calórico total e estudo ponderal em lactentes. J Pediat 1985; 69(2):174-80.

Nóbrega FJ, Amâncio OMS, Moraes RM, Marin P. Leite de nutrizes de alto e baixo nível econômico, eutróficas e desnutridas. II. Ácidos Graxos Saturados e insaturados. J Pediat 1986; 60(1/2):29-36.

Nóbrega FJ, Campos ALR, Nascimento CLF. Fraco vínculo mãe/filho. 2 ed. Rio de Janeiro: Revinter, 1998.

Nóbrega FJ. Human milk composition. 1 ed. Rio de Janeiro: Revinter 1996; 1-236.

Sarni RS, Nóbrega FJ, Vítolo MR. Total proteins, albumin, immunoglobulins and C_3 fraction in the colostrum of adolescent mothers of small size for gestational age term infants. In: Human Milk Composition 1 ed. Rio de Janeiro: Revinter 1996; 99-119.

Sarni RS, Vítolo MR, Ancona Lopez F, La Torre LPFG, Nóbrega FJ. Total lipids, caloric value, and fatty acids content of colostrum of adolescent mothers of small size for gestational age term infants. In: Human Milk Composition 1 ed. Rio de Janeiro: Revinter 1996; 73-82.

Silva MPBN, Nóbrega FJ, Ancona Lopez F, Vítolo MR. Lipid composition (total fats, caloric value and fatty acids) in the colostrum of adult nursing mothers of large for gestational age infants. In: Human Milk Composition 1 ed. Rio de Janeiro: Revinter 1996; 171-180.

Souza Queiroz S, Nóbrega FJ, Rúgulo LMSS, Trindade CEP, Curi PR. Total protein, protein nitrogen, and non protein nitrogen in colostrum, transition and mature milk of mothers of term preterm infants from different socioeconomic levels. In: Human Milk Composition 1 ed. Rio de Janeiro: Revinter 1996; 225-236.

Souza Queiroz S, Nóbrega FJ. Selenium composition in the milk of high and low socioeconomic level adult nursing mothers. In: Human Milk Composition 1 ed. Rio de Janeiro: Revinter 1996; 206-214.

Spring PCM, Amâncio OMS, Nóbrega FJ, Araújo G, Kôppel SM, Dodge JA. Fat and emergy antent of emant milk of malnourished and well nourished women. Brasil, 1982.

Vítolo MR, Brasil ALD, Ancona Lopez F, Nóbrega FJ. Colostrum composition in adolescent nursing mothers. In: Human Milk Composition 1 ed. Rio de Janeiro: Revinter 1996; 43-54.

Vítolo MR, Brasil ALD, Patin RV, Nóbrega FJ. Lactose concentration in the colostrum of adult and adolescent, eutrophic and malnourished nursing mothers. In: Human Milk Composition 1 ed. Rio de Janeiro: Revinter 1996; 55-62.

Vítolo MR, Nóbrega FJ, Ancona Lopez F. Colostrum composition (total fat, total energy, immunoglobulins, zinc, calcium and fatty acids) of high and low socioeconomic level, eutrophic and malnourished adult nursing mothers. In: Human Milk Composition 1 ed. Rio de Janeiro: Revinter 1996; 120-134.

Composição do Leite Humano – Aspectos Imunológicos

6

Magda M. S. Carneiro-Sampaio
Patrícia Palmeira

Os médicos certamente reconhecem que o recém-nascido humano é inicialmente limitado na sua capacidade de responder de forma eficiente aos antígenos infecciosos e ambientais, principalmente ao nível das mucosas, o que acarreta uma maior predisposição a infecções comuns, como otite média, infecções do trato respiratório superior, ou gastroenterites, e infecções graves, como sepse ou meningite. Apesar dos avanços na nutrição, higiene, terapia anti-infecciosa e assistência médica para lactentes e crianças, as infecções continuam a ser uma das principais causas de morbidade e mortalidade infantil nos países desenvolvidos e em desenvolvimento. Apesar de existirem inúmeros fatores que contribuem para a maior predisposição de neonatos e lactentes à infecção, estão descritos defeitos significativos em vários componentes do sistema imune neste período que são a principal causa deste aumento da suscetibilidade às infecções. Devido a essa imaturidade imunológica inerente ao período neonatal, a natureza desenvolveu mecanismos de proteção adotiva, providos pela mãe, representados pela passagem transplacentária de anticorpos, pelos fatores de resistência do líquido amniótico e na vida extrauterina, pelo colostro e leite.

Aproximadamente 90% dos microrganismos que infectam o homem utilizam a mucosa como porta de entrada, sendo os patógenos de mucosas os principais agentes responsáveis pela mortalidade infantil, e neste sentido, não podemos deixar de citar a diarreia, considerada a principal causa de mortalidade infantil em populações de baixa renda dos países em desenvolvimento. Nesse período, o leite materno se torna essencial. Além das características inerentes a essa secreção, como sua composição química balanceada que preenche as necessidades nutricionais do recém-nascido e retarda a exposição à alérgenos alimentares, a prática do aleitamento promove um estreitamento do relacionamento afetivo mãe-filho.

O presente capítulo discutirá conceitos relacionados à função do aleitamento materno no desenvolvimento normal do sistema imune do lactente e à proteção

CAPÍTULO 6 Composição do Leite Humano – Aspectos Imunológicos

conferida contra as doenças infecciosas durante o período em que o sistema imunológico da criança ainda está amadurecendo. A presença de diversos fatores bioativos no leite humano, com propriedades multifuncionais e anti-inflamatórias fornece amplas evidências para apoiar as atuais recomendações de 6 meses de amamentação exclusiva para todas as crianças.

ANTICORPOS IgA SECRETORES

Os anticorpos IgA secretores (SIgA) do leite materno são fundamentais na defesa das mucosas. Tais anticorpos eficientemente previnem a entrada dos microrganismos nos tecidos, são anti-inflamatórios e não consomem energia durante a reação.

A grande maioria das células plasmáticas da mucosa, assim como da glândula mamária, produz IgA dimérica que, juntamente com a IgM pentamérica, contêm um polipeptídeo chamado cadeia J (*joining*), que permite que estas moléculas sejam exportadas ativamente pelo epitélio. Esse transporte através do epitélio é mediado pelo receptor polimérico para imunoglobulina (pIgR), também conhecido como componente secretor de membrana (SC), uma glicoproteína pertencente à superfamília das imunoglobulinas, e expressa constitutivamente na membrana basolateral das células epiteliais secretórias que se liga a IgA dimérica ou IgM através de suas cadeias J (Johansen e cols., 2000).

Uma glândula mamária humana lactante tem, em média, capacidade de produção de IgA semelhante a 1 metro de intestino. No entanto, a capacidade de armazenamento de IgA dimérica ou SIgA no epitélio e sistema de ductos da glândula mamária explicam a extraordinária liberação de SIgA durante a alimentação do lactente. A SIgA é responsável por 80 a 90% das imunoglobulinas totais do leite humano e o neonato alimentado exclusivamente ao seio materno recebe 0,3 g/kg/dia dessa proteína, onde apenas cerca de 10% é absorvida na mucosa intestinal e transferida para a corrente sanguínea.

Os dímeros de IgA, ao se ligarem aos receptores, iniciam um processo de internalização por endocitose. Assim, a IgA é transportada até a porção apical da célula epitelial, onde ocorre uma clivagem do pIgR e um pequeno fragmento C-terminal transmembrânico que permanece na célula epitelial é degradado, enquanto a porção maior extracelular é incorporada ao complexo IgA-cadeia J como componente secretor, que tem a propriedade de proteger essta molécula da ação das enzimas proteolíticas e da degradação ácida do estômago, particularmente na SIgA, na qual ele se torna covalentemente ligado. Esse mecanismo de secreção de IgA ocorre nas superfícies da mucosa oral, intestinal, brônquica, assim como na glândula mamária durante a lactação. Os pIgRs não ocupados são liberados para o lúmen por clivagem proteolítica, da mesma maneira que ocorre para SIgA e SIgM, sendo denominado SC livre. Esse fragmento ocorre na maioria das secreções e, uma parte deles se liga de forma não covalente à molécula de SIgM (Johansen e cols., 2000). Ambos SC, livre e ligado às imunoglobulinas, podem contribuir para os mecanismos de defesa inata de mucosas.

A ação da SIgA e, em menor escala, da SIgM é atuar localmente no intestino do recém-nascido como primeira linha de defesa dirigida a antígenos estranhos.

Como consequência, as moléculas de SIgA permanecem ativas ao longo do trato gastrointestinal do neonato, e atuam nos ligantes dos microrganismos, comensais ou patogênicos, toxinas, vírus e outros materiais antigênicos, prevenindo sua aderência e penetração no epitélio sem desencadear reações inflamatórias que poderiam ser danosas ao organismo do recém-nascido, mecanismo denominado exclusão imune. A Fig. 6.1 demonstra um ensaio imunoquímico (*Western blotting*) no qual anticorpos IgA provenientes do colostro materno encontram-se viáveis nas fezes de seu recém-nascido em amamentação exclusiva e continuam capazes de se ligar aos antígenos, no caso demonstrado, oriundos de *Escherichia coli* enteropatogênica. Deste modo, o efeito dos anticorpos IgA diméricos localmente produzidos seria de promover a inibição da colonização excessiva por microrganismos da mucosa, assim como a penetração de antígenos solúveis. Também está descrita a participação de anticorpos SIgA polireativos de baixa afinidade que estão presentes em alta concentração nas secreções humanas, incluindo o leite (Brandtzaeg & Johansen, 2007).

Anticorpos IgA diméricos e IgM pentaméricos de alta afinidade transportados pelo pIgR podem até mesmo inativar vírus (p. ex., rotavírus e influenza) dentro das células epiteliais e carregar estes patógenos e seus produtos de volta para o lúmen,

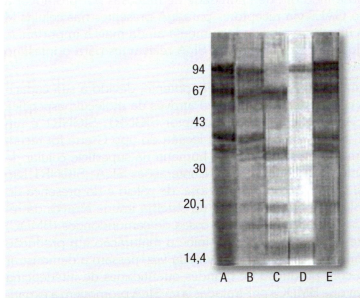

FIG 6.1. *Reação de* Western blotting *realizada com antígenos de* E. coli *enteropatogênica (EPEC) que reagiram com amostras de colostro humano (amostras A, B, C e E) e uma amostra de fezes de recém-nascido de 5 dias (D) em aleitamento materno exclusivo (amostra E). Pode-se observar que existem distintos padrões de reconhecimento dos antígenos de EPEC pelas amostras de colostro das diferentes mães (A-C). A amostra D revela que existem anticorpos IgA intactos nas fezes do recém-nascido amamentado e que reconhecem alguns antígenos de EPEC, entre eles, a intimina (94kDa), importante adesina bacteriana (Carbonare e cols., 1997).*

assim evitando danos citolíticos ao epitélio. Em indivíduos com deficiência seletiva de IgA, anticorpos SIgM são de grande importância, pois constituem um mecanismo de compensação para a falta de SIgA nas mucosas, sendo apresentados em altos níveis nestas secreções (Brandtzaeg & Johansen, 2007).

O leite humano apresenta anticorpos SIgA dirigidos a inúmeros patógenos com os quais a mãe entrou em contato durante toda a vida, representando de certa forma uma memória imunológica. Esses anticorpos constituem a maior parte do conteúdo proteico dessa secreção nos primeiros dias de lactação. As concentrações de anticorpos se reduzem no decorrer da lactação, porém a quantidade de imunoglobulinas recebida pela criança permanece inalterada em virtude do aumento da ingestão de leite. Embora todos os isotipos de imunoglobulinas sejam encontrados no colostro e leite humanos, a SIgA é considerada a mais importante, tanto em relação à sua concentração, quanto às suas propriedades biológicas.

Experimentos em coelhos recém-nascidos sugerem fortemente que a SIgA é crucial como componente protetor do leite humano (Dickinson e cols., 1998). O papel dos anticorpos SIgA na homeostase da mucosa é comprovado em experimentos com camundongos *knockout* de SIgA e SIgM, os quais demonstram maior absorção de partículas pelas mucosas e proteção reduzida contra certas infecções epiteliais (Johansen e cols., 1999). No intestino, SIgA também deve apresentar um impacto positivo na fase indutora de imunidade de mucosas por promover a absorção de antígenos no GALT via receptores para IgA presentes nas células M (Brandtzaeg, 2003). Essa última possibilidade aumenta ainda mais a importância do aleitamento no sentido de prover anticorpos SIgA relevantes para o intestino do lactente.

A SIgA também tem um efeito anti-inflamatório potente, devido à sua capacidade de interagir com as células dendríticas (DCs) através da molécula específica de adesão intercelular ICAM-3 que se liga ao receptor SIGNR1. SIGNR1 é um homólogo no rato do DC-SIGN, um receptor de lectina do tipo C que foi recentemente descrito como um receptor para a SIgA humana na superfície celular de DC. Semelhante à sua interação com DC-SIGN, interações SIgA- SIGNR1 são dependentes de açúcares, como resíduos de manose, de cálcio e da presença do componente secretor. A SIgA previne a ativação do sistema imune através da regulação da função de DCs derivadas de medula óssea de camundongos (BMDC) através do SIGNR1. A pré-incubação com SIgA inibe a maturação e a produção de citocinas pró-inflamatórias por BMDCs que, por sua vez, passam a demonstrar um fenótipo tolerogênico com produção de grandes quantidades de interleucina (IL) -10. É importante notar que BMDCs pré-tratadas com SIgA promovem a expansão de células T reguladoras (Tregs) FoxP3[+] produtoras de IL-10. Além disso, a injeção *in vivo* em camundongos do complexo SIgA/DC, ligado a peptídeos próprios, impede o desenvolvimento de doenças autoimunes, tais como a encefalomielite autoimune experimental e diabetes do tipo 1. Portanto, estes dados sugerem que a interação de SIgA com receptores de lectina do tipo C, como SIGNR1/DC-SIGN possui uma função de regulação até agora desconhecida na corrente sanguínea, o que abre novas possibilidades terapêuticas para o tratamento de doenças autoimunes e inflamatórias (Monteiro, 2014).

SISTEMA IMUNE COMUM DE MUCOSAS

As principais portas de entrada das infecções no homem são as superfícies mucosas dos tratos gastrointestinal e respiratório, pois representam uma barreira entre o ambiente externo e interno. Por isso, elas contam com um sistema de proteção anti-infecciosa muito eficiente, onde atuam mecanismos inespecíficos como movimento peristáltico, transporte mucociliar e enzimas, e mecanismos adaptativos altamente especializados representados pelo tecido linfoide associado às mucosas, MALT (*mucosal associated lymphoid tissue*), que está presente na nasofaringe (NALT) e brônquios (BALT), trato urogenital, glândulas lacrimais, salivares e mamárias, porém está mais abundantemente expresso no intestino (GALT) que contêm, pelo menos, 80% das células B ativadas do organismo terminalmente diferenciadas em plasmablastos e plasmócitos (Brandtzaeg, 2010).

As estruturas do MALT se assemelham a linfonodos com folículos de células B, zonas de células T entre elas e uma variedade de células apresentadoras de antígenos (APCs), como macrófagos e DCs, mas sem vasos linfáticos aferentes (Brandtzaeg & Pabst, 2004). Os estímulos exógenos, portanto, vêm diretamente das superfícies mucosas, e são captados por células epiteliais especializadas chamadas células *membrane* (M), provavelmente auxiliadas por DCs, que se infiltram no epitélio e captam antígenos (Rimoldi e cols., 2005). No intestino, a indução da resposta imune acontece primariamente no tecido linfoide associado ao intestino (GALT) e nos linfonodos mesentéricos, mas também ocorre, em menor escala, nos sítios efetores como a lâmina própria, local para o qual células T e B retornam após ativação. GALT é composto por folículos linfoides agregados (Placas de Peyer) e isolados. Em humanos, placas de Peyer são encontradas principalmente no íleo distal, ao passo que os folículos linfoides isolados estão localizados no intestino grosso distal (Brandtzaeg & Johansen, 2005).

As glândulas mamárias fazem parte do sistema imune comum de mucosas e é povoada por linfócitos oriundos do GALT e do BALT. Células B imunocompetentes das mucosas, após contato com antígeno, são estimuladas a se diferenciarem em plasmócitos que, em seguida, migram pelas vias linfáticas até os linfonodos mesentéricos, entram na circulação sanguínea através do ducto torácico, até alcançarem outras mucosas e tecidos glandulares, pelo mecanismo de *homing* (Fig. 6.2). A expressão do receptor para quimiocina CCR10 em células B derivadas do GALT e NALT é importante para direcionar essas células para as glândulas mamárias. Essa transferência de imunidade para os diversos locais na mucosa é denominada circulação broncoenteromamária, que irá conferir ao leite da mãe uma gama de especificidades de anticorpos contra os microrganismos presentes no seu meio ambiente, e que provavelmente serão encontrados pela criança durante as primeiras semanas de vida (Brandtzaeg, 2010).

FATORES BIOATIVOS DO LEITE HUMANO

Além dos anticorpos, e de igual importância, o leite materno possibilita a aquisição de componentes solúveis e celulares imunologicamente competentes envolvidos na proteção do recém-nascido contra inúmeras doenças.

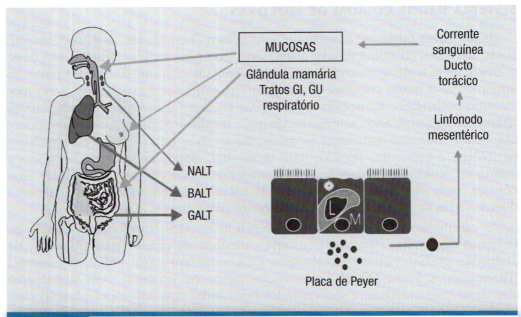

FIG 6.2. *Esquema do sistema imune comum das mucosas mostrando o elo enterobroncomamário. Linfócitos B imunocompetentes das mucosas são estimulados pelos antígenos presentes no local, migram pelas vias linfáticas até os linfonodos mesentéricos, entram na circulação sanguínea através do ducto torácico até alcançar outras superfícies mucosas, orientados por seus receptores de homing específicos, como dos tratos respiratório, geniturinário, gastrointestinal e na glândula mamária, já como plasmócitos maduros, onde são estimulados à produção preferencial de IgA.*

No leite humano se encontram diversos fatores de proteção com ação anti-infecciosa como: enzimas, citocinas, componentes do sistema complemento, oligossacarídeos, nucleotídeos, peptídeos, lipídeos e hormônios que interagem entre si e com as mucosas dos tratos digestivo e respiratório do recém-nascido; conferindo, além da imunidade passiva, estímulo ao desenvolvimento e maturação do sistema imunológico do neonato (Barros & Carneiro-Sampaio, 1984; Grumach e cols., 1993).

Os fatores antimicrobianos presentes no colostro e leite humano apresentam algumas características comuns, como resistência a degradação pelas enzimas digestivas, proteção às superfícies mucosas e eliminação de bactérias sem, no entanto, iniciar reações inflamatórias. Podem ser classificados de acordo com sua função, seu mecanismo de ação, ou sua natureza química e estão presentes no leite materno em quantidades variáveis de acordo com as diferentes fases de lactação.

As proteínas, como um dos principais grupos de nutrientes, contêm uma série de fatores bioativos importantes, incluindo as imunoglobulinas, lactoferrina, lisozima, α-lactalbumina e caseína.

Entre as principais enzimas presentes no colostro estão a lisozima e a lactoferrina. A lisozima é uma enzima capaz de degradar a parede externa de bactérias Gram-positivas, pois hidrolisa ligações β-1,4 de resíduos de ácido N-acetilmurâmico e 2-acetilamino-2-deoxi-D-glicose. A lisozima também apresenta capacidade de matar bactérias Gram-negativas *in vitro*, agindo sinergicamente com a lactoferrina, que se liga ao lipopolissacáride da membrana externa bacteriana, removendo-o e permitindo com que a lisozima tenha acesso e degrade a matriz interna de proteoglicano da membrana, consequentemente matando a bactéria (Ellison & Giehl, 1991).

A lactoferrina corresponde a 26% do conteúdo proteico do leite materno e apresenta uma função bacteriostática na mucosa intestinal do neonato, por meio de sua ligação com o ferro presente no sistema digestivo da criança, impedindo o crescimento de diversos patógenos. Além disso, apresenta um efeito citotóxico direto contra bactérias, vírus e fungos e exerce funções imunomoduladoras, auxiliando a bloquear respostas imunes excessivas, através do bloqueio de muitas citocinas inflamatórias como a IL-1β, IL-6, TNF-α e IL-8 (Mattsby-Baltzer e cols., 1996; Elass e cols., 2002; Haversen e cols., 2003) e também estimulando a atividade e desenvolvimento do sistema imune da criança (Hashizume e cols., 1983). Uma parte da atividade da lactoferrina é atribuída à formação de lactoferricina, um potente peptídeo com atividade bactericida formado durante a digestão da lactoferrina (Tomita e cols., 1991).

A lactoperoxidase, na presença de peróxido de hidrogênio (formado em pequenas quantidades pelas células), catalisa a oxidação do tiocianato (presente na saliva), formando hipotiocianato que pode matar tanto bactérias Gram-positivas, como Gram-negativas. Deste modo, a lactoperoxidase do leite humano pode contribuir para a defesa contra infecções na boca e trato gastrointestinal superior do lactente (Lonnerdal, 2003).

A α-lactalbumina do leite humano tem a propriedade de se ligar ao ácido oleico, e após a liberação de íon Ca^{2+} e mudança conformacional, ela forma um composto denominado HAMLET (*human α-lactalbumin made lethal to tumor cells*) (Hallgren e cols., 2008). As condições para a formação de HAMLET se assemelham ao estômago da criança que recebe aleitamento materno, o que pode contribuir para a diminuição da incidência de câncer em crianças amamentadas (Svensson e cols., 2000). HAMLET tem a capacidade de entrar nas células tumorais e se acumular no seu núcleo, mitocôndrias, retículo endoplásmico e proteassomas. Nas mitocôndrias, essa molécula provoca a liberação de citocromo c, resultando na ativação das vias das caspases (Köhler e cols., 2001). No núcleo das células tumorais, HAMLET se associa com as histonas, resultando no rompimento irreversível da organização da cromatina (Düringer e cols., 2003). Desde sua primeira descrição como indutora de apoptose em células tumorais, dois ensaios clínicos mostraram resultados bem-sucedidos contra papilomas de pele e câncer de bexiga, e nenhum efeito colateral no tecido saudável adjacente foi observado (Mossberg e cols., 2007; Aits e cols., 2009).

A κ-caseína, presente no leite humano, é uma glicoproteína que apresenta resíduos de ácido siálico carregados e foi demonstrado que possui atividade inibitória sobre a adesão de *Helicobacter pylori* à mucosa gástrica humana, por atuar como um análogo de receptor da mucosa (Lonnerdal, 2003).

O componente secretor (SC) livre, que é particularmente abundante no leite materno, pode bloquear a adesão epitelial e, consequentemente, limitar a infecção por *Escherichia coli* enterotoxigênica, além de inibir o efeito de toxinas bacterianas

CAPÍTULO 6 Composição do Leite Humano – Aspectos Imunológicos

como a toxina de *Clostridium difficile*. Além disso, foi demonstrada a interação entre a proteína de superfície pneumocócica e SC livre ou ligado à imunoglobulina (Brandtzaeg, 2003). Desse modo, o SC quando ligado pode reforçar as funções de exclusão imune dos anticorpos secretores. Essas observações sugerem que esse componente se originou filogeneticamente do sistema imune inato antes de ser explorado pelo sistema imune adaptativo para atuar como um receptor para imunoglobulinas.

Tem sido sugerido que a proteína haptocorrina, presente no leite humano, tem a propriedade de se ligar à vitamina B12, deixando-a inacessível para o crescimento bacteriano. A estrutura e atividade da haptocorrina foram mantidas após digestão *in vitro* com pepsina e pancreatina, indicando que essa proteína pode resistir à digestão intestinal. No entanto, até o momento, não existem estudos que comprovem a sua atividade antimicrobiana e o quanto ela contribui com a defesa contra infecções na criança amamentada.

Os lipídeos, importante fonte de nutrientes e energia do leite materno, incluem triglicérides, ácidos graxos poli-insaturados de cadeia longa (LC-PUFA) e ácidos graxos livres (FFAs). FFAs e monoglicerídeos, produtos digestivos de triglicérides, tem um efeito lítico sobre diversos vírus. FFAs também têm um efeito antiprotozoário, especificamente contra *Giardia*.

Os nucleotídeos, nucleosídeos, ácidos nucleicos e produtos afins constituem aproximadamente 15 a 20% do nitrogênio não proteico contido no leite materno. Existem evidências que os nucleotídeos do leite humano influenciam a função imune e reparo intestinal após danos teciduais. A suplementação de fórmulas infantis com nucleotídeos tem levado a níveis séricos aumentados de IgG após 30 dias de vida em neonatos pré-termo. Uma menor incidência e duração de diarreias em bebês de termo alimentados com fórmulas e que recebem suplementação com nucleotídeos também foi demonstrada. O mecanismo exato pelo qual estes nucleotídeos da dieta estimulam a resposta imune humoral ainda não está claro. A suplementação de fórmulas infantis com nucleotídeos já é realizada no Japão e em diversos países europeus (Bernt & Walker, 1999).

Os carboidratos do leite humano incluem lactose e oligossacarídeos como os principais componentes, além dos glicoconjugados. Eles funcionam principalmente como nutrientes importantes para a produção de energia. A microbiota das crianças que recebem aleitamento materno é diferente das que são alimentadas com fórmulas, pois apresenta uma menor colonização por bactérias potencialmente patogênicas como *E. coli*, *Bacteroides*, *Campylobacter* e *Streptococcus*, e maior número de Lactobacilos e Bifidobactérias. O fator que promove o crescimento de Lactobacilos e Bifidobactérias que, por sua vez, inibem o crescimento de germes patogênicos por diminuírem o pH intestinal, foi originalmente descrito como fator bífido, mas atualmente uma das substâncias identificadas como promotoras deste crescimento é a N-acetil-glucosamina (Kleesen e cols., 1995). Posteriormente, diversos oligossacarídeos com ação semelhante foram identificados (Newburg, 1997), mas é possível que proteínas do leite também apresentem essa atividade prebiótica. Os oligossacarídeos do leite humano constituem a terceira maior fração sólida do leite, depois da lactose e gordura (Kunz & Rudloff, 1993).

Mais recentemente, vários estudos têm revelado que o colostro e leite materno são fontes contínuas de bactérias comensais e potencialmente probióticas para o intestino do lactente. Esse é um achado relevante, já que o leite humano intramamário era tradicionalmente considerado estéril. Na verdade, o leite humano constitui uma das principais fontes de bactérias para o intestino do lactente, uma vez que um bebê que consome aproximadamente 800 mL/dia de leite ingere entre 1×10^5 e 1×10^7 bactérias por dia. Vários estudos têm mostrado que existe uma transferência materno-infantil através da amamentação de linhagens bacterianas pertencentes, pelo menos, aos gêneros *Lactobacillus, Staphylococcus, Enterococcus* e *Bifidobacterium*.

A origem das bactérias presentes no leite materno tornou-se uma questão controversa nos últimos anos. Inicialmente, acreditava-se que as bactérias presentes no leite eram resultado de contaminação com as bactérias da pele materna ou da cavidade oral da criança. No entanto, novas descobertas sugerem que pelo menos algumas das bactérias presentes no intestino materno poderiam atingir a glândula mamária por uma via endógena, envolvendo DCs maternas e os macrófagos. Embora a via e os mecanismos que algumas bactérias poderiam explorar para atravessar o epitélio intestinal e atingir a glândula mamária e outros locais ainda não tenham sido elucidados, tem sido demonstrado que DCs podem penetrar o epitélio intestinal para captar as bactérias não patogênicas diretamente do lúmen intestinal. DCs são capazes de abrir as junções ocludentes (do inglês *tight junctions*) entre as células epiteliais intestinais, enviar dendritos para fora do epitélio e captar bactérias; preservando, ao mesmo tempo, a integridade da barreira epitelial. Também tem sido mostrado que as DCs intestinais podem reter pequenas quantidades de bactérias comensais vivas durante vários dias nos linfonodos mesentéricos. Uma vez dentro de DCs e/ou macrófagos, as bactérias intestinais poderiam difundir para outros locais, por meio da circulação broncoenteromamária, para colonizar as superfícies mucosas distantes, tais como as do aparelho respiratório e geniturinário, glândulas salivares e lacrimais e, mais significativamente, a glândula mamária lactante (Fernández e cols., 2013).

Foi observado recentemente que a administração de linhagens de *Lactobacillus* do leite humano a crianças de 6 meses de idade levou a reduções de 46%, 27%, e 30% nas frequências de infecções gastrointestinais, do trato respiratório superior e no número total de infecções, respectivamente (Maldonado e cols., 2012).

O colostro e leite humanos contêm fatores estimuladores de colônias (CSF), responsáveis pela regulação da proliferação, diferenciação e sobrevivência de macrófagos do leite, como GM-CSF (Fator-Estimulador de Colônia – Granulócito-Macrófago), M-CSF (Fator-Estimulador de Colônia – Macrófago) e G-CSF (Fator-Estimulador de Colônia – Granulócito). Foi demonstrado que M-CSF induz a produção, por macrófagos, do antagonista do receptor de IL-1, uma molécula anti-inflamatória presente no leite humano (Buescher & Malinowska, 1996). G-CSF estimula a proliferação de progenitores de granulócitos e leva ao seu aumento na circulação e também aumenta as atividades bactericida e fagocítica dos granulócitos maduros (Bernt & Walker, 1999).

As fases efetoras das imunidades inata e adquirida são amplamente mediadas por hormônios proteicos chamados citocinas. As citocinas do leite humano podem agir como imunoestimuladoras ou imunomoduladoras sobre as células fagocitárias e sobre os linfócitos envolvidos no desenvolvimento da resposta imune específica da criança, atuando na prevenção de hipersensibilidades e alergias. Podem também ter como alvo as células do próprio leite materno, promovendo sua ativação, estímulo à fagocitose e apresentação de antígenos; a indução do crescimento, diferenciação e produção de imunoglobulinas por células B; aumento da proliferação de timócitos; e supressão da produção de IgE (Garofalo, 2010).

Embora seja evidente que as citocinas possam potencialmente interagir com o MALT dos tratos respiratório e gastrointestinal de neonatos, a expressão de receptores específicos para citocinas nas células epiteliais ainda não foi apropriadamente investigada. No entanto, a resistência apresentada por algumas citocinas ao processo digestivo, associada à presença de antiproteases no leite humano e à ausência de alguns agentes digestivos no período neonatal nos indicam que algumas podem resistir à ação digestiva e atuar na superfície mucosa neonatal. As que não resistem, podem ser localmente produzidas e liberadas por macrófagos do leite estimulados no intestino do neonato e, portanto, podem aumentar o desenvolvimento da imunidade de mucosas (Brandtzaeg, 2010).

Algumas citocinas, como IL-6 e TNF-α estão associadas à regulação do desenvolvimento e funções da glândula mamária (Basolo e cols., 1996) e outras, como IL-1 e IFN-γ influenciam a produção de agentes de defesa, SIgA, ou outras citocinas pela glândula mamária. A IL-10, uma importante citocina anti-inflamatória e imunoreguladora, está presente em alta concentração tanto na fase aquosa, quanto na camada lipídica do leite humano. O papel crítico da IL-10 na homeostase da barreira intestinal do recém-nascido e na regulação de respostas imunes aberrantes a antígenos estranhos foi demonstrado em camundongos *knockouts* para IL-10, os quais desenvolvem espontaneamente uma enterocolite generalizada quando desmamados, o que pode ser prevenido pela administração parenteral de IL-10 (Berg e cols., 1996).

Assim como a IL-10, o TGF-β (*Transforming Growth Factor*-β) apresenta propriedades imunomoduladoras importantes como estímulo à maturação intestinal e defesa do neonato; envolvimento no *switch* de IgM para IgA em linfócitos B; produção de imunoglobulinas na glândula mamária e trato gastrointestinal do recém-nascido e indução da tolerância oral. Sua ação regulatória é complexa e dependente do estado de diferenciação celular e do microambiente de citocinas ao seu redor. Especificamente, TGF-β1 está envolvida na indução de células T-regulatórias expressando *Foxp3*, que por sua vez, produzem IL-10 (Penttila, 2010). Seu efeito supressor em células T tem sido associado com um possível papel na prevenção, ou pelo menos, no início mais tardio de doenças alérgicas em crianças amamentadas (Verhasselt, 2010).

Tem sido proposto que a presença de IL-7 no leite está ligada ao fato que o timo, um órgão central do sistema imune, é duas vezes maior em crianças amamentadas comparadas às alimentadas com fórmulas infantis (Hasselbalch e cols., 1999; Ngom e cols., 2004). Estudos na África demonstraram que timos menores ao nascimento são preditivos de maior mortalidade infantil por infecções, independente de outros fatores conhecidamente envolvidos na redução do tamanho do timo, como peso ao nascimento ou má nutrição (Aaby e cols., 2002). A presença de TGF-β, IL-6, IL-7 e IL-10 é de particular interesse para o desenvolvimento e diferenciação de células produtoras de IgA (Garofalo, 2010).

As quimiocinas CXC, que são ativadoras potentes de neutrófilos, presentes em grande quantidade no leite (Keeney e cols., 1993), têm atividade quimiotática para linfócitos intraepiteliais e desempenham um papel importante na defesa do hospedeiro contra infecções bacterianas (Ebert, 1995). A descoberta de que as quimiocinas CC, RANTES, MIP-1α e MIP-1β, liberadas por linfócitos T CD8+, são fatores importantes na imunossupressão do vírus HIV, levanta a questão sobre o possível papel protetor destas moléculas na transmissão de HIV via aleitamento materno (Cocchi e cols., 1996).

Por apresentarem leucócitos viáveis, o colostro e o leite humanos diferem da maioria das outras secreções. A concentração desses leucócitos é maior no colostro e vai diminuindo durante o primeiro mês de lactação, de forma que o leite maduro contém apenas 2% da concentração de células do colostro, resultando em aproximadamente 10^6 a 10^9 células/mL no colostro e 10^5 células/mL no leite maduro. Macrófagos (32,6%) e neutrófilos (45,1%) estão presentes em maior quantidade em relação aos linfócitos (21,3%), os últimos representados principalmente por células T (80%) (Barros & Carneiro-Sampaio, 1984). As células T do leite materno diferem tanto na abundância relativa, como na qualidade em relação às células T encontradas no sangue periférico (Sabbaj e cols., 2005). A maior proporção de TCD8+ TCRγδ+ (expressando L-selectina, integrina α4β7, MAdCAM-1) em comparação com o sangue, sugere que estas células T citotóxicas (CD8+) fizeram um *homing* seletivo do sistema imune de mucosas materno para a glândula mamária (Sabbaj e cols., 2005; Wirt e cols., 1992). Células TCD4+ do leite materno também estão presentes em estado ativado (expressando marcadores de ativação como sCD30, CD62L, CCR7, CD25, antígeno-1 de linfócitos da mucosa humana – CD103) e expressam CD45RO, uma proteína de superfície associada com a memória imunológica. Comparados aos do sangue, os linfócitos B do colostro estão em menor concentração, compreendendo de 6 a 10% do total de linfócitos (Carlsson & Hanson, 1994).

O colostro e leite humanos contêm altos níveis da molécula CD14 solúvel, superando em mais de 20 vezes a concentração observada no soro (Labeta e cols., 2000). Este componente ajuda na ativação dos fagócitos do intestino, via receptor *Toll-like* 4, após sua ligação com bactérias Gram-negativas, para as quais este receptor é específico.

A fagocitose é um dos principais mecanismos de destruição de bactérias, e se inicia com a aderência de partículas ou microrganismos à membrana celular. Os fagócitos do colostro (macrófagos e neutrófilos) possuem alta atividade fagocitária. Os neutrófilos apresentam atividades fagocitária e oxidativa normais, mas a resposta a fatores quimiotáticos e atividade de aderência são reduzidas quando comparadas aos neutrófilos do sangue periférico. O número de neutrófilos diminui no decorrer da lactação e após 6 semanas é raramente detectado no leite. Há evidências que essas células estão ativadas e têm como função a proteção do tecido mamário contra infecções, e não a transferência de imunocompetência ao recém-nascido. O macrófago é uma das principais células do sistema imunológico envolvida no processo de fagocitose. O elevado número de macrófagos no colostro, bem como a presença de proteínas com capacidade opsonizante, sugere um microambiente eficaz na eliminação de patógenos. Essas células ativadas podem aderir à mucosa do trato digestivo do neonato e liberar grandes quantidades de SIgA durante a fagocitose de microrganismos colonizadores. Os macrófagos também atuam na citotoxicidade celular dependente de anticorpos (ADCC), e têm a função de células apresentadoras de antígeno (APC) no intestino (Carlsson & Hanson, 1994). Foi demonstrado que a SIgA possui capacidade de opsonizar partículas e microrganismos, potencializando as atividades fagocitária e microbicida através do aumento da produção de ânion superóxido pelos fagócitos do colostro (Honório-França e cols., 1997).

A opsonização se faz principalmente através da ligação de imunoglobulinas ou alguns produtos de ativação do sistema complemento a receptores específicos presentes nas células fagocitárias. Os componentes do sistema complemento são observados no leite humano em menores concentrações nos primeiros dias de lactação comparados aos do sangue periférico. No entanto, sua capacidade de opsonização, propriedades quimiotáticas e indução da atividade microbicida são tão eficientes quanto no soro (Goldman e cols., 1986).

ALEITAMENTO MATERNO NA PROTEÇÃO CONTRA INFECÇÕES

Diversos estudos epidemiológicos e experimentais têm sido desenvolvidos para investigar o efeito do leite humano sobre diversos microrganismos envolvidos em infecções respiratórias e gastrointestinais. Esses estudos demonstraram que o leite humano apresenta anticorpos contra *Shigella*, *Salmonella typhimurium*, *Campylobacter*, *Vibrio cholerae*, *Haemophilus influenzae*, *Streptococcus pneumoniae*, *Bordetella pertussis*, vírus sincicial respiratório, HIV, entre outros patógenos (Hanson & Korotkova, 2002; Quinello e cols., 2010).

Estudos clínico-epidemiológicos vêm demonstrando que o aleitamento materno é efetivo em reduzir a incidência de inúmeras infecções, assim como reduzir o risco de morte por diarreia em cerca de 20 vezes. Sabe-se que a frequência de diarreia é extremamente baixa em crianças amamentadas ao seio materno, e aumenta à medida que o leite materno é substituído por alimentação de outras fontes, até o desmame total.

Esse efeito é ilustrado em um estudo realizado no Brasil, no qual se demonstrou que o aleitamento materno exclusivo reduz o risco de morte por diarreia em 14,2 vezes, ao passo que aleitamento materno parcial é associado com uma redução de 4,2 vezes, ambos comparados ao grupo não amamentado (Victora e cols., 1987).

Muitos trabalhos foram realizados enfocando o efeito do colostro humano sobre linhagens de *Escherichia coli* (*E. coli*). As bactérias *E. coli* são as principais causadoras de diarreia, sobretudo nos países em desenvolvimento (Trabulsi e cols., 1985). Anticorpos SIgA presentes no colostro e leite de mulheres brasileiras têm importante papel na proteção contra infecções por *Escherichia coli* enteropatogênica (EPEC). Os primeiros experimentos realizados demonstraram a forte capacidade de amostras de colostro e de leite (do 7°, 30° e 60° dias de lactação)

Composição do Leite Humano – Aspectos Imunológicos **CAPÍTULO 6**

provenientes de puérperas da cidade de São Paulo de inibir *in vitro* a aderência de EPEC a células epiteliais em cultura. A seguir, demonstrou-se que a SIgA era o principal mediador da inibição bacteriana e que estes anticorpos isolados, reativos com a intimina, principal adesina da EPEC, responsável pela ligação desta bactéria ao enterócito, eram capazes de inibir fortemente a adesão de EPEC a células em cultura já mencionadas. Por sua vez, todas as amostras de colostro e leite das puérperas estudadas apresentaram anticorpos para intimina (Carneiro-Sampaio e cols., 1996). Também foi observado que anticorpos SIgA do colostro são reativos com os principais fatores de virulência de EPEC, como BfpA, EspA, EspB e Tir (Adu-Bobie e cols., 1998; Loureiro e cols., 1998; Sanchez e cols., 2000). Dados semelhantes foram observados em amostras de mães de recém-nascidos de termo com baixo peso e prematuros (Delneri e cols., 1997).

A atividade inibitória sobre a adesão de *E. coli* produtoras de toxinas Shiga (STEC), *E. coli* enteroagregativas (EAggEC), *E. coli* enterotoxigênicas (ETEC), e sobre a invasão de *E. coli* enteroinvasivas (EIEC) foi demonstrada posteriormente em outros trabalhos (Carbonare e cols., 1995; Corrêa e cols., 2006; Fernandes e cols., 2001; Palmeira e cols., 2005).

Em estudo realizado com amostra de colostro de uma parturiente com deficiência de IgA (IgM, IgG e suas subclasses em níveis normais no soro, e níveis indetectáveis de IgA), foi observada uma atividade inibitória *in vitro*, tanto da adesão de EPEC, quanto da invasão de EIEC a células epiteliais em cultura, em níveis equivalentes aos colostros controles normais. Em outro estudo prévio, foi descrito nível elevado de SIgM nesta secreção, que poderia representar um fenômeno compensatório para a deficiência de SIgA (Barros e cols., 1985).

Um estudo realizado com duas parturientes com Imunodeficiência Comum Variável (caracterizada por níveis séricos reduzidos das classes de imunoglobulinas, resposta de anticorpos deficiente, com número e função de células T variável) que receberam terapia com gamaglobulina endovenosa durante toda a gestação, demonstrou que a IgG exógena passa pela placenta em padrão similar ao das imunoglobulinas endógenas. O mais interessante é que as amostras de colostro dessas parturientes, embora apresentando níveis indetectáveis de SIgA, foram capazes de inibir a adesão de EPEC a células epiteliais em cultura em níveis semelhantes aos das mães saudáveis, dando indícios que o aleitamento materno fornece proteção anti-infecciosa para o lactente também em casos de imunodeficiências humorais maternas (Palmeira e cols., 2009).

Ainda não está claro o papel do leite materno na proteção contra infecções por rotavírus pois, em alguns casos, é observado um atraso no desenvolvimento da doença e em outros, as infecções são assintomáticas (Clemens e cols., 1993). No entanto, tem sido relatado um retardo no aparecimento de rotavírus nas fezes quando associado com altos níveis de anticorpos SIgA no leite (Espinoza e cols., 1997).

Em relação às infecções respiratórias, estudos que investigaram a capacidade protetora do leite materno contra otite média demonstraram proteção eficiente contra infecções agudas e prolongadas (Cushing e cols., 1998; Dewey e cols., 1995; Duncan e cols., 1993). Também é sugerido que o aleitamento pode proteger contra infecções do trato respiratório superior, mas esse papel necessita de

113

CAPÍTULO 6 Composição do Leite Humano – Aspectos Imunológicos

confirmação (Howie e cols., 1990). Um estudo, realizado nos Estados Unidos, que comparou os efeitos do aleitamento materno exclusivo por 4 e 6 meses sobre o aparecimento de pneumonia e otite, revelou redução dessas infecções no grupo que foi amamentado por 6 meses comparado ao grupo amamentado por 4 meses (Chantry e cols., 2006).

A enterocolite necrosante apresenta alta mortalidade no período neonatal, mas o aleitamento reduz o risco, provavelmente por prover proteção na mucosa e suprimir a inflamação. Essa proteção é mediada, por exemplo, por anticorpos SIgA do leite que, através do elo broncoenteromamário, são direcionados aos micróbios provenientes da mãe e de seu ambiente, e se ligam e previnem a colonização e infiltração microbiana na mucosa intestinal do bebê. Além disso, muitos outros componentes do leite podem ser protetores nesta situação, incluindo os oligossacarídeos que atuam como análogos de receptores e assim previnem a ligação dos microrganismos na mucosa intestinal do lactente (Schnabl e cols., 2008).

EFEITO PROTETOR DE LONGO PRAZO DO ALEITAMENTO PARA A CRIANÇA

Além da proteção anti-infecciosa imediata, tem sido relatado que a proteção do leite materno permanece por tempo prolongado após a interrupção da amamentação, esse efeito é resultante da sua influência no desenvolvimento do sistema imunológico do neonato. Tem sido mostrado que a proteção contra diarreias permanece após o término da lactação e que a amamentação por 15 semanas é capaz de conferir proteção contra infecções respiratórias pelos próximos 7 anos (Hanson, 1998).

O aleitamento materno não inibe a resposta do lactente às vacinas, com apenas uma exceção: a vacinação oral com poliovírus vivo irá falhar se a criança for amamentada em um intervalo muito próximo antes ou depois de receber a dose da vacina, o que ocasiona uma neutralização do vírus pelos anticorpos presentes no leite (World Health Organization, 1995). Alguns estudos mostraram que o leite materno aumenta a resposta vacinal, como foi demonstrado na resposta de anticorpos IgG2 à vacinação com *Haemophilus influenzae* do tipo b e com pneumococos (Silfverdal e cols., 2002). O aleitamento materno exclusivo por 90 dias provém uma maior proporção de crianças com respostas vacinais acima do nível protetor. Já foi previamente demonstrado que crianças amamentadas ao seio apresentam uma maior resposta de anticorpos para tétano, difteria, poliovirus vivo e *Haemophilus influenzae* tipo b, além de uma resposta de células T mais exacerbada ao BCG (Hahn-Zoric e cols., 1990; Pabst & Spady, 1990).

EFEITO DO ALEITAMENTO CONTRA DOENÇAS INFLAMATÓRIAS NA INFÂNCIA E FASE ADULTA

Existem muitos trabalhos recentes que investigaram um possível papel do aleitamento materno sobre o risco de desenvolver diversas doenças comuns nas quais o processo inflamatório tem papel central em sua patogênese. Existe uma grande variedade de componentes do leite que afeta o desenvolvimento e função do sistema imune e que poderia exercer este efeito, como já foi demonstrado para doenças alérgicas, alguns mostrando proteção, outros não (Saarinen & Kajosaari, 1995; Van Asperen e cols., 1984).

Esse efeito protetor em longo prazo também pode ser observado em estudos epidemiológicos que sugerem que o leite materno reduz o risco de desenvolvimento de doenças autoimunes, como diabetes melito tipo 1 e 2, artrite reumatoide, doença celíaca, colite ulcerativa e doença de Crohn (Hanson, 2007).

Alguns trabalhos indicam que o aleitamento apresenta efeito protetor contra doenças vasculares crônicas, incluindo hipertensão, obesidade e/ou resistência à insulina (Singhal e cols., 2004; Singhal e cols., 2004; Martin e cols., 2005a). Estes efeitos estão relacionados a muitos componentes do leite, tais como leptina, grelina e fator de crescimento semelhante à insulina, que podem afetar o apetite e o metabolismo (Savino e cols., 2005).

Em estudo de metanálise foi demonstrado que o aleitamento protege contra tumores na infância, como leucemia linfoblástica aguda, doença de Hodgkin e neuroblastoma (Martin e cols., 2005b).

Em conclusão, diversos ensaios clínicos confirmam os efeitos benéficos do aleitamento materno no crescimento, desenvolvimento e defesa anti-infecciosa do lactente até a vida adulta. O aleitamento materno não somente oferece uma composição nutricional ideal para o recém-nascido, como também representa uma extraordinária integração imunológica entre a mãe e o lactente. A expansão do conhecimento sobre a composição imunológica do leite humano reforça a importância de muitos componentes presentes mesmo em pequenas quantidades nessa secreção, que consiste num perfeito alimento e um suplemento de valor imunológico cada vez mais reconhecido.

BIBLIOGRAFIA CONSULTADA

Aaby P, Marx C, Trautner S, Rudaa D, Hasselbalch H, Jensen H, Lisse I. Thymus size at birth is associated with infant mortality: a community study from Guinea-Bissau. Acta Paediatrica 2002; 91:698-703.

Adu-Bobie J, Trabulsi LR, Carneiro-Sampaio MMS, Dougan G, Frankel G. Identification of immunodominant region within the C-terminal cell binding domain of intimin alpha and beta from enteropathogenic *Escherichia coli.* Infect Immun 1998; 65:320-6.

Aits S, Gustaffson L, Hallgren O, Brest P, Gustaffson M, Trulsson M, Mossberg AK, Simon HU, Mograbi B, Svanborg C. HAMLET (human alpha-lactalbumin made lethal to tumor cells) triggers authophagic tumor cell death. Int J Cancer 2009; 124:1008-19.

Barros MD, Carneiro-Sampaio MMS. Milk composition of low birth weight infant mothers. Acta Paediatr Scand 1984;73:693-5.

Barros MD, Porto MHO, Leser PG, Grumach AS, Carneiro-Sampaio MMS. Study of colostrum of a patient with Selective IgA Deficiency. Allergol Immunopathol 1985;13:331-4.

Basolo F, Fiore L, Fontanini G, Giulio P, Simonetta C, Falcone V et al. Expression of response to interleukin 6 (IL6) in human mammary tumors. Cancer Res 1996; 56:3118-22.

Berg DJ, Davidson N, Kuhn R, Muller W, Menon S, Holland G et al. Enterocolitis and colon cancer in interleukin-10-deficient mice are associated with aberrant cytokine production and CD4+ TH1-like responses. J Clin Invest 1996; 98:1010-20.

Bernt KM, Walker WA. Human milk as a carrier of biochemical messages. Acta Paediatr Suppl 1999; 430:27-41.

Brandtzaeg P, Johansen F-E. IgA and intestinal homeostasis. In: Kaetzel CS, editor. Mucosal immune defense: immunoglobulin A. New York: Springer Science + Business Media, LLC 2007; 221-68.

Brandtzaeg P, Johansen F-E. Mucosal B cells: phenotypic characteristics, transcriptional regulation, and homing properties. Immunol Rev 2005; 206:32-63.

Brandtzaeg P, Pabst R. Let's go mucosal: Communication on slippery ground. Trends Immunol 2004; 25:570-7.

Brandtzaeg P. Mucosal immunity – integration between mother and the breastfed infant. Vaccine 2003; 21:3382-8.

Brandtzaeg P. The mucosal immune system and its integration with the mammary glands. J Pediatr 2010; 156:S8-15.

Buescher ES, Malinowska I. Soluble receptors and cytokine antagonists in human milk. Pediatr Res 1996; 40:839-44.

Carbonare SB, Silva ML, Palmeira P, Carneiro-Sampaio MM. Human colostrum IgA antibodies reacting to enteropathogenic Escherichia coli antigens and their persistence in the faeces of a breastfed infant. J Diarrhoeal Dis Res 1997; 15(2):53-8.

Carbonare SB, Silva MLM, Trabulsi LR, Carneiro-Sampaio MMS. Inhibition of HEp-2 cell invasion by enteroinvasive Escherichia coli by human colostrum: detection of specific IgA related to invasion plasmid antigens. Int Arch Allergy Immunol 1995; 108:113-8.

Carlsson B, Hanson LA. Immunologic effects of breastfeeding on the infant. In: Ogra P, Lamm ME, Strober W, McGhee JR, Bienestock J, editors. Handbook of Mucosal Immunology. London: Academic Press 1994; 653-66.

Carneiro-Sampaio MMS, Silva MLM, Carbonare SB, Palmeira P, Delneri MT, Honório AC, Trabulsi LR. Breastfeeding protection against enteropathogenic Escherichia coli. Rev Microbiol 1996; 27:120-5. (atualmente Brazilian Journal of Microbiology).

Chantry CJ, Howard CR, Auinger P. Full breastfeeding duration and associated decrease in respiratory tract infection in US children. Pediatrics 2006; 117:425-32.

Clemens J, Rao M, Eng M, Ahmed F, Ward R, Huda S et al. Breastfeeding and the risk of life-threatening rotavirus diarrhea: Prevention or postponement? Pediatrics 1993; 92:680-5.

Cocchi F, DeVico AL, Garzino-Demo A, Arya SK, Gallo RC, Lusso P. Identification of RANTES, MIP-1a, and MIP-1b as the major HIV suppressive factors produced by CD8+ T cells. Science 1996; 270:1811-4.

Corrêa S, Palmeira P, Carneiro-Sampaio MMS, Nishimura LS, Guth BEC. Human colostrum contains IgA antibodies reactive to colonization factors I and II of enterotoxigenic Escherichia coli. FEMS Immunol Med Microbiol 2006; 47:199-206.

Cushing AH, Samet JM, Lambert WE, Skipper BJ, Hunt WC, Young SA, McLaren LC. Breastfeeding reduces risk of respiratory illness in infants. Am J Epidemiol 1998; 147:863-70.

Delneri MT, Carbonare SB, Palmeira P, Silva MLM, Carneiro-Sampaio MMS. Inhibition of enteropathogenic Escherichia coli to HEp-2 cells by colostrum and milk from mothers of low-birth-weight infants. Eur J Pediatr 1997; 156:493-8.

Dewey KG, Heinig MJ, Nommsen-Rivers LA. Differences in morbidity between breastfed and formula-fed infants. J Pediatr 1995; 126:696-702.

Dickinson EC, Gorga JC, Garrett M, Tuncer R, Boyle P, Watkins SC, Alber SM, Parizhskaya M, Trucco M, Rowe MI, Ford HR. Immunoglobulin A supplementation abrogates bacterial translocation and preserves the architecture of the intestinal epithelium. Surgery 1998; 124:284-90.

Duncan B, Ey J, Holberg CJ, Wright AL, Martinez FD, Taussig LM. Exclusive breastfeeding for at least 4 months protects against otitis media. Pediatrics 1993; 91:867-872.

Düringer C, Hamiche A, Gustafsson L, Kimura H, Svanborg C. HAMLET interacts with histones and chromatin in tumor cell nuclei. J Biol Chem 2003; 278:42131-5.

Ebert E. IL-8, RANTES, and GRO are chemotactic for intraepithelial lymphocytes (IEL). Gastroenterology 1995; 109:1154-9.

Elass E, Masson M, Mazurier J, Legrand D. Lactoferrin inhibits the lipopolysaccharide-induced expression and proteoglycan-binding ability of interleukin-8 in human endothelial cells. Infect Immun 2002; 70:1860-6.

Ellison RTJ, Giehl TJ. Killing of Gram-negative bacteria by lactoferrin and lysozyme. J Clin Invest 1991; 88:1080-91.

Espinoza F, Paniagua M, Hallander H, Svensson L, Strannegard O. Rotavirus infections in young Nicaraguan children. Pediatr Infect Dis J 1997; 16:564-71.

Fernandes RM, Carbonare SB, Carneiro-Sampaio MMS, Trabulsi LR. Inhibition of enteroaggregative *Escherichia coli* adhesion to HEp-2 cells by secretory immunoglobulin A from human colostrum. Pediatr Infect Dis J 2001; 20:672-8.

Fernández L, Langa S, Martín V, Maldonado A, Jiménez E, Martín R, Rodríguez JM. The human milk microbiota: origin and potential roles in health and disease. Pharmacol Res 2013; 69(1):1-10.

Garofalo R. Cytokines in human milk. J Pediatr 2010; 156:S36-40.

Goldman AS, Thorpe LW, Goldblum RM, Hanson LA. Anti-inflammatory properties of human milk. Acta Paediatr Scand 1986; 75:689-95.

Grumach AS, Carmona RC, Lazarotti D, Ribeiro MA, Rozentraub RB, Racz ML et al. Immunological factors in milk from Brazilian mothers delivering small-for-date term neonates. Acta Paediatr 1993; 82:284-90.

Hahn-Zoric M, Fulconis F, Minoli I, Moro M, Carlsson B, Bottiger M, Raiha N, Hanson L. Antibody responses to parenteral and oral vaccines are impaired by conventional and low protein formulas as compared to breastfeeding. Acta Paediatr Scand 1990; 79:1137-42.

Hallgren O, Aits S, Brest P, Gustafsson L, Mossberg AK, Wullt B, Svanborg C. Apoptosis and tumor cell death in response to HAMLET (human alpha-lactalbumin made lethal to tumor cells). Adv Exp Med Biol 2008; 606:217-40.

Hanson LA, Korotkova M. The role of breastfeeding in prevention of neonatal infection. Semin Neonatol 2002; 7:275-81.

Hanson LA. Breastfeeding provides passive and likely long-lasting active immunity. Ann Allergy Asthma Immunol 1998; 81:523-37.

Hanson LA. Symposium on 'Nutrition in early life: new horizons in a new century'. Session 1: Feeding and infant development. Breastfeeding and immune function. Proc Nutr Society 2007; 66:384-96.

Hashizume S, Kuroda K, Murakami H. Identification of lactoferrin as an essential growth factor for human lymphocytic cell lines in serum-free medium. Biochim Biophys Acta 1983; 763:377-82.

Hasselbalch H, Engelmann MD, Ersboll AK, Jeppesen DL, Fleischer-Michaelsen K. Breastfeeding influences thymic size in late infancy. Eur J Pediatr 1999; 158:964-7.

Haversen LA, Baltzer L, Dolphin G, Hanson LA, Mattsby-Baltzer I. Anti-inflammatory activities of human lactoferrin in acute dextran sulphate-induced colitis in mice. Scand J Immunol 2003; 57:2-10.

Honorio-França AC, Isaac L, Trabulsi LR, Carneiro-Sampaio MMS. Colostral mononuclear phagocytes are able to kill enteropathogenic *Escherichia coli* (EPEC) opsonized by colostral IgA. Scand J Immunol 1997; 45:59-66.

Howie PW, Forsyth JS, Ogston SA, Clark A, Florey CV. Protective effect of breast feeding against infection. British Med J 1990; 300:11-6.

Johansen F-E, Braathen R, Brandtzaeg P. Role of J chain in secretory immunoglobulin formation. Scand J Immunol 2000; 52:240-8.

Johansen F-E, Pekna M, Norderhaug IN, Haneberg B, Hietala MA, Krajci P, Betsholtz C, Brandtzaeg P. Absence of epithelial immunoglobulin A transport, with increased mucosal leakiness, in polymeric immunoglobulin receptor/secretory component-deficient mice. J Exp Med 1999; 190:915-22.

Keeney SE, Schmalstieg FC, Palkowetz KH, Rudloff E, Le BM, Goldman AS. Activated neutrophils and neutrophil activators in human milk: increased expression of CD11b and decreased expression of L-selectin. J Leukoc Biol 1993; 54:97-104.

Kleesen B, Bunke H, Tovar K, Noack J, Sawatzki G. Influence of two infant formulas and human milk on the development of the fecal flora in newborn infants. Acta Paediatr 1995; 84:1347-56.

Köhler C, Gogvadze V, Häkansson A, Svanborg C, Orrenius S, Zhivotovsky B. A folding variant of human alpha-lactalbumin induces mitochondrial permeability transition in isolated mitochondria. Eur J Biochem 2001; 268:186-91.

Kunz C, Rudloff S. Biological functions of oligosaccharides in human milk. Acta Paediatrica 1993; 82:903-12.

Labeta MO, Vidal K, Nores JE, Arias M, Vita N, Morgan BP et al. Innate recognition of bacteria in human milk is mediated by a milk-derived highly expressed pattern recognition receptor, soluble CD14. J Exp Med 2000; 191:1807-12.

Lönnerdal B. Nutritional and physiologic significance of human milk proteins. Am J Clin Nutr 2003; 77(suppl):1537S-43S.

Loureiro I, Frankel G, Adu-Bobie J, Dougan G, Trabulsi LR, Carneiro-Sampaio MMS. Human colostrum contains IgA antibodies reactive to enteropathogenic *Escherichia coli* virulence-associated proteins: Intimin, BfpA, EspA and EspB. J Pediatr Gastroenterol Nutr 1998; 27:166-71.

Maldonado J, Cañabate F, Sempere L, Vela F, Sánchez AR, Narbona E, López-Huertas E, Geerlings A, Valero AD, Olivares M, Lara-Villoslada F. Human milk probiotic *Lactobacillus fermentum* CECT5716 reduces the incidence of gastrointestinal and upper respiratory tract infections in infants. J Pediatr Gastroenterol Nutr 2012; 54(1):55-61.

Martin RM, Gunnell D, Owen CG, Smith GD. Breastfeeding and childhood cancer: A systematic review with metaanalysis. Int J Cancer 2005b; 117:1020-31.

Martin RM, Gunnell D, Smith GD. Breastfeeding in infancy and blood pressure in later life: systematic review and meta-analysis. Am J Epidemiol 2005a; 161:15-26.

Mattsby-Baltzer I, Roseanu A, Motas C et al. Lactoferrin or a fragment thereof inhibits the endotoxin-induced interleukin-6 response in human monocytic cells. Pediatr Res 1996; 40:257-62.

Monteiro RC. Immunoglobulin A as an anti-inflammatory agent. Clin Exp Immunol 2014; 178:108-110.

Mossberg AK, Wullt B, Gustafsson L, Mansson W, Ljunggren E, Svanborg C. Bladder cancers respond to intravesical instillation of HAMLET (human α-lactalbumin made lethal to tumor cells). Int J Cancer 2007; 121:1352-9.

Newburg DS. Do the binding properties of oligosaccharides in milk protect human infants from gastrointestinal bacteria? J Nutr 1997; 127:980S-4S.

Ngom PT, Collinson A, Pido-Lopez J, Henson S, Prentice A, Aspinall R. Improved thymic function in exclusively breastfed babies is associated with higher breast milk IL-7. Am J Clin Nutr 2004; 80:722-8.

Pabst HF, Spady DW. Effect of breastfeeding on antibody response to conjugate vaccine. Lancet 1990; 336:269-70.

Palmeira P, Carbonare SB, Amaral JA, De Franco MT, Carneiro-Sampaio MMS. Colostrum from healthy Brazilian women inhibits adhesion and contains IgA antibodies reactive with Shiga toxin-producing *Escherichia coli*. Eur J Pediatr 2005; 164:37-43.

Palmeira P, Costa-Carvalho BT, Arslanian C, Pontes GN, Nagao AT, Carneiro-Sampaio MM. Transfer of antibodies across the placenta and in breast milk from mothers on intravenous immunoglobulin. Pediatr Allergy Immunol 2009; 20(6):528-35.

Penttila IA. Milk-derived transforming growth factor-β and the infant immune response. J Pediatr 2010; 156:S21-5.

Quinello C, Quintilio W, Carneiro-Sampaio M, Palmeira P. Passive acquisition of protective antibodies reactive with *Bordetella pertussis* in newborns via placental transfer and breastfeeding. Scand J Immunol 2010; 72:66-73.

Rimoldi M, Chieppa M, Salucci V, Avogadri F, Sonzogni A, Sampietro GM et al. Intestinal immune homeostasis is regulated by the crosstalk between epithelial cells and dendritic cells. Nat Immunol 2005; 6:507-14.

Saarinen UM, Kajosaari M. Breastfeeding as prophylaxis against atopic disease: prospective follow-up study until 17 years old. Lancet 1995; 346:1065-9.

Sabbaj S, Ghosh MK, Edwards BH, Leeth R, Decker WD, Goepfert PA, Aldrovandi GM. Breast milk-derived antigen-specific CD8[+] T cells: An extralymphoid effector memory cell population in humans. J Immunol 2000; 174:2951-6.

Sanchez MI, Keller R, Hartland EL, Figueredo DMM, Batchelor M, Martinez MB et al. Human colostrum and serum contain antibodies reactive to the intimin-binding region of the enteropathogenic *Escherichia coli*. J Pediatr Gastroenterol Nutr 2000; 30:73-7.

Savino F, Fissore MF, Grassino EC, Nanni GE, Oggero R, Silvestro L. Ghrelin, leptin and IGF-I levels in breastfed and formula-fed infants in the first years of life. Acta Paediatr 2005; 94:531-7.

Schnabl KL, Van Aerde JE, Thomson ABR, Clandinin MT. Necrotizing enterocolitis: A multifactorial disease with no cure. World J Gastroenterol 2008; 14(14):2142-61.

Silfverdal SA, Bodin L, Ulanova M, Hahn-Zoric M, Hanson LA, Olcen P. Long term enhancement of the IgG2 antibody response to *Haemophilus influenzae* type b by breastfeeding. Pediatr Infect Dis J 2002; 21:816-21.

Singhal A, Cole TJ, Fewtrell M, Lucas A. Breast milk feeding and lipoprotein profile in adolescents born preterm: follow-up of a prospective randomised study. Lancet 2004; 363:1571-8.

Singhal A, Lucas A. Early origins of cardiovascular disease: is there a unifying hypothesis? Lancet 2004; 363:1642-5.

Svensson M, Hakansson A, Mossberg AK, Linse S, Svanborg C. Conversion of alpha-lactalbumin to a protein inducing apoptosis. Proc Natl Acad Sci USA 2000; 97:4221-6.

Tomita M, Bellamy W, Takase M, Yamauchi K, Wakabayashi H, Kawase K. Potent antibacterial peptides generated by pepsin digestion of bovine lactoferrin. J Dairy Sci 1991; 74:4137-42.

Trabulsi LR, Toledo MRF, Murahovschi J, Neto UF, Candeias JAN. Epidemiology of infantile bacterial diarrhea in Brazil. In: Taskeda Y, Miwatani T eds. Bacterial diarrheal diseases. Tokyo: KTK Scientific Publishers 1985; 25-36.

Van Asperen PP, Kemp AS, Mellis CM. Relationship of diet in the development of atopy in infancy. Clin Allergy 1984; 14:525-32.

Verhasselt V. Neonatal tolerance under breastfeeding influence: the presence of allergen and transforming growth factor-β in breast milk protects the progeny from allergic asthma. J Pediatr 2010; 156:S16-20.

Victora CG, Smith PG, Vaughan JP, Nobre LC, Lombardi C, Teixeira AM, Fuchs SM, Moreira LB, Gigante LP, Barros FC. Evidence for protection by breastfeeding against infant deaths from infectious diseases in Brazil. Lancet 1987; 2:319-22.

Wirt DP, Adkins LT, Palkowetz KH, Schmalstieg FC, Goldman AS. Activated and memory T lymphocytes in human milk. Cytometry 1992; 13:282-90.

World Health Organization. Factors affecting the immunogenicity of oral poliovirus vaccine: a prospective evaluation in Brazil and the Gambia. WHO Collaborative Study Group on Oral Poliovirus Vaccination. J Infect Dis 1995; 95:1097-106.

Promovendo o Aleitamento Materno no Pré-natal, Pré-parto e Nascimento

7

Walter Palis Ventura

INTRODUÇÃO

É função do Profissional de Saúde envolvido na assistência a mulheres e crianças promover o Aleitamento Materno na sua forma mais ampla, através de ações que objetivam a sensibilização, promoção, incentivo e apoio a esta prática.

É fato também que essas intervenções não devem estar restritas ao meio profissional e campanhas de esclarecimento público, veiculadas pela imprensa técnica ou leiga, oferecem um subsídio importante no que se refere à implementação de tal hábito.

Como condição precípua ao fomento dessa ação e comum a todas as fases do ciclo grávido-puerperal, o treinamento de todos aqueles que lidam direta ou indiretamente com a clientela visa a sensibilização e a uniformidade de informações, bem como a adoção de práticas facilitadoras e rotinas por parte da instituição comprometida com tal meta, aspectos esses de fundamental importância na revisão de atitudes. Esses cursos seguem a metodologia da Unicef no que se refere à Rede Hospitalar (Iniciativa Hospital Amigo da Criança), e particularmente na Cidade do Rio de Janeiro, uma adaptação daquela metodologia foi feita visando contemplar também os profissionais da Rede Básica de Saúde, responsável por boa parcela da atenção pré-natal e de puericultura no Município.

Faz-se necessário um breve relato sobre a origem e o significado do projeto protagonizado pela Organização Mundial de Saúde/Fundo das Nações Unidas para a infância intitulado Iniciativa Hospital Amigo da Criança. Surgiu em 1990, com a Declaração de Innocenti, cidade italiana que realizava o encontro de especialistas na área, pela necessidade de incrementar práticas que pudessem reduzir a morbimortalidade infantil.

Dentre elas, o incentivo ao aleitamento materno ocupa singular posição e mereceu a criação de uma titulação a ser pleiteada pelos hospitais que se

CAPÍTULO 7 Promovendo o Aleitamento Materno no Pré-natal, Pré-parto e Nascimento

comprometessem a adotar os passos, em número de dez, considerados vitais para o sucesso do aleitamento.

A meta global de aleitamento para aquela década referia: "Todas as mulheres devem estar habilitadas a praticar o aleitamento materno exclusivo, e todos os bebês devem ser amamentados exclusivamente com leite materno desde o nascimento até os 4 a 6 meses. Após esse período, as crianças devem continuar sendo amamentadas ao peito, juntamente com alimentos complementares adequados, até os 2 anos ou mais".

Na atualidade, a recomendação da Organização Mundial da Saúde e também do Ministério da Saúde são mais explícitas quanto a manutenção deste aleitamento exclusivo até os 6 meses de vida do recém-nascido.

Quando as Unidades se engajam nessa campanha, se veem obrigadas a promover várias alterações, todas benéficas, na forma de lidar com o tema; e quando se julgam capazes em praticar todos os quesitos na sua forma mais ampla, solicitam a avaliação para, caso sejam aprovadas, receberem tal acreditação, que pode lhe dar algumas vantagens, inclusive financeira além, evidentemente, da melhor qualidade na atenção perinatal.

Desde então um grande número de Maternidades no Brasil e no exterior tem se transformado em Hospital Amigo da Criança. O Capítulo 25 contará em detalhes esta feliz história.

No Brasil, segundo levantamento da UNICEF de Julho de 2010, já existiam 335 Hospitais Amigos da Criança, assim distribuídos por região: Norte – 21, Nordeste – 145, Centro-Oeste – 38, Sudeste – 79 e Sul – 52, mostrando um crescimento importante desde a sua implantação no país e refletindo de forma objetiva o interesse na implantação de práticas que fomentem o aleitamento materno no país.

Posteriormente essa iniciativa foi estendida à rede básica de saúde, visando atingir os profissionais que nela militam para que o incentivo ao aleitamento não ficasse restrito à atenção hospitalar. A essa iniciativa denominou-se: Unidade Básica Amiga da Amamentação.

Pela atividade diária em Unidades de Saúde que lidam com gestantes, puérperas e recém-nascidos, se confirma a necessidade de tal iniciativa.

Isso pôde ser demonstrado quando da realização pelo INAN/IBGE da Pesquisa Nacional de Saúde e Nutrição (PNSN) em 1989, em que foi observado que o motivo alegado para o desmame era a recomendação da própria equipe de saúde em 31,4% dos casos, comparável aos 31,5% de mães que abandonaram esta rotina alimentar alegando que "o leite não sustenta". É, portanto, fato notório que o treinamento, tanto para a clientela dos nossos Serviços de Saúde como para os profissionais que assistem as mães, incrementa a taxa de aleitamento, embora possa parecer desnecessário na visão de alguns.

Em paralelo, a legislação brasileira também evoluiu, criando leis que asseguram plenos direitos às mulheres que desejam amamentar, tais como:

- Licença-maternidade e licença-paternidade;
- Direito às presidiárias de permanecer com o filho durante o período de amamentação;

122

- Obrigatoriedade do Alojamento Conjunto;
- Norma Brasileira para Comercialização de Alimentos para Lactentes;
- Estatuto da Criança e do Adolescente.

Nos dias atuais, muitas organizações governamentais ou não, se dedicam ao estudo e à disseminação destes conhecimentos, o que pode ser aferido pelo grande número de pessoas treinadas e também pela extensa bibliografia disponível mundialmente. Incorporando novas tecnologias, no escopo de superar barreiras geográficas, já existem programas bem-sucedidos disponibilizados na Internet que permitem, a qualquer tempo, a aquisição de novos conhecimentos e troca de experiências.

É de interesse também que o assunto pudesse ser abordado no ambiente escolar, nos seus mais variados níveis, onde sabidamente estão as futuras mães e onde os conhecimentos serão melhor assimilados.

Visando abordar o tema e respeitando a didática e o caráter temporal das intervenções, apresentaremos as ações em 3 fases, como se segue:

- No pré-natal;
- No pré-parto;
- No nascimento.

Não é por demais dizer que, embora estejamos enfocando esse tema específico, deve-se aproveitar a ocasião para promover a assistência integral à saúde da mulher e da criança, com atenção aos aspectos de prevenção do câncer cérvico-uterino e de mama, do planejamento familiar, de cuidados com o recém-nascido e orientação para esquema de vacinação.

Em cada um desses períodos, estaremos mostrando formas de abordagem e aspectos práticos utilizados em diversos serviços de saúde, bem como a nossa experiência na assistência à clientela, na participação em diversos cursos de treinamento para profissionais de saúde e no convívio diário com os mesmos. Temos também o privilégio de poder conviver com os mais variados especialistas no assunto, todos de notório saber, reunidos no Comitê de Aleitamento Materno da SOPERJ, que ofertam grande parte do seu tempo, com entusiasmo, a essa causa, para o bem-estar da coletividade.

PRÉ-NATAL

O pré-natal é o melhor momento para a abordagem adequada do incentivo ao aleitamento materno. Oferece, sem dúvidas, o período de maior contato entre a população feminina, os profissionais e a instituição. O caráter cíclico das consultas permite uma discussão produtiva, sem atropelos, com intervalo útil para a absorção e reflexão do tema. Permite também a participação da família, o que é sempre oportuno e recomendável num momento tão ímpar de suas vidas. Podemos dividi-lo em atividade educativa e assistencial.

Na atividade educativa, que pode ser individual ou coletiva, são abordados temas de interesse da gestante sob a forma de palestras, discussões informais, relatos de experiências, dramatizações, oficinas etc. Geralmente tem lugar na Sala de Espera, mas pode também se desenvolver em local próprio, que em algumas

CAPÍTULO 7 Promovendo o Aleitamento Materno no Pré-natal, Pré-parto e Nascimento

Unidades são chamadas de "Sala da Amamentação, Sala da Gestante, Clínica de Aleitamento etc.", e se realizam em horário previamente agendado.

É denominada atividade assistencial aquela desenvolvida em consultório, por profissional de saúde capacitado, não necessariamente médico, que além de acompanhar o desenvolvimento da gestação e o bem-estar materno e fetal, deve também empregar parte do tempo disponível para consulta, na promoção do aleitamento.

Infelizmente, é dada pouca ênfase ao exame das mamas e a abordagem desse tema correlato por parte do obstetra, durante a consulta. Vários fatores contribuem para isto: escassez de tempo, a falta de engajamento no Programa, atribuição desta função a outro membro da equipe.

O que pode parecer, *a priori*, dispêndio desnecessário de tempo, se bem utilizado, traz benefícios imensuráveis tanto nos aspectos afetivos, psicológicos e sociais, quanto de saúde pública e também financeiro, que não podem ser esquecidos, principalmente em países em desenvolvimento como o nosso. Para melhor exemplificar o benefício econômico, podemos considerar que: se todas as crianças nascidas no Brasil durante o ano de 1995, estimadas em 3.139.483, segundo o IBGE, tivessem sido amamentadas exclusivamente no peito até os 6 meses de vida, seriam poupados 423.824.130 litros de leite, o que corresponde a cerca de R$ 296.676.890,00, se considerado o leite *in natura*, ou próximo a US$ 600.000.000,00 com o leite em pó modificado.

Atividade Educativa

A forma como essa ação pode se desenvolver deve respeitar as particularidades de cada Serviço, como área física, demanda da clientela, recursos humanos disponíveis, entre outros. Da análise dessas variáveis, é possível escolher entre a prática individual ou coletiva. Sempre que possível, as práticas coletivas devem ser preferidas, por apresentarem várias vantagens: englobam um número maior de mulheres, criam um clima mais favorável de desinibição das participantes, permitem a troca de informações e relato de experiências, disponibilizam os profissionais para outras atividades afins etc.

O melhor momento para a sua realização é o período de espera para a consulta pré-natal, também conhecido como "Sala de Espera". É um tempo ocioso em que grande parte das gestantes permanecem enquanto aguardam sua consulta. Também é cultural nesse segmento social a necessidade de se chegar muito cedo ao Serviço Público, sob pena de não serem atendidas, o que torna este tempo de espera ainda maior. Outro fator que aumenta a adesão é o fato de, nos casos em que a mulher trabalha, ser facilmente aceito um atestado médico para o período da consulta, não sendo o mesmo verdadeiro para os casos de falta ao trabalho cuja justificativa é participar de um Grupo de Gestantes, embora igualmente importantes.

Ultrapassando os limites das Unidades de Saúde, pode-se investir na formação de agentes comunitários de saúde, conselheiros ou líderes que possam propagar esses conhecimentos, de forma mais direta e abrangente, com apoio dos profissionais da área. Em muitos países, notadamente pobres, essa medida obteve resultados surpreendentes.

São objetivos da prática educativa transmitir as inúmeras vantagens do aleitamento, com a finalidade de motivá-las para que um maior número de mulheres amamente seus filhos pelo maior tempo possível. Cabe também, nessa fase, ensiná-las a maneira correta de fazê-lo, assim como as formas de enfrentarem os problemas mais comuns, que porventura surjam.

É importante que se conheça o perfil da comunidade para a qual estão voltadas as ações de saúde, no que se refere aos índices de aleitamento. Mesmo naquelas em que os resultados são satisfatórios, é necessária a orientação visando abranger novas mulheres e também a manutenção ou mesmo o incremento de tais índices.

Para quantificar a importância dessa atividade, vários autores analisaram seus resultados. Pugin (1996, Chile) aferiu que o aleitamento completo aos 6 meses foi obtido em 80% das mulheres que receberam informações sobre anatomia, fisiologia, vantagens para a mãe e o bebê, apoio emocional e práticas com boneca, contra 65% nos controles. No levantamento de Rossiter (1994, Austrália), observando vietnamitas envolvidas em um grupo de gestantes, que assistiram uma fita de vídeo e participaram de discussões sobre o assunto, encontrou também no sexto mês, um acréscimo de cerca de 60% no aleitamento exclusivo, naquelas que receberam treinamento. Kistin (1990, EUA) também encontrou resultados expressivos tanto com relação ao início precoce do aleitamento quanto na sua manutenção. Observou um aumento de duas vezes no percentual relativo à precocidade e de 4 vezes quando essas mulheres foram observadas no terceiro mês.

Independente da forma como esta atividade será conduzida, torna-se de relevante importância o grau de envolvimento dos profissionais nela empenhados. Estando esses sensibilizados e convictos do benefício que seu trabalho pode trazer àquela população, poderão mais facilmente transmitir confiança e compromisso com a saúde, recebendo em troca uma cumplicidade favorável na assimilação de novas informações.

Muito ainda pode ser dito sobre o aleitamento materno visando a sua promoção.

Sabe-se que o contato da mãe com seu filho desde o nascimento e no alojamento conjunto pode aumentar significativamente a amamentação e com isto, diminuir a incidência de falha de crescimento, abuso, negligência e abandono na infância. Diz-se que o aleitamento é fator de prevenção primária da violência.

Recentemente foi divulgado o resultado de uma pesquisa realizada pela Christchurch School of Medicine, New Zealand, que acompanhou cerca de 1.000 crianças nascidas no ano de 1977, num "follow-up" de dezoito anos. Foram aferidos dados cognitivos e acadêmicos, incluindo o quociente de inteligência, notas na escola, especialmente em matemática e leitura e testes padronizados, além das notas finais no "National School Certificate", equivalente ao vestibular.

Os resultados indicaram que, quanto mais tempo as crianças foram amamentadas, maiores eram as notas nesses testes. Crianças que foram alimentadas ao peito por 8 meses ou mais tiveram, em média, resultados significantemente maiores que os que não foram.

Por oportuno, numa visão holística da saúde da mulher, cabe disseminar o impacto direto que a amamentação pode ter em alguns indicadores que resultarão em melhor qualidade de vida. É exemplo encorajador a redução na incidência do câncer de mama que ocorre no grupo de mulheres que adotaram tal prática, notadamente aquelas na perimenopausa, nas quais a presença da doença implica em perdas maiores em função da sua maior perspectiva de vida. Também a duração tem impacto positivo na redução da ocorrência desta patologia tão nefasta.

Ainda sob esse prisma, essa prática pode contribuir para o aumento do intervalo entre os partos, como método contraceptivo, naquelas que amamentam exclusivamente e permanecem amenorreicas até o sexto mês, com eficácia de 98%, quando respeitadas estas regras.

A abordagem da nutrição do recém-nascido junto ao grupo deve ser incisiva na vantagem indiscutível do aleitamento materno exclusivo por 4 a 6 meses, desencorajando práticas que, embora sejam culturalmente aceitas, não são recomendáveis, tais como: oferta de água, leites industrializados, chás, mamadeiras ou chupetas.

Mesmo em prematuros, todos os esforços devem ser envidados para garantir sua alimentação pelo leite materno, sabidamente a melhor escolha, sempre que possível. Para esses pequenos pacientes, parâmetros importantes no seu satisfatório desenvolvimento são mais facilmente alcançados, como por exemplo a saturação de oxigênio, a manutenção da temperatura corporal, a diminuição da frequência de apneia e até mesmo a menor incidência no evento de morte súbita, quando comparados àqueles alimentados artificialmente.

A oferta de outros líquidos leva à saciedade relativa da criança, com diminuição do número de mamadas ao peito, além do risco de ingestão de produtos que possam causar alergia, infecção, desnutrição etc. Com a prática de utilização de chupetas e mamadeiras pode ocorrer a chamada "confusão de bicos", e levá-la a preferir, pela facilidade aparente, o uso desses produtos em detrimento da sucção ao peito.

Todos esses fatores podem levar a uma diminuição da produção do leite por insuficiência de estímulo pela sucção. Em oposição, a mãe sabendo que seu filho deve mamar sob livre demanda, isto é quando desejar e pelo tempo que quiser, estará aumentando a sua produção.

Hábitos como o uso de sutiã, exercícios para a preparação dos mamilos (técnica de Hoffman), massagem nas mamas, aplicação de cremes com finalidade estética, expressão antenatal dos mamilos para exteriorização de colostro e fricção dos mesmos para a sua dessensibilização devem ser desencorajados. Os exercícios mamilares, a massagem e a expressão do colostro são contraindicados pelo estímulo que podem provocar, com a liberação de ocitocina, levando ao abortamento ou trabalho de parto prematuro. Quanto ao uso de sutiã e cremes, existe pouca evidência científica do benefício que seu uso determina, porém deve-se respeitar o desejo manifesto pela paciente, pela ausência de dano à usuária.

O aleitamento materno exclusivo desempenha importante papel no desenvolvimento da musculatura orofacial e na dentição; na primeira, por desenvolver um maior número de grupos musculares e reflexos e por último, reduzindo os vícios ortodônticos e cáries.

As mulheres devem ser informadas sobre seus direitos de poder contar com a presença de um acompanhante por ela escolhido, de amamentar seu filho na sala de parto e permanecer com o mesmo em alojamento conjunto durante seu período de internação, se o caso assim o permitir. Veremos as vantagens da implementação dessas rotinas adiante.

É mandatório que elas sejam esclarecidas sobre a legislação trabalhista vigente, no que se refere à licença-maternidade. A lei brasileira sempre garantiu que toda mulher tivesse direito à licença-maternidade a partir do oitavo mês de gestação, sem prejuízo do salário com duração de cento e vinte dias, a partir do oitavo mês de gestação ou após o parto (Artigo 395 da Constituição Federal de 1988). No mesmo artigo se diz que, em caso de parto prematuro, a licença é de 12 semanas.

Recentemente, foi aprovada uma nova lei que estendeu a licença-maternidade para 180 dias (Lei 11770 de setembro de 2008). A nova regra já está valendo para as servidoras públicas e em breve deve sair a aprovação da Lei que garante o benefício também para trabalhadoras de empresas privadas. Os procedimentos para solicitar a nova licença de 180 dias são os mesmos. A mãe ou o empregador devem requerer a licença até 1 mês depois que a criança nascer e o salário não sofrerá alteração.

Deve-se informá-la também sobre o direito de amamentar durante a jornada de trabalho (Seção V, Artigo 396 da Consolidação das Leis do Trabalho), em que é garantida sua chegada uma hora depois ou a saída uma hora antes, por um período de 4 meses, podendo chegar a 6 meses, além do benefício citado no parágrafo anterior. Isto só é concedido, caso não haja creche no local de trabalho. Ainda está contemplada na CLT, Artigo 389, 397 e 400 a obrigatoriedade da empresa, com mais de trinta mulheres acima de dezesseis anos, oferecer creche às crianças até os 6 anos e pelos Artigos 391 a 400, garantia de emprego à gestante, desde a confirmação da gravidez até o quinto mês após o parto.

Conforme dito anteriormente, a participação do pai, tão importante, está garantida no Artigo Sétimo, Inciso XIX, da Constituição Federal de 1988, Disposições Transitórias, pela Licença-paternidade, de 5 dias.

Atividade Assistencial

Refere-se à consulta pré-natal, realizada por médico ou enfermeira obstétrica, na periodicidade que o caso requer, visando o bem-estar da gestante e do concepto. Por não ser objetivo desta publicação, não abordaremos as rotinas obstétricas gerais inerentes ao período, nos restringindo apenas aos aspectos específicos referentes à promoção do aleitamento materno, quais sejam anamnese dirigida e exame físico das mamas.

Anamnese

Como em toda boa prática médica, consiste a anamnese cuidadosa em elemento de suma importância, complementada pelo exame físico da gestante. Permitem a identificação de fatores de risco, diagnóstico de patologias e prevenção de complicações.

Durante a anamnese, o profissional deve estar atento às situações que possam contribuir para o desmame precoce ou aleitamento parcial.

Com esse objetivo, deve a gestante ser arguida sobre:

Amamentações anteriores, quando for o caso

Se satisfatória, deve-se apenas reforçar a importância de adotar esta prática novamente.

Ao contrário, tendo ocorrido problemas, na maioria das vezes, eles são reversíveis, e a confiança no profissional é fundamental para desmistificar certos conceitos. Como exemplo: muitas mulheres interrompem a amamentação alegando que "o leite é fraco porque meu filho chora muito", outras porque usam medicamentos e foram equivocadamente orientadas a suspender o aleitamento e algumas quando seus filhos adoecem. Em todas essas situações o aconselhamento consciente permitira nova experiência".

Atividade laborativa ou escolar

Nesses casos a gestante deve saber precocemente da possibilidade de ofertar o seu leite nos períodos em que ela permanece ausente. É importante que aprenda, nessa fase, técnicas de coleta e armazenamento, aqui descritas no Capitulo 20.

Situação familiar

Quando existe um ambiente familiar desfavorável, seja por conflito de ideias ou por algum tipo de rejeição, essa gestante necessita de um maior apoio institucional, com equipe multidisciplinar, encorajando-a nesta missão.

Patologia ou cirurgia mamária

O passado de patologias mamárias, na maioria dos casos, não constituem obstáculo ao aleitamento. Em função do número crescente de procedimentos cirúrgicos com fins estéticos, quer seja mamoplastia redutora ou inclusão de prótese de silicone, existem técnicas que não interferem na produção e na saída do leite. Essas devem ser empregadas sempre que a mulher ainda deseja engravidar. No primeiro caso, deve-se preservar a área central, com conservação do complexo areolomamilar. Em relação às próteses de silicone é licito afirmar que a melhor opção, visando preservar a função da glândula, é aquela na qual o implante é colocado abaixo da musculatura peitoral. Merecem comentários as alterações anatômicas mamilares, nas suas diversas formas, que ao contrário do que muitos pensam, não constituem obstáculos intransponíveis. É importante que, na entrevista, reforcemos a grande probabilidade de êxito desde que adotadas as técnicas e táticas corretas para tal situação. Isso está descrito no Capítulo 12.

Doenças crônicas

Raras são as doenças que interferem significativamente no aleitamento, quer seja pela própria patologia ou pela terapêutica que se faz necessária. Mesmo drogas

Promovendo o Aleitamento Materno no Pré-natal, Pré-parto e Nascimento **CAPÍTULO 7**

que possam representar algum risco podem ser utilizadas de forma a atenuar tal efeito. Os capítulos 11 (Infecções), 12 (Problemas Precoces e Tardios), 13 (Uso de Drogas) e 14 (Situações Especiais) discutem detalhadamente estes temas.

Pelo expressivo número de casos existentes, devemos dar atenção especial às mulheres com dependência química, seja pelo alcoolismo, tabagismo ou uso de drogas ilícitas. Essas mulheres devem saber que, independente do malefício que essas substâncias podem causar a si próprias, muitas delas interferem no aleitamento, por diminuírem a produção de leite, e utilizar este forte argumento como estratégia para o abandono do vício pode ser proveitoso.

Também merecem atenção as gestantes adolescentes, que geralmente enfrentam dificuldades de aceitação no meio social e familiar; muitas vezes tendendo ao isolamento e frequentemente se tratando de primeira experiência. Pelos motivos expostos, devem ser assistidas pela equipe multidisciplinar, transmitindo confiança e motivação, necessárias ao sucesso do programa.

Exame Físico

Evoluindo a consulta tanto para o exame físico, quanto na anamnese, a avaliação da mama gravídica é obrigatória. Independente de queixa por parte da paciente.

Sabe-se que elas sofrem modificações no decorrer da gestação, à semelhança do que ocorre com o resto do corpo feminino.

As mamas que no inicio deste período apresentam apenas um discreto intumescimento, vão evoluindo no tamanho e na função, às custas da influência hormonal. Por conta disso, o colostro pode se exteriorizar a partir da oitava semana.

Ocorre também um aumento da vascularização do órgão, identificado pelo aparecimento da rede venosa de Haller. Pequenos hemangiomas ou telangiectasias também podem ser visualizados.

Para a realização desta avaliação, deve-se atentar para a utilização de bons hábitos na prática médica, como: respeito à individualidade, privacidade do local de atendimento e informação pré e pós-exame.

Visa a detecção de possíveis alterações, já citadas anteriormente nesse capítulo, com a finalidade de encontrar a estratégia ideal aplicável a cada caso. Deriva daí, a importância de se realizar essa abordagem nas primeiras consultas, pois haverá maior tempo na busca da melhor solução.

No exame das mamas devemos atentar para possíveis alterações nos mamilos. Esses podem se apresentar como: protruso (normal), semiprotruso, plano, pseudoinvertido e invertido. Aparecem também as alterações adquiridas, de forma traumática ou iatrogênica.

Segue o breve roteiro que pode auxiliar o profissional durante o exame, antes ou após o parto:
- Inspeção, verificando:
  - Tamanho, forma e simetria das mamas e dos mamilos;
  - Gotejamento de colostro ou leite;
  - Fissuras na base ou em torno da borda do mamilo;

- Sinais flogísticos, como vermelhidão e/ou edema;
- Cicatrizes;
- Situação dos mamilos ao final da mamada (protraídos ou comprimidos).
- Palpação, avaliando:
  - Consistência da glândula (macia, intermediária, túrgida);
  - Endurecimento localizado;
  - Nódulos (sólidos ou císticos);
  - Cavidade axilar;
  - Áreas com aumento da temperatura;
  - Manobra nos mamilos realizada com dois dedos na aréola para diagnóstico diferencial do mamilo invertido;
  - Expressão papilar.

Ao término da avaliação, converse generosamente com a mulher sobre aquilo que encontrou, deixando que ela coloque suas dúvidas e preocupações.

Trabalho de Parto

A gestante que teve a oportunidade de frequentar o pré-natal em um Serviço que incentiva e apoia o aleitamento materno em toda a sua amplitude, certamente chegará nesse momento do ciclo grávido-puerperal mais confiante, tranquila e colaborativa, podendo, com isso, auferir grandes benefícios. Também facilita muito o trabalho dos profissionais de saúde envolvidos com a assistência a mulher nesta fase.

Entretanto, não devemos nos esquecer de que a clientela por nós atendida nem sempre é assistida no pré-natal, ou é acompanhada em serviços que ainda não se engajaram nesse programa. Para esse grupo de mulheres, nos reserva um desafio maior, não só pelo momento particular que atravessam, como também pelo curto espaço de tempo disponível para esse fim. A equipe de saúde deve ser capaz de enfrentar essa realidade que, dependendo da localização do serviço, pode se apresentar com maior ou menor frequência. Essa capacitação pode ser obtida nos cursos de "Manejo e Promoção do Aleitamento Materno" (OMS/OPAS/UNICEF), já referidos anteriormente.

É verdade que pouco tempo nos sobrará para enfocarmos diretamente o assunto, porém não se pode considerar apenas esse como método de incentivo. Muitas atitudes, quando corretamente empregadas, estarão contribuindo para facilitar essa prática na fase seguinte. Delas falaremos a seguir.

O apoio emocional deve se iniciar quando da admissão da gestante na Unidade, independente da mesma estar ou não acompanhada. Deste momento em diante é dever de todos tratá-la com respeito e carinho, identificando suas inseguranças e temores e trabalhando no sentido de demovê-los, certos de que isso trará benefícios a todos.

A unidade hospitalar deve observar se o ambiente reservado à internação de gestantes em trabalho de parto oferece certa privacidade, para permitir a presença do acompanhante durante esse período, o que deve ser fomentado pelas vantagens que essa prática proporciona. Isso é facilmente exequível, transformando um grande ambiente em outros menores com a utilização de divisórias e/ou cortinas. A adoção dessa medida simples propicia maior segurança e conforto e resulta em diminuição da utilização de drogas, do tempo de trabalho de parto, do número de intervenções obstétricas, com queda na incidência de cesarianas. Acrescenta-se a isso o fato de os recém-nascidos por via de regra nascerem mais alertas e responsivos quando adotadas essas medidas, o que favorecem a interação precoce, ainda na sala de parto, entre a mãe e seu filho, etapa fundamental para a efetivação do vínculo, de máxima importância para o início e a manutenção do aleitamento materno exclusivo. Essa prática está alicerçada no conhecimento de que o estabelecimento de laços afetivos entre eles é mais forte nas primeiras 2 horas após o nascimento.

Os membros da equipe que atendem nessa fase devem, sempre que possível estarem presentes no ambiente físico, prestando o correto acompanhamento clínico, mas também dialogando, informando e dirimindo dúvidas que possam estar ocorrendo. A palavra e/ou a atitude solidária nesse momento propicia grande conforto. Não é raro que, ocorrendo essa desejável interação, o profissional também vislumbre aquele momento como algo mais intenso e profundo que um simples nascimento e receba como retorno, parte da emoção que experimentam os familiares desta mulher.

Nascimento

Também aqui é desejável que o ambiente seja calmo e acolhedor. Nos partos normais, sempre que possível e o quanto antes, o bebê deve ser colocado junto de sua mãe, ainda na sala de parto, e permanecer com ela enquanto procedimentos obstétricos ainda estão sendo finalizados. Em muitas ocasiões, os cuidados básicos ao recém-nascido podem ser realizados junto à mãe, e assim permanecendo até deixarem esse ambiente unidos, física e afetivamente, em direção ao alojamento conjunto. Essa é a situação ideal, pois não cria solução de continuidade nesta tão preconizada interação precoce, que permite iniciar o aleitamento na primeira meia hora após o nascimento e garante um melhor desempenho a longo prazo.

Essas medidas podem inicialmente sofrer restrições por parte de alguns profissionais que, também interessados no bem-estar destes nascituros, alegam a necessidade de seguir os passos iniciais recomendados pela American Heart Association, referendada pela Sociedade Brasileira de Pediatria, no Manual de Reanimação Neonatal. São eles:

- Prevenir a perda de calor, colocando-o sob fonte de calor radiante, secando a pele e removendo as compressas úmidas;
- Manter vias aéreas pérvias, pelo posicionamento adequado e aspiração de secreções e, quando necessário estímulo táctil para iniciar a respiração;
- Avaliar respiração, frequência cardíaca e cor.

Note-se que na imensa maioria das crianças, que nascem em boas condições, todas essas medidas podem ser realizadas sem prejuízo do aconchego materno.

Todavia, para os casos que necessitem avaliação detalhada, a execução de todos os passos iniciais, segundo o próprio Manual, não deve exceder vinte segundos, tempo bastante resumido, que possibilita pronta intervenção médica para prevenir e/ou minimizar o dano, ou se desnecessário qualquer nova ação, é correto, a partir daí, a aproximação entre ambos.

Quando o parto é cesáreo, deve-se permitir que a paciente se expresse sobre o momento que se julgue capaz de receber seu filho, em condições de atendê-lo. Não deve haver rotina rígida de horário estipulado pela equipe médica, para o intervalo de recuperação pós-operatória, que varia em cada caso, e sim pessoal disponível para apoiá-la quando manifesto seu desejo de receber seu filho.

A adoção dessas medidas depende da constante atenção do pessoal que atende em sala de parto, que motivados pelos resultados, encorajam novos profissionais e mães, enfatizando não só os benefícios como também a segurança dessa prática.

É fato que ainda encontramos resistência por parte de alguns e isso não pode servir de desestímulo. Basta lembrarmos o sábio pensamento de Schoppenhauer, que diz: "Toda nova descoberta passa por 3 fases distintas; a primeira é a da contestação: a segunda, da indiferença, para então finalmente na terceira fase ocorrer a aceitação".

No pensamento não há menção do tempo de duração de cada fase, porque ele varia em função da descoberta, do universo de pessoas submetidos a ela e, acima de tudo, da perseverança dos que a praticam. É neste último grupo que se colocam os pioneiros dos grandes achados.

No encontro preconizado na sala de parto, não é essencial a sucção nutritiva, sendo mais importante o contato de pele entre ambos, com troca de sensações táteis, calor, odor e amor.

Quando se permite que esta união seja íntima e precoce, facilita-se a colonização do intestino do recém-nato com germes maternos e asseguram-se os benefícios que advêm disso.

Todas as práticas rotineiras executadas anteriormente pelos neonatologistas no pós-parto imediato, tais como: uso de nitrato de prata, aplicação de vitamina K, pesagem, banho etc., podem ser postergadas para permitir o desejado contato.

Para melhor ilustrar a sua importância, visando a formação do vínculo e a manutenção do aleitamento exclusivo, podemos relatar que somente a sucção no peito determina a liberação de 19 diferentes hormônios gastrointestinais tanto na mãe quanto no bebê, incluindo colecistoquinina e gastrina, os quais estimulam o crescimento das vilosidades intestinais de ambos, aumentando a superfície de absorção de calorias a cada mamada. Isso demonstra que esse fenômeno interativo abrange não somente aspectos psicoafetivos, mas também orgânicos e fisiológicos.

Algumas mães podem necessitar auxilio nas primeiras mamadas. Isso é particularmente verdade nas puérperas de cesarianas, nas mães de gemelares, nas portadoras de intercorrências clínicas, nas adolescentes e em algumas primíparas, devendo a equipe de saúde estar atenta e disponível.

CONSIDERAÇÕES FINAIS

Essas práticas são tão importantes que a própria Organização Mundial de Saúde preconiza através de um documento por ela elaborado, no qual estão classificadas as praticas obstétricas em 4 grandes grupos assim distribuídos:

A. Práticas que são benéficas e devem ser encorajadas;

B. Práticas que são prejudiciais ou ineficazes e devem ser eliminadas;

C. Práticas para as quais não existem evidências suficientes para justificar sua recomendação e devem ser utilizadas com precaução enquanto futuras pesquisas surgem;

D. Práticas que frequentemente são utilizadas inapropriadamente.

No que se refere à promoção do aleitamento materno, dentre as recomendações elencadas no Grupo A (práticas recomendáveis), citamos:

- Apoio emocional durante este período;
- Presença de um acompanhante durante o trabalho de parto e no parto, escolhido pela gestante;
- Respeitar o direito da mulher à privacidade;
- Métodos não invasivos e não farmacológicos para alívio da dor como massagens e técnicas de relaxamento;
- Prevenção da hipotermia do bebê;
- Contato precoce, pele a pele, entre mãe e filho, e apoio para iniciar a amamentação na primeira hora pós-parto.

Ao contrário, estão enquadradas no Grupo D (as que são utilizadas de forma inapropriada), e podem interferir negativamente no aleitamento, as seguintes:

- Restrição de alimentos ou líquidos durante o trabalho de parto;
- Controle da dor com agentes sistêmicos;
- Controle da dor com analgesia peridural;
- Operação cesariana.

Nos Grupos C e D, as recomendações pouco dizem respeito ao aleitamento.

É necessário que se diga que todas estas recomendações constantes do documento original intitulado Care in Normal Birth: a practical guide, editado em 1996, foi redigido pelos seus inúmeros consultores, embasados em extensa bibliografia, com o cuidado de considerar somente as práticas que pudessem ser aferidas à luz dos conhecimentos científicos gerados até aquele momento. Trata-se, portanto, de medidas baseadas em evidências, caminho atual para nortear condutas médicas adequadas.

Trabalhar com aleitamento materno exige constante atualização e aprimoramento, face aos novos conceitos e vantagens que dia após dia surgem neste campo. Verdades de anos atrás, se provaram ineficazes e novas pesquisas mostram outras, antes impensadas. Muitas, porém permanecem imutáveis. Quanto mais se estuda, maior é a soberania do leite materno em relação às formulas, por mais próximas quimicamente do leite humano que possam parecer. Um documento editado em

1998 pela ProMom, Inc. e traduzido pelo Comitê de Aleitamento da SOPERJ, intitulado: 101 Razões para Amamentar seu Bebê, mostra essa diversidade de benefícios.

Como vemos, à luz dos novos conhecimentos, aleitamento materno não se refere apenas à nutrição do recém nascido, como era a visão minimalista de outrora, mas de forma ampla à busca da higidez ao longo da vida da mãe e seu filho.

Finalizando, podemos sempre nos lembrar da visão de um dos maiores cientistas de nossa história, que apesar de buscar sempre demonstrar com exatidão seus achados, enxergava também um lado sublime na vida. Dizia Albert Einstein:

"Existem duas formas de você viver a sua vida:
Uma é acreditar que não existe milagre;
A outra é acreditar que todas as coisas são milagres."

É estimulante nosso empenho para a perpetuação destes milagres.

Um deles, *o milagre da vida*.

BIBLIOGRAFIA CONSULTADA

Berlin CM. Silicone breast implants and breastfeeding. Pediatrics 1994; 94:547-549.

Chang-Claude J, Eby N, Kiechle M, Bastert G, Becher H. Breastfeeding and cancer risk by age 50 among women in Germany. Cancer Causes Control 2000 Sep; 11(8):687-95.

Chaves RG, Lamounier JA, Cesar CC. Fatores associados com a duração do aleitamento materno. J.Pediatr 2007; 8(3):121-25.

Chen CH, Wang TM, Chang HM, Chi CS. The effect of breast-and bottle-feeding on oxigen saturation and body temperature in preterm infants. Journal Human Lactation 2000 Feb; 16(1):21-27.

De Carvalho M, Robertson S, Klaus MH. Does the duration and frequency of early breast-feeding affect nipple pain? Birth 1984; 11:81-4.

Edmond KM et al. Delayed breastfeeding initiation increases risk of neonatal mortality. Pediatrics 2006; 117:380-6.

Fairbank L, O'Meara S, Renfrew MJ, Woolridge M, Sowden AJ, Lister-Sharp D. A systematic review to evaluate the effectiveness of interventions to promote the initiation of breastfeeding. Health Technology Assessment 2000; 4(25):1-171.

Giugliani ERJ. Problemas comuns na lactação e seu manejo. J. Pediatr 2004; 80(5 Supl):S147-S154.

Haider R, Ashworth A, Kabir I, Huttly SR. Effect of community-based peer counsellors on exclusive breastfeeding practices in Dhaka, Bangladesh: a randomised controlled trial. Lancet 2000 Nov; 356(9242):1643-7.

Horwood F. Breastfeeding and later cognitive and academic outcomes. Pediatrics 1998 Jan; 101(1):234-243.

Karjalainen S, Ronning O, Lapinleimu H, Simell O. Association between early weaning, non nutritive sucking habits and occlusal anomalies in 3-year-old Finnish children. International Journal of Paediatrics Dentistry 1999 Sep; 9(3):169-173.

Kasla RR, Bavdekar SB, Joshi SY, Hathi GS. Exclusive breastfeeding: protective efficacy. Indian Journal Pediatric 1995 Jul-Aug; 62(4):449-53.

Kroeger M, Smith L. Impact of birthing practices on breastfeeding protecting the mother and baby continuum. [SL]: Jones & Bartlett Publishers, 2004.

Leffler D. US high school age girls may be receptive to breastfeeding promotion. Journal Human Lactation 2000 Feb; 16(1):36-40.

Marshall DR, Callan PP, Nicholson W. Breastfeeding after reduction mammaplasty. British Journal Plastic Surgery 1994; 47:167-169.

Maternal and Newborn Health/Safe Motherhood Unit, Family and Reprodutive Health, World Health Organization. Care in normal birth: a practical guide, 1996.

McNeilly AS. Lactation and fertility. Journal of Mammary Gland Biology Neoplasia 1997 Jul; 2(3):291-8.

McVea KL, Turner PD, Peppler DK. The role of breastfeeding in sudden infant death syndrome. Journal Human Lactation 2000 Feb; 16(1):13-20.

Mennella JA, Beauchamp GK. The transfer of alcohol to human milk: effects on flavor and the infants behavior. New England Journal Medicine 1991; 325:981

Merewood A, Philipp B, Chawla N, Cimo S. The baby-friendly hospital iniciative increases brastfeeding rates in a US neonatal intensive care unit. J Hum Lact 2003; 19:166-71.

Ministério da Saúde – Brasil. Promoção, proteção e apoio ao aleitamento materno. Disponível em http://portal.saude.gov.br/portal/saude/area.cfm?id_area=1460.

Ministério da Saúde – Brasil. Dez passos para uma alimentação saudável: guia alimentar para menores de dois anos: um guia para o profissional de saúde na atenção básica: Ministério da Saúde, 2010a.

Moran VH, Bramwell R, Dykes F, Dinwoodie K. Na evaluation of skills acquisition on the WHO/UNICEF Breastfeeding Management Course using the pre-validated Breastfeeding Support Skills Tools (BeSST). Midwifery 2000 Sep; 16(3):197-203.

Najdawi F, Faouri M. Maternal smoking and breastfeeding. East Mediterraneo Health Journal 1999 May; 5(3):450-6.

Oberlander TF, Robeson P, Ward V, Huckin RS, Kamani A, Harpur A. Prenatal and breast milk morphine exposure following maternal intrathecal morphine treatment. Journal Human Lactation 2000 May; 16(2):137-42.

Programa Nacional de Incentivo ao Aleitamento Materno do Ministério da Saúde do Brasil. Manejo e Promoção do Aleitamento Materno, Passo número Dois, Janeiro/1993.

Rea MF.The pediatrician and exclusive breastfeeding. J.Pediatr 2003; 79(6):479-80.

Renfrew MJ, Lang S, Woolridge MW. Early versus delayed initiation of breastfeeding. Cochrane Database Systematic Review 2000; (2):CD000043.

Rezende J, Montenegro CAB. Lactação in Rezende J. Obstetrícia. Guanabara Koogan 2005; 400-5.

Santos LA. Pré-natal mastológico. In: A mama no ciclo gravídico puerperal, 1 ed. Atheneu 2000; 47-55.

Scott KD, Klaus PH, Klaus MH. The obstetrical and postpartum benefits of continuous support during childbirth. Journal Womens Gender Based Medicine 1999 Dec; 8(10):1257-64.

Sociedade Brasileira de Pediatria/Escola Paulista de Medicina. Manual de Reanimação Neonatal, 1996.

Susin LR, Giugliani ER, Kummer SC, Maciel M, Simon C, da Silveira LC. Does parental breastfeeding knowledge increase breastfeeding rates? Birth 1999 Sep; 26(3):149-56.

Taddei JA, Westphal MF, Venancio S, Bogus C, Souza S. Breastfeeding training for health professionals and resultant changes in breastfeeding duration. São Paulo Medical Journal 2000 Nov; 118(6):185-191.

The ProMoM, Inc. 101 Reasons to Breastfeed your Child, 1998.

Manejo da Lactação

8

Keiko Miyasaki Teruya
Lais Graci dos Santos Bueno
Vilneide Maria Santos Braga Diégues Serva

O sucesso da amamentação depende basicamente de uma interação entre a mãe e seu filho, com suporte familiar, comunitário e profissional apropriado. Acrescido a isso, a mãe deve trazer uma história de vida positiva em relação à amamentação, estar aberta a mudanças e, além disso, ter vontade, poder e disponibilidade de amamentar.

É impossível montar um grupo de normas rígidas que garantam o sucesso da amamentação para todas as mulheres e seus filhos, pois estes variam, tendo em vista as diferenças individuais. Entretanto, é fundamental que a família, a comunidade, o pessoal e os profissionais de saúde estejam aptos a servir de facilitadores tanto no início como na manutenção da amamentação. Escutar o que a mãe nos quer dizer e fortalecer sua autoconfiança são requisitos que favorecem o sucesso da amamentação. É necessário, ainda, que o hospital e os serviços de saúde estejam capacitados para implementar normas que promovam, protejam e apoiem a amamentação, e que haja consenso em torno do seu manejo da amamentação, a fim de haver informações, rotinas e práticas coerentes.

Um passo importante, que tem efeitos positivos significantes na duração e no manejo adequado da amamentação, é a preparação pré-natal. Escutar das gestantes suas preocupações, dúvidas, experiências e vivências, e orientar individual e coletivamente pode ser o alicerce. A preparação deve conter basicamente um conjunto de informações sobre:

- Os benefícios da amamentação;
- Os perigos da alimentação artificial, o uso da chupeta, bicos e mamadeiras;
- O manejo da amamentação (cuidados com a mãe que amamenta; possíveis problemas e como solucioná-los; o que fazer quando voltar a trabalhar ou necessitar de se separar de seu filho; e onde procurar ajuda, se necessário);

- A anatomia da mama e fisiologia da lactação;
- Os tabus regionais;
- A importância do contato pele a pele na sala de parto durante, pelo menos, 1 hora, olhos nos olhos na primeira meia hora ao nascimento e iniciar a amamentação quando o recém-nascido mostrar sinais de aptidão para tal, neste momento, se possível;
- A permanência em alojamento conjunto 24 horas por dia, dia e noite, enquanto estiverem na maternidade.

É importante salientar que informações oferecidas sob a forma de folhetos ou panfletos sozinhos não têm significância estatística quanto à decisão da mulher de amamentar ou quanto à duração da amamentação, apenas aumentando o seu conhecimento sobre o assunto. Uma pesquisa nacional mostrou também que não encontravam efetividade quando as práticas contradiziam mensagens e quando as mesmas eram apresentadas em pequena escala (pontuais, ou em vários tópicos de uma só vez) e, quando não havia interação face a face (mãe e profissional). Assim, as orientações devem compreender um misto de interação profissional, oferecimento de material impresso e sua explicação detalhada, além de individualização do cuidado.

É importante salientar que, tanto a escolha para amamentar quanto a sua duração, estão fortemente influenciadas por atitudes adquiridas socialmente e pelo suporte e apoio que a mulher sente que terá de familiares e da comunidade.

Existem também influências positivas no sucesso da amamentação quando a mãe tiver:
- Assistência na primeira mamada, com observação da mãe e seu filho e interferência, quando necessária, para a certificação que o bebê tenha um posicionamento adequado e uma boa pega;
- Habilidade para extrair manualmente o próprio leite;
- Conhecimento sobre meios para manter e aumentar a produção de seu leite;
- Orientação sobre a idade adequada para a introdução de alimentos complementares.

PREPARANDO-SE PARA AMAMENTAR

Conhecer as vantagens do leite de peito por meio de conversas com as mulheres que amamentaram com sucesso e satisfação, além de participar de consultas individuais ou coletivas sobre o manejo da amamentação são essenciais para a gestante tomar uma decisão informada sobre a forma de alimentar seu filho. É necessário, ainda, envolver a família e a comunidade, que servirão de apoio constante à mulher que amamenta.

Outro fator a ser citado é que nenhuma forma de preparação das mamas no pré-natal parece ter benefícios estatisticamente confirmados, como o uso de conchas de Woolwich, exercícios de Hoffman, fricção dos mamilos, aplicação de cremes, expressão de colostro e massagens.

Advertência: nas aréolas e mamilos é prejudicial o uso de sabão, álcool, cremes, pomadas, tinturas, tratamento abrasivo ou agressivo dos mamilos e manipulação excessiva. Estes podem causar lesões que podem ser porta de entrada para bactérias, e mastite pré-natal.

CUIDADOS PARA COM A MÃE QUE AMAMENTA

Essas orientações deverão ser oferecidas desde o pré-natal e durante todo o período da amamentação:

1. Especialmente a primípara, se possível, deve ter ajuda nas tarefas domésticas. Seria importante ainda, identificar pessoas da família ou da comunidade que lhes possam prestar apoio nos cuidados com o bebê. Estas participariam, junto com as gestantes, nas consultas de pré-natal e aconselhamento para amamentação. Desta forma, serviriam de elo entre a família, a comunidade e o serviço de saúde, protegendo a mulher de possíveis mitos, tabus e práticas prejudiciais à amamentação.

2. Durante o pré-natal e período da amamentação, o ideal é uma dieta balanceada, assim como em todos os outros períodos da vida, contendo os 4 pilares da alimentação:

   - Uma fonte básica representada por cereais, tubérculos ou raízes;
   - Uma fonte proteica animal ou vegetal;
   - Uma fonte de sais minerais e vitaminas, com a presença de verduras, legumes e frutas;
   - Uma fonte de energia, à base de gordura e açúcares.

   Entretanto quando esta dieta não for possível, é importante que o profissional sugira outra à gestante e/ou nutriz compatível com a sua realidade. O profissional deve ajudar a gestante e/ou nutriz a escolher alimentos regionais e de custo aceitável, compatível com a sua realidade econômica, para a composição da dieta balanceada.

   A adição de 500 calorias/dia na dieta da nutriz é o suficiente para a manutenção da lactação, sem maior gasto calórico materno.

3. O descanso é muito importante: deve-se orientar a mulher para tirar uma ou duas sonecas de meia à uma hora durante o dia, quando possível, aproveitando a hora em que o bebê dorme. Durante a noite, deixar o berço da criança junto à cama da mãe ou dormir com seu filho na mesma cama para facilitar as mamadas noturnas. Incluir o companheiro ou outro membro da família para ajudar a mãe após as mamadas noturnas, colocando o bebê para eructar, trocar suas fraldas, colocá-lo para dormir etc.

4. Exercícios são indicados: pelo menos uma caminhada de meia hora, ao ar livre, diariamente, caso seja possível, é importante para aliviar as tensões e manter o corpo e espírito sadios.

5. Quanto à higiene, um banho diário é suficiente. Não usar sabonete, nem álcool, nem água boricada nas aréolas e mamilos. Não é preciso limpar os mamilos e aréolas antes e após cada mamada.

6. Amamentar não deve prejudicar a vida sexual do casal. A mulher que amamenta pode ter vida sexual normal, respeitando os seus desejos e sua libido.
7. A amamentação funciona como anticoncepcional eficiente nos primeiros 6 meses, quando a nutriz utiliza o método intitulado LAM (Método da Amenorreia Lactacional). Ao usar este método o risco de engravidar é pequeno, em torno de 2% (Fig. 8.1).

   A mulher pode ainda escolher qualquer outro método anticoncepcional (*condom*, diafragma, DIU, pílulas só com progestágeno, injeções só com progestágeno), sob orientação médica, durante a amamentação. A mulher pode continuar a amamentar normalmente, mesmo quando a menstruação reaparecer (inclusive durante o período menstrual) e também durante a gestação, se engravidar novamente, desde que não apresente risco de aborto (contrações uterinas significantes, sangramentos etc).
8. A vida social também é importante para os pais. A mãe que amamenta pode e deve sair; entretanto, é importante levar o filho consigo, sempre que possível, ou ordenhar o leite humano e deixá-lo para que seja oferecido em copinho.

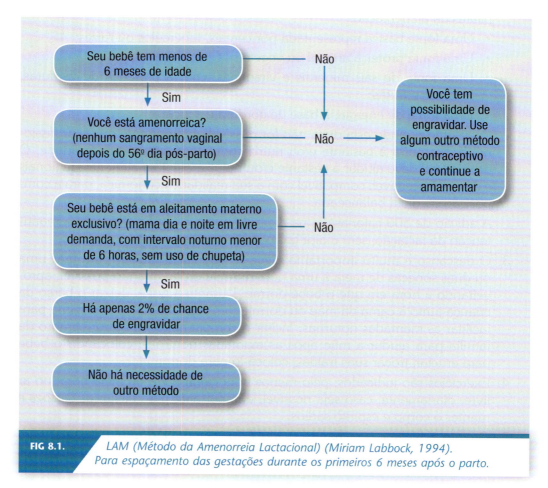

FIG 8.1. *LAM (Método da Amenorreia Lactacional) (Miriam Labbock, 1994). Para espaçamento das gestações durante os primeiros 6 meses após o parto.*

9. Se houver necessidade de hospitalização materna, procurar internar a criança junto com a mãe, para não haver descontinuidade da amamentação. Se isto não for possível, a mãe deverá ser orientada a ordenhar leite pelo menos de 6 a 8 vezes nas 24 horas. Este leite deve ser ministrado ao bebê com xícara das de café ou copinho.

10. Orientar a mulher a quem e onde procurar em caso de dificuldade ou problema em relação à amamentação.

11. Outro importante pilar do manejo da amamentação, que tem papel fundamental na prevenção de fissuras e no estabelecimento da amamentação, é a aprendizagem de como amamentar, com ênfase no posicionamento, pega e sucção efetivas.

A habilidade de uma mulher em posicionar corretamente seu filho no peito parece ser aprendida por observação e prática. Atualmente, muitas mulheres não têm oportunidade de fazer estas observações úteis ao presenciarem outras mulheres amamentando. Além disso, muitas vezes falta treinamento da equipe de saúde para suprir esta deficiência. Portanto, o treinamento é fundamental e toda a equipe de saúde deve estar apta a avaliar uma mamada para prevenir e diagnosticar possíveis dificuldades. Desta forma, podemos usar o formulário de observação de mamadas, um instrumento especialmente importante para o manejo clínico da mulher que amamenta (Tabela 8.1).

Fazem parte ainda do manejo da lactação o conhecimento pela equipe de saúde e o posterior esclarecimento à população de direitos constitucionais que protegem a mãe que amamenta e trabalha formalmente, como a seguir.

A CONSTITUIÇÃO BRASILEIRA – 1988

Dos Direitos Sociais – Capítulo II, Artigo VII

Parágrafo XVIII – Licença-maternidade:

A licença-maternidade é de 120 dias sem prejuízo do emprego ou do salário. O pagamento da licença é feito pela previdência.

Parágrafo XIX – Licença-paternidade:

O pai tem direito a 5 (cinco) dias de licença após o nascimento do filho para dar-lhe assistência e à sua mãe, recebendo salário integral.

Consolidação das Leis Trabalhistas (CLT)

Seção IV

Art. 309. Parágrafo 4º, Inciso 1º:

Direito à licença para hora de amamentação:

Toda empresa é obrigada, desde que tenha 30 ou mais mulheres com mais de 16 anos, a ter local apropriado onde seja permitido às empregadas guardar sob vigilância os seus filhos no período de amamentação. Esta exigência poderá ser atendida diretamente, por meio de berçários ou creches da própria empresa, ou mediante convênios.

TABELA 8.1. *Formulário de observação de mamadas*

SINAIS DE QUE A AMAMENTAÇÃO VAI BEM	SINAIS DE POSSÍVEL DIFICULDADE
Posição corporal	
Mãe relaxada e confortável	Mãe com ombros tensos e inclinada sobre o bebê
Corpo do bebê próximo ao da mãe	Corpo do bebê distante do da mãe
Corpo e cabeça do bebê alinhados	O bebê deve virar o pescoço
Queixo do bebê tocando o peito	O queixo do bebê não toca o peito
Nádegas do bebê apoiadas	Somente os ombros/cabeça apoiados
Respostas	
O bebê procura o peito quando sente fome	Nenhuma resposta ao peito
(O bebê busca o peito)	(Nenhuma busca observada)
O bebê explora o peito com a língua	O bebê não está interessado no peito
Bebê calmo e alerta ao peito	Bebê irrequieto ou agitado
O bebê mantém a pega da aréola	O bebê não mantém a pega da aréola
Sinais de ejeção de leite	Nenhum sinal de ejeção de leite
(vazamento, cólicas uterinas)	
Estabelecimento de laços afetivos	
A mãe segura o bebê no colo com firmeza	A mãe segura o bebê nervosamente ou fracamente
Atenção face a face da mãe	Nenhum contato ocular entre a mãe e o bebê
Muito toque da mãe no bebê	Mãe e bebê quase não se tocam
Anatomia	
Mamas macias e cheias	Mamas ingurgitadas e duras
Mamilos portáteis, projetando-se para fora	Mamilos planos ou invertidos
Tecido mamário com aparência saudável	Tecido mamário com fissuras ou vermelhidão
Mamas com aparência arredondada	Mamas esticadas
Sucção	
Boca bem aberta	Boca quase fechada, fazendo um bico para a frente
Lábio inferior projeta-se para fora	Lábio inferior virado para dentro
Língua acoplada em torno do peito	Não se vê a língua do bebê
Bochechas de aparência arredondada	Bochechas tensas ou encovadas
Sucção lenta e profunda em períodos de	Sucções rápidas, com estalidos
atividade e pausa	Pode-se ouvir estalos dos lábios, mas não a
É possível ver ou ouvir a deglutição	deglutição
Tempo gasto com sucção	
O bebê solta o peito naturalmente	A mãe tira o bebê do peito
O bebê suga durante _____ minutos	

Os itens entre parênteses referem-se apenas aos recém-nascidos e não aos bebês mais velhos, que já podem sentar. Segundo Helen Armstrong (com adaptação)

Seção V

Art. 392:

Da Proteção à Maternidade:

É proibido o trabalho da mulher grávida no período de 4 (quatro) semanas antes e 12 semanas após parto.

Inciso 3º:

Em caso de parto prematuro, a mulher terá direito às 12 semanas previstas no artigo.

Inciso 4º:

Em casos excepcionais e mediante atestado médico, na forma de inciso 1º, é permitido à mulher grávida mudar de função.

Seção V

Art. 369:

Direito a amamentar durante a jornada de trabalho:

A mulher trabalhadora que amamenta terá direito, durante a jornada de trabalho, a dois descansos remunerados por dia, de 1 a 2 horas cada um, para amamentar.

Parágrafo único:

Quando exigir a saúde do filho, o período poderá ser dilatado de 4 (quatro) meses, a critério de autoridade competente, para amamentar o próprio filho, até que complete 6 meses, durante a jornada de trabalho, a dois descansos sucessivos de ½ hora cada.

Seção V

Art. 400:

O local destinado à guarda dos filhos das operárias durante o período de amamentação deverá possuir no mínimo um berçário, uma saleta para amamentação, uma cozinha dietética e uma instalação sanitária. As creches à disposição das empresas mediante convênios deverão estar próximas do local de trabalho.

Observação: As empresas brasileiras obedecem aos direitos garantidos na Constituição, para as mulheres trabalhadoras regidas pelo CLT, no que diz respeito aos 120 dias de licença-gestante. Entretanto, em 09 de setembro de 2008 foi criada a Lei 11.770 que prevê o incentivo fiscal para as empresas do setor privado que aderirem à prorrogação da licença-maternidade de 120 para 180 dias. Esta adesão é facultativa.

O serviço público federal e a maioria dos estados e municípios brasileiros já adotam a licença-maternidade de 180 dias. Havendo inclusive alguns estados e municípios que estenderam da licença-paternidade de 5 para 10 dias.

Normas Brasileiras para Comercialização de Alimentos para Lactentes

A resolução 31/92 do Conselho Nacional de Saúde de 12/10/92 protege a amamentação contra a propaganda indiscriminada de produtos usados como substitutos do leite materno, regulamentado sua comercialização.

CAPÍTULO 8 Manejo da Lactação

Em 2002, tivemos a Publicação das Resoluções ANVISA nº 221 (chupetas, bicos, mamadeiras e protetores de mamilo) e nº 222 (alimentos) e a Norma Brasileira passou a se chamar Norma Brasileira de Comercialização de Alimentos para Lactentes e Crianças de Primeira Infância, Bicos, Chupetas e Mamadeiras e Protetores de Mamilo.

Portaria GM/MS 1016 de 26/08/92:

Por meio dessa Portaria, o Ministério da Saúde obriga os hospitais e maternidades vinculadas ao Sistema Único de Saúde (SUS), próprios e conveniados, a implantarem o alojamento conjunto (mãe e filhos juntos no mesmo alojamento/quarto, 24 horas por dia).

COMO AMAMENTAR

Sugar é um reflexo do recém-nascido, mas amamentação (manutenção da lactação) é uma arte complexa que precisa ser ensinada e aprendida. Para o sucesso da amamentação, devemos observar:

- O ato de amamentar é confortável para a mãe e para o bebê?
- O bebê está calmo e alerta?
- O bebê está acordado para ser amamentado? No momento da amamentação, se o bebê estiver sonolento, deixá-lo só de fraldas e na posição sentada ("posição de alerta"). Conversar com o bebê e massagear suas costas e seu peito, fazer massagem suave nos pés, ou movimentar delicadamente a cabeça para frente e para trás, a fim de acordá-lo. Se o bebê estiver muito excitado e chorão, acalmá-lo. Colocá-lo no colo e acalentá-lo antes da mamada.
- A mãe está relaxada? Antes de cada mamada é bom orientar a mãe a relaxar da maneira que melhor lhe convier. Como sugestão, inspirar profunda e lentamente, levantando os braços e expirando enquanto dobra o tronco para a frente.

Amamentar

- Mãe com apoio para as costas poderá ajudar a sentir-se mais confortável. Pode ser útil colocar um travesseiro ou um cobertor dobrado nas costas da mãe e em seu colo;
- O alinhamento da cabeça com o tórax do bebê é importante. A mãe deve ser orientada para manter o seu corpo junto ao corpo do bebê, o queixo do bebê encostado na mama e a boca de frente para a região da areolomamilar. Os dedos da mãe devem ficar distantes da aréola;
- O bebê deve ser levado à mãe, não a mãe ao bebê.

O posicionamento e a pega devem ser exaustivamente orientados:

Posição

- Mãe sentada e bebê em posição de sentar ("aconchegado"); ou

144

Manejo da Lactação **CAPÍTULO 8**

- Mãe deitada em decúbito dorsal e o bebê posicionado de frente para o seu abdome; ou
- Mãe deitada de lado e barriga do bebê junto ao corpo da mãe; ou
- Posição invertida: bebê entre o braço e o lado do corpo da mãe; ou
- Criança sentada.

Pega

- Pega do peito;
- Aproveitar o reflexo da busca;
- Não é necessário limpar a aréola;
- São suficientes banho diário e sutiã limpo;
- No início, para estimular a descida do leite, pode-se massagear delicadamente as mamas;
- Em seguida, extrair algumas gotas de leite, para a aréola ficar mais macia.

Abocanhamento

- Abocanhar mamilo e aréola.

Escolhendo a Posição

A posição da criança em relação à mama é fundamental para o sucesso da amamentação.

Existem 4 pontos-chave a serem considerados, ao segurar o bebê, para que ele possa retirar leite suficiente de sua mãe:

1. A cabeça e o corpo do bebê devem estar alinhados;
2. Sua boca deve estar no mesmo plano e de frente da região areolomamilar para que a pega seja correta. Para isso o pescoço do bebê deve estar apoiado no antebraço, entre a mão e o cotovelo;
3. O corpo do bebê próximo e voltado para a mãe;
4. Se o bebê for recém-nascido, apoiar suas nádegas.

As posições comumente utilizadas pela mãe são de aconchego. Escolher a que for melhor em cada circunstância e mais confortável para a mulher. Nas primeiras vezes, um membro da equipe de saúde deve ajudá-la a achar a posição de conforto.

Na maioria das vezes mãe e criança encontram a posição mais cômoda, intuitivamente e sem artifícios. A primeira mamada, no entanto, deve ser assistida por um membro da equipe de saúde e ajudada se for necessário e/ou a mãe solicitar. A mamada deve ser observada de maneira inteira, isto é, até que o bebê termine a sucção e largue o peito.

Alguns detalhes são sugeridos para facilitar o ato da amamentação – ver Figs. 8.2 a 8.5.

FIG 8.2. Posição – mãe amamentando sentada (em posição de ninar ou aconchego).

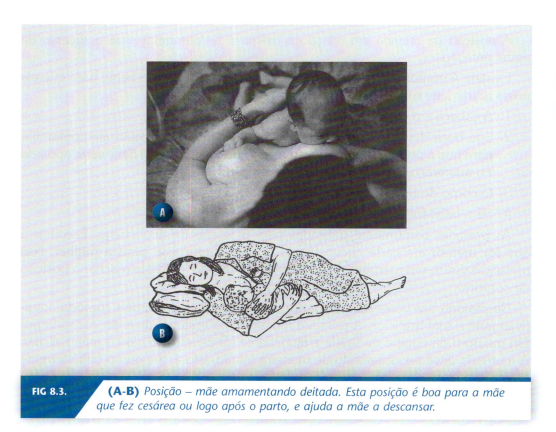

FIG 8.3. **(A-B)** Posição – mãe amamentando deitada. Esta posição é boa para a mãe que fez cesárea ou logo após o parto, e ajuda a mãe a descansar.

FIG 8.4. Posição – criança sentada. Estas posições são boas para mamas grandes, mamas doloridas e bicos rachados, crianças hipotônicas, crianças com lábio leporino e/ou fenda palatina.

FIG 8.5. Posição – amamentando em posição invertida (atravessado de lado). Esta posição é boa nas seguintes situações: recém-nascido muito pequeno ou mama grande (o bebê não consegue abocanhá-la), mãe cesareada e mamas doloridas.

Sugestão para as cesareadas:
- Nas primeiras 24 horas, amamentar deitada (posição dorsal);
- Nas 24 horas seguintes, amamentar deitada de lado (trocando o lado);
- Do 3º dia em diante, mãe sentada com travesseiro para apoio.

A Pega do Peito

Segurar a mama com a mão livre, colocando o polegar bem acima da aréola e os outros dedos, e toda a palma da mão debaixo da mama, formando uma prega. O polegar e o indicador formam a letra C.

Deixar os dedos um tanto longe do mamilo e da aréola, de modo que o bebê possa abocanhar bem o mamilo e boa parte da aréola (Fig. 8.6 A e B).

Observação: não é boa técnica pinçar o mamilo entre os dedos médio e indicador na posição de segurar o cigarro, ou na forma de uma tesoura. Uma alternativa é colocar a mão e os dedos fechados na parede do tórax, logo abaixo da mama, de maneira que o indicador se constitua num apoio para a base da mama.

Pode ser boa prática retirar previamente uma pequena quantidade de leite, para amolecer a aréola, e permitir uma melhor pega.

Tocar o lábio inferior do bebê no mamilo.

O bebê responde abrindo a boca (reflexo de busca, de procura ou de apreensão).

Usando o braço que segura o bebê, puxá-lo rapidamente para a mama, apontando seu lábio inferior para abaixo do mamilo.

A boca do bebê deve estar no mesmo plano e em frente do mamilo e da aréola.

Abocanhar

A boca do bebê deve abocanhar o mamilo e o máximo de aréola que for possível.

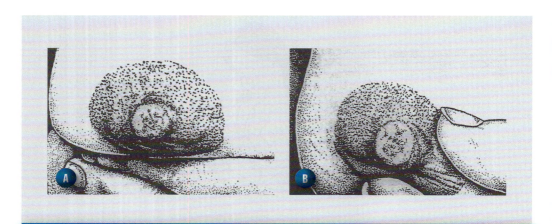

FIG 8.6. **A)** *Mãe oferecendo toda a mama – isto ajuda a criança a pegar quantidade suficiente da mama.* **B)** *Mãe oferecendo o mamilo como se fosse um bico de borracha – a criança suga apenas o mamilo podendo feri-lo.*

Para que o bebê abocanhe o peito, sua cabeça deve estar levemente apoiada e inclinada para trás.

Não é necessário à mãe pressionar a mama para baixo com o dedo, tentando facilitar a respiração da criança. Bebê bem posicionado e com boa pega mantém as narinas livres. Assim, não pressionar a mama com o polegar – isto pode tirar da pega correta e prejudicar o fluxo de leite, e ainda machucar o mamilo.

Numa boa pega, a língua está sobre a gengiva da arcada inferior e as bordas dos lábios viradas para fora ("boca de peixe"). Lábios apertados (fechados, virado para dentro) indicam pega inadequada. Para corrigir deve-se, com as pontas dos dedos, desvirar suavemente os lábios para fora.

O queixo do bebê deve estar encostado na mama.

Se o bebê estiver sugando corretamente, suas bochechas ficam arredondadas (não encovadas). Se o bebê estiver mastigando o mamilo ou se ao sugar fizer barulho de chupar, a técnica pode estar incorreta, retirar o peito e tentar novamente a pega correta.

Se o bebê estiver com a pega correta, não é necessário continuar a apoiar o peito (Fig. 8.7), só fazê-lo, se a mama for pendular, muito grande e pesada.

Atenção: se a pega for correta, a aréola fica mais visível na parte superior (em frente à narina). Mas isto depende do tamanho da aréola. Por isso, é melhor comparar quanto da aréola se vê acima da boca do bebê – o certo é visualizar mais aréola acima do que abaixo da boca do bebê (Fig. 8.8A e B).

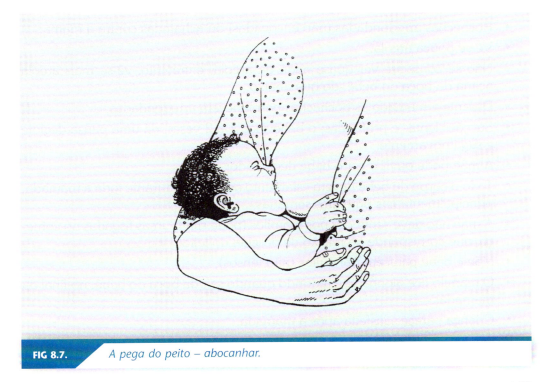

FIG 8.7. *A pega do peito – abocanhar.*

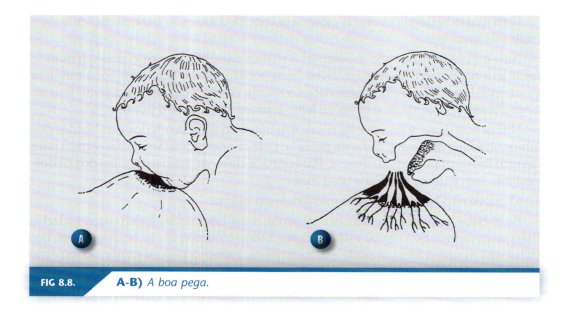

FIG 8.8. **A-B)** *A boa pega.*

Parâmetros Importantes a Serem Observados na Avaliação da Mamada

Posição correta da pega (Fig. 8.9 A e B):
- Queixo do bebê toca a mama;
- Boca bem aberta;
- Lábios virados para fora, principalmente o inferior;
- Bochechas arredondadas (não encovadas) ou achatadas contra a mama;
- Vê-se pouca aréola.
- Não se consegue ver quase nada da aréola, entretanto, vê-se mais aréola acima da boca do bebê, do que abaixo;
- Durante a mamada as bochechas permanecem arredondadas;
- Sucções lentas e profundas: o bebê suga 1 a 2 vezes, dá uma pausa deglute e suga novamente;
- A mãe pode ouvir e ver o bebê deglutindo;
- Todo o corpo do bebê deverá estar junto ao da mãe durante toda a mamada, principalmente nas primeiras semanas;
- A mãe não deve sentir dor nos mamilos (pode sentir umas fisgadas no começo, que corresponde ao reflexo de descida do leite);
- Mãe e bebê parecem tranquilos (não tensos);
- O mamilo fica alongado e redondo quando sair da boca do bebê, no final da mamada;
- Criança parece satisfeita após a mamada.

Pega posição incorreta (Fig. 8.10A e B):
- Cabeça do bebê longe do corpo da mãe;

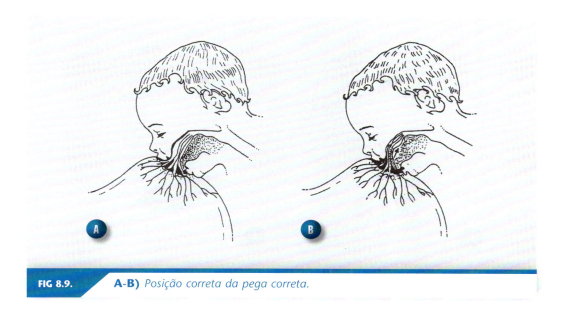

FIG 8.9. **A-B)** Posição correta da pega correta.

- Queixo do bebê não toca a mama;
- Visualiza-se grande parte da aréola, especialmente abaixo do lábio inferior;
- O bebê suga rápida e superficialmente (obtém pouco ou nenhum leite). Por esse motivo, quer mamar toda hora ou se nega a sugar, ou luta contra o peito;
- O mamilo fica dolorido durante a mamada e ferido;
- O bebê tem freio lingual curto, grosso e/ou anteriorizado. Neste caso, deve ser avaliado se a função da língua está prejudicada, o que não ocorre na maioria, quase absoluta, dos casos. Acompanhar essas crianças de perto até o final do primeiro mês de vida e, em casos excepcionais, orientar a frenulectomia;
- O mamilo parece achatado quando sai da boca do bebê no final da mamada;
- A criança não engorda, chora muito, e a mãe pensa que não tem leite ou que o leite é fraco.

Completando a Mamada

Quando completar a mamada, o bebê solta o peito espontaneamente.

Se for necessário interromper a mamada, oriente a mãe a colocar o dedo indicador entre as gengivas do seu filho e, assim, retirá-lo da mama. Evita-se, desta forma, machucar o mamilo

Na próxima mamada, convém começar pelo peito que deu por último na mamada anterior ou, então, começar pelo que estiver mais cheio ou aquele em que o bebê não mamou.

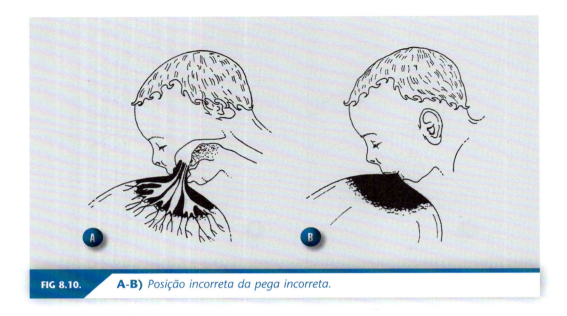

FIG 8.10. **A-B)** Posição incorreta da pega incorreta.

Quando e Quanto Amamentar?

Quando *iniciar* a amamentação?

Quanto mais cedo acontecer a primeira mamada, maior a chance da amamentação ser bem-sucedida. O recém-nascido em condições normais está pronto para sugar, imediatamente após o parto; entretanto, deve-se observar os comportamentos ou dicas da pré-amamentação. Esses comportamentos incluem um breve descanso em estado de alerta para se acostumar ao novo ambiente; levar as mãos à boca, fazendo tentativas de sucção, sons e toque nos mamilos com as mãos; focar na aréola, que serve como alvo; movimentar-se em direção à mama e procurá-la; encontrar a área da aréola e realizar a pega com a boca muito aberta.

O recém-nascido mostra então sinais de aptidão para a amamentação como abrir a boca, esticar a língua, virar a cabeça para procurar o peito; fazer movimentos ou sons de sucção; fazer sons suaves de gemido ou arrulhos; colocar a mão na boca ou chupar/morder as mãos, dedos, lençol ou qualquer objeto que toque sua boca; fazer movimentos rápidos com os olhos fechados ou abertos; movimentar a cabeça para frente e para trás, franzindo as sobrancelhas, ficar agitado e até chorar.

É importante ajudar a mulher a reconhecer os comportamentos ou dicas da pré-amamentação, assim como os sinais de prontidão para a amamentação, evitando que o bebê chegue ao estágio de agitação e choro. Se isso ocorrer, ele precisará ser acalmado para só então iniciar a mamada.

Não há necessidade, e é prejudicial, dar água ou soro glicosado antes da primeira mamada ou em qualquer outra ocasião nos primeiros 6 meses de vida.

Sugestão da sequência a ser adotada na sala de parto:

1. Laquear o cordão;

2. Caso a mãe queira, colocar o bebê sobre o tórax da mãe, proporcionando os contatos pele a pele/olhos nos olhos. A mulher deve ser preparada desde a gestação para este momento;

3. Aguardar as dicas da pré-amamentação e os sinais de aptidão para a amamentação. Colocar o RN na posição de mamar e ajudar a mãe, se necessário. Como já referido, o ideal seria observar a primeira mamada até o bebê soltar a mama, para só então ajudar a mulher, se necessário, ou se ela solicitar ajuda:

   - Manter o peito perto da boca do RN, perto da aréola. Colocar o bebê sobre o tórax da mãe e em contato pele a pele. O RN cheira, olha, toca e lambe a mama da mãe e, às vezes, suga. Deixar que a dupla se entrose;

   - Ajudar, se necessário, o RN na pega.

4. Exame sumário do RN e o Credé (este deve ser realizado após o primeiro contato, que dura 1 ou mais horas e após a primeira mamada), banho (opcional) só após a primeira mamada;

5. Levar mãe e RN para o alojamento conjunto. Se o contato, por alguma razão materna ou do recém-nascido, não puder ser realizado imediatamente após o parto, o bebê deverá ser colocado em contato com a mãe assim que ela estiver em condições de responder a seu filho ou assim que o RN tiver condições clínicas.

Observações:

- Em condições normais, a primeira mamada deve ocorrer dentro da primeira hora de vida. Não é necessário apressar-se e forçar o bebê a mamar. Respeitar o ritmo de ambos. O Apgar poderá ser avaliado enquanto o RN estiver no peito da mãe.

- Mãe e RN devem manter-se em contato pele a pele até que ambos estejam prontos para a mamada.

- Mãe e RN devem sair juntos da sala de parto, na mesma maca.

- Lembrar que a maioria dos procedimentos pediátricos de rotina pode ser feita ao lado da cama da mãe.

Existem poucas contraindicações para a mamada imediatamente após o nascimento, como por exemplo: mãe sedada; recém-nascido doente; Apgar de 5 minutos abaixo de 6; prematuro de menos de 36 semanas ou outras intercorrências.

Nos casos de parto operatório, a mãe pode amamentar assim que estiver em condições de atender ao recém-nascido, o mais cedo possível, na maioria das vezes na própria sala de parto.

Qual a Duração da Mamada?

Deve-se deixar o bebê mamar quanto tempo quiser, até largar o peito espontaneamente. Depois de o bebê esgotar o primeiro peito e soltá-lo, oferecer o segundo peito.

A duração da mamada é determinada pela criança – cada criança tem seu ritmo próoprio. Mas se a mamada for exageradamente longa ou curta, alerta: pode haver

153

algum problema, como a "mamada ineficiente". Observação do ganho ponderal e do comprimento, com o uso da curva adequada, se faz necessário.

Portanto, deixar o bebê mamar até soltar o primeiro peito, só então, depois oferecer o segundo. Durante todo o tempo da mamada, a pega deve ser mantida correta. A mãe, às vezes, durante a mamada, tende a afrouxar o apoio do bebê e assim retirá-lo da posição e da pega correta. O apoio e a ajuda do profissional de saúde treinado, neste momento, é crucial para o sucesso da amamentação.

Não retirar o bebê do peito se ele ainda estiver sugando e/ou deglutindo.

Às vezes, um peito só é suficiente (principalmente nos primeiros dias). Neste caso, ordenhar o peito não oferecido (se estiver cheio e incomodando) para evitar ingurgitamento mamário.

Qual o Intervalo entre as Mamadas?

Regra geral: de acordo com a necessidade da criança (sinais de fome) ou da mãe (peitos cheios).

O recém-nascido precisa ser amamentado frequentemente nos primeiros dias. Na prática, isto significa 10 a 12 vezes em 24 horas. Do segundo ao sétimo dias (fase da lactogênese), o intervalo entre as mamadas pode variar de 1 a 3 horas.

Por vários motivos, ligados às circunstâncias perinatais, alguns recém-nascidos nos primeiros dias são exageradamente dorminhocos. Nesse caso, se ele estiver dormindo muito, por mais de 3 horas, é melhor acordá-lo para mamar (despir o bebê, deixando-o só de fralda; colocá-lo sentado, em posição de alerta; fazer massagem suave nos pés, cobri-lo com uma manta e colocar no peito para mamar). Após o período neonatal, se o peso estiver ascendente, não é necessário acordá-lo.

O RN estabelece seu próprio horário, geralmente o intervalo entre as mamadas vai mudando: de curtos, passam para 2 a 3 horas durante o dia e 4 a 5 horas durante a noite.

É comum que uma vez por dia, geralmente no começo da noite, o bebê queira mamar com intervalos muito curtos, quase continuamente, durante uma hora ou mais. Depois disso é que acontece o intervalo mais longo da noite.

O bebê pode querer mamar também durante a noite frequentemente.

É interessante observar que, mesmo as mães que acordam muito durante a noite, a maioria delas, não se queixam (ação de lassidão da prolactina, produzida mais à noite). A mamada noturna é importante para estimular a produção de leite e suprimir a fertilidade.

Cada criança tem seu ritmo próprio, que deve ser respeitado. Quem faz o horário é a criança, não é o relógio. O controle deve ser feito pelo exame do bebê: atividade, vivacidade, turgor firme e pelo aumento de peso (usar curvas de peso apropriadas para leite de peito) e ganho em comprimento.

As fezes do bebê que mama exclusivamente no peito variam muito em frequência nas 24 horas. Desde inúmeras vezes por dia, principalmente após as mamadas (reflexo gastrocólico), até a ausência de evacuação diária. Entretanto, são sempre amolecidas. Depois do primeiro mês de vida, o bebê pode evacuar com intervalos muito mais longos. Desde que as fezes sejam moles, e o aumento de peso satisfatório, não há com o que se preocupar.

Até Quando Amamentar?

O ideal é até 6 meses de idade como alimento único e exclusivo, isto é, sem água, nem suco, nem sopinha, nem chás.

Após os 6 meses, o leite de peito continua importantíssimo e é o alimento básico, mas é necessária a introdução de alimentos complementares oportunos. É recomendado manter a amamentação até os 2 anos de vida ou mais; o leite materno continua proporcionando vantagens nutricionais, emocionais e imunológicas nesta faixa etária.

REFLEXÃO

Por que não se deve introduzir precocemente alimentos complementares oportunos antes do sexto mês de vida?

Riscos a Curto Prazo

1. A introdução de outros alimentos reduz a frequência e a intensidade da sucção, acarretando a diminuição da produção do leite materno e o proporcionando o desmame precoce.
2. Na grande maioria das vezes, o valor nutricional do "complemento" introduzido é inferior ao do leite do peito.
3. A introdução de cereais e vegetais prejudica a absorção do ferro do leite do peito.
4. Os alimentos introduzidos, inclusive água, podem provocar infecção intestinal e diarreia. Eles mesmos podem estar contaminados ou, então, os recipientes que os comportam ou, ainda, as mãos de quem os manuseia.
5. A introdução de novos alimentos faz parte do desenvolvimento de uma criança e para isso ela deve estar amadurecida neurologicamente, isto é, passar do deglutir líquidos para o semilíquido e sólido.

Riscos a Longo Prazo

Muitas doenças degenerativas do adulto são hoje consideradas, pelo menos em grande parte, consequências de alimentação inadequada na infância (doença de Crohn, obesidade, hipertensão, arteriosclerose, osteoporose, diabetes, dislipidemias e alergia alimentar).

DEZ PASSOS PARA O SUCESSO DA AMAMENTAÇÃO

1. Ter norma escrita sobre amamentação, que deve ser rotineiramente transmitida a toda a equipe de saúde.
2. Treinar toda equipe de saúde, capacitando-a para implementar esta norma.

3. Informar todas as gestantes sobre as vantagens e o manejo da lactação.
4. Ajudar as mães a iniciar a amamentação na primeira meia hora após o nascimento.
5. Mostrar às mães como amamentar e manter a lactação, mesmo se vierem a ser separadas de seus filhos.
6. Não dar a recém-nascidos nenhum outro alimento ou bebida, a não ser que tal procedimento seja indicado pelo médico.
7. Praticar o alojamento conjunto – permitir que mães e bebês permaneçam juntos 24 horas por dia.
8. Encorajar o aleitamento sob livre demanda.
9. Não dar bicos artificiais ou chupetas a crianças amamentadas ao seio.
10. Encorajar o estabelecimento de grupos de apoio ao aleitamento, para onde as mães deverão ser encaminhadas, por ocasião da alta do hospital ou ambulatório.

OMS/Unicef – Iniciativa Hospital Amigo da Criança – IHAC

Esse efeito prejudicial, que se manifesta muitos anos depois, pode ocorrer pela interação de dois mecanismos: um é o efeito acumulativo – pequenas alterações que começam nos primeiros meses de vida e vão se acumulando até se manifestarem clinicamente anos mais tarde. O segundo é o estabelecimento de hábitos alimentares não desejáveis (por exemplo: alimentos muito salgados ou excesso de doces), que posteriormente trazem problemas de saúde.

Por que o Recém-nascido Não Deve Chupar Mamadeira ou Chupeta?

- O bebê suga a mamadeira diferente da sucção no peito;
- O bebê aprende a sugar diferentemente;
- Ao passar para o peito, o bebê se atrapalha (é o que se chama "confusão de bicos") e quer sugar só o mamilo;
- Dessa maneira, o bebê não consegue ordenhar o leite (porque não pressiona os depósitos debaixo da aréola, os ductos lactíferos terminais);
- Não há estímulo para os reflexos de produção e de descida do leite;
- O bebê se cansa após ficar sugando muito tempo sem resultado;
- O mamilo pode fissurar ou ficar dolorido (a dor pode bloquear o reflexo de descida do leite);
- O bebê se frustra e passa a lutar contra o peito;
- A mãe pensa que não tem leite ou que o leite é fraco;
- O bebê passa para a mamadeira (embora a mãe tenha leite e queira amamentar).

Há ainda outros aspectos do manejo da lactação que formam novas bases para o sucesso da amamentação e têm fundamentação teórica. Um deles é a Iniciativa

Hospital Amigo da Criança (IHAC), lançada internacionalmente em 1991 pela Organização Mundial de Saúde (OMS) e Fundo das Nações Unidas pela Infância (Unicef). Os Dez Passos para o sucesso da amamentação representam um conjunto de normas a serem cumpridas pelas unidades que prestam serviço às mulheres e seus recém-nascidos e serão apresentadas em detalhe no Capítulo 26.

Além disso, ainda são discutidas várias faces do manejo da amamentação em diversos capítulos deste livro (Capítulos 8 e 11 ao 22), como: o aconselhamento; a promoção do aleitamento no pré-natal, parto e pós-natal; postura, posição e pega adequados; drogas; problemas precoces e tardios; aleitamento em situações especiais maternas e da criança; ordenha; métodos especiais de alimentação e anticoncepção durante a lactação, que completam e elucidam o manejar adequado para uma amamentação bem -sucedida.

BIBLIOGRAFIA CONSULTADA

de Oliveira MIC, Camacho LAB, Tedstone AE. Extending breastfeeding duration through primary care: a systematic review of prenatal and postnatal interventions. Journal of Human Lactation 2001; 17(4):326-343.

Inch S. Antenatal preparation for breastfeeding. In: Chalmers I, Enkin M, Keirse M eds. Effective Care in Pregnancy and Childbirth. Oxford, New York and Toronto: Oxford University Press 1993; 335-342.

Jones DA. Attitudes of breastfeeding mothers: a survey of 649 mothers. Soc Scined 1986; 23:1151-1156.

Kaplowitz DD, Olson CM. The effect of an education programme on the decision to breastfeed. J Nuth Educ 1983; 15:61-65.

Labbok M, Perez A, Valdez F et al. The lactation amenorrhea method (LAM). Adv Contracept 1994; 10:93-109.

Lawrence RA, Lawrence RM. Breastfeeding: a guide for the medical profession. 5 ed. St. Louis: Mosby, 1999.

Ministério da Saúde. Norma Brasileira de Comercialização de Alimentos para Lactentes e Crianças de Primeira Infância, Bicos, Chupetas e Mamadeiras. Diário Oficial da União. Seção 1. Portaria nº 2.051 de 8 de novembro de 2001.

Murahovschi J, Teruya KM, Santos Bueno LG, Baldin PE. Da teoria à prática. Fundação Lusíada. Santos 1996; 263-70.

OMS/UNICEF. Proteção, promoção e apoio ao Aleitamento Materno. Genebra, 1989.

Organização Mundial da Saúde. Código Internacional de Comercialização de Substitutos do Leite Materno. Genebra, 1981.

Segall Correa AM. Aleitamento Materno: estudo sobre o impacto das práticas assistenciais. Tese de Doutoramento em Saúde Coletiva. São Paulo: FCM Unicamp, 1996

WHO/UNICEF. Breastfeeding counseling: a training course. Trainer's Guide, 1997.

Wiles LS. The effect of prenatal breastfeeding education on breastfeeding success and maternal perception of the infant. J Obstet Gynecol Neonatal Nurs 1984; 13:253-257.

Woobridge MW. The anatomy of infant suckling . Midwifery 1986; 2:164-171.

World Health Organzation. Evidence for the ten steps to successful breastfeeding. Division of Child Heatth and Development. Geneva: WHO, 1998.

Postura, Posição e Pega Adequadas: Um Bom Início para a Amamentação

Mírian Torres Cordeiro
Ana Paula Viana

Neste capítulo abordaremos a importância da postura da mãe e do bebê para uma pega eficaz, assim como as diferentes posições às quais a dupla poderá recorrer em situações diversas.

Tentaremos ao máximo transformar a prática em linguagem escrita, para que o bom início da amamentação aumente as possibilidades de sucesso, o que poderia ser traduzido pela amamentação exclusiva até os 6 meses, podendo prolongar-se até os 2 anos ou enquanto for prazerosa para mãe e o bebê.

Encontramos na literatura argumentos que nos levam a crer ser o momento pós-parto o mais propício para iniciar a amamentação.

A comunicação mãe-filho, iniciada na fase intra-útero, se intensifica nos primeiros meses de vida a partir dos afetos, a natureza do elo que une a criança e a mãe (Bolwby). As expressões de afeto são as primeiras formas de linguagem humana.

Daí a Fonoaudiologia, ciência que estuda e atua com a comunicação humana, ter um papel relevante junto à gestante, "famílias grávidas" e grupos diversos de pré e pós-natal promovendo a saúde da comunicação.

Ao facilitarmos as experiências afetivas precoces, através do contato na sala de parto, estaremos agindo de maneira profilática, não só em relação ao aleitamento materno, como também nos aspectos referentes ao desenvolvimento global da criança.

Ao sair do útero o recém-nascido é submetido a um processo de adaptação pós-natal ajustando-se ao seu novo *habitat* fora do corpo da mãe. São comportamentos absolutamente novos: a primeira respiração, a primeira sucção e a manifestação de aprendizado.

Segundo Ronca, Abel e Alberts, bebês recém-nascidos colocados entre as mamas da mãe localizam o mamilo sem ajuda, e as indicações olfatórias associadas com o fluido amniótico são essenciais para a sucção. Afirmam que "as experiências sensoriais precoces são fundamentais ao desenvolvimento dos sistemas sensório, neural e comportamental".

O tipo de parto e o uso de medicação poderão influir no desempenho da dupla neste momento, de maneira satisfatória ou não, na amamentação.

Ressalta-se que apenas o contato pele a pele, do bebê recém-nascido com a mãe, logo após o nascimento, próximo à mama, com oportunidades sensoriais (odor da pele e/ou do leite; toque; audição das vozes da mãe, pai e ou/profissionais; lambidas) são suficientes para desencadear o impulso neural da sucção, que facilitará a descida do leite, não sendo obrigatória a sucção efetiva. Esta informação relevante deveria ser transmitida às mulheres durante o pré-natal.

Tal afirmação é tão importante e determinante para o desenrolar de todo o processo do estabelecimento da amamentação que provocaram atualizações e modificações em documentos relevantes e de caráter mundial.

A OMS e a UNICEF, em 2009, em sua série de normas e manuais técnicos, lançaram uma edição atualizada e ampliada dos 4 módulos sobre a IHAC. O módulo 3, em especial, reformula o manual utilizado para a realização do curso de 20 horas para equipes de maternidade (Promovendo e Incentivando a Amamentação em um Hospital Amigo da Criança: Curso de 20 horas para Equipes de Maternidade).

Outro exemplo está na Portaria 1.153 que redefine os critérios de habilitação da Iniciativa Hospital Amigo da Criança, no âmbito do SUS, baseada na proposta atual publicada pelo Ministério da Saúde.

Fica evidente quando se analisa o conteúdo sugerido na seção 5 do curso de 20 horas que apresenta o passo 4 da IHAC, bem como no novo texto apresentado pela Portaria, a nova interpretação e o grande destaque dados ao contato pele a pele entre mães e bebês como principal estratégia para a facilitação do início da amamentação.

Por que estamos citando estes documentos? Quando estimulamos o contato na sala de parto nos referimos ao passo 4 dos "Dez Passos para o Sucesso do Aleitamento Materno" que diz conforme o texto atual: "ajudar as mães a iniciar o aleitamento materno na primeira meia hora após o nascimento, conforme nova interpretação, e colocar os bebês em contato pele a pele com suas mães, imediatamente após o parto, por pelo menos uma hora e orientar a mãe a identificar se o bebê mostra sinais que está querendo ser amamentado, oferecendo ajuda se necessário."

O contato precoce pele a pele e a oportunidade de sugar na primeira hora ou logo após o nascimento são ambos importantes. São comportamentos tão interligados que muitos estudos revisados têm usado os termos sem distinção, nos alerta o documento "Evidências Científicas dos Dez Passos para o Sucesso no Aleitamento Materno". Nestes estudos, Widström observou que movimentos de sucção alcançavam um pico aos 45 minutos, podendo declinar e ficar ausente por 2 a 2,5 horas após o parto.

As mães necessitam de apoio especial dos profissionais de saúde da sala de parto e alojamento conjunto que devem ser treinados para ajudá-las a reconhecer a prontidão do bebê para mamar. Destacamos aqui um trabalho que seleciona uma série de artigos publicados evidenciando os benefícios da amamentação para a saúde da mulher e da criança, confirmando que eventos hormonais importantes para a relação mãe-bebê são desencadeados pelo contato pele a pele precoce, mas que, no entanto, esta ação parece não receber atenção devida por parte dos profissionais de saúde responsáveis pela maioria dos partos (Toma e Rea).

Várias pesquisas têm demonstrado que mulheres que amamentaram na sala de parto continuaram o aleitamento por tempo mais prolongado. Dentre as vantagens que esta prática proporciona podemos citar a redução da hemorragia pós-parto e a facilitação da formação do vínculo, além de contribuir para uma grande emoção no parto, experimentada tanto pela dupla mãe-bebê, como por seu acompanhante.

A transcrição de algumas manifestações nos estimula cada dia mais na defesa da humanização do parto e nascimento.

"... Ele colocou ela no meu peito... ela me olhou... fiquei muito emocionada..." (mãe)

"... Olha como ele pegou firme! Muito obrigado, este é o momento mais feliz da minha vida..." (pai)

Respeitar o desejo da mulher é da maior importância e convém observar que raramente existe recusa a este contato na sala de parto, o que, com o incentivo da equipe, evolui com frequência para a amamentação, logo após o nascimento.

"É por meio do contato corporal com a mãe que a criança faz seu primeiro contato com o mundo; através deste, passa a participar de uma nova dimensão da experiência, a do mundo do outro. É este contato corporal com o outro que fornece a fonte essencial de conforto, segurança, calor e crescente aptidão para novas experiências, e a base disso tudo está na amamentação, da qual fluem todas as bênçãos e promessas de boas coisas que ainda estão por vir." (Asley Montagu)

POSTURA E POSIÇÃO

A palavra postura nos lembra imediatamente a posição do corpo humano. Na amamentação a postura da mãe é mais do que um simples controle funcional do corpo, pois está relacionada com a atitude da mesma.

Sua postura vai proporcionar conforto ou não ao bebê, e a ela própria, importante nas primeiras experiências alimentares. O desempenho da função motora oral depende não só dos atributos do bebê como também dos processos interativos deste com sua mãe.

F. Cukier-Hemenry e cols. descrevem 3 tipos de posturas observadas em situações de amamentação em mulheres primíparas. Denominaram-nas postura "ajustada", onde carícias e troca de olhares são possíveis; posturas "ajustadas com esforço" da mãe, proporcionando uma alimentação satisfatória para a criança mas o desconforto acarreta cansaço na mãe e o terceiro tipo chamaram de "postura não ajustada ineficaz", onde o corpo do bebê é distanciado da mãe, quase sem contato, o que muitas vezes acarreta alterações na alimentação.

O bebê responde, nesta relação postural, com comportamentos próprios se aconchegando à mãe ou enrijecendo o corpo. Em nosso dia a dia podemos observar outras respostas apresentadas pelo bebê que não foram relatadas pelos autores.

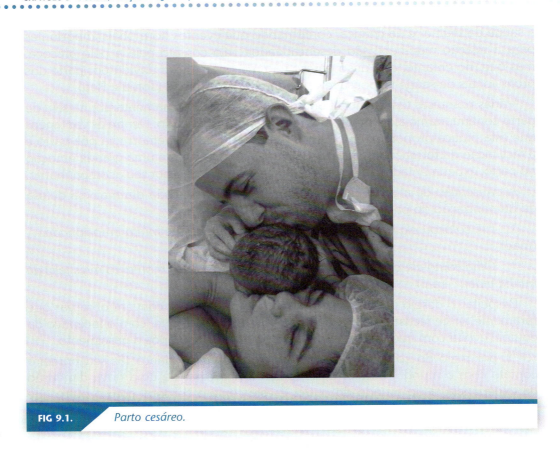

FIG 9.1. *Parto cesáreo.*

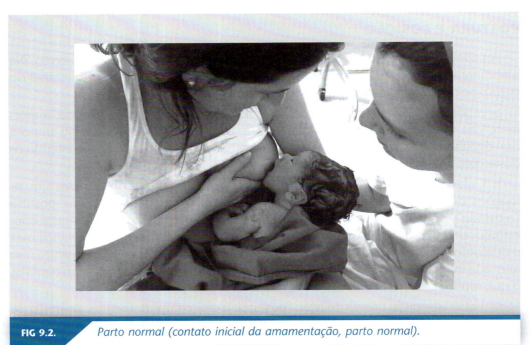

FIG 9.2. *Parto normal (contato inicial da amamentação, parto normal).*

Postura, Posição e Pega Adequadas: Um Bom Início para a Amamentação **CAPÍTULO 9**

A qualidade da relação postural não tem um caráter definitivo, estático, podendo ocorrer uma desarmonia eventual que pode ser modificada ao longo da mamada.

A interação harmoniosa contribui para a troca de olhares mãe-bebê, sorrisos da mãe, sorrisos do bebê após a mamada, palavras afetuosas, embalos, carinhos, aspectos essenciais observados na amamentação e que, novamente, são elementos comunicativos primários e determinantes para o desenvolvimento da linguagem do bebê. Trata-se de um diálogo essencialmente afetivo. Lebovici afirma que os afetos – e sua expressão – são as primeiras formas de linguagem humana.

É necessário relatar que este é um processo dinâmico e evolui com o tempo. Podemos atuar neste entendimento permitindo um tempo necessário à dupla, aconselhando caso seja necessário.

Algumas mães conseguem amamentar em posturas e posições muito variadas, que muitas vezes, ao nosso olhar, podem parecer desconfortáveis. Porém, se a dupla mãe-bebê está satisfeita, não há necessidade de intervenção do profissional de saúde.

Para um início de amamentação bem-sucedido é primordial que o profissional de saúde observe a mamada, percebendo se a nutriz necessita ou não de ajuda.

Alguns cuidados são necessários caso a mulher necessite de auxílio: criar um clima amigável entre o profissional e a mãe; sentar-se no mesmo nível, evitar palavras que sugiram fracasso, tais como "problema", "direitinho", "insuficiente"; manter o contato do olhar; levá-la a falar de suas dúvidas; desenvolver a autoconfiança, enfim, colocar em prática todas as habilidades propostas na Técnica do Aconselhamento ajudará em todos os aspectos que envolvem o aleitamento materno.

Observar a mamada é tão importante quanto qualquer outro procedimento clínico, com uma relevância: só pode ser realizada enquanto o bebê está mamando. Verificar a temperatura ou frequência cardíaca e banho são exemplos de procedimentos que podem ser feitos em momentos diversos.

O Que Observar na Posição da Mãe e do Bebê?

A mãe está relaxada e confortável e o bebê está calmo, sem chorar.

Neste caso, o profissional poderá elogiar a nutriz, aumentando assim sua autoconfiança na capacidade de amamentar.

Ela necessitará de ajuda se os ombros estiverem tensos, encolhidos, os pés torcidos, balançando, ou curvada sobre o bebê numa demonstração de insegurança.

O Corpo do Bebê Está de Frente para a Mãe e Próximo ao Dela

Se o corpo do bebê está distante do corpo da mãe, dificilmente teremos uma boa pega da aréola e uma sucção eficiente, causando transtornos à amamentação.

Fundamentamos a importância desta posição no ato flexor fisiológico do recém-nascido a termo. Sugar é um reflexo inato, um reflexo motor sob o controle de medula e ponte. A deglutição envolve, além dos nervos cranianos, um centro romboencefálico específico da deglutição localizado no bulbo. Esta é apenas uma divisão didática, porque a sucção acontece de forma coordenada: sucção, deglutição e respiração. Segundo Escott, esses reflexos de procura, apreensão, sucção e

163

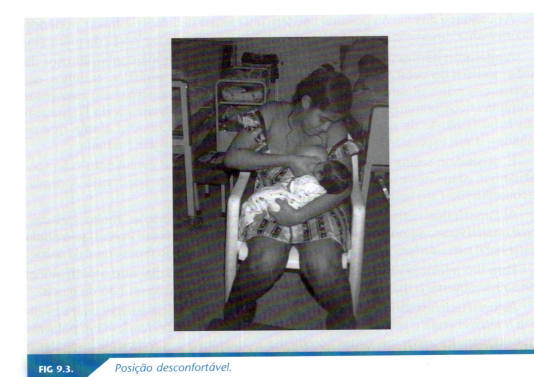

FIG 9.3. Posição desconfortável.

FIG 9.4. Posição confortável.

deglutição estarão prontos no momento do nascimento, especialmente no parto natural. Intervenções inadequadas poderão alterá-los.

A flexão fisiológica do bebê e a simetria facilitam o desempenho motor oral do bebê, promovendo a sucção eficiente.

Podemos ajudar mostrando os pontos principais, que são importantes para qualquer das posições escolhidas pela mãe (sentada, deitada ou em pé):

- O bebê é que vai até o peito e não o peito até o bebê. O corpo do bebê é deslocado em bloco;
- O rosto do bebê deve estar de frente para o peito;
- O corpo do bebê deve estar próximo ao da mãe;
- A barriga do bebê encosta na parte superior do abdome da mãe;
- A cabeça, cintura escapular e quadril devem estar alinhados.

A utilização de uma boneca ajuda muito para que o profissional atue como modelo, evitando tocar desnecessariamente o corpo da mãe, fortalecendo sua confiança para amamentar após a alta da maternidade. Mas cabe esclarecer, no entanto, que o toque adequado entre o profissional e a nutriz é muito saudável e necessário nas relações humanas, principalmente na situação de amamentação.

A posição deitada é importantíssima, porque descansa a mulher enquanto amamenta. Sabemos que a pressão intraoral da sucção eficiente no peito da mãe impede o fluxo de leite para a tuba auditiva, fato que, devido as diferenças, ocorre

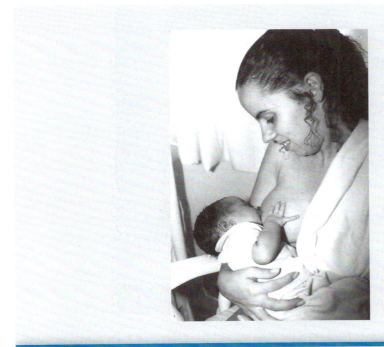

FIG 9.5. *Corpo do bebê de frente para a mãe e junto a ela.*

FIG 9.6. *Bebê bem posicionado.*

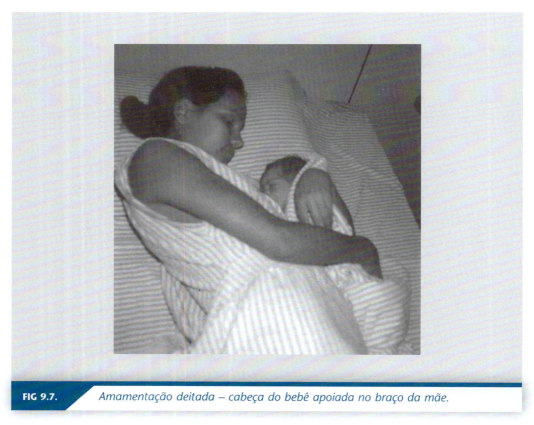

FIG 9.7. *Amamentação deitada – cabeça do bebê apoiada no braço da mãe.*

com mais frequência quando é usado um bico artificial. No entanto, pesquisas recentes da área de Otorrinolaringologia citam a posição horizontalizada como um dos fatores de risco para otite média, ressaltando sempre em sua literatura a importância da amamentação exclusiva na prevenção da doença (OMA). Existem controvérsias quanto aos cuidados nesta posição. Polêmicas à parte, se é um fator que pode ocorrer, convém aconselhar a posição deitada com ligeira inclinação do leito, na maternidade, ou da cabeça do bebê, o que intuitivamente já acontece com a maioria das nutrizes fazendo um "travesseiro" com o braço.

Os Dedos da Mãe Estão Distantes da Aréola

Poucas mamas necessitam de apoio para amamentar se mães e bebês estão bem posicionados. Culturalmente colocar os dedos em forma de "tesoura" é bastante comum, bem retratado desde a arte renascentista até nossos dias.

As mães sempre argumentam que o peito vai sufocar o seu filho. Uma maneira de ajudá-las é verificando a posição da dupla, tranquilizando-as por meio de poucas e relevantes informações, que os bebês têm capacidade de afastar a cabeça se algo estiver "tapando" seu nariz. Um exemplo prático seria colocar a mão aberta tocando o nariz da mãe, levando-a a perceber que não ficará sem respirar. É válido explicar também que a pressão forte do dedo na mama, ocasionada por esta posição, pode desfazer a pega correta ou obstruir os ductos lactíferos, causando retenção de leite no local.

Podemos sugerir, então, que os dedos fiquem distantes da aréola, em forma de "C". A incorporação desta prática (re)construída, a partir dos grupos de pré-natal será melhor incorporada no puerpério.

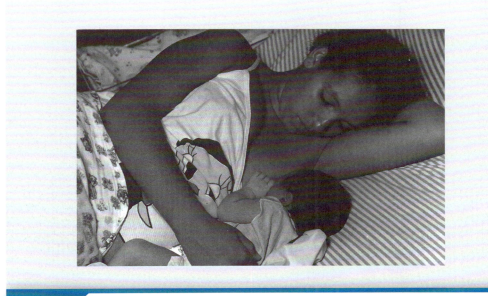

FIG 9.8. *Amamentação deitada – cabeceira da cama elevada.*

As diferenças existem... Em algumas situações, como mamas hipertróficas ou muito flácidas, pode haver a necessidade do uso das mãos como apoio; tipoias ou pequenos rolinhos de tecidos, podem ser úteis em casos excepcionais.

Os dedos são colocados na parede do tórax, embaixo da mama. O dedo indicador formará um suporte na base do peito e o polegar poderá ser usado como suave suporte acima, sem pressionar. Há uma tendência em colocar o indicador muito próximo da aréola, o que deve ser corrigido para não dificultar a pega na parte inferior.

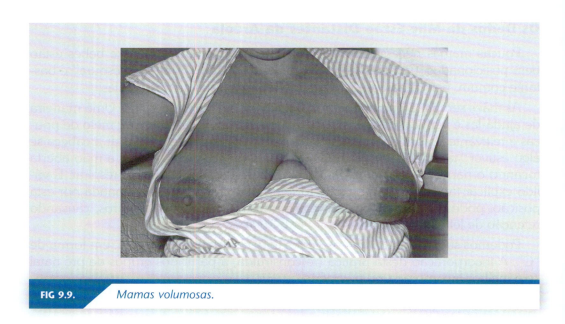

FIG 9.9. *Mamas volumosas.*

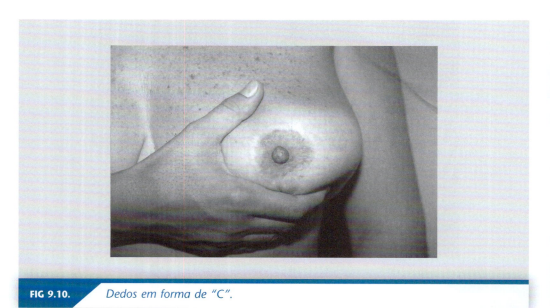

FIG 9.10. *Dedos em forma de "C".*

Uma outra posição que ajuda a manter a pega é a "posição da mão de bailarina", que consiste em apoiar a mandíbula do bebê com os dedos indicador e polegar da mãe, enquanto os outros 3 apoiam a mama.

Funciona como recurso não só nos casos citados anteriormente (mamas volumosas ou muito flácidas) como também para fixação da boa pega em caso de bebês prematuros, portadores da síndrome de Down, laringotraqueomalácia, fendas labiopalatais e outros.

Alguns detalhes poderão interferir no posicionamento mãe-bebê, principalmente em prematuros ou bebês de baixo peso, como sutiã ou roupas apertadas pressionando a mama, ter que segurar os cabelos longos ou a roupa. Muitas vezes, apenas a presença de outras pessoas durante a mamada, mesmo que familiares ou amigos, geram inibição na mulher, que sai de sua postura confortável na tentativa de não expor a outra mama e adota uma posição que não favorece a mamada.

Sabemos o quanto o estado emocional da mulher fica fragilizado no pós-parto imediato, logo esta abordagem deve ser cuidadosa, sendo realizada com habilidade pelo profissional de saúde. Críticas ou conselhos mal formulados podem fazer com que a mulher se retraia, dificultando a abordagem.

Amamentar é um ato natural que requer um aprendizado devido às transformações do mundo moderno. Para reconstruirmos a sua história, um profissional gentil e atento atuará como um facilitador, explicando com linguagem simples o que a mãe pode fazer para garantir seu sucesso.

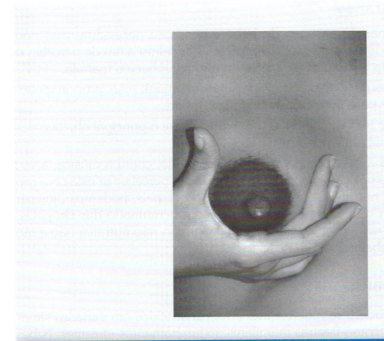

FIG 9.11. *Posição da "mão de bailarina".*

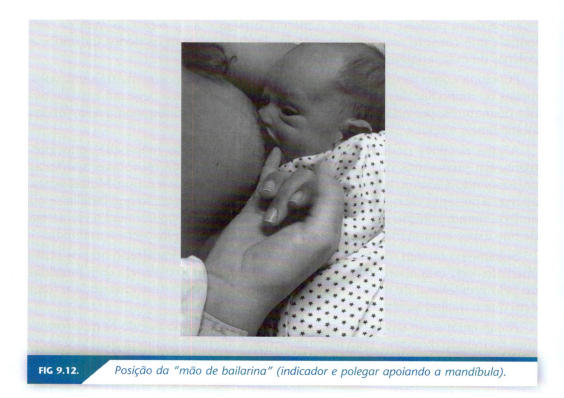

FIG 9.12. Posição da "mão de bailarina" (indicador e polegar apoiando a mandíbula).

Se o Bebê Está Chorando

Segundo Sptiz, o mamilo na boca do bebê é condição necessária, mas não suficiente, para que ele inicie a sucção. Ele precisa estar calmo a fim de perceber o estímulo externo em sua boca, porque chorando não reconhece o mamilo.

Acalmar o bebê antes de levá-lo ao peito facilita sua organização, proporcionando tranquilidade à mãe para posicioná-lo adequadamente.

Estudo realizado por Tomasi, Victora e cols., conclui que o principal objetivo das mães ao introduzir a chupeta é acalmar o bebê.

Se apontarmos para a mãe outras formas de acalmá-lo, como a música, a voz dos pais, a mudança de posição, o aconchego, o embalo, perceber se está com frio ou calor, a sucção não nutritiva com o dedo mínimo dos pais, podemos oferecer outras alternativas com o intuito de minorar o uso indiscriminado das chupetas. Bowlby, citando Ambrose, afirma que a eficácia da sucção não nutritiva não é tão grande quanto a de embalar o recém-nascido.

AS DIVERSAS POSSIBILIDADES...

Variar as posições poderá ser útil às mães e recém-nascidos em variadas situações, especiais ou não, como fissuras mamilares, ingurgitamentos, mastites, bebês prematuros ou de baixo peso, reflexo excessivo de descida do leite, gemelares, síndromes e malformações, deficiência física da mãe.

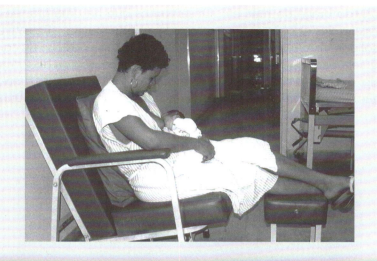

FIG 9.13. *Recursos de apoio: encosto e descanso para os pés.*

Quais são os equipamentos fundamentais? Uma cadeira com braços, travesseiros ou cobertores que possam servir de apoio para o braço da mãe poderão representar uma ajuda valiosa, especialmente no pós-parto cesáreo.

É comum encontrar no mercado, no entanto, almofadas "especiais", poltronas caras e outros *kits* específicos para a amamentação. Na prática, entendemos que a grande maioria destes objetos são dispensáveis, uma vez que, como são padronizados, não levam em consideração o tamanho do bebê (que muda com o

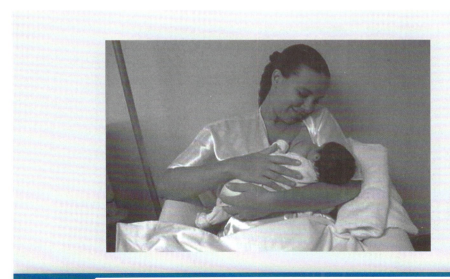

FIG 9.14. *Recurso de apoio: rolinho para apoio do braço.*

crescimento!), do braço da mãe etc. Observamos que há uma grande associação entre a aquisição destes objetos e o sucesso da amamentação, afirmativa que pode não se consolidar, visto que o mais importante é que uma posição de conforto para mãe e bebê seja alcançada. A utilização destes equipamentos de forma incorreta (por exemplo: apoiando o bebê sobre a almofada ao invés de aproximá-lo junto ao corpo da mãe) pode, por sua vez, atrapalhar o bom início da amamentação.

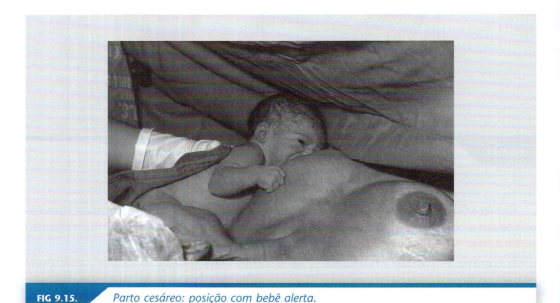

FIG 9.15. Parto cesáreo: posição com bebê alerta.

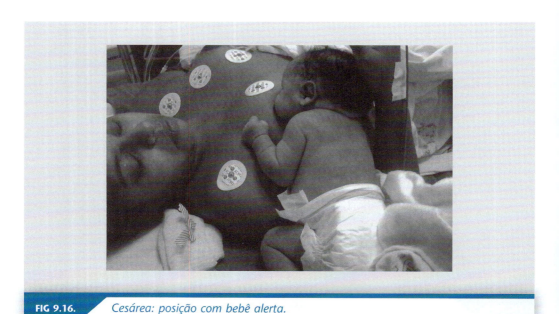

FIG 9.16. Cesárea: posição com bebê alerta.

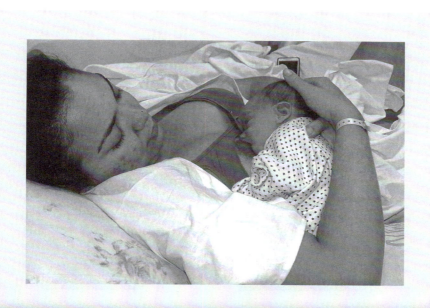

FIG 9.17. *Cesárea: posição deitada.*

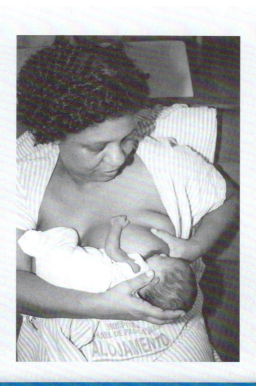

FIG 9.18. *Sinal de prontidão para mamar.*

CAPÍTULO 9 Postura, Posição e Pega Adequadas: Um Bom Início para a Amamentação

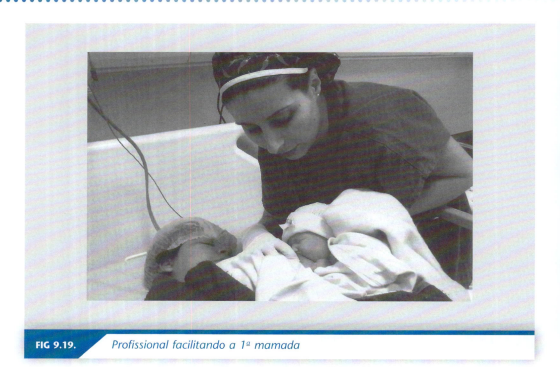

FIG 9.19. *Profissional facilitando a 1ª mamada*

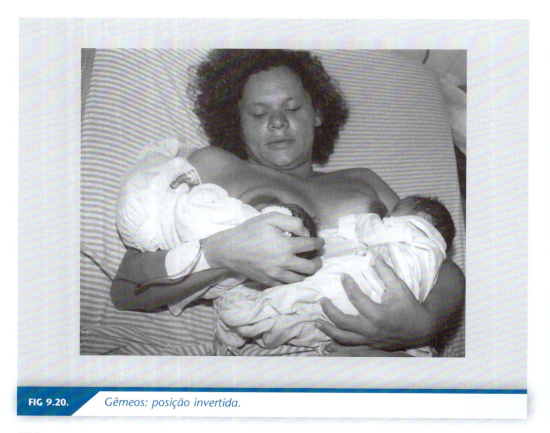

FIG 9.20. *Gêmeos: posição invertida.*

FIG 9.21. *Posição invertida, bebê apoiado embaixo do braço.*

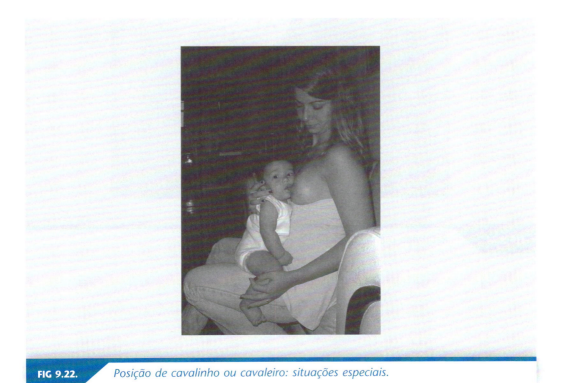

FIG 9.22. *Posição de cavalinho ou cavaleiro: situações especiais.*

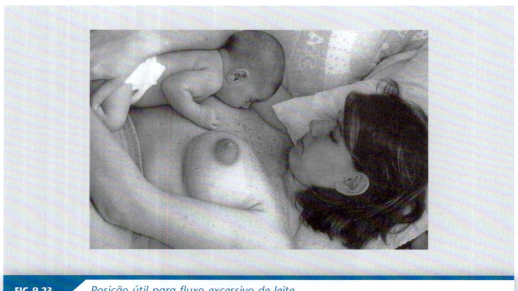

FIG 9.23. *Posição útil para fluxo excessivo de leite.*

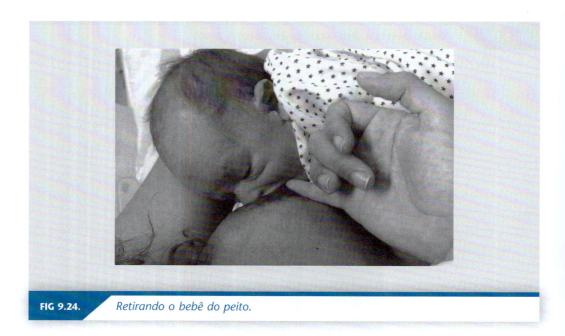

FIG 9.24. *Retirando o bebê do peito.*

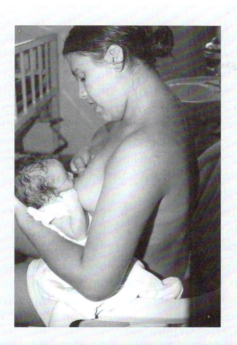

FIG 9.25. Posição útil para manter o prematuro em alerta.

FIG 9.26. Gêmeos: posição em "X".

A PEGA ADEQUADA

A pega eficaz no que se refere à técnica é um passo importante para um bom início da amamentação e deve ser observada desde a sala de parto.

Para que a sucção eficiente aconteça através de uma boa pega, o recém-nascido deverá apresentar reflexo de busca, abertura da boca, a língua assume uma posição mais anteriorizada entre os roletes gengivais e envolve a região mamilo-areolar em forma de concha (canolamento); daí ocorre o selamento labial e com rápidos movimentos ondulatórios proporcionados pela língua, se estabelece uma pressão negativa intraoral, através da oclusão língua/palato em concomitância com os movimentos da mandíbula, extraindo o leite da mama. Ao atingir o palato mole, o leite deflagra o reflexo de deglutição.

O bebê suga, deglute e respira no tempo de uma sucção por segundo, num padrão coordenado na sequência de 1:1:1 no início da mamada, alterando este padrão ao final desta para duas sucções por segundo.

A função da mandíbula é importante na sucção. No neonato, ela se apresenta levemente retraída em relação à maxila (retrognatismo fisiológico). Relaciona-se funcionalmente com várias estruturas, inclusive cintura escapular. Os movimentos de abaixamento, protrusão (à frente), retrusão (para trás) e fechamento são fundamentais para uma boa pressão intraoral.

Quando o bebê suga no peito da mãe, realiza um movimento perfeito e sincronizado com toda a musculatura facial e respira pelo nariz.

Segundo Carvalho, os movimentos musculares realizados pela sucção no peito da mãe são completamente diferentes dos efetuados na mamadeira, afirmação confirmada através de eletromiografia.

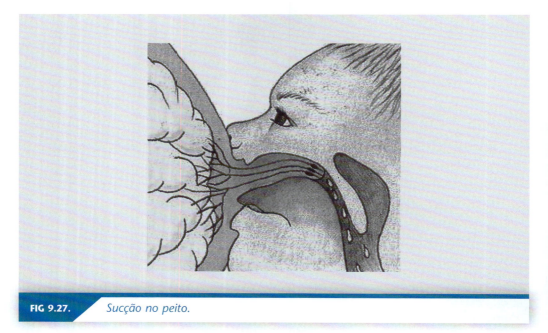

FIG 9.27. *Sucção no peito.*

Na mamadeira, a língua assume uma posição mais posteriorizada, permanece com a ponta baixa, em movimentos que se assemelham a um "vai e vem". Seu dorso permanece elevado, a fim de proteger-se contra o excesso de leite devido ao gotejamento mais rápido. A plenitude alimentar é atingida, mas a necessidade neural e o prazer de sugar não são satisfeitos e, na ânsia de conseguir satisfação (autoconsolo), o bebê succiona dedo(s), mão, punho, lábios ou até mesmo a língua.

Nos bicos artificiais a língua realiza um movimento posteroanterior, ao contrário da sucção no peito, anteroposterior. Para deglutir, sai da posição posteriorizada, vai para a frente, ficando mal posicionada e seu grande volume disforme, sem tônus, pode causar danos permanentes às estruturas e funções orais, ocasionando sérias consequências ao sistema estomatognático.

Estudo recente sobre o papel do cuidado na atenção básica ressalta que, entre os fatores associados ao aleitamento exclusivo, o manejo clínico da amamentação, que mostra como colocar o bebê para mamar, aumentou a prevalência deste resultado em 20%. Confirma outros estudos, que demonstram que este fato contribui para estabelecer um padrão de sucção efetiva do leite materno pelo bebê, propiciando ganho ponderal adequado, a prevenção de traumas mamilares e mastites. Observam também que as orientações devem fazer parte da assistência mãe, bebê e familiares (Pereira e cols., 2010).

Outra investigação, esta de um estudo português de 2008 (Pereira e cols.), concluiu que a correção da pega na primeira mamada é um fator importante no sucesso do aleitamento materno, onde os bebês de pega corrigida foram amamentados, exclusivamente, aproximadamente 3 vezes mais tempo do que os bebês do grupo de pega incorreta.

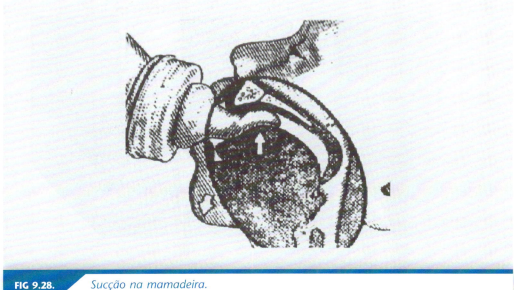

FIG 9.28. *Sucção na mamadeira.*

Nesta oportunidade, alguns detalhes da sucção foram colocados no sentido de lembrar à equipe de saúde a importância da boa pega para uma sucção eficiente no peito da mãe, podendo considerá-la uma ação preventiva não só em relação a saúde da mulher e ao desmame, como também de alterações de arcadas dentárias, da síndrome do respirador bucal, da deglutição atípica e das alterações fonoarticulatórias.

COMO PROPORCIONAR A PEGA ADEQUADA?

A pega adequada, a posição mãe-bebê e a sucção eficiente estão inter-relacionadas:
- O lábio do bebê é estimulado com o mamilo. O toque do mamilo no lábio superior facilita o reflexo de busca e a abertura da boca;
- O bebê abre bem a boca;
- Abocanha toda ou quase toda a aréola.

A pega está adequada se:
- A boca do bebê está bem aberta;
- O lábio inferior está voltado para fora e o superior para cima;
- As bochechas estão arredondadas;
- O queixo do bebê toca o peito da mãe;
- Aparece mais aréola acima da boca do bebê do que abaixo;
- O bebê suga, deglute, respira, de forma coordenada.

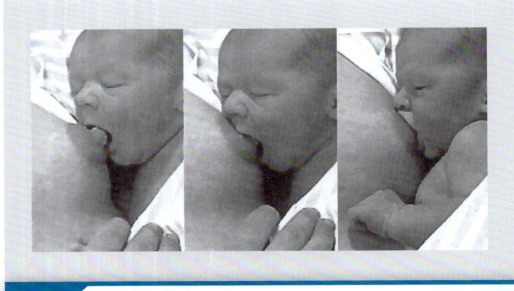

FIG 9.29. *Proporcionando a boa pega.*

Postura, Posição e Pega Adequadas: Um Bom Início para a Amamentação **CAPÍTULO 9**

São sinais de pega ineficaz:
- Boca do bebê pouco aberta, apontando para a frente;
- O lábio inferior está voltado para dentro;
- Bochechas tensas ou encovadas;
- Observa-se mais aréola abaixo da boca do bebê;
- Mamilo achatado quando sai da boca do bebê;
- A mãe sente dor nos mamilos;
- Mamas ingurgitadas;
- Mamadas prolongadas podem ser sintoma de pega ineficaz.

Dentre as causas da pega ineficaz, podemos citar:
- Uso da mamadeira, quando o leite artificial é introduzido antes da amamentação estar estabelecida;
- Inexperiência da mãe por ser o primeiro filho ou hábito cultural do uso da mamadeira na comunidade;
- Dificuldades funcionais como bebê prematuro ou de baixo peso, ingurgitamento, início tardio da amamentação;
- Falta de apoio tanto por parte da família como da comunidade; profissionais de saúde sem capacitação para orientar em diferentes oportunidades, ou seja, no pré-natal, maternidade e puericultura.

Consequências da pega ineficaz:
- Dor e fissura nos mamilos;
- Baixa extração de leite causando ingurgitamento;
- Se não há eficiência na extração, o bebê fica saciado por pouco tempo solicitando nova mamada, levando a mulher a pensar que seu "leite é fraco";
- Se o bebê suga menos, a produção de leite reduz e o bebê não ganha peso.

Na Fig. 9.30 sintetizamos as causas do desmame.

Infelizmente, essa é uma situação bem comum. Seria bom que ficasse claro que um grave problema como o desmame precoce, poderia ser rotineiramente evitado se os cuidados básicos iniciais fossem tomados. A maioria dos profissionais de saúde menospreza a importância desse acompanhamento logo nas primeiras mamadas. Portanto, torna-se necessária uma mudança de prática, sensibilização e entendimento de que tal atitude pode ter grandes e graves consequências.

Quem trabalha com aleitamento materno enfrenta situações muito particulares como a de um casal que retornou à Sala de Amamentação no quinto dia após o nascimento, com o recém-nascido rouco de tanto chorar. Constatando-se ser choro de fome devido à pega incorreta, notou-se, observando a mamada, que havia saída de leite pelas glândulas de Montgomery, incomodando o bebê. Orientando uma mudança de posição da dupla, a pega foi adequada àquela situação, tranquilizando

181

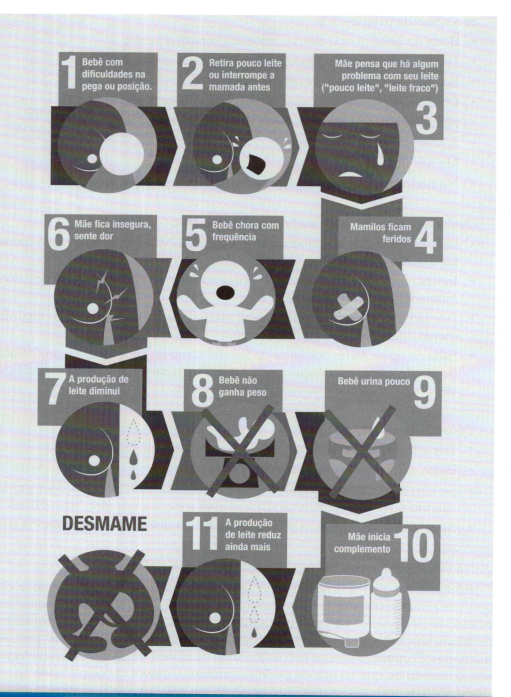

FIG 9.30. Desmame. 1) Bebê com dificuldades na pega ou posição; 2) Retira pouco leite ou interrompe a mamada antes; 3) Mãe pensa que há algum problema com seu leite ("pouco leite", "leite fraco"); 4) Mamilos ficam feridos; 5) Bebê chora com frequência; 6) Mãe fica insegura, sente dor; 7) A produção de leite diminui; 8) Bebê não ganha peso; 9) Urina pouco; 10) Mãe inicia complemento; 11) A produção de leite reduz ainda mais.

o casal. Marcada uma visita para acompanhamento, a amamentação transcorria sem alterações, satisfazendo pais e bebê.

Observamos assim que as técnicas são muito importantes, mas a oportunidade de ouvir e aprender com mães, familiares e bebês é que levará o profissional a discernir quando e como ajudar.

Há que se refletir sobre as intervenções desnecessárias e sobre a delicadeza da abordagem, nas diferentes situações de ajuda, para o bom início da amamentação.

A troca de "saberes" permitida pela ação interdisciplinar tem colaborado para uma comunicação mais efetiva entre os profissionais nos espaços de trabalho. Aprender com o outro onde incluímos o usuário, faz lembrar o que diria o poeta Gonzaguinha: "Toda pessoa sempre é a marca das lições diárias de outras tantas pessoas."

Créditos

Fotografias: Fernanda Sá e Andrea Silva.

Infograma: Designer Renata Takahashi.

BIBLIOGRAFIA CONSULTADA

Bento RF, Queiroz GS, Pinna MH. Tratado de Otologia. 2 ed. São Paulo: Atheneu 2013; p. 117.

Bolwby J. Apego. 2. ed. São Paulo: Martins Fontes 1990; 312.

Bu'Loock F, Woolridge MW, Baum JD. Development of co-ordination of sucking, swallowing, and breathing: ultrasound study of term and preterm infants. Dev Med Child Neur 1990; 32:669-668.

Carvalho DC. S.O.S. Respirador bucal uma visão funcional e clínica da amamentação. 1 ed. Lovise 2002; 213-223.

Cukier F, Lézine I, Ajuriaguerra J. Lespostumes de l'allaitementausein chez les femmes primípares. Psychiatr Infant 1979 ; 22:503-518.

Iniciativa Hospital Amigo da Criança: revista atualizada e ampliada para o cuidado integrado: modelo 3; promovendo e incentivando a amamentação em um Hospital Amigo da Criança: curso de 20 horas para equipes de maternidades. UNICEF/OMS. Brasília: Editora do Ministério da Saúde, 2009.

Klaus MH, Kennel JH. Pais/bebê: a formação do apego. 2 ed. Porto Alegre: Artes Médicas 1993; p. 69.

Lebovici S. O bebê, a mãe e o psicanalista. 1 ed. Porto Alegre: Artes Médicas 1987; p. 164.

Manual do Curso de Aconselhamento em Amamentação: um curso de treinamento. OMS/UNICEF/Instituto de Saúde. Governo do Estado de São Paulo 1993; p. 17.

Ministério da Saúde. Portaria n. 1.153, DO de 22 de maio de 2014, redefine os critérios de habilitação da Iniciativa Hospital Amigo da Criança no âmbito do SUS.

Montagu A. Tocar: o significado humano da pele. 5 ed. São Paulo: Summus 1998; 81-91.

Morizot R. A Relação mãe-bebê e suas implicações no desenvolvimento infantil. Revista do Conselho Federal de Fonoaudiologia 1999; 20-26.

Neto JFL, Caminha GP, Dall'Igna C. Fatores de risco para otite média. Revista Brasileira de Otorrinolaringologia 1993; 59(2):91-92.

Organização Mundial de Saúde. Evidências científicas dos dez passos para o sucesso do aleitamento materno. Brasília: Organização Pan-Americana de Saúde 2001; 45-46.

Pereira AM, Levy L, Matos ME, Calheiros JM. Influência da correção da pega no sucesso do aleitamento materno: resultado de um estudo experimental. Revista Referência; 2008 junho; II série; 6:27-28.

Pereira RSV, Oliveira MIC, Andrade LT, Brito AS. Fatores associados ao aleitamento materno exclusivo: o papel do cuidado na atenção básica. Cadernos de Saúde Pública. Rio de Janeiro: agosto/2010.

Rea MF, Toma TS. Os benefícios da amamentação para a saúde da mulher. Cadernos de Saúde Pública. Rio de Janeiro: janeiro/2008; vol. 24; supl 12.

Ronca AE, Abel RA, Alberts JR. Perinatal stimulation and adaptation of the neonate. Acta Pediatric 1996; 416:8-15.

Spitz RA. O primeiro ano de vida. 6 ed. São Paulo: Martins Fontes 1991; 36-39.

Tomasi E, Victora CG, Olinto MTA. Padrões e determinantes do uso de chupeta em crianças. Jornal de Pediatria 1994; 70(3):167-17.

Momento do Pediatra/Pessoal de Saúde com a Mãe

10

Lais Graci dos Santos Bueno
Keiko Miyasaki Teruya

Ao procurar o pediatra/pessoal de saúde, a mãe traz expectativas, um misto de esperança para resolver seu problema real e aliviar seus sintomas. Para este encontro a mãe necessita se submeter à espera da assistência, despender gastos e tempo, expor seus sentimentos, até os mais íntimos, mexendo com seu psiquismo, o que aumenta sua ansiedade. Isto mostra a consulta como algo muito importante em sua vida, fazendo-a interromper sua rotina em busca de apoio e/ou orientação.

Por que estes encontros nem sempre cumprem as expectativas maternas quanto à amamentação?

Por que mães que começaram a amamentação de maneira satisfatória deixam de fazê-lo?

Por que os pediatras/pessoal de saúde, mesmo conhecedores da teoria e prática da amamentação, nem sempre conseguem dar ajuda eficiente?

Esta situação tem merecido atenção constante de órgãos de proteção à criança, como da Organização Mundial de Saúde/Unicef, que, para tanto, estão implementando uma nova estratégia didática para melhor efetividade das atividades desenvolvidas na proteção, promoção e apoio ao aleitamento materno: o "Aconselhamento em Amamentação" (*Breastfeeding Counselling*). Aconselhamento não traduz bem o termo inglês *counselling* e não significa neste caso dar conselho a alguém, mas ajudar a mãe a decidir o que é melhor para ela e seu filho e adquirir a autoconfiança.

Considerando o "aconselhamento" uma experiência que visa ajudar indivíduos a planejar, tomar decisões, lidar com as pressões da vida e crescer, a fim de adquirir uma autoconfiança positiva, para praticá-lo na amamentação devemos: desenvolver habilidades de ouvir e tentar entender o que a mãe sente e pensa, e oferecer condição para que seja capaz de tomar resoluções.

CAPÍTULO 10 Momento do Pediatra/Pessoal de Saúde com a Mãe

Os objetivos do processo de aconselhamento são a comunicação facilitativa e a ação construtiva.

O aconselhamento é um processo de interação *entre* o pediatra/pessoal de saude (conselheiro) e a mãe, assim como é um processo do nosso dia a dia em todas as situações que envolvem a comunicação *entre* pessoas e de ajuda interpessoal efetiva. As habilidades recomendadas pela Organização Mundial de Saúde/Unicef e implementadas pelo MS através da Coordenação Geral de Saúde da Criança e Aleitamento Materno, Secretarias de Saúde, Instituto de Saúde de SP, podem ser aqui resumidas.

Habilidades de ouvir e aprender
- Usar comunicação não verbal útil:
  - Manter a cabeça no mesmo nível;
  - Prestar atenção;
  - Remover barreiras;
  - Dedicar tempo;
  - Tocar de forma apropriada.
- Fazer perguntas abertas;
- Repetir o que a mãe diz com suas palavras;
- Usar expressões e gestos que demonstrem interesse;
- Criar empatia: mostrar que você entende como ela se sente;
- Evitar palavras que demonstrem julgamento.

Habilidades para aumentar a confiança e dar apoio
- Aceite o que a mãe pensa e sente;
- Reconheça e elogie o que a mãe estiver fazendo certo;
- Dê ajuda prática;
- Dê pouca e relevante informação;
- Use linguagem simples;
- Dê uma ou duas sugestões, não ordens.

Discorreremos a seguir sobre cada tópico referido.

Transformamos o encontro do pediatra/pessoal de saúde com a mãe num verdadeiro "momento mágico" ao discernir a queixa expressa da queixa real, oferecer a ela apoio, compreensão, respeito e o domínio da decisão do que é melhor. A decisão adequada da mãe dependerá de como o profissional a ouve e a entende, desenvolvendo a confiança e o apoio.

HABILIDADES DE OUVIR E APRENDER

Comunicação Não Verbal Útil

É muito importante estarmos atentos com nossa expressão corporal, pois esta vai gerar uma comunicação não expressa oralmente, porém sentida pela mãe. A linguagem corporal do pediatra/pessoal de saúde pode incentivar a comunicação ou desinteresse e também devolver sua ansiedade para mãe.

Por outro lado, a expressão não verbal da mãe (estar alheia, não olhando de frente para o pediatra/pessoal de saúde, corpo em posição de defesa) pode traduzir que não está interessada em ouvi-lo, nem preocupada com a situação e que tem medo de se expor abertamente. Se uma mãe que amamenta é introvertida, pode ter dificuldade de expressar seus sentimentos para quem não conhece. O pediatra/pessoal de saúde, desenvolvendo as habilidades de ouvir, poderá vencer esta barreira e estimular a mãe a expor a queixa real e não a queixa expressa.

É relevante lembrar que a mãe não deve se sentir diminuída, ou incapaz ou estar pouco à vontade.

Estarmos atentos ao comportamento verbal e não verbal da mãe é o primeiro passo deste encontro. O pediatra/pessoal de saúde demonstra sua atenção através de sua postura, expressão facial e contato pelo olhar e deve observar a mãe para captar os sinais de conteúdo e emoção (inquietude, tom de voz e dificuldade de manter contato pelo olhar), que possam não estar contidos na mensagem verbal. O pediatra/pessoal de saúde, além de atento, deve mostrar-se disponível, não demonstrar pressa (olhando seu relógio), permanecer calmo, esperando a mãe falar, evitando criar barreira e tocá-la de maneira apropriada. O pediatra/pessoal de saúde, com entusiasmo (de modo natural e não planejado), necessita neste encontro demonstrar a seguinte mensagem: "Eu estou muito interessado em recebê-la e escutar o que você quer contar para mim." Deve ser uma representação corporal de uma convicção sentida.

Atitude facilitadora da expressão não verbal para proporcionar um bom acolhimento e apoio é tentar:

- Manter a cabeça no mesmo nível, pois isso não faz a mãe sentir-se diminuída ou pouco à vontade;
- Prestar atenção, isto é, olhar para ela e escutá-la atentamente;
- Remover barreiras: um movimento de aproximação do pediatra/pessoal de saúde com leve flexão do tronco em direção à mãe ou remoção de objetos que se interponham entre eles;
- Dedicar tempo: mostrar-se disponível, cumprimentá-la calmamente, esperando que ela se expresse;
- Tocar de forma apropriada: o toque realmente aproxima os seres, pode significar um sinal de apoio e conforto.

A expressão verbal também incentiva a comunicação e os principais tópicos abrangem:

Fazer Perguntas Abertas

O modo como o pediatra/pessoal de saúde pergunta pode estimular a mãe a falar mais e colocar o que realmente sente e, com isso, racionalizar o tempo.

Nas respostas às perguntas abertas, a mãe fornece mais informações enquanto as fechadas, às vezes necessárias, tornam-se pouco úteis, pois concluem com um

CAPÍTULO 10 Momento do Pediatra/Pessoal de Saúde com a Mãe

sim ou não. As perguntas fechadas, além de induzirem uma informação não acurada, podem bloquear a comunicação. Perguntas abertas geralmente iniciam a frase com as seguintes palavras: como; que; quem; onde; de que modo; em que etc.

Repetir o que a Mãe Diz com Suas Palavras

Nós, pediatras/pessoal de saúde, às vezes fazemos verdadeiras inquisições sobre fatos, e obtemos respostas muitas vezes inúteis e, o que é pior, levando a mãe a falar menos a cada pergunta. Nesta situação conseguem-se maiores informações repetindo (devolvendo à mãe) com suas palavras o que a mãe disse, mostrando que você entende o que a preocupa.

Usar Expressões e Gestos que Demonstrem Interesse

Você pode fazer a mãe continuar a falar e sentir que pode contar com o pediatra/pessoal de saúde demonstrando entendimento por gestos de balanceio da cabeça afirmativamente e sorriso, e com respostas simples como: Ah é? Aha!! Mmm...

Sorrir é um ótimo remédio para um bom relacionamento.

Empatia – Mostrar que Você Entende como Ela se Sente

Empatia é a chave do processo do aconselhamento, ao mesmo tempo a chave de todo o trabalho de quem exerce influência sobre outras pessoas. Empatia significa um estado de identificação mais profundo, onde ocorre a compreensão, influência e as outras relações significativas entre as pessoas. É trabalhar sentimentos e não apenas conversar sobre eles. O trabalho visa estimular a autodescoberta pela mãe. A empatia não é um processo mágico, muito embora seja misterioso. Parece ser de difícil compreensão exatamente por ser tão comum e fundamental. Para praticar a empatia o pediatra/pessoal de saúde deve demonstrar que escutou e entendeu o que a mãe disse sobre os seus sentimentos, sob o ponto de vista dela.

Não deve ser confundida com simpatia, que denota sentir com (sentimentalidade). Você sente pelo que acontece à mãe, mas olha a situação sob seu ponto de vista. Em geral, este procedimento, em vez de facilitar, bloqueia a comunicação, deslocando-se o foco de atenção da mãe para o pediatra/pessoal de saúde.

Evitar Palavras que Demonstrem Julgamento

Dependendo de como a pergunta é feita, a mãe pode sentir-se analisada e achar que está errada e sem capacidade para resolver a questão. O pediatra/pessoal de saúde deve ter cuidado no emprego de palavras como: certo, bem, mal, bastante, adequado, direitinho, normalmente, pois as mesmas podem ter conotação de julgamento.

HABILIDADES PARA AUMENTAR A CONFIANÇA E DAR APOIO

- Aceite o que a mãe pensa e sente;
- Reconheça e elogie o que a mãe estiver fazendo certo;

- Dê ajuda prática;
- Dê pouca e relevante informação;
- Use linguagem simples;
- Dê uma ou duas sugestões, não ordens.

Após o parto e no início da amamentação a mãe geralmente está suscetível, apresentando dúvidas, insegurança, frustração, medo, dor, sentindo-se impotente diante das pressões de familiares e de amigos porque não é capaz de amamentar. Além disso, pode estar em conflito consigo mesma sobre sua decisão de amamentar. Neste contexto, ela pode facilmente perder sua confiança e autoestima, e estar muito suscetível a dar mamadeira. Neste momento, o domínio do uso das habilidades pelos pediatras/pessoal de saúde pode ajudá-la a sentir-se confiante e bem consigo mesma, o que facilita a condução desta situação.

A mãe com sua autoestima assegurada de que é capaz de amamentar, dificilmente cede a pressões contra a amamentação.

É importante que o pediatra/pessoal de saúde não tome a decisão final pela mãe, mas mostre que ela é capaz de optar pelo que é melhor para ela e seu bebê, cabendo a ele dar sugestões e informações relevantes, com evidências científicas, numa linguagem simples e clara.

Aceitar o que a Mãe Pensa e Sente

Ela tem o direito de falar "abobrinhas", cabe ao pediatra/pessoal de saúde não concordar e nem discordar da mãe, simplesmente aceitar a sua fala. Assim, a mãe sente que pode compartilhar suas preocupações e sentimentos abertamente. Não irá se sentir embaraçada, tampouco envergonhada e nem ridicularizada ou criticada pelos seus pensamentos, sentimentos ou percepções. Isso deve desencadear nela que este compartilhar será algo proveitoso. Devidas correções poderão ser feitas oportunamente. A aceitação pode ser demonstrada repetindo o que a mãe fala ou como resposta: Eu entendo... Ah-ah... Sei, sei...

Reconhecer e Elogiar o que a Mãe Estiver Fazendo Certo

A identificação e a correção de problemas faz parte do dia a dia de um pediatra/pessoal de saúde. Este fato nos leva muitas vezes mais a criticar do que a reconhecer o que uma mãe está fazendo corretamente. É difícil conceber que uma mãe não faça nada certo, que não seja merecedora de um elogio. Sendo econômicos nos elogios, perdemos um poderoso benefício de relacionamento humano, o de encorajar as boas práticas, aumentar a autoconfiança da mãe e a nossa credibilidade em dar informações, apoio e sugestões.

Dar uma Ajuda Prática

A ajuda prática pode desencadear na mãe, além de sentimento de gratidão, uma abertura de comunicação. Ela, ao sentir-se confortável e aliviada, fica atenta às informações e sugestões.

Dar Pouca e Relevante Informação

A mãe sempre tem seu saber. Devemos, portanto, compartilhar com ela os conhecimentos sobre amamentação. É muito importante que o pediatra/pessoal de saúde sempre identifique o que a faz procurá-lo. A identificação da queixa real, e não a expressa, muitas vezes é o ponto-chave para as sugestões corretas sobre amamentação. Ao dar informação, o pediatra/pessoal de saúde se apresenta como um *expert* no assunto. Porém, discorrendo excessivamente sobre a questão, suas informações e sugestões podem não ser bem compreendidas nem tão pouco acatadas e retidas pela mãe. À mãe deve ser oferecida apenas as informações de que ela necessita neste momento, de maneira positiva e de tal modo que ela perceba o que melhor para ela e seu filho.

Usar Linguagem Simples

A linguagem é o canal comum da empatia. Usá-la de uma forma simples e direta, afim de que a mãe compreenda o que queremos dizer. A linguagem vaga pode traduzir que você tem pouca clareza sobre o que quer colocar e, com isso, pode não corresponder às expectativas da mãe.

A passagem da ponte do conhecimento do pediatra/pessoal de saúde à mãe é uma tarefa árdua a ser vencida. Mudar o paradigma do atendimento para assistência é outro desafio a enfrentar. Devemos estar sempre alertas e preparados para modificações em nossa rotina e postura e lembrar que mesmo errando *sempre procuramos acertar.*

A aplicação constante do aconselhamento torna o momento do pediatra/pessoal de saúde com a mãe enriquecedor.

O momento do pediatra/pessoal de saúde com a mãe pode ocorrer em diferentes ocasiões: pré-natal, sala de parto, alojamento conjunto e no ambulatório/consultório. Em todos esses momentos cabe a aplicação do aconselhamento em amamentação.

PRÉ-NATAL

Na gestação, a mulher vive um momento de mudanças, inseguranças e medo. Isto a faz muitas vezes perder sua confiança quanto à capacidade de enfrentar situações desafiadoras, como a de amamentar, por exemplo, e estar muito propensa a oferecer mamadeira ao seu bebê.

Cabe ao pediatra/pessoal de saúde apoiá-la no desenvolvimento de sua confiança e autoestima, dando atenção aos seus sentimentos, respeitando sua opção na escolha do que é melhor para ela e seu filho e não induzindo preocupações ou dúvidas sobre sua capacidade de produzir leite. Oferecer sugestões, informações pontuais e relevantes baseadas em evidências científicas numa linguagem simples e clara.

Que na assistência à mulher, o acolhimento, a escuta, a linguagem uniforme e o apoio estejam sempre presentes.

Momento do Pediatra/Pessoal de Saúde com a Mãe **CAPÍTULO 10**

TABELA 10.1. *Momento do pediatra/pessoal de saúde com a mãe*

COM ACONSELHAMENTO	SEM ACONSELHAMENTO
Pediatra/pessoal de saúde: Bom dia! (recebe a mãe indo em sua direção, sorrindo de preferência, usando expressão não verbal e corporal de acolhimento. Ajuda a mãe sentir-se confortável auxiliando e acomodando-a numa cadeira)	Pediatra/pessoal de saúde: Bom dia! (não se levanta, mostra a cadeira para a mãe entender que deve sentar-se, às vezes até se levantando quando ela está bem próxima).
Mãe: Bom dia!	Mãe: Bom dia!
Pediatra/pessoal de saúde: Como está o Gabriel?	Pediatra/pessoal de saúde: Gabriel está bem?
Mãe: Ele chora o tempo todo e não quer mamar.	Mãe: Sim.
Pediatra/pessoal de saúde: Sinto que isso está lhe preocupando....	Pediatra/pessoal de saúde: Ele está mamando no peito?
Mãe: É! Está mesmo. Acho que meu leite está fraco, ele está emagrecendo e não quer mais meu peito.	Mãe: Sim.
	Pediatra/pessoal de saúde: Ele está mamando só o peito?
Pediatra/pessoal de saúde: Qual é a alimentação que você está dando ao Gabriel?	Mãe: É, ...
Mãe: Estou dando meu peito, mas ele chorava tanto que meu marido comprou leite em pó e eu ajudei com mamadeira.	Pediatra/pessoal de saúde: Mas a sra. está dando só o peito mesmo?
	Mãe: Bem... como ele chorava muito, meu marido quis que eu desse leite em pó.
Pediatra/pessoal de saúde: Sinto que você está preocupada com essa situação. Você acha que seu leite está fraco e não alimenta Gabriel?	Pediatra/pessoal de saúde: Ah! Então seu filho está tomando mamadeira? Quantas mamadeiras a sra. dá por dia?
Mãe: É isso. Não sei o que fazer, logo ele pode ficar doente se não mamar...	Mãe: Eu comecei a dar agora, foi só um pouquinho...
Pediatra/pessoal de saúde: Ao procurar ajuda para resolver esta situação, a sra. demonstra que é uma boa mãe, preocupada com seu filho.	Pediatra/pessoal de saúde: Ah! Ainda bem! Coloque seu filho no peito para eu ver se ele ainda mama bem e se está tudo correto.
Mãe: É o que tenho procurado ser.	Mãe: A senhora acha que está certo assim?
Pediatra/pessoal de saúde: Como Gabriel é amamentado? A sra. poderia me explicar?	Pediatra/pessoal de saúde: A posição está correta, mas ele está com dificuldade de abocanhar direito seu peito, porque a senhora deu mamadeira. A senhora deve saber que o aleitamento é muito importante tanto para o corpo como para a mente; além disso, protege contra doenças, até evita nova gravidez desde que a senhora dê peito, dia e noite, e não tenha menstruado e antes de seu filho completar 6 meses. Isto não é fantástico?
Mãe: Faço exatamente como me ensinaram, dou de mamar 15 minutos em cada peito a cada 3 horas.	
Pediatra/pessoal de saúde: Ah! Sei... sei...	
Mãe: Me ensinaram que devo esvaziar os dois peitos para ter mais leite e que devo acostumar a criança a ter horário.	Mãe: Ah, é?

Continua

TABELA 10.1. *Momento do pediatra/pessoal de saúde com a mãe*

COM ACONSELHAMENTO	SEM ACONSELHAMENTO
Pediatra/pessoal de saúde: Realmente, quanto mais a criança mama, mais leite a mãe tem. Quando o Gabriel mama os dois peitos, sem esvaziar nenhum, às vezes, ele não toma o leite do fim da mamada, que é mais gordo. Com isso pode chorar mais e deixar de ganhar peso.	Pediatra/pessoal de saúde: Vai ser fácil corrigir isto! A sra. deve dar só o peito daqui para a frente e nada de mamadeira, chá ou água. Caso contrário, você vai desmamar seu filho. Você sabe que quanto mais ele mamar, mais leite você vai ter e fazendo isso corretamente quem ganha é seu filho.
Mãe: Eu não sabia disso! Por que será que ele não quer mais mamar?	Mãe: Será que ele não vai ficar com fome, só com meu leite?
Pediatra/pessoal de saúde: Gabriel deve estar confundindo o bico do peito com o bico da mamadeira.	Pediatra/pessoal de saúde: De jeito nenhum! Não disse que para ter leite suficiente é só fazer seu bebê mamar, mamar?
Mãe: Então o sr. acha que não devo dar mais a mamadeira?	Mãe: Está bem, dra., e quando devo voltar?
Pediatra/pessoal de saúde: Que você acha em tentar fazer isso?	Pediatra/pessoal de saúde: Dentro de 15 dias, mas não se esqueça: só peito, hein?
Mãe: Eu gostaria que ele mamasse só meu peito.Pediatra/pessoal de saúde: Que tal, durante uma semana, você oferecer só peito ao Gabriel quando ele quiser e deixá-lo mamar até que ele sozinho solte o peito e oferecer outro peito se ele quiser.	Mãe: Até logo.
Mãe (sorrindo): Sim, vou tentar. Obrigada!	

SALA DE PARTO

Na sala de parto o pediatra/pessoal de saúde deve explicar à parturiente a relevância do contato precoce pele a pele/olhos nos olhos, e sugerir que esse contato ocorra na primeira hora pós-parto. Evitar dar ordens, pois elas diminuem a autoconfiança e desviam a tomada da decisão que cabe à mãe. Propiciar e respeitar o ritmo desenvolvido por mãe/filho, para que ambos se conheçam. Oferecer ajuda prática, quando o pediatra/pessoal de saúde perceber que o bebê está pronto para mamar. Uma ajuda prática pode desencadear na mãe, além de sentimento de gratidão, uma abertura de comunicação com o pediatra/pessoal de saúde.

ALOJAMENTO CONJUNTO

Para a promoção da amamentação no alojamento conjunto, praticar a ajuda prática, observando o entorno da mãe para que ela se acomode e descanse, além de sentir-se apoiada (travesseiros, poltronas, cadeiras, oferecer água, providenciar analgésico para dor etc.) faz abrir um canal de comunicação propício ao estabelecimento da empatia.

O relacionamento mãe/profissional é fortalecido quando a empatia é praticada, a mãe é escutada com atenção e é elogiada no que faz certo.

Outras habilidades do aconselhamento a serem desenvolvidas, principalmente para uma melhor observação e avaliação das mamadas, incluem: sugerir e não ordenar que coloque o RN para mamar; avaliar uma mamada inteira sem demonstrar pressa; e intervir só quando for solicitado e ou autorizado pela mãe.

A Tabela 10.1 apresenta um exemplo de Assistência à Amamentação (com e sem aconselhamento).

Reflexão

Em qual situação a mãe se expressou melhor, sentiu-se compreendida, apoiada e desenvolveu sua confiança para decidir o que é melhor para e ela e seu filho?

Você, como pediatra/pessoal de saúde, em qual situação gostaria de se colocar?

BIBLIOGRAFIA CONSULTADA

Briggs DC. A autoestima do seu filho. 2 ed. São Paulo: Martins Fontes, 2000.

Daseinsanalyse. Revista da Associação Brasileira de Daseinsanalyse. São Paulo, 1978.

Golant SK. Entendendo seus filhos. São Paulo: Editora Gente, 1996.

Lawrence RA. La lactancia materna. 4 ed. Madrid: Mosby/Doyma Libros 1996; 151-82.

May R. A arte do Aconselhamento psicológico. Petrópolis: Vozes, 1996.

Patterson LE, Eisenberg E. O processo de aconselhamento. Boston: Houghton Mifflin Co, 1993.

Gonçalves PL. Complacência sobre o encontro paciente-médico. São Roque: IPEX Editora, 1997.

Rogers CR. Tornar-se pessoa. WMF Martins Fontes, 2009

Teruya KM, Bueno LGS. Aconselhamento em amamentação e sua prática. J Pediatr 2004; 80(5 Supl):S126-S130.

WHO/Unicef. Breastfeeding counseling: a training course. Trainer's Guide, 1997.

Aleitamento Natural e Infecção

11

Regina Célia de Menezes Succi

Junto com o progressivo retorno à prática do aleitamento materno nas últimas décadas, houve um significante aumento do conhecimento acumulado sobre os seus benefícios para os bebês, as mães e a comunidade. A capacidade protetora do leite materno (LM) contra as doenças infecciosas, além dos mecanismos que conduzem a esses benefícios, já são bem conhecidos pelos pediatras e outros profissionais que atendem mães e crianças, particularmente nos países em desenvolvimento. Crianças que recebem aleitamento materno exclusivo apresentam risco significantemente menor de apresentar diarreia, sepse e infecções respiratórias, entre outras doenças infecciosas.

Uma recente revisão sistemática da literatura com metanálise concluiu que o início precoce do aleitamento materno se associa com a redução da mortalidade neonatal e recém-nascidos com aleitamento materno exclusivo têm um risco significantemente menor de mortalidade geral e mortalidade relacionada a doenças infecciosas no primeiro mês de vida, quando comparados com recém-nascidos em aleitamento misto.

O leite humano, entretanto, não é estéril e pode conter microrganismos da flora materna, o que, habitualmente, não põe em risco a saúde do bebê. Em algumas situações, quando a grávida ou a nutriz são expostas a agentes infecciosos (doença ou vacina) o LM pode se transformar num veículo de agentes infecciosos potencialmente nocivos. O LM contaminado ingerido diretamente da mama ou ordenhado e estocado em bancos de leite pode também se transformar num veículo potencial de agentes infecciosos.

A decisão de oferecer ou não o LM para filhos de mulheres com doenças infecciosas deve sempre considerar os benefícios do aleitamento *versus* o risco (conhecido ou estimado) da transmissão do agente infeccioso e a potencial gravidade da doença no lactente. A mãe deve participar da discussão sobre a melhor conduta em cada caso. As seguintes questões devem ser avaliadas antes da decisão de suspender ou não o aleitamento natural:

- É possível afastar outras vias de transmissão (intraútero, intraparto e horizontal) para esse agente infeccioso? Em geral, quando a mãe apressenta sinais e sintomas da doença infecciosa, ela já expôs o seu bebê ao contato.

- É possível a contaminação do lactente por via digestiva, através da ingestão do agente infeccioso e sua consequente passagem através do trato gastrointestinal?

- O risco infeccioso do lactente sobrepassa as vantagens nutricionais, anti-infecciosas e psicológicas do aleitamento natural?

- Há necessidade e há benefício no isolamento da mãe e do lactente?

Em algumas doenças infecciosas maternas o LM pode funcionar como possível fonte de infecção para o lactente. Doenças infecciosas bacterianas, virais, fúngicas e parasitárias já foram descritas com transmissão da mãe para o filho através do LM. As células mononucleares do LM, ao mesmo tempo em que promovem a proteção, podem transportar as partículas infecciosas para o lactente. Entretanto, a importância do aleitamento na transmissão da infecção da mãe para o filho é diferente para cada agente infeccioso e para cada situação da mãe e do recém-nascido.

Além da excreção de agentes infecciosos pelo LM, contaminação do leite coletado por expressão manual pode ocorrer através da flora normal materna (das mamas e das mãos) ou por fontes externas, como as bombas de expressão e material de armazenamento. Infecções localizadas nas mamas, nos mamilos ou na pele também podem ser fonte de patógenos para o leite materno. Assim, os bancos de leite humano necessitam de rigoroso controle da qualidade, com apropriada seleção e avaliação das doadoras, coleta cuidadosa, processamento e estocagem adequada do leite. A investigação sorológica das doadoras para as infecções passíveis de transmissão pelo LM é fortemente recomendada. A pasteurização (temperatura de 62,5°C por 30 minutos) é suficiente para a eliminação ou inativação de bactérias ou vírus, incluindo o CMV e o HIV.

DOENÇAS BACTERIANAS

O leite materno pode ser contaminado de *forma extrínseca* a partir de bactérias que colonizam a pele da mãe e que contaminam o leite no momento da coleta; de *forma localizada*, como ocorre nos processos de mastite e abscesso mamário e de *forma intrínseca*, através de infecção sistêmica materna que resulte em bacteremia.

O leite de mães sem infecções bacterianas pode ser colonizado por uma grande variedade de bactérias patogênicas ou não (*Staphylococcus aureus*, *Streptococcus viridans*, *E. coli*, *Klebsiella*, *Acinetobacter*, *Enterobacter*, *Serratia*, entre outros). Na quase totalidade das vezes, o mesmo microrganismo pode ser isolado no LM e na pele da mama e do mamilo e a quantidade de colônias bacterianas é semelhante no leite colhido por expressão manual e através de bombas de sucção. Excetuando-se situações em que o leite ordenhado é mantido por tempo prolongado fora das condições ideais de temperatura, essas bactérias não costumam determinar infecção ou doença no recém-nascido. Casos de transmissão de *Staphylococcus aureus* multirresistente e *Samonella* através do LM já foram descritos, fatos que reforçam a necessidade de pasteurizar todo leite de bancos de leite, sobretudo aquele destinado à alimentação de prematuros.

A *mastite bacteriana* e o *abscesso mamário* podem determinar a presença de bactérias no leite, que habitualmente já colonizam a nasofaringe do recém-nascido. A mastite, frequentemente resultante de estase mamária, costuma evoluir bem nas mães tratadas com antimicrobianos e que fazem um esvaziamento adequado da mama, através da amamentação, o que não acarreta risco significativo para o bebê. Abscessos mamários apresentam um risco potencial de se romperem no interior do sistema ductal; esse rompimento determinaria grande carga bacteriana no LM, o que poderia ser uma contraindicação para o aleitamento na mama afetada, sobretudo para recém-nascidos pré-termo. Alguns pediatras, entretanto, admitem o aleitamento se o abscesso foi drenado cirurgicamente e a mãe está recebendo terapêutica antimicrobiana adequada. A mastite também aumenta significantemente o risco transmitir o HIV nas mães infectadas por esse vírus.

Nas infecções bacterianas graves na mãe, o agente infectante circulante pode estar presente também na secreção láctea, mas as limitações à lactação, na maior parte das vezes são decorrentes mais das condições de saúde maternas do que dos possíveis riscos de transmissão do microrganismo através do leite. Na fase bacterêmica da leptospirose, a *Leptospira* pode ser isolada do leite e pelo menos um caso de transmissão por LM já foi descrito. Também *Listeria monocytogenes* já foi isolada de LM, determinando doença grave no recém-nascido. *Brucella melitensis* tem sido isolada no LM e casos da doença em lactentes jovens exclusivamente aleitados ao seio confirmam a possibilidade de transmissão dessa bactéria através do LM; o aleitamento deve ser suspenso por 3 ou 4 dias de tratamento antimicrobiano da mãe, mantendo-se a ordenha e restituindo-se a seguir. Pelo menos um caso fatal de transmissão de *Samonella* da mãe para o lactente através do LM já foi descrito. A análise destes fatos nos leva a evitar o aleitamento durante a fase aguda bacterêmica de doenças graves na mãe até que a nutriz tenha condições de amamentar o seu bebê. O leite pode ser coletado e oferecido após pasteurização. Assim que a doença materna for tratada com antimicrobianos e houver melhora clínica, o aleitamento pode e deve ser restabelecido.

Mães com coqueluche na gravidez tardia podem infectar seus bebês através da presença da *Bordetella pertussis* na orofaringe, e não pelo LM. O aleitamento natural deve, portanto, ser mantido; porém mães com doença iniciada há menos de 7 semanas do parto devem receber eritromicina por via oral, assim como seus recém-nascidos, a fim de diminuir a possibilidade de transmissão respiratória.

No caso da sífilis, lesões primárias ou secundárias no mamilo podem ser fontes de transmissão, o que não contraindica a amamentação se a mãe estiver sendo tratada ou se a criança receber o tratamento. Não há evidências de transmissão pelo LM sem lesões na mama.

Mães com tuberculose pulmonar (mesmo quando bacilíferas) podem manter o aleitamento natural, desde que observados alguns cuidados importantes. Mães tratadas por mais de 2 semanas no momento do parto, excepcionalmente serão

CAPÍTULO 11 Aleitamento Natural e Infecção

bacilíferas. A transmissão da tuberculose da mãe para o bebê é respiratória, visto que a mastite tuberculosa (situação em que o bacilo seria excretado pelo LM) é bastante rara. No caso de mães com tuberculose bacilífera não tratada, o leite deve ser ordenhado, ou a mãe deve usar máscara e evitar o máximo possível o contato respiratório. O recém-nascido, independente do tratamento materno, deve receber quimioprofilaxia com isoniazida, 10 mg/kg/dia, durante 3 meses, quando o teste tuberculínico será realizado. Se o teste for positivo, significa que a despeito das medidas preventivas, o bebê foi infectado – a quimioprofilaxia deve ser mantida por 6 meses e exames clínico e radiológico devem ser feitos periodicamente. Se o teste for negativo, a quimioprofilaxia deve ser interrompida e a vacinação BCG deve ser efetuada – o exame clínico também deve ser realizado periodicamente. A administração de drogas tuberculostáticas à mãe não contraindica a amamentação. Assim, se as orientações acima forem seguidas o aleitamento natural deverá sempre ser mantido.

Atenção especial deve ser dada para o filho de mãe com fatores de risco para tuberculose multidroga resistentes (Tbc-MDR). Nesse caso a separação da criança do contato materno pode ser necessária, uma vez que a mãe Tbc-MDR, possui maior infectividade e o período para a resposta à terapia pode ser muito longo. O leite materno poderá ser oferecido à criança através de ordenha.

Quanto à mãe com hanseníase, o *M. leprae* pode ser excretado no LM de mulheres com a forma lepromatosa ou virchowiana da doença e não tratadas ou com tratamento inferior a 3 meses com sulfona (dapsona ou clofazamina) ou 3 semanas com rifampicina. Lesões de pele localizadas na mama também podem ser fonte de infecção para o recém-nascido. Não há contraindicação para o aleitamento quando a mãe estiver sob tratamento adequado, entretanto, o bebê deve realizar exames clínicos periódicos a fim de detectar precocemente possíveis sinais clínicos da doença. A vacinação BCG precoce pode induzir uma proteção cruzada para a hanseníase à criança.

DOENÇAS VIRAIS

Em várias doenças virais maternas (hepatite A, B, C, herpes vírus, sarampo, rubéola, caxumba, parvovírus B19 e outros), a excreção do vírus pelo leite materno tem sido demonstrada, mas com exceção dos retrovírus, a transmissão não é frequente. O risco de transmissão pode estar aumentado quando a infecção aguda ocorre no momento do parto, uma vez que o leite conterá alta concentração de partículas virais e baixos títulos de anticorpos para neutralizar o agente infeccioso. De modo geral, o aleitamento natural não está contraindicado nas doenças virais maternas, exceto nas infecções maternas por retrovírus.

Hepatites Virais

Os vírus das hepatites (A, B, C, D, E, G e TT) podem ser transmitidos da mãe para o filho durante a gestação, parto ou no período pós-parto. Os vírus que têm transmissão predominante fecal-oral (A e E) têm maior chance de transmissão pela via fecal-oral no momento do parto.

Hepatite A

O vírus da hepatite A pode ser excretado pelo leite em mulheres na fase aguda da doença. Todavia, como toda criança cuja mãe tem hepatite A necessita receber profilaxia com imunoglobulina (independente do aleitamento), a proteção que se instala sobrepassa o risco de adquirir a infecção. O aleitamento natural deve ser mantido.

Hepatite B

O antígeno de superfície (HBsAg) do vírus da hepatite B tem sido detectado no leite de mulheres soropositivas para o HBsAg e, além disso, durante a amamentação, pequenas quantidades de soro e sangue são ingeridas pelo bebê, a partir de mínimas lesões dos mamilos. Entretanto, a grande via de transmissão do vírus da hepatite B da mãe para o filho é a exposição ao sangue materno que ocorre durante o parto e o trabalho de parto. Estudos longitudinais têm demonstrado que o aleitamento materno em mães soropositivas para o HBsAg não aumenta significativamente o risco de transmissão vertical do vírus. A elevada eficácia protetora (85% a 95%) da imunoprofilaxia pós-exposição perinatal (3 doses de vacina para Hepatite B: 0,5 mL IM. iniciadas até 7 dias, preferencialmente até 12 horas de vida para RN de termo e 4 doses para RN pré-termo com peso inferior a 1.500 g) combinada à imunoprofilaxia passiva (imunoglobulina hiperimune para Hepatite B: 0,5 mL IM, com 12 a 48 horas de vida) mesmo em mães portadoras crônicas do antígeno HBe (que são aquelas cujos recém-nascidos mais frequentemente se infectam), eliminam o eventual risco de transmissão por essa via.

Hepatite C

O vírus da hepatite C (HCV) e anticorpos anti-HCV já foram detectados no LM. A transmissão do HCV pelo LM é possível, mas a transmissão do vírus por essa via ainda não foi documentada, visto que a taxa de infecção entre crianças nascidas de mães HCV+ é semelhante entre aquelas crianças aleitadas e as não aleitadas ao seio. As mães HCV+ devem ser orientadas sobre o risco, mas o aleitamento não deve ser contraindicado.

Outros Vírus da Hepatite

O vírus TT e o vírus G também são excretados no LM. A transmissão da mãe para o bebê depende principalmente da carga viral materna e as taxas de transmissão entre crianças aleitadas ao seio e que receberam leite artificial é semelhante. Poucos estudos foram feitos com mães infectadas pelo vírus da hepatite E, aparentemente, o aleitamento materno é seguro para mães soropositivas, tendo maior risco quando a doença aguda se desenvolve periparto.

Citomegalovírus (CMV)

Tanto quanto outros vírus do grupo herpes, a reativação do CMV de suas formas latentes pode determinar sua excreção, de forma intermitente na saliva, urina, trato genital e LM várias anos após a primo-infecção. A infecção do feto e lactente pode ocorrer a partir de mães com infecção primária ou na reativação e é mais frequente durante a passagem no canal de parto ou no período pós-natal. A infecção pós-natal pode ser adquirida através de contato com outras pessoas soropositivas no domicílio, mas sua relação com o aleitamento materno é evidente. O seguimento longitudinal de crianças nascidas de mães soropositivas e aleitadas ao seio revela que 30% delas adquirem a infecção nos primeiros anos de vida, taxa que aumenta para 70% se o vírus for isolado do LM.

A despeito da aquisição da infecção através do LM ser frequente e determinar virúria peristente, infecções agudas sintomáticas ou sequelas tardias não têm sido vistas em recém-nascidos de termo, provavelmente porque a passagem passiva transplacentária dos anticorpos maternos protege o bebê contra doença sistêmica. Dessa forma, não existe contraindicação ao aleitamento materno em mães soropositivas para o CMV. Atenção especial, entretanto, deve ser dada aos recém-nascidos prematuros filhos de mães soronegativas (e que, portanto, não receberam anticorpos passivamente) ou recém-nascidos de mães soropositivas com idade gestacional inferior a 28 semanas - nestas cisrcunstâncias, a infecção pode determinar doença sintomática semelhante à infecção congênita. Por esta razão, nos bancos de leite, o LM deve sempre ser pasteurizado ou congelado a -20°C por 7 dias antes do consumo a fim de evitar a transmissão.

Vírus do Herpes *Simplex* (VHS)

A excreção do VHS 1 ou 2 através do LM, embora infrequente, pode ocorrer mesmo na ausência de lesões na pele, boca ou genitais. O risco de transmissão pós-natal do VHS pelo LM é muito baixo, exceto se a mãe tiver lesões vesiculares na pele da mama, situação em que o aleitamento está contraindicado. Lesões ativas em outras regiões do corpo devem ser cobertas, a higiene das mãos deve ser rigorosa e o aleitamento materno mantido.

Vírus do Herpes 6 e 7

Mães soropositivas para os herpesvírus humanos 6 e 7 (HVH 6 e HVH 7) transmitem os vírus para seus filhos através do aleitamento materno. As taxas de transmissão entre crianças aleitadas ao seio costumam ser maiores dos que aquelas encontradas em crianças sob aleitamento artificial, mas o significado clínico deste fato ainda não está bem claro.

Rubéola

Tanto o vírus selvagem quanto o vírus vacinal podem ser excretados pelo LM, todavia a infecção do recém-nascido não costuma acarretar doença sintomática. A infecção materna ou a vacinação não contraindicam o aleitamento natural.

Varicela-zóster

O vírus varicela-zóster (VVZ) pode ser excretado no leite de mulheres na fase aguda da doença, entretanto, a maior fonte de infecção para o lactente é a via respiratória e o contato direto com as vesículas ativas na pele da mama, mãos, face etc. A doença materna cujo início ocorreu 5 dias antes até 2 dias após o parto é a que acarreta maior risco de doença grave para o recém-nascido e nestas circunstâncias se impõe a profilaxia com V-Z-imunoglobulina 125 unidades, via intramuscular para proteção do bebê; o aleitamento materno pode ser mantido, desde que as condições físicas da mãe o permitam, sendo que o leite materno poderá ser oferecido através da ordenha ou na própria mãe. No caso da nutriz adquirir a varicela antes de 5 dias do parto ou após 3 dias do mesmo, ela será capaz de produzir e transferir anticorpos para o recém-nascido. Cuidados especiais, como lavagem rigorosa das mãos, uso de máscara e oclusão das lesões, devem ser tomados.

Vírus da Raiva

O vírus da raiva não foi isolado do LM, mas considerando-se a gravidade da doença e a recomendação de aplicar imunoglobulina e vacina para indivíduos que inadvertidamente receberam leite não pasteurizado de vacas com raiva, é lícito supor que o aleitamento materno deve ser contraindicado nas situações em que a mãe for exposta ao vírus rábico selvagem.

A febre amarela, doença causada por flavivirus, determina gravidade suficiente para impedir a nutriz de oferecer o LM enquanto doente. Até 2009, não havia publicação identificada sobre a possibilidade de transmissão desse vírus através do LM. Em 2009, dois casos foram descritos no Brasil, de lactentes com doença neurológica relacionados com a vacina contra febre amarela (vírus 17-D), transmitidos pelo aleitamento natural de mães recentemente vacinadas. Com esse novo conhecimento, o Ministério da Saude do Brasil e o programa Nacional de Imunizações lançaram nota técnica recomendando o adiamento da vacinação contra febre amarela em mulheres amamentando até o sexto mês da criança ou suspender a amamentação por 15 dias se a vacinação não puder ser adiada.

No caso de dengue na gestação, já foram descritos alguns casos de transmissão vertical do vírus, inclusive com síndrome do choque por dengue e óbito. A presença de anticorpos neutralizantes antidengue no LM já foi demonstrada, com provável efeito protetor. Um caso de dengue em recém-nascido pré-termo e isolamento do vírus no LM sugere transmissão perinatal por essa via e aponta para a necessidade de reavaliar a possibilidade de interrupção temporária do aleitamento natural, particularmente em prematuros.

O *papilomavírus humano (HPV)* de alto risco para câncer já foi isolado em amostras de LM, mas sua relação com a transmissão para o lactente não foi estudada.

Vírus da Imunodeficiência Humana (HIV)

O HIV é excretado (livre ou no interior de células) no leite de mulheres infectadas (sintomáticas ou não) durante todo o período de lactação. A porta de entrada do vírus na mucosa nasofaríngea e gastrointestinal do recém-nascido pode envolver linfócitos e células epiteliais tonsilares, células M e enterócitos. A transmissão do HIV pelo LM pode ocorrer em qualquer fase da infecção materna, durante toda lactação, e é maior quando a mãe tem CD4 diminuído, maior carga viral plasmática do HIV e doença mais avançada. Tanto o número de células do LM infectadas pelo HIV quanto a carga viral do HIV no LM têm relevância na transmissão; o aumento de 1,0 log na quantidade de células infectadas aumenta em 3,2 vezes o risco de transmissão e o aumento de 10 vezes na carga viral se relaciona com uma aumento de duas vezes na transmissão do vírus.

Calcula-se que ocorram 8,9 transmissões por cada 100 crianças/ano de aleitamento ou que a probabilidade de transmissão pelo LM é 0,00064 por litro de leite ingerido e 0,00028 por dia de aleitamento. Acredita-se que a probabilidade de infecção pelo HIV por litro de LM ingerido é similar em magnitude à probabilidade de transmissão heterosexual por um ato sexual desprotegido entre adultos.

O risco da transmissão do HIV pelo LM é maior quando a infecção materna é recente e o aleitamento materno exclusivo parece determinar menor risco do que o aleitamento misto. O risco adicional de transmissão do HIV pelo LM (sobre a transmissão intraútero e no canal de parto) é de 14% enquanto nas mulheres que adquiriram o HIV no período pós-natal o risco estimado de transmissão é de 29% (7). A mastite bacteriana aumenta o risco de trasnsmissão do HIV.

É difícil avaliar a eficácia protetora de anticorpos específicos anti-HIV no LM, entretanto, a persistência de anticorpos IgM e IgA específicos no LM parece estar relacionada com ausência de infecção na criança. Anticorpos IgM e IgA podem recobrir a partícula viral e anticorpos IgM têm propriedades citotóxicas e neutralizantes. Por outro lado, a presença de células infectadas pelo HIV no LM por um período superior a 15 dias pós-parto é um fator preditivo importante para a infecção da criança.

Deve-se considerar ainda que o LM protege contra infecções dos tratos respiratório e gastrointestinal, tanto em crianças nascidas de mães soropositivas quanto em mães soronegativas para o HIV. Também o período de incubação (livre de sintomas) nas crianças infectadas pelo HIV é maior entre aquelas aleitadas ao seio quando comparadas com as que receberam aleitamento artificial.

A infecção pelo HIV é uma das poucas situações em que não há dúvidas sobre a contraindicação do aleitamento materno, nas situações em que é possível oferecer um substituto seguro ao LM. Nos países onde a oferta de um substituto ao LM não é possível e/ou segura, o aleitamento natural pode ser mantido, com o uso de terapia antirretroviral para mães e bebês. O estudo BAN (The Breastfeeding, Antiretrovirals and Nutrition Study) realizado no Malawi confirmou a diminuição do risco de transmissão vertical do HIV quando mães e/ou bebês recebem antirretrovirias por 28 semanas, e que a interrupção do aleitamento aos 6 meses pode aumentar a mortalidade dessas crianças.

No Brasil, as crianças expostas perinatalmente ao HIV são orientadas a não receber aleitamento natural e fórmula láctea é oferecida sem custos, para substituir o LM. Na África, a Organização Mundial de Saúde, entretanto, recomenda que nos países onde as principais causas da mortalidade infantil são doenças infecciosas e desnutrição, o aleitamento materno pode ser mantido, quando não existir condições aceitáveis, factíveis e sustentáveis de oferecer um substituto seguro ao LM; as mães que após aconselhamento optarem por manter o aleitamento natural devem ser orientadas a fazer o tratamento antirretroviral, oferecer aleitamento materno exclusivo, e evitar ou tratar as condições que aumentam o risco de transmissão do vírus, tais como mastites, lesões mamilares, lesões orais no lactente, *etc*.

A mastite é sabidamente um fator que aumenta o risco de transmissão do HIV pelo LM. Considerando-se que a mastite subclínica é comum em mulheres infectadas pelo HIV *e* que suplementação vitamínica é frequentemente utilizada em mulheres após o parto, um estudo mostrou que a suplementação vitamínica, particularmente de vitamina A, aumenta o risco de mastitie subclínica e por essa razão, está contraindicado nessa população.

Outros Retrovírus: HTLV-1 e HTLV-2

Respectivamente associados à leucemia de célula T do adulto, paraparesia espástica tropical *e* outras doenças neurológicas, hematológicas e dermatológicas são transmitidos da mãe para o filho, por contato sexual e sanguíneo. A transmissão vertical ocorre em 15-20% das crianças nascidas de mães soropositivas para o HTLV-1 *e* o LM parece ser a principal via de transmissão, pois crianças com aleitamento natural prolongado têm taxas de soroconversão de 14 a 20% enquanto as crianças com aleitamento artificial tem taxas de 3 a 5%. Poucos dados existem sobre a transmissão vertical do HTLV-2, mas assim como o HTLV-1, é excretado no LM *e* sendo o aleitamento natural a principal via de transmissão. A quantidade de células infectadas pelo HTLV-1 no sangue periférico é muito pequena quando comparada com a alta proporção de células T infectadas no LM, o que parece justificar o alto risco de transmissão por essa via. Como as doenças determinadas por *esses* retrovírus não dispõem de terapêutica ou vacina eficazes, a profilaxia é a principal forma de diminuir a sua disseminação, o que contraindica o aleitamento natural nas mulheres soropositivas. Uma diminuição dos casos de infecção pelo HTLV-1 em algumas regiões do Japão está sendo associada à diminuição do número de mães que aleitam seus filhos e também à diminuição do tempo de aleitamento.

Outros Vírus

À semelhança do que acabamos de discutir, é esperado que mulheres na fase aguda de outras doenças virais, como sarampo, caxumba, parvovirose B19, mononucleose e outros, tenham excreção viral no LM. Como a principal via de transmissão destas doenças é respiratória, não há contraindicação formal ao aleitamento natural, *exceto se a situação clínica da mãe assim o exigir*.

Embora não ocorrendo no nosso meio, a encefalite pelo vírus do oeste do Nilo (*West Nile vírus* – WNV) em gestantes ocasionou a identificação do RNA viral no LM o que justifica incluir o aleitamento natural como uma possível fonte de infecção por *esse* agente. No caso do Hantavírus, embora sua excreção no LM de mulheres infectadas seja possível, não há casos identificados de transmissão para o recém-nascido por essa via. Gestantes com SARS foram identificadas como tendo anticorpos no LM, porém não foram identificadas partículas virais.

DOENÇAS PARASITÁRIAS E FÚNGICAS

Pouco se tem escrito sobre a possível transmissão de doenças parasitárias e fúngicas através do LM. O *Trypanosoma cruzi* já foi isolado no LM de mulheres na fase aguda e crônica da doença e um possível caso de transmissão por LM foi descrito em Brasília num lactente de 2 meses com forma aguda da doença, filho de mãe com doença crônica. Apesar da possível evolução para sequelas tardias, a doença aguda no lactente parece ter evolução benigna. Esse fato, associado à raridade da transmissão faz com que o aleitamento natural seja mantido em mulheres com doença de Chagas crônica, exceto se houver sangramento mamilar evidente. Mulheres com doença aguda não devem aleitar.

A transmissão da toxoplasmose pelo leite parece ocorrer entre animais, porém em humanos essa via de transmissão é questionável. Um caso de transmissão em criança através de leite de cabra e outro de possível transmissão através de LM em filho de mãe com doença aguda já foram descritos. Entretanto, considerando-se o fato de que os trofozoítos podem ser destruídos no trato digestivo e que a mãe infectada também transmite anticorpos que podem ser protetores, ainda não se recomenda que o aleitamento materno seja descontinuado em mães com a doença aguda.

Candidíase mamária caracterizada por dor na mama, no mamilo e dificuldade de aleitar tem sido associada à candidiase oral no bebê e na mãe. A detecção do fungo no LM e a transmissão da *Candida* da mãe para o bebê e vice versa tem sido descrita.

IMUNIZAÇÃO MATERNA

Mulheres que estão aleitando podem necessitar receber vacinas para prevenir doenças em gerações subsequentes (no caso de rubéola e varicela, por exemplo) ou em situações de risco epidemiológico, como em surtos de sarampo ou febre amarela. O puerpério pode ser um bom momento para aproveitar a ida das mulheres aos serviços de saúde para atualizar a vacinação dessas mulheres.

As vacinas inativadas, como influenza, hepatite B e dTpa não acarretam riscos ao bebê, mas alguns vírus vivos vacinais podem potencialmente ser excretados no LM. No caso da vacina da rubéola, por exemplo, o vírus vacinal pode ser o recuperado em amostras de LM em 2 ou 3 semanas após a vacinação das mães e os bebês apresentaram soroconversão, sem doença clínica. Para as vacinas de sarampo, poliomielite e caxumba não há evidências claras da transmissão viral pelo LM, mas o risco portencial de transmissão não pode ser excluído, embora se acredite que a transmissão da infecção para o bebê, se ocorrer, deve ser assintomática. A vacinação da mãe com vacina de varicela, durante o aleitamento não se acompanha de excreção do vírus no LM ou soroconversão do bebê.

Assim, vacinas de vírus vivos, excetuando-se a vacina contra febre amarela, já discutida anteriormente, quando indicadas, podem ser aplicadas nas mulheres que estão aleitando, visto que não há descrição de eventos adversos indesejáveis para os bebês.

Embora sejam raras as situações em que as mulheres não devem oferecer o leite ao seu filho, essas situações devem ser sempre encaradas com cuidado e respeito. Suporte emocional deve ser oferecido para as mães e suas famílias. Sempre que possível e necessário suporte financeiro para a aquisição do substituto do LM deve ser oferecido.

BIBLIOGRAFIA CONSULTADA

Alain S, Dommergues MA, Jacquard AC, Caulin E, Launay O. State of the art: could nursing mothers be vaccinated with attenuated live virus vaccine? Vaccine 2012; 30(33):4921-6.

American Academy of Pediatrics. Breastfeeding and the use of human milk. Pediatrics 2005; 115:496-506.

American Academy of Pediatrics. Recommendations for care of children in special circunstances – Human milk. In: Pickering LK, 29 ed. Red Book. Report of the Committee on Infectious Diseases. Grove E, Village IL. American Academy of Pediatrics 2012; 119-126.

Arsenault JE, Aboud S, Manji KP, Fawzi WW, Villamor E. Vitamin supplementation increases risk of subclinical mastitis in HIV-infected women. J Nutr 2010; 140:1788-1792.

Barroso Espadero D, Arroyo Carrera I, Lopez Rodriguez MJ, Lozano Rodriguez JA, Lopez Lafuente A. The transmission of brucellosis via breast feeding. A report of 2 cases. *An Esp Pediatr* 1998; 48(1):60-2.

Barthel A, Gourinat AC, Cazorla C, Joubert C, Dupont-Rouzeyrol M, Descloux E. Breast Milk as a possible route of vertical transmission of dengue virus? Clinical Infectious Diseases 2013; 57(3):415-7.

Bhandari N, Bahl R, Mazumdar S, Martines J, Black RE, Bhan MK, Infant Feeding Study Group, Infant Feeding Study Group. Effect of community-based promotion of exclusive breastfeeding on diarrhoeal illness and growth: a cluster randomized controlled trial. Lancet 2003; 361:1418-1423.

Bittencourt AL, Sadigursky M, Silva A, Menezes CAS, Marianetti MMM, Guerra SC, Sherlock I. Evaluation of Chagas disease transmission through breastfeeding. Rio de Janeiro: Mem Inst Oswaldo Cruz 1988; 83:37-9.

Bohlke K, Galil K, Jackson LA, Schmid DS, Starkovich P, Loparev VN, Seward JF. Postpartum varicella vaccination: is the vaccine virus excreted in breast milk? Obstet Gynecol 2003; 102(5 Pt 1):970-7.

Bolin CA, Koellner P. Human-to-human transmission of Leptospira interrogans by milk. J Infect Dis 1988; 158:246-7.

Bonametti AM, Passos JN, Koga EM et al. Probable transmission of acute toxoplamosis through breast feeding. J Trop Pediatr 1997; 43:1.

Brasil. Ministério da Saúde. Secretaria de Vigilância em Saúde. Recomendação da Vacina Febre Amarela VFA (atenuada) em mulheres que estão amamentando. Nota Técnica N° 05/2010/CGPNI/DEVEP/SVS/MS. Brasília, 2010.

Carles G, Tortevoye P, Tuppin P, Ureta-Vidal A, Peneau C, El Guindi W, Gessain A. HTLV1 infection and pregnancy. Paris: J Gynecol Obstet Biol Reprod 2004; 33(1 Pt 1):14-20.

Chasela CS, Hudgens MG, Jamieson DJ, Kayira D, Hosseinipour MC, Kourtis AP et al. Maternal or infant antiretroviral drugs to reduce HIV-1 transmission. N Engl J Med 2010; 362:2271-81.

Comissão de Tuberculose da SBPT. Grupo de Trabalho das Diretrizes para Tuberculose da SBPT. III Diretrizes para Tuberculose da Sociedade Brasileira de Pneumologia e Tisiologia. J Bras Pneumol 2009; 35(10):1018-1048.

Coutsoudis A, Dabis F, Fawzi W, Gaillard P, Haverkamp G, Harris DR, Jackson JB, Leroy V, Meda N, Msellati P, Newell ML, Nsuati R, Read JS, Wiktor S. Breastfeeding and HIV International Transmission Study Group. Late postnatal transmission of HIV-1 in breast-fed children: an individual patient data meta-analysis. J Infect Dis 2004; 189(12):2154-66.

Coutsoudis A. Influence of infant feeding patterns on early mother-to-child transmission of HIV-1 in Durban, South Africa. *Ann NY Acad Sci* 2000; 918:136-44.

Dunn DT, Newell ML, Ades AE, Peckham CS. Risk of human immunodeficiency virus type 1 transmission through breastfeeding. Lancet 1992; 340:585-8.

Forsgren M, Sterner G, Anzén B, Enocksson E Management of women at term with pregnancy complicated by herpes simplex. Scand J Infect Dis 1990; 71(Suppl):58-66.

Fujino T, Nagata Y. HTLV-I transmission from mother to child. *J Reprod Immunol* 2000; 47(2):197-206.

Fujisaki H, Tanaka-Taya K, Tanabe H, Hara T, Miyoshi H, Okada S, Yamanishi K. Detection of human herpesvirus 7 (HHV-7) DNA in breast milk by polymerase chain reaction and prevalence of HHV-7 antibody in breast-fed and bottle-fed children. *J Med Virol* 1998; 56(3):275-9.

Glenn WK, Whitaker NJ, Lawson JS. High risk human papillomavirus and Epstein Barr virus in human breast milk. BMC Research Notes 2012, 5:477.

Hamprecht K, Vochem M, Baumeister A, Boniek M, Speer CP, Jahn G. Detection of cytomegaloviral DNA in human milk cells and cell free milk by nested PCR. *J Virol Methods* 1998; 70(2):167-76.

Hill JB, Sheffield JS, Kim MJ, Alexander JM, Sercely B, Wendel GD. Risk of hepatitis B transmission in breast-fed infants of chronic hepatitis B carriers. Obstet Gynecol, 2002; 99(6):1049-52.

Hinckley AF, O'Leary DR, Hayes EB. Transmission of West Nile Virus through human breast milk seems to be rare. Pediatrics 2007; 119(3):e666-71.

Jamieson D, Chasela CS, Hudgen MG, King CC, Kourtis AP, Kayira D et al for the BAN study team. Maternal and infant antiretroviral regimens to prevent postnatal HIV-1 transmission: 48-week follow-up of the BAN randomised controlled trial. Lancet 2012 Jun 30; 379(9835):2449-58.

Johnstone HA, Marcinak JF. Candidiasis in the breastfeeding mother and infant. *J Obstet Gynecol Neonatal Nurs* 1990; 19(2):171-3.

Kaplan JE, Abrams E, Shaffer N, Cannon RO, Kaul A, Krasinski K, Bamji M, Hartley TM, Robert B, Kilbourne B, Thiomas P, Rogers M, Heleine W. Low risk of mother to child transmission of human T lymphotropic virus type II in non-breast-fed infants. J Infect Dis 1992; 166:892-5.

Kashiwagi K, Furusyo N, Nakashima H, Kubo N, Kinukawa N, Kashiwagi S, Hayashi J. A decrease in mother-to-child transmission of human T lymphotropic virus type I (HTLV-I) in Okinawa, Japan. Am J Trop Med Hyg 2004; 70(2):158-63.

Kayıran PG, Can F, Kayıran SM, Ergonul O, Gürakan B. Transmission of methicillin-sensitive Staphylococcus aureus to a preterm infant through breast milk. J Matern Fetal Neonatal Med 2014; 27(5):527-529.

Khan J, Vesel L, Bahl R, Martines JC. Timing of breastfeeding initiation and exclusivity of breastfeeding during the first month of life: effects on neonatal mortality and morbidity – a systematic review and meta-analysis. Matern Child Health J 2014 Jun 4. [Epub ahead of print].

Kumar RM, Uduman S, Rana S, Kochiyil JK, Usmani A, Thomas L. Sero-prevalence and mother-to-infant transmission of hepatitis E virus among pregnant women in the United Arab Emirates. Eur J Obstet Gynecol Reprod Biol 2001; 100(1):9-15.

Lanphear BP, Hall CB, Black J, Auinger P. Risk factors for the early acquisition of human herpesvirus 6 and human herpesvirus 7 infections in children. *Pediatr Infect Dis J* 1998; 17(9):792-5.

Lawrence RM, Lawrence RA. Breast milk and infection. Clin Perinatol 2004 Sep; 31(3): 501-28.

Le Campion A, Larouche A, Fauteux-Daniel S, Soudeyns H. Pathogenesis of hepatitis C during pregnancy and childhood. Viruses 2012; 4(12):3531-50.

Losonsky GA, Fishaut JM, Strussenberg J, Ogra PL. Effect of immunization against rubella on lactation products II. Maternal-neonatal interactions. J Infect Dis 1982; 145(5):661-6.

Mallmann Couto A, Ribeiro Salomão M, Schermann MT, Mohrdieck R, Suzuki A, Deotti Carvalho SM, Assis DM, Navegantes Araújo W, Moniz G, Flannery Bl. Transmission of yellow fever vaccine virus through breastfeeding – Brazil, 2009. MMWR 2010 Feb; 59:5130-132.

McGuill M et al. Mass treatment of humans who drank unpasteurized milk from rabid cows – Massachusetts, 1996-1998. MMWR 1999; 48(11):228-229.

Medina-Lopez MD. Transmissão do Trypanosoma cruzi em um caso, durante aleitamento, em área não endêmica. Rev Soc Bras Med Trop 1988; 21:151-3.

Morrill JF, Pappagianis D, Heinig MJ, Lonnerdal B, Dewey KG. Detecting Candida albicans in human milk. J Clin Microbiol 2003; 41(1):475-8.

Novak FR, Da Silva AV, Hagler AN, Figueiredo AM. Contamination of expressed human breast milk with an epidemic multiresistant Staphylococcus aureus clone. J Med Microbiol 2000; 49(12):1109-17.

Oxtoby MJ. Human immunodeficiency virus and other viruses in human milk: placing the issues in broader perspectives. Pediatr Infect Dis J 1988; 7:825-35.

Pai RK, Bharadwaj M, Levy H, Overturf G, Goade D, Wortman IA, Nofchissey R, Hjelle B. Absence of infection in a neonate after possible exposure to sin nombre hantavirus in breast milk. *Clin Infect Dis* 1999; 29(6):1577-9.

Palanduz A, Palanduz S, Guler K, Guler N. Brucellosis in a mother and her young infant: probable transmission by breast milk Int J Infect Dis 2000; 4(1):55-6.

Parra J, Cneude F, Huin N, Bru CB, Debillon T. Mammary herpes: a little known mode of neonatal herpes contamination. J Perinatol 2013 Sep; 33(9):736-7.

Revathi G, Mahajan R, Faridi MM, Kumar A, Talwar V. Transmission of lethal Salmonella senftenberg from mother's breast-milk to her baby. Ann Trop Paediatr 1995; 15(2): 159-61.

Richardson BA, John-Stewart GC, Hughes JP, Nduati R, Mbori-Ngacha D, Overbaugh J, Kreiss JK. Breast-milk infectivity in human immunodeficiency virus type 1-infected mothers. J Infect Dis 2003; 187(5):736-40.

Robertson CA, Lowther SA, Birch T, Tan C, Sorhage F, Stockman L, McDonald C, Lingappa JR, Bresnitz E. SARS and pregnancy: a case report. Emerg Infect Dis 2004; 10(2):345-8.

Rousseau CM, Nduati RW, Richardson BA, John-Stewart GC, Mbori-Ngacha DA, Kreiss JK, Overbaugh J. Association of levels of HIV-1-infected breast milk cells and risk of mother-to-child transmission. J Infect Dis 2004; 190(10):1880-8.

Ruiz-Extremera A, Salmeron J, Torres C, De Rueda PM, Gimenez F, Robles C, Miranda MT. Follow-up of transmission of hepatitis C to babies of human immunodeficiency virus-negative women: the role of breastfeeding in transmission. *Pediatr Infect Dis J* 2000; 19(6):511-6.

Sacks JJ, Roberto RR, Brooks NF. Toxoplasmosis infection associated with raw goat's milk. J Am Med Assoc 1982; 248:1728-32.

Saha K, Sharma V, Siddiqui MA. Decreased cellular and humoral anti-infective factors in the breast secretions of lactanting mothers with lepromatous leprosy. Lepr Res 1982; 53:35-44.

Sampathkumar P. West Nile Virus: epidemiology, clinical presentation, diagnosis, and prevention. Mayo Clin Proc 2003; 78:1137-1144.

Sarkola M, Rintala M, Grenman S, Syrjäne S. Human papillomavirus DNA detection in breast milk. Pediatr Infect Dis J 2008; 27(6):557-8.

Schroter M, Polywka S, Zollner B, Schafer P, Laufs R, Feucht HH Detection of TT virus DNA and GB virus type C/Hepatitis G virus RNA in serum and breast milk: determination of mother-to-child transmission. *J Clin Microbiol* 2000; 38(2):745-7.

Semba RD. Mastitis and transmission of human immunodeficiency virus through breast milk. *Ann NY Acad Sci* 2000; 918:156-62.

Shapiro RL, Hughes MD, Ogwu A, Kitch D, Lockman S, Moffat C et al. Antiretroviral regimens in pregnancy and breastfeeding in Botswana. N Engl J Med 2010; 362:2282-94.

Svabic-Vlahovic M, Pantic D, Pavicic M. Transmission of Listeria monocytogenes from mother's milk to her baby and to puppies. Lancet 1988; II:1201.

Toyoda H, Naruse M, Yokozaki S, Morita K, Nakano I, Itakura A, Okamura M, Fukuda Y, Hayakawa Prevalence of infection with TT virus (TTV), a novel DNA virus, in healthy Japanese subjects, newborn infants, cord blood and breast milk. *J Infect* 1999; 38(3):198-9.

Traiber C, Coelho-Amaral P, Ritter VR, Winge A. Infant meningoencephalitis caused by yellow fever vaccine virus transmitted via breastmilk. J Pediatr 2011 May-Jun; 87(3):269-72.

Turin CG, Ochoa TJ. The role of maternal breast milk in preventing infantile diarrhea in the developing world. Curr Trop Med Rep 2014; 1(2):97-105.

World Health Organization. Guidelines on HIV and infant feeding, 2010. Principles and recommendations for infant feeding in the context of HIV and a summary of evidence. Geneva 2010; 49p.

Zheng Y, Lu Y, Ye Q, Yugang X, Yueqin Z, Qingqing Y, Shan W. Should chronic hepatitis B mothers breastfeed? A meta analysis. BMC Public Health 2011; 11:502.

Problemas Precoces e Tardios das Mamas: Prevenção, Diagnóstico e Tratamento

Zuleika Thomson
Adriana Estela Pinesso Morais

INTRODUÇÃO

O sucesso da amamentação depende da associação de vários fatores, como o vínculo mãe-filho, o preparo adequado da mulher, o apoio do pai e familiares, bem como a atenção dos profissionais de saúde. O resgate da "cultura da amamentação", ocorrido a partir da década de 1970, não foi acompanhado em muitos locais pela capacitação adequada dos profissionais da saúde para o manejo da amamentação. Os cursos de graduação, de modo geral, dedicam pequena carga horária ao ensino das habilidades necessárias à solução dos problemas mais comuns enfrentados pela mulher que se propõe a amamentar.

PROBLEMAS NOS MAMILOS

O exame dos mamilos no pré-natal e na primeira consulta é fundamental para o aconselhamento da mulher e preparo para a amamentação. O tamanho e a forma dos mamilos podem ser fonte de preocupação para gestantes e nutrizes, particularmente entre aquelas que não têm experiência prévia com amamentação e não receberam orientação adequada no pré-natal.

A inspeção deverá ser avaliado o tamanho do mamilo, sendo importante salientar que mamilos pequenos não estão relacionados às habilidades funcionais, não significando necessariamente problema para a amamentação e a pega adequada da criança. O tamanho do mamilo em "repouso" não é importante e é melhor considerá-lo como um ponto de referência, e sua protrusão só é necessária para formar um "bico" dentro da boca da criança.

Deverá ser feita, ainda, a diferenciação entre um mamilo curto e um mamilo que pouco aparece devido à redução da flexibilidade da aréola por excessiva quantidade de leite materno, caso mais frequente na apojadura ou descida do leite nos primeiros dias. O teste da protratilidade fará a diferenciação entre os dois casos.

Mamilos Planos, Invertidos e Compridos

Os mamilos são de 4 tipos: protruso ou normal, plano, comprido e invertido. Os mamilos normais são encontrados em 92% das mulheres, enquanto os invertidos encontram-se em 0,5% das mulheres.

Para a adequada sucção, a característica mais importante dos mamilos é a protratilidade. Para avaliar essa característica (teste da protratilidade), o exame poderá ser feito delicadamente esticando e pressionando a região areolar a aréola de cada lado do mamilo: os mamilos normais se protraem facilmente, enquanto os planos vêm pouco para fora. É comum o diagnóstico de mamilo plano por profissionais pouco treinados, quando na realidade esses mamilos são apenas aparentemente planos, isto é, após alguns dias de sucção, adquirem forma normal.

O mamilo invertido não se protrai e, nesses casos, a amamentação pode ficar dificultada. O profissional de saúde poderá orientar a ordenha e a utilização do leite obtido por copinho e, nos casos de mamilo invertido unilateral, amamentação na outra mama. Em alguns casos pode ser observado o mamilo falsamente invertido que se caracteriza pela protrusão após sucção ou quando estimulado.

Em casos de mamilos extremamente longos, a criança às vezes suga apenas o mamilo, podendo levar ao aparecimento de fissuras. Observando essa dificuldades, o profissional deverá auxiliar a mãe a acertar a pega de forma que a criança consiga abocanhar uma maior parte da aréola.

A educação pré-natal para gestantes sobre manejo da lactação pode ser bastante positiva com o objetivo de aumentar a confiança na sua capacidade de amamentar, especialmente para primigestas. No entanto, em relação a exercícios para protrusão de mamilos invertidos ou mamilos não protráteis (como, por exemplo, os exercícios

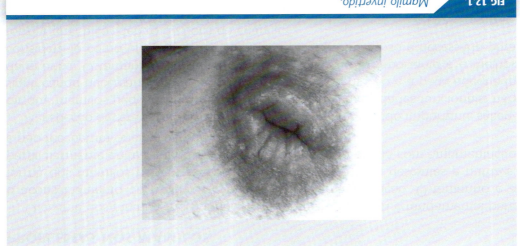

FIG 12.1. Mamilo invertido.

de Hoffmann), revisão apresentada pela Organização Mundial da Saúde revela que vários estudos evidenciaram ausência de benefícios e que essas manobras são desnecessárias como rotina.

O preparo pré-natal para a amamentação deve incluir, além de informações sobre o leite materno e suas vantagens, exame das mamas e mamilos, esclarecimentos sobre dúvidas, ansiedades e orientações específicas. Não é recomendado o uso de sabonetes nem métodos de fricção (tecido atoalhado ou de qualquer outro tipo) pela predisposição à irritação da pele, podendo interferir na função das células de Montgomery na limpeza e lubrificação da aréola e mamilos. Contraindica-se, ainda, o uso de álcool, tintura de benjoim e outros agentes para secagem dos mamilos.

A experiência clínica evidencia que a exposição dos mamilos ao ar e sol (dez minutos antes das 10 horas ou após as 16 horas) é benéfica e que o uso de cremes não deverá ser indicado, pois poderão tornar a pele dos mamilos extremamente fina, facilitando o aparecimento de fissuras.

Mamilos Doloridos/Fissuras Mamilares

A queixa de mamilos doloridos, apresentando ou não fissuras, é um dos problemas mais comumente relatados pelas nutrizes. Pode causar extremo desconforto, frustração e levar ao desmame precoce. Com exceção de discreta dor passageira no início da mamada, é importante salientar que a amamentação *não deve provocar dor nem lesar os mamilos*. A causa mais comum para mamilos doloridos e/ou fissuras mamilares é o mau posicionamento da criança durante a mamada e a pega inadequada.

Trabalho realizado em Londrina, estudando a demanda do CELAC – Clínica de Lactação do Ambulatório do Hospital das Clínicas da Universidade Estadual de Londrina, demonstrou que 48,5% das consultas realizadas estiveram relacionadas a fissuras mamilares. Dentre esses casos, 75% apresentavam pega inadequada. Ainda em Londrina, a análise do perfil do aleitamento materno, realizada em um grupo de 702 mulheres com filhos menores de um ano de idade, evidenciou 53,3% referindo dor nos mamilos e 42,7%, fissuras mamilares.

É importante lembrar que o uso de bombas para retirada de leite pode ser um fator de risco para o aparecimento de fissuras e levar, ainda, à obtenção de pequena quantidade de leite materno e retardo no reflexo de ejeção quando de uso prolongado.

Outro fator de risco é a introdução de complementos em chucas ou mamadeiras, o que pode ser prejudicial, levar a infecções, reduzir o tempo de sucção na mama, interferir na amamentação sobre livre demanda e alterar a dinâmica oral. A melhor maneira para suplementação do leite da própria mãe (retirado por ordenha) ou de substitutos do leite materno é a técnica do copinho. A utilização de bicos e chupetas está regulamentada pela Norma Brasileira para Comercialização de Alimentos para Lactentes e Crianças de primeira infância: bicos, chupetas e mamadeiras (NBCAL), implementada com o objetivo de defender a amamentação (Portarias 2051 – Ministério da Saúde, 2001, Regulamento Técnico ANVISA, RDC 221 e 222, 2002).

A observação da mamada deverá fazer parte da consulta pediátrica para facilitar o diagnóstico de posicionamento e pega. Por exemplo, o profissional poderá observar que a mãe posiciona seu dedo indicador na aréola por preocupação com a respiração da criança, dificultando a pega.

A criança poderá apresentar também anquiloglossia, freio lingual muito curto, que dificulta a pega, e, em alguns casos, será necessária pequena incisão cirúrgica para solucionar o problema. Ao exame, também é importante checar se a aréola está flexível e macia, permitindo uma pega adequada. Caso a aréola esteja endurecida ou distendida, a ordenha é necessária antes de colocar a criança para mamar.

Lawrence e Lawrence relatam a observação pouco frequente de leite materno esverdeado ou de cor marrom nos primeiros dias de lactação. Associam essa coloração à existência de sangue nos ductos lactíferos, residual ao rápido crescimento e vascularização durante a gestação. Há referência, também, à presença de estrias de sangue nos primeiros dias de lactação, sem dor ou lesões mamilares. O mais importante é salientar que esses casos apresentam solução espontânea, sem interrupção das mamadas.

O profissional de saúde deverá estar atento à presença de sangue no leite materno e, algumas vezes, ao vômito da criança com estrias de sangue vivo. Isso pode ocorrer pela fissura mamilar e, nesses casos, deverão ser tomadas medidas apropriadas para tratamento e correção da pega e da fissura.

A experiência clínica tem demonstrado que, em casos de dificuldades de pega (especialmente em mulheres com mamas volumosas), oferecer a mama posicionando parte dela entre o polegar e o indicador, formando uma pequena prega, tem facilitado o início da mamada.

FIG 12.2. Posição dos dedos para facilitar a pega (formando uma prega).

A sustentação da mama pode ser necessária no início da mamada para crianças com dificuldade de pega, quando a mãe sentir-se mais confortável ou nos casos de mamas volumosas. Para segurar a mama, a nutriz deve colocar a palma da mão por baixo e manter o polegar acima da aréola, sem pressionar. Dessa forma, o polegar e o indicador formam a letra C.

As fissuras podem estar localizadas em diferentes posições em relação ao mamilo.

O quadro clínico é caracterizado por dor intensa e desconforto ao amamentar, com frequência, associados a choro e insegurança da mãe. Devido à dor intensa, na maioria dos casos, a nutriz diminui o número de mamadas, levando a choro, irritação e, em casos prolongados, inadequado ganho ponderal da criança. A redução do número de mamadas pode levar à diminuição da produção láctea, ao ingurgitamento mamário, piora da fissura e consequentemente, ao desmame.

O tratamento deverá consistir em correção da técnica da amamentação, mudança de posição de mamada, aplicação de leite materno nos mamilos após todas as mamadas, não utilização de protetores ou intermediários e evitar contato dos mamilos feridos com sutiã de náilon, renda ou lycra. Para evitar dor muito intensa, podem ser usados analgésicos sistêmicos. Medida também muito útil para aliviar os sintomas nos intervalos das mamadas é o uso de pequena peneira de plástico (pode ser um pequeno coador de chá sem o cabo) para impedir o contato da fissura com o tecido do sutiã.

Giugliani salienta que o uso de sabões, álcool ou qualquer produto secante torna os mamilos mais vulneráveis às lesões e que protetores (intermediários) de mamilo não se mostraram efetivos na prevenção ou no tratamento. Em revisão recente, a mesma autora indica o tratamento úmido das fissuras (leite materno, cremes e óleos apropriados). Relata, ainda, que o uso de saquinhos de chá, prática comum em algumas regiões, não encontra respaldo na literatura.

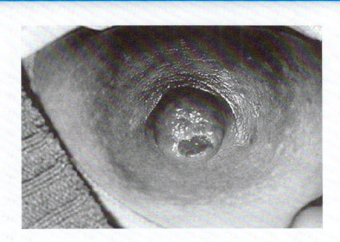

FIG 12.3. Fissura nos mamilos.

Lawrence e Lawrence indicam o uso de lanolina pura ou pomada de hidrocortisona a 1% para os casos de fissura mamilar. Por outro lado, Murahovski, Teruya, Bueno e cols. relatam, mas não aconselham essa indicação.

O uso de protetores de mamilo de plástico reduz o volume de leite obtido em 22% e torna difícil promover o retorno à mamada diretamente na mama. Poderá ser usado eventualmente em casos de mamilos dolorosos, pelo tempo mínimo possível, e contraindica-se o uso de protetores e/ou intermediários duros com bico tipo chupeta.

O uso de medicação caseira, como casca de banana e mamão, bastante difundido em algumas regiões do nosso país, deve ser evitado, até que haja maior número de estudos comprovando sua eficácia. É importante lembrar ainda a possibilidade de contaminação.

Devem ser considerados igualmente a pouca experiência de avós e parentes próximos e o sentimento de culpa das mães por não conseguirem amamentar. É nesse momento que se fazem necessários profissionais de saúde bem orientados e treinados nas técnicas de aconselhamento em amamentação, capazes de escutar as queixas da nutriz, trabalhar sua autoconfiança e resolver o problema.

Fissuras Mamilares por *Candida spp*

Em casos de fissura mamilar resistente a tratamento ou de dor prolongada nos mamilos, deve-se pensar na possibilidade de fissura mamilar por *Candida spp*. Revisão extensa sobre o tema salienta que esse fungo, organismo comumente encontrado na vagina e no trato gastrointestinal é um patógeno oportunista, causador de grande número de infecções no ser humano. É também encontrado com frequência na cavidade oral de recém-nascidos e tem sido pouco valorizado na etiologia das fissuras mamilares.

Os sintomas da candidíase estão bem definidos para a cavidade oral, vaginal e pele. Em relação à monilíase mamilar, ainda são poucos os estudos com metodologia criteriosa.

Os fatores de risco para monilíase mamilar são o uso de antibióticos, anticoncepcionais orais, corticoesteroides, diabetes e outros. Se forem encontrados sintomas na mãe ou na criança, é importante assumir que pode haver contaminação do binômio e ambos deverão ser avaliados e tratados ao mesmo tempo. O diagnóstico, na maioria dos casos, é realizado pelo quadro clínico e pela presença de fatores de risco.

Os sinais e sintomas da fissura mamilar por *Candida spp* são semelhantes aos encontrados na cavidade oral e pele da criança e são de fácil reconhecimento pelos profissionais de saúde. A pele dos mamilos pode apresentar-se brilhante e avermelhada, às vezes com aspecto eczematoso, ou apenas irritada. Pode aparecer, também, com aspecto de fragilidade, muito fina e com descamação.

Raramente são observadas placas esbranquiçadas na aréola ou nos mamilos. As mulheres referem prurido e ardor ou queimação intensos e persistentes nos mamilos, mesmo nos intervalos das mamadas, que não respondem às mudanças de posição da criança ou aos tratamentos comumente preconizados. O ardor nos mamilos é o sintoma mais característico da monilíase mamilar. Esse diagnóstico deve ser cogitado mesmo na ausência de infecção fúngica na criança e/ou na mãe.

Em alguns casos, a mulher poderá referir também dor nas mamas, significando possível contaminação ductal. Essas nutrizes relatam dor e ardor persistentes, com irradiação por toda a mama durante e depois das mamadas.

O diagnóstico laboratorial poderá ser feito por cultura específica, em meio enriquecido, de material dos mamilos e *swab* oral da criança. Poderá, também, ser pesquisada a presença do fungo no leite materno das nutrizes. No entanto, o tratamento deverá ser iniciado, pois esses exames não são realizados rotineiramente e a fissura mamilar por *Candida spp* pode ter um impacto significativo no desmame precoce.

O tratamento geralmente consiste na aplicação local de nistatina, ou de miconazol (gel oral com 20 mg/g), durante aproximadamente 14 dias. Com o uso da medicação tópica o resultado é geralmente bom e, na experiência do CELAC, há melhor resposta ao uso do miconazol (gel oral). O mais importante é que o *tratamento deverá ser simultâneo na criança e na mãe*, mesmo que um deles ou ambos não apresentem sintomas. Em raros casos que não respondem à medicação tópica, é necessário o uso de miconazol ou fluconazol sistêmicos na dose de 150 mg/dia, para a mãe, durante 14 dias.

Os casos de infecções por *Candida spp* em outras localizações, tanto na mãe quanto na criança (vulvovaginites, dermatite amoniacal etc.), também deverão ser tratados. Nas crianças com moniliase oral deverá proceder-se à retirada das placas com gaze estéril antes de aplicar-se a nistatina ou miconazol.

Para evitar a reinfecção não devem ser omitidos os cuidados de higiene, tais como fervura, ao menos por vinte minutos, de todos os materiais que entram em contato com o leite materno, com as mamas ou com a boca da criança (por exemplo, chupetas, brinquedos etc.). A mãe deverá evitar o uso de protetores nos mamilos e o sutiã deverá ser trocado diariamente e lavado cuidadosamente.

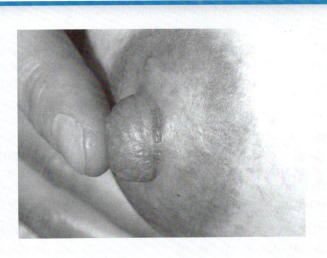

FIG 12.4. *Fissura mamilar causada por Candida spp.*

PROBLEMAS COM AS MAMAS

Ductos Lactíferos Bloqueados

Os ductos lactíferos bloqueados aparecem geralmente em um ou mais pontos da mama em mulheres com bom estado geral, sem febre e com dor não muito intensa e localizada. Não há uma causa específica para o bloqueio dos ductos lactíferos que com frequência surgem em mulheres com produção abundante de leite materno. Sua presença está relacionada ao inadequado esvaziamento de determinada área causado por compressão externa (sutiãs apertados, roupas constritivas etc.) ou intervalo prolongado entre as mamadas e sucção pouco efetiva.

O ducto lactífero bloqueado pode ser detectado clinicamente pela palpação de nódulo ou nódulos dolorosos e presença de discreto eritema. Costumam ser unilaterais, com dor de média intensidade e a nutriz sente-se bem, sem apresentar sintomas gerais. O ducto lactífero bloqueado pode estar, em algumas situações, acompanhado por um ponto esbranquiçado na ponta do mamilo, que pode ser muito doloroso.

O tratamento consiste em não parar de amamentar; estimular o esvaziamento, com mamadas frequentes. Massagens circulares delicadas, na região do nódulo, antes e durante a mamada, acompanhada de compressas quentes; amamentação frequente e em distintas posições para esvaziamento completo também está indicada. Caso a criança não consiga esvaziar totalmente a mama, completar o tratamento com expressão manual. O ponto esbranquiçado na ponta do mamilo poderá ser removido com uma agulha esterilizada ou esfregando o mamilo com uma toalha. Na maioria dos casos os ductos lactíferos bloqueados são resolvidos em 24-48 horas.

Para tratar e prevenir o aparecimento de ductos lactíferos bloqueados, eliminar fatores de compressão externa (sutiãs etc.) e evitar períodos longos entre mamadas.

Galactoceles

Galactoceles ou cistos de retenção de leite materno são incomuns e aparecem especialmente em nutrizes. O conteúdo dos cistos é geralmente leite, mas, posteriormente, com a absorção de fluidos, torna-se mais espesso, cremoso ou aparece sob a forma de material oleoso. Podem ser palpados como um nódulo liso e arredondado.

Acredita-se que sejam causados pelo bloqueio de um ducto lactífero e sua presença não indica o desmame. A confirmação diagnóstica poderá ser obtida pela ultra-sonografia, que permitirá o diagnóstico diferencial com tumores da mama.

Quanto ao tratamento, pode ser tentada a aspiração para evitar a cirurgia, mas recidivas podem ocorrer. Sua remoção poderá ser feita com anestesia local e sem suspensão da amamentação.

Ingurgitamento Mamário

Almeida afirma que o ingurgitamento mamário ou intumescimento mamário é um sinal de que a mulher encontrou problemas para estabelecer a autorregulação da fisiologia da lactação. Em decorrência dessa dificuldade, o volume de leite materno produzido seria maior do que a demanda da criança, ocorrendo o que popularmente é conhecido como mama "empedrada".

O ingurgitamento mamário envolve 3 elementos: a) congestão e vascularização aumentadas pela resposta fisiológica à retirada da placenta, que é independente da sucção; b) acumulação de leite materno também pelo mesmo motivo; c) edema secundário à obstrução da drenagem linfática por aumento da vascularização e preenchimento dos alvéolos. Quando o processo apresenta uma evolução fisiológica não há dor, desconforto ou edema excessivo.

Pode-se classificar o ingurgitamento em dois tipos, segundo sua localização: areolar e periférico. No primeiro caso, ocorre dor intensa, dificuldade para a mamada, e a pega adequada pela criança (Fig. 12.5), ocasionando o não esvaziamento dos seios lactíferos. A nutriz fica tensa, com muita dor e são grandes as possibilidades de aparecimento de traumas mamilares, bem como formação de fissuras externas. A fissura mamilar, além da dor que provoca, poderá ser a porta de entrada de agentes contaminantes, facilitadores de complicações do tipo mastite e abscesso.

No ingurgitamento periférico, há aumento da vascularização e edema. É importante manter-se o esvaziamento para prevenir aumento da pressão nos ductos e reduzir a produção láctea. Essa pressão ductal aumentada pode levar à atrofia das células secretoras e mioepiteliais, diminuindo a quantidade de leite materno produzida.

Há duas condições que devem ser analisadas: ingurgitamento fisiológico ou apojadura e o ingurgitamento patológico ou, apenas, ingurgitamento mamário. A apojadura, também chamada de descida do leite, não impede a amamentação, é transitória, aparece na maioria das mulheres, surge entre o segundo e o quarto dia

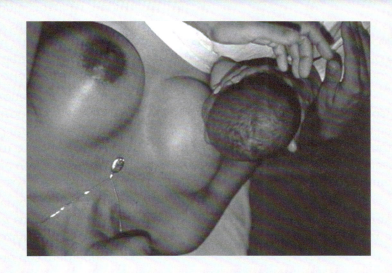

FIG 12.5. Ingurgitamento mamário.

pós-parto, não é acompanhada por febre muito alta e, com frequência, a nutriz sente-se bem. Acontece em tempo variável para primíparas e multíparas, sendo mais demorado (3/4 dias) nas primeiras. Caracteriza-se por aumento do tamanho das mamas, que ficam mais pesadas e mais quentes do que o restante do corpo; é considerada normal.

Por outro lado, o ingurgitamento mamário pode aparecer entre o segundo e o 10º dia pós-parto, a dor nas mamas é generalizada, há febre, a nutriz sente-se mal. Há aumento significativo das mamas que ficam brilhantes, avermelhadas, dolorosas e com calor local. O ingurgitamento é, em geral, consequência de inadequado manejo da apojadura por atraso e/ou restrições na duração, frequência das mamadas e sucção ineficaz.

O mais importante em relação à apojadura e ao ingurgitamento é a prevenção e o tratamento adequados por um profissional de saúde treinado para entender e resolver as dificuldades das fases iniciais da amamentação. Devem ser considerados, além da dor, ansiedade e insegurança da mãe, o choro da criança e, com grande frequência, opiniões conflitantes de familiares e até mesmo de profissionais de saúde. A prevenção deverá ser feita desde o nascimento, incentivando-se, quando possível, a mamada já na sala de parto, mamadas frequentes, pega adequada e não uso de complementos.

Em relação ao tratamento, a apojadura, como já foi referido, é transitória e costuma evoluir sem complicações. O tratamento do ingurgitamento mamário deverá ser feito conforme o quadro clínico e a ansiedade e insegurança da mãe. Caso não sejam detectadas áreas de edema e ingurgitamento muito intensos, tranquilizar a mãe, ensinar e estimular o autocuidado, com palpação e massagens constantes, visando reduzir áreas com maior retenção, e técnica de ordenha, especialmente com o objetivo de manter a aréola sempre macia e fácil de abocanhar. Orientar mamadas frequentes, amamentação em livre demanda, salientando os riscos da interrupção das mamadas.

O esvaziamento da aréola por ordenha manual (amaciamento da aréola), facilitando a sucção, é muito útil para uma pega adequada que poderá apressar o esvaziamento mamário.

Nos casos mais intensos, a nutriz deverá fazer repouso, amamentar o maior número de vezes possível, proceder à ordenha frequente e realizar massagens circulares em toda a mama, particularmente nas regiões com ingurgitamento mais intenso. O repouso tem papel significativo no tratamento, facilitando a liberação do leite materno. Indica-se, ainda, uso de analgésicos e anti-inflamatórios (paracetamol, dipirona, ibuprofeno etc.)

É importante a utilização de apoio adequado para as mamas com indicação de sutiãs de alças largas e firmes, devendo ser evitados os sutiãs muito apertados. No CELAC, tem sido usada sustentação com uma fralda enrolada e colocada por dentro do sutiã e por baixo da mama ou apoio com uma tipóia feita com fralda. Essa sustentação alivia a dor.

A tranquilidade da nutriz e dos familiares é essencial para a solução dos problemas. Para facilitar a ordenha, a nutriz poderá tomar um banho morno,

Problemas Precoces e Tardios das Mamas: Prevenção, Diagnóstico e Tratamento **CAPÍTULO 12**

acompanhado de massagens circulares, procurar amamentar em lugar tranquilo e deverão ser evitadas visitas em número excessivo. O leite materno, obtido por expressão manual, deverá ser armazenado para utilização posterior com copinho.

Cabe referir, também, o uso de compressas no tratamento do ingurgitamento mamário. Devem ser utilizadas compressas frias entre as mamadas para aliviar a dor e o edema e compressas quentes, antes ou durante as mamadas para facilitar a descida do leite. As nutrizes devem ser alertadas para atenção especial com a temperatura exagerada das compressas quentes, pela possibilidade de queimaduras.

Em nossa opinião, a melhor conduta é conduzir caso a caso, apoiando a nutriz, incentivando-a a descansar e buscando o alívio da dor e da ansiedade. Nos casos em que a mulher não consegue liberar o leite materno por tensão exagerada, poderão ser indicadas técnicas de relaxamento ou massagens no dorso.

Considerando-se que na maior parte das maternidades a alta hospitalar é precoce, antes de liberar mãe e filho a equipe de saúde deverá observar a mamada, estimular a autoconfiança da mãe em sua capacidade de amamentar, orientar massagens, ordenha e preparar a nutriz para eventuais problemas com apojadura e ingurgitamento. Deverá ser informada, também, sobre sintomas, condutas e locais para contato em caso de problemas significativos.

Mastites

Mastite é uma infecção bacteriana de um ou mais segmentos da mama, geralmente unilateral, tendo como porta de entrada, na maioria das vezes, a fissura mamilar.

Lawrence e Lawrence comentam que na literatura médica não se encontram muitas referências às mastites porque a mulher raramente é internada por esse problema, o tratamento é realizado em casa e, em alguns casos, por orientação telefônica.

A maior incidência de mastite ocorre na segunda ou terceira semana do pós-parto, em torno de 2,5% na população de mulheres em lactação. Em nosso país não há estudos populacionais, mas acreditamos que, após a implementação de programas de estímulo ao aleitamento materno e início precoce da amamentação, essas taxas foram reduzidas.

Dentre os fatores predisponentes das mastites estão a fadiga, estresse e todas as situações que favoreçam a estagnação do leite materno. Cabe ao profissional de saúde avaliar atividades domésticas em excesso, número exagerado de visitas, pressão familiar etc., informando parentes mais próximos sobre esses fatores e os orientando a buscar soluções.

Os agentes mais comuns causadores das mastites são: *Staphylococcus aureus, Escherichia coli* e, raramente, *Streptococcus*.

O quadro clínico da mastite é caracterizado por dor intensa, calor e hiperemia no local afetado, febre e mal-estar geral (Fig. 12.6). Os sintomas gerais, em muitos casos, lembram a sintomatologia da gripe. Na maioria dos casos de mastite, o calor e edema são unilaterais, ao contrário do ingurgitamento, que mais frequentemente é bilateral.

219

É importante salientar que o diagnóstico de mastite não contraindica a amamentação, sendo fundamental o esvaziamento mamário completo para que se evitem as complicações. O ideal é iniciar a mamada pela mama contralateral para que a descida do leite facilite a sucção no lado afetado.

Nutrizes com essa afecção, em geral, ficam extremamente fragilizadas e inseguras, necessitando de apoio e suporte dos profissionais de saúde e dos familiares.

O repouso, associado ao uso de antibióticos e analgésicos, é de fundamental importância para a resolução da mastite. A escolha do antibiótico (cefalexina, amoxacilina, dicloxacilina etc.) deverá ser criteriosa, considerando-se sempre seus efeitos na criança. A resposta ao uso de antibióticos indicados precocemente tem sido boa, especialmente à cefalexina (2 g/dia), por 10 a 14 dias.

A Tabela 12.1, traduzida e modificada de Lawrence e Lawrence, sumariza as principais características e sintomas do ingurgitamento mamário, ducto lactífero bloqueado e mastite.

Abscesso Mamário

O abscesso mamário, com muita frequência, é uma complicação de uma mastite inadequadamente tratada ou com tratamento retardado, ocorrendo em 5-11% das mulheres com mastite. O diagnóstico é realizado basicamente por parâmetros clínicos e, quanto à sintomatologia, observa-se dor intensa, geralmente unilateral, febre, mal-estar geral, calafrios e presença de áreas de flutuação à palpação.

Os agentes etiológicos mais frequentes são *Staphylococcus aureus*, *Enterobacteriacae* e *Streptococcus*, sendo importante a cultura e o antibiograma do material colhido durante a drenagem. Em estudo realizado na Nigéria, com revisão dos casos de abscesso mamário em um período de 10 anos (1981-1990), Efem observou predominância de casos por *Staphylococcus aureus*.

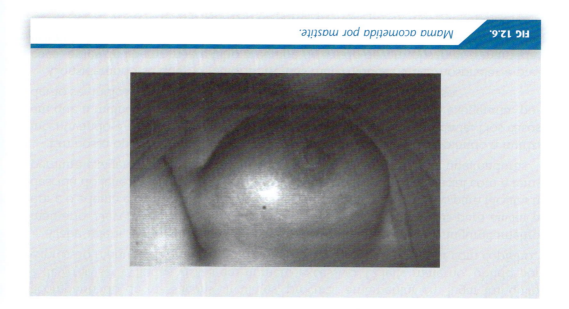

FIG 12.6. *Mama acometida por mastite.*

TABELA 12.1. *Comparação entre as principais características clínicas do ingurgitamento mamário, ducto lactífero bloqueado e mastite*

CARACTERÍSTICAS	INGURGITAMENTO MAMÁRIO	DUCTO LACTÍFERO BLOQUEADO	MASTITE
Início	Gradual/pós-parto imediato	Gradual/após mamadas	Súbito/depois de 10 dias
Local	Bilateral	Unilateral	Unilateral
Calor/edema	Generalizado	Ausente ou pequeno	Localizado/intenso/edemaciado
Dor	Generalizado	Média intensidade/localizada	Intensa/localizada
Temperatura	< 38,4°	< 38,4°	> 38,4°
Sintomas gerais	Poucos	Sente-se bem	Semelhante à gripe

Fonte: Lawrence e Lawrence.

O tratamento deve ser realizado com esvaziamento das mamas por ordenha, drenagem cirúrgica, antibióticos, analgésicos e antitérmicos, repouso, calor local e sutiã adequado, mantendo as mamas suspensas. Deve ser salientada a importância do esvaziamento para alívio e melhora da sintomatologia do abscesso mamário. A escolha dos medicamentos deverá ser criteriosa, considerando-se seus efeitos na criança, do mesmo modo que para as mastites e outros problemas da mãe.

A amamentação deverá ser mantida, sendo apenas indicada a supressão na mama afetada, por alguns dias, quando o dreno ou a incisão da drenagem forem muito próximos ao mamilo. Nesses casos a criança deverá continuar mamando normalmente na mama não afetada.

A drenagem cirúrgica deverá ser realizada sob anestesia geral, em condições que permitam a perfeita abordagem das lojas de abscesso, muitas vezes múltiplas e profundas. O acompanhamento clínico frequente e constante da mãe e da criança permite avaliar o aparecimento de complicações e a resposta ao tratamento.

O abscesso exige intervenção rápida, pois poderá evoluir para drenagem espontânea, e eventualmente para outras complicações. A Fig. 12.7 apresenta um caso de abscesso mamário com drenagem espontânea, complicada por necrose de pele. Esta paciente apresentou inicialmente mastite e não foi tratada por dificuldade de acesso à assistência médica. Houve resposta muito boa ao tratamento com antibióticos, analgésicos, repouso e desbridamento cirúrgico.

OUTROS PROBLEMAS

Implantes de Silicone e Amamentação

A melhora significativa das técnicas cirúrgicas e a maior valorização da mama tornaram o implante de substâncias inertes, especialmente silicone, mais difundido entre mulheres jovens. Considerando-se que as técnicas utilizadas geralmente preservam o tecido mamário, ductos lactíferos, nervos e circulação sanguínea da mama e dos mamilos, não deverão ocorrer problemas para a amamentação.

Kjoller e McLaughlin, na Dinamarca, fazendo estudo epidemiológico de 279 nascimentos de mulheres pós-implante, não observaram alterações da motilidade esofágica em crianças amamentadas. Esse trabalho foi motivado por estudo anterior (1994) de Levine e Ilowite, descrevendo disfunções esofágicas em pequeno número de crianças amamentadas por mães submetidas a implantes.

Revisão bibliográfica, realizada por Berlin, analisando os possíveis problemas para a criança ocorridos em mulheres pós-implante de silicone, concluiu que não há contraindicações à amamentação nesses casos.

Segundo Lawrence e Lawrence, a situação acima discutida é bastante diferente de implantes realizados pós-mastectomia ou por pequeno desenvolvimento mamário unilateral, quando é possível que a mama hipodesenvolvida apresente problemas durante a lactação. Referem que o U.S. Food and Drug Administration (FDA) concluiu, após estudos extensos, não ser necessária a remoção de próteses intactas nem de se checar o leite materno para a presença de silicone.

Mamoplastia Redutora

Ao contrário do implante de silicone, a mamoplastia redutora é mais destrutiva pela necessidade de mudança de posição do mamilo, que poderá causar interrupção de ductos.

Um estudo, realizado no sul do Brasil, evidenciou que a duração do aleitamento materno exclusivo foi significativamente menor em mulheres submetidas à mamoplastia redutora. A prevalência de aleitamento materno exclusivo no primeiro e no

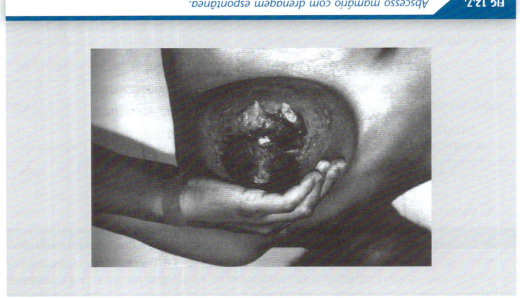

FIG 12.7. *Abscesso mamário com drenagem espontânea.*

quarto mês de vida da criança foi de 21 e 4%, respectivamente, para as mulheres com cirurgia e de 70 e 22% para as mulheres do grupo-controle. As autoras salientam a necessidade de que candidatas à mamoplastia redutora sejam preparadas para possíveis dificuldades.

Analisando o tema, Lawrence e Lawrence também enfatizam a importância de que os cirurgiões discutam amplamente com as pacientes, antes do procedimento cirúrgico, todas as opções.

Na experiência do CELAC o número de mulheres submetidas a mamoplastias redutoras que desejam amamentar vem aumentando, especialmente devido à difusão das campanhas de estímulo e ao incentivo à amamentação nos hospitais. Tem sido observado que essas mulheres têm conseguido amamentar, embora poucas consigam manter o aleitamento materno exclusivo até o sexto mês. Nos casos acompanhados, chamou atenção a perda de sensibilidade nos mamilos, encontrada em algumas dessas mulheres.

Amamentação e Trabalho Extradoméstico

O retorno da nutriz ao trabalho constitui um momento de ansiedade, angústia e, muitas vezes, sentimentos ambíguos que oscilam da culpa à impotência para equacionar adequadamente o problema. Esse tema ganha proporções significativas pela inserção cada vez maior da mulher no mercado de trabalho e pelo descaso de empresários no cumprimento da legislação de proteção ao aleitamento materno. Deve-se considerar, também, o desconhecimento de mães e profissionais de saúde sobre essa legislação.

O grupo multiprofissional do CELAC implantou, em meados do ano 2000, proposta de abordagem para as dificuldades do retorno ao trabalho da mulher que amamenta. O objetivo é, fundamentalmente, facilitar a manutenção do aleitamento materno, prevenir o desmame precoce e reduzir a tensão desse grupo de nutrizes. A rotina consta de diferentes atividades desenvolvidas por toda a equipe (Tabela 12.2).

TABELA 12.2. *Atividades desenvolvidas pela equipe multiprofissional para nutrizes que retornam ao trabalho*

- Consulta pediátrica com especial atenção à avaliação nutricional.
- Esclarecimento/informação dos benefícios legais de proteção à maternidade e ao aleitamento materno.
- Articulação com os locais de trabalho, com o objetivo de esclarecer e garantir os benefícios legais e o apoio ao aleitamento materno.
- Estabelecimento pelo pediatra de esquema alimentar individualizado e adequado às necessidades do binômio mãe-filho.
- Revisão de técnicas de ordenha, conservação do leite materno e administração com copinho.
- Treinamento de familiares e/ou responsáveis pelos cuidados da criança para administração do leite materno com copinho e da dieta individualizada.

Fonte: Garcia CLL, Morais AEP, Mozachi MPS e cols.

O estabelecimento de esquema alimentar específico tem sido feito de acordo com as possibilidades de liberação e o horário de trabalho da mãe. Essa proposta algumas vezes exige inversão nos esquemas alimentares pediátricos tradicionais como, por exemplo, introdução da primeira papa no horário da tarde, e tem sido bem aceito pelas mães e familiares. As mulheres submetidas às atividades propostas mostram-se mais calmas, tranquilas e têm conseguido manter o aleitamento materno, sem introdução de outros tipos de leite.

BIBLIOGRAFIA CONSULTADA

Almeida JAG. Amamentação: um híbrido natureza e cultura. Rio de Janeiro: Fiocruz, 1999.

Auerbach KG, Riordan J. Amamentação: guia prático. Rio de Janeiro: Revinter, 2000.

Berlin C. Silicone implants and breastfeeding. ABM News and Views 1998; 4(4):25-31.

Efem SE. Breast abscesses in Nigeria: lactational versus non lactational. J R Coll Surg Edinb 1995; 40(1):25-7.

Francis-Morril J, Heinig MJ, Pappagianis D, Dewey KG. Diagnostic value of Signs and Symptoms of Mamary candidosis among lactating women. J Hum Lactat 2004; 20(3): 288-295.

Garcia CLL, Morais AEP, Mozachi MPS, Thomson Z. Amamentação e trabalho feminino: rotina facilitadora. Anais do XI Encontro Paulista de Aleitamento Materno. São Paulo, setembro de 2000.

Giugliani ERJ. O Aleitamento materno na prática clínica. J Pediatr 2000; 76(Suppl 3):S238-S252.

Giugliani ERJ. Problemas comuns na amamentação e seu manejo. J Pediatr 2004; 80(Suppl 5):S147-S154.

Heinig MJ, Francis J, Pappagianis D. Mamary candidosis in lactating women. J Hum Lactat 1999; 15(4):281-288.

King FS. Como ajudar as mães a amamentar. 4 ed. Brasília: Ministério da Saúde, 2001.

Kjoller K, McLaughlin JK. Health outcomes in off spring of mothers with breastimplants. Pediatrics 1998; 102:1112-1115.

Lang S. Aleitamento materno – cuidados especiais. 1 ed. São Paulo: Editora Santos, 1999.

Lawrence RA, Lawrence RM. Breastfeeding: a guide for the medical profession. 5 ed. St. Louis: Mosby, 1999.

Mass S. Breast pain: engorgement, nipple pain and mastitis. Clin Obstet Gynecol 2004; 47: 676-682.

Murahovschi J, Teruya KM, Bueno LGS, Baldin PE. Amamentação: da teoria à prática. Santos: Fundação Lusíada, 1997.

Newman J. Blocked ducts and mastitis. Disponível em: http://www.thebirthden.com/newman.htlm. Acesso em 01 fev. 2005.

Novak FR, Almeida JAG, Silva RS. Casca de banana: uma possível fonte de infecção no tratamento de fissuras mamilares. J Pediatr 2003; 79:221-226.

Oliveira MSM, Poli LMC, Thomson Z, Matsuo T, Melchior R. Perfil do aleitamento materno. Anais do V Encontro Nacional de Aleitamento Materno. Associação Médica de Londrina 1997; p. 73.

Organization WH, DCHD. Evidence for the ten steps to successful breastfeeding. Geneva: World Health Organization, 1998.

Pniam. Manejo e promoção do aleitamento materno. Brasília: Ministério da Saúde (curso de 18 horas), 1993.

Renfrew M, Fischer C, Arms S. Bestfeeding: getting breastfeeding right for you. California: Celestial Arts, 1990.

Riordan J, Auerbach KG. Breastfeeding and human lactation. Boston: Jones and Bartlett Publishers International, 1993.

Royal College of Midwives. Successful breastfeeding. 2 ed. London: Churchill Livingstone, 1993.

Souto GC, Giugliani ERJ, Giugliani, C, Schneider, MA. The impact of breast reduction surgery on breastfeeding performance. J Hum Lactat 2003; 19(1):43-49.

Thomson M, Morais AEP, Vargas VM, Garcia CLL, Thomson Z. Fissura mamilar: avaliação terapêutica. Experiência da Clínica de Lactação/UEL. Anais do I Congresso do Cone Sul de Aleitamento Materno. Joinville, outubro de 1996.

Valdés V, Sánchez AP, Labbok M. Manejo clínico da lactação: assistência à nutriz e ao lactente. Rio de Janeiro: Revinter, 1996.

Vinha VHP. O livro da amamentação. São Paulo: Balieiro, 1999.

Uso de Medicamentos, Drogas e Cosméticos durante a Amamentação

13

Roberto Gomes Chaves
Joel Alves Lamounier
Graciete Oliveira Vieira
Tatiana de Oliveira Vieira
Vilneide Maria Santos Braga Diégues Serva

INTRODUÇÃO

O uso de medicamentos pela nutriz constitui preocupação frequente entre médicos e outros profissionais de saúde, principalmente os pediatras, pelo contato direto com mãe e a criança antes e após o parto. Em congressos e eventos científicos são comuns perguntas sobre a amamentação e uso de fármacos e drogas. Também a literatura médica contém publicações científicas devido à relevância do tema. Esse capítulo aborda de maneira abrangente, sob diversos aspectos, o uso de fármacos durante a amamentação. Adotamos os termos fármacos e medicamentos para as substâncias utilizadas no intuito de promover benefício à saúde do indivíduo, e o termo droga reservado para substância de abuso. Também foram incluídas informações sobre drogas ilícitas e produtos de uso comum pela mulher, que podem ter implicações para o aleitamento materno.

Os conhecimentos científicos de fisiologia e farmacologia médica possibilitaram novos medicamentos e avanços na terapêutica médica. O número de medicamentos produzidos pela indústria farmacêutica obriga aos profissionais de saúde uma constante reciclagem do conhecimento em farmacologia, dentre as quais o uso de fármacos na lactação. Os benefícios e vantagens do aleitamento materno devem sempre ser confrontados em caso de dúvidas sobre o uso de medicamento na amamentação. Poucos fármacos são incompatíveis e, nesses casos, requerem suspensão do aleitamento materno. Existem outros que apresentam incompatibilidade somente por curtos períodos; porém, a maioria é compatível.

Outro aspecto importante nesse cenário é o uso de drogas ilícitas e substâncias de abuso entre mães, que já pode se iniciar antes da gestação e parto. Essa situação é uma realidade em vários países do mundo, inclusive no Brasil. Dúvidas e dificuldades no manuseio dessas questões na prática médica fazem necessário maiores estudos sobre o assunto. Entretanto, mesmo com pouco conhecimento cientifico disponível, a orientação tem sido suspender aleitamento materno em mães usuárias de drogas ilícitas. Essa situação é conflitante tendo em vista as condições sociais da maior parte das usuárias de drogas, que praticamente mantêm o habito após o parto. Trata-se de um dilema para os profissionais médicos na assistência a gestantes nessas condições e que requerem decisões. Entretanto, avaliações do custo *versus* benefício devem ser consideradas, bem como também da realidade social, com o retorno das mães às suas origens, em geral nas ruas de grandes cidades, e que mantêm o vício. No hospital e maternidade o recém-nascido não é amamentado, porém, ao sair de alta hospitalar, essa condição nem sempre tem sido possível pelo uso de fórmulas infantis em substituição ao leite humano.

Nesse contexto devem ser considerados também os produtos e cosméticos utilizados pelas mulheres. Frequentemente surgem dúvidas sobre uso de um produto ou substância e sua compatibilidade com o aleitamento materno. Nesses casos, cabe ao profissional de saúde, em geral o pediatra, opinar e tomar a decisão de informar corretamente a nutriz.

Na assistência à mãe durante amamentação, a relação e troca de informações entre os profissionais de saúde são fundamentais para a decisão de amamentar e a manutenção do aleitamento materno. O cuidado médico e assistencial prestado pelo médico generalista, clínico ou obstetra diante de uma condição de saúde, pode requerer o uso de medicamentos. Alguns por curto período outros por uso prolongado, que podem não ser compatíveis com a amamentação. Entretanto, por desconhecimento, algumas orientações médicas são de suspender a amamentação, o que somente se verifica em poucos casos. O recomendado e ideal consiste na troca de informações entre o médico assistente da mãe com o pediatra, que diante de informações corretas toma a decisão e faz as recomendações sobre uso de medicamentos e lactação.

Diante dessas considerações, o objetivo desse capítulo foi disponibilizar conhecimentos científicos com base nas publicações e manuais disponíveis sobre uso de medicamentos, produtos e substâncias de uso pela mulher, drogas ilícitas, dentre outros fatores que requerem a tomada de decisão do profissional de saúde sobre amamentar ou não. As vantagens do aleitamento materno devem sempre ser consideradas em caso de dúvida, e a leitura deste capítulo e referências podem respaldar a decisão médica.

O capitulo foi estruturado de acordo com os diferentes grupos farmacológicos. Para mais detalhes recomenda-se o acesso ao site LactMed (http://toxnet.nlm.inh.gov) elaborado pela United States National Library of Medicine, disponível também na forma de aplicativo para *smartphones*, e a leitura das fontes listadas na seção bibliografia.

FARMACOLOGIA E LACTAÇÃO

Para que o profissional de saúde possa se orientar sobre o uso de medicamentos durante a lactação, torna-se útil o conhecimento dos fatores que determinam essa prática. Tais fatores podem estar relacionados com o fármaco, com a mulher, com o leite materno e com o lactente (Fig. 13.1).

FIG 13.1. *Fatores relacionados com o fármaco, a nutriz e o lactente.*

Os fatores relacionados com o fármaco estão vinculados à farmacocinética. Para ser transferido para o leite materno, o fármaco precisa alcançar o tecido alveolar da glândula mamária. O fator determinante da quantidade de fármaco que aparece no leite é a sua concentração no sangue materno, exceto nos casos de medicamento de aplicação tópica diretamente na mama. As concentrações do fármaco no leite materno são influenciadas por algumas de suas características que favorecem sua passagem para o leite, tais como: elevada concentração plasmática materna, alta lipossolubilidade, baixa ligação com proteínas plasmáticas (a maioria dos fármacos passam às células alveolares mamárias na forma livre), compostos não ionizados, elevada biodisponibilidade, e baixo peso molecular (inferior a 200 dáltons). Fármacos com elevada meia-vida de eliminação permanecem mais tempo no organismo materno elevando o risco de transferência para o lactente através do leite materno. Outro aspecto importante é o pico sérico da droga. Usualmente, o pico na corrente sanguínea da mãe coincide com o pico no leite materno, sendo menor neste. Portanto, conhecer o pico sérico de um medicamento é útil para adequar os horários de administração da droga ao horário das mamadas da criança.

Tal informação pode ser adquirida em livros de farmacologia ou na própria bula do medicamento. O conhecimento farmacológico pode auxiliar o profissional no momento da prescrição, devendo-se optar por fármacos que apresentem baixa excreção para o leite.

Os *fatores relacionados com a nutriz* dependem da via de administração, das funções hepática e renal, e da dose utilizada. A via pela qual o fármaco é administrado à mãe tem importância pelos níveis alcançados no plasma materno e posteriormente no leite humano. Assim, a via tópica apresenta menor risco de exposição para o lactente quando comparada à via oral ou endovenosa. Quanto à metabolização e excreção da droga pela mãe, as funções hepática e renal são importantes, pois influenciam os níveis séricos e, consequentemente, as concentrações no leite materno.

Quanto aos fatores relacionados com o leite materno, as proteínas e os lípides podem funcionar como transportadores de medicamentos ingeridos pela mãe. Assim, a variação nas composições lipídica do leite durante uma mamada ("leite anterior" e "leite posterior") e proteica conforme a fase da lactação (colostro e leite maduro) pode influir na concentração de fármaco excretado no leite materno. Os fármacos são excretados mais facilmente para o leite materno durante os primeiros dias de lactação (colostro), pois as células alveolares são menores e o espaço intercelular largo. A partir da segunda semana pós-parto, há redução dos níveis de progesterona, seguida de crescimento das células alveolares e estreitamento dos espaços intercelulares. Assim, ocorre redução da excreção de fármacos para o leite materno. Todavia, a dose absoluta dos fármacos recebida pelo recém-nascido é baixa devido ao pequeno volume de colostro ingerido (50 a 60 mL/dia)

Fármacos com grande afinidade pelas proteínas plasmáticas maternas aparecem em pouca quantidade no leite. Já a concentração de fármacos lipossolúveis pode ser influenciada pela dieta materna, pela frequência das mamadas e pela duração da lactação. A variação na composição lipídica do leite (leite anterior e leite posterior) influi na quantidade de droga excretada no leite materno. O epitélio alveolar mamário representa uma barreira lipídica, mais permeável na fase colostral (primeira semana pós-parto). O pH do leite humano (6,6 a 6,8) é um pouco menor do que o do plasma, ou seja, mais ácido, o que favorece a concentração de substâncias com características básicas, por mecanismo de ionização. A variação tanto do volume quanto da composição do leite podem afetar os níveis de fármacos excretados. O leite de mães de recém-nascidos pré-termo tem baixo teor de gordura e alto teor de proteína, o que implica em diferentes níveis do fármaco no leite materno.

Os efeitos dos fármacos no lactente dependem também da taxa de absorção dessas substâncias no trato gastrointestinal do lactente, e de sua capacidade para metabolizá-las e eliminá-las. Assim, recém-nascidos prematuros, por dificuldades em metabolizar e excretar medicamentos devido à imaturidade renal, hepática e de sistemas enzimáticos, seriam mais suscetíveis aos efeitos adversos de fármacos eliminados no leite materno. Contudo, o volume de leite (colostro) ingerido pelo recém-nascido nos primeiros dias de vida é considerado baixo, sendo a dose absoluta do fármaco passado ao bebê durante este período muito baixa. A função renal e as complicações como hipoxia, acidose metabólica, sepse e outras certamente influem no metabolismo e eliminação desses fármacos pela criança. A idade do lactente tem sido apontada como uma das mais importantes variáveis a ser considerada no momento de determinar a segurança do fármaco para uso durante a lactação. São raros os efeitos adversos descritos em lactentes após 6 meses de vida devido à maior maturidade hepática e renal e também ao menor volume de leite materno ingerido após a introdução da alimentação complementar.

MÉTODOS DE ESTIMATIVA DA EXPOSIÇÃO DO LACTENTE AOS FÁRMACOS

No intuito de quantificar a exposição do lactente aos fármacos, duas medidas têm sido mais utilizadas: razão leite/plasma e dose relativa no lactente. Tais medidas tornam-se mais importantes quando a nutriz faz uso de medicamentos por tempo prolongado.

A razão leite-plasma é utilizada para estimar a quantidade de fármaco transferido para o leite. É a razão entre as concentrações da droga no plasma e no leite em estado de equilíbrio. Um baixo valor indica baixa concentração do fármaco no leite. Contudo, sua interpretação deve ser realizada com cuidado, pois valores elevados não constituem preocupação quando o fármaco possui baixa biodisponibilidade para o lactente.

$$\text{Razão leite-plasma} = \frac{\text{concentração do fármaco no leite}}{\text{concentração do fármaco no plasma}}$$

A dose relativa no lactente estima a porcentagem da dose materna recebida pelo lactente. Estabeleceu-se, de forma arbitrária, que o valor deve ser menor que 10% para que o fármaco seja considerado seguro para uso durante a lactação. Possui a desvantagem de considerar que mãe e filho possuem mesma absorção, metabolização e excreção, fato que normalmente não ocorre na prática. Essa medida serve apenas como orientação, certos fármacos sabidamente seguros dispensam esse tipo de cálculo.

$$\text{Dose relativa no lactente (\%)} = \frac{\text{Dose lactente (mg/kg/dia)} \times 100}{\text{Dose materna (mg/kg/dia)}}$$

PRINCÍPIOS GERAIS DE PRESCRIÇÃO DE MEDICAMENTOS E LACTAÇÃO

O princípio fundamental da prescrição de medicamentos para mães lactantes baseia-se, sobretudo, no risco *versus* benefício. As vantagens e a importância do aleitamento materno são bem conhecidas. Assim, a amamentação somente deverá ser interrompida ou desencorajada se existir evidência substancial de que a droga usada pela nutriz é nociva para o lactente, ou quando não existirem informações a respeito da segurança para uso na lactação e a droga não puder ser substituída por outra inócua. Em geral, as mães que amamentam devem evitar o uso de quaisquer medicamentos. No entanto, se isto for imperativo, deve-se fazer opção por um fármaco já estudado, que seja pouco excretada no leite materno, ou que não tenha risco aparente para a saúde da criança.

Em resumo, apresentamos alguns aspectos práticos para a prescrição de medicamentos às mães durante a lactação:

- Avaliar a necessidade da terapia medicamentosa. Nesse caso, a consulta entre o pediatra e o obstetra ou o clínico é muito útil. O fármaco prescrito deve ter um benefício reconhecido para a condição que está sendo indicado;
- Preferir um fármaco já estudado e sabidamente seguro para a criança, que seja pouco excretado no leite humano;
- Preferir fármacos que já são liberados para o uso em recém-nascidos e lactentes;
- Preferir a terapia tópica ou local, a oral e a parenteral, quando possível e indicado;
- Preferir o uso de medicamentos com um só fármaco, evitando combinações de fármacos;
- Programar o horário de administração do medicamento à mãe, evitando que o pico do fármaco no sangue e no leite materno coincida com o horário da amamentação. Em geral, a exposição do lactente ao fármaco pode ser diminuída, prescrevendo-o para a mãe imediatamente antes, ou logo após a mamada;
- Quando possível, dosar o fármaco na corrente sanguínea do lactente se houver risco para a criança, como nos tratamentos maternos prolongados, a exemplo do uso de anticonvulsivantes;
- Escolher fármacos que produzem mínimos níveis no leite. Por exemplo, os antidepressivos sertralina e paroxetina possuem níveis lácteos bem mais baixos que a fluoxetina;
- Orientar a mãe para observar a criança com relação aos possíveis efeitos colaterais já descritos para o fármaco, tais como alteração do padrão alimentar, hábitos de sono, agitação, tônus muscular, distúrbios gastrointestinais;
- Evitar fármacos de ação prolongada pela maior dificuldade de serem excretados pelo lactente. Exemplo: preferir midazolam ao diazepam;
- Orientar a mãe para retirar o seu leite com antecedência e estocar em congelador para alimentar o bebê no caso de interrupção temporária da amamentação. Sugerir também ordenhas periódicas para manter a lactação;
- Informar aos pais da criança sobre a segurança e sobre os potenciais riscos do uso, pela nutriz, do medicamento.

CRITÉRIOS PARA O USO DE MEDICAMENTOS

Os critérios descritos abaixo foram adaptados da classificação adotada por Thomas Hale no livro "Medications and Mothers' Milk" (2012) e levam em consideração o nível de segurança dos medicamentos para uso durante a lactação. As informações sobre a segurança dos fármacos para uso na lactação foram extraídas da última edição do livro de Hale (2012) e do site de busca LactMed (http://toxnet. nlm.inh.gov) elaborado pela United States National Library of Medicine.

É importante ressaltar que a decisão de manter um tratamento durante a lactação com fármacos usados durante a gestação é diferente daquela de quando o início do medicamento ocorre após o parto. Similarmente, a conduta no uso de uma simples dose ou nas terapêuticas de curto período pode ser diferente das terapias crônicas.

Medicamentos Seguros

São aqueles cujo uso por nutrizes não apresentou efeitos adversos sobre o lactente ou sobre o suprimento lácteo.

Medicamentos Moderadamente Seguros

Não há estudos controlados em nutrizes, contudo, existe risco de efeitos adversos em lactentes, ou estudos controlados mostraram efeitos adversos pouco significativos. Deve-se manter a amamentação e observar o lactente.

Medicamentos Possivelmente Perigosos

Existem evidências de risco de dano à saúde do lactente ou à produção láctea.

Esses medicamentos devem ser utilizados levando-se em conta a relação risco/benefício, ou quando fármacos mais seguros não estão disponíveis ou são ineficazes. Recomenda-se utilizar estes medicamentos durante o menor tempo e na menor dose possível, observando mais rigorosamente efeitos sobre o lactente.

Medicamentos e Drogas Contraindicados

Existem evidências de danos significativos à saúde do lactente. Nesse caso o risco do uso do medicamento pela nutriz claramente é maior que os benefícios do aleitamento materno. Esses fármacos exigem a interrupção da amamentação.

As Tabelas 13.1 a 13.4, presentes no final do capítulo, contêm recomendações atualizadas sobre o uso de medicamentos e drogas durante a lactação, conforme a classificação mostrada acima.

Nota: os alimentos e agentes (contaminantes) ambientais configuram situações especiais, passíveis de ocorrer na prática diária, e ainda que não se use terapia, exigem do profissional de saúde uma tomada de decisão.

OBSERVAÇÕES SOBRE ALGUNS GRUPOS DE FÁRMACOS USUALMENTE UTILIZADOS

Fármacos Anti-infecciosos

Antimaláricos

Seu uso deve ser criterioso principalmente se o bebê for prematuro, tiver menos de um mês de idade, ou naqueles com deficiência de G-6-PD. Observar o bebê para icterícia e hemólise.

CAPÍTULO 13 Uso de Medicamentos, Drogas e Cosméticos durante a Amamentação

TABELA 13.1. *Medicamentos seguros para uso durante a lactação*

CLASSES FARMACOLÓGICAS	FÁRMACOS
Fármacos anti-infecciosos e antiparasitários	
Antibióticos	Azitromicina, cefalosporinas, claritromicina, dicloxacilina, eritromicina, floxacilina, gentamicina, imipenem, lincomicina, nitrofurantoína (após um mês de vida), penicilinas, polimixina B, tetraciclina (períodos curtos), vancomicina
Antivirais	Aciclovir, fanciclovir, penciclovir, valaciclovir
Antifúngicos	Anfotericina B, cetoconazol, clotrimazol, fluconazol, griseofulvina, miconazol, nistatina, terbinafina
Tuberculostáticos	Kanamicina, rifampicina
Antiparasitários	Permetrina, praziquantel
Fármacos que atuam na dor e na inflamação	
Analgésicos e anti-inflamatórios não esteroides	Paracetamol, ibuprofeno, diclofenaco e cetorolaco
Analgésicos opioides	Buprenorfina, tramadol
Anestésicos e indutores anestésicos	Bupivacaína, fentanil, halotano, lidocaína, propofol, ropivacaína
Anti-histamínicos	Cetirizina, desloratadina, difenidramina, dimenidrinato, loratadina, fexofenadina, hidroxizine, prometazina, terfenadina
Corticosteroides	Beclometasona, hidrocortisona, prednisolona, prednisona, metilprednisolona
Fármacos que atuam no sistema cardiovascular	
Anti-hipertensivos	Benazepril captopril, enalapril, espironolactona, hidroclorotiazida, mepindolol, metildopa, nifedipina, nimopidina, nitrendipina, propranolol, quinapril, timolol, verapamil
Antiarrítmicos	Digoxina, disopiramida, mexiletina, propafenona, quinidina, verapamil
Fármacos que atuam no sistema digestório	
Antiácidos e antissecretores ácidos	Cimetidina, esomeprazol, famotidina, hidróxido de alumínio, nizaditina, omeprazol, ranitidina, sucralfato
Antieméticos e gastrocinéticos	Cisaprida, dimenidrinato, domperidona, metoclopramida
Laxantes	Bisacodil, óleo mineral, picossulfato, sais de magnésio

Continua

234

TABELA 13.1. *Medicamentos seguros para uso durante a lactação*

CLASSES FARMACOLÓGICAS	FÁRMACOS
Fármacos que atuam no sistema endócrino	
Antidiabéticos	Insulina, glibenclamida (gliburida), metformin, miglitol
Antitireoidianos	Propiltiouracil
Anovulatórios	Levonorgestrel, medroxiprogesterona, noretinodrel, noretindrona
Fármacos que atuam no sistema respiratório	
Antiasmáticos	Salbutamol (albuterol), salmeterol, terbutalina
Fármacos que atuam no sistema nervoso central	
Ansiolíticos e hipnóticos** Antidepressivos	Midazolan, Nitrazepam∗, zopiclone Amitriptilina, fluoxetina∗∗∗, imipramina, nortriptilina, paroxetina, sertralina
Antiepiléticos	Ácido valproico, carbamazepina, fenitoína e gabapentina
Antienxaquecosos	Eletriptan
Neurolépticos	Haloperidol
Vacinas	Dupla tipo adulto (difteria e tétano), tríplice bacteriana acelular (difteria, tétano e coqueluche), influenza, hepatite A, hepatite B, meningocócica C conjugada, papiloma vírus humano (HPV bivalente ou quadrivalente), pneumocócica 23 (polissacárides), poliomielite oral, tríplice viral, varicela, varicela-zóster
Vitaminas	Vitaminas B, C, D, E, K
Sais minerais	Sais ferrosos, sais de zinco

*Após o pós-parto imediato.
**Períodos curtos.
***Após um mês de vida.

Antibióticos

São frequentemente prescritos durante a lactação, contudo, por curtos períodos de tempo, o que reduz o risco para o lactente. A transferência desses fármacos via leite materno pode provocar sensibilização e, consequentemente, reações alérgicas em exposições posteriores. Os antibióticos podem modificar a flora intestinal da criança, levando à diarreia e moniliíase, ou gerar dúvidas na interpretação de exames laboratoriais de material de cultura do lactente. As penicilinas e cefalosporinas apresentam baixas concentrações no leite materno. Os aminoglicosídeos, quando usados pela mãe por via parenteral, aparecem facilmente no leite materno, contudo

CAPÍTULO 13 Uso de Medicamentos, Drogas e Cosméticos durante a Amamentação

TABELA 13.2. *Medicamentos moderadamente seguros para uso durante a lactação*

CLASSES FARMACOLÓGICAS	FÁRMACOS
Fármacos anti-infecciosos e antiparasitários	
Antibióticos	Levofloxacin, lomefloxacin, sulfametoxazol*, trimetoprim, metronidazol
Antifúngicos	Itraconazol
Antivirais	Valganciclovir
Antiparasitários	Ivermectina, mebendazol, tiabendazol
Fármacos que atuam na dor e na inflamação	
Analgésicos e anti-inflamatórios não esteroides	AAS, dipirona, indometacina, meloxican
Analgésicos opioides	Codeína, hidrocodona, morfina, oxicodona, remifentanil e propoxifeno
Anestésicos e indutores anestésicos	Dibucaína, tiopental
Anti-histamínicos	Levocetirizina
Corticosteroides	Betametasona, budesonida, dexametasona
Fármacos que atuam no sistema cardiovascular	
Anti-hipertensivos	Acebutolol, alisquireno, amilorida, anlodipina, atenolol, bisoprolol, candesartan, caverdilol, clonidina, felodipina, fosinopril, furosemida, guanabenzo, irbesartan, isradipina, lisinopril, losartan, metoprolol, minoxidil, nisoldipina, olmesartan, ramipril, telmisartan, triantereno, valsartan
Antiarrítmicos	Atropina, digitoxina, diltiazem, procainamida, quinidina**
Antilipêmicos	Fenofibrato***
Fármacos que atuam no sistema digestório	
Antiácidos	Lansoprazol
Laxante	Polietilenoglicol
Fármacos que atuam no sistema endócrino	
Antidiabéticos	Acarbose, glipizida, rosiglitazona
Anovulatórios	Etinilestradiol + levonorgestrel (contracepção de emergência)
Antitireiodeanos	Carbimazol, metimazol
Fármacos que atuam no sistema respiratório	
Antiasmáticos	Formoterol, montelucaste, teofilina

Continua

TABELA 13.2. *Medicamentos moderadamente seguros para uso durante a lactação*

CLASSES FARMACOLÓGICAS	FÁRMACOS
Fármacos que atuam no sistema nervoso central	
Ansiolíticos e hipnóticos	Alprazolam, buspirona, diazepam, hidrato de cloral, lorazepam, secobarbital, zolpidem
Antidepressivos	Bupropiona, fluoxetina****
Antiepiléticos	Fenobarbital, lamotrigina, levetiracetam, oxcarbamazepina, pregabalina, primidona tiagabina, topiramato e vigabatrina
Antienxaquecosos	Cipro-heptadina
Vitaminas	Vitamina A

*Evitar o uso em mães de lactentes ictéricos.
**Uso crônico.
***Uso em lactentes após 1 ano de idade.
****Uso durante período neonatal.

a absorção no trato gastrointestinal do lactente é insignificante. Demonstrou-se que os níveis de sulfonamidas no leite materno excedem os séricos, com evidências desses fármacos no leite vários dias após a suspensão da terapia, podendo interferir na ligação da bilirrubina com a albumina, aumentando o risco de *kernicterus*. O cloranfenicol deve ser evitado especialmente durante o primeiro mês de vida devido ao risco de síndrome cinzenta no recém-nascido. Há relato de anemia hemolítica em lactente atribuído ao uso materno de ácido nalidíxico. A amamentação deve ser mantida em nutrizes em uso de metronidazol e fluorquinolonas.

Antivirais

Aciclovir, fanciclovir, penciclovir e valaciclovir são considerados seguros para uso durante a lactação. Interferon beta 1A e 1B, nevirapina, oseltamivir, valganciclovir, zanamivir carecem de estudos sobre segurança na lactação, sendo classificados como moderamente seguros. A amantadina deve ser evitada pelas nutrizes devido ao risco de supressão da lactação. Fármacos antirretrovirais como a lamivudina, nelfinavir, nevirapina e zidovudina não são contraindicados durante a lactação. Contudo, o Ministério da Saúde do Brasil, seguindo a conduta adotada em países desenvolvidos, contraindica a amamentação em mulheres infectadas pelo HIV. Assim, as mães que necessitam de fármacos antirretrovirais não deverão amamentar seus filhos. Foscarnet, utilizado no tratamento de infecções pelo herpes vírus simples, deve ser evitado pela nutriz. Esse fármaco apresenta risco de nefrotoxicidade, convulsões e deposição nos ossos e esmalte dentário. Estudos em animais mostraram níveis lácteos 3 vezes maiores no leite em relação aos níveis plasmáticos (razão leite plasma igual a 3). O uso mateno de ribavirina é considerado seguro por curtos períodos. Porém, o uso crônico (6 a 12 meses) deve ser evitado devido ao risco de hemólise no lactente,

CAPÍTULO 13 Uso de Medicamentos, Drogas e Cosméticos durante a Amamentação

TABELA 13.3. *Medicamentos potencialmente perigosos durante a lactação*

CLASSES FARMACOLÓGICAS	FÁRMACOS
Fármacos anti-infecciosos e antiparasitários	
Antibióticos	Ácido nalidíxico, cloranfenicol, dapsona, furazolidona, grepafloxacin, trovafloxacin
Antivirais	Amantadina, foscarnet, ribavirina
Antimaláricos	Pirimetamina, quinacrina
Fármacos que atuam na dor e na inflamação	
Analgésicos e anti-inflamatórios não esteroides	Colchicina, naproxeno*
Anti-histamínicos	Tripelenamina
Fármacos que atuam no sistema cardiovascular	
Anti-hipertensivos	Bendroflumetiazida, Bepridil, candesartam, doxazosin, flunarizina, fosinopril*, nadolol, prazosin, quinapril*, reserpina, telmisartan*, terazosin, valsartan
Antianginosos	Nitratos, nitritos e nitroglicerina
Fármacos que atuam no sistema digestório	
Antieméticos (antivertiginosos)	Trimetobenzamida
Laxantes	Senna
Fármacos que atuam no sistema endócrino	
Antidiabéticos	Glimepirida, repaglinida
Antiprolactinogênicos	Cabergoline
Anovulatórios	Estrogênios (etinilestradiol)
Fármacos que atuam no sistema respiratório	
Mucolíticos	Iodeto de potássio
Descongestionantes nasais	Efedrina, pseudoefedrina
Fármacos que atuam no sistema nervoso central	
Anorexígenos	Fentermina, sibutramina
Ansiolíticos e hipnóticos	Loxapine
Antidepressivos e estabilizadores de humor	Lítio, nefazodone, tioridazida, tiotixeno
Antienxaquecosos	Ergotamina, flunarizina

Continua

238

TABELA 13.3. *Medicamentos potencialmente perigosos durante a lactação*

CLASSES FARMACOLÓGICAS	FÁRMACOS
Antiepiléticos	Etossuximida, felbamato
Antiparkinsonianos	Levodopa, pramipexazol, ropirinol
Neurolépticos	Mesoridazina, pimozide, quetiapina, ziprasidona
Vitaminas	Piridoxina**
Outros	
Antiagregantes plaquetários	Clopidogrel, ticlopidina
Imunossupressores	Cisplatina, leflunomide, pimecrolinus***
Relaxantes musculares	Dantrolene, tizanidina
Uterotônicos	Metilergonovina****

*Uso no período neonatal.
**Uso em altas doses.
***Uso no mamilo.
****Uso crônico.

Antifúngicos

Não há relato de efeitos adversos significativos em lactentes após o uso de medicamentos antifúngicos. Optar pela via tópica quando possível. Na vigência do uso oral, dar preferência para fármacos com menor risco de hepatotoxicidade.

Tuberculostáticos

Não há relato de efeitos adversos com os fármacos usados nos esquemas de rotina para o tratamento da tuberculose. Isoniazida, rifampicina, etambutol, estreptomicina, kanamicina e cicloserina são considerados fármacos seguros para uso durante amamentação. Pirazinamida é considerada moderadamente segura. Capreomicina não é absorvida pelo trato gastrointestinal, sendo muito baixo o risco de efeito sobre o lactente. Ainda não está estabelecida a segurança de etionamida. Em todos os casos, deve-se monitorizar o lactente para a ocorrência de efeitos adversos, principalmente nos prematuros que possuem função renal e hepática imaturas. O bacilo de Koch não passa para o leite materno. A transmissão usualmente se faz pela inalação de gotículas produzidas nas vias aéreas superiores. No caso de mãe bacilífera (não tratada ou com tratamento inferior a 3 semanas antes do nascimento da criança), diminuir o contato íntimo mãe-filho, até que ela se torne não contagiante. Recomenda-se amamentar de máscara ou similar.

Fármacos Oftálmicos

Os cicloplégicos e midriáticos podem, ainda que raramente, ter efeitos antimuscarínicos nos lactentes, tais como: constipação, bradicardia transitória seguida

CAPÍTULO 13   Uso de Medicamentos, Drogas e Cosméticos durante a Amamentação

TABELA 13.4. *Medicamentos contraindicados para uso durante a lactação*

FÁRMACOS/DROGAS	EFEITOS
Amiodarona	Risco de hipotireoidismo
Antilipêmicos (inibidores da HMG CoA redutase: atorvastatina, fluvastatina, lovastatina, pravastatina, rosuvastatina e sinvastatina)	Risco de prejuízo do metabolismo lipídico em lactentes
Antineoplásicos e imunossupressores (Busulvan, ciclofosfamida, citarabina, clorambucil, dactinomicina, doxorrubicina, fluorouracil, mercaptopurina, metotrexate, mitoxantrone, paclitaxel, tamoxifeno)	Supressão da medula óssea (anemia, leucopenia e plaquetopenia)
Brometos	*Rush*, fraqueza e sonolência
Bromocriptina	Supressão da lactação
Dissulfiram	Risco de efeito antabuse se uso concomitante de formas farmacêuticas com álcool
Doxepin	Distúrbio de sucção, hipotonia muscular, vômitos, icterícia e sonolência
Etretinato	Risco de fechamento precoce de epífises ósseas e hepatotoxicidade
Fármacos de abuso (anfetaminas, cocaína, fenciclidina, heroína, LSD, maconha)	Podem causar dependência na mãe e na criança e efeitos como convulsões, irritabilidade, letargia e outros
Hormônios (danazol, dietilestilbestrol, leuprolide)	Supressão da lactação
Nitroprussiato de sódio	Possui metabólitos, cianeto e tiocianeto, tóxicos ao lactente
Isotretinoína	Risco de anorexia, náuseas, vômitos, alterações da função hepática, fadiga, cefaleia
Sais de ouro	Risco de *rush* e reações de idiossincrasia
Vacinas	Febre amarela e varíola
Zonisamida	Risco de sonolência, cefaleia, náuseas, anorexia, irritabilidade, perda de peso, leucopenia

240

de taquicardia, palpitações, arritmias, secreção brônquica reduzida, boca seca. Entretanto, são de excreção rápida. A fluoresceína também deve ser de uso criterioso em prematuros.

Fármacos que Atuam na Dor e na Inflamação

Analgésicos Opiáceos

A maioria dos opiáceos em doses isoladas e/ou ocasionais é excretada em pequenas quantidades no leite humano. Devem-se evitar doses repetidas pelo provável acúmulo no bebê, principalmente em prematuros ou recém-nascidos. Evitar fármacos opiáceos em mães que tiveram recém-nascido com episódios de apneia, bradicardia ou cianose. Dar preferência aos analgésicos não narcóticos, se possível. Quando usados durante o trabalho de parto, o bebê pode nascer sonolento, podendo interferir no início da amamentação. Buprenorfina, tramadol são considerados seguros. Codeína, hidrocodona, morfina, oxicodona, remifentanil e propoxifeno são moderadamente seguros para uso durante a lactação. Não há informações sobre a segurança da oximorfona.

Analgésicos e Anti-inflamatórios Não Esteroides (AINEs)

Os analgésicos e AINEs estão entre os fármacos mais utilizados durante a amamentação, especialmente no período pós-parto. São considerados seguros paracetamol, ibuprofeno, diclofenaco e cetorolaco. Deve-se evitar o uso de AINEs em crianças em aleitamento materno com lesão cardíaca ducto-dependente. Devido a relatos de palidez, irritabilidade e acidose metabólica em lactentes de mulheres que fizeram uso de AAS, tal fármaco deve ser evitado na lactação em dose maior que 2 g/dia e por períodos prolongados. Deve-se também evitar uso prolongado de naproxeno devido sua meia-vida elevada e relato de sangramento gastrointestinal e hematúria em lactente de mãe tratada com este fármaco. Há relato de um caso de cianose em lactente atribuído ao uso materno de dipirona. Esse fármaco e seus metabólitos são encontrados no leite até 48 horas após o uso materno.

Corticosteroides

Quando usados por curta duração são geralmente compatíveis com a amamentação, se utilizados até 50 mg/dia de equivalência a prednisona ou prednisolona. Entretanto, como terapia de longo prazo, a dose deve ser inferior a 10 mg/dia de equivalência a prednisona ou prednisolona.

Equivalência das doses anti-inflamatórias de glicocorticoides: betametasona e dexametasona (0,75 mg), acetato de cortisona (25 mg), hidrocortisona (20 mg), metilprednisolona e triancinolona (4 mg), prednisolona e prednisona (5 mg).

Anti-histamínicos

A quase totalidade desses fármacos são seguros para uso durante a lactação. Preferir os anti-histamínicos de segunda geração que possuem menor risco de ocorrência de sedação. No caso do uso de fármaco de primeira geração, administrá-lo à mãe depois da mamada devido à possibilidade de sonolência e sedação. A levo-cetirizina, um anti-histamínico de terceira geração, é considerado moderadamente seguro devido à falta de estudo sobre sua segurança e sobre a transferência para o leite humano.

Fármacos que Atuam no Sistema Cardiovascular

Anti-hipertensivos

Betabloqueadores

Os betabloqueadores ou inibidores adrenérgicos são bases fracas, porém, diferem entre si em lipossolubilidade e ligação às proteínas plasmáticas. Doxazosin e prazosin são fármacos possivelmente perigosos durante a amamentação, pois se concentram no leite humano, podendo causar grandes efeitos hipotensores no lactente. São também considerados possivelmente perigosos terazosin pelo grande efeito hipotensor e significativa hipotensão ortostática materna, além da possibilidade de atrofia testicular no lactente, e nadolol pela elevada razão leite/plasma. Já acebutolol, atenolol, bisoprolol, caverdilol e metoprolol têm menores, embora ainda elevadas, razões leite/plasma e, dessa forma, são moderadamente seguros. Entretanto, há poucos relatos na literatura de efeitos adversos. Deve-se observar bradicardia e taquicardia no lactente. Propranolol, exceto em mães de crianças asmáticas, mepindolol e timolol, também usado para o tratamento do glaucoma, possuem baixas razões leite/plasma, sendo considerados seguros para uso em nutrizes.

Inibidores da Enzima de Conversão da Angiotensina (IECA)

São considerados os fármacos anti-hipertensivos mais seguros para uso pela nutriz devido à ausência de relatos de grandes efeitos sobre lactentes e às baixas razões leite/plasma. Entretanto, o uso em mães de prematuros deve ser cauteloso, por haver maior risco de toxicidade renal. Benazepril, captopril, enalapril e quinapril têm reduzida absorção oral, baixa razão leite/plasma e níveis no leite praticamente indetectáveis, e assim considerados seguros. Fosinopril, lisinopril e ramipril, por falta de maiores dados na literatura, são considerados moderadamente seguros.

Bloqueadores de Canais de Cálcio

Nimopidina, nitrendipina, verapamil e nifedipina têm baixa razão leite/plasma, e, desta forma, mínima excreção para o leite materno, sendo seguros para o uso em nutrizes. Deve-se, entretanto, observar hipotensão, bradicardia e fraqueza. Anlodipina, felodipina, isradipina, nisoldipina e diltiazem são fármacos moderadamente seguros durante a amamentação por carecerem de estudos sobre uso por lactantes. Já o bepridil e a flunarizina – usada principalmente para migrânea e doença vascular periférica – são potencialmente perigosos. Alguns bloqueadores de canais de cálcio também atuam como antianginosos a exemplo do nifedipina, anlodipina, felodipina e isradipina.

Inibidores da Renina

Alisquireno é considerado moderadamente seguro durante a amamentação, pois há poucos dados na literatura, entretanto, o seu uso por mães de prematuros é contraindicado.

Antagonista do Receptor da Angiotensina II

Candesartan, irbesartan, telmisartan, valsartan e olmesartan (precaução quanto ao seu uso no período neonatal) por falta de mais dados na literatura e cuidados no uso em prematuros são considerados moderadamente seguros. Mesmo o losartan, que tem uma alta ligação proteica, havendo assim uma redução na capacidade de entrar no leite, também é considerado moderadamente seguro por também ter poucos estudos na literatura.

Agonistas Alfa 2 de Ação Central

Dentre os fármacos agonistas alfa 2 de ação central, comercializados no Brasil, apenas a metildopa é considerada segura por ter uma pequena razão leite/plasma (em torno de 0,02%), entretanto, ginecomastia e galactorreia foram efeitos reportados em um lactente. Clonidina, devido ao risco de hipotensão no lactente e inibição na secreção de prolactina, com diminuição da secreção láctea, e guanabenzo, que apresenta baixo peso molecular, são consideradas moderadamente seguras por carecerem de mais informações na literatura.

Antagonistas Adrenérgicos de Ação Periférica

O principal representante dessa classe de fármacos comercializados no Brasil é a reserpina que deve ser evitada na amamentação, o que lhe confere o *status* de fármaco potencialmente perigoso. Há risco de cianose, anorexia, sedação, hipotonia, aumento de secreções de vias aéreas e congestão nasal nos lactentes.

Vasodilatadores Diretos

Mesmo os vasodilatadores considerados seguros, por ter baixa razão leite/plasma, como no caso da hidralazina e do minoxidil para uso tópico, deve-se observar o lactente para hipotensão, sedação e fraqueza. A di-idralazina e o minoxidil, usado oralmente, são moderadamente seguros por não haver dados suficientes. Nitroprussiato de sódio é contraindicado durante a amamentação, pois seus metabólitos, cianeto e tiocianeto, podem ser tóxicos para o lactente.

Antiarrítmicos

São fármacos usados para modificar ou restabelecer o ritmo cardíaco normal. Debateremos os antiarrítmicos usados para o tratamento das taquiarritmias, dividindo-os em 4 Classes e uma quinta divisão sobre o título de outros antiarrítmicos, e, aqueles usados no tratamento das bradiarritmias.

Classe I. Fármacos Estabilizantes de Membrana

Disopiramida, mexiletina e propafenona são seguras por ter uma razão leite/plasma baixa e sem relatos de efeitos colaterais A procainamida é considerada moderamente segura devido a leite plasma relativamente elevada. O uso prolongado de quinidina levar a toxicidade hepática, sendo sugerido o monitoramento das enzimas hepáticas.

Classe II. Betabloqueadores

Mepindolol, propranolol e timolol são seguros. Orienta-se, entretanto, obervar o lactente para sedação, hipotensão, bradicardia e fraqueza. Metoprolol e sotalol têm elevada razão leite/plasma e como o esmolol são moderadamente seguros. Já o nadolol, pela sua elevada razão leite/plasma, é potencialmente perigoso.

Classe III. Fármacos que Prolongam o Potencial de Ação

Amiodarona é contraindicada por ter meia-vida longa, alta concentração em órgãos e pelo seu poder de inibir a conversão de T4 para T3 causando hipotireoidismo, além do risco de cardiotoxicidade no lactente. Caso seja usado por um período curto de 3 a 7 dias, deve-se interromper a lactação por 24-48 horas antes do seu retorno.

Classe IV. Bloqueadores Seletivos do Canal de Cálcio

O mais importante representante desta classe no Brasil é o verapamil, que por sua razão leite/plasma baixa é seguro para o uso em lactantes, entretanto, deve-se observar hipotensão, bradicardia e fraqueza. O diltiazem é considerado moderadamente seguro.

Outros Antiarrítmicos

Digoxina com baixa razão leite/plasma é segura durante o período de amamentação. A digitoxina, que tem alta solubilidade lipídica e boa biodisponibilidade oral, devendo ter alguma transferência para o leite humano, é, dessa forma, moderadamente segura até que haja mais dados na literatura.

Antiarrítmicos Usados no Tratamento da Bradiarritmia

Atropina tem pequena quantidade secretada no leite humano. Como não há relatos de efeitos adversos seu uso é considerado moderadamente seguro, porém, deve ser evitado, se possível, principalmente no período neonatal, pela possibilidade de pequena absorção, combinada à sensibilidade no período neonatal que pode ter um potencial de criação de possíveis efeitos colaterais graves.

Diuréticos

São relativamente seguros, mas podem potencialmente causar desidratação no lactente. A maior parte dos diuréticos é composta por ácidos fracos que passam pouco para o leite materno. Entretanto, em doses elevadas e por tempo prolongado, podem reduzir a produção de leite por depletar o volume sanguíneo materno.

Diuréticos Osmóticos

Há poucos estudos sobre o manitol, assim, é considerado moderadamente seguro. Entretanto, nenhum sintoma foi reportado na criança pelo seu uso, havendo uma remota possibilidade de causar diarreia.

Tiazídicos e Compostos Relacionados

Hidroclorotiazida é segura, mas a bendroflumetiazida é potencialmente perigosa pela grande possibilidade de inibição da lactação.

Diuréticos Conservadores de Potássio

Espironolactona é segura, porém, amilorida e triantereno são moderadamente seguros pela falta de dados da literatura, devendo sempre que possível ser usado espironolactona.

Diuréticos de Alça

Como todos os diuréticos, embora possa diminuir a produção de leite humano, a furosemida tem baixa biodisponibilidade oral, o que resulta em nenhum efeito relatado ao lactente, o que o torna o diurético de alça de escolha. Mesmo assim é moderadamente seguro, assim como bumetanida e indapamida, com poucas informações na literatura na amamentação.

Antilipêmicos

Há poucos estudos com relação ao uso de antilipêmicos durante o período da amamentação. Sabe-se que eles têm pouca absorção oral e alta ligação proteica, desta forma, deve haver pouca transferência para o leite humano. Entretanto, como a aterosclerose é um processo crônico; a descontinuação de fármacos antilipêmicos durante a lactação provavelmente terá pouco impacto no desfecho em longo prazo; como o colesterol e outros produtos da biossíntese de colesterol são essenciais para o neurodesenvolvimento, principalmente no período neonatal e seu uso pode reduzir a síntese de colesterol na criança; o uso de antilipêmicos não é aconselhado na maioria das circunstâncias. Há dois principais grupos de antilipêmicos, os inibidores da HGM-CoA redutase (atorvastatina, fluvastatina, lovastatina, pravastatina, rosuvastatina e sinvastatina) e os derivados do ácido fíbrico como o bezafibrato, ciprofibrato, clofibrato, etofibrato, genfibrozila e fenofibrato, sendo este último o único que poderia ser mais indicado em mulheres, mães de lactentes maiores de 1 ano de idade, como medicamento moderadamente seguro.

Fármacos que Atuam no Sistema Digestório

Antissecretores e Antiácidos

O controle da secreção ácida pode ser feita com antagonistas dos receptores H2 (cimetidina, ranitidina, famotidina e nizatidina), ou de uma forma mais efetiva com os inibidores da bomba de prótons (omeprazol, pantoprazol, rabeprazol, esomeprazol e tenatoprazol). Dentre os inibidores da bomba de prótons, deve-se preferir os já estudados na nutriz (omeprazol e esomeprazol) ou os mais usados na faixa etária pediátrica (omeprazol e ranitidina), sobretudo quando usados no puerpério.

Os antiácidos possuem tempo curto de ação e são usados como coadjuvantes da terapêutica antissecretora, buscando alivio do episódio de dor minutos após a sua ingestão. São compatíveis com a amamentação devido a baixa absorção no tubo digestivo.

Os sucralfatos, medicamento que podem ser usados como protetores de barreira de mucosa digestiva, tem seu uso aceitável durante a amamentação, apesar de não ter dados disponíveis sobre o seu uso neste período; entretanto, não é absorvido por via oral.

Antieméticos e Gastrocinéticos

As fontes de consultas tomadas por base na elaboração do atual capítulo divergem quanto aos efeitos dos antieméticos para o lactente, bem como alguns desses fármacos não são liberados para o uso todos em todos os países, a exemplo da cisaprida devido à toxidade cardíaca e a domperidona por não ser liberada pela Food and Drug Administration nos Estados Unidos.

Alguns fármacos usados como antieméticos são considerados como galactogogos (domperidona, metoclopramida) por aumentar os níveis séricos da prolactina.

Laxantes

Evitar o uso do sene porque estimula a secreção e a motilidade intestinal com inibição da reabsorção de água no intestino; os seus metabólitos são excretados no leite materno e podem afetar a função intestinal da criança. O bisacodil e o picossulfato, laxantes também com efeito estimulante, podem ser usados com maior segurança, pois tem limitada presença no leite materno devido à baixa absorção gastrointestinal.

Os laxantes salinos, a exemplo do hidróxido de magnésio, são compatíveis com a amamentação. O óleo mineral, medicamento com efeito lubrificante, pode ser usado com segurança, pois é pobremente absorvido no tubo digestivo. O polietilenoglicol, laxante de efeito osmótico não absorvível pelo trato gastrointestinal é teoricamente seguro; no entanto, deve ser usado com cautela por não ter ainda estudos disponíveis.

Fármacos que Atuam no Sistema Endócrino

Contraceptivos

Dentre os métodos hormonais, aqueles somente com progestogênio devem ser preferidos, sobretudo os injetáveis e implantes, por sua eficácia na contracepção, sem interferir no aleitamento. Contudo, mesmo o uso dos progestogênios nas primeiras 6 semanas após o parto há relatos de supressão da lactação. É importante ressaltar que os métodos contraceptivos não hormonais devem ser preferidos durante o período de lactação.

Antidiabéticos

A insulina é segura para uso pelas nutrizes. Devido ao seu elevado peso molecular, não é excretado no leite. Caso fosse secretada, seria destruída pelo trato gastrointestinal levando à mínima, ou nenhuma, absorção. Já a segurança dos antidiabéticos orais varia conforme o fármaco. São considerados seguros: gliburida (glibenclamida) e metformin. Acarbose, glipizida e rosiglitasona são moderadamente seguras. Glimepirida e repaglinida são potencialmente perigosas para uso pela nutriz devido ao risco de hipoglicemia, encontrado em animais lactentes.

Antitireoidianos

O propiltiouracil é considerado seguro para uso pela nutriz. Metimazol e sua pró-droga, o carbimazol, são moderadamente seguros, sendo recomendada a monitorização da função tireiodeana dos lactentes nos primeiros meses de vida.

Fármacos que Atuam no Sistema Nervoso Central

O uso de agentes psicotrópicos durante a lactação ainda é questionável, pois embora novos estudos tenham sido divulgados, os efeitos a longo prazo são desconhecidos, além do que esses fármacos são frequentemente utilizados associados a outros na busca de efeitos sinérgicos.

Dentre as informações disponíveis, alguns ansiolíticos, antidepressivos e estabilizadores do humor aparecem em baixas concentrações no leite; apesar do que cerca de 33% das terapias psicoativas não possuem dados sobre excreção no leite humano.

Em geral, os fármacos que atuam no Sistema Nervoso Central são de uso criterioso quando em doses elevadas ou uso prolongado. Contudo, poucos são contra indicados. Deve-se evitar doses repetidas e as mães devem ser aconselhadas sobre os benefícios do aleitamento materno, bem como quanto aos potenciais risco de absorção dessas drogas pelo lactente. Quando for necessário o uso contínuo, deve-se optar pelos fármacos considerados mais seguros, sendo necessário monitorar o crescimento e o desenvolvimento neuropsicomotor da criança. Em alguns casos, é desejável monitorar a concentração sérica do fármaco no lactente.

Anticonvulsivantes (Antiepilépticos)

Fármacos antiepiléticos utilizados há décadas como a carbamazepina, ácido valproico e fenitoína, são considerados seguros durante a lactação, devido à longa experiência clínica e ao consequente grande número de dados na literatura científica. Fenobarbital e sua pró-droga, a primidona, são moderadamente seguros. Por outro lado, poucos dados estão disponíveis sobre o uso dos novos antiepiléticos. Gabapentina é considerada segura. Já lamotrigina, levetiracetam, oxcarbamazepina, pregabalina, tiagabina, topiramato e vigabatrina são compatíveis com a amamentação sendo considerados moderadamente seguros. Etoxussimida, felbamato, zonisamida e o uso contínuo de clonazepam e diazepam apresentam riscos aos lactentes, devendo ser evitados.

Recente estudo não encontrou efeitos danosos do uso materno de antiepiléticos sobre o desenvolvimento neuropsicomotor de lactentes amamentados até os 6 meses. Os autores concluíram que mulheres com epilepsia devem ser encorajadas a amamentar seus filhos independentemente do antiepilético utilizado. Contudo, há risco de efeitos adversos sobre o lactente, como sedação, sucção fraca, ganho ponderal insuficiente. Há um relato de um caso de metaemoglobinemia com fenobarbital e difenilhidantoína (fenitoína).

Antidepressivos e Estabilizadores do Humor

A elevada incidência de depressão e sintomas depressivos no pós-parto, 10 a 15% das puérperas, reforça a importância do conhecimento sobre o tema pelo profissional de saúde. Apesar de pouco utilizados atualmente, amitriptilina, imipramina e nortriptilina, são seguros para uso na lactação. Sertralina e paroxetina, mais utilizadas na prática clínica, também são consideradas seguras para o uso pelas nutrizes. O uso materno de fluoxetina já foi relacionado com a ocorrência de cólica, choro constante, vômitos e tremores em lactentes. Orienta-se evitar uso de bupropiona até que haja maior investigação sobre relatos de redução da produção láctea, além do relato de convulsões em um lactente supostamente associada ao uso materno desse fármaco.

Antipsicóticos (Neurolépticos)

Podem provocar sonolência e letargia no lactente. O uso durante a amamentação é de caráter criterioso, deve-se, portanto, avaliar o risco *versus* benefício. Caso a medicação seja realmente necessária, orienta-se manter a amamentação e observar o lactente para os efeitos adversos do fármaco em questão. O fármaco de escolha é o haloperidol. O uso de clorpromazina e sulpiride como galactagogos deve ser evitado devido à carência de evidência acerca da eficácia e, principalmente, ao risco potencial de efeitos adversos sobre o lactente.

Hipnóticos e Ansiolíticos

Nesse grupo estão incluídos os benzodiazepínicos. No lactente, podem provocar sedação, sucção fraca, ganho ponderal insuficiente e letargia. Evitar doses repetidas. Se possível, preferir midazolam, por apresentar efeito de curta duração e não produzir metabólitos ativos. Nitrazepam e zopiclone também são considerados seguros quando usados por curtos períodos.

Antiparkinsonianos

É improvável que uma nutriz necessite utilizar fármacos antiparkinsonianos. Contudo, caso haja alguma indicação, seu uso deve ser evitado durante o período da lactação. Fármacos agonistas dopaminérgicos podem suprimir a lactação, logo o crescimento do lactente deve ser rigorosamente monitorizado. Os anticolinérgicos relacionam-se a efeitos adversos como boca seca, constipação e retenção urinária.

Fármacos para Enxaqueca

Os fármacos utilizados para enxaqueca são utilizados para abortar a crise ou para a profilaxia da cefaleia. A maior parte desses medicamentos foi abordada em outras seções. Dentre aqueles prescritos na crise aguda, o eletriptan é uma escolha a ser considerada. Já a prescrição visando à prevenção de crises deve privilegiar propranolol, amitriptilina e ácido valproico. Ciproeptadina e topiramato são moderadamente seguros. Flunarizina é potencialmente perigosa devido à elevada meia vida e alto volume de distribuição, características que aumentam o risco de concentração no leite e consequente efeito adverso sobre o lactente.

Fármacos que Atuam no Sistema Respiratório

Antiasmáticos

O uso de broncodilatadores β-agonistas e anticolinérgicos por via inalatória é compatível com a amamentação devido à baixa biodisponibilidade desses fármacos na corrente sanguínea materna após o uso por esta via. Quando utilizados por via oral os níveis alcançados no leite materno podem ser suficientes para provocar tremor e agitação no lactente. Montelucaste, formoterol e teofilina são considerados moderamente seguros.

Vitaminas e Minerais

As vitaminas são classificadas, conforme a solubilidade, em hidrossolúveis e lipossolúveis. São indicadas em quadros de deficiência única ou múltipla, ou ainda, como profiláticas em situações de risco para a carência. Todas as vitaminas hidrossolúveis são consideradas seguras para uso na lactação. Contudo, dose elevada (superior a 40 mg/dia) está associada ao risco teórico de sedação, hipotonia e desconforto respiratório em lactentes. Já entre as lipossolúveis, podem ser prescritas com segurança as vitaminas D, E e K. O uso de vitamina A pela nutriz é classificado como moderamente seguro, devido ao risco de superdosagem, que pode produzir efeitos tóxicos sobre o lactente. A lactante não deve utilizar dose superior a 5.000 UI ao dia.

Vacinas

A administração de vacinas durante o período da amamentação é considerado seguro, exceções ao uso das vacinas contra febre amarela e varíola. Assim, não há contraindicação ao uso das vacinas dupla tipo adulto, influenza, hepatite A, hepatite B, meningocócica C, papiloma vírus humano (HPV bivalente ou quadrivalente), pneumocócica 23 (polissacárides), poliomielite oral, tríplice viral, varicela, varicela-zóster. Contudo, há situações especiais que devem ser consideradas. A vacina pneumocócica 23, embora não aprovada pelo CDC para o uso em lactantes é considerada segura por Thomas Hale no livro "Medications and Mothers' Milk" (2012). A administração da vacina Sabin (polio oral) em gestante deve ser evitada até 6 semanas pós-parto, pois a sua precoce exposição ao recém-nascido pode reduzir a produção de anticorpos da criança quando esta for imunizada. A AAP e

CAPÍTULO 13 Uso de Medicamentos, Drogas e Cosméticos durante a Amamentação

o CDC aprovam o uso da vacina para mães lactantes se houver um risco elevado de infecção. Porém, mães que tenham filhos com imunodeficiência não deverão amamentar após o uso da vacina oral.

O uso da vacina contra febre amarela é contraindicado durante os primeiros 6 meses de lactação devido à comprovação de transferência do vírus via leite humano com risco de encefalite. O Ministério da Saúde do Brasil recomenda o adiamento da vacinação de mulheres que estão amamentando até a criança completar 6 meses de idade ou, na impossibilidade de adiar a vacinação, deve-se, previamente à vacinação, praticar a ordenha do leite, de preferência manualmente, e mantê-lo congelado por 15 dias em freezer ou congelador para planejamento de uso durante o período da viremia, ou seja, por 14 dias após a vacinação. Essa vacina é considerada moderadamente segura para uso em lactantes com crianças acima de 6 meses de idade que viverem em área de risco ou se não puderem adiar a viagem para a área de risco, época em que o risco de encefalite fica bastante diminuído. Quanto à varíola ela também é de uso potencialmente perigoso. Deve-se vacinar exclusivamente se houver um altíssimo risco para exposição, pois pode haver vírus viável no leite humano, e assim causar infecção na criança. Como é importante para o esquema vacinal, citaremos ainda a imunoglobulina anti-hepatite B (no caso a imunização passiva) e PPD como seguros durante o período da amamentação.

Fármacos Utilizados no Diagnóstico por Imagem

Todos os compostos radioativos usados como meios de contraste são temporariamente contraindicados durante a amamentação. Logo, sempre que for possível, procedimentos eletivos devem ser adiados até que a mulher não esteja mais amamentando. Considerando que a utilização da maioria dos radiofármacos requer a interrupção da amamentação por períodos específicos de tempo, o especialista em medicina nuclear pode orientar o uso do radionuclídeo com menor excreção no leite materno e, antes do estudo, a mãe pode extrair o leite e armazená-lo no *freezer* ou no congelador. Após o estudo, a mãe deverá descartar o leite retirado durante o tempo em que a radioatividade estiver presente no leite. Amostras de leite podem ser analisadas para detecção de radioatividade antes que a mãe reassuma a lactação.

Alguns agentes podem se concentrar no tecido mamário; assim, pode haver exposição adicional através do contato da díade mãe e filho, indicando a necessidade de redução temporária do contato da mãe com o bebê, conforme discussão individual com médico especialista.

Diretrizes gerais segundo a Comissão Reguladora Nuclear e o Consenso da Comissão Internacional de Proteção Radiológica estão apresentadas nas Tabelas 13.5 e 13.6.

Agentes como o iodo radioativo se concentram na tireoide, logo a radioatividade geralmente persiste após o exame com os radiofármacos I^{131} e I^{125} (exceção para I^{125} – hipurato) indicando a interrupção da amamentação por, no mínimo, 3 semanas. Da mesma forma, administração de Na^{22} e Ga^{67} (Gálio) exigem 3 semanas de interrupção da amamentação. Tecidos mamários lactantes possuem maior

TABELA 13.5. *Compostos radioativos que podem requerer a interrupção temporária da amamentação: recomendações da Comissão Internacional de Proteção Radiológica*

COMPOSTO	EXEMPLOS	EXEMPLO DE PROCEDIMENTOS	TEMPO RECOMENDADO DE INTERRUPÇÃO DO ALEITAMENTO MATERNO	COMENTÁRIOS
^{14}C-marcado	Trioleína, ácido glicólico, ureia	Teste de respiração de *Helicobacter pylori*	Nenhum	Produtos não aprovado nos EUA
^{99m}Tc-marcado	DMSA, DTPA, fosfonatos (MDP), PYP, tetrofosmin	Múltiplos: imagens de rim, ossos, pulmão, coração, tumores	0 a 4 horas, até ausência de pertecnetato	Considere interromper ao menos 1 mamada após o procedimento
	Microesferas, pertecnetato, WBC		12-24 horas	Intervalo depende da dose
	Coloides de enxofre, RBC *in vivo*		6 horas	
I- marcado	^{123}I, ^{125}I ou ^{131}I-iodo ipurato	Imagem da tireoide	12 horas	Nota: irradiação de corpo inteiro com ^{131}I exige interrupção prolongada
Outros	^{11}C- ^{11}N- ou ^{11}O-marcado	PET *scans*	Nenhum	Curta meia-vida
	^{57}Co-marcado vitamina B12	*Schilling test*	24 horas	
	^{18}F-FDG	PET *scans*	Nenhum, primeira mamada deve ser ordenhada para evitar contato direto	Uso alternativo por 10 meias-vidas (10 × 109 min = 18 h) *
	^{51}Cr-EDTA	Imagem renal	Nenhum	
	^{81m}Kr-gás	Imagem pulmonar	Nenhum	Produtos não aprovado nos EUA
	^{82}Rb-cloreto	PET *scan* do miocárdio	Retomar uma hora após última infusão	Meia-vida 75 segundos*
	^{111}In-octreotide	SPECT, tumores neuroendócrinos	Nenhum	

Continua

CAPÍTULO 13 Uso de Medicamentos, Drogas e Cosméticos durante a Amamentação

TABELA 13.5. *Compostos radioativos que podem requerer a interrupção temporária da amamentação: recomendações da Comissão Internacional de Proteção Radiológica*

COMPOSTO	EXEMPLOS	EXEMPLO DE PROCEDIMENTOS	TEMPO RECOMENDADO DE INTERRUPÇÃO DO ALEITAMENTO MATERNO	COMENTÁRIOS
	^{111}In-WBC		1 semana	Depende da dose
	^{133}Xe	Imagens cardíacas, pulmonares e cerebrais	Nenhum	Meia-vida 5 dias*

DMSA, ácido dimercaptosuccinico; DTPA, dietilenotriaminopentaacetato; EDTA, ácido etilenodiaminotetraacético; FDG, fluodesoxiglicose; PET, tomografia por emissão de pósitrons; PYP, pirofosfato; RBC, células vermelhas do sangue; SPECT, tomografia computadorizada de emissão de fóton único; WBC, células brancas do sangue; EUA, Estados Unidos da América.
*Bula aprovada pelo FDA.
Tabela modificada de Sachs HC, Committe on drugs. The Transfer of Drugs and Therapeutics Into Human Breast Milk: An Update on Selected Topics. Pediatrics 2013; 132(3):e796-e809.

TABELA 13.6. *Compostos radioativos que requerem interrupção prolongada da amamentação*

COMPOSTO	EXEMPLOS	EXEMPLO DE PROCEDIMENTOS	TEMPO RECOMENDADO DE INTERRUPÇÃO DO ALEITAMENTO MATERNO	COMENTÁRIOS
I-marcado	^{123}I-BMIPP, -HAS, -IPPA, -MIBG, -Nal ou-HAS ^{131}I-MIBG ou -Nal	Imagem tumoral	Mais do que 3 semanas	Essencialmente precisa interromper a amamentação
Outros	^{201}Tl-cloreto	Imagem cardíaca	48 horas a 2 semanas	Meia-vida de 73 horas*
	^{67}Ga-citrato	Imagem tumoral	1 a 4 semanas	Depende da dose
	^{22}Na, ^{75}Se		Mais do que 3 semanas	Essencialmente precisa interromper a amamentação

Uso de leite humano ordenhado é recomendado devido a exposição via contato direto. ^{120}BMIPP, ácido β-metil-p-iiodofenil-pentadecanoico; HSA, albumina sérica humana; IPPA, iodofenilnilpentadecanoico; MIBG, metaiodobenzilguanidina; Nal, iodeto de sódio.
*Bula aprovada pelo FDA.
Tabela modificada de: Sachs HC, Committeondrugs. The Transfer of Drugs and Therapeutics Into Human Breast Milk: An Update on Selected Topics. Pediatrics 132(3):e796-e809, 2013.

afinidade pelo I[131], assim deve-se interromper a amamentação por, no mínimo, 4 semanas antes de procedimentos que envolvem o corpo inteiro, uma vez que a radiação no tecido mamário aumenta o risco de câncer.

Em relação aos outros meios de contrastes, não radioativos, considera-se que deve haver cautela no uso de substâncias com iodo, pois o radiofármaco pode se concentrar no leite materno, e quando absorvido pelo lactente, pode atingir níveis tóxicos. Tradicionalmente, mulheres lactantes sob administração de gadolínio intravascular ou contraste iodado recebem orientação para interromper a amamentação por 24 horas. No entanto, recentemente a Academia Americana de Pediatria traz a informação de que a dose absorvida pela criança através do leite humano é mínima e, portanto, a amamentação pode ser mantida após o uso de contraste iodado ou gadolínio.

Uso de Cosméticos pela Nutriz

Após a gravidez, é natural que a mulher deseje investir na melhoria da aparência física no intuito de se sentir mais bonita e atraente, o que é saudável uma vez que eleva sua autoestima. Assim, muitas mães partem em busca de recursos cosméticos que incluem escovas, tinturas para cabelos, toxina botulínica e até cirurgias cosméticas das mamas.

As escovas progressivas podem ser realizadas pelas nutrizes desde que não contenha formol. O uso do formol como alisante de cabelo é proibido pela Agência Nacional de Vigilância Sanitária (ANVISA) devido aos seus efeitos tóxicos.

As tinturas para cabelo que não contêm o metal chumbo e os implantes de silicone são compatíveis com a amamentação.

A utilização da toxina botulínica do tipo A (Botox ou Dysport) para fins cosméticos cresceu muito entre as mulheres, mesmo entre as mais jovens. Há carência de estudos que avaliem a segurança deste fármaco durante a amamentação. Contudo, devido às suas características farmacológicas, é improvável a sua passagem para o leite.

Drogas de Vício/Abuso

A exposição ao álcool e às drogas denominadas "recreacionais" (cocaína, *crack*, maconha, anfetaminas, *ecstasy*, LSD e heroína) pode prejudicar o julgamento da mãe e interferir no cuidado com o seu filho, além do risco de toxicidade ao lactente amamentado. Apoiada nesse contexto, a Academia Americana de Pediatria contraindica a amamentação em usuárias de drogas ilícitas e etilistas que não aderem aos planos de tratamento para abstinência. Já a Organização Mundial de Saúde admite que as mães deveriam ser alertadas para não utilizar essas drogas, mas que devem ter oportunidade de amamentar e ser apoiadas durante sua abstinência. Contudo, a baixíssima qualidade da nossa assistência em saúde aos usuários de drogas lícitas e ilícitas não garante a certeza que a mãe dependente química ficará realmente abstinente das drogas. Tal realidade dificulta muito a tomada de decisão pelo profissional de saúde no momento da orientação sobre a manutenção do

CAPÍTULO 13 Uso de Medicamentos, Drogas e Cosméticos durante a Amamentação

aleitamento materno ou do desmame. Na prática, imperando a dúvida, a quase totalidade das mulheres é orientada a desmamar seus filhos.

Mulheres tabagistas devem, ainda durante a gestação, ser fortemente desencorajadas a manter o hábito de fumar e encaminhadas para tratamento do vício. A manutenção do tabagismo após o parto aumenta o risco da síndrome da morte súbita do bebê e da redução da produção láctea. Contudo, o tabagismo não é considerado uma contraindicação ao aleitamento materno. Tal permissão se deve aos relatos de menor de risco de doenças respiratórias em filhos de tabagistas que foram amamentados quando comparados com filhos não amamentados. Além disso, foi demonstrado que a redução do desempenho cognitivo em crianças expostas ao tabaco na vida intrauterina, medida aos 9 anos de idade, estava limitada àquelas que não foram amamentadas.

FÁRMACOS QUE PODEM ALTERAR O VOLUME DO LEITE MATERNO

Existem medicamentos que podem alterar o volume do leite materno, no sentido de aumentar ou diminuir sua produção.

Fármacos com efeito potencial de aumentar o volume de leite pela nutriz são chamados galactagogos. Não há evidências de que esses agentes estimulem a produção de leite em mulheres com níveis elevados de prolactina ou com tecido mamário inadequado à lactação. Assim, esses medicamentos, antagonistas dopaminérgicos, parecem não aumentar a oferta de leite, se as mães recebem um apoio adequado à lactação e empregam essas práticas. A segurança dos antagonistas da dopamina ainda não foi adequadamente avaliada, sendo que o seu uso deve ser evitado, a menos que outras medidas falharam. O uso de galactagogos deve ser restringido às mães com uma causa não tratável de produção de leite reduzida. Uma das indicações mais frequentes é com a diminuição da produção de leite em mães de prematuros. Apesar de numerosos fármacos apresentarem efeito potencial para aumentar o volume de leite ou induzir a lactação (Tabela 13.5), na prática clínica, em raras situações são utilizadas apenas a metoclopramida e a domperidona, com preferência pela última devido à sua maior segurança. É importante ressaltar que os estímulos mais valiosos para a lactogênese são a sucção do complexo areolomamilar pelo lactente e a ordenha das mamas. Não há evidência científica robusta de que ervas ou alimentos estimulem a produção láctea.

Vários são os medicamentos com relato de supressão da produção láctea. A maioria deles age como antagonistas dopaminérgicos, suprimindo a liberação de prolactina. A Tabela 13.7 mostra os fármacos desse grupo. Devido ao crescimento do lactente estar diretamente relacionado à produção e ingestão do leite materno, o uso de qualquer um desses fármacos pode representar risco potencial de déficit ponderal, principalmente durante o puerpério imediato, época mais sensível para a supressão da lactação. Portanto, o profissional de saúde deve estar atento caso o uso de qualquer uma destes fármacos seja realmente necessário, devendo retardar ao máximo (semanas ou meses) a sua introdução.

254

TABELA 13.7. *Fármacos que podem alterar o volume de leite materno*

EFEITO SOBRE O VOLUME DE LEITE	FÁRMACOS
Aumento	Domperidona, metoclopramida, sulpiride, clorpromazina, hormônio de crescimento, hormônio secretor de tireotropina, fenogreco
Redução	Estrógenos, bromocriptina, cabergolide, ergotamina, ergometrina, lisurida, levodopa, pseudoefedrina, álcool, nicotina, bupropiona, diuréticos, testosterona

BIBLIOGRAFIA CONSULTADA

American Academy of Pediatrics. Sachs HC and Committee on drugs. The transfer of drugs and therapeutics into human breast milk: an update on select topics. Pediatrics 2013. Disponível em http://pediatrics.aappublications.org/content/early/2013/08/20/peds.2013-1985

Berlin CM, Van den Anker JN. Safety during breastfeeding: drugs, foods, environmental chemicals, and maternal infections. Semin Fetal Neonatal Med 2013;18(1):13-8.

Bertino E, Varalda A, Di Nicola P et al. Drugs and breastfeeding: instructions for use drugs and breastfeeding: instructions for use. J Matern Fetal Neonatal Med 2012; 25(Suppl 4):78-80.

Davanzo R, Bo SD, Bua J et al. Antiepiletic drugs and breastfeeding. Italian Journal of Pediatrics 2013; 39:50. Disponível em: http://www.ijponline.net/content/39/1/50

Hale TW. Drug therapy and breastfeeding: pharmacokinetics, risk factors, and effects on milk production. Neoreviews 2004; 5:e164-72. Disponível em: http://neoreviews.aappublications.org/cgi/reprint/neoreviews;5/4/e164

Hale TW. Medications and mothers' milk. 15 ed. Amarillo: Pharmasoft Publishing L.P., 2012; 1262p.

Kimford J. Meador MD. Breastfeeding and Antiepileptic Drug. JAMA 2014; 311(17): 1797-1798.

Lactmed. United States National Library of Medicine. Disponível em: http://www.toxnet.nlm.nih.gov/cgi-bin/sis/htmlgen?LACT

Ministério da Saúde. Secretaria de Políticas de Saúde. Área Técnica de Saúde da Criança. Amamentação e uso de drogas. Brasília: Ministério da Saúde, 2000.

Sachs HC, Committee on Drugs. The transfer of drugs and therapeutics into human breast milk: An update on selected topics. Pediatrics 2013; 132: e796-e809.

World Health Organization. Infant and young child feeding: model chapter for textbooks for medical students and allied health professionals. Geneva, 2009.

World Health Organization/UNICEF. Breastfeeding and maternal medication. Recommendations for drugs in the eleventh WHO model list of essential drugs. 2002. Disponível em http://www.who.int/child-adolescent-health/NewPublications/NUTRITION/BF_Maternal_Medication.pdf.

Zuppa AA, Sindico P, Orchi C et al. Safety and efficacy of galactogogues: substances that induce, maintain and increase breast milk production. J Pharm Pharmaceut Sci 2010; 13(2):162-174.

Aleitamento Materno em Situações Especiais da Criança

14

Carmen Silvia Martimbianco de Figueiredo

A amamentação ao seio materno na espécie humana, em especial no início da vida, garante não apenas a sobrevivência do indivíduo, mas também a sobrevida com qualidade.

Evidências epidemiológicas demonstram a importância do aleitamento materno para a saúde infantil. É a forma mais segura e natural de alimentação, sendo o único alimento que deve ser oferecido aos bebês desde o nascimento até os 6 meses de vida. A partir dessa idade essa prática deve ser mantida, adicionada da complementação de outros alimentos que fazem parte da mesa da família, na consistência adequada à fase de desenvolvimento do bebê. A utilização do leite humano contribui para o estabelecimento de bons hábitos alimentares e na prevenção de obesidade e distúrbios metabólicos na infância, adolescência e vida adulta.

Estudos realizados avaliam o impacto da amamentação materna com a ocorrência de obesidade, diabetes e distúrbios do metabolismo das gorduras. Revisão da OMS (2007) mostra que bebês amamentados têm menores níveis de pressão arterial, menores índices de colesterol total e menor risco de diabetes do tipo 2, além de uma chance 22% menor de obesidade e sobrepeso a longo prazo. Observa-se também melhor desenvolvimento cognitivo em bebês amamentados ao seio, quando comparadas a crianças não amamentadas (Anderson e cols., 1999; Mortensen e cols., 2002; Uauy e cols., 1999; Lucas A e cols., 1992).

Outros benefícios também estão elencados na literatura: redução da mortalidade infantil, menor incidência de doenças alérgicas, proteção contra doenças infecciosas, particularmente as diarreias e infecções respiratórias, redução de doenças crônicas, melhor resposta a vacinas e maior vínculo entre mãe e seu bebê, com menor chance de abandono em situações de risco social.

O aleitamento materno é a estratégia isolada que confere maior proteção na mortalidade infantil, tendo o potencial de evitar 13% dos óbitos por causas

CAPÍTULO 14 Aleitamento Materno em Situações Especiais da Criança

evitáveis em crianças menores de 5 anos (Jones e cols., 2003). O efeito protetor do aleitamento aumenta se a amamentação inicia precocemente. Estudos realizados em Gana (Edmond e cols., 2006) e no Nepal (Mullany e cols., 2007), mostram redução da mortalidade infantil em 16% e neonatal em 7,7%. Com a amamentação iniciada na primeira hora de vida esses valores aumentam para 22 e 19%, respectivamente.

Bebês prematuros, bebês portadores de malformações orofaciais, icterícia neonatal, doença de refluxo gastroesofágico, cardiopatias congênitas, síndrome de Down, hipotireoidismo, doença celíaca, fibrose cística e disfunções neurológicas merecem atenção especial dos profissionais de saúde quanto à amamentação, a qual deve ser estimulada no contato precoce da mãe com seu bebê. Redes de apoio e estímulo a toda a família deve ser estimulada e mantida até que se obtenha sucesso na amamentação ao seio. A família necessita de apoio emocional e orientação técnica para o desenvolvimento tanto do apego afetivo como da boa prática, consolidada, da amamentação. Dificuldades podem surgir no estabelecimento e manutenção da lactação em cada uma das situações citadas. Transmitir confiança, oferecer apoio e auxiliar com conhecimento técnico são instrumentos valiosos para atingir esse objetivo, sendo necessário conhecer algumas particularidades dessas situações.

A maioria desses bebês apresenta dificuldade no estabelecimento da sucção ao seio devido à imaturidade do sistema motor oral, imaturidade ou disfunção neurológica, alterações anatômicas decorrentes de malformações congênitas, bem como a utilização de sondas gástricas e tubos traqueais que podem prejudicar o desenvolvimento normal do processo de sucção/deglutição/respiração, levando ao processo de disfunção oral.

O BEBÊ PRÉ-TERMO

Alimentar um pré-termo é um grande desafio. Existem evidências científicas que a primeira nutrição oferecida a esses bebês afeta toda uma cadeia de desenvolvimento até sua vida adulta. Segundo Lucas, os eventos ocorridos nessa fase precoce da vida podem ter efeitos duradouros sobre a estrutura e função do organismo.

O leite materno da própria mãe tem sido apontado como a melhor opção de alimentar esses bebês. A composição do leite humano de mães de bebês é sabidamente diferente daquela de mães de bebês de termo, no primeiro mês de lactação. O conteúdo de proteínas, lipídeos, nitrogênio total, energia, cálcio, fósforo, sódio, zinco e IgA é mais elevado no leite de mães de bebês pré-termo. Quando alimentados com o leite de suas mães, apresentam perfis fisiológicos de aminoácidos e lipídeos, melhor digestibilidade da dieta, maior absorção de gorduras e proteínas essenciais para o crescimento e desenvolvimento, inclusive cerebral, e menor carga renal de solutos, fato de grande importância considerando a imaturidade renal.

Dentre os inúmeros benefícios do aleitamento materno nesse grupo, é importante citar a melhora dos seus sistemas de defesa por receberem uma grande oferta de imunoglobulinas, em especial a IgA secretora que protege as mucosas de adesão de bactérias patogênicas, maior absorção de nutrientes, maturação intestinal e aumento da barreira mucosa do intestino devido a fatores de crescimento, hormônios

Aleitamento Materno em Situações Especiais da Criança **CAPÍTULO 14**

e nutrientes presentes apenas no leite humano, proteção contra infecções , particularmente diarreia, pneumonia, otite, meningite e enterocolite necrosante. Menor risco de falência respiratória, apneia, displasia broncopulmonar, bradicardia e retinopatia, menor risco de doenças alérgicas e autoimunes e melhores índices de desenvolvimento mental aos 2 e 8 anos, melhor função cognitiva aos 15 anos, maturação visual e habilidade motora, melhor mineralização óssea aos 5 anos de idade, menos problemas comportamentais e emocionais. Mais recentemente foi relatado o efeito antioxidante do leite humano, importante para o pré-termo que não tem proteção bem desenvolvida contra os efeitos do estresse oxidativo.

O pré-termo apresenta imaturidade de seus sistemas enzimáticos, o que pode dificultar o metabolismo de aminoácidos como fenilalanina, tirosina e metionina. O acúmulo desses pode ser lesivo ao sistema nervoso central. O leite materno tem quantidades adequadas desses aminoácidos, comparativamente menores que outras fontes lácteas, além de quantidades ótimas de taurina e cistina, aminoácidos essenciais e de grande importância para o desenvolvimento do sistema nervoso central e da retina.

Nos bebês pré-termo há menor atividade da lipase pancreática, o que dificulta a absorção de gorduras, importante fonte de ácidos graxos essenciais para o crescimento e desenvolvimento. A gordura presente no leite humano compensa essa imaturidade, sendo de mais fácil absorção por conter maior quantidade de ácidos graxos insaturados além de lipase específica. Considerando todas as características do leite humano, alguns pesquisadores estudaram e desenvolveram suplemento do leite humano de banco para ser acrescentado ao leite materno, em situações de alta demanda nutricional e limitação no volume de oferta tolerado pelo bebê prematuro, até que o mesmo possa sugar o seio, sem que haja prejuízo na qualidade do alimento oferecido e sobrecarga metabólica e do tubo digestivo (Thomáz e cols., 2014).

Considerando a superioridade do leite humano é importante que mães pré-termo tenham contato precoce com seus bebês e sejam encorajadas a retirar frequentemente seu leite, cerca de 8 a 12 vezes ao dia, para que o mesmo seja oferecido, preferencialmente fresco, sem processamento, ou mesmo para manter a sua produção láctea até que seja possível a mamada ao seio. A alimentação com leite humano deve ser iniciada o mais cedo possível, respeitadas as condições e limitações do bebê. Gotas de colostro fresco e recém-ordenhado podem ser usadas para embricamento da mucosa oral mesmo em bebês entubados. A via oral pode ser usada em bebês com mais de 34 semanas de idade gestacional, algumas vezes sendo necessário complementar por copinho com leite materno ordenhado previamente as mamadas.

Bebês com idade gestacional de 32 a 34 semanas apresentam grande variabilidade quanto à habilidade em coordenar sucção e deglutição. Para aqueles com menos de 32 semanas, com sucção débil, frequência respiratória aumentada ou que são instáveis ao manuseio fora da incubadora, alimentação por sonda gástrica inicialmente com colostro e na sequência com leite maduro de sua própria mãe é a melhor escolha. Inicialmente com pequenas quantidades que são aumentadas à medida que se observa tolerância sem resíduo gástrico.

CAPÍTULO 14 Aleitamento Materno em Situações Especiais da Criança

Pré-termo com peso menor que 1.000 g, que não tolera gavagem intermitente, pode receber o leite humano por infusão contínua na sonda gástrica, até que se estabilize o padrão respiratório e sejam vencidas as dificuldades que impedem a oferta intermitente. É importante que as mães sejam apoiadas e orientadas a fazer a estimulação tátil intraoral e extraoral nos bebês que ainda não sugam ou deglutem, para que os mesmos desenvolvam essas habilidades. Nesse aspecto, o Método Canguru contribui de forma importante, uma vez que permite, no contato pele a pele de mãe e seu bebê, o desenvolvimento do apego pelo estímulo afetivo, e também estímulo para a produção de leite e manutenção da lactação.

É importante salientar que algumas atitudes da equipe de saúde contribuem fortemente para o sucesso do aleitamento do bebê pré-termo:

- Favorecer o contato precoce mãe, pai, bebê;
- Estimular a família para oferecer apoio à díade mãe-bebê;
- Promover a formação de grupos de apoio para a família, em especial aos pais do neonato;
- Estimular o aleitamento materno exclusivo e a permanência da mãe na maternidade;
- Orientar a mãe sobre técnicas de ordenha e armazenamento do seu leite enquanto o bebê não suga o seio;
- Ter suporte do banco de leite humano para fornecimento de leite com maior valor calórico quando o bebê necessitar;
- Incentivar o programa Mãe Canguru;
- Apoiar e incentivar a translactação quando necessário;
- Acompanhar o bebê após a alta, estimulando o aleitamento materno exclusivo até os 6 meses de vida e complementado até 2 anos ou mais.

BEBÊS ICTÉRICOS

A icterícia em recém-nascidos é geralmente atribuída a imaturidade do fígado, a um período de adaptação do metabolismo da bilirrubina resultante do catabolismo da hemácia, conhecida como icterícia fisiológica, embora mecanismos patológicos possam estar envolvidos.

Em bebês amamentados ao seio, a icterícia é mais frequente que naqueles alimentados com fórmula. São descritas duas formas de icterícia relacionada à alimentação com leite humano: a de fase precoce e a de início tardio.

A precoce ocorre na primeira semana de vida, sendo considerada uma icterícia fisiológica com níveis aumentados de bilirrubina devido à baixa ingesta de leite materno, o que leva ao aumento da reabsorção êntero-hepática da bilirrubina não excretada em decorrência de lentificação do trânsito intestinal. Nos primeiros dias de vida, bebês apresentam dificuldades na amamentação, em especial aqueles com idade gestacional de 34 a 37 semanas que tem 2,2 vezes maior chance de reinternarem por icterícia. São bebês que dormem a maior parte do tempo e não solicitam o seio.

A amamentação, bem conduzida, pode prevenir essa hiperbilirrubinemia:

- Amamentar mais frequentemente cerca de 10 vezes ao dia, atentando para a técnica de posição, pega e extração e ingesta de leite nas mamadas;
- Utilizar o colostro, que tem efeito laxativo, para acelerar a eliminação do mecônio;
- Não pular mamadas e complementar com leite da mãe ordenhado, por copinho, quando o bebê não conseguir extrair volume suficiente para sua nutrição.

A tardia ocorre após a primeira semana devida, com pico máximo de bilirrubina entre o 10º e o 15º dia de vida, retornando a níveis normais na terceira ou quarta semanas de vida. Em alguns casos pode permanecer até 2 ou 3 meses de vida. A etiologia dessa icterícia relacionada ao leite materno não está totalmente esclarecida, sendo um diagnóstico de exclusão. No período de tratamento, a amamentação ao seio pode ser suspensa por 24 horas, e a mãe deve ordenhar as mamas para manter sua produção e para alívio do desconforto de ingurgitamento, e o bebê deve receber leite humano de banco por copinho. Após esse período a mãe deve voltar a amamentar ao seio, e deve ser orientada que os níveis de bilirrubina voltarão a aumentar e que seu bebê ficará ictérico por mais tempo.

Bebês submetidos a fototerapia poderão ficar mais sonolentos e mamar menos ao seio. Nesses casos, a mãe deve fazer a extração de seu leite por ordenha e oferecê-lo ao bebê por copinho. A maior ingesta de leite materno aumenta o trânsito intestinal, auxiliando na excreção da bilirrubina conjugada, e fornece maior oferta calórica necessária para a conjugação da bilirrubina no fígado.

A rotina de alguns serviços no manejo do bebê com icterícia fisiológica exacerbada representa, muitas vezes, um obstáculo à amamentação, uma vez que esses bebês internados para tratamento com fototerapia são separados de suas mães e recebem suplementação alimentar com fórmulas lácteas. As mamadas ao seio tornam-se mais espaçadas e a produção de leite da mãe pode ser comprometida, além da suspensão temporária do aleitamento materno induzir a mãe a julgar seu leite prejudicial ao bebê.

BEBÊS MÚLTIPLOS

Mulheres que dão à luz bebês gemelares ou múltiplos, de fertilização natural ou assistida, sempre questionam se terão produção adequada de leite para suprir todos os bebês. O apoio e incentivo dos profissionais de saúde e da rede de apoio domiciliar podem contribuir decisivamente para o sucesso na amamentação.

A glândula mamária pode produzir leite suficiente para atender a demanda nutricional de fetos múltiplos. É de grande valor, não só o apoio, como também a ajuda nas tarefas dos cuidados desses bebês e nas tarefas domésticas. Amamentar dois bebês simultaneamente diminui o desgaste e o tempo gasto com cada mamada. É importante o seguimento cuidadoso dos bebês para acompanhar o ganho de peso e determinar qual deve se demorar mais nas mamadas e receber maior quantidade de leite posterior.

CAPÍTULO 14 Aleitamento Materno em Situações Especiais da Criança

As seguintes orientações são muito valiosas no sucesso do aleitamento nessa situação:

- Iniciar precocemente o aleitamento, na sala de parto;
- Amamentar dois bebês ao mesmo tempo;
- Acomodar mãe e bebês em posição confortável;
- Alternar os seios em cada mamada para aumentar os estímulos visuais e equilibrar as necessidades nutricionais de cada criança;
- Respeitar os padrões individuais nos padrões de sono e alimentação;
- Estimular o bebê de menor peso ou mais sonolento a mamar em intervalos mais curtos;
- Promover uma alimentação materna balanceada e permitir que a mãe descanse e relaxe entre as mamadas.

BEBÊS COM CARDIOPATIA

O diagnóstico de cardiopatia habitualmente acontece quando a amamentação materna já está estabelecida. Entretanto, com o avanço e maior disponibilidade dos métodos diagnósticos, observa-se um número crescente de bebês com diagnóstico antenatal ou nos primeiros dias de vida.

Os bebês em condições clínicas que permitam a alimentação por via oral devem ser amamentados já na primeira hora ou primeiro dia de vida. A severidade do defeito cardíaco por si só não é fator preditor da capacidade do bebê sugar o seio materno, nem tampouco da duração da amamentação ao seio. É importante que a mãe seja apoiada pela equipe de saúde e tenha a decisão de amamentar seu bebê ao seio. Mesmo nas cardiopatias cianogênicas é possível manter o aleitamento ao seio materno. Entretanto, o diagnóstico pode ser tardio. Diante de uma criança amamentada corretamente, com crescimento insuficiente, é importante considerar a possibilidade de doença cardíaca ou renal.

Crianças com cardiopatia podem apresentar sucção débil e curta. Em alguns casos a sucção inicial é forte, contudo, rapidamente o bebê deixa o peito, e após algum tempo tenta novamente e o ciclo se repete após alguns minutos. Esse processo pode levar à ingesta inadequada de leite materno e baixo ganho ponderal. Pode ser necessário o uso de algumas drogas para melhorar a oxigenação e o débito cardíaco, e com isso, o ganho de peso, sem que seja necessária a complementação com mamadeira e fórmula.

Existe uma tendência em se acreditar que a alimentação por mamadeira seja menos trabalhosa para a criança cardiopata; entretanto, estudos conduzidos por Myers e cols., em 1992, demonstraram que ocorre uma interação entre a mãe e o bebê durante a mamada ao seio, com consequente alteração da atividade autonômica do coração e vasculatura, com menor trabalho cardíaco. Ao contrário do que se pensava, nesses casos não houve maior trabalho respiratório, a saturação de oxigênio durante a mamada se manteve mais estável e com menos oscilações quando comparada aos bebês alimentados por mamadeira.

Crianças portadoras de cardiopatia congênita podem apresentar dificuldades para sugar em função da gravidade da cardiopatia, das condições clínicas e do estresse a que são submetidas, decorrente do gasto energético durante a alimentação e de suas necessidades metabólicas aumentadas.

É importante esclarecer aos pais quanto à doença do bebê e a segurança da amamentação ao seio, sempre lembrando os benefícios da utilização do leite materno:

- Baixo nível de sódio;
- Fácil digestibilidade, permitindo que o bebê se alimente com frequência e com volumes menores a cada mamada;
- Propriedades imunológicas que oferecem maior proteção a essas crianças que são mais vulneráveis a infecções;
- Menor estresse emocional materno;
- Estabelecimento de um melhor vínculo mãe-bebê.

As mães de bebês cardiopatas devem ser encorajadas a manter o aleitamento materno e amamentar em posição vertical, por períodos mais curtos de tempo e com maior frequência, para evitar distensão abdominal e promover a adequada ingesta de nutrientes. O esvaziamento de uma das mamas, em cada mamada, permite a ingesta do leite posterior, com maior aporte calórico para o bebê. Nos casos em que não ocorre o esvaziamento, a mãe pode esvaziar a mama por ordenha. Na suspensão temporária da amamentação para cirurgias ou exames, orientar que a mãe faça ordenha periódica das mamas para evitar ingurgitamento e restrição ou perda na produção. O leite ordenhado pode ser armazenado e utilizado posteriormente para o bebê.

CRIANÇAS COM PROBLEMAS NEUROLÓGICOS

Lesões neurológicas podem afetar de forma negativa a amamentação ao seio. Essas crianças podem apresentar alterações neurológicas, motoras, transtornos de sucção, alterações estruturais da musculatura de mandíbula, faringe, epiglote ou língua, hipotonia de cabeça e pescoço, diminuição da coordenação dos movimentos de sucção-deglutição-respiração, tornando difícil a mamada ao seio materno.

Bebês que sofreram hipoxia ao nascimento podem necessitar de um período de jejum, e também podem apresentar problemas de sucção, deglutição ou mesmo de coordenação desses com a respiração. Nessa situação, a mãe deve ser orientada a ordenhar seu colostro, e assim que possível, oferecê-lo ao bebê por sonda. A mãe deve ser orientada e estimulada a ordenhar seu leite a cada oferta, fazer estimulação intra e extraoral de seu bebê acompanhada de um profissional de fonoaudiologia.

Em bebês com paralisia facial temporária, a mãe deve amamentar ao seio, tendo o cuidado de abrir a boca do bebê para introduzir mamilo e aréola, apoiando a mandíbula se necessário. Deve evitar que o lado com paralisia fique voltado para a mama, amamentar com o bebê em posição vertical de forma que a cabeça fique ligeiramente mais alta que a mama. Caso a paralisia seja permanente, pode ser feita a ordenha do leite e este ser oferecido ao bebê.

CAPÍTULO 14 Aleitamento Materno em Situações Especiais da Criança

Crianças com meningomielocele, habitualmente submetidas a cirurgia de correção dentro das primeiras 24 a 48 horas de vida, também devem ser amamentadas ao seio, tomando-se o cuidado de colocar o bebê na posição invertida ou sobre o corpo da mãe deitada em decúbito dorsal, evitando a compressão do defeito ou da ferida cirúrgica, protegendo o local de traumas e evitando dor e desconforto.

Crianças portadoras de hidrocefalia precisam de apoio para a cabeça. As mamadas devem ser mais curtas e mais frequentes, evitando assim a broncoaspiração.

Vários graus de comprometimento neurológico podem ocorrer, limitando as chances de sucesso da amamentação ao seio. Sempre a alimentação por via oral for possível , o seio materno deve ser tentado. Observar a mamada para identificar dificuldades e orientar estratégias de melhoria:

- Posicionar o bebê em posição vertical (a cavaleiro);
- Apoiar a mama e a mandíbula – mão de *Dancer*;
- Posicionar o bebê de forma que a boca fique centralizada com o seio materno, facilitando a pega;
- Controlar o fluxo de leite, quando há dificuldade de coordenação sucção-deglutição, utilizando dois dedos em pinça ao redor da aréola, ou com a inclinação posterior do corpo da mãe em 30 graus.

CRIANÇAS COM FISSURAS LABIAIS E PALATAIS

As alterações na mandíbula, nariz e boca trazem algumas dificuldades para o bebê sugar o seio materno. A extensão do defeito, a possibilidade de correção cirúrgica e a reabilitação, bem como a aceitação do bebê real no lugar do imaginário podem influenciar na prática do aleitamento materno. Essas crianças e suas mães necessitam de ajuda multidisciplinar para o estabelecimento e manutenção do aleitamento. O trabalho deve ser iniciado assim que diagnosticada a anomalia, preferencialmente antes do parto. Os pais devem receber o máximo de informações a respeito dos benefícios do aleitamento materno e das técnicas disponíveis para se obter bons resultados.

Bebês com essas anomalias tendem a ter dificuldade de ganho ponderal, por terem dificuldade em extrair leite das mamas e pelo maior consumo calórico exigido no esforço das mamadas. O risco de aspiração e engasgo por refluxo de leite existe tanto nas mamadas ao seio como na alimentação por mamadeira. Todas as dificuldades citadas são passíveis de manejo adequado e preventivo, devendo-se sempre destacar as propriedades e vantagens da mamada ao seio: a mama, mais flexível que os bicos artificiais, favorece a vedação da fenda; há estímulo positivo para o desenvolvimento dos músculos da face, boca e língua; a pressão na tuba auditiva durante a deglutição é menor em relação ao aleitamento artificial. Esse conjunto favorece o desenvolvimento e melhora o prognóstico e resultados após a correção definitiva.

Os portadores de fissura labial única terão pouca dificuldade em abocanhar o seio e sustentar a pega e a sucção. No caso de fenda de grande extensão, a mãe deve ser orientada a introduzir a mama pelo lado da fissura, apontando o mamilo para o lado contrário, sendo que a posição invertida do bebê no colo da mãe pode facilitar a mamada. Casos em que existe fenda labial bilateral ou com comprometimento da arcada, a posição a cavaleiro e a posição da mão em *Dancer*, e a utilização do polegar da mãe vedando a fenda poderão facilitar a mamada.

Nos casos de fissuras palatais isoladas, sem o comprometimento labial, a posição ortostática do bebê (a cavaleiro), e a mão em *Dancer*, direcionarão o leite para o esôfago, evitando o refluxo pelas narinas. Em fendas de grande proporção, a utilização de placa palatina de resina acrílica ou de silástico pode ser utilizada para a oclusão da abertura do palato. Entretanto, é necessária a troca frequente de acordo com o crescimento.

Há ainda a possibilidade de amamentar esses bebês deitados em decúbito dorsal, com a cabeceira elevada, e a mãe inclinar o seio sobre a boca da criança, facilitando a penetração do seio na cavidade oral e melhorando o vedamento.

A criança não deve ser levada ao seio faminta, nem a mãe deve tentar utilizar uma estratégia que não tenha sido bem-sucedida para o seu bebê. Oferecer o leite materno ordenhado por via oral pode ser útil para acalmar o bebê antes de tentar o seio.

É importante reforçar para a família que bebês com fissuras de lábio e/ou palato que são amamentados, apresentam melhor desenvolvimento orofacial, melhor coordenação da língua, menos episódios de otite média e melhor ganho ponderal. Entretanto, os limites de cada situação devem ser considerados, e nos casos em que não se consegue a amamentação ao seio, o uso de leite materno ordenhado, oferecido por copo, colher, seringa ou sonda gástrica deve ser recomendado e estimulado.

CRIANÇAS HOSPITALIZADAS

A mãe oferece segurança, carinho, conforto e proteção imunológica através do aleitamento materno ao permanecer internada junto a seu filho. Assim que possível, o aleitamento materno deve ser retomado, nos casos de cirurgias, procedimentos invasivos e exames que requerem sedação com interrupção momentânea da oferta alimentar.

Bebês com fístula traqueoesofágica, obstruções intestinais, ânus imperfurado, que dependem de cirurgia corretiva precoce para poderem iniciar a oferta alimentar, assim que a mesma seja possível, devem ser amamentados ou alimentados com leite de suas mães. Essas, por sua vez, devem ser orientadas e encorajadas a ordenhar e armazenar seu leite, para que o mesmo possa ser oferecido aos bebês assim que as condições clínicas o permitam. Nesses casos, quando há a retomada da sucção ao seio, se ocorrem mamadas ineficientes ou demoradas, a suplementação do leite extraído por ordenha, através da sonda gástrica ou copinho, pode ser necessária.

CRIANÇAS COM REFLUXO GASTROESOFÁGICO

Pouco conhecimento se tem acerca do refluxo gastroesofágico em bebês amamentados ao seio, entretanto o diagnóstico dessa condição tem sido mais frequente naqueles alimentados com mamadeira e fórmula.

Crianças alimentadas ao seio materno apresentam-se oligo ou assintomática, talvez pela posição mais supina em relação à alimentação por mamadeira. O movimento de sucção desencadeia ondas peristálticas da língua para o trato gastrointestinal. O esvaziamento gástrico também é facilitado pela digestão mais rápida do leite humano, quando comparado a fórmulas lácteas modificadas. Esse conjunto parece proteger crianças alimentadas ao seio materno de episódios de refluxo.

Entretanto, quando se documenta o pH esofágico nos episódios de refluxo, observa-se um pH menor em bebês alimentados com leite materno, embora os episódios sejam menos frequentes e tenham menor duração.

Dessa forma, o diagnóstico de doença de refluxo não implica na substituição do aleitamento ao seio por fórmula espessada, considerando os inúmeros benefícios da amamentação ao seio e do leite humano. O uso de medicações específicas ou da abordagem cirúrgica, quando indicadas, e os cuidados posturais garantem o desenvolvimento adequado juntamente com a manutenção do aleitamento materno

CRIANÇAS COM FENILCETONÚRIA

Doença genética autossômica recessiva, a fenilcetonúria se caracteriza por deficiência ou ausência da atividade da enzima fenilalanina hidroxilase, o que restringe ou impede a hidroxilação da fenilalanina em tirosina. O acúmulo de fenilalanina no sangue leva a alterações do sistema nervoso central, causando retardo mental irreversível.

O leite humano apresenta baixos níveis de fenilalanina, suficiente para o crescimento do indivíduo, sem que haja sobrecarga metabólica. Estudo brasileiro conduzido por Kanufre e cols. (2007) com 35 fenilcetonúricos que foram amamentados exclusivamente ao seio, mostra que essa prática alimentar permitiu adequado controle metabólico e crescimento durante 12 meses de acompanhamento.

É recomendável manter o aleitamento materno, porém com seguimento dos níveis de fenilalanina. A decisão de suspensão da amamentação e substituição do leite materno por fórmula especial livre de fenilalanina deve ser tomada mediante a evolução clínica e laboratorial, individualizada para cada criança.

CRIANÇAS COM FIBROSE CÍSTICA

O aleitamento materno deve ser estimulado, pois irá conferir proteção imunológica adicional a essas crianças que, por sua condição, são mais vulneráveis a infecções, particularmente respiratórias.

CRIANÇAS COM HIPOTIREOIDISMO

O leite materno contém pequenas quantidades de hormônios tireoidianos, o que não é encontrado em fórmulas lácteas, podendo oferecer uma mínima proteção antes que o tratamento seja iniciado. Não há motivo para a substituição do leite materno por fórmula, baseada na deficiência hormonal. A amamentação deve ser estimulada, paralela à reposição hormonal adequada, promovendo assim bom desenvolvimento da criança.

CRIANÇA COM SÍNDROME DE DOWN

Bebês portadores dessa síndrome apresentam atraso do desenvolvimento, redução no tônus muscular, hipotonia de mandíbula, necessitando atenção especial e maior estimulação através do toque e exercícios de extremidades.

Os pais devem ser estimulados e apoiados, pois pode haver dificuldade no estabelecimento da amamentação devido à hipotonia muscular do bebê que nem sempre consegue uma boa pega e sucção nutritiva sustentada. As mamadas iniciais frequentemente são ineficazes, havendo necessidade de maior estímulo ao bebê, com mamadas mais frequentes e de menor duração.

Manter a cabeça do bebê em posição mais elevada, com postura a cavaleiro e mão de *Dancer* pode facilitar a pega adequada, e o toque gentil nas extremidades auxiliam a manutenção da sucção. Nos casos em que a ingesta seja insuficiente é necessário complementar a ingesta com leite materno ordenhado através da técnica de translactação ou por copinho.

CONCLUSÃO

A amamentação ao seio materno e a utilização do leite humano como fonte alimentar segura na infância tem impacto direto na determinação da sobrevida e qualidade de vida da criança. O aleitamento materno deve sempre ser incentivado e protegido.

Os pais de crianças que necessitam de cuidados especiais devem receber as informações suficientes sobre as condições particulares de seus filhos e a importância do leite materno na alimentação dos mesmos. É necessário que recebam apoio e orientação multidisciplinar para que compreendam melhor a situação vivenciada e aceitem o bebê real, diferente daquele imaginário idealizado e sonhado durante a gestação.

O sucesso no aleitamento materno para esses bebês depende, em grande parte, não só do conhecimento e aceitação da situação, mas também do apoio de uma equipe multidisciplinar treinada para atuar nas dificuldades no estabelecimento e manutenção da lactação.

O apoio familiar, dos amigos e de outros pais que vivenciam problemas semelhantes, associado ao cuidado da equipe, contribuem para o sucesso da amamentação.

BIBLIOGRAFIA CONSULTADA

Almeida H. Situações especiais no lactente. In: Carvalho MR, Tamez RN. Amamentação. Bases científicas para a prática profissional. Rio de Janeiro: Guanabara Koogan 2002; p. 171-2.

Almeida MFB, Draque CM. Neonatal jaundice and breastfeeding. Neo Reviews 2007; 8(7).

Altmann EBC. Fissuras labiopalatinas, 4 ed. Rio de Janeiro: Pro-fono, 1997.

Americam Academy of Pediatrics. Policy Statement. Breastfeeding and the use of human milk. Pediatrics 2012;129:e827. Disponível em http:// pediatrics.aapublications.org/content/129/3/e827.full.html.

Anderson DM, Willians FH, Merkatz RB. Length of gestation and nutritional composition of human milk. Am J Clin Nutr 1993; 47:810.

Atkinson SA. Human milk feeding of the micropremie. Clin Perinatol 2001; 27:235-47, 125-41.

Biancuso M. Clinical focus on clefts. Yes! Infants with clefts cambreastfed. AWHONN Lifelines 1998; 4:45-9.

Brazelton TB. O desenvolvimento do apego: um projeto de extensão comunitária. Edição especial. Acta Paulista de Enfermagem 1998; 11:59-63.

Cabral VCB. Grupo de apoio para os pais de neonatos de risco: abordagem transdisciplinar com a família na Unidade de Terapia Intensiva Neonatal (Dissertação de Mestrado) Universidade Federal de Pernambuco, 2005.

Calil VMLT, Vinagre RD. Aleitamento materno em situações especiais. In: Lopes FA, Campos Jr D. Tratado de Pediatria SBP. Barueri: Manole 2011; p.361-376.

Carvalho M, Robertson S, Klaus M. Fecal bilirrubin excretion and serum bilirrubin concentration in breastfed and botle-fed infants. J Pediatr 1985; 107:786.

Davis MK. Breastfeeding and the chronic disease in childhood and adolescence. Pediatr Clin North Am 2001; 48:125-41.

Dewey KG. Is breastfeeding protective against childhood obesity? J Hum Lact 2003; 19:9-18.

Flidel-Rimon O, Shinwell ES. Breastfeeding twins and high multiplex. Arch Dis Child Fetal Neonatal 2006; 91:F377-380.

Friel JK, Martin SM, Langdon M, Herzberg GR, Buettner GR. Milk from mothers of both premature and full-term infants provides better antioxidant protection than does infant formula. Pediatr Res 2002; 51:612-618.

Goldman AS, Cheda S, Keeney SE, Shmlastieg FC, Schanler RJ. Imunologic protection of the premature newborn by human milk. Semin Perinatol 2000; 18:495-501.

Gourley GR, Kreamer B, Arend R. The effect of diet on feces and jaundice during the first three weeks of life. Gastroenterology 1992; 103:660.

Hanson LA. Human milk and host defense: immediate and long term effects. Acta Paediatr 1999; 430(88):42-6.

Heacock HJ, Jeffery HE, Baker JL. Influence of breast versus formula milk on physiological gastroesophageal reflux in healthy newborn infants. J P Gastoenterol Nutr 1992; 14:41.

Horta BL et al. Evidence on the long-term effects of breastfeeding. Systematic review and meta-analisis. World Health Organization, 2007.

Howie PJ, Forsyth JS, Ongstron SA, Clark A, Florey C. Protective effect of breastfeeding against infection. Br Med J 1990; 300:11-16.

Hylander MA, Strobino DM, Dhanireddy R. Human milk feedings and retinopaty (ROP) among very low birth weight infants. Pediatr Res 1995; 37:214A (abst).

Kanufre CV et al. O aleitamento materno no tratamento de crianças com fenilcetonúria. J Pediatr 2007 sept-oct; 83(5):447-452.

Lamônica DAC et al. Aleitamento materno e fenilcetonúria: desafios e benefícios. Disponível em: http://www.sbfa.org.br/portal/anais2010/resumos/3867.pdf□ Acessado em: 29/09/2014.

Lawrence RA, Lawrence RM. Breastfeeding: a guide for the medical profession. 7 ed. Maryland Heigths, MO: Elsevier, 2011.

Lucas A. Breast milk and subsequent intelligence quocient in children born preterm. Lancet 1992; 8788: 261-4.

Lucas A. Early nutrition and later outcome. In: Ziegler E, Lucas A, Moro GE. Nutrition of the very low birth weight infant. Nestlé Nutrition Workshop Series Pediatric Programme. Philadelphia: Lippincott, Willians &Willkins 1999; 43:1-18.

Martin RM, Patel R, Kramer MD, Vilchuck K, Bogdanovich N, Sergeishick N, Gusina N, Foo Y, Palmer T, Thompson J, Gillman MW, Smith GD, Oken E. Effects of promoting longer-term exclusive breastfeeding on cardiometabolic risk factor sat age 11,5 years. Circulation 2014; 129:321-329.

Mortensen EL et al. The association between duration of breastfeeding and adult intelligence. JAMA 2002; 287:2365-71.

Myers MM, Shair HN, Hofer MA. Feeding in infancy: short and long term effects on cardiovascular function. Experientia 1992; 48:322.

Nascimento MBR, Issler H. Aleitamento materno em prematuros; manejo clínico hospitalar. Jornal de Pediatria 2004; 80(Supl 5):163-172.

Rudolph CD, Mzur LJ, Liptak GS, Baker RD, Boyle JT, Colleti RB et al. Guidelines for evaluation and treatment of gastroesophageal reflux in infants and children: recommendations of North American Society for Gantroenterology and Nutrition. J Pediatr Gastroenterol Nutr 2001; 32:S1-31.

Saairien UM, Kajosaari M. Breastfeeding as profilaxis against atopic disease:prospective follow-up study until 17 years old. Lancet 1995; 346:1065-69.

Schanler RJ. Clinical benefits of human milk for premature infants. In: Ziegler E, Lucas A, Moro GE. Nutrition of the very low birth weight infant. Nestle Nutrition Workshop Series Pediatric Programme. Philadelphia: Lippincott, Willians & Wilkins 1999; 43:95-106.

Semmekrto BA, de Vries MC, Gerrits GP, van Wieringen PM. Optimal breastfeeding to prevent hyperbilirrubinemia in healthy, term new borns. Ned Tijdschr Geneeskd 2004 oct; 148(41):2016-9.

Thomas DMC, Serafim PO, Palhares, DB, MelnikovP, Venhofen L, Vargas MOF. Comparação entre suplementos homólogos do leite humano e um suplemento comercial pararecém nascidos de muito baixo peso. J Pediatr 2012; 88(2):119-24.

Trindade IEK, Silva Filho OG. Fissuras labio-palatinas. Uma abordagem interdisciplinar. 1 ed. São Paulo: Livraria Santos, 2007.

Turner L, Jacobsen C, Humenczuk M, Singhal VK, Moore D, Bell H. The effects of lactation edication and a prosthetic obturator appliance on feeding efficiency in infants with cleft lip and palate. Cleft Palate Carniofacial J 2001; 38(5):519-24.

Uauy R, Peirano P. Breastis the best: human milk isoptimal food for brain development. Am J Clin Nutr 1999; 70:433-4.

Van Odijk et al. Breastfeeding and allergic disease: a multidisciplinary review of the literature (1966-2001) on the mode of early feeding in infancy and its impact on later atopic manifestations. Allergy 2003; 58:833-43.

World Health Organization (WHO). Collaborative Study Team on the Role of Breastfeeding on the prevention of infant mortality. Effect of breastfeeding on infant and child mortality dueto infectious disease in less developed countries: a pooled analysis. Lancet 2000; 335:451-455.

World Health Organization (WHO). The optimal duration of exclusive breastfeeding. Note for the press no 7 April 2, 2002. Disponível em: http://www. Who.int-pr-2001.

Leite Materno e Prematuridade

15

Nicole Oliveira Mota Gianini

INTRODUÇÃO

Com o avanço da neonatologia e o surgimento das unidades de tratamento intensivo neonatal, a sobrevida de pré-termos de muito baixo peso aumentou significativamente. Temos então um grande desafio: nutrir esses recém-nascidos. Muitos estudos foram e estão sendo desenvolvidos para nortear a forma ideal de garantir suporte nutricional a esses pacientes. O papel da nutrição na condução desses pré-termos passa a ser uma prioridade, assim como nos preocupamos com o suporte ventilatório, controle de infecção e suporte hemodinâmico, devemos também nos preocupar com o suporte nutricional. As funções imunológica, respiratória, hepática e hemodinâmica dependem da higidez nutricional para seu bom desempenho.

Ainda há algumas controvérsias sobre as necessidades de macronutrientes, vitaminas e oligoelementos nessas crianças, havendo também divergência quanto à avaliação da eficácia e aproveitamento do que está sendo ofertado, já que encontramos várias curvas e tabelas de normalidade.

Em um ponto, porém, não há mais discussão: tão ou mais importante que o desenvolvimento tecnológico, a nutrição pode determinar a sobrevida e a morbidade desse recém-nascido.

A ideia de "programação" fetal – Hipótese de Barker, de que há períodos críticos da vida fetal, de rápido crescimento celular, nos quais uma injúria ou um déficit pode resultar em dano metabólico permanente é consagrada e o fato dessas alterações terem consequências a longo prazo, com repercussões em agravos à saúde na vida adulta, têm sido objeto de muitos estudos.

Há trabalhos evidenciando que um crescimento intrauterino restrito pode aumentar o risco de doenças na vida adulta, tais como doença cardiovascular, hipertensão e diabetes melito tipo 2. Barker e seu grupo escreveram sobre a presença de "janelas" durante a maturação na vida fetal, nas quais uma inadequada nutrição pode "programar" o desenvolvimento de doenças na vida adulta.

Dado que o crescimento e o desenvolvimento representam um processo contínuo, não surpreende que a nutrição neonatal também demonstre impacto na saúde e no surgimento de doenças na vida adulta. Nas últimas décadas, tornou-se evidente que a nutrição na vida fetal e neonatal, tem papel e impacto na saúde da vida adulta. Alan Lucas, em paralelo a Barker, coloca que a "programação", no que diz respeito ao desenvolvimento neurológico é crítica. Ele e seu grupo enfatizam que a nutrição em um período vulnerável do desenvolvimento cerebral pode ter efeitos permanentes no tamanho do cérebro, no número de células cerebrais, no comportamento, aprendizado e memória. A dieta precoce, na primeira semana de vida, período crítico, tem repercussão na função cognitiva no futuro.

Logo, as condutas traçadas nas unidades neonatais têm impacto, não apenas durante o período da internação, mas também podem determinar agravos na vida futura.

Os fatos apontam para a importância da condução do suporte nutricional no elenco de problemas que devemos priorizar no cuidado do recém-nascido prétermo. As decisões devem ser bem elaboradas. Lembrar-se que uma decisão que tem que ser estratégica é a ênfase na importância do aleitamento materno. O leite materno parece proteger da obesidade, da hipertensão arterial e de diabetes, além das benesses já estabelecidas e que discutiremos em seguida.

DESENVOLVIMENTO E FISIOLOGIA DO TRATO GASTROINTESTINAL

O intestino primitivo, ou sistema digestivo, forma-se durante a quarta semana, quando a porção dorsal do saco vitelino está encerrada no embrião.

Há uma migração craniocaudal de neuroblastos entre as 15ª e a 20ª semanas de gestação e, por volta da 24ª semana, há distribuição normal de células ganglionares.

Com 24-26 semanas, o trato digestivo do feto é morfologicamente semelhante ao do recém-nascido a termo, mas funcionalmente é incompleto. A maturação ocorre no primeiro ano de vida, mesmo no recém-nascido a termo. Apesar disso os recém-nascidos pré-termos e pequenos para a idade gestacional possuem energia suficiente para apenas alguns dias e devem ser nutridos o mais breve possível.

Motilidade

A atividade motora normal após alimentação, a despeito da imaturidade do intestino, sugere que os recém-nascidos podem responder à nutrição enteral antes da completa maturação da motilidade intestinal. Assim sendo, estudos sugerem que o pré-termo pode mostrar resposta a nutrientes tão precoce quanto menos de 26 semanas.

Características do Recém-nascido Pré-termo

O recém-nascido pré-termo é especial em muitas características de seu desenvolvimento:

- Pouca reserva (carboidrato e gordura).
- Alto metabolismo (intrínseco, maior metabolismo cerebral, hepático e cerebral).
- Alto *turnover* proteico (principalmente quando está em crescimento). Elevada necessidade de proteína.
- Necessidade mais elevada de glicose para energia e metabolismo cerebral.
- Necessidade aumentada de gordura – para metabolismo, depósito, desenvolvimento cerebral, neuronal e vascular.
- Maior perda de água insensível.
- Peristalse mais lenta.
- Produção limitada de enzimas no trato gastrointestinal.
- Presença frequente de eventos "estressantes": hipoxia, desconforto respiratório, sepse etc.
- Prejuízo do desenvolvimento caso não seja adequadamente nutrido.

As necessidades nutricionais são muito debatidas, mas não definidas ainda para o pré-termo. O Comitê de Nutrição da Academia Americana de Pediatria recomendava que a dieta ideal para o pré-termo é aquela que garante taxas de crescimento intrauterino, sem acarretar estresse e sobrecarga ao metabolismo e às funções excretoras. Esse conceito já está se modificando diante das situações adversas que um pré-termo tem que enfrentar. Novas curvas e possibilidades de avaliação precisam ser estabelecidas.

Carboidrato

No útero, o feto recebe constante e regular suprimento de glicose. Ao nascer, esse suprimento é abruptamente interrompido. O pré-termo e o pequeno para a idade gestacional não estão preparados para esse estresse devido à pouca gordura subcutânea (necessária para a cetogênese) e à limitada capacidade de gliconeogênese.

A glicose tem sido considerada a fonte primária de energia para o recém-nascido, a sua adequada administração para o pré-termo é mais importante que para o a termo, pois é a maior fonte de energia para o metabolismo cerebral e o pré-termo parece ser mais suscetível às injúrias neurológicas em decorrência de hipoglicemia, mesmo discreta e de curta duração.

Em geral, o pré-termo se mantém euglicêmico com taxas de infusão de glicose de 4-6 mg/kg/min. Devemos monitorizar a glicemia para evitarmos hipo ou hiperglicemia. Não devemos interromper a infusão abruptamente porque a infusão constante de glicose estimula uma produção constante de insulina, a qual pode causar hipoglicemia.

Com a introdução da oferta enteral se pode, paulatinamente, diminuir a oferta venosa de carboidratos.

Proteína

Desde 1994, William Hay e seu grupo estudaram a importância da oferta de proteína para os recém-nascidos pré-termos e recomendaram o uso de 1,5 g/kg/dia de aminoácido nas primeiras horas de vida do recém-nascido. A linha de raciocínio é mimetizar o padrão de passagem de nutrientes da mãe para o feto. Assim, o padrão de transferência é: quanto menor a idade gestacional maior é o aporte proteico, enquanto o aumento no aporte de gordura e glicose se dá apenas no final da gestação. Logo, devemos ofertar para o pré-termo alíquotas mais generosas de proteína e menores de glicose e gordura, já que esse seria o fornecimento caso estivesse ainda no útero materno. As pesquisas já apontam para um aumento da oferta de 1,5 para 3,0 g/kg/dia já no primeiro dia de vida. Essa recomendação de Hay vem sendo confirmada por outros trabalhos.

Gordura

A deposição de gordura branca ocorre na metade do segundo semestre da gestação e é cerca de 18-20% do peso do recém-nascido a termo. Isso ocorre devido à maior capacidade placentária de transferir ácidos graxos. A carnitina facilita o transporte de ácidos graxos através da membrana da mitocôndria. A sua síntese é limitada no recém-nascido pré-termo. A carnitina é encontrada em altas concentrações no leite humano e tem sido adicionada em algumas fórmulas. A gordura é a maior fonte de energia na dieta enteral e é responsável por 50-55% das calorias do leite humano.

A gordura faz parte de constituintes necessários ao desenvolvimento neurológico (o cérebro possui 60% de estrutura lipídica, necessita ácido araquidônico e ácido desoexadenoico para crescimento, função e integridade vascular), síntese de prostaglandina e é veículo para absorção de proteínas lipossolúveis.

Os ácidos graxos essenciais, linoleico e linolênico (ômega 6 e ômega 3) são importantes na mielinização e no desenvolvimento da retina.

Estudos experimentais demonstram que a deficiência de ácidos graxos essenciais durante o desenvolvimento cerebral acarreta danos permanentes. Esse risco é muito maior no recém-nascido de baixo peso.

Nutrição Trófica

A hora e o tipo de dieta a ser iniciada para o pré-termo de muito baixo peso, apesar dos inúmeros trabalhos, ainda não foi incorporada por alguns neonatologistas. A enterocolite não ocorre no útero, mesmo que haja intenso estresse e a despeito de o feto deglutir cerca de 150 mL/kg/dia de líquido amniótico bacteriostático contendo carboidrato, proteína, gordura, imunoglobulinas, eletrólitos, fatores de crescimento e partículas celulares. O conteúdo calórico do líquido amniótico é de cerca de 15 cal/L e sua osmolaridade é de aproximadamente 275 mOsm/kg. A ausência de enterocolite intraútero sugere que é necessário haver colonização na sua patogênese. Há trabalhos experimentais comprovando a necessidade de bactéria para que alimentação e isquemia produzam ileíte.

O temor da enterocolite levou os neonatologistas a retardar a dieta enteral e prolongar a nutrição parenteral. Mas essa prática está associada à colestase, doença metabólica óssea, sepse e pode acarretar atrofia da mucosa intestinal.

Durante o terceiro trimestre da gestação, o feto deglute líquido amniótico, promovendo estimulação trófica na luz do trato gastrointestinal. Os pré-termos são privados dessa estimulação nutricional, que pode contribuir para a intolerância durante a alimentação.

Estudos com animais demonstram que há um decréscimo linear no DNA da mucosa e diminuição no *turnover* celular do intestino privado de nutrientes. Os fatores de crescimento presentes na dieta ou elaborados, em resposta à sua presença, desencadeiam a liberação de peptídeos intestinais como enteroglucagon, gastrina, peptídeo inibidor de gastrina, polipeptídeo pancreático, os quais garantem crescimento, motilidade e secreção do intestino. Outros efeitos metabólicos têm sido observados em recém-nascido que recebe dieta precocemente, como baixas concentrações de bilirrubina e fosfatase alcalina em comparação com nutrição parenteral.

Além dessas funções, o intestino também funciona como uma barreira efetiva para reservatório de bactérias luminais. Esses organismos comensais são importantes na produção de vitamina K, no metabolismo de ácidos biliares e na produção de ácidos graxos de cadeia pequena pela fermentação anaeróbica (pela bactéria bífida e bacteroide).

Antes de iniciarmos a dieta enteral, o pré-termo deve ser avaliado quanto às suas condições de receber nutrientes por via entérica: ausência de distensão abdominal e anormalidades gastrointestinais (sangramento etc.), peristalse presente e eliminação prévia de mecônio.

Dieta enteral, tradicionalmente, tem sido evitada em pacientes gravemente enfermos com instabilidade metabólica e hemodinâmica. Porém, o trato gastrointestinal tem sido reconhecido como um órgão crucial no trauma e em doenças graves, em especial pelo seu papel na adaptação metabólica e na defesa imunológica. Os nutrientes na luz intestinal reduzem o risco de translocação bacteriana e sepse. Chellis e cols. demonstraram, em seus estudos, que nutrição enteral precoce é possível e bem tolerada, sem complicações como aspiração e/ou distensão abdominal em crianças gravemente enfermas e Davey e cols. concluíram que pré-termos estáveis podem receber dieta enteral mesmo quando estão com cateter umbilical.

Dados recentes têm sugerido que a "nutrição trófica" (pequenos volumes ofertados logo após o nascimento) pode intensificar aspectos da função intestinal, como maior absorção de cálcio e fósforo, desenvolvimento da atividade da lactase – que aumentou mais rápido e mais significativamente em um grupo de recém-nascidos que recebeu leite humano, sugerindo que o leite materno promove uma atividade maior da lactase do que a fórmula e assim, podemos iniciar com dietas que contenham lactose sem temer a intolerância. A dieta trófica pode ter um efeito significativo na motilidade e desenvolvimento do intestino. Nenhum efeito adverso tem sido atribuído a ela e devemos recomendá-la para os pré-termos gravemente enfermos em nutrição parenteral.

As recomendações atuais são de iniciar dieta enteral no primeiro ou segundo dia de vida.

A abordagem mais agressiva (melhor seria chamar de mais generosa) é lógica, em especial com os novos trabalhos mostrando que crianças pequenas ao nascer e pequenas com um ano de idade têm maior probabilidade de apresentar diabetes, hipertensão e derrame cerebral na vida adulta. Logo, uma abordagem mais agressiva parece ser importante também para a vida futura.

Essa reflexão é muito importante e há muitos trabalhos sobre o tema com o fito de definir o quanto antes o papel de uma abordagem mais agressiva nos recém-nascidos pré-termos. Um deles é o de Schanler e cols., com 171 recém-nascidos pré-termos que receberam fórmula ou leite humano nos primeiros dias de vida, sob a forma de gavagem simples (bólus) ou infusão contínua. A conclusão foi de que dieta precoce com leite humano, usando gavagem simples (bólus), é a que traz mais benefícios para o pré-termo, não havendo complicações e diminuindo a morbidade.

Em 2000, Simpson e cols. levam ao Pediatric Academic Society and American Academy of Pediatrics Joint Meeting, um estudo que visa verificar se o início da dieta enteral precoce é seguro em pré-termos, com bons resultados na tolerância da dieta e alta mais precoce. Uma revisão sistemática da Cochrane Review, de 2005, concluiu que há vantagens em uma abordagem mais agressiva de incremento de dieta no período neonatal, com menor tempo para atingir o peso de nascimento e a dieta plena.

As publicações mais recentes já consagram a estratégia de dieta no primeiro ou segundo dia de vida com evidências robustas do seu benefício.

MÉTODOS DE ALIMENTAÇÃO

Sucção

Alimentar um recém-nascido é um processo complexo que requer a integridade de vários componentes. Envolve comportamento, respostas táteis, controle motor, função motora oral, controle fisiológico e coordenação sucção-deglutição e respiração.

A decisão de permitir a sucção não pode ser baseada apenas no peso e na idade gestacional. A introdução precoce de alimentação por sucção acelera a passagem da alimentação por sonda para a alimentação por sucção. Ocorre o desenvolvimento da habilidade de sugar. Isso foi o que provou Simpson e cols. quando randomizaram recém-nascidos com menos de 30 semanas de idade gestacional e introduziram dieta por sucção 48 horas após terem atingido dieta plena por sonda gástrica. O grupo que sofreu a intervenção – sucção antes de 34 semanas, desenvolveu habilidade e conseguiu sugar, efetivamente, mais precocemente que o grupo em que foi permitida a sucção após a idade gestacional corrigida de 34 semanas. Não houve alteração na performance de ganho de peso entre os dois grupos – a crença de que sucção causa ganho de peso insuficiente não se comprovou. A conclusão é que a estratégia de permitir sucção antes de 33 semanas de idade gestacional corrigida é de sucesso e segura.

Não resta dúvida de que a sucção é a melhor forma de alimentarmos um recém-nascido, e ela deve ser escolhida assim que as condições clínicas e fisiológicas estejam estabilizadas.

Gavagem Simples

A gavagem simples ou alimentação intermitente em bólus é a forma mais comum de alimentar os pré-termos de baixo peso. É a de mais baixo risco, baixo custo e mais fisiológica.

É a que mais se aproxima da forma "usual" de alimentação do recém-nascido. Há uma resposta hormonal cíclica mesmo em volumes muito pequenos, o que não observamos na alimentação contínua ou na nutrição parenteral. Pode ser oferecida em volumes iniciais pequenos de 1-2 mL e a intervalos de uma a duas horas.

Além do mais, a gavagem intermitente é fácil de administrar, requer mínimo equipamento e tem baixo risco de precipitação na sonda. As desvantagens da administração em bólus são as complicações do refluxo gastroesofágico, hipoxemia transitória e apneia.

Durante a alimentação por gavagem simples devemos instituir um programa de preparação para a dieta por sucção – a sucção não nutritiva. Essa prática tem dado bons frutos quanto à eficácia da sucção e à permanência hospitalar.

Gavagem Contínua

É o método usado para pré-termo extremo com estresse respiratório importante, pós-operatório de cirurgia abdominal, refluxo gastroesofágico e resíduo gástrico persistente. Permite ganho de peso mais rápido, já que o gasto energético para absorção de nutrientes é menor (termogênese induzida pela dieta). Porém, é menos fisiológico e não deve ser nossa primeira escolha. Cada vez mais a indicação deve ser criteriosa.

Uma boa alternativa tem sido uma situação intermediária entre a gavagem simples e a contínua – a parcialmente contínua, sendo oferecida a dieta em infusão por uma hora (em bomba de infusão contínua) com uma pausa por 2 horas.

Após a estabilização do paciente, podemos aumentar a dieta em até 20 mL/kg/dia.

Alimentação Transpilórica

Não deve ser recomendada rotineiramente, sendo indicada apenas para crianças com refluxo gastroesofágico severo e intolerância gástrica importante.

Ao nascer já há atividade da lipase lingual e gástrica, o que permite hidrólise de mais de 30% dos triglicerídeos ingeridos. Assim sendo, não devemos permitir o *bypass* do estômago, sob pena de acarretar má digestão de gordura.

Além da má absorção de gordura, a alimentação transpilórica está associada à má absorção de potássio e colonização de bactérias no trato gastrointestinal superior.

Pesquisas já demonstram não haver efeitos benéficos na alimentação transpilórica, seja em bases bioquímicas ou antropométricas. A alimentação transpilórica também requer maior exposição à radiação (localização da sonda), maior manuseio do recém-nascido e está associada a maior incidência de hemorragia digestiva.

Logo, a alimentação transpilórica não deve ser a primeira opção, sendo preferível a alimentação por gavagem simples ou parcialmente contínua.

CAPÍTULO 15 Leite Materno e Prematuridade

Sabendo que nutrir o recém-nascido pré-termo é prioridade, que a nutrição precoce é segura e importante e que deve ser uma prática mesmo em recém-nascidos enfermos, passaremos a discutir a importância do leite materno para o pré-termo, elencando tópicos que angustiam a equipe da unidade neonatal e são cercados de tabus.

PROBLEMAS RESPIRATÓRIOS

A síndrome de angústia respiratória, antigamente chamada de doença de membrana hialina, é a causa mais comum de morbidade e mortalidade em partos pré-termos.

A má nutrição em um período precoce pode alterar a septação pulmonar (diminuição de RNA/DNA) e a interferência no crescimento somático acarreta alteração na estrutura pulmonar, desde o tamanho, número de alvéolos e área de superfície alveolar, pois está intimamente ligada a parâmetros importantes para a liberação de energia. Além disso, devemos lembrar que a nutrição tem inúmeras outras implicações, tais como nas defesas, antioxidante, fornecimento de fosfolipídeo (para a produção de surfactante) e substrato para massa muscular (atrofia muscular em subnutrição). Portanto, o fisiologista pulmonar deve interagir com o nutrólogo para estudar e melhorar as intervenções no aparelho respiratório.

Vários estudos vêm sendo realizados, pontuando a importância de alguns nutrientes para o pulmão e seu desenvolvimento. No final de 2000, Sosenko comenta a importância da subnutrição e da diminuição de proteína na injúria pulmonar e toca nos ácidos graxos poliinsaturados (PUFA), que têm sido objeto de pesquisa como "protetores" de broncodisplasia pulmonar. Também coloca o papel do inositol (altas concentrações no leite humano e baixa nas fórmulas) no aumento da produção de surfactante e do glutamato e aspartato com efeitos excitatórios no centro respiratório.

Além disso, devemos lembrar do papel do leite materno nas defesas e proteção contra infecção que, com sua ação anti-inflamatória minimiza os danos à estrutura pulmonar e é um grande fator na prevenção da lesão parenquimatosa.

CRESCIMENTO E DESENVOLVIMENTO

Um estudo com 926 recém-nascidos pesando menos que 1.850 g, randomizado, multicêntrico (5 centros), foi realizado na Inglaterra para avaliar a importância da dieta precoce e estudar a diferença entre os leites. Três centros possuíam banco de leite humano (estudo 1). Os dois outros centros ficaram no estudo 2. As principais conclusões foram: a incidência de enterocolite necrosante foi de 4/76 quando foi usada fórmula e 1/86 quando foi usado leite humano; o ganho de peso é maior com o uso de fórmula; o quociente de inteligência foi maior em crianças que receberam leite humano; parece haver um fator "não nutricional" no leite humano que influencia o metabolismo ósseo, pois, apesar de cálcio e fósforo baixos no leite humano, não houve grande incidência de raquitismo ("programação"); a dieta precoce (nas primeiras 4 semanas de vida) é determinante do crescimento dos pré-termos, sendo o leite humano a melhor opção.

A mineralização óssea foi o objeto de estudo de Bishop e cols. em 1996, já que esse tema tem tido implicações nas práticas nutricionais. Eles estudaram o crescimento ósseo e a mineralização de recém-nascidos pré-termos por 5 anos, que foram randomizados para receber diferentes tipos de leite. Eles encontraram evidências de que a dieta precoce tem implicações a longo prazo sobre o crescimento ósseo e a mineralização, e pode afetar a probabilidade de desenvolver doenças na vida adulta, como osteoporose. Parece que, mesmo com quantidades de minerais abaixo do desejado, o leite humano "programa" a mineralização. Esses dados sugerem que a dieta precoce utilizando o leite humano pode ter um papel importante no crescimento esquelético e na mineralização óssea.

Os maiores estudos sobre nutrição e neurodesenvolvimento foram liderados por Alan Lucas, um pesquisador inglês que coordena 5 centros de neonatologia em muitos trabalhos sobre nutrição. Em 1989, ele testa a influência da dieta precoce no neurodesenvolvimento e conclui que a dieta durante as primeiras semanas de vida tem um efeito significativo no *status* do desenvolvimento com 9 meses de vida. Parece que logo após o nascimento há um período "crítico" para o manejo nutricional.

Em 1990, o grupo de Alan Lucas publica dois trabalhos, ambos sobre a importância da dieta precoce e suas repercussões no desenvolvimento intelectual no futuro. O grupo estudado não apresenta diferenças clínicas, sociais ou demográficas. São estudos multicêntricos e randomizados. Ambos enfatizam a importância da dieta precoce, em "período crítico", para o desenvolvimento futuro. Em nenhum dos dois estudos houve aumento da incidência de enterocolite necrosante.

Em 1992, eles publicaram outro estudo, com os mesmos 5 centros, avaliando crianças com 7 anos e meio e 8 anos de vida. São 300 crianças, que são avaliados com um teste de inteligência (Weschler Intelligence Scale for Children) que receberam leite da própria mãe por sonda gástrica nas primeiras semanas de vida e apresentaram significativamente maior quociente de inteligência ($p < 0,0001$). Essa vantagem foi associada à oferta de leite pela sonda e não à amamentação, já que as mães que amamentaram após a alta foram excluídas do estudo, pois a amamentação é um fator de confusão por ser "estimuladora". Esse efeito sobre o quociente de inteligência mostrou-se dose-dependente – quanto maior a alíquota recebida, melhor o desempenho nos testes. Esses achados sugerem que o leite materno contém fatores que afetam o desenvolvimento cerebral, por exemplo ácidos graxos de cadeia longa (ômega 3 e ômega 6), além de numerosos hormônios e fatores tróficos, que podem influenciar a maturação e o crescimento do cérebro.

Embora os resultados de muitos estudos clínicos tenham sugerido que o quociente de inteligência é maior em crianças que recebem leite materno do que em crianças que recebem fórmula, alguns pesquisadores ainda sugerem que os fatores de confusão, como situação socioeconômica e educação, podem acarretar vieses. Com o objetivo de observar as diferenças na função cognitiva de crianças que receberam leite materno ou fórmula, Anderson e cols. publicam uma metanálise em 1999. Foram encontrados 20 estudos que preencheram os critérios de inclusão para a seleção. A metanálise concluiu que crianças que receberam leite materno possuem escore muito mais alto na avaliação da função cognitiva do que as que

CAPÍTULO 15   Leite Materno e Prematuridade

receberam fórmula, e que no recém-nascido de baixo peso essas conclusões apresentam maior impacto do que no recém-nascido de peso normal.

TRATO GASTROINTESTINAL

Carol Berseth é uma pesquisadora que estuda o trato gastrointestinal, em especial a sua função motora (utilizando manômetro) e tem muitos trabalhos publicados.

Nos trabalhos de 1995 e 1996 ela conclui que a presença de alimento intraluminal promove profundo estímulo para o crescimento da mucosa intestinal. Esse estímulo depende da composição da dieta (água é ineficaz e dieta diluída produz uma resposta muito aquém da desejada), o leite materno resulta em aumento da síntese de DNA, insulina, fator de crescimento epitelial e outros peptídeos que exercem efeito direto no trofismo; com a dieta há colonização do intestino por patógenos menos agressivos e não há aumento há aumento da incidência de enterocolite necrosante.

Como último comentário sobre o tema temos o artigo de Neu e cols. de 1996, sobre o efeito nocivo que fórmulas isentas de lactose ou hidrolisado proteico, usadas por alguns neonatologistas, pode produzir quando usadas na alimentação do recém-nascido pré-termo. Essas fórmulas são indicadas em situações pontuais, como na síndrome do intestino curto.

NUTRIÇÃO E ENTEROCOLITE NECROSANTE

Vários aspectos das práticas nutricionais nas unidades neonatais têm sido implicados como fatores de risco de enterocolite necrosante, tais como incremento de dieta, tempo de início da dieta, fórmula *versus* leite materno e osmolaridade da dieta. Em 1985 e 1986, LaGamma e Ostertag publicaram dois trabalhos sobre a introdução da dieta e a enterocolite necrosante. O primeiro estudo testa a hipótese de que retardar o início da dieta diminui a incidência de enterocolite necrosante. Foram analisados dois grupos de recém-nascidos, o primeiro não recebeu dieta enteral por duas semanas, sendo nutrido por via parenteral, o segundo grupo recebeu fórmula diluída ou leite materno já nas duas primeiras semanas de vida. A incidência de enterocolite necrosante em crianças apenas com nutrição parenteral foi de 60% (12/20) comparada com 22% (4/18) no grupo que recebeu dieta enteral precoce. A hipótese para explicar é um conjunto de eventos: diminuição da peristalse, desvio do metabolismo da borda do epitélio intestinal e alteração da flora local agindo sinergicamente em um intestino imaturo, interferindo no transporte luminal, retardando a ação de enzimas digestivas e diminuindo a produção de mucina (defesa). A estase resultante acarretaria uma autodigestão e quebra da integridade da mucosa, supercrescimento bacteriano e invasão da parede intestinal pelas bactérias da luz. Além disso, convém lembrar que a enterocolite necosante não acontece na vida fetal, a despeito de o feto deglutir mais do que 150 mL de líquido amniótico contendo proteína, gordura, carboidratos e eletrólitos.

O uso de dieta elementar ou hidrolisado de caseína, que atrai os neonatologistas, não é recomendado. A osmolaridade dessas fórmulas varia de 290 a 330 mOsm/L, 25% maior que a fórmula para pré-termo, que possui 210-220 mOsm/L.

A hiperosmolaridade é um grande fator de risco para enterocolite necrosante em recém-nascidos pré-termos. Obviamente, também não deve ser utilizada na alimentação pós-enterocolite necrosante

Com base em estudos clínicos e laboratoriais, comprova-se que o leite materno tem efeito protetor contra a enterocolite necrosante. O uso de leite humano, além de ofertar imunoglobulinas, glutamina e arginina, também oferta agentes anti-inflamatórios como a acetil-hidrolase PAF (fator ativador de plaquetas), enzima que degrada o fator ativador de plaquetas, implicado na cascata de fisiopatologia da enterocolite necrosante. Essa enzima tem uma concentração 5 vezes maior no leite da mãe do pré-termo em comparação com a mãe do recém-nascido a termo.

NUTRIÇÃO E IMUNOLOGIA

A infecção em um recém-nascido imaturo de muito baixo peso é considerada o principal fator para determinar a morbidade e a mortalidade. É cada vez mais claro que os sinais e sintomas de insuficiência de múltiplos órgãos em decorrência de sepse resultam de má nutrição. O suporte nutricional parece reduzir a morbidade e a mortalidade pelos eventos infecciosos, seja por prevenir deficiência de nutrientes específicos (zinco, retinol), seja por garantir um adequado aporte proteico. Os recém-nascidos possuem características imunológicas que os colocam em situação de risco – pele e mucosa com imaturidade de barreira; diminuição dos níveis de fibronectina; diminuição dos níveis de C3, C5a e fator B, motilidade, fagocitose e capacidade bactericida prejudicada nos neutrófilos; diminuição dos níveis séricos de IgG; baixa produção de citoquinas pelas células mononucleares (interferon e fator de necrose tumoral). A má nutrição no período imediato pós-natal pode agravar essa imaturidade e comprometer a resistência às infecções. Parece que isso pode ter impacto na imunidade por longos períodos durante a vida. Os recém-nascidos que possuem retardo do crescimento intrauterino terão quimiotaxia bastante comprometida, dificultando ainda mais o trabalho de defesa. A sepse continua liderando como causa de óbito em recém-nascidos de muito baixo peso, a despeito de novos e mais efetivos antibióticos.

Está claro que a composição da dieta pode afetar profundamente o crescimento, a função, o metabolismo e a resposta inflamatória à injúria das células de defesa e dos agentes farmacológicos envolvidos nesse processo biológico. Nas últimas décadas, importantes progressos têm ocorrido no esforço de entender a influência de nutrientes em mecanismos específicos de defesa e resistência.

Em 1982, Goldman e cols. fizeram um estudo para testar a hipótese de que o leite produzido por mães de parto pré-termo é diferente do leite ordenhado de mães de parto a termo, já que até então havia o conhecimento de alguns detalhes sobre o sistema imunológico do leite humano, como os que demonstravam que o número de leucócitos apresenta um pico no colostro e diminui a níveis praticamente imperceptíveis no terceiro mês; as maiores concentrações de lisozima, lactoferrina, IgA e IgA secretória são as encontradas no colostro. Para verificar tais diferenças foi coletado leite com 2, 4, 6, 8 e 12 semanas de lactação, entre 8 e 12 horas. A conclusão do estudo foi de que há diferenças nas concentrações de componentes do sistema imunológico no leite de mãe de pré-termo em comparação com o leite de mãe de recém-nascido a termo. As concentrações de IgA e lactoferrina são maiores no leite de mãe de pré-termo.

Goldman e seu grupo continuaram estudando as propriedades imunológicas do leite de mãe de pré-termo e publicaram, em 1994, um amplo estudo sobre todas as vantagens do leite da mãe do recém-nascido pré-termo. A definição de sistema imune no leite humano foi ampliada para incluir não apenas agentes antimicrobianos diretos, mas também fatores antiinflamatórios e imunomoduladores. Outros estudos continuam confirmando a importância do leite materno na questão da imunologia e resposta a agravos infecciosos.

O recém-nascido pré-termo pode se beneficiar de proteção passiva contra infecção, detecção precoce e tratamento eficaz de infecções e de fatores tróficos que estimulem e acelerem o desenvolvimento de seu sistema de defesa. A primeira estratégia nutricional para modular a resposta imune do pré-termo de muito baixo peso é ofertar o leite de sua mãe. O leite materno reduz a frequência e a severidade de infecções respiratórias e gastrointestinais e contém anticorpos específicos contra patógenos nosocomiais. Para tal, a mãe deve ser estimulada a tocar no recém-nascido para garantir o estímulo da ordenha e garantir essa produção de anticorpos específicos.

Estudos sobre a glutamina, um aminoácido "condicionalmente essencial", têm evidenciado diminuição de morbidade em recém-nascidos que a recebem por via enteral. A glutamina parece estimular o sistema imunológico e proteger contra sepse. O líquido amniótico e o leite humano possuem grandes quantidades de glutamina. Como a glutamina não está disponível em nutrição parenteral e as fórmulas não são suplementadas com ela, o leite humano é a sua melhor fonte.

Em janeiro de 2001, Horbar e cols. publicaram um estudo colaborativo sobre qualidade em unidades neonatais americanas e apresentaram uma tabela com as potencialmente melhores práticas de prevenção da infecção nosocomial, na qual o item nutrição está incluído, com início precoce de dieta e uso do leite materno como etapas elencadas.

O leite materno, por todos esses motivos, protege o recém-nascido durante a lactação. Além disso, há evidências de que essa proteção permanece por anos após a lactação, contra diarreia, doenças respiratórias (importante em pacientes com doença pulmonar crônica), otite média e infecção urinária. Além dos fatores encontrados no leite, parece que numerosas citoquinas e fatores imunológicos podem estimular o sistema imune, levando essas crianças a uma melhor resposta às vacinas e às infecções. Isso é uma possível explicação para que crianças que receberam leite humano tenham proteção contra doenças imunológicas como doença celíaca e alergia.

DOR

As repercussões que o desconforto e a dor causam ao recém-nascido enfermo internado nas unidades de cuidados intensivos estão publicadas e são, agora, alardeadas em congressos e simpósios. Assim, diferentemente do passado não muito distante, a preocupação da equipe da unidade neonatal com essa questão faz parte do cotidiano da terapia intensiva. Nesse tópico, mais uma vez, o papel do leite humano se faz presente. A presença de endorfinas no leite faz com que os recém-nascidos submetidos a procedimentos dolorosos sintam menos dor. As concentrações de endorfinas são maiores no leite da mãe que teve parto normal e recém-nascido pré-termo.

MÉTODO CANGURU

O nascimento de um filho pré-termo é uma dor enorme e traz uma série de emoções e repercussões para a vida dos pais e demais familiares. A equipe da unidade neonatal é fundamental nesse momento. O acolhimento que a equipe oferecer permitirá, ou não, uma melhor passagem por um período tão difícil. No que se refere à amamentação o papel da equipe é maior ainda. Está provado que o líder e sua capacidade de ser formador de opinião, alicerçada no conhecimento científico, demonstrando conhecer a importância do leite materno para os recém-nascidos gravemente enfermos faz muita diferença nos resultados de lactação e amamentação das diferentes unidades de cuidados intensivos.

No papel da equipe em garantir que a família suporte essa fase de internação na unidade neonatal as rotinas e estratégias na quais o serviço caminha é vital. Orientar a ordenha da mama nas primeiras horas após o nascimento, ajudar com orientações e demonstrações, disponibilizar material e pessoal para este suporte faz muita diferença.

O Método Canguru, que no Brasil é uma política pública de saúde (com diretrizes do Ministério da Saúde) e todos os conceitos e conhecimentos que estão sob seu domínio, não é algo que os profissionais de saúde precisam acreditar (dogma), é uma forma de trabalho alicerçada no conhecimento científico, haja vista as inúmeras publicações listadas no Pubmed, com evidências cada vez mais robustas quanto às suas benesses para o recém-nascido pré-termo.

Essa lógica de trabalho deve começar na UTI neonatal com a presença de pelo menos uma cadeira ao lado do leito do recém-nascido, propiciando a permanência da mãe e do pai, o que facilita a interação com o recém-nascido. O contato pele a pele e seus inúmeros benefícios são hoje apontados não apenas para o desenvolvimento do vínculo e segurança familiares, mas também como estratégia de garantia da lactação e amamentação, em especial para o grupo que mais se beneficia dela – o pré-termo.

BOAS PRÁTICAS

Com o objetivo de melhorar os indicadores de morbidade e mortalidade neonatal, inúmeros pesquisadores têm se unido em redes de pesquisa, que permitam a análise de muitos pacientes aumentando assim, o poder estatístico e levando a conclusões que alicerçadas em bases sólidas sejam força motriz de mudanças e melhorias na assistência neonatal.

A análise de processos em empresas, hospitais e unidades de terapia intensiva (neonatal e adulto), seguida de discussão com a equipe dessas unidades parece mais eficaz como catalisadora de mudanças que a evolução natural do conhecimento da equipe. Quando há a colaboração de equipe multidisciplinar na busca das práticas que efetivamente garantem melhoria da assistência, a evolução e o prognóstico dos recém-nascidos melhoram significativamente. Assim, o estudo das práticas clínicas com identificação de "boas práticas", protocolos que realmente impactem na melhor evolução dos pacientes, é garantia de crescimento maior que a tendência secular da melhora de desempenho da equipe.

É importante verificar que a utilização de alimentação, cada vez mais precocemente utilizando o leite materno, está no elenco das "boas práticas", quando a questão envolve a doença pulmonar crônica, o controle da infecção e uma assistência de qualidade.

A divulgação e a propagação desses estudos são interessantes na tentativa de mudar a privação de nutrientes e a pouca importância que, infelizmente, ainda assistimos nas unidades neonatais quanto ao uso da alimentação de forma precoce. As decisões tomadas nas unidades neonatais têm um peso importante na evolução do recém-nascido pré-termo. A nutrição deve ser um item fundamental na lista de problemas dessas crianças, com estratégias e protocolos que busquem uma introdução precoce de nutrição parenteral e de dieta enteral, que garantam o leite da própria mãe e permitam o contato pele a pele, podem ser determinadores de muitas mudanças no prognóstico e na qualidade de vida desses recém-nascidos.

COMENTÁRIOS FINAIS

O leite materno provê ao recém-nascido não apenas os nutrientes para o crescimento, mas uma gama de componentes bioativos moduladores do desenvolvimento neonatal. Os ajustes que o recém-nascido pré-termo precisa fazer para se adaptar subitamente à vida extrauterina fazem com que ele precise imensamente do leite de sua mãe, muito mais que o recém-nascido a termo. Precisamos enfatizar que o leite produzido por uma mãe de pré-termo difere em sua composição durante o período inicial da lactação (4 a 6 semanas) do leite de mãe de recém-nascido a termo, e é muito mais adequado para as necessidades desse pré-termo. Assim, todos os esforços devem ser feitos para garantir a sua produção e o contato pele a pele da mãe com o seu bebê pré-termo.

É estratégica a criação de "Bancos de Leite da Própria Mãe", local com orientação e apoio. A busca de qualidade do produto ofertado também é um desafio para a equipe, em especial do banco de leite. Na falta do leite da própria mãe, devemos solicitar leite humano com características semelhantes às da mãe (idade gestacional, idade cronológica etc.). Devemos rever o currículo dos residentes de pediatria/neonatologia e de enfermagem no tocante às informações acerca do importante papel do leite materno para os recém-nascidos, em especial os pré-termos. Os *rounds* e as sessões devem contemplar o tema. A construção do conhecimento deve ser repensada, os formadores de opinião devem rever os seus conceitos e suas práticas.

Também é importante atentarmos para a perda de nutrientes que pode acontecer quando ofertamos pela sonda gástrica, por vezes em bomba de infusão contínua, o que pode propiciar adesão de gordura no equipo e lembrar a separação do leite de final de ordenha, com maior teor de gordura e densidade calórica.

Mesmo havendo vasta recomendação na literatura para o uso do leite materno para o recém-nascido pré-termo, ignoramos os motivos pelos quais essa não é uma prática mais enfatizada nas unidades neonatais. Em um estudo sobre as práticas nutricionais em recém-nascidos com menos de 1.500 g, observou-se a utilização de hidrolisado proteico como primeira dieta em 7,7% dos recém-nascidos, o que não tem justificativa. A utilização do leite humano em 89,9% foi um achado muito bom, mas não é o ideal; sabendo que a mãe está internada, acreditamos que a equipe não tem clareza da importante estratégia que é garantir o leite da própria mãe para o recém-nascido pré-termo, em especial o gravemente enfermo. Nesse mesmo estudo, observou-se que 51,9% dos recém-nascidos estavam em amamentação, mesmo que parcial, por ocasião da alta. Justamente o grupo que mais necessita dos benefícios da amamentação. Ainda neste estudo foi possível verificar que há unidades que substituem o leite humano por fórmula – com a finalidade de garantir um ganho ponderal "adequado" – essa estratégia deve ser revista. Adicionar é melhor que substituir. A substituição de leite humano por fórmula só deve ocorrer em ausência de leite humano. Estudo publicado em 2004, pelo grupo de Alan Lucas com 926 recém-nascidos, avaliados com 13-16 anos (adolescência), aponta mais um benefício da utilização de leite humano: as crianças que receberam leite humano do banco de leite apresentavam menores concentrações de proteína C reativa (implicada na inflamação e associada com ateroesclerose) e de LDL para HDL (lipidograma), que as que receberam fórmula láctea, reforçando, mais uma vez, os fatores "não nutricionais" e a "programação" – conceitos já discutidos previamente, com repercussões na qualidade na vida adulta. Eles demonstram que a condução da nutrição em período precoce da vida pode, permanentemente, afetar a vida adulta – síndrome metabólica (hipertensão, dislipidemia, obesidade e resistência à insulina) que afeta a predisposição às doenças cardiovasculares. Os achados evidenciam o efeito adverso de acelerar o crescimento (hipótese do crescimento acelerado), o que deve levar as unidades neonatais a uma reflexão sobre suas práticas na condução nutricional. Substituir leite materno ou humano por fórmula láctea deve ser uma atitude muito bem pensada, em especial agora com o reforço sobre as teorias da síndrome metabólica e o papel do leite humano na programação de caminhos metabólicos e dos fatores não nutricionais que ele apresenta.

Nossa opinião é que devemos nos preocupar com as condutas nutricionais, dividindo nossa atenção em dois períodos: a fase inicial, da admissão do recém-nascido pré-termo, no qual está gravemente enfermo e sob estresse clínico – iniciar aminoácido nas primeiras horas de vida, em alíquotas de 3 g/kg/dia, instituir dieta enteral precocemente com leite materno e minimizar o catabolismo, garantindo assim, a "programação" e o fatores "não nutricionais" presentes no leite humano. Passada a fase de maior gravidade, há uma segunda fase - ter cuidado com a busca pelo ganho ponderal – hipótese do crescimento acelerado – jamais substituindo o leite humano por fórmula láctea e garantindo o suporte à amamentação.

O nascimento de um recém-nascido pré-termo é um grande choque para a mãe e para a família. Sentimentos de frustração e incompetência afloram. A equipe deve acolher a família e saber da grande influência que exerce sobre ela. Somos formadores de opinião e o período da internação é uma oportunidade ímpar de

CAPÍTULO 15 Leite Materno e Prematuridade

resgate e de estabelecimento de alicerces para o futuro. Devemos implementar a lógica de trabalho do Método Canguru, com tudo o que ele recomenda além do contato pele a pele, viabilizando a interação mãe-bebê-família.

Assim, como lutamos para garantir surfactante exógeno, monitorização adequada e respiradores, devemos garantir a oferta do leite materno. Devemos enfatizar a importância de toda a equipe. A chave do sucesso em neonatologia não está na mão do neonatologista. É uma construção coletiva. Logo, toda a equipe deve deter o conhecimento e interagir - formar uma equipe realmente multi e interdisciplinar. Nossos pré-termos vão nos agradecer.

BIBLIOGRAFIA CONSULTADA

Almeida JAG. Amamentação – um híbrido natureza-cultura. Rio de Janeiro: Editora Fiocruz, 1999.

Anderson DM. Feeding the ill of preterm infant. Neonatal Network 2002; 21(7):7-14.

Anderson JW, Johnstone BM, Remley DT. Breastfeeding and cognitive development: a meta-analysis. American Journal of Clinical Nutrition 1999; 70(4):525-535.

Barker DJ. Fetal origins of coronary heart disease. British Medical Journal 1993; 307:1519-24.

Berseth C, Nordyke C. Enteral Nutrition promote postnatal maturation of intestinal motor ativiity in preterm infants. Gastrointestinal, Liver Physiology 1993; 27:G1046- G1051.

Berseth C. Effect of early feeding on maturation of the preterm infant's small intestine. Journal of Pediatrics 1992; 120:947-53.

Berseth C. Gastrointestinal motility in the neonate. Clinics in Perinatology 1996; 23(2):179-190.

Berseth C. Minimal enteral feendings. Clinics in Perinatology 1995; 22(1):195-205.

Bhatia J, Mena P, Denne S, Garcia C. Evaluation of adequacy of protein and energy. J Pediatr 2013; 162:S31-6.

Bhatia J. Growth curves: how to best measure growth of the preterm infant. J Pediatr 2013; 162:S2-6.

Bishop NJ, Dahlenburg SL, Fewtrell MS, Morley R, Lucas A. Early diet of preterm infants and bone mineralization at age five years. Acta Paediatrica 1996; 85:230-6.

Brasil. Ministério da Saúde. Secretaria de Políticas de Saúde. Área da Saúde da Criança. Atenção humanizada ao recém-nascido de baixo peso: Método Canguru: Manual Técnico, 2 ed. Brasília. Ministério da Saúde. 2011.   http://bvsms.saude.gov.br/bvs/publicacoes/metodo_canguru_manual_tecnico_2ed.pdf

Broussard DL. Gastrointestinal motility in the neonate. Clinics in Perinatology 1995; 22(1):37-59.

Browne JV. Early relatinoship environmets: physiology of skin-to-skin contact for parents and their preterm infants. Clinics in Pernatology 2004; 31(2):287-98,vii.

Carbajal R, Veerappen S, Couderc S, Jugie M, Ville Y. Analgesic effect of breast feedign in term neonates: randomised controlled trial. British Medical Journal 2003; 326:13.

Chellis MJ, Sanders SV, Webster H, Dean JM, Jackson D. Early enteral feeding in the pediatric intensive care unit. J Parent Ent Nutr 1996; 20:71-73.

Clark RH, Wagner CL, Merritt RJ et al. Nutrition in neonatal intensive care unit: how do we reduce the incidence of extrauterine growth restriction? J Perinat 2003; 23(4):337-44.

Dallas MJ, Bowling D, Roig JC, Auestad N, Neu J. Enteral Glutamine Supplementation for Very-Low-Birth-Weight Infants Decreases Hospital Costs. J Parent Ent Nutr 1998; 22:352-356.

Davey AM, Wagner CL, Cox C, Kending JW. Feeding premature infants while low umbilical artery catheters are in place. A prospective, randomized trial. J Pediatrics 1994; 124:795-9.

Garofalo RP, Goldman AS. Espression of functional immunomodulatory and anti-inflamatory factors in human milk. Clinics in Perinatology 1999; 26(2):361-377.

Georgieff MK, Mills MM, Lindeke L, Iverson S, Jonhsons DE, Thompson TR. Changes in nutritional management and outcome of very-low-birth-weight infants. Amer J Dis 1989; 82-85.

Gianini NM, Vieira AA, Moreira ME. Avaliação dos fatores associados ao estado nutricional na idade corrigida de termo em recém-nascidos de muito baixo peso. J Pediatria 2005; 81:34-40.

Gianini NOM. Práticas Nutricionais nos recém-nascidos com menos de 1.500 g. Dissertação de mestrado em Saúde da Criança do Instituto Fernandes Figueira da Fundação Oswaldo Cruz. Rio de Janeiro, 2001.

Goldman AS, Chheda S, Keeney SE, Schalstieg FC, Schanler RJ. Immunologic protection of the premature newborn by human milk. Seminars of Perinatology 1994; 1(6):495-501.

Goldman AS, Garza C, Nichols B, Johson CA, Smith O, Goldlum RM. Effects of prematurity on the immunologic system in human milk. J Pediatrics 1982; 101(6):901-905.

Groër M, Walker WA. What is the role of preterm breast milk supplementation in the host defenses preterm infants? Science vs. Fiction. Advances in Pediatrics 1996; 1-37, 40(out of print):335-358.

Hamosh M. Digestion in the premature infant: the effects of human milk. Seminars in Perinatology 1984; 18(6):485-494.

Hanson A. Breastfeeding provides passive and likely long-lasting active immunity. Ann Allergy Immunol 1998; 81(6):523-33.

Hanson A. Human milk and host defense: immediate and long-term effects. Acta Paediatrica 1999; 88:42-6.

Hay WW. Nutritional requirements of extremely low birth weight infants. Acta Paediatr Supplement 1994; 402:94-9.

Hay W. Lessons from the fetus for nutrition of the preterm infant. In: 24 Annual International Conference. Neonatology 2000 – Challenges for the new century. Miami, November 9-11, 2000.

Heird WC. The importance of early nutritional management of low-birth weight infants. Pediatrics in Review 1999; 20:e43-e44.

Heird WC. The importance of early nutritional management of low-birthweight infants. Pediatrics in Review 1999; 20:e43-e44.

Horbar JD, Rogowski J, Plsek PE et al. Collaborative quality improvement for neonatal intensive care. Pediatics 2001; 107(1):14-22.

Horbar JD. The Vermont Oxford Network: Evidence-base quality improvement for neonatology. Pediatrics 1999; 103:350-359.

Kennedy KA, Tyson JE, Chamnanvanakij S. Rapid versus slow rate of advancement of feedings for promoting growth and preventing necrotizing enterocolitis in parenterally fed low-birth-weight infants (Cochrane Review). In: The Cochrane Library, Oxford: Update Software Issue 1, 2005.

Kilbride WH, Powers R, Wirtschafter DD et al. Evalutaion and development of potencially better practices to prevent neonatal nosococial bacteremia. Pediatrics 2003; 111:e504-e518.

Kuzma-O'Reilly B, Duenas Ml, Greecher C et al. Evaluation, development, and implementation of potentially better practices in neonatal intensive care nutrition. Pediatrics 2003; 111: e461-e470.

LaGamma EF, Ostertag SG, Birenbaun H. Failure of Delayed Oral Feedings to Prevent Necrotizing Enterocolitis. Amer J Dis Childhood 1985; 139:385-389.

Lamy F, Silva AAM, Lamy ZC, Gomes MAM, Moreira MEL et al. Evaluation of the neonatal outcomes of the kangaroo mother method in Brazil. J Pediatr 2008; 84(5):428-435.

Lapillonne A, Groh-Wargo S, Gonzalez CHL, Uay R. Lipid needs of preterm infants: updated recommendations. J Pediatr 2013; 162:S37-47.

Lapillonne A, O'Connor DL, Wang D, Rigo J. Nutritional Recommendations for the Late-Preterm Infant and the Preterm Infant after Hospital Discharge. J Pediatr 2013; 162:S90-100.

Lawrence PB. Breast milk: best source of nutrition for term and preterm infants. Pediatric Clinics of North America 1994; 41(5):925-941.

Lucas A, Morley R, Cole TJ, Core SM, Davis JA, Bamford MFM, Dossetor JFB. Early diet in preterm babies and developmental status in infancy. Arch Dis Childhood 1989; 64:1570-1578.

Lucas A, Morley R, Cole TJ, Gore SM, Lucas PJ, Crowle P, Pearse R, Boon AJ, Powell R. Early diet in preterm babies and developmental status at 18 months. Lancet 1990; 335:1477-81.

Lucas A, Morley R, Cole TJ, Gore SM. A randomised multicentre study of human milk versus formula and later development in preterm. Arch Dis Childhood 1994; 70: F141-F146.

Lucas A, Morley R, Cole TJ, Lister G, Leeson-Payne C. Breast milk and subsequent intelligence quotient in children born preterm. Lancet 1992; 339:261-64.

Lucas A. Does early diet program future outcome? Acta Paediatrica Scandinavia Supplement 1990; 336:58-67.

Martinez FE, Desai ID. Human milk and premature infants. In: Behavioral and Metabolic Aspects of Breastfeeding. Sinopoulos AP, Dutra de Oliveira JE, Desai ID. Basel, Karger: World Rev Nutr Diet 1995; 55-73.

McClure RJ, Newell SJ. Randomised controlled trial of trophic feeding and gut motility. Archieves Disease of Child, Fetal and Neonatal 1999; 80:F54-F58,.

Meetze WH, Valentine C, McGuigan JE, Conlon M, Sacks N, Neu J. Gastrointestinal priming prior to full enteral nutrition in very low birth weight infants. J Ped Gastr Nutr 1992; 15:163-170.

Meier PP, Bode L. Health, nutrition, and a cost outcomes of human milk feedings for very low birthweight infants. Adv Nutr 2013; 4:670-671.

Meier PP, Brown LP. State of the Science: breastfeeding for mothers and low birth weight infants. Nursing Clinics of North America 1996; 34(2):351-365.

Moore KL. Embriologia básica. Rio de Janeiro: Editora Interamericana, 1976.

Morley R, Lucas A. Influence of early diet on outcome in preterm infants. Acta Paediatica Supplement 1994; 405:123-6.

Moya FR, Eguchi H, Zhao B, Furukawan M, Sfeirj J, Osorio M, Ogawa Y, Johnston JM. Platelet-Activating factor acetylhydrolase in term and preterm human milk: a prelliminary report. J Ped Gastr Nutr 1994; 19:236-239.

Murguía-Peniche T, Mihatsch WA, Zegarra J, Jupapannachart S, Ding ZY, Neu J. Intestinal mucosal defense system, Part 2. Probiotics and prebiotcs. J Pediatr 2013; 162:S64-71.

Neu J, Koldovsky O. Nutrient absorption in the preterm neonate. Clinics in Perinatology 1996; 23(2):229-243.

Neu J, Mihatsch WA, Zegarra J, Supapannachart S, Ding ZY, Murguía-Peniche T. Intestinal mucosal defense system, Part 1. Consensus recommendations for immunonutrients. J Pediatr 2013; 162:S56-63.

Neu J, Weiss MD. Necrotizin enterocolitis: pathophysiology and prevention. J Par Ent Nutr 1999; 23:S13-S17.

Novak D. Nutrition in early life. How important is it? Clinics in Perinatology 2002; 29:203-223.

Ostertag SG, LaGamma EF, Reisen CE, Ferrentino FL. Early Enteral feeding does not affect the incidence of necrotizing enterocolitis. Pediatrics 1986; 77(3):275-280.

Pereira G. Nutritional care of the extremely premature infant. Clinics in Perinatology 1995; 22(1):61-75.

Powers NG, Bloom B, Peabody J, Clark R. Site of care influences breastmilk feeding at NICU discharge. Journal of Perinatology 2003; 23(1):10-3.

Romero R, Kleinman RE. Feeding the very low-birth weight infant. Pediatrics in Review 1993; 14(4):123-132.

Saunders RP, Abraham MR, Crosby MJ, Thomas K, Edwards WH. Evaluation and development of potentially better practices for improving family-centered care in neonatal intensive care units. Pediatrics 2003; 111:e437-e449.

Schanler R, Hurst NM. Human milk for the hospitalized preterm. Seminars in Perinatology 1994; 18(6):476-484.

Schanler RJ, Shulman RJ, Lau C, Smith EO, Heitkemper MM. Feedings strategies for premature infants: randomized trial of gastrointestinal priming and tube-feeding mehtod. Pediatrics 1999; 103(2):434-439.

Schanler RJ. Suitability of human milk for the low-birth-weight infant. Clinics in Perinatology 1995; 22(1):207-221.

Senterre T, Rigo J. Optimizing Early Nutitional Support Based on Recent Recommendations in VLBW Infants and Postnatal Growth Restriction. JPG 2011; 53:536-542.

Senterre T, Rigo J. Reduction in postnatal cumulative nutritional deficit and improvement of growth in extremely preterm infants. Acta Paedatrica 2012; 101: e64-e70.

Shulman RJ, Schanler RJ, Lau C, Heitkemper M, Ou CN, Smith EO. Early feeding, feeding tolerance, and lactase activity in preterm infants. Journal of Pediatrics 1998; 133:645-9.

Simpson C, Lau C, Schanler R. Can we introduce oral feeding early in preterm infants? Pediatric Academic Societies and American Academy of Pediatrics Joint Meeting [2552] CD-ROM. Program with Abstracts-On-Disk.

Simpson C, Schanler RJ, Lau C. Early introduction of oral feeding in preterm infants. Pediatrics 2002; 110:517-522.

Singhal A, Lucas A. Early origins of cardiovascular disease: is there a unifying hypothesis? Lancet 2004; 363:1642-45.

Singhal A, Cole TJ, Fewtrell M, Lucas A. Breastmilk feeding and lipoprotein profile in adolescents Born preterm: follow-up of a prospective radomised study. Lancet 2004; 363:1571-78.

Sosenko I. Impact of nutrition on pulmonary problem of premature infants: 24 Annual International Conference Neonatology 2000. Challenges for the New Century. November 9-11. Miami, 2000.

Spear HJ. When reality does not meet expectations: the importance of consitent communication, support, and anticipatory guidance for high-risk mothers who plan to breast-feed. Journal of Clinical Nursing 2004; 13:773-775.

Thureen PJ. Early aggressive nutrition in the neonate. NeoReviews 1999 sep; e45-e55.

Tudehope D, Fewtrell M, Kashyap S, Udaeta E. Nutritional needs of the micropreterm infant. J Pediatr 2013; 162:S72-80.

Tudehope D, Vento M, Bhutta Z, Pachi P. Nutritional requirements and feeding recommendations for small for gestational age infants. J Pediatr 2013; 162:S81-9.

Tydegioe DI. Human milk and the nutritional needs of preterm infants. J Pediatr 2013; 162:S17-S25.

Upadhyay A, Aggarwal R, Narayan S, Joshi M, Paul VK, Deorari AK. Analgesic effect of expressed breast milk in precedural pain in term neonates: a randomized, placebo-controlled, double-blind trial. Acta Paediatr 2004; 93(4):518-22.

Zanardo V, Nicolussi S, Carlo G, Marzari F, Faggian D, Favaro F, Plebani M. Beta endorphin concentration in human milk. J Ped Gastr Nutr 2001; 33:160-164.

Amamentando um Prematuro

16

José Dias Rego
Silvana Salgado Nader
Luciano Borges Santiago

> "Infelizmente, algumas mães abandonam seus filhos prematuros, cujas necessidades não conseguiram satisfazer e dos quais haviam perdido todo o interesse. É verdade que ganharam a vida, porém à custa da perda da mãe" (Budin, 1907)

INTRODUÇÃO

Bem conhecida a superioridade do leite materno (LM) para alimentar o prematuro, precisamos agora estabelecer normas para atingirmos a fase da alimentação do prematuro, diretamente ao seio de sua mãe.

Sabemos que, para o sucesso da amamentação ao seio, 3 condições são básicas:

1. Boa produção de leite;
2. Boa descida do leite;
3. Boa sucção da mama.

Se em recém-nascidos (RN) a termo tais condições, às vezes, se apresentam com algum grau de dificuldade, na prematuridade, isso é muito mais frequente. Assim precisamos recordar os fatores envolvidos na lactação e na sucção, utilizarmos técnicas e táticas para vencermos as dificuldades e conseguirmos dar ao prematuro, direto da mama, o melhor leite para sua nutrição, proteção e bem-estar psicossocial.

Produção do Leite

Para mantê-la, apesar do distanciamento físico, em especial da boca na mama, quase sempre muito difícil nos primeiros dias com a criança na Unidade de Cuidados Intensivos ou Intermediários, usamos as ordenhas precoces, logo após a primeira ida da mãe à unidade neonatal, e repetidas a cada 3 horas durante o dia, deixando a mãe descansar durante a noite. Pode parecer estranho, aqui, dispensarmos a ordenha da noite quando sabemos serem aí maiores os níveis séricos de prolactina indutores da produção do leite. Não é uma regra, é apenas a atenção ao descanso de uma mulher, também uma mãe prematura, com características psicossociais que devem ser respeitadas. Sua insegurança, seu cansaço devem ser levados em consideração e, se assim resolvermos, deixá-la descansar à noite. Importante lembrar que não devemos utilizar sedativos. Estes podem passar ao leite, ainda produzido em pequena quantidade e sedar o prematuro. Talvez seja interessante, lembrar aqui, que como diz Balint, "o melhor medicamento é a palavra do médico".

Descida do Leite

Aqui a situação é mais complexa, pois sabemos que a descida do leite é realizada através um reflexo misto somato-neurológico. Ainda que tenhamos garantido a ordenha manual correta, precoce e amiúde, devemos contar com uma boa produção de ocitocina, e para isso a mãe deve estar tranquila, segura, e sem ansiedade, o que não uma coisa comum, em especial nos primeiros dias, a uma mãe prematura. É conhecido o estado emocional da mãe do prematuro (uma mãe prematura) dominada por dois sentimentos negativos fortes: o sentimento de incompetência e o sentimento de luto precoce que dificultam a substituição do bebê imaginário pelo bebê real. Mais uma vez enfatizamos a necessidade de criarmos uma rica rede emocional de apoio à essas mulheres e suas famílias, sem o que poderá estar prejudicada a produção da ocitocina. Enfatizamos que na fase de transição do leite ordenhado e administrado por sonda ou copinho para a sucção direta ao seio, podemos ter diminuição do volume de leite produzido, pois por melhor ordenhadeira que seja a mãe, agora, ela será uma nutriz, sem ver o volume de leite que flui de suas mamas e com a incumbência de bem fazê-lo, o que pode inibir a produção de ocitocina. Lembramos ainda da prática, tão comum entre nós, de substituirmos a palavra pelo uso de medicamentos que facilitam a gênese dos hormônios envolvidos na lactação. Isso não deve ser uma rotina assistencial e, sim, adaptada a cada caso, pois tal prática pode não ser inócua e até ser prejudicial, pois substitui uma ação de apoio emocional por uma droga, às vezes, com um potencial iatrogênico embutido.

Sucção da Mama

Essa sabemos ser fisiologicamente fraca, por características anatômicas e neurológicas próprias ao prematuro. Para contorná-las usaremos posturas e outras práticas especiais vistas adiante.

Tudo o que dissemos até agora deve ser entendido como característica da amamentação de uma díade prematura especial: ele, o prematuro, necessitando de cuidados intensivos e intermediários, internado em uma unidade neonatal ou mesmo já numa unidade conjunta com sua mãe, e ela, a mãe prematura longe dele num leito obstétrico, com um berço vazio ao lado, ou até com ele a seu lado geográfico mas sem estar preparada para isso. Devemos lembrar que, ainda nesse grupo, teremos prematuros mais ou menos capazes de sugar, deglutir, digerir e absorver do que outros, bem como mães mais ou menos capazes de produzir, apojar e oferecer seu leite, através da mama.

> "Quanto dura o fogo do amor de uma mulher
> se o tato e o olhar deixam de alimentá-lo." (Dante)

PRINCIPAIS DIFICULDADES ENCONTRADAS

Apesar de estarem bem claros os benefícios do aleitamento materno (AM) para o prematuro, ainda existem muitas dificuldades que estão relacionadas a vários aspectos, principalmente no que diz respeito aos socioculturais, às características próprias do recém-nascido prematuro (RNPT) e às condutas dos profissionais de saúde. Em todos os casos, os profissionais de saúde que atendem os prematuros e suas famílias devem transmitir segurança e conhecimento quanto aos benefícios do AM, ao orientar as mães e, sobretudo, oferecer ajuda qualificada.

Aspectos Socioculturais

A amamentação é um fenômeno ao qual os aspectos biopsicossociais estão fortemente relacionados. O aspecto sociocultural contribui de forma especial para a vulnerabilidade do aleitamento materno. A literatura mostra que a incidência e a duração da amamentação sofrem influência de diferentes fatores, tais como inadequada orientação no pré-natal, grupo étnico, tabagismo materno, baixo nível social, alta hospitalar precoce, falta de apoio familiar e social, entre outros. Quando interna-se um RNPT na Unidade de Tratamento Intensivo Neonatal (UTIN), suas mães, na maioria das vezes, são estimuladas a esgotar o seu leite para oferecer ao bebê por meio da mamadeira, gavagem ou copinho. Mais tarde, quando as condições clínicas da criança permitem, inicia-se a alimentação ao seio materno. Para algumas mães, esse processo ocorre em curto espaço de tempo e sem problemas. Para outras, este tempo é mais prolongado e frustrante. A transição da alimentação por gavagem para o seio materno muitas vezes não é um processo fácil; algumas mães por falta de habilidade, de apoio de profissionais de saúde, de resistência ou desconhecimento dos benefícios do LM para a criança demonstram insegurança em relação à qualidade e ao volume adequado de seu leite. Sentimentos maternos de vulnerabilidade e insegurança, desmotivação para amamentar antes do parto e praticidade com o uso da mamadeira são importantes fatores que dificultam o AM dos prematuros internados em UTIN.

Um estudo com abordagem qualitativa realizado na Suécia investigou a experiência das mães com AM quando tinham seus filhos internados na UTIN. Elas recebiam orientação com rotina rígida de como amamentar seu filho, com horário marcado e tempo limitado. As mães que obtiveram sucesso em alimentar seus filhos ao seio descreveram sentimentos de orgulho e segurança. Por outro lado, aquelas que não obtiveram êxito no AM, expressaram sentimentos de rejeição, desapontamento, frustração e vergonha, que interferiram na relação mãe-bebê.

A família pode influenciar muitas vezes de forma decisiva na motivação e na perseverança da mãe para amamentar seu filho prematuro. Particularmente, as opiniões da avó e do pai podem influenciar na decisão da mulher em amamentar seu filho.

Estudo prospectivo realizado no Brasil (Porto Alegre, RS) com 601 mães de RN normais mostrou associação entre a interrupção do AM no primeiro mês e a interferência das avós (materna e paterna), que aconselhavam o uso de água ou chá (OR = 2,2 × 1,8, respectivamente) e de outro leite (OR = 4,5 × 1,9, respectivamente). Nos primeiros 6 meses, a interrupção do AM esteve associada ao aconselhamento pelas avós para usar outro leite. Por outro lado, o contato não diário com a avó materna foi fator de proteção para o AM aos 6 meses.

O pai pode desempenhar papel importante na decisão da mulher em amamentar, mas muitas vezes o homem desconhece como sua participação ativa pode contribuir para o sucesso do AM. Realizou-se estudo de cunho qualitativo com análise fenomenológica realizado na Austrália, com o objetivo de explorar a experiência dos pais de recém-nascido de extremo baixo peso (RNEBP) em relação à alimentação ao seio materno de seus filhos do nascimento aos 12 meses de idade. Os participantes da pesquisa referiram sentimento de ambivalência entre o tipo de alimentação mais adequado para o seu bebê – alimentação ao seio ou mamadeira. Os autores discutem a necessidade de envolver os pais no processo de AM do prematuro e explora as tensões e os paradoxos inerentes à promoção ideológica do AM com o uso na prática da mamadeira.

Características do Prematuro

As características próprias do RNPT também dificultam o início e a manutenção do AM nessas crianças. Esses bebês apresentam imaturidade fisiológica, neurológica, hipotonia muscular e períodos curtos de alerta. O ritmo das mamadas do prematuro costuma ser de 1:1:1 (sucção lenta e profunda – deglutição – respiração, seguida de pausa para recomeçar o ciclo), essas características tornam as mamadas mais lentas, longas e podem ocorrer engasgos frequentes. Para que ocorra uma sucção eficiente, é necessário, além da maturidade neurológica e fisiológica, adequada coordenação da sucção – deglutição e respiração –, que costuma ocorrer em torno da 34ª semana.

Profissionais da Saúde

Os profissionais da saúde que atendem as mães e seus bebês internados na UTIN desempenham um papel fundamental para o sucesso na manutenção da lactação durante a hospitalização dessas crianças, orientando e apoiando a lactação; entretanto, é frequente a falta de orientação qualificada e apoio ao AM. Infelizmente, ainda não fazem parte da rotina de atendimento de muitas unidades neonatais os aspectos práticos de estímulo à alimentação com LM. Também ocorre falta de conhecimento adequado sobre o uso de medicamentos na lactação, muitas vezes, as mães são desnecessariamente orientadas para não amamentar. Tanto os profissionais da saúde como os familiares não estimulam as mães a extrair seu

Amamentando um Prematuro **CAPÍTULO 16**

leite, considerando que é mais um motivo de estresse e ansiedade para a puérpera. Outro fator que contribui para a falta de incentivo ao AM é a insegurança, por parte dos profissionais, em relação á quantidade de leite ingerido pelo bebê e o ganho de peso adequado.

ESTRATÉGIAS PARA MANTER PRODUÇÃO ADEQUADA DE LEITE

Para muitas mães de prematuros, a principal razão do atraso no início da ordenha do leite é a falta de informação adequada sobre a importância do LM e orientação sobre a expressão mamária, durante as primeiras duas semanas após o nascimento, considerada como período crítico para a manutenção da produção láctea. A ordenha mamária deve iniciar, se possível, logo após o parto (no máximo até 48 horas, o ideal é nas primeiras 6 horas) e manter intervalos regulares, de 8 a 10 vezes ao dia. O atraso na expressão das mamas, aliado ao estresse e ansiedade pode resultar em baixa produção de leite. Estudo prospectivo realizado na Dinamarca (Copenhague), com 1.488 recém-nascidos prematuros (24-46 semanas de idade gestacional), mostrou que o início tardio da ordenha do leite (> 48 horas após o parto) foi associado com fracasso no estabelecimento do aleitamento materno exclusivo na alta hospitalar (OR 4,9 95% CI 1,9-12,6). Os autores concluem que a duração do aleitamento materno exclusivo é dose- resposta. Quanto mais precoce o início da ordenha (nas primeiras 12 horas) maior a chance de aumentar o tempo de amamentação.

O local para a mãe ordenhar seu leite deve ser tranquilo e com material educativo disponível (cartazes, *folders*); a mãe deve ser orientada por pessoal capacitado e sensibilizado da importância do AM para a criança prematura. Antes da ordenha, é fundamental que ocorra a lavagem cuidadosa das mãos e de massagem em todos os quadrantes da mama, para facilitar o reflexo de ejeção do leite. A massagem deve iniciar na aréola, de forma circular e suave, usando a ponta dos dedos. A frequência regular da ordenha é fundamental para estimular a liberação de prolactina e manter a produção de leite por mais tempo.

A ordenha manual é a melhor forma de retirar o leite da mama, pois é fácil de aprender, causa menos trauma mamilar, é econômica e habilita a mãe para seu uso em casa. A técnica da ordenha manual deve ser demonstrada às mães por profissional da equipe o mais cedo possível e deve ter acompanhamento diário.

Outra opção para a retirada de leite da mama é a ordenha mecânica. Entretanto, deve-se sempre levar em consideração a disponibilidade de bombas adequadas, seu alto custo e maior potencial para traumas mamilares. As bombas elétricas com extração simultânea de leite em ambas as mamas são as mais adequadas, especialmente para os prematuros abaixo de 1.500 g e nos casos em que o bebê está impossibilitado de sugar o seio materno nas primeiras duas semanas de vida.

O parto prematuro, aliado às complicações clínicas na gravidez e no parto pode contribuir para atrasar o início da lactação por vários dias. Nesse período a mãe pode produzir muito pouco leite (somente algumas gotas). Da mesma forma, estresse, dor e cansaço, que acompanham o nascimento de um bebê prematuro, contribuem para a liberação do fator inibidor da prolactina, interferindo na síntese e secreção do leite pela mama. Essas condições são comumente transitórias e podem ser manejadas por meio de estratégias não farmacológicas, como:

- Ordenha diária do LM;
- Proporcionar o mais precocemente possível o contato pele a pele;
- Realizar a estimulação oral por meio da sucção não nutritiva no seio materno (esgotar previamente a mama), que estimula a produção de prolactina e ocitocina com consequente aumento do volume de leite.

Em alguns casos, quando as medidas anteriores não obtiveram resultados, podem-se utilizar agentes farmacológicos – galactogogos, que estimulam a liberação de prolactina com consequente aumento da produção de leite. Domperidona e metoclopramida são comumente usadas como galactogogos. Vários estudos têm demonstrado sua efetividade em aumentar as concentrações de prolactina e o volume médio diário de leite. Entretanto, a domperidona, por não atravessar a barreira hemato-encefálica, é muito usada no Canadá e na Europa, mas nos EUA seu uso não foi liberado pelo Food and Drug Adminstration (FDA). Essas medicações não oferecem o resultado esperado se não houver o estímulo do esvaziamento da mama por meio da sucção ou ordenha. Nos EUA, a metoclopramida é a droga liberada pelo FDA para uso como galactogogo. Normalmente é usada por um curto período de tempo (7 a 14 dias) na dose de 30 mg dividida em 3 tomadas diárias. Autores referem seu uso por mais de 3 semanas em mães que não apresentaram sintomas como depressão, tonturas, náuseas e reações extrapiramidais.

Nos casos da alimentação dos RNMBP (< 1.500 g), em que o leite da própria mãe (condição ideal) não está disponível, o uso de LH ordenhado e distribuído por bancos de leite é uma boa alternativa. Neste caso, podem-se acrescentar suplementos ao LH para aumentar a ingestão de nutrientes e calorias. Uma alternativa é suplementar o LH com seus próprios nutrientes por meio da lactoengenharia, que consiste em aumentar a concentração de alguns nutrientes como proteínas, cálcio e fósforo processados no próprio banco de leite. O uso de aditivos no LH está relacionado aos avanços nos conhecimentos técnico-científicos da neonatologia sobre as necessidades nutricionais dos RN; apesar de ainda não existir consenso quanto às reais necessidades nutricionais dos bebês prematuros, especialmente dos de muito baixo e de extremo baixo peso. Importante frisar que o uso de aditivos no LH pode ocasionar modificação na osmolaridade deste e maior risco de ocorrências de infecção por contaminação secundária devido à maior manipulação. No entanto, quando há necessidade de suplementação de vitaminas e minerais para atender às necessidades dos prematuros, elas podem ser utilizadas como medicamento e adicionadas ao LH.

A suplementação do LH com aditivos industrializados de origem bovina tem sido recomendada por alguns autores, principalmente para os RNMBP, mas questionados por outros devido ao maior risco de desencadeamento de alergia à proteína do leite de vaca e diminuição da proteção conferida pelos fatores imunológicos presentes no LM, e consequente aumento da incidência de doenças próprias do período neonatal, como a enterocolite necrosante.

Um problema comum nas UTIN é o ganho de peso insuficiente que ocorre nos prematuros de muito baixo peso e nos de extremo baixo peso alimentados com LH acrescido de complemento, nas primeiras semanas de vida, principalmente quando as condições clínicas exigem restrição na ingestão de líquidos. Esse fato leva frequentemente os médicos a substituírem a alimentação destes bebês, durante alguns dias, por fórmulas industrializadas mais calóricas, o que reduz o uso de LM nestas crianças e priva estes prematuros dos benefícios imunológicos e nutricionais do LH. Nestes casos de baixo ganho ponderal, uma alternativa é a utilização da técnica do crematócrito, que é uma técnica fácil, rápida, precisa e barata que permite dosar o conteúdo de lipídeos e de calorias do LH e, assim, adequar a distribuição do LH às necessidades do consumidor, ou seja, o banco de leite poderá distribuir um leite com maior valor calórico para proporcionar maior ganho ponderal ao RNPT. Em adição, por meio desta técnica é possível se conhecer o valor calórico da amostra de leite da própria mãe; mas é preciso considerar que este valor pode variar em diferentes mamadas ou por se tratar de leite do início ou do final da mamada.

ESTRATÉGIAS PARA A AMAMENTAÇÃO DO PREMATURO

A produção de leite pela mãe que não está alimentando seu filho diretamente ao seio materno é um grande desafio para a puérpera e para toda a equipe da UTIN. É fundamental a realização de apoio técnico e emocional para essas mulheres durante o período de internação de seu filho na unidade neonatal. A produção insuficiente de leite é um problema que se torna mais crítico à medida que o tempo passa e as necessidades do bebê aumentam. Os serviços de neonatologia que atendem RN de alto risco devem elaborar programas de estímulo à prática de amamentação para prematuros: conteúdos dirigidos à sensibilização da equipe; orientação e realização e material educacional para os pais e familiares; e disponibilização de intervenção não farmacológica na UTIN para atingir o volume de leite necessário durante o período de internação da criança.

- Antes de iniciar a mamada, inspecionar as mamas maternas para detectar eventuais problemas de fluxo ou congestão de leite. Durante essa inspeção o bebê deve permanecer em contato pele a pele com o colo de sua mãe.

- Despertar a criança, que fisiologicamente, dorme grande parte do dia. Podemos orientar as mães a atritarem a face ou as regiões plantares do RN ou colocá-lo apoiado com a barriga no braço materno fazendo movimentos para cima ou para baixo, suaves, até que ele abra os olhos.

- Ordenhar o leite anterior: sabido que a capacidade de sucção-deglutição do prematuro está prejudicada e que o leite anterior, pobre em gorduras, não o sacia e pode deixá-lo com pletora gástrica que dificulta a ingestão do leite restante, fazemos a ordenha do leite anterior, já praticada com sucesso pela mãe no período em que o recém-nascido só recebia leite por sonda. Esse leite é colocado em um frasco, sem necessidade de pasteurização, pois é da "própria mãe para o próprio filho" e será oferecido, ainda fresco, ao término da mamada.

- Mamada do leite posterior: como vimos, iniciamos se necessário, oferecendo o leite posterior, rico em gorduras e, portanto com aporte calórico mais adequado e com capacidade de saciedade melhor.

CAPÍTULO 16   Amamentando um Prematuro

Iniciar posturando adequadamente a mãe, não só para relaxá-la como também para que a mesma se sinta segura, apoiada pela equipe e sem posturas que poderão ser álgicas ou desagradáveis. Mantê-la com as espáduas retas, com colo, ombros e braços relaxados. Atentar que não é a mãe que vai ao bebê e, sim, o bebê que vai à mãe. Manter o RN na posição tradicional ou utilizar posições variadas e adaptadas a favorecer a mamada do prematuro:

- Posição invertida (já descrita em outro capítulo) com a técnica do duplo C: o primeiro C sustentando o pescoço com o polegar e o dedo médio apoiando a mandíbula; o segundo C expondo a região areolomamilar;
- Mão de bailarina (já descrita em outro capítulo) lembrando que ela é útil, para menores de 34 semanas, para garantir as excursões da mandíbula assegurando sucções efetivas;
- Posição de cavaleiro, para prematuros maiores, colocando em posição de cavaleiro, apoiados na perna de sua mãe, ficando com o tronco retificado e em posição vertical.

Algumas vezes, antes de iniciarmos a sucção do leite posterior, estimulamos o reflexo de busca lembrando que com 30 semanas ele é lento e imperfeito, com 32 semanas é rápido e incompleto e com 34 semanas é rápido, completo e duradouro. Após todos esses cuidados trazê-lo, mais ou menos rapidamente, à mama, de tal forma que ele abocanhe a maior porção possível da aréola. Durante a mamada, explicar à mãe da necessidade de manter sua mão apoiando a região cervical posterior, pois seu imaturo filho ainda não apresenta tônus cervical adequado. Enfatizar que a técnica é a de apoio à região cervical posterior e não a de empurrar a cabeça de contra a mama, o que sabemos é uma manobra que dificulta a mamada até em crianças a termo. Explicar, ainda, à mãe da necessidade de compressões rítmicas das mamas, durante a mamada, facilitando o esvaziamento das mesmas. A mama deve permanecer retraída e ligeiramente adelgaçada durante toda a mamada.

Uma forma de a mãe participar avaliando a sucção do seu filho é contar as sucções que faz entre uma e outra pausa, observando o progresso com o passar dos dias. A sequência normal de sucção, deglutição e respiração é de 1:1:1. A mãe deve estar informada de que o grau de desenvolvimento e coordenação da sucção, deglutição e respiração de seu filho, depende de sua maturidade, mas também de um treinamento precoce, em especial da sucção não nutritiva que pode diminuir a presença de estafa em prematuros de baixa idade gestacional (29-32 semanas) e favorecer o desenvolvimento de suas habilidades.

Importante ensinarmos às mães que as mamadas do prematuro, por sua imaturidade, não podem ser comparadas às da criança a termo: elas são lentas, silenciosas, longas e com engasgos frequentes. A mãe deve ser orientada a não forçar. Lembrar também que estímulos extras, como luz e som, fazem alguns prematuros perderem a concentração e pararem de sugar. O mesmo acontece com movimentos bruscos da mãe, que devem ser evitados. Necessário se torna recordarmos aspectos da fisiologia da lactação e enfatizar que o contato pele a pele, indutor de produção de prolactina, deve ser estimulado, ficando a mãe desnuda da cintura para cima e o prematuro (respeitando sua capacidade de manter-se em eutermia) também o mais desnudo possível.

298

Devemos também ensinar a mãe a reconhecer os estados de sono de seu filho prematuro. No sono profundo ele está com olhos firmemente fechados, com respiração regular e profunda, com atividade motora nula, com ausência de movimentos ou sobressaltos esporádicos e isolados dos estímulos externos. A mãe deve saber que esse sono profundo deve ser respeitado, pois tem como finalidade repousar e organizar o sistema nervoso imaturo e sobrecarregado. No sono superficial os olhos, mesmo fechados, deixam ver movimentos oculares sobre as pálpebras; ele tem respiração irregular, certo grau de atividade motora e é capaz de atender aos estímulos e solicitações externas, podendo ser acordado. Por outro lado é bom informar à mãe uma característica fisiológica da interação das mães de prematuros com seus bebês, e que na maioria das vezes é por elas ignorada e vista como mais uma falha, e que é o fato de serem elas demasiado ativas ou intensivas com seus filhos prematuros, que são pouco responsivos, quando comparados às interações mãe-bebes a termo.

Técnicas para Facilitar a Sucção

Existem algumas técnicas que facilitam, ora a sucção ora a deglutição, do recém-nascido prematuro. Entre as que facilitam a sucção citamos: a posição invertida, a mão de bailarina, o estímulo intraoral com gotas de leite e o estímulo intraoral com o dedo calçado de luva. Lembramos que tal estímulo com dedo de luva deve ser feito com o látex molhado com um líquido doce, leite ou solução glicosada, pois o bebê já reconhece o sabor doce agradável e tem capacidade de recusar sabores desagradáveis, como o do látex. Lembramos que em sua vida intraútero, deglutindo o líquido amniótico, com um "flavor" próprio ele vai se preparando para conhecer e aceitar o sabor do leite materno. Todos os nossos esforços devem ser dirigidos para, o mais precocemente possível iniciar a alimentação por sucção, pois sabemos que a sucção precoce acelera a passagem da gavagem para a sucção plena. Simpson e cols. mostraram que há um incremento na habilidade de sugar quando ela é introduzida precocemente. O autor, randomizou um grupo de recém-nascidos com menos de 30 semanas de idade gestacional que receberam dieta por sucção 48 horas após terem atingido dieta plena por sonda gástrica. O grupo que sofreu a intervenção – sucção antes de 34 semanas – desenvolveu habilidade e conseguiu sugar, efetivamente, mais precocemente que o grupo em que foi permitida a sucção após a idade corrigida de 34 semanas. Não houve diferenças no ganho de peso entre os dois grupos e a crença de que a sucção dificulta o ganho de peso não foi comprovada. O autor conclui que a estratégia de permitir sucção antes de 33 semanas de idade gestacional corrigida é segura e profícua.

Importante aqui enfatizar o não uso rotineiro da chupeta como técnica estimuladora da sucção. Em documento do Ministério da Saúde, de agosto de 2000, e que pode ser visto na íntegra no capítulo "Anexos", uma comissão formada por pediatras e fonoaudiólogos, define como "extraordinário e excepcional o uso da chupeta como um procedimento não farmacológico para alívio da dor" que deve passar por outras medidas como: facilitar o contato pele a pele, organizar e aconchegar o recém-nascido, diminuir ruídos e luminosidade, agrupar e otimizar procedimentos, preservar o sono e minimizar o uso de fitas adesivas. Seriam 6 as indicações para o uso da chupeta como procedimento não farmacológico para o alívio da dor: respiração assistida com intubação, enterocolite necrosante, cirurgia e pós-operatório, abstinência à drogadição, procedimentos invasivos dolorosos e ausência materna prolongada. Se todos os esforços forem no sentido de manter a proximidade mãe-filho, não tendo a "ausência materna prolongada", o que é um novo paradigma na assistência à díade prematura, desaparece a última indicação.

Além disso, sabemos ser provável a chamada "confusão do mamilo" nos recém-nascidos que utilizam chupetas.

Técnicas para Facilitar a Deglutição

Aqui temos as já citadas anteriormente, com função dupla de facilitar sucção e deglutição, como a posição invertida com a técnica do duplo C, a mão de bailarina e a compressão rítmica das mamas. Temos ainda, o reflexo de Santmyer: o soprar na face do bebê desencadeia uma salva de deglutições extras.

Todas estas técnicas devem ser levadas em consideração, visando facilitar a nutrição como elemento fundamental do neuro-desenvolvimento do recém-nascido.

Alan Lucas afirma que a dieta durante as primeiras semanas de vida tem efeito significativo no *status* de desenvolvimento aos 9 meses de vida. Parece que logo após o nascimento há um importante período crítico para o manejo nutricional.

Aumentando o Aporte Calórico

Assunto já esgotado em outros capítulos, merece aqui, apenas pequenas observações. Se nosso prematuro não está crescendo bem e, esgotadas as outras possibilidades de causas, precisamos aumentar o aporte calórico. Para isso, tornar-se mister fazer uma abordagem à necessidade de troca da técnica de alimentação (sucção, gavage ou copinho) ou adequação do leite oferecido: se leite humano (um *pool* do Banco de Leite) passar para leite materno, mais adequado fisiologicamente às necessidades calóricas do prematuro; se leite normocalórico passar para leite hipercalórico, utilizando a técnica do leite posterior ou, ainda, utilizando técnicas especiais de enriquecimento calórico no Banco de Leite.

PALAVRAS FINAIS

Em verdade, quando nos esforçamos para manter a amamentação ao seio de um prematuro, estamos no meio de um processo que deve ter sido iniciado antes da necessidade maior de nutri-lo, favorecendo e estimulando a participação da mãe e dos familiares nos cuidados ao prematuro ainda na unidade neonatal.

No que tange ao favorecimento da produção de leite a proximidade física, com certeza, estimulará o desencadeamento dos hormônios envolvidos na lactação, o que facilitará a ordenha e a posterior sucção ao seio.

Por outro lado, e tão importante quanto isso, é respeitarmos o já conhecido fato de que, imediatamente após o nascimento, há um período, dito sensível, curto e crucial, e que nunca mais será repetido, com forte influência na formação do vínculo mãe-filho.

Imediatamente após o parto, há alterações em alguns hormônios da mulher que influenciam o comportamento materno: o estrogênio, bem como a queda dos níveis de progesterona estimulam tal comportamento. O estrogênio, além disso, ativa os receptores sensíveis da ocitocina e da prolactina. Segundo Niles Newton, a ocitocina é o verdadeiro "hormônio do amor", pois qualquer que seja a faceta do ato amoroso, ela está sempre presente.

A ocitocina está envolvida amplamente na lactação, podendo seus níveis de pico, logo após o parto, serem maiores que durante o parto, quando tem a função de facilitar a parição e a dequitadura placentária.

Sabemos ainda da liberação de hormônios tipo morfina, as endorfinas, durante o trabalho de parto e parto, bem como pelo bebê, que também libera suas endorfinas durante o seu nascimento.

Hoje não há dúvidas que durante certo período após o parto, mãe e bebê estão impregnados dessa substância opiácea que tem a propriedade de induzir estados de dependência que, se não atrapalharmos, desenvolverão o vínculo mãe-filho.

Devemos estar atentos às nossas práticas hospitalares para facilitar e não prejudicar o curso normal, ainda que fragilizado, pelo estado emocional da mãe prematura, desse vínculo onde a ocitocina facilitará a lactação, a proximidade, um futuro melhor desempenho cognitivo e inteligência da criança e o vínculo mãe-filho, reforçando a sua alcunha de "hormônio do amor".

BIBLIOGRAFIA CONSULTADA

American Academy of Pediatrics. Policy Statement. Breastfeeding and the use of Human Milk. Pediatrics 2005; 115(2):496-506.

Anderson DM, Williams FH, Merkatz RB e al. Length of gestation and nutritional composition of human milk Am J Clin Nutr 1983; 37:810.

Anderson JW, Johnstone BM, Remely DT. Breastfeeding and cognitive development: a meta-analysis Am J Clin Nutr 1999; 525-35.

Bernbaum J, Pereira G, Watkins JB et al. Nonnutritive sucking during gavage feeding enhances grown and maturation in premature infants pediatrics Pediatrics 1983; 71(1):41-45.

Bier JAB, Fergusson AE, Morales Y, Liebling JA, Oh W et al. Breastfeeding infants who were extremely low birth weight. Pediatrics 1997; 100(6):e3.

Brasil. Ministério da Saúde. Secretaria de Políticas de Saúde. Área de Saúde da Criança. Atenção humanizada ao recém-nascido de baixo peso: método mãe-canguru. Brasília, 2009; 238p.

Bu'Lock F, Woolridge MW, Baum JD. Development of co-ordination of sucking, swallowing and breathing: ultrasound study of term and preterm infants. Dev Med Child Neur USA 1990; 32:669-678.

Buckley KM, Charles GE. Benefits and challenges of transitioning preterm infants to at-breast feedings. Int Breastfeeding J 2006; 31:1-13.

Corominas BF. Neuropediatria, 1 ed. Barcelona: Espanha, Edições Oikos-Tau 1983; p. 154.

Csontos K, Rust M et al. Elevated plasma beta endorphin levels in pregnant women and their neonates. Life Sci 1979; 25:835-44.

Flacking R, Ewald U, Nyqvist KH, Starrin B. Trustful bonds: a key to becoming a mother and to reciprocal breastfeeding. Stories of mothers of very preterm infants at a neonatal unit. Soc Sci Med 2006; 62(1):70-80.

Hale TW. Medications and mother's milk: a manual of lactation pharmacology. Amarillo: Pharmasoft Medical Publishers 2006; p. 1.172.

Klaus MH, Kennel JH. Maternal infant bonding. St. Louis: Mosby, 1976; p. 150.

Lau Chantal, Sheena H, Shanler R. Development of sucking Behavior as a function of pre-term infants Maturity Childrens Nutrition Research Center Baylor College of Medicine. Houston: Texas, Pediatric Research 1995 april; 37(4 part 2):16A.

Lawrence PB. Breast milk: best source of nutritions for term and preterm infants. Ped Clin North Amer 1994; 41(5):925-941.

Lebovici S. O bebê, a mãe e o psicanalista, 1 ed. Porto Alegre: Artes Médicas 1987; p. 164.

Lederman RP, McCann DS et al. Endogenous plasma epinephrine and norepinephrine in last trimester pregnancy and labour. J Obstet Gynecol 1977; 129:5-8.

Lucas A, Morley R, Cole TJ, Core SM, Davis JA, Bamford MFM, Dossetor JFB. Early diet in preterm babies and developmental status in infancy. Arch Dis Child 1989; 64:1570-1578.

Maastrup R, Hansen BM, Kronborg H, Bojesen SN, Hallum K et al. Factors associated with breastfeeding of preterm infants. Result from a prospective national cohort study. PLoS ONE 2014 febr; 9(2):e99077. doi: 10.137.

Meier PP, Engstrom JL. Evidence-based practices to promote exclusive feeding of human milk in very low-birth weight infants. NeoReviews 2007; 8(11):467-77.

Meier PP. Breastfeeding in the special care nursery. Pediatr Clin North Am 2001; 48(2): 425-42.

Meyer PM. Identification of transicional suck pattern in premature infants. J Per Neon Nurs 1993; 7(1):66-75.

Morizot R. A relação mãe-bebê e suas implicações no desenvolvimento infantil. Revista do Conselho Federal de Fonoaudiologia 1999; 2:20-26.

Morley R, Lucas A. Influence of early diet outcome in preterm infants. Acta Paed Suppl 1994; 405:123-6.

Rigo J, Senterre J. Nutritional needs of premature infants: current issues. J Ped 2006; 149(5):S80-8.

Schanler R, Hurst NM. Human milk for the hospitalized preterm. Seminars in Perinatology 1994; 18(6):476-484.

Simpson C, Schanler RJ, Lau. Early indroduction of oral feeding in preterm infants. Pediatrics 2002; 110:517-522.

Susin LRO, Giugliani ERJ, Kummer SC. Influência das avós na prática do aleitamento materno. Rev Saúde Pública 2005; 39(2):141-7.

Thomas SA, Palnuter RD. Impaired maternal behavior in mice lacking norepinephrine ane epinephrine. Cell 1997; 91:583-92.

Victora CG, Behague DP, Barros FC, Olinto MT, Weiderpass E. Pacifier use and short breastfeeding duration: cause, consequence or coincidence? Pediatrics 1997; 99: 445-453.

Woodward D, Rees B, Boon J. Human milk fat content: feed variation. Early Human Development 1989; 19:39-46.

Woolridge M, Phil D, Baum JD. Recent advances in breastfeeding. Acta Paediatrica Japonica 1993, 35:1-12.

World Health Organization e Unicef. Aconselhamento em amamentação: um curso de treinamento (Manual). São Paulo: Instituto de Saude, SES, edição revisada, Maio, 1997.

World Health Organization. Infant and young child feeding: model chapter for textbooks for medical students and allied health professionals. Geneva: WHO Press 2009; 99p.

Zachariassen G, Faek J, Gryter C, Esberg BH, Juvonen P, Halken S. Factors associated with successful establishment of breastfeeding in very preterm infants. Acta Pediatrica 2010; 99:1000-1004.

Zarrow MX, Gandelman R, Renenberg V. Prolactin: is it na essencial hormone for maternal behavior in the mammal? Horm Behav 1971; 2:343-54.

Baixa Produção de Leite

17

José Vicente de Vasconcellos

INTRODUÇÃO

"Tenho pouco leite, meu leite não é suficiente, meu leite é fraco, meu bebê chora muito, meu bebê está recusando o peito, ele está tão magrinho". A baixa produção de leite é uma das queixas mais comuns no dia a dia dos profissionais de saúde que lidam com aleitamento materno. Até que ponto este fato é real? Sabemos que, normalmente, um bebê está recebendo tudo o que necessita, mesmo que a nutriz ache que seu leite não é o suficiente para alimentar o seu bebê. Devemos levar em consideração o quanto a criança está recebendo de leite e se essa quantidade é suficiente para ele, e não o quanto a mãe pode produzir.

AMAMENTAÇÃO E PADRÕES DE CRESCIMENTO

A grande maioria das crianças nascidas a termo recupera seu peso de nascimento em torno do décimo dia de vida, duplicam o peso de nascimento ao redor do quinto mês e o triplicam ao completar o primeiro ano de vida. À sua altura costuma ter um acréscimo de 25-30 cm no primeiro ano de vida. Nos primeiros 6 meses de vida, os bebês costumam ganhar 18 a 30 g/dia e eles podem ganhar peso muito cedo se forem alimentados exclusivamente ao seio, desde o nascimento.

Usamos, atualmente, para monitorarmos o ganho de peso das nossas crianças, a caderneta de Saúde da Criança, do Ministério da Saúde, 8ª edição de 2013. Essa nova edição, também chamada "Passaporte da Cidadania", utiliza a curva de crescimento da Organização Mundial de Saúde (OMS) de 2006. No acompanhamento de crianças pré-termo, o ideal é usarmos curvas especificas para crianças enquadradas nessa categoria. A curva da OMS atual pode ser utilizada, porém com correção da idade cronológica até os 2 anos de idade. Encontramos ainda gráficos

CAPÍTULO 17 Baixa Produção de Leite

de crescimento que utilizam a curva de crescimento do NCHS (National Center for Health Statistics), porem o ideal é usarmos a curva preconizada atualmente pelo Ministério da Saúde.

A curva do NCHS tem uma série de limitações: foi conduzida em um único local (Yellow Springs, Ohio, EUA), foi limitada a crianças caucasianas e de classe média, a mensuração foi de 3 em 3 meses e não mensalmente, muitas crianças recebiam mamadeiras, e poucas crianças estavam sendo amamentadas após os 3 meses de idade.

Era importante uma diversidade étnica nessa nova curva. Este trabalho, denominado "Estudo Multicêntrico da OMS de Referência para o Crescimento" (MGRS) incluiu crianças de deferentes países: Brasil, Gana, Índia, Noruega, Oman e Estados Unidos. Foi realizado entre 1997 e 2003 e envolveu em torno de 8.500 crianças. A coleta de informações e de dados antropométricos nos 6 locais foram cuidadosamente asseguradas. A pesquisa do MGRS combinou um estudo longitudinal do nascimento até os 24 meses, com um estudo transversal de crianças com idade entre 18-71 meses.

Quando comparados com os dados da curva NCHS, os novos padrões mostram um rápido ganho de peso nos primeiros 3-4 meses de vida, porém um ganho mais lento depois.

A literatura tem mostrado que a média das crianças em aleitamento materno exclusivo após o terceiro e o quarto meses, apresentam peso inferior quando comparadas às crianças alimentadas com fórmulas ou suplementação precoce. Em nosso país, onde convivemos com diferenças sociais tão marcantes, não podemos ignorar a importância do aleitamento materno, até como sobrevivência infantil. Também não podemos esquecer o outro extremo, que é o sobrepeso em lactentes e crianças maiores, devido a uma alimentação errada, associada principalmente ao uso de mamadeiras e a suplementação precoce.

INICIANDO A AMAMENTAÇÂO

Os primeiros dias após o nascimento de um bebê são fundamentais para o sucesso do aleitamento materno. É preciso que no momento da alta hospitalar o recém-nascido esteja sugando com competência e que a nutriz esteja confiante de que poderá alimentar o seu bebê. A puérpera deverá estar informada da importância do colostro para a criança e das modificações futuras que o seu leite apresentará com o passar dos dias, assim como um lugar de referência para que ela possa procurar, caso apresente alguma dificuldade em relação à amamentação. Sabemos que a apojadura, em algumas mulheres, só ocorrerá após alguns dias e a nutriz poderá sentir-se insegura não só pelo volume inicial, bem como pela cor e consistência do colostro, podendo achar que o seu leite é fraco ou que esteja produzindo quantidade insuficiente para alimentar o seu bebê.

A mãe do bebê precisa saber que o colostro é um alimento especial, protege a criança contra infecções e alergias, é a primeira vacina que ele está recebendo e sendo laxativo ajuda na eliminação do mecônio.

306

O manejo correto da pega e posição é extremamente importante para que o recém-nascido receba quantidade suficiente de leite e para evitarmos lesões nas mamas, razões de frequente desmame precoce.

A QUESTÃO DO "CHORO DE FOME"

Evidentemente que os bebês expressam, através do choro, a necessidade de se alimentar. Porém sabemos que as crianças choram por muitos outros motivos além da fome. Muitas mães e outras pessoas que convivem com a criança acham que o leite materno "não está sustentando o bebê", que "o leite é fraco", "que tem pouco leite", enfim, que a criança está "passando fome". Mesmo chorando por outro motivo, ao ser colocado para mamar, o bebê costuma ficar mais calmo, porém se a causa do choro não for resolvida, ele volta a chorar, criando a falsa impressão de fome. É preciso saber identificar quando realmente o bebê chora de fome, evitando que a amamentação seja usada para resolver todos os tipos de choro. Em alguns casos, a criança pode até apresentar em sobrepeso devido ao excesso de alimentação, inclusive com completo de leite desnecessário.

No Tabela 17.1, as causas mais comuns de choro em bebês.

DISCUTINDO A BAIXA PRODUÇÃO DE LEITE

O volume do leite materno sofrerá variações em função da demanda da criança, da frequência das mamadas, da fase da lactação e da capacidade da glândula mamária. Somente em casos de extrema privação é que o estado nutricional da mãe pode ter efeito adverso sobre o volume de leite produzido.

Na verdade, a imensa maioria das mulheres, apresenta quantidade de leite suficiente para amamentar suas crianças, inclusive gêmeos. O percentual de nutrizes

---

TABELA 17.1. *Choro em bebês*

As causas mais comuns de choro em bebês:

- Cólicas: parece querer sugar, encolhe as pernas, chora em algumas horas do dia, pode ter um padrão definido de choro, algumas vezes é difícil confortá-lo.
- Parece desconfortável: com calor, frio, roupas apertadas ou sujo de fezes ou urina.
- Substâncias no leite materno: cafeína, nicotina, leite de vaca e outras substâncias ingeridas pela nutriz podem aumentar o choro em alguns bebês.
- Bebês que necessitam de mais atenção: algumas crianças solicitam um contato maior com suas mães, principalmente quando estas permanecem longos períodos longe delas.
- Dor ou doença: a criança pode apresentar um padrão alterado do choro. Inúmeras doenças provocam choro, mas devemos destacar nos primeiros meses de vida uma patologia que "confunde" muito as mães, que é o refluxo gastroesofágico.
- Fome: a criança está necessitando de uma quantidade maior de leite para o seu desenvolvimento ou então porque está recebendo um volume insuficiente de leite, devido a técnicas erradas de amamentação.

que realmente apresentam baixa produção de leite é extremamente pequeno. Normalmente o lactente está recebendo tudo o que necessita, mesmo que a mãe pense que não tem leite suficiente.

Apesar do conhecimento pelos profissionais de saúde desses fatos, uma das causas mais comuns do desmame precoce ainda é por achar que o seu leite não é o suficiente.

Muitos fatores interligados, que levam insegurança à mãe, contribuem para que isso ocorra. "Eu não sei quanto de leite ele mamou no peito. Será que foi o bastante? Mamou tão pouquinho e foi tão rápido. Ele mama toda hora no peito, parecendo que está sempre com fome. Na mamadeira eu vejo o quanto ele mamou e se deixou alguma coisa e parece sempre satisfeito, ficando muitas horas dormindo, sem querer mamar por muito tempo." Estamos constantemente ouvindo os mesmos relatos das mães que atendemos no nosso dia-a-dia.

Precisamos estar preparados para respondermos a todos os questionamentos da nutriz e dos acompanhantes, familiares ou não, porém pessoas que podem influenciar na amamentação do bebê. Melhor ainda, devemos informar durante o pré-natal, ou logo após o nascimento, as diferenças e vantagens da amamentação em relação ao leite artificial.

Fatores sociais, culturais, psicológicos, experiência anterior em amamentação sem sucesso, falta de apoio e incentivo nos primeiros momentos de amamentação, enfim, inúmeras causas levam a nutriz a pensar que o seu leite é pouco para sustentar o seu bebê.

A insegurança gerada por mamadas mais frequentes (fato normal em crianças pequenas, amamentadas exclusivamente ao seio), choro por outros motivos, e não por fome, ou porque a criança simplesmente quer ficar no aconchego materno, podem causar na família uma ansiedade muito grande; que pode ser refletida no bebê, causando mais choro na criança e desespero na família. A introdução de outro tipo de leite (por entenderem que nesse momento, a criança está com fome) pode levar, por falta de sucção suficiente nas mamas, a uma diminuição da produção de leite. Caso haja um aumento da oferta de leite artificial e uma diminuição das mamadas, corre-se o risco de acontecer o desmame.

Com certeza não observamos dificuldades somente nos primeiros momentos ou dias da amamentação, apesar dessa fase ser fundamental para a manutenção do aleitamento materno. Se não o estabelecermos neste período, teremos imensas dificuldades em fazê-lo posteriormente. Observaremos também dificuldades com mães de crianças maiores. "Será que ele largou a mama na hora certa? Até quando eu posso ter certeza que só o meu leite é o suficiente? O meu leite ficou salgado ou meu leite tem mudado de cor". Algumas dessas e outras questões permanecem sem respostas ou são respondidas de forma imprópria pelos profissionais da saúde. Devemos sempre encorajar o aleitamento materno exclusivo até o sexto mês de vida e manter a amamentação com outros alimentos até os dois anos ou mais.

Situações que surgem na prática diária podem levar a uma diminuição da produção de leite, como as mães que voltam ao trabalho (permanecendo muitas horas longe da criança) e precisam ser orientadas para fazerem a ordenha e a conservação do leite, bem como esta deve ser administrado por outra pessoa.

Verronen chamou de "crise transitória da amamentação" um quadro observado em crianças de 2 ou 3 meses de idade que ficavam satisfeitas, após mamar o habitual e agora parecem estar sempre com fome, de modo que as mamadas não as deixam saciadas. As crianças apresentam boa evolução, inclusive ganho de peso satisfatório, porém as mães sentem que estão com pouco leite. O fato se deve ao crescimento da criança e ao aumento, consequentemente, da necessidade de leite. O manejo desta situação é aumentar a produção de leite com mamadas mais frequentes e tranquilizar a mãe do bebê.

Ao lidarmos com mães preocupadas e em dúvida se o leite delas é realmente suficiente para a criança, devemos sempre dizer que se o bebê está ganhando peso e crescendo bem, é porque ele está recebendo o leite em quantidades adequadas.

Ao observarmos baixo ganho ponderal na ausência de doenças, devemos investigar se realmente existe uma produção insuficiente de leite.

Ganho de Peso Inadequado em Crianças Amamentadas

Quando nos depararmos com uma criança, aparentemente com peso inadequado, sem patologias, precisamos observar na curva de crescimento o quanto ela está abaixo do percentil 50. Precisamos levar em consideração a carga genética dos pais, pois muitas crianças apresentam um ganho ponderal mais lento, mas estão sempre ganhando peso, apresentando aspecto saudável, e não demonstrando sinais de desnutrição. Investigue como vem ocorrendo a amamentação, se a criança tem sucção eficaz, a frequência das mamadas, o tempo que leva mamando, e outros indicadores de está tudo correndo bem com a amamentação. São crianças normais, com um perfil de crescimento próprio, e deve-se respeitar esse desenvolvimento.

Na vigência de um possível peso inadequado, devemos esclarecer o que pode estar ocorrendo, primeiro "procurando" sinais se a criança está realmente recebendo uma quantidade suficiente de leite (Tabela 17.2) e seguida buscando indícios de que um bebê não está ganhando peso adequadamente (Tabela 17.3)

TABELA 17.2. *Sinais de que uma criança recebe leite materno suficiente*

Ganho de peso suficiente em crianças amamentadas:

- Apresenta boa sucção, mamando 8 ou mais vezes ao dia.
- Durante a mamada, apresenta bom ritmo de sucção, às vezes ficando mais lento à medida que o leite vai sendo liberado.
- Fica saciado, permanecendo satisfeito, entre as mamadas.
- Permanece alerta, com tônus muscular, e turgor da pele normais. A urina é clara e transparente. Apresenta, no mínimo, 6 a 8 micções por dia.
- Apresenta ganho ponderal de 18-30 g/dia, dependendo da idade.
- O número de evacuações varia com a idade, podendo ser de 3 a 8 vezes nas 24 horas, no recém-nascido, até permanecer sem evacuar neste período, na criança maior.

TABELA 17.3. *Sinais que um bebê não está ganhando peso adequadamente*

Ganho de peso inadequado:

- Ganho menor de 18 g/dia. Não recupera o peso ao nascer em 20 dias.
- No gráfico de crescimento, apresenta peso abaixo do terceiro percentil.
- Apresenta choro fraco ou agudo, dormindo longos períodos.
- A urina, algumas vezes, pode ficar concentrada, de coloração mais escura.
- As evacuações são poucas.
- Às vezes, quer ficar constantemente mamando, nunca está satisfeito.
- Pode apresentar sinais de desnutrição, com "fácies" preocupada.

Baixa Produção de Leite

Precisamos reconhecer com precisão quando uma nutriz realmente apresenta uma baixa produção de leite. Uma anamnese detalhada, exame das mamas, exame físico completo da criança e a observação das mamadas são condições básicas para o diagnóstico correto. Didaticamente podemos classificar a baixa produção de leite em: baixa produção propriamente dita (Tabela 17.4) e baixa transferência de leite (Tabela 17.5).

AUMENTANDO A PRODUÇÃO DE LEITE

Precisamos estar aptos a lidar com uma situação bastante comum, que é aquela mãe que pensa possuir pouco leite. Como podemos ajudar?

Citando a publicação da OMS, "Aconselhamento em amamentação", devemos compreender a situação, dando confiança e apoio à nutriz. Precisamos ouvir as

TABELA 17.4. *Baixa produção propriamente dita*

Causas principais de baixa produção:

- A criança não está apresentando mamadas frequentes ou suficientemente longas, provocando um baixo fluxo de leite, levando a um autocontrole hormonal do eixo hipófise – glândula mamária diminuindo a produção.
- Uso de mamadeiras ou chupetas, ocasionando a "confusão de bicos", tornando "confusa a sucção do bebê".
- Oferta de outros alimentos como outros leites, chás, sucos, e até mesmo água, diminuindo a sede, a fome e o tempo que fica mamando no peito.
- Interrupção das mamadas noturnas precocemente. A resposta da prolactina é maior à noite.
- Rigidez no horário das mamadas.
- Uso materno de remédios que possam afetar a produção de leite.
- Cirurgia mamária prévia, com retirada de tecido glandular.
- A mãe pode estar doente. Algumas patologias podem influenciar na produção de leite.

TABELA 17.5. *Baixa transferência de leite*

Causas principais de baixa transferência:

- A questão da "pega e posição". O estabelecimento de uma boa pega é fundamental, bem como o bebê permanecer corretamente posicionado, tornando possível uma sucção eficaz.
- Uso dos chamados "protetores de mamilos", assim como cremes , pomadas e outros produtos que possam provocar odores ou sabores diferentes.
- Mamadas curtas e infrequentes.
- Mamilos planos ou invertidos.
- Mamas ingurgitadas, lesões mamilares, ducto bloqueado e abscesso.
- Cirurgia mamaria, com perda de tecido glandular.
- Fatores psicológicos/cansaço: preocupação, estresse, falta de confiança, rejeição ao bebê, não gosta de amamentar.
- Relacionado com a criança: dificuldade em pegar a aréola e sugar, sentir-se inseguro, estar com sono, esta com dor, calor ou frio. Pode apresentar alguma doença que dificulte as mamadas.

suas preocupações, suas dúvidas e suas angústias. Devolva confiança para a mãe da criança, aceitando as ideias e os sentimentos que ela tem sobre o bebê e a amamentação. Elogie os aspectos positivos da técnica que ela esta usando para amamentar, do bom desenvolvimento da criança, e que o leite dela está suprindo as necessidades do bebê. Se necessário, dê ajuda prática, melhorando, por exemplo, a posição da mamada, tornando-a mais confortável. Podemos dar informações relevantes, corrigindo conceitos errados, sugerindo as modificações necessárias, mas não de forma crítica, melhorando assim sua autoestima.

Quando sabemos a(s) causa(s) da produção insuficiente do leite, devemos concentrar nossos esforços nessa direção, como por exemplo, ao identificarmos que o bebê não apresenta uma "pega" adequada, basta corrigirmos a situação, e observaremos que a produção do leite será restabelecida.

Para aumentarmos a produção de leite, devemos usando uma linguagem fácil, explicar para a nutriz, a fisiologia da lactação e como é importante a criança sugar, com competência, as mamas.

Algumas medidas práticas nos ajudam muito:

- Aumentar a frequência e a duração das mamadas.
- Observar e corrigir, se necessário, a pega da aréola, objetivando uma sucção mais eficaz.
- Demonstrar que o uso de mamadeiras e chupetas provoca a chamada "confusão de bicos", deixando o bebê "confuso" com a alternância dos bicos.
- Algumas vezes, quando a produção é muito pequena e o bebê fica muito irritado, oferecemos junto com o leite ordenhado, leite industrializado, com o suplementador ou com o copinho.

311

- Com o objetivo de fornecer maiores quantidades do "leite do fim", rico em gordura, aumentando mais depressa o ganho de peso, podemos ordenhar o leite "anterior", oferecendo-o, em copinho, se a criança ainda estiver com fome após a sucção.

- Pode-se oferecer ambas as mamas em uma mamada, diversas vezes cada uma, estimulando a produção.

- Estimular que a mãe descanse o máximo que puder, relaxando entre as mamadas, para aumentar o fluxo de leite.

- Aumentar a ingesta de alimentos e líquidos, para a nutriz, se estiverem baixos.

- Monitorar o peso da criança, e à medida que este for melhorando, devemos retirar os suplementos.

- Naturalmente, havendo uma causa patológica materna ou da criança, esta deverá ser solucionada ao mesmo tempo que as medidas acima citadas forem colocadas em prática.

- Enquanto a mãe está aumentando sua produção de leite, ela deve receber todo o apoio e incentivo das pessoas envolvidas no trabalho. Sendo uma equipe multidisciplinar, todos devem "falar a mesma linguagem", deixando-a segura e confiante que o seu bebê esta recebendo tudo que precisa para o seu desenvolvimento.

- Quando mãe e bebê estão separados por motivos de doença do bebê, especialmente no período neonatal, e que o recém-nascido está em uma UTI. sem poder sugar (às vezes por longos períodos), naturalmente estaremos diante de uma baixa produção de leite, não só pelo estresse materno, bem como por não existir o estímulo para produção do leite por sucção do recém-nascido. A nutriz deverá ser estimulada a ordenhar e fornecer o seu próprio leite para a criança. Podemos assegurar uma produção importante de leite, se esta mãe já fragilizada tiver o apoio da equipe que cuida do bebê.

- Os lactagogos são alimentos especiais, líquidos ou ervas que algumas pessoas acreditam que possam aumentar a produção de leite. Podem ajudar, mas não funcionam como medicamentos. Atuam psicologicamente, aumentando a confiança e algumas vezes relaxando a nutriz.

- Drogas: a domperidona na dose de 10 mg, 3 vezes ao dia pode ser usada para induzir e manter a lactação. A metoclopramida, na dose de 10 mg, 3 vezes ao dia, por 7 a 10 dias, tem demonstrado um aumento na produção de leite também. As duas substâncias são antagonistas da dopamina, aumentando o nível da prolactina. Entretanto, parece que as referidas drogas não estimulam a secreção láctea, quando observamos tecido glandular insuficiente ou quando os níveis de prolactina já estejam suficientemente elevados. A domperidona, por apresentar menor lipossolubiliade e maior peso molecular que a metoclopamida, encontra maior dificuldade em atravessar a barreira hematoencefálica, apresentando, portanto, menores efeitos colaterais extrapiramidais que a metoclopramida. Essas mulheres e os seus bebês devem ser monitorados, para evitar efeitos indesejáveis.

OS PROFISSIONAIS DE SAÚDE E A BAIXA PRODUÇÃO DE LEITE

Nas últimas décadas, com a cultura do uso de fórmulas lácteas e o consequente desmame, as novas gerações de mães ficaram órfãs do "saber amamentar".

Essa observação vem sendo estudada e documentada por inúmeros pesquisadores, principalmente nos últimos dez anos. Sinais de alerta para tal situação, têm sido constantemente divulgados. Alguns setores da sociedade têm demonstrado que a situação pode melhorar. O percentual de crianças amamentadas, apesar de observamos uma melhora importante, ainda é baixo. As taxas de aleitamento materno exclusivo ainda podem melhorar. Para revertemos essa situação, sabemos que por maior que seja o empenho dos profissionais de saúde, sozinhos não conseguiremos. Será necessário o empenho de toda a sociedade, mas nós, que estamos na "linha de frente", temos um papel extremamente importante. É nossa a responsabilidade no atendimento das gestantes, das puérperas, das nutrizes e das crianças. A arte de amamentar não passa mais de mãe para filha, houve uma "solução de continuidade", de várias gerações. O papel da avó, ajudando o neto a amamentar, quase não existe, pois ela não amamentou ou o fez por pouco tempo.

Precisamos resgatar a herança da amamentação, que andou "pulando" as últimas proles, e é nesse momento que todos os profissionais que lidam com o binômio mãe-filho precisam atuar, incentivando a participação também do pai, avós e outros cuidadores da criança, não somente quando deparamos com situações como baixa produção de leite, mas no aleitamento materno de maneira global.

BIBLIOGRAFIA CONSULTADA

Akré J, IBFAN/OMS/OPAS/UNICEF/IS. Alimentação infantil. Bases Fisiológicas, 1994.

Almeida JAG. Amamentação: um híbrido natureza – cultura. Rio de Janeiro: Editora Fiocruz, 1999.

Almeida JAG. Leite fraco: um problema da mama ou da cultura? Masto- Magazine 1998; 2:2.

Brasil. Ministério da Saúde. Secretaria de Atenção à Saúde. Departamento de Ações Programáticas Estratégicas. Cartilha para a mãe trabalhadora que amamenta/Ministério da Saúde, Secretaria de Atenção à Saúde, Departamento de Ações Programáticas Estratégicas. Brasília: Ministério da Saúde 2010; 23 p. (Série F. Comunicação e Educação em Saúde).

Gabay MP. Galatogogues medications that induce lactation. J Human Lact 2002; 18:274-9.

Giugliani ERJ. O aleitamento materno na prática clínica. J Pediatria 2000; 76(3):S238-S252.

Horta BL, Bahl R, Martines JC, Victora CG. Evidence on the long-term effects of breast-feeding: systematic reviews and meta-analyses. Geneva: World Health Organization, 2007.

http://jhl.sagepub.com

http://www.liebertonline.com/loi/bfm

http://www.waba.org.my

King FS. Como ajudar as mães a amamentar. Brasília, Ministério da Saúde, 1994.

Kramer MS, Kakuma R. Optimal duration of exclusive breastfeeding (Review). The Cochrane Library 2012; 81:124.

Nelson WE, Behrman RE, Kliegman RM. Textbook of Pediatrics, 19 ed. Philadelphia: WB Saunders Company 2011; p. 18.

OMS/OPAS/UNICEF/Ministério da Saúde (Brasil). Manejo e promoção do aleitamento materno, 1993.

Powers NG. Slow weight gain and low milk supply in the breastfeeing dyad. Clin Perinatology 1999; 26(2):399-430.

Rogers IS, Emmett PM, Golding J. The growth and nutritional status of the breast-fed infant. Early Human Development 1997; 49(Suppl):S157-S174.

Vasconcellos JV. O leite humano nas UTIs neonatais. Medicina Intensiva e Nutrição 1997; 6:24-25.

Verronen P. Breastfeeding: reasons for giving up transient lactational crisis. Acta Paed Scand 1982; 71:447.

WHO Multicentre Growth Reference Study Group, de Onis M. Assessment of differences in linear growth among populations in the WHO Multicentre Growth Reference Study. Acta Paediatr 2006; 95(suppl. 450):56-65.

WHO Multicentre Growth Reference Study Group. Breastfeeding in the WHO Multicentre Growth Reference Study. Acta Paediatr 2006; 95(Suppl 450):16-26.

WHO Working Group. An evaluation of infant grow: the use and interpretation of anthropometry in infants. Bull World Health Org 1995; 73(2):165- 174.

WHO Working Group. Use and interpretation of anthropometric indicators of nutritional status. Bull World Health Org 1986; 64:929-941.

www.internationalbreastfeedingjournal.com

www.saude.gov.br/bvs

www.who.int/childgrowth

Bebês que Recusam o Peito

18

Ana Lucia Martins Figueiredo

As duas primeiras semanas de vida são de extrema importância para a amamentação bem-sucedida, por ser neste período que a lactação se estabelece. "A maternagem é um processo a ser constituído e depende primordialmente dos sentimentos de competência que a mãe pode desenvolver".

É importante que os profissionais de saúde que lidam com a gestante e a puérpera possam ser capazes e seguros de transmitir à mãe que a amamentação envolve um processo de aprendizagem e adaptação entre ela e o bebê, que pode demorar de algumas horas a alguns dias para se estabelecer.

Estando preparada para entender que todo esse processo de adaptação é normal e particularizado a cada binômio mãe-filho, será mais fácil o confronto com as situações de dificuldade, aparentes ou reais, que possam ocorrer e, portanto, menor a probabilidade de se instalar um "fracasso" no aleitamento.

Os problemas iniciais que surgem durante o processo da amamentação podem fazer com que mães inseguras e menos perseverantes desmamem precocemente seus filhos.

Várias pesquisas já demonstraram que o aconselhamento e o encorajamento precisos e apropriados, feitos pelo profissional de saúde, podem melhorar, e muito, as taxas de início e duração da amamentação.

Portanto, é necessário que os profissionais de saúde estejam aptos a promover, apoiar e proteger o aleitamento materno e que possuam habilidades clínicas e de aconselhamento, a fim de alcançar o sucesso com o aleitamento.

Se um bebê se recusa a mamar, a mãe se torna intensamente ansiosa e passa a haver uma "forte razão" para que a amamentação seja interrompida ou suspensa.

É importante verificar, inicialmente, se esta recusa é real, pois, em algumas situações, o comportamento do bebê pode fazer a mãe pensar que ele não está

CAPÍTULO 18 Bebês que Recusam o Peito

querendo mamar. Isto ocorre, por exemplo, com o reflexo de busca do recém-nascido, em que ele move com frequência a cabeça de um lado para o outro e demora a abocanhar o seio, ou com a "distração" dos bebês entre 4 e 8 meses, que mamam e largam o peito por qualquer ruído ou atração diferente.

Outras situações, embora reais, estão mais ligadas a mudanças ambientais ou alterações genéricas na mãe (por exemplo: muitas pessoas cuidando do bebê, mudança de casa, visita de parentes, retorno da mãe ao trabalho, mudança de sabonete ou perfume da mãe, uso de alimento diferente, menstruação).

Orientar as mães sobre as situações consideradas normais, fazendo sugestões a respeito das alterações do ambiente, da organização de visitas, da mudança de sabonete ou perfume, pode rapidamente fazer reverter o quadro de recusa.

Entretanto, algumas vezes estaremos diante de dificuldades mais complexas, que exigirão intervenções específicas e eficazes para não colaborarmos com o desmame precoce.

Com a finalidade de facilitar a compreensão das diversas situações e suas intervenções apropriadas, elas serão divididas em 6 grupos que estarão interligados, tanto nos diagnósticos dos problemas quanto em suas resoluções.

BEBÊS QUE RESISTEM ÀS TENTATIVAS DE SEREM LEVADOS AO SEIO

O comportamento dos recém-nascidos varia muito e depende de uma série de fatores, como sua idade, sua sensibilidade, sua vida intrauterina, seu parto, bem como do que acontece ao seu redor (ambiente, estado emocional da mãe, interferência familiar).

Portanto, muitas vezes, as primeiras tentativas podem estar ligadas a uma necessidade de maior aconchego e organização desse bebê para que ele se sinta mais seguro, protegido e se acalme.

É de extrema importância o fortalecimento do vínculo mãe-filho, que, segundo pesquisadores, deve ocorrer nas primeiras 12 horas e, especialmente, na primeira hora de vida.

O contato olho no olho, pele a pele e com o bico do seio deve se processar nesta primeira hora, para que a amamentação se estabeleça da forma mais tranquila possível, evitando uma série de complicações.

É importante que o pai participe desta experiência.

Não é demais lembrar que a mãe precisa ser esclarecida das situações consideradas normais e que representam a adaptação do recém-nascido à mudança da vida intrauterina para a extrauterina. Alguns bebês demoram mais do que outros para sugar e efetivamente devemos também respeitar as dificuldades dele e não fazer tentativas seguidas por tempo prolongado. É preciso acalmar o bebê, dar um pequeno intervalo e em seguida fazer nova tentativa.

Outra causa comum de recusa para mamar é a existência de alguma injúria, em algum local do corpo, que quando pressionada ao se colocar o bebê para mamar possa ocasionar dor. Algumas posições alternativas podem evitar a compressão do ponto doloroso e com isso facilitar a amamentação (por exemplo: se há algum

316

ponto doloroso à direita, segurar o bebê do lado esquerdo e trazê-lo para a outra mama, na mesma posição, ficando as pernas abaixo da região axilar da mãe).

Diversos trabalhos têm demonstrado que o uso precoce de bicos artificiais ou protetores de mamilo tem contribuído para a existência de um problema de resistência ao aleitamento. Alguns autores defendem que a sucção na mama e com bicos artificiais pode levar à "confusão de sucção" ou "de mamilo". O uso de chupeta também é desaconselhável. Não há dúvidas de que o uso de chupetas e períodos menores de amamentação, vão prejudicar a produção de leite.

O efeito direto apenas do uso de chupeta sobre a duração da amamentação ainda não foi bem estabelecido. Nas mães que se sentem seguras e confiantes, parece não afetar a duração do aleitamento, no entanto, em mães desconfortáveis na amamentação parece contribuir muito para o desmame precoce. Mais do que ser a real causa do desmame precoce, pode significar um importante sinal de alerta para as dificuldades que a mãe pode estar apresentando com o processo da amamentação.

Levando em conta essas colocações e somando a elas o fato de que bicos artificiais e chupetas são transmissores de doenças e levam a um hábito prolongado (muitas vezes difícil de ser eliminado), continuamos desestimulando os seus usos. Assim, quando identificado algum problema em relação à recusa, recomenda-se a suspensão imediata de bicos e chupetas.

Outra condição que interfere no sucesso da amamentação é a da "ajuda" de parentes e amigos. Na maioria das vezes, com o intuito de colaborar e "ajudar" o bebê a pegar o peito, podem segurar a cabeça ou pressioná-la, e isso faz com que ele tente se debater. Devemos orientar a mãe e as pessoas envolvidas em melhorar a posição do bebê que não se deve flexionar ou empurrar a cabeça, pois isto irá irritá-lo, fazendo com que não consiga realizar a pega adequada. É necessário também que a mãe esteja relaxada, bem apoiada (costas e pés), se sentindo confortável para que possa posicionar seu bebê adequadamente.

BEBÊS QUE NÃO CONSEGUEM PEGAR A ARÉOLA

A maioria dos problemas com o início da adaptação mãe-bebê está relacionada com a técnica de amamentação.

A observação criteriosa da mamada é sempre fundamental para identificarmos as dificuldades e que tipo de ajuda podemos oferecer.

A posição inadequada de ambos pode atrapalhar o intercâmbio natural. A mãe deverá estar confortável, o bebê deve estar todo voltado para a mãe (com barriga e tórax), o corpo e a cabeça da criança devem estar alinhados, o braço inferior em volta da cintura da mãe, as nádegas firmemente apoiadas. É importante salientar que devemos orientar que é o bebê que é levado à mama, e não a mama ao bebê.

Essas observações iniciais da técnica permitem que se ajude o bebê a realizar a pega da aréola corretamente. Provocá-lo até abrir bem a boca para que possa "abocanhar" a aréola, assim como pingar um pouco de leite ordenhado sobre o mamilo, podem ser estratégias significativas.

CAPÍTULO 18 Bebês que Recusam o Peito

A pega da aréola também pode estar dificultada por já ter ocorrido contato com bicos artificiais (mamadeiras com soro glicosado no berçário, mamadeiras de água ou chás, chupetas), acarretando a "confusão de sucção", como já explicado anteriormente. A suspensão imediata dos bicos irá contribuir, sem dúvida, para o êxito do aleitamento.

Um problema comum e decorrente de má técnica inicial e da ausência de frequência das mamadas (início na sala de parto e livre demanda) é o ingurgitamento mamário. Ocorre um desequilíbrio na fisiologia da lactação levando a um aumento vascular, à congestão e ao acúmulo de leite. O aumento da pressão intraductal faz com que o leite acumulado, por um processo de alteração intermolecular, se torne mais espesso, mais viscoso. A aréola fica tensa, o bico plano e o leite não é eliminado. Essa sequência de eventos configura a queixa de "leite empedrado". O bebê não consegue "abocanhar" o peito e soma-se a esta situação a dor que a mãe sente, comprometendo o seu desempenho.

Como intervenção, devemos orientar o esvaziamento da mama para ajudar o mamilo a se protrair. Esse esvaziamento poderá ser realizado através de ordenha manual, bomba manual de extração ou bomba elétrica. Massagens para fluidificar o leite também colaboram para a extração mais fácil, assim como a recomendação para amamentar em livre demanda. É importante adaptar a orientação à realidade e às facilidades de cada mãe para que o resultado seja satisfatório.

Mamilos planos ou invertidos podem atrapalhar o início da amamentação, mas não impedi-la, pois, na técnica adequada, os bebês abocanham a maior parte da aréola e não o mamilo.

A intervenção logo após o nascimento é mais importante e efetiva do que a intervenção no período pré-natal (exercícios para protrair o mamilo e a manobra de Hoffman na maioria das vezes não funcionam e podem induzir o parto).

Essa intervenção imediata consiste em promover a confiança materna (explicando que a sucção do bebê ajuda a protrair os mamilos), em auxiliar a mãe a promover a pega, orientando diferentes posições do bebê, em explicar manobras para protrair o mamilo (estímulo do mamilo com as mãos), e orientando-a a ordenhar o seu leite a fim de esvaziar as mamas e facilitar a pega (se necessário, o leite ordenhado deve ser oferecido à criança em copinho ou xícara).

BEBÊS QUE NÃO CONSEGUEM MANTER A PEGA

O interesse do bebê parece ótimo, ele consegue iniciar a sucção, porém, em período curto, ele larga a mesma, chora ou parece estar "sufocado".

Novamente a recusa do bebê passa a ser uma causa de estresse, rejeição e frustração. Quais as possíveis causas desta situação?

Primeiramente, como nos itens anteriores, teremos que verificar a postura. Ele pode estar sendo colocado fora do nível da mama, tendo que se esticar ou virar o pescoço, pode estar sem apoio no dorso, encontrando-se solto e desorganizado, havendo dificuldade de se manter no nível do peito. Devemos orientar e ajudar a mãe, mostrando como se deve segurar o bebê, logo, facilitando a manutenção da pega.

318

Outras vezes, a mãe se balança, ou balança a criança (por nervosismo, distração ou motivos culturais) e, com isso, fica difícil que ela permaneça no seio. Devemos explicar à mãe que não há necessidade de "embalar o bebê" e que a sua movimentação, ou a da criança, não irão ajudá-la e nem ao seu filho, a conseguir uma boa pega.

Algumas condições podem interferir na respiração do bebê. Por exemplo: a flexão da cabeça contra o peito (levando o nariz a ficar pressionado contra a mama da mãe), um seio muito grande (que pelo volume também pode obstruir as narinas) e uma obstrução nasal local.

O bebê começa a mamar, mas por não conseguir respirar adequadamente não consegue manter a sucção.

A intervenção consiste em orientarmos a mãe para não fletir a cabeça do recém-nascido. Se a mama for grande, amamentar com o bebê na posição de "bola de futebol americano" (bebê apoiado no braço do mesmo lado da mama a ser oferecida, mão da mãe apoiando a cabeça da criança, corpo da mesma mantido na lateral abaixo da axila), pois ajuda a deixar as narinas livres. Em casos de obstrução nasal, usar procedimentos recomendados para melhorá-la conforme a idade.

Muitas mulheres possuem uma produção aumentada de leite, levando a um fluxo inicial abundante. O bebê começa a sugar, e quando o reflexo de ejeção começa, ele se engasga e larga o peito "sufocado ou chorando". Várias vezes a mãe observa o leite jorrando quando a criança se afasta, chegando a molhar sua face.

Devemos verificar se as mamas não estão ficando cheias em decorrência das mamadas estarem limitadas por tempo.

Esvaziar as mamas antes das mamadas constitui uma estratégia importante para diminuir o fluxo, assim como deixar o bebê mamar em apenas um peito em cada mamada. Deve-se tomar o cuidado de ordenhar a outra mama para que esta não venha a ficar cheia em demasia, podendo complicar com ingurgitamento e mastite.

BEBÊ QUE NÃO SUGA

Diferentes fatores podem estar dificultando ou impossibilitando a sucção do bebê. Ele é levado ao seio, mas não demonstra qualquer interesse para sugar ou permanece adormecido.

Poderemos estar diante de uma criança que esteja simplesmente com sono. Alguns bebês são mais "dorminhocos" que outros, possuem ritmo diferente no apetite e com isso podem piorar o seu estado de letargia, pois se não mamam ficam mais fracos, perdem peso e com isso têm menos "força" para mamar. Bebês que fazem mamadas rápidas não conseguem retirar o leite e, consequentemente, não adquirem peso adequado e percorrem o ciclo citado anteriormente.

Podem também estar sonolentos devido a algum medicamento ingerido pela mãe, que passado pelo leite pode gerar esse efeito. É frequente a utilização de medicamentos analgésicos ou mesmo sedativos no parto e pós-parto, levando à sedação do bebê, por via hematológica ou pelo leite materno.

Dialogar com médicos obstetras para utilizar o medicamento que ajude a mãe, porém com menores consequências para o bebê é de fundamental importância.

Também pode decorrer da prescrição de medicamentos para a própria criança (principalmente em crianças maiores) que tenham como efeito colateral a sedação.

Outra situação está relacionada com os bebês prematuros e de baixo peso, que podem não conseguir sugar por imaturidade ou fraqueza muscular.

Como orientação é necessário que o bebê seja estimulado, na tentativa de acordá-lo. Devemos orientar para retirar suas roupas, deixando-o só de fralda (se necessário utilizar manta fina para cobri-lo), massagear os pés firmemente, conversar com ele, passar a mão na cabeça e friccionar levemente o dorso. Podemos ensinar a mãe a utilizar uma posição diferente para amamentar tentando deixá-lo mais alerta (por exemplo: sentado na coxa da mãe a cavaleiro, de frente para o seio materno).

Outra condição muito frequente, como já citamos, é o hábito antigo, mas que ainda encontramos em alguns hospitais, de oferecer soro glicosado (ou mesmo fórmula infantil) antes do bebê ser levado ao seio. Nesse caso, quando ele é levado para mamar, não demonstra nenhum interesse para sugar, pois já se sente saciado.

O uso de chás, água ou outros leites deve ser evitado, pois, além de deixarem a criança "sem fome", interferem na relação de amamentação ("confusão da sucção", diminuição do intervalo das mamadas etc.) e, consequentemente, favorecem o desmame precoce.

Existem diversos estudos mostrando que não há vantagem de se iniciar qualquer tipo de alimento antes dos 6 meses de vida (exceto em casos individuais) e, portanto, a introdução precoce de qualquer substância poderá atrapalhar a amamentação.

Deve-se estar atento para as dificuldades que possam estar existindo para poder intervir e ajudar a mãe para que ela não corra o risco de iniciar o uso de suplementos.

Sempre que houver indicação médica para a necessidade de suplementação, esta deverá ser feita com o uso de xícara ou copinho (ou outro recipiente adequado) não se fazendo uso de mamadeiras, abundantemente.

Essa suplementação também é desnecessária em locais de clima mais seco e quente.

Os bebês podem não sugar por não estarem ganhando peso adequadamente. Essa condição faz parte de um ciclo inadequado e já visto – por algum motivo (pega inadequada, baixa produção de leite, posição inadequada etc.), não ganham peso suficiente e por não ter peso suficiente vão ficando "sem força" para sugar.

É importante que se atue em todas as causas, buscando os sinais de alerta e fazendo a intervenção adequada. Essa situação é abordada em outro capítulo deste livro que trata exclusivamente deste tema.

Bebês prematuros e de baixo peso não conseguem sugar ou pelo peso insuficiente e/ou pela imaturidade na sucção.

Bebês hipotônicos geralmente não conseguem sugar eficazmente devido à diminuição do seu tônus muscular. Algumas posições especiais, como apoiar a mandíbula na posição chamada de "mão de bailarina" (mãe segura a mama com o polegar acima da aréola e com o dedo indicador segura e estimula o queixo do bebê) podem significar o sucesso da amamentação.

Essa posição também é usada para bebês prematuros e de baixo peso.

Cada vez mais importante é a atenção humanizada ao recém-nascido de baixo-peso (Método Canguru). Diante de toda tecnologia existente em nossos tempos, com este método foi possível aumentar o vínculo mãe-filho, diminuir a separação deste binômio, estimular o aleitamento materno e favorecer sua precocidade e duração. E, mais ainda, favorecer a participação do pai e demais membros da família, levando a um envolvimento maior no apoio a essa mãe e no desenvolvimento dessa criança. Esse tema também tem abordagem mais detalhada em outro capítulo deste livro.

A posição canguru consiste em manter o recém-nascido de baixo peso ligeiramente vestido, em decúbito prono, na posição vertical, contra o peito do adulto.

O contato pele a pele precoce de bebês estáveis vem a favorecer o vínculo mãe-filho, o apego, um melhor resultado em relação ao aleitamento, uma maior segurança em relação ao manuseio desta criança e ao envolvimento familiar.

Em bebês prematuros maiores também é costume usar a posição "bola de futebol americano", pois pode mantê-los mais firmes e organizados.

Nos bebês que não conseguem sugar até que se consiga estimulá-los, ensiná-los ou atingirem sua maturidade, é necessário fazermos uma suplementação, preferencialmente com leite materno. Estimulando a ordenha estaremos mantendo a lactação e esse leite ordenhado é oferecido em forma de "copo", "xícara" ou outro vasilhame de bordas de espessura média e não muito grandes. Deve ser evitado o uso de tampas de mamadeiras para tal procedimento.

Para realizarmos essa suplementação, precisamos estar cientes de como realizar a técnica. O bebê deve ser segurado bem próximo ao corpo, sentado, levemente ereto. Seguramos a xícara ou copo em contato com o lábio inferior e bem lentamente vertemos um pouco de leite de cada vez. Devemos dar tempo para o bebê deglutir e descansar.

Essa técnica exige paciência, pois se virarmos o recipiente apressadamente o leite derramará, sendo desperdiçado, ou o bebê poderá se "engasgar", não conseguindo receber o suplemento.

Para tentarmos estimular a sucção, podemos colocar algumas gotas de leite sobre o mamilo fazendo com que o bebê sinta o paladar e busque "abocanhar" o seio.

Outro recurso que podemos utilizar é a fisioterapia especializada para o estímulo da sucção. Toques breves e suaves e estiramento rápido da musculatura bucal, introdução do dedo mínimo (evidentemente após higienização) na boca do bebê, com a ponta tocando a junção do palato duro com o palato mole. Devemos orientar a mãe a fazer este exercício.

Nessa abordagem de bebês que não conseguem sugar, há uma condição de extrema importância: é que ele esteja realmente doente, com alterações que sejam evidentes ou não. Por exemplo, uma cardiopatia congênita, hipotireoidismo, síndrome de Down, infecções (urinária, congênita, AIDS, septicemia etc.).

Muitas vezes, o único sinal de alerta para o clínico é que o bebê não consegue mamar. Portanto, afastadas as causas citadas anteriormente, devemos pensar em doença para não deixarmos de firmar um diagnóstico importante. Em algumas ocasiões pode ser que ele precise de internação hospitalar, e se a mãe não puder amamentá-lo de imediato, devemos orientar que ordenhe o seu leite para ser dado por sonda orogástrica ou de copo/xícara até que seja capaz de mamar. É importante que ela mantenha o estímulo, ordenhando o leite, para não interromper a lactação. Preocupação, cansaço e estresse já estarão contribuindo negativamente.

BEBÊ QUE RECUSA UM PEITO

Em algumas situações vamos encontrar um bebê que mama muito bem em um peito mas se recusa a mamar no outro, ou não o faz tão bem.

Algumas mães têm mais facilidade de posicionar seu bebê em um lado do que no outro, fazendo parecer que na outra mama há uma recusa. Mas o bebê também pode demonstrar uma predileção por um dos seios, e nesse caso preferirá sempre o que lhe for mais confortável.

É possível manter o bebê em sua posição corporal preferida. Por exemplo: se ele gosta de mamar na posição de colo, escorregue-o para o outro peito, ficando as pernas por debaixo da axila da mãe.

Como já sabemos, deve-se começar examinando bem as mamas para verificar se há alterações que possam interferir na boa pega (mamilos de diferentes tamanhos e formatos, mamilo invertido, fissura, monilíase, ingurgitamento em uma das mamas etc.). Devemos realizar o tratamento em cada caso e corrigir a posição quando necessário.

Pode acontecer, como já referimos, que exista algum ponto doloroso (por exemplo: fratura de clavícula) que, se pressionado, fará com que ocorra dor e dificuldade para sugar. Buscar a posição confortável e adequada para que isso não ocorra garante intervenção para o sucesso do aleitamento.

Algumas mães podem apresentar um fluxo exagerado de leite em apenas uma das mamas e com isso, daquele lado, ele poderá engasgar com o jato inicial e não conseguir mamar. É importante esvaziar essa mama um pouco antes da mamada para que o hiperfluxo não venha a interferir na boa pega.

Muitas vezes, não conseguimos uma intervenção rápida e com resposta imediata para que o bebê passe a mamar bem em ambos os peitos. Se houver necessidade, retirar o leite da mama recusada e ofertá-lo de xícara ou copo até que se estabeleça a sucção normal naquela mama.

Se a mãe o deixar mamar sempre e o quanto desejar em apenas um seio, ele conseguirá retirar leite suficiente deste lado e poderá ficar mamando em apenas um peito.

Caso a recusa de um peito ocorra em um bebê mais velho, torna-se conveniente um exame mais detalhado dessa mama rejeitada, pois pode estar acontecendo algum problema que esteja alterando o paladar do leite.

BEBÊS QUE CHORAM DEMAIS

Muitas mães começam uma complementação desnecessária quando para elas o choro do bebê parece excessivo, e o primeiro pensamento é: "ele está com fome porque não tenho leite suficiente".

O choro é a comunicação do bebê e, portanto, ele ocorrerá por diversos motivos. Como durante o choro ele recusa o peito, isso passa a ser mais um motivo para a mãe acreditar que algo está errado com a amamentação.

O bebê que "chora muito" perturba a relação entre ele e sua mãe e aumenta a tensão familiar. Surgem diversos "conselhos", "orientações" por parte de leigos, e sempre há uma forte tendência para recomendar uma suplementação.

Uma série de razões leva o bebê a chorar, como por exemplo:

- Desconforto (fralda suja, frio, calor, dor);
- Cansaço (visitas exageradas, manipulação);
- Alimentação da mãe (alguns alimentos podem provocar em alguns bebês alterações como fermentação, aumento do peristaltismo ou alergia à proteína destes alimentos);
- Drogas de que a mãe faça uso (cafeína do café, chás e alguns refrigerantes, nicotina do cigarro etc.);
- Cólica sem causa comprovada (intestino mais ativo e fermentação maior – melhoram no terceiro mês de vida);
- Contato físico (alguns bebês necessitam de "mais colo" e/ou mais contato pele a pele);
- Doença (causas reais de algum comprometimento físico podem levar a um choro cujo padrão é alterado).

É evidente que as intervenções serão realizadas se buscarmos as causas colhendo uma boa história, ouvindo bem essas mães e examinando o bebê com uma avaliação da mamada bem rigorosa.

Desenvolver a confiança e apoiar essas mães nesse momento é de extrema importância. Devemos orientá-la sobre as situações que são normais no comportamento do bebê. Nas que não são, podemos sugerir, dar informação relevante e demonstrar, na prática, o que ela poderá fazer para diminuir ou anular o choro de seu filho.

Diante de todas as situações relatadas até aqui, percebe-se claramente que amamentar não depende apenas da boa vontade e da intuição. O processo da amamentação se mistura com a história de cada mulher, de cada gestação, de cada parto e pós-parto, de cada momento.

Há um processo de aprendizado gradativo e de adaptação entre mãe e bebê. As dificuldades acontecerão e não se tornarão obstáculos se encontrarem eco nos profissionais de saúde envolvidos em todo o mecanismo.

Detectar os problemas, promover apoio e proteção, incentivar o aleitamento materno e sensibilizar os familiares é papel fundamental e de grande responsabilidade dos profissionais que lidam com a mulher, gestante e puérpera, e é claro que esses profissionais precisam estar capacitados para agir e interagir com essa mulher, contribuindo com uma ajuda construtiva para o sucesso do aleitamento materno.

BIBLIOGRAFIA CONSULTADA

Aarts C, Hörnell A, Kylberg E, Hofvander Y, Gebre-Medhin M. Breastfeeding patterns in relation to thumb sucking and pacifiers use. Pediatrics 1999; 104:50.

American Academy of Pediatrics, Work Group on Breastfeeding and the use of human milk. Pediatrics 1997; 100:1035-9.

Angelo MLB, Goldestein RA. Aspectos emocionais presentes na amamentação. Ped Mod 1996; 22(2):182-189.

Ashraf RN, Jalil F, Aperia A, Lindblad BS. Additional water is not needed for healthy breast-fed babies in a hot climate. Acta Paediatr 1993; 82:1007-11.

Barros FC, Victora CG, Semer TC, Toniolo Filho S, Tomasi E, Weiderpass E. Use of pacifiers is associated with decreased breastfeeding duration. Pediatrics 1995; 95:497-9.

Biancuzzo M. Sore nipples: prevention and problem solving. Herndon, USA WMC Worldwide, 2000.

Dusdieker LB, Booth BM, Stumbo PJ, Eichenberger JM. Effect of suplemental fluids on human milk producion. J Pediatr 1985; 106:207-211.

Freed GL, Clark SJ, Sorenson J et al. National assessment of physicians breast feeding knowledge, attitudes, training and experience. JAMA 1995; 273:472-476.

Goldeberg NM, Adams E. Supplementary water for breast-fed babies in a hot and dry climate – not really a necessity. Arch Dis Child 1983; 58:73-74.

Guiliani ERJ. O aleitamento materno na prática clínica. J Pediatr 2000; 76(Supl. 3): S238-S252.

Ludington Hoe SM, Anderson CG, Swinth J, Thompson C, Hadied AJ. Kangaroo care. Neonatal Netw 1994; 13:19-27.

Ministério da Saúde. Normas de atenção humanizada do recém-nascido de baixo peso (Método Canguru) – Área de Saúde da criança e Aleitamento Materno – Secretaria de Políticas de Saúde. Ministério da Saúde, 1999.

Morton JA. Ineffective sucking: a possible consequence of positioning. J Hum Lact 1992; 8:83-5.

Murakovschi J, Teruya RM, Bueno LGS, Baldin PE. Amamentação da teoria à prática. Manual para profissionais de Saúde – Centro de Lactação de Santos.

Neifert M, Lawrence R, Seacat J. Nipple confusion: toward a formal definition. J Pediatr 1995; 126:S125-9.

Perez-Escamilla R, Pollit E, Lönnerdal B, Dewey KG. Infant feeding policies in maternity wards and their effect on breastfeeding success: an analytical overview. Am J Publ Health 1994; 84:89-97.

Righard L, Alade MO. Sucking techniques and its effect on success of breastfeeding. Birth 1990; 9:185-9.

Riordan J, Awerbach KG. Breast-related problems. In: Breastfeeding and human lactation. 2 ed. Boston: Jones and Bartlett Publishers 1999; 483-511.

Unicef. Manejo e promoção do aleitamento materno. Curso de 18 horas para equipes de Maternidades. Brasília: Ministério da Saúde, 1993.

Valdés V, Sánchez AP, Labbok M. Técnicas de amamentação. In: Manejo clínico da lactação. Rio de Janeiro: Revinter 1996; 54-68.

Victora CG, Behague DP, Barros FC, Olinto MTA, Weiderpass E. Pacifier use and short breast-feeding duration: cause, consequence, or coincidence? Pediatrics 1997; 99:445-53.

Victora CG, Tomasi E, Olinto MTA, Barros FC. Use of the pacifiers and breastfeeding duration. Lancet 1993; 341:404-6.

Widström AM, Wahlberg V, Matthiesen AS, Eneroth P, Uvnäs-Moberg K, Werner S, Winberg J. Short term effects of early suckling and touch of the nipple on maternal behavior. Early Hum Dev 1990; 21:153-63.

World Health Organization. Complementary feeding of young children in developing countries: a review of current scientfic knowledge. Geneva: World Health Organization, 1998.

World Health Organization e Unicef. Aconselhamento em amamentação. Um curso de treinamento (Manual) – Instituto de Saúde, SES. São Paulo: Edição revisada. Maio/1997.

World Health Organization. Evidence for the ten steps to successful breastfeeding. Geneva: World Health Organization, 1998.

Yamauchi Y, Yamauchi I. Breastfeeding frequency during the first 24 hours after birth in full – term neonates. Pediatrics 1990; 86:171-5.

Ziemer MM, Paone JP, Achupay J, Cole E. Methods to prevent and manage nipple pain in breastfeeding women. West J Nurs Res 1990; 12:732-44.

Métodos Especiais de Alimentação: Copinho, Relactação, Translactação e Sonda-peito

19

Geisy Maria de Souza Lima

INTRODUÇÃO

O aleitamento materno é a melhor forma de alimentar um bebê a termo saudável pelas suas vantagens nutricionais, imunológicas, psicológicas, econômicas. Para a saúde bucal contribui evitando a maloclusão, respiração bucal, problemas ortodônticos e fonoarticulatórios. Importante para a saúde da criança de uma forma global. À luz desses conhecimentos, os profissionais de saúde passaram a reforçar as orientações para as mães e seus familiares a fim de obter melhores resultados no aleitamento materno. Nas maternidades públicas brasileiras, contamos com o movimento Iniciativa Hospital Amigo da Criança (IHAC), criado no fim da década de 1980 pelo Fundo das Nações Unidas para a Infância (Unicef), e a organização Mundial de Saúde (OMS), entre outras, que visam, primordialmente, o contato precoce da mãe com seu bebê logo após o nascimento, o estímulo ao aleitamento materno, e a recomendação da não utilização dos bicos artificiais e chupetas, evitando desta forma a confusão de bico e o desmame precoce.

Assim como o leite materno é importante para o bebê a termo saudável, sua importância torna-se ainda maior para o bebê pré-termo e, sobretudo para os enfermos. No entanto, essas crianças permanecem durante muitos dias nas unidades de terapia intensiva neonatais (UTIN) e/ou nas unidades de Cuidados intermediários Neonatais Convencionais (UCINco), sendo, na maioria das vezes, privadas do contato íntimo com suas mães que sob grande estresse apresentam dificuldades em retirar o leite e manter a lactação. Com essa visão da importância do aleitamento materno para o recém-nascido pré-termo (RNPT), a maternidade do IMIP iniciou suas atividades em 1987 contando com o apoio do Banco de Leite orientando e estimulando as mães dos RNPT na retirada precoce de leite e com uma casa de apoio para que as mães dos bebês internados na Unidade Neonatal pudessem

CAPÍTULO 19 Métodos Especiais de Alimentação: Copinho, Relactação, Translactação e Sonda-peito

permanecer no hospital para acompanhar seus filhos e ajudar nos seus cuidados ainda na UTIN/UCINco. Em 1994 iniciou com o Método Canguru criando uma enfermaria para que mãe e bebês pré-termo permanecessem juntos muito precocemente tão logo estivessem em condições de sair da Unidade Neonatal, contribuindo para alta hospitalar mais segura e garantindo o aleitamento materno exclusivo em 85 a 90% dos casos. Em 1999 o IMIP serviu de modelo para o Ministério da Saúde que adotou o Método como política pública. Trabalho realizados comparando hospitais de referência nacional para o Método Canguru do Ministério da Saúde e hospitais com atendimento convencional da rede brasileira perinatal, observou-se como resultado o aleitamento materno exclusivo em 63% e 23% respectivamente.

A mãe precisa ser incentivada a permanecer junto do filho no hospital, colocar o bebê em contato pele a pele em posição canguru e participar dos seus cuidados, além de retirar seu leite antes de cada alimentação. Isso a tornará mais segura, mais confiante, sendo fundamental para o sucesso do aleitamento materno. A retirada do leite por meio da expressão manual iniciada precocemente nas primeiras 4 a 6 horas pós-parto, e a intervalos regulares geralmente a cada 3 horas ou 8 vezes ao dia, é a forma mais adequada para manter uma boa produção de leite. O leite cru de sua própria mãe será inicialmente oferecido por sonda orogástrica, principalmente o colostro na fase crítica de sua enfermidade. Sua grande importância se deve ao ciclo imune broncomamário e enteromamário para proteção contra infecções relacionadas à assistência, às quais estão suscetíveis pelo manuseio excessivo no ambiente hospitalar, e fundamental também para uma nutrição e crescimento adequados.

Os RNPT, muitas vezes, não estão aptos a sugar e retirar o leite diretamente do peito, pela imaturidade dos reflexos ou pela sua enfermidade.

Os reflexos orais de procura e de deglutição se iniciam precocemente com 9 a 11 semanas de gestação e a sucção entre 18 a 24 semanas; entretanto, só a partir da 32ª a 34ª semana ele coordena os reflexos de sucção/deglutição/respiração. Alguns bebês pré-termos, mesmo com mais de 35 semanas de idade gestacional, não apresentam sucção ou boa coordenação dos reflexos enquanto outros, com menos de 34 semanas já o fazem. Trabalho realizado no IMIP, em 2002-2005, constatou que 10% dos recém-nascidos iniciaram a transição da dieta para a via oral com menos de 34 semanas de idade gestacional corrigida.

Mesmo que o bebê não tenha boa coordenação ele poderá ir para o peito apenas para realizar o contato ou mesmo sugar debilmente o que chamamos de "peito estímulo" após a mãe retirar o leite. O estímulo precoce promove a liberação da prolactina e ocitocina favorecendo o aumento da produção de leite e facilitando sua descida, tornando mais efetiva a expressão manual.

A transição da alimentação por sonda para a via oral deve ser iniciada após a estabilização clínica e a constatação de um adequado desenvolvimento motor oral, sucção forte, rítmica e coordenada; movimento adequado da língua e mandíbula, sucção alternada com pausas e que o recém-nascido coordene sucção/deglutição/respiração, estando apto a se alimentar por via oral de forma segura. O peso do recém-nascido, de forma isolada, não deve ser utilizado como parâmetro para o início da transição. Na pesquisa realizada no IMIP, 50% dos RN estudados iniciaram a transição da dieta para a via oral com peso inferior a 1500 g; já o ganho de peso diário poderá ser um indicador para dar continuidade na transição. O trabalho do fonoaudiólogo é muito importante na avaliação (Fig. 19.1) e orientação do neonatologista quanto ao momento ideal para iniciar a transição da alimentação. A estimulação oromotora desses reflexos realizada pela equipe de fonoaudiólogos, muitas vezes utilizando também a técnica da sucção não nutritiva com o dedo enluvado, agiliza a transição.

A participação da mãe, em todo esse processo é importante, colocando o bebê em contato pele a pele, fazendo a estimulação intraoral (Fig. 19.2) com o dedo mínimo enluvado ou com o "peito estímulo", antes ou no momento da alimentação, isso estimula o reflexo de sucção e facilita a coordenação dos reflexos. Todo esse trabalho deve ser feito com a orientação da equipe de fonoaudiólogos da unidade neonatal.

Em épocas remotas mães e profissionais de saúde utilizavam instrumentos os mais variados para alimentar bebês pré-termos ou doentes, como conta-gotas, colheres, seringas e mamadeiras. O conhecimento dos efeitos danosos da utilização dos bicos, tais como contaminação bacteriana favorecida pela sua anatomia e material plástico rugoso de difícil higienização; manipulação inadequada no seu preparo, efeito cancerígeno da N-nitrosamina, além da confusão de bico, pode reduzir a duração do aleitamento materno. Nas últimas décadas os profissionais de saúde passaram a utilizar outros meios para a transição da dieta por sonda orogástrica para a via oral, como o copinho, a xícara, as técnicas de relactação, translactação (técnica adotada no IMIP, para a transição da alimentação por sonda para o peito) e a sonda-peito.

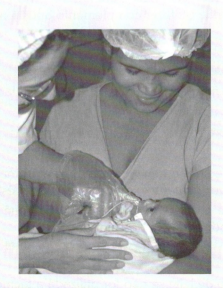

FIG 19.1. *Avaliação fonoaudiológica da coordenação sucção/deglutição/respiração.*

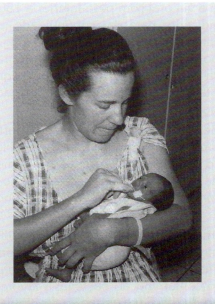

FIG 19.2. *Estimulação intraoral com o dedo da mãe.*

ALIMENTAÇÃO COM COPINHO

Objetivo

Evitar o contato precoce do bebê com outros bicos que não o do peito, para evitar a confusão de bico e favorecer o aleitamento materno, como também alimentar o bebê na ausência da mãe ou fazer complemento após a mamada.

Vantagens

- Evita a confusão de bico.
- Permite o contato íntimo com a mãe ou com o cuidador.
- Demonstra à mãe as competências do bebê.
- Método simples, prático, de baixo custo e é uma forma segura de alimentar.
- Fácil esterilização.
- Favorece o início e a manutenção do aleitamento materno, inclusive após a introdução de novos alimentos (a partir do sexto mês).
- Diminui o risco de otite média aguda, já que o bebê deverá ser alimentado em decúbito elevado, no colo do cuidador.

Desvantagens

- Risco de aspiração de leite se não for utilizada a técnica e a postura do bebê adequada.
- Risco de infecção, se ocorrer manipulação inadequada do leite.

Procedimento

Inicialmente é preciso despertar o bebê pré-termo, realizando estimulações delicadas nas plantas dos pés e na face, estimulando o reflexo de busca (pontos cardeais), movimentos suaves do corpo e cabeça em báscula.

É necessário que o bebê esteja em estado de alerta, sentado ou semi-sentado no colo da mãe ou do cuidador.

A borda do copo deverá ser encostada no lábio inferior de forma que o leite apenas toque os lábios (Figs. 19.3 e 19.4). Logo ocorre a estimulação sensorial,

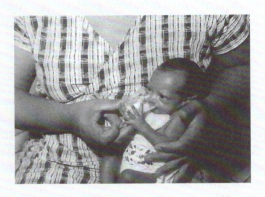

FIG 19.3. Uso do copo de vidro.

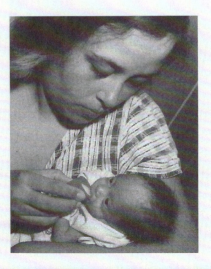

FIG 19.4. Vista superior – leite toca o lábio da criança.

através dos lábios e possivelmente por meio dos nervos olfatórios. Isso geralmente é seguido de atividade lingual observada em bebês de 30 a 34 semanas de idade gestacional. Os bebês passam a sorver o leite por meio de canolamento da língua e de seu movimento anteroposterior, iniciando sua sucção (Figs. 19.5 e 19.6). Posteriormente, essa atividade da língua será fundamental para o sucesso da amamentação, por propiciar um esvaziamento eficiente dos ductos mamários. O leite não deverá ser derramado na boca do bebê, pois desta forma poderá levar à broncoaspiração.

Muitos utensílios podem ser utilizados para alimentar o bebê com esta técnica, como o copinho americano, xicrinha, copo descartável para cafezinho (este não deve ser recomendado por não ser estéril e ser acondicionado em saco plástico); o copinho medida para remédios também podem ser utilizados e os recentes copos milimetrados com tampa, disponíveis no mercado e que são autoclavados (Fig. 19.7).

Esterilização

No hospital, os copos de vidro e os de plásticos milimetrados são encaminhados para a central de esterilização para o autoclave. Pode ser utilizada a solução de hipoclorito a 0,025% ou similar, durante 30 minutos. Lembrar de retirá-los da solução com pinça. Antes da esterilização, devem ser lavados com água e sabão. Na residência as mães poderão apenas lavar com água e sabão, guardando-o em seguida, em depósito com tampa.

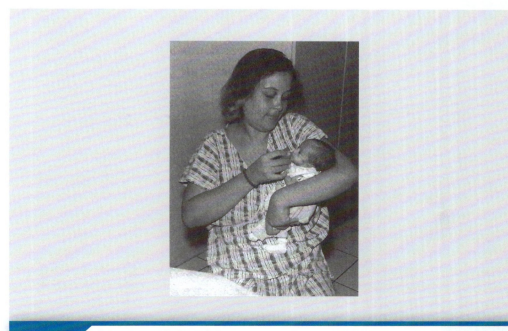

FIG 19.5. *Criança acordada, ativa.*

RELACTAÇÃO

Esse método é baseado na sucção frequente do peito, visando ao aumento da produção da prolactina e com isto ao restabelecimento da lactação numa mulher com baixo fluxo de leite ou naquelas que já não estejam mais produzindo leite.

Frequentemente, após a alta obstétrica, a mãe do bebê pré-termo ou enfermo retorna à sua residência. Dependendo de suas condições de saúde e financeira, voltará à Unidade Neonatal para acompanhar o seu bebê diariamente ou de

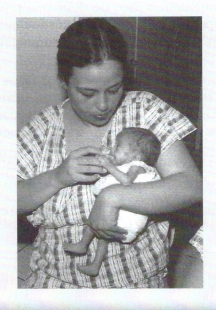

FIG 19.6. *Criança bem posicionada: sentada.*

FIG 19.7. *Diversos tipos de utensílios a serem usados.*

acordo com sua disponibilidade. É necessário, portanto, orientação adequada para que a mãe retire o leite em horários regulares para garantir a produção láctea e a alimentação diária do seu filho. Esta deverá ser realizada a cada 2 a 3 horas, cerca de 6 a 8 vezes ao dia, para manter um bom fluxo de leite durante esta fase crítica da saúde de seu filho. As intercorrências clínicas neonatais prolongam o tempo de permanência do RN na unidade neonatal. É muito comum, no momento que o bebê está pronto para sugar o peito, alguns já com 1 a 2 meses de vida, a mãe se encontrar com baixo fluxo de leite. Na pesquisa realizada no IMIP, 20% dos RN são encaminhados para a UCINca com mais de 28 dias de vida. O longo tempo de separação da mãe e bebê somado ao estresse materno e a falta de estímulo do peito aumentam o risco do desmame precoce. Com o desmame precoce, muitos bebês apresentam quadros de gastroenterites, alergias ao leite de vaca, e sua mãe decide retornar a lactação. Neste momento utiliza-se a técnica da relactação.

As mães adotivas que desejam tentar aleitar seus filhos também podem utilizar esta técnica, entretanto, é preciso suporte emocional extra, para que o insucesso não lhe traga frustrações. Para o bebê, sugar o peito com esta técnica é muito gratificante, pois, além de alimentar-se, também proporcionará um íntimo contato de amor com sua mãe.

Objetivo

O retorno da produção de leite para alimentar o bebê com leite da sua própria mãe.

Vantagens

- Fácil realização.
- Possibilita o bebê pré-termo, o enfermo e o bebê saudável com desmame precoce o retorno do aleitamento materno com todos os seus benefícios.

Dificuldades

A principal dificuldade é fazer um bebê ou um lactente jovem, quando já está acostumado com outros bicos, voltar a sugar o peito. A mãe precisa ter muita paciência e apoio da equipe de saúde e familiares. Algumas vezes, o bebê fica irritado apenas pela mãe colocá-lo na posição para amamentar, ele chora e joga a cabeça para trás (Fig. 19.8), gerando na mãe um grande sentimento de incapacidade. Por este motivo, é preciso não oferecer nesse momento de tentativa a mamadeira e nenhum outro bico para que o bebê possa se readaptar ao peito.

Material Utilizado

- Sonda estomacal infantil curta número 4.
- Seringa descartável de 10 ou 20 mL.
- Esparadrapo ou fita adesiva.

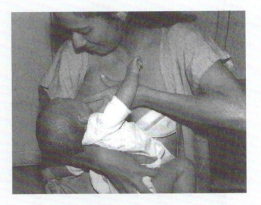

FIG 19.8. Bebê irritado com hiperextensão do pescoço.

Procedimento

Inicialmente, fixar com fita adesiva uma seringa descartável de 10 ou 20 mL, sem o êmbolo, na roupa da mãe, à altura do mamilo (Fig. 19.9), acoplada a uma sonda estomacal infantil curta de número 4, e a outra extremidade com orifícios posicionada ao nível do mamilo (Figs. 19.10 e 19.11). A sonda utilizada deverá ser

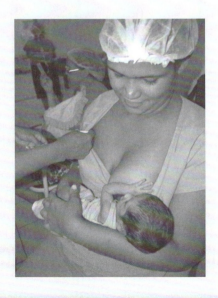

FIG 19.9. Relactação: fixando a seringa.

335

CAPÍTULO 19 Métodos Especiais de Alimentação: Copinho, Relactação, Translactação e Sonda-peito

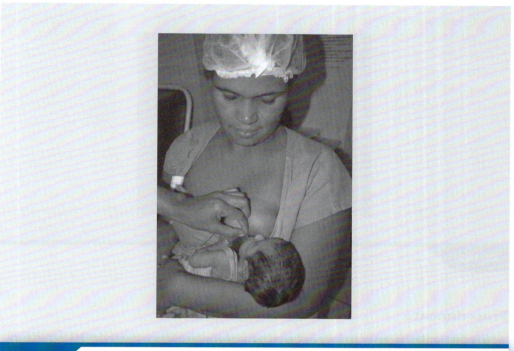

FIG 19.10. *Colocando a ponta da sonda acima da altura do mamilo.*

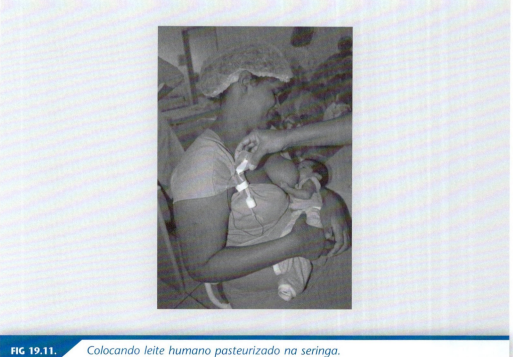

FIG 19.11. *Colocando leite humano pasteurizado na seringa.*

de pequeno calibre, preferencialmente a de número 4 por dificultar a descida do leite, fazendo com que o bebê sugue o peito com mais vigor. Coloca-se o leite na seringa (leite pasteurizado proveniente do banco de leite ou artificial, caso não haja banco de leite humano no serviço) e ao mesmo tempo em que o bebê suga o peito, estimulando-o, se alimenta com o leite proveniente da seringa. O volume oferecido será diminuído paulatinamente à medida que a mãe começar a produzir leite. A mãe deve ser orientada para liberar os horários das mamadas sempre que o bebê chorar, mamadas sob livre demanda. Se o bebê sugar o peito sem dificuldades, o retorno da lactação é mais rápido.

TRANSLACTAÇÃO

Introdução

Técnica idealizada no serviço de Neonatologia do Instituto de Medicina Integral Professor Fernando Figueira (IMIP) em Julho 1998 com a finalidade de realizar a transição da alimentação por gavagem para o peito, em recém-nascidos pré-termo cuja mãe mantém uma boa produção de leite (Fig. 19.12).

Objetivo

- Realizar a transição da alimentação por gavagem (SOG) para a via oral no peito.
- Reduzir o tempo de permanência hospitalar.
- Tornar mais fácil e fisiológica a adaptação do bebê pré-termo ao peito.

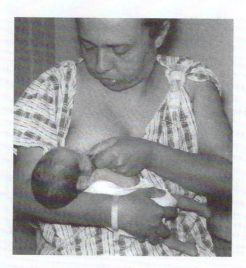

FIG 19.12. *Translactação: técnica idêntica à relactação.*

Procedimento

Utiliza-se o mesmo princípio da técnica da relactação anteriormente descrita, entretanto o leite a ser oferecido é o retirado do peito da própria mãe. O bebê, ao sugar, retira o leite do peito e ao mesmo tempo recebe o leite que flui da seringa por meio da sonda (Fig. 19.13). A sonda deverá ser fechada, dobrando-a quando o bebê parar de sugar (Fig. 19.14); desta forma, evita-se que o leite continue fluindo, enchendo a boca do bebê, predispondo-o à broncoaspiração. Quando retorna à sucção, a mãe libera a sonda.

O volume de leite a ser oferecido será o volume total prescrito anteriormente por gavagem. À medida que ocorre progresso no ganho de peso e a sucção torna-se mais vigorosa, o bebê conseguirá retirar um maior volume de leite do peito e não aceitará o leite que vem da sonda. A observação da dieta por parte do pediatra e/ou fonoaudiólogo e equipe de enfermagem associada ao depoimento da mãe, norteará o momento de iniciar a redução do volume oferecido por translactação; a cada dia reduzir o volume oferecido, que paulatinamente vai sendo substituido pela vigorosa sucção do peito, o ganho ponderal avaliado diariamente até que o bebê esteja apenas mamando no peito, ganhando peso, pronto para receber alta hospitalar com todos os benefícios do aleitamento. Na pesquisa realizada no IMIP de 111 RN que realizaram a translactação 100% receberam alta em aleitamento materno exclusivo e o tempo de transição ocorreu em 50,5% dos casos entre 8 e 16 dias com mediana de 9 dias.

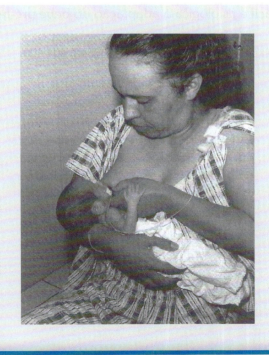

FIG 19.13. Bebê sugando e recebendo leite que flui da seringa.

Métodos Especiais de Alimentação: Copinho, Relactação, Translactação e Sonda-peito **CAPÍTULO 19**

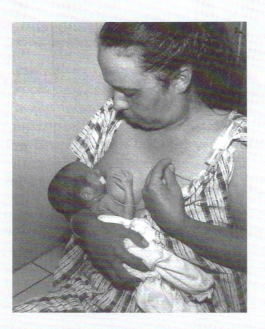

FIG 19.14. Dobra da sonda para interromper o fluxo de leite da seringa quando o bebê faz pausa na sucção.

TÉCNICA SONDA-PEITO

Quando o bebê tem boa sucção e coordenação sucção / deglutição / respiração e sua mãe possui um bom volume de leite, as técnicas anteriormente citadas não funcionam bem. Observa-se engasgo devido ao volume de leite do peito somado ao que vem pela sonda.

Objetivo

Realizar a transição da alimentação por gavagem (SOG) para a via oral no peito e reduzir o tempo de permanência hospitalar.

Procedimento

Orienta-se a mãe a retirar o leite antes de oferecer o peito para que a mama esteja mais vazia e que o bebê mame o leite posterior. A transição se faz colocando o bebê mamando no peito e o complemento feito pela sonda orogástrica ao término da mamada. O bebê suga o peito durante o tempo que quiser, a equipe, fonoaudiólogo e/ou pediatra observam a mamada e avalia ao término a necessidade de fazer o complemento por gavagem. O acompanhamento diário do ganho ponderal irá norteando a transição; a sonda será retirada após avaliação da equipe e o recém-nascido mamando sob livre demanda. Na pesquisa realizada no IMIP de 47 RN que realizaram esta técnica de transição, 100% receberam alta em aleitamento materno exclusivo sob livre demanda e o tempo da transição em 78,7% dos casos ocorreu em menos de 7 dias, com mediana de 5 dias.

BIBLIOGRAFIA CONSULTADA

Aquino RR, Osório MM. Human lactation care. J Hum Lact 2009; 25(4):420-26.

Armstrong H. Techniques of feeding infants: the case for cup feeding. Research in the Action number 8, June 1998.

Auerbach, KN. Extraordinary breastfeeding: relactation/induced lactation. Journal of Tropical Pediatrics 1981; 27:52-55.

Calado DFB, Souza R. Intervenção fonoaudiológica em recém-nascido pré-termo: estimulação oromotora e sucção não-nutritiva. Rev CEFAC 2012; 14(1):176-181.

Cattaneo A, Davanzo R, Uxa F, Tamburlini G. Recommendations for the implementation of Kangaroo Mother Care for low birth weight infants. Acta Paediatr 1998; 87:440-5.

Filho JGB, Figueira F, Nacul LC. Hospital inducend malnutrition in infants: prevention by relactation. Journal of the Academy of Pediatrics 1999; 36(5):484-487.

Glória MBA. N-nitrosaminas em bicos de mamadeiras e chupetas. Ciências e Cultura 1991; 43(1):44-47.

Kao APd'OG, Guedes ZCF, Santos AMN. Características da sucção não-nutritiva em RN a termo e pré-termo tardio. Rev Soc Bras Fonoaudiol 2011; 16(3):298-303.

Lang S, Lawrence CJ, Orme RLE. Cup feeding na alternative method of infant feeding. Archives of disease in childhood 1994; 71:365-369.

Levin A. Humane Neonatal Care Iniciative. Acta Paldiatr 1999; 88:353-5.

Medeiros AMC et al. Caracterização da técnica da transição da alimentação por sonda enteral para seio materno em recém-nascidos prematuros. J Soc Bras Fonoaudiol 2011; 23(1):57-65.

Medeiros AMC, Sá TPL, Alvelos CL, Novais DSF. Intervenção fonoaudiológica na transição alimentar de sonda para peito em recém-nascidos do Método Canguru.Audiol Commum Res 2014; 19(1):95-103.

Meier PP, Mangurten HH. Breastfeeding the pre-term Infantil. In: Riordan J, Auerbach KG. Breastfeeding and Human Lactation 1993; 253-278.

Moura LTL, Tolentino GM, Costa TLS, Aline A. Atuação fonoaudiológica na estimulação precoce da sucção não-nutritiva em recém-nascidos pré-termo. Rev CEFAC 2009; 11(supl 3):448-456.

Musoke RN. Breastfeeding promotion: feeding the low birth weight infant. Int Gynaecol Obstet 1990; 31(suppl. 1):51-59.

Neiva FCB, Leone CR. Efeitos da estimulação da sucção não-nutritiva na idade de inicio da alimentação via oral em recém-nascidos pré-termo e termo. Rev Paul Pediatria 2007; 25(2):129-34.

Palmer B. The influence of breastfeeding on the development of the oral cavity: a comentary. J Hum Lact 1998; 14(2):93-98.

Parker M, Burnham L, Cook J, Sanchez E, Phillipp BL, Merewood A. 10 years after baby-friendly designation breastfeeding rates continue to increase in a US neonatal intensive care unit. J Hum Lact 2013; 29:354-358.

Venson C, Fujinaga CI, Czluniak. Estimulação da sucção não nutritiva na "mama vazia" em bebês prematuros: relato de caso. Rev Soc Bras Fonoaudiol 2010; 15(3):452-7.

Victora CG et al. Pacifier-use and short breastfeeding duration:cause, consequence or coincidence? Pediatrics 1999; 3:445-453.

Victora CG et al. Use of pacifiers and breastfeeding duration. Lancet 1993; 341(8842): 404-406.

Ordenha de Leite: Como, Quando e Por Que Fazê-la?

20

Ivis Emília de Oliveira Souza

ORDENHA

Ordenhar significa a ação de espremer a teta de um animal da classe *mammalia* para extrair leite. A terminologia ordenha de leite, neste capítulo, refere-se à ordenha da mama lactante denominada também como mama puerperal, de mulheres no período após o parto. Essa ação pode ser desenvolvida pela própria mulher, na condição de puérpera e nutriz, ou por outras pessoas – profissionais de saúde ou não. Com relação a quem desenvolve a extração do leite, a primeira situação é caracterizada como auto-ordenha, enquanto o ato realizado por outras pessoas que não a própria nutriz, dá-se a simples denominação de ordenha.

Estima-se que, durante o ciclo gravídico puerperal, a maioria das mulheres não tenha informação completa e adequada e, menos ainda, a compreensão para desenvolver a habilidade de, na vivência do processo de lactação, ordenhar a própria mama com o objetivo de esvaziá-la ou também, como estratégia para resolver as situações que se apresentam à nutriz, tanto no primeiro mês de amamentação como no período de retorno ao trabalho. Entretanto, estudos revelam que a intenção e o desejo de amamentar são expressos durante o acompanhamento pré-natal, evidenciando a necessidade de resposta assistencial dos profissionais de saúde de modo a garantir, para as gestantes e nutrizes, conhecimentos, atitudes e práticas favoráveis à lactação e manejo da amamentação bem como o apoio do companheiro e de familiares para o sucesso do aleitamento materno.

As políticas públicas de saúde que veiculam e promovem informação, atenção e apoio à nutriz deveriam assegurar sua capacidade de realizar massagem e ordenha mamária. Porém, mesmo com propostas e modelos assistenciais de dimensão mundial como a Iniciativa Hospital Amigo da Criança ou com a atual política nacional da "Estratégia Nacional para Promoção do Aleitamento Materno e Alimentação Complementar Saudável no SUS – Estratégia Amamenta e Alimenta Brasil", lançada em 2012, e a estratégia ministerial denominada Rede Cegonha, instituída pela Portaria nº 1.459/GM/MS de 24 de junho de 2011, os profissionais de saúde quase sempre, ainda, prestam muita informação, mas não asseguram, à puérpera, a habilidade no manejo da mama lactante quando da alta hospitalar da maternidade.

Essa afirmativa pode ser verificada mediante observação sistematizada ou um inquérito junto a puérperas internadas em sistema de alojamento conjunto de maternidades e com mães nutrizes que demandam às unidades básicas de saúde.

Trata-se então, a ordenha da mama lactante, de um procedimento ainda pouco usual e em decorrência, reconhecido como difícil e dependente da ajuda de profissionais de saúde e de instrumental específico. Em relação ao importante apoio profissional constata-se, de maneira lamentável, que estes também carecem de informações técnicas mais aprofundadas, pois acumulam deficiências do processo de formação referente ao reduzido estímulo ao aleitamento materno exclusivo e ao amplamente difundido conhecimento e prática do preparo e prescrição de fórmulas para lactentes.

Nesse sentido, uma busca no conteúdo teórico e prático nos *curricula* de formação de profissionais das áreas médica, de enfermagem, de fonoaudiologia, de psicologia e de nutrição evidenciou que esse tema não tem sido enfatizado como ação assistencial que requer não apenas aquisição de conhecimentos, mas principalmente, de habilidades no manejo da mama lactante.

Assim, no Brasil, a maioria dos profissionais de saúde formados até o final da década de 1990 não assimilava e não desenvolvia habilidades relacionadas à prática da ordenha mamária e tampouco a ensinava às gestantes e puérperas. Observa-se então uma conjugação de falta de conhecimento com uma certa resistência de praticar um tipo de apoio à amamentação que visa a autonomia e o empoderamento da mulher nutriz para resolver, através da ordenha mamária, eventuais problemas como fissura mamilar, ingurgitamento mamário, esgotamento da mama, aumento da produção láctea e outras intercorrências que impedem a prática do aleitamento materno exclusivo do seu filho lactente até o sexto mês e o complementando até 2 anos ou mais.

Reconhece-se que a eficácia do esvaziamento da mama lactante não decorrente da efetiva sucção do filho recém-nascido, exige um conhecimento aprofundado sobre anatomia da mama e fisiologia da lactação, em especial lactogênese e lactopoese. Entende-se que essa base teórica pode ser mais bem apreendida pelos profissionais das áreas de saúde da mulher e da criança, no processo de formação ou na prática da educação permanente.

E esse conhecimento pode e deve ser repassado às mulheres no período grávido puerperal. Tal conduta assistencial propiciará à nutriz a resolução de problemas e intercorrências que dificultam e/ou impedem, no ato de amamentar, o adequado esvaziamento das mamas bem como reduzem a força do argumento que é mais apresentado para justificar o desmame precoce. O conhecimento e a habilidade do profissional de saúde na prática da ordenha e no manejo da amamentação pode garantir a superação das crenças errônea do "leite fraco" e do "pouco leite" como determinantes do desmame precoce. Conforme King (1994), "todas as nutrizes deveriam aprender a retirar o leite por expressão. Podem aprender durante a gravidez e treinar logo após o parto", mas para isso precisam contar com profissionais atualizados e habilitados quanto às indicações gerais (King, 1994) referente à prática de retirar leite por expressão relacionadas a necessidade de:

- Alimentar um recém nascido de baixo peso ou uma criança doente;
- Aliviar o ingurgitamento mamário;
- Manter a produção de leite quando a mãe está doente;
- Aliviar o gotejamento das mamas;
- Deixar leite para a criança quando a mãe sai ou quando vai para o trabalho.

Essas indicações serão adequadamente detalhadas oportunamente, porque tem-se hoje a certeza de que a retirada de leite da mama possibilita globalmente concretizar ações de promoção, apoio e proteção ao ato de amamentar. Em relação ao uso instrumental específico, a ordenha mamária representa o ato mecânico de esvaziamento dos seios lactíferos e o estímulo hormonal da prolactina para a produção láctea. A extração também favorece o incremento hormonal da ocitocina que responde pela ejeção do leite e, concomitantemente pela correspondente produção láctea mediante a saída dos peptídeos supressores da lactação presentes no leite ordenhado.

A ordenha, então, pode ser efetivada manualmente ou pelo uso de bomba manual ou elétrica. Quando são utilizados instrumentais em seus diferentes modelos surge a necessidade de acrescentar orientações quanto ao adequado processo de manuseio e esterilização dos mesmos. Também a prática manual requer a devida higienização das mãos da nutriz e o uso preventivo de luvas de tratamento ou esterilizadas quando se fizer necessário.

O êxito do procedimento depende das condições de tranquilidade e de relaxamento da puérpera que precisa se sentir apoiada também pelos familiares e, em especial, pelo encorajamento e participação do companheiro antes, durante e depois do processo de ordenha ou auto-ordenha.

COMO ORDENHAR A MAMA LACTANTE

O início da produção láctea, estimulado pela elevação dos níveis sanguíneos de prolactina e ocitocina, estabelece o gradativo preenchimento da terminação dos canais galactóforos e dos seios lactíferos, e estes correspondem, internamente, aos limites das aréolas primárias e secundárias. Assim, importa garantir a efetiva pressão e ação mecânica de esvaziamento, principalmente sobre e ao redor das estruturas lactíferas que são subareolares.

A efetividade da ordenha depende de massagem prévia da mama como um todo, sendo este procedimento realizado mediante a técnica de palpação. Essa técnica permite não apenas identificar as estruturas mamárias (lobos, lóbulos e seios lactíferos), como reconhecer anormalidades, pontos dolorosos e, principalmente, observar as reações da nutriz ao contato físico das mãos do profissional de saúde em sua mama, bem como sua sensibilidade e habilidade em tocar a própria mama.

Considera-se essa última questão, relacionada ao conhecimento e à capacidade da nutriz realizar a auto-ordenha, como aspecto prioritário a ser observado para adequada abordagem terapêutica e de apoio à mulher, seja antes ou durante o processo de amamentação. Essa massagem consiste numa técnica de estímulo à produção de ocitocina, hormônio responsável pela ejeção láctea e instalação do fluxo de saída da secreção da glândula mamária seja ela colostro, leite de transição ou leite maduro.

A instalação do reflexo de ejeção é fundamental para a realização da ordenha. Há diferentes estratégias que contribuem para a elevação dos níveis de ocitocina e, portanto, são estimulantes para a ordenha mamária. Nesse sentido deve-se propiciar à nutriz um ambiente tranquilo e confortável, se possível garantindo o contato físico (táctil ou visual) com seu filho recém-nascido. A aplicação de calor úmido nas mamas, mediante compressas ou banho deve ser considerada com a finalidade de promover o relaxamento, principalmente quando as mamas estão cheias, com trauma mamilar ou quando a nutriz mostra-se tensa, insegura ou informando desconforto e dor nas mamas. Entretanto há que se considerar o risco do efeito rebote das compressas quentes ou frias quando a ordenha mamária tem como propósito tratar situações de ingurgitamento mamário.

Para a realização da ordenha manual, deve ser considerado que não existe uma manobra padrão a ser desenvolvida, entretanto, de um modo geral o procedimento requer o posicionamento da mão correspondente ou oposta sobre a mama, sob a forma espalmada, com o polegar na região limítrofe entre a aréola primária e a secundária, contraposto, inferiormente, ao dedo indicador. Após este posicionamento sequencial à massagem prévia, percebem-se e palpam-se os seios lactíferos que devem ser pressionados mediante um movimento conjugado, tanto para dentro contra a parede torácica, como para baixo em direção à papila mamilar sem contudo atingi-la. Essa ação visa pressionar a aréola por detrás do mamilo com o objetivo de apertar os seios lactíferos que são subareolares. Aos primeiros movimentos deve-se observar atentamente o *facies* da nutriz, seja em caso de auto-ordenha ou de ordenha, porque *expressões de dor ou de desconforto indicam que o procedimento não está correto*. Também deve-se cuidar para que os dedos não deslizem no tecido areolar e em direção à papila mamilar, traumatizando-a.

Para a efetivação da ordenha manual, é necessário estabelecer o ritmo e o tônus dos movimentos visando instalar o fluxo. Conforme observado nessa prática assistencial e segundo King (1994), "no começo, é possível que o leite não "desça" mas, depois de pressionar algumas vezes, o leite começa a pingar" e pode até sair em jatos se o reflexo de ejeção for muito ativo. A manutenção do ritmo regula a velocidade de gotejamento, assim à semelhança dos movimentos de sucção do recém nascido, chega-se também à relação de um para um entre o movimento de pressão areolar e a saída de gotas e de jato de secreção mamária. Proporcionalmente é mais difícil a extração de colostro, pelas características da secreção em volume menor e em densidade maior, do que a retirada de leite de transição ou maduro.

Dando continuidade, os movimentos de pressão devem ser exercidos de modo circular por toda a região areolar e sempre com os dedos polegar e indicador em contraposição, visando ao esvaziamento de todos o segmentos da mama que contém os ductos lactíferos. Registra-se que algumas mulheres, diante da descrição do procedimento e com reduzida ajuda dos profissionais, passam a realizar a ordenha fazendo adaptações que devem ser consideradas positivas porque representam a autonomia e independência da nutriz em relação ao auto cuidado da mama puerperal. Correções devem ser feitas quando essas adaptações implicam em prejuízos ou obstáculos à retirada de leite.

Considerando que a descrição do procedimento de ordenha manual nem sempre está explicitado nos livros textos de Obstetrícia e/ou de Pediatria, e que na modalidade de alta precoce da puérpera, mesmo de uma internação em sistema de alojamento conjunto, a lactação pode anda não estar estabelecida, recomenda-se que a confiança e a experiência da nutriz sejam reforçadas por orientações concretas e avaliação de sua capacidade ou de outro familiar, quanto à realização da ordenha manual da mama lactante.

Quando a ordenha for realizada com máquina tipo bomba tira leite e similar ou elétrica, o manual de instrução de utilização deve ser obedecido e embora sua leitura possa ser compreendida tanto por profissionais quanto pela nutriz e seus familiares, as limitações de suas finalidades nem sempre estão descritas. As limitações desse tipo de extração podem ser desconsideradas ou minimizadas quando se tratar de escolha da mulher o uso do equipamento, e estão relacionadas a:

- Maior necessidade de massagem prévia à ordenha e, muitas vezes, concomitante ao uso do equipamento;
- Reduzido efeito para as situações de ingurgitamento, estase láctea e bloqueio de ductos;
- Maior desconforto e risco de danos à papila mamilar;
- Agravamento de lesões mamilares quando preexistentes;
- Necessidade de esterilização de todo o equipamento, principalmente quando a ordenha tiver como objetivo a coleta de leite para, posteriormente, ser ofertado ao recém nascido. Essa última situação contraindica o uso de bombas manuais com bulbo porque são difíceis de limpar e propiciam a retenção de leite com a consequente possibilidade de contaminação.

Conforme as orientações do Ministério da Saúde (Brasil,1995:21), quando a bomba manual é do tipo que tira leite com pera de borracha e bulbo, deve-se:

- Apertar a pera de borracha;
- Colocar a parte dilatada da bomba sobre o mamilo;
- Assegurar-se de que o vidro ou plástico esteja bem aderido à pele de tal forma que não seja possível a entrada de ar;
- Soltar a pera e então o mamilo e a aréola são sugados para dentro da bomba;
- Apertar e soltar a pera várias vezes até que o leite comece a descer e se deposite na parte lateral dilatada (bulbo) da bomba;
- Retirar o leite, desprezar e recomeçar.

O tempo de ordenha, à semelhança da amamentação, pode ser limitado pela observação na redução do fluxo de saída ou gotejamento quando já se pressionou circularmente toda a região periareolar. Na prática assistencial junto às nutrizes, isso ocorre em um tempo médio de 5 a 10 minutos. Passa-se então para a outra mama realizando o procedimento desde o início, sendo que muitas vezes o tempo de massagem pode ser abreviado, em função do reflexo de ejeção já ter sido instalado pelo estímulo e ordenha da primeira mama. Também precisa ser observado o tempo total de retirada de leite de ambas as mamas que dura em média 20 a 30 minutos, bem como o intervalo entre as ordenhas. Na prática assistencial é possível, de acordo com a necessidade, realizar a ordenha em intervalos de até 2 horas. Essa situação exige que à mãe seja assegurado conforto, principalmente apoio da coluna vertebral (região cervical), bem como oferecido ajuda profissional para alternar ordenha com auto-ordenha.

QUANDO FAZER A ORDENHA DO LEITE

No período gestacional não há indicação para retirada da secreção mamária denominada então de pré-colostro; entretanto, de maneira delicada, o procedimento pode ser desenvolvido pela gestante como um modo de demonstrar que assimilou as orientações recebidas e/ou de que está adquirindo a habilidade manual para proceder à auto-ordenha após o parto. Essa posição tem como base não apenas o enfrentamento de dificuldades por parte da nutriz, mas também aquelas expressadas por profissionais de saúde que vão desde a orientação superficial e rotineira sobre amamentação no pré-natal, até a não habilidade para efetivar a ordenha.

É oportuno registrar que o procedimento de ordenha e de auto-ordenha, bastante estimulado pelas propostas de promoção, proteção e apoio à amamentação, vem se desenhando e sendo avaliado como importante estratégia de fortalecimento da nutriz e de resolutividade no manejo da lactação e do aleitamento materno. Nas primeiras horas após o parto, o contato físico precoce mãe-bebê, desenvolvido mediante a sucção na sala de parto e o contínuo, viabilizado pela internação em sistema de alojamento conjunto, promovem, quase sempre e de maneira adequada a ocorrência da apojadura. Estudos sobre a implementação da "Iniciativa Hospital Amigo da Criança" evidenciam que as situações de apojadura grave ou severa tornam-se raras e/ou de fácil resolução com a prática da massagem das mamas, da ordenha e da auto-ordenha. Postula-se, então, que a ordenha está indicada como um cuidado de saúde para *mulheres nutrizes* em situação de:

Higiene das Mamas

O manejo adequado para retirar secreção mamária (colostro, leite de transição ou maduro), antes e depois das mamadas pode garantir que a higiene da região mamilo areolar seja desenvolvida de maneira prática, satisfatória e confortável para mãe e recém nascido. Ainda, nesta oportunidade, a nutriz pode avaliar se, antes de oferecer a mama, a aréola está macia, o que garante a flexibilidade do mamilo. É conduta indicada para situação de mamilos pouco protrácteis. Não é necessário retirar grande quantidade de leite, algumas gotas são suficientes para realizar a higiene do bico do peito. Esse procedimento também tem se mostrado como estímulo olfativo e gustativo para o recém nascido que apresenta diminuição dos reflexos, contribuindo assim para melhoria do abocanhamento mamilo-areolar.

Quando essa técnica é adotada após a mamada, ao tempo em que favorece a limpeza dos mamilos promove na nutriz a confiança de que quando o recém-nascido solta a mama, esta ainda tem leite.

Problemas com a Mama Lactante

A situação de ingurgitamento mamário é um problema da fisiologia da lactação e do manejo da amamentação, que se caracteriza por um estímulo maior ou não da produção sem o correspondente ou adequado esvaziamento. Dele, decorrem a estase láctea, o bloqueio de ductos e a mastite que representam complicações mais sérias das quais redundam riscos de suspensão temporária ou definitiva da amamentação. Quando se potencializa a nutriz com a prática da auto-ordenha, é possível reduzir o surgimento do ingurgitamento mamário e suas complicações.

Reconhece-se que condutas preventivas do ingurgitamento como sucção precoce, pega e posição corretas e, amamentação sob livre demanda podem não evitar o excesso de produção. Nessa situação as mamas permanecem túrgidas e doloridas mesmo após a amamentação tornando-se necessário o esvaziamento, que nesses casos deve ser feito preferencialmente por expressão manual.

Essa ocorrência está associada à presença de edema, que além do desconforto físico para a mãe, também pode determinar distensão e rigidez da região areolar, tornando o mamilo pouco flexível. De maneira enganosa a mãe considera que está com as mamas cheias de leite e não compreende bem porque o recém nascido tem dificuldade de retirar o leite que de fato, ainda é colostro. O abocanhamento incorreto de um mamilo pouco flexível favorece o surgimento de traumas mamilares bem como a sucção não efetiva, não alimenta satisfatoriamente o recém nascido. Em conjunto, o desconforto materno e choro do bebê podem determinar ansiedade da nutriz e, em consequência, redução do estímulo da ocitocina, que por sua vez agrava a situação da descida do leite (apojadura). A ordenha manual está indicada nestes casos e deve ser precedida de estratégias de relaxamento que promovam o reflexo de ejeção.

Importa destacar que o uso de bomba manual ou elétrica retira o excesso da produção, porém não age adequadamente nos lobos sujeitos à estase láctea ou ao bloqueio de ductos. Além disso, após a retirada do excesso de produção deve ser feita a compressão da mama para evitar um novo aumento da produção decorrente do esvaziamento. Essa conduta de ordenha com uso de equipamentos também não facilita a necessária palpação prévia visando reconhecer pontos (lobos) de retenção que podem estar sendo acentuados pela compreensão subsequente ao uso de bomba manual ou elétrica.

O tratamento oportuno de lesões mamilares, sejam elas decorrentes da tipologia mamilar que não asseguram a protractibilidade, de erro de pega ou posição ou ainda aquelas relacionadas com a infecção por *Candida Albicans,* podem ser tratadas satisfatoriamente com a aplicação de leite materno. Essas lesões têm sido responsáveis por situações de desmame precoce, quer pelo desconforto e dor que ocasionam, quer seja pelo espaçamento que a nutriz indevidamente estabelece nos horários de mamadas, que pode provocar ingurgitamento mamário e em consequência agravamento das lesões mamilares.

Há diferentes condutas assistenciais sendo desenvolvidas, entretanto, importa conjugar tanto a eliminação do fator causal (p. ex., erro de pega e posição) como agilizar o processo de cicatrização. A aplicação tópica de substâncias medicamentosas ou não, na região mamilo-areolar, com exceção do uso do próprio leite (também são aplicáveis o colostro ou o leite de transição), exige a retirada desta substância antes da mamada. Quando se utiliza o próprio leite isso não é necessário, portanto ficam reduzidos os riscos de esfoliação e/ou agravamento da lesão. Também a prática assistencial tem demonstrado a excelente ação cicatrizante da secreção láctea embora não se tenha notícia de estudos estatísticos que comprovem essa observação em função da dificuldade de controlar as diversas variáveis presentes nesta resolução. Nestas situações não se objetiva o esvaziamento da mama e sim obter algumas gotas de secreção láctea que agilizam tanto o processo de cicatrização quanto melhorem as condições de abocanhamento.

Outras Situações do Cotidiano da Mulher Nutriz

Considera-se que a ordenha mamária é um procedimento eficaz de manejo da amamentação que ajuda a nutriz no dia a dia de cuidados com seu filho bem como de si própria. É a ordenha de leite para diferentes finalidades que permite, entre outras, deixar leite para a criança quando a mãe precisa se ausentar de casa ou retornar às atividade laborais após o término da licença-maternidade. Também em caso de adoecimento da mãe, esse procedimento assegura a manutenção da produção do leite garantindo a continuidade do aleitamento materno após tratamento e recuperação.

Postula-se que a ordenha da mama lactante também representa um cuidado de saúde para o *recém-nascido* em condições de:

Nascimento a Termo e Saudável

Compreende-se que a ordenha mamária responde por assegurar muitos benefícios para o recém nascido porque facilita a pega correta da região mamilo-areolar, estimula a ejeção láctea, favorece a eliminação de mecônio, em decorrência da sucção do colostro, bem como garante a imunoproteção e a melhor nutrição além da relação afetiva materna. Em conjunto, pode-se afirmar que esse cuidado guarda relação direta e positiva com o alcance do padrão de amamentação exclusiva nos primeiros 6 meses e continuada por 2 anos ou mais, reduzindo também os riscos de morbidade e mortalidade infantil.

Nascimento Prematuro com Debilidade e/ou Adoecimento

Quando o bebê apresenta um reflexo de sucção frágil, causado ou não por prematuridade ou doença, a nutriz pode facilitar a amamentação, fazendo uma ordenha parcial imediatamente antes das mamadas, com o objetivo de instalar o fluxo de leite. Esse procedimento reduz o esforço de sucção e estimula a chegada do leite mais calórico. Reconhece-se também que esse esvaziamento parcial amacia a aréola e facilita a pega.

Em algumas situações o esvaziamento pode ser total com a finalidade de oferecer o quantitativo de leite referente àquela mamada através de copinho. Em outras situações, a conduta pode ser adaptada às condições do recém-nascido, procedendo-se a ordenha parcial do leite inicial menos calórico (porém rico em anticorpos e em água), após oferecendo a mama lactante com o fluxo de leite já instalado mediante o estímulo da ordenha e, concluindo-se a mamada ofertando ao final, através de colher ou copinho, o leite ordenhado inicialmente. Esse procedimento garante aos recém-nascidos debilitados o recebimento adequado do leite materno em suas diferentes concentrações.

Há que se considerar, nas duas últimas décadas, os avanços do conhecimento acerca da composição do colostro e do leite materno e suas diferentes frações conjugado às condições de sobrevida de prematuros extremos sob cuidados intensivos. A ciência tem assegurado a qualidade microbiológica do colostro ordenhado e a proteção especial da produção de ácido lático, revelando a potencialidade dos probióticos. Assim, o manejo da mama lactante, desenhado para redução do desconforto materno diante de patologias da lactação, torna-se um poderoso aliado da atenção humanizada ao recém nascido prematuro e de baixo peso porque a extração e administração do colostro com finalidade terapêutica para esse bebês já é uma realidade nacional em algumas Unidades de Tratamento Intensivo Neonatal. Trata-se da colostroterapia.

POR QUE FAZER A ORDENHA DA MAMA PUERPERAL?

A ordenha da mama lactante ajuda a instalar e manter o fluxo da secreção mamária, minimizando o ingurgitamento mamário dos primeiros dias de pós-parto. Imediatamente após o parto e a cada vez que a nutriz oferece a mama ao recém-nascido pode ser feita a expressão da mama de modo a iniciar o gotejamento. Esse procedimento, na prática assistencial, acrescidos das condutas preventivas do ingurgitamento mamário, tem se mostrado eficaz para o processo da apojadura, atenuando o edema da mama e o desconforto da nutriz.

Pretende-se valorizar que o procedimento deve, primeiramente, ser realizado como ação preventiva, isto é, deve ser orientado para higiene das mamas e instalação do fluxo. Quando a nutriz adquire esse conhecimento pode não ser necessária sua realização em situações danosas como trauma mamilares, ingurgitamento mamário, estase láctea e bloqueio de ductos porque, provavelmente, esses problemas não ocorrerão ou serão identificados e sanados mais rapidamente.

A ordenha e a auto-ordenha podem ser realizadas, de modo parcial para obter algumas gotas de secreção láctea com o objetivo de proceder a higiene das mamas antes e após as mamadas. Considera-se que nessa conduta seja feito mais um procedimento de expressão do que de ordenha, entendo-se que a ação de ordenhar representa o esvaziamento. Por outro lado a expressão de algumas gotas é também uma retirada e nesse sentido o procedimento foi tratado como ordenha de um modo geral. A mesma intenção pode ser indicada quando se busca tratar de lesões mamilares, quando a finalidade também é obter algumas gotas para aplicação tópica em áreas específicas.

Considera-se que o procedimento da auto-ordenha em situação de mastite é muito difícil de ser realizado pelo próprio componente álgico. Nesses casos o funcionamento da mama e o esvaziamento frequente e adequado são reconhecidos como importante estratégia terapêutica. Sempre que for observada algum impedimento ou dificuldade da nutriz para esse procedimento, julga-se que o mesmo deverá ser executado por profissional de saúde habilitado.

Conclui-se que não existem contraindicações ao procedimento de ordenha e auto-ordenha desde que sejam observados os parâmetros de desconforto e dor que a nutriz pode apresentar quando a técnica está sendo desenvolvida de maneira incorreta. Outro indicativo de inadequação pode ser identificado por nutrizes que realizam a ordenha nos intervalos das mamadas com o objetivo de reservar leite para períodos em que estará ausente. Em decorrência, pode ocorrer um aumento da produção pelo incremento da demanda.

Analisa-se que o procedimento é protetor da amamentação favorecendo a saúde de mães e bebês devendo portanto tornar-se prática assistencial que qualifica o cuidado e a atenção no período gravídico puerperal com extensão às famílias e à sociedade.

BIBLIOGRAFIA CONSULTADA

Almeida JAG. Amamentação: um híbrido natureza-cultura [online]. Rio de Janeiro: Editora Fiocruz 1999; 120 p.

Arantes CIS. O fenômeno amamentação: uma proposta compreensiva. Dissertação de Mestrado em Enfermagem. Ribeirão Preto: Universidade de São Paulo, 1991.

Brasil. Ministério da Saúde. Assistência pré-natal: manual técnico, 3 ed. Brasília: Ministério da Saúde, 2000.

Brasil. Ministério da Saúde. Programa de assistência integral à saúde da criança. Brasília: Ministério da Saúde, 1984.

Brasil. Ministério da Saúde. Programa de assistência integral à saúde da mulher. Brasília: Ministério da Saúde, 1984.

Brasil. Ministério da Saúde. Programa nacional de incentivo ao aleitamento materno. Brasília: Ministério da Saúde, 1991.

Brasil. Ministério da Saúde. Promoção do aleitamento materno: texto básico para apoio ao ensino do aleitamento materno nas escolas de saúde. Brasília: Ministério da Saúde, 1995.

Brasil. Ministério da Saúde. Secretaria de Atenção à Saúde. Departamento de Atenção Básica. Saúde da criança: nutrição infantil: aleitamento materno e alimentação complementar/Ministério da Saúde, Secretaria de Atenção à Saúde, Departamento de Atenção Básica. Brasília: Editora do Ministério da Saúde 2009; 112 p. (Série A. Normas e Manuais Técnicos) (Cadernos de Atenção Básica, n. 23).

Brasil. Ministério da Saúde. Secretaria de Atenção à Saúde. Promovendo o Aleitamento Materno, 2 ed, revisada. Brasília: 2007; Álbum seriado. 18p.

Carrascoza KC. Análise de variáveis biopsicossociais relacionadas ao desmame precoce. Paidéia 2005; 15(30):93-104.

Carrascoza KC, Costa Júnior AL, Moraes ABA. Fatores que influenciam o desmame precoce e a extensão do aleitamento materno. Campinas: Estudos de Psicologia 2005 out-dez; 22(4):433-440.

Fonseca LMM, Scochi CGS. Cuidados com o bebê prematuro: orientações para a família, 2 ed. Ribeirão Preto: FIERP 2005; 60 p.

Galasso L. Ser mãe é sorrir em parafuso. São Paulo: Editora Ática, 1989.

King FS. Como ajudar as mães a amamentar. Brasília: Ministério da Saúde, 1998.

Machado AKF, Elert VW, Pretto ADB, Pastore CA. Intenção de amamentar e de introdução de alimentação complementar de puérperas de um Hospital-Escola do sul do Brasil. Ciência & Saúde Coletiva 2014; 19(7):1983-1989.

Martins Filho F. Como e porque amamentar. São Paulo: Editora Sarvier, 1984.

Nakano MAS. O aleitamento materno no cotidiano feminino. Ribeirão Preto: Tese de Doutorado em Enfermagem, EERP/USP, 1996.

Nalma EERP/USP. Álbum seriado sobre cuidados na amamentação. São Paulo: Núcleo de Aleitamento Materno, 1998.

Novak FR, Almeida JAG, Vieira GO, Borba LM. Colostro humano: fonte natural de probióticos? J Pediatr 2001; 77(4):265-70.

Oliveira MIC, Camacho LAB. Impacto das unidades básicas de saúde. Rev Bras Epidemiol 2002; 5:1.

Oliveira MIC, Souza IEO, Santos EM, Camacho LAB. Avaliação do apoio recebido para amamentar: significados de mulheres usuárias de unidades básicas de saúde do Estado do Rio de Janeiro. Ciência & Saúde Coletiva 2010; 15(2):599-608.

OMS/UNICEF. Proteção, promoção e apoio ao aleitamento materno: o papel especial dos serviços materno-infantis. Brasília: Ministério da Saúde, 1989.

Sanches MTC. Manejo clínico das disfunções orais na amamentação. J Pediatr 2004; 80(5 Supl):S155-S162.

Scheeren B, Mengue APM, Devincenzi BS, Barbosa LDR, Gomes E. Condições iniciais no aleitamento materno de recém-nascidos prematuros. J Soc Bras Fonoaudiol 2012; 24(3):199-204

Venâncio SI, de Almeida H. Método Mãe Canguru: aplicação no Brasil, evidências científicas e impacto sobre o aleitamento materno. J Pediatr 2004; 80(5 Supl):S173-S180.

Viera CS. Risco para amamentação ineficaz: um diagnóstico de enfermagem. Brasília: Rev Bras Enferm 2004 nov/dez; 57(6):712-4.

Vinha VHP, Shimo AKK, Nantes MG, Sakay YT. Como cuidar dos peitos após o parto. Edição especial. São Paulo: SUDS, 1989.

Vinha VHP. Amamentação materna: incentivo e cuidados. São Paulo: Editora Sarvier, 1983.

Vinha VHP. Projeto aleitamento materno: auto cuidado com a mama puerperal. São Paulo: Editora Sarvier: FAPESP, 1994.

Anticoncepção na Nutriz

21

Luiz Felipe Bittencourt de Araujo
Tereza Maria Pereira Fontes
Celia Regina da Silva

CONSIDERAÇÕES GERAIS

É fundamental o papel do planejamento familiar na sociedade moderna. Trata-se de direito protegido pela constituição federal brasileira, a escolha pelo cidadão, do momento em que deseja ter filhos. Paralelamente, é nítida a importância do planejamento familiar como atividade promotora de saúde. Nesse contexto, são questões importantes, que dependem diretamente do exercício eficaz da anticoncepção: a idade em que o indivíduo deseja engravidar, o número de filhos que o casal vai ter, o intervalo de tempo entre os partos, a saúde materna durante a gravidez e a duração do período de aleitamento natural. Além disso, o planejamento familiar é fator que reduz a incidência do abortamento induzido e, consequentemente, da morbidade e mortalidade que o acompanham. Vários fatores convergentes, desenvolvidos ao longo do tempo, possibilitaram o domínio da fertilidade humana. Com base nos conhecimentos atualmente disponíveis sobre aspectos diversos da fisiologia reprodutiva, assim como, nos avanços alcançados pela farmacologia, tornou-se viável a utilização de procedimentos contraceptivos eficazes e seguros, satisfatórios para a difusão do planejamento familiar nas diversas situações impostas pela vida.

No puerpério, a utilização de um método contraceptivo deve ser prontamente recomendada. A maioria dos casais volta a ter atividade sexual em torno de 6 semanas após o parto, muitas vezes antes até da primeira consulta médica de revisão. Em nutrizes, o retorno das ovulações ocorre, em média, entre 45 e 94 dias de pós-parto. Entretanto há relatos de que pode ocorrer ovulação mais precocemente, a partir do 25º dia de puerpério. Considerando que a primeira ovulação provavelmente ocorrerá antes da primeira menstruação após o parto, o retorno dos períodos menstruais não deve servir como parâmetro confiável para o início da contracepção.

CAPÍTULO 21 Anticoncepção na Nutriz

O período ideal para início do uso de um método anticoncepcional no puerpério é quando se completa a 3ª semana após o parto. Nesse momento, é possível se garantir segurança sob ponto de vista clínico e ao mesmo tempo, máxima eficácia, sob ponto de vista contraceptivo. De maneira ideal, as discussões sobre o planejamento familiar e os métodos contraceptivos devem ser iniciadas ainda durante o pré-natal. A abordagem ao tema deve sempre fazer parte da assistência médica, ainda nessa fase. Em seguida, as orientações à mulher devem ser reforçadas no momento da alta hospitalar, após o parto, até que finalmente, seja recomendada uma alternativa anticoncepcional durante as consultas no puerpério.

A oportuna instituição de um método anticoncepcional não apenas reduz o risco de uma gravidez indesejada nessa fase, mas também evita que gestações se sucedam em intervalos curtos de tempo. Esse fato está relacionado ao aumento da incidência de complicações obstétricas. Observa-se redução significativa nas taxas de mortalidade infantil e a morbidade materna, quando os intervalos entre nascimentos são de dois ou mais anos. Assim, a relação entre a lactação e a fertilidade torna-se um importante aspecto em saúde pública. Em alguns países em desenvolvimento, em que o acesso da população à assistência médica é limitado, o aleitamento materno representa um importante fator, já que contribui para espaçar os partos, em média, a intervalos de 30 meses. Na década de 80, o estímulo ao aleitamento materno na África e Ásia preveniu 4 nascimentos durante a vida reprodutiva de uma mulher, o que representa a diminuição de um terço na taxa de fecundidade. Em agosto de 1988, realizou-se em Bellagio, na Itália, uma reunião para consenso, em que se discutiu o efeito contraceptivo do aleitamento materno e sua integração com o conjunto de estratégias do planejamento familiar. O Consenso de Bellagio legitimou o conceito de que o aleitamento materno exclusivo nos primeiros meses de pós-parto é evento importante na saúde da população geral, também, por promover o aumento nos intervalos entre as gestações.

Em geral, o retorno das ovulações tende a ser mais lento em mulheres que amamentam. Isso acontece devido a alterações na pulsatilidade da secreção do GnRH pelo hipotálamo e das gonadotrofinas (FSH e LH) pela hipófise. As alterações endócrinas são causadas, basicamente, pela influência inibitória da prolactina em níveis circulantes mais elevados do que os fisiológicos. Consequentemente, durante essa fase, a capacidade reprodutiva da nutriz permanece prejudicada e é mais difícil que ocorra uma nova gravidez. A correlação entre a amamentação e a subfertilidade é mais provável e a anovulação mais incidente, quando as condições abaixo são totalmente preenchidas:

- Período de pós-parto inferior a 6 meses;
- Aleitamento exclusivo;
- Amenorreia.

O uso da chupeta, mamadeira, introdução de líquidos ou sólidos e longos intervalos entre as mamadas (p. ex., intervalo noturno maior que 6 horas), podem interferir diretamente na produção de leite, permitindo oscilações na liberação de prolactina, aumentando a possibilidade de ovulação. Em um estudo realizado em 422 mulheres na Pontifícia Universidade Católica do Chile e Universidade de Georgetown, somente 1 mulher engravidou no período de 6 meses de observação.

Outros estudos multicêntricos foram realizados na Ásia, Estados Unidos e Brasil, dentre outros países. Resultados de estudos da OMS ao longo dos últimos 10 anos confirmam que o risco de gravidez nas nutrizes em amenorreia é de 1,7% até o sexto mês e 7% entre o sexto e o 12º mês pós-parto, a despeito da idade de introdução de complemento para o concepto. Diaz e cols., em um estudo com 130 mulheres, no Chile, avaliaram a probabilidade acumulada de gravidez em 6 meses do método LAM (Método Amenorreia Lactacional). Observou-se que, nas nutrizes amenorreicas, a chance de concepção foi de 1,8%, enquanto, nas que menstruavam, foi de 27,2%. A eficácia do método LAM pode ser comparada a outros métodos temporários no 1º ano de pós-parto, como o uso de diafragma, *condom* masculino e espermicidas, com índices de falha em torno de 6%. O LAM não tem contraindicações e não sofre influências religiosas ou culturais. Entretanto, as mulheres devem ser bem orientadas em relação às limitações de segurança, sob ponto de vista anticoncepcional. Sobretudo, deve ser reforçada a informação sobre a maior possibilidade de ocorrer gravidez, caso alguma das condições fundamentais para que seja eficaz não seja respeitada.

No puerpério, a anticoncepção não deve interferir na lactação e nem na relação entre a mãe e o bebê. Nem todas as alternativas contraceptivas possíveis são indicadas para o uso no puerpério. O método de escolha deve ser o mais adequado à paciente. Diversas condições devem ser consideradas para a escolha do anticoncepcional, sendo as mais importantes, o estado de saúde da mulher, características físicas, nível sociocultural e situação financeira. Em linhas gerais, são aspectos fundamentais na assistência ao planejamento familiar:

- Coleta de informações clínicas satisfatórias para a tomada de decisão pelo profissional prescritor;
- Escolha do método com base na relação entre a eficácia contraceptiva e a segurança, de acordo com as características clínicas apresentadas pela paciente;
- Fornecimento de informação correta e clara;
- Viabilidade de acesso fácil dos pacientes aos recursos necessários à prática anticoncepcional;
- Orientação em relação à possibilidade de reversão do método;
- Adequação do método de escolha à necessidade e à realidade do casal (considerar prole, idade, situação econômica, nível cultural, risco clínico e obstétricos associados a uma futura gestação).

A escolha de um método contraceptivo deve levar em consideração os critérios de elegibilidade padronizados pela OMS. Esses critérios foram desenvolvidos com o objetivo de orientar os médicos assistentes, em relação à segurança da usuária, no momento da escolha do anticoncepcional. Possibilitam correlacionar a condição de saúde da mulher com uma classificação de risco específica para cada método, previamente estabelecida com base em evidências científicas. A OMS classifica os anticoncepcionais em 4 categorias, de acordo com cada situação clínica:

- Categoria 1: não há restrições ao uso do método;
- Categoria 2: os benefícios do método são maiores que os riscos e por isso podem ser utilizados;

CAPÍTULO 21 Anticoncepção na Nutriz

- Categoria 3: os riscos do método são maiores que os benefícios e por isso devem ser evitados;
- Categoria 4: condição na qual o método representa risco inaceitável à saúde e portanto, não deve ser usado.

MÉTODOS DE BARREIRA

São métodos que não exercem impacto sobre o aleitamento, têm baixo custo, e por isso, caracterizam-se em excelente escolha para qualquer fase do puerpério. São as formas mais antigas de controle de concepção, descritos até mesmo nos antigos papiros egípcios. Dentre os métodos de barreira, os mais utilizados em nosso meio são: o preservativo masculino, o preservativo feminino, diafragma e espermicida.

O preservativo masculino é utilizado por casais de todas as idades em todo o mundo. Seu uso é recomendado em todas as relações sexuais, sob qualquer condição. É considerada uma das principais garantias para o sexo seguro. Previne a gravidez e doenças sexualmente transmissíveis, inclusive HIV/AIDS. No Brasil, ainda há restrições ao seu uso por mitos, desinformação e influências socioculturais. O sucesso do método depende do conhecimento da forma correta de utilização e da motivação do casal. A possibilidade de falha é de 3 a 7%. Segundo Hatcher, a possibilidade de rupturas do preservativo é de até 5%, e de vazamentos de sêmen, em torno de 2%. O preservativo masculino pode ser de látex ou plástico, com lubrificante espermicida ou não. Na anticoncepção pós-parto deve-se dar preferência ao tipo lubrificado, pois sabemos que, por questões hormonais, a lubrificação vaginal será deficiente, diferindo do ideal esperado durante o ato sexual.

O preservativo feminino, tal qual o masculino, atua como uma barreira física entre o pênis e a vagina. Atua como um reservatório ao sêmen e diminui o risco de DST/AIDS. É constituído de poliuretano, com 2 anéis flexíveis, sendo 1 em cada extremidade, assegurando o ancoramento no fundo da vagina, e externamente, se adaptando ao introito vaginal. Estudos preliminares encontraram uma alta taxa de descontinuidade do método (acima de 50%), atribuída ao custo elevado, ao ruído que provoca durante o ato sexual e à inconveniência da presença do anel externo exposto na vulva. O índice de falha do método é de 3 a 12%.

O diafragma é um método vaginal de anticoncepção que consiste em instalar um capuz macio, de borracha ou silicone, côncavo, com borda flexível, que cobre todo o colo uterino. Deve ser usado com geleia ou creme espermicida. É comercializado em tamanhos que variam de 50 a 105 mm. É necessária uma avaliação prévia da medida ideal para cada mulher, de acordo com suas características anatômicas. Para a sua utilização, é fundamental um aprendizado prévio. No caso da nutriz, o diafragma é uma boa opção, caso ela já tenha o conhecimento necessário para a utilização do método. A taxa de falha no 1º ano de uso varia de 6 a 18 gravidezes por 100 mulheres/ ano. O uso do diafragma só deve ser iniciado 6 semanas de pós-parto, já que sua eficácia depende de uma correta localização na vagina, o que geralmente só é possível após esse período, quando a anatomia genital da mulher retorna ao seu estado não gravídico. É mandatória nova avaliação do tamanho do diafragma, 6 meses após o parto, quando poderá ocorrer nova variação de medida do mesmo.

Os espermicidas são empregados como veículos para agentes químicos que inativam os espermatozoides na vagina, antes que possam se deslocar até o trato genital superior. Estão disponíveis na forma de geleias, supositórios ou tabletes espumantes. Atuam causando danos às membranas celulares dos espermatozoides, tornando-os inviáveis. Os agentes usados atualmente são o monoxynol-9, octoxynol-9 e menfegol. O índice de falha é de 20% no 1º ano de uso. A sua utilização geralmente é associado a outro método de barreira, a fim de aumentar a eficácia. Recentemente, o uso de espermicidas passou a ser muito discutido, uma vez que estudos demonstraram associação sua utilização e o aumento do risco de transmissão do HIV.

MÉTODOS HORMONAIS

O risco de eventos tromboembólicos aumenta significativamente para todas as mulheres no puerpério. Esse risco é maior nos primeiros 21 dias após o parto (*Odds Ratio:* 18). Em seguida, reduz-se após 7 semanas (*Odds Ratio:* 2) e retorna para níveis basais, apenas depois de 16 semanas (*Odds Ratio:* 1). Compostos anticoncepcionais estroprogestativos estão associados ao aumento do risco tromboembólico, independentemente da via em que forem administrados (oral, injetável, adesivos cutâneos ou anéis vaginais). Dessa maneira, o uso desses fármacos no pós-parto pode ser associado ao aumento do risco de complicações clínicas nas puérperas, especialmente nas primeiras 3 semanas. Há também indícios de que os anticoncepcionais combinados podem causar supressão da produção de leite nas fases mais iniciais do puerpério, embora não existam evidências fortes de que o seu uso possa provocar alterações significativas no desenvolvimento do lactente. Segundo os critérios de elegibilidade da OMS, para métodos anticoncepcionais, as pílulas combinadas não devem ser utilizadas nas primeiras 6 semanas do puerpério porque os riscos à saúde seriam inaceitáveis (categoria 4 da OMS). Entre 6 semanas e 6 meses, também não deveriam ser utilizadas, uma vez que os riscos superariam os benefícios (categoria 3 da OMS). O uso dos compostos combinados seria liberado para puérperas, após 6 meses de pós-parto, quando então, os benefícios já superariam os riscos (categoria 2 da OMS).

Caso o método anticoncepcional de escolha para a nutriz seja hormonal, deve se dar preferência aos que contém progestágenos isolados. Métodos progestínicos isolados não aumentam o risco de trombose, uma vez que exercem mínima influência nos fatores de coagulação, na pressão arterial e no perfil lipídico. Grandes estudos epidemiológicos não demonstraram aumento do risco de acidente vascular cerebral, infarto do miocárdio ou trombose venosa profunda, durante o uso desses medicamentos. Essas drogas não afetam a lactação (volume ou composição do leite materno), não causam efeitos negativos aos recém-nascidos e são seguros às mulheres. Podem ser administrados na forma de pílulas, injetáveis, implantes subdérmicos ou ainda, na forma do sistema intrauterino liberador de levonorgestrel.

Há controvérsias em relação ao período ideal para o início de um método progestínico no puerpério, embora não existam evidências que demonstrem claramente riscos para a usuária ou para o lactente. Segundo a OMS, as pacientes devem iniciar a medicação após a sexta semana de pós-parto. A recomendação do CDC norte-americano não impõe restrições para o uso de progestágenos no puerpério e sugere que os contraceptivos podem ser utilizados mesmo no pós-parto imediato. O médico assistente deve agir com bom senso no momento de determinar o período ideal para a prescrição. Em muitas situações, as consequências de uma nova gravidez superam os riscos hipotéticos do uso dos progestágenos pela nutriz. Nos casos em que os riscos de uma gravidez indesejada forem muito significativos para a paciente, deve ser proposto um início mais precoce do método anticoncepcional.

PÍLULA PROGESTÍNICA

O método hormonal mais utilizado por nutrizes no Brasil é a pílula progestínica à base de desogestrel 75 µg ao dia. O principal mecanismo de ação é o bloqueio da ovulação (97% dos casos), por meio de inibição da secreção de gonadotrofinas (FSH e LH). Outros efeitos do medicamento, comum a todos os anticoncepcionais hormonais, também são importantes para a atividade contraceptiva:

- Promove alterações no muco cervical que prejudicam a migração dos espermatozoides pelo trato genital feminino;
- Causam alterações da motilidade tubária que prejudicam o transporte dos gametas e do embrião;
- Produzem alterações no desenvolvimento do endométrio, tornando-o inapropriado para a implantação embrionária.

O índice de Pearl em nutrizes é de 0,14 e na mulher que não amamenta é de 0,17. O grande diferencial dessa alternativa anticoncepcional é que, devido a seu perfil satisfatório de eficácia, tolerância e segurança, pode ser mantido mesmo depois de concluído o puerpério.

O uso das pílulas deve ser contínuo. As usuárias não devem fazer intervalos em que se interrompa administração da droga, no término de cada cartela. Logo, a utilização da pílula progestínica deve ser contínua e não haverá previsão de períodos de sangramento. A maioria das mulheres permanecerá em amenorreia. Outras no entanto, apresentarão sangramento uterino irregular (escape) esporadicamente, em geral de incidência imprevisível e autolimitado.

Minipílulas

Atualmente, as minipílulas são pouco prescritas durante o puerpério. Perderam espaço, sobretudo devido ao sucesso da pílula progestínica anovulatória (desogestrel 75 µg). São compostas de progestágenos em baixíssima dosagem. Logo, caracterizam-se por efeito contraceptivo mais limitado do que outros métodos hormonais conhecidos. O índice de falhas é maior, por isso, seu uso deve ser recomendado apenas em condições orgânicas específicas da mulher no menacme, em que naturalmente, apresentem limitações à sua capacidade reprodutiva. Não devem ser utilizadas após o sexto mês de puerpério ou quando o aleitamento não é exclusivo, verificando-se nesses casos, considerável redução da eficácia. As minipílulas comercializadas no Brasil, são compostas de noretisterona, levonorgestrel ou linestrenol. A eficácia anticonceptiva não se baseia na inibição da ovulação, a qual pode ocorrer em 15 a 40% dos casos, mas sim nas outras propriedades apresentadas pelos métodos hormonais, já citadas anteriormente.

Injetável Hormonal à Base de Progestágeno

A droga atualmente comercializada no Brasil é o acetato de medroxiprogesterona, na dose de 150 mg administrada por via intramuscular, a cada 3 meses, com tolerância de mais ou menos 15 dias. O mecanismo de ação se estabelece, principalmente, por meio de um potente bloqueio da ovulação com a supressão das gonadotrofinas. Outras ações importantes para o efeito contraceptivo são a alteração no muco cervical e a atrofia endometrial. Em consequência da ação do medicamento no endométrio, as usuárias tendem a se manter em amenorreia, inclusive, após a interrupção do uso.

Os efeitos da droga costumam permanecer até 8 semanas após a última administração. A restauração da fertilidade tende a acontecer de forma lenta e gradativa. Em aproximadamente metade das mulheres, o retorno das ovulações ocorre após 6 meses decorridos da última aplicação, sendo que em 25% dos casos, isso pode ocorrer após 1 ano. Essa característica deve ser discutida no momento da opção pelo método. Devido ao considerável efeito antiestrogênico que acompanha o medicamento, seu uso está associado à perda de massa óssea e à osteopenia, eventos habitualmente reversíveis após a descontinuação do uso.

Endoceptivo (DIU de Progestágeno)

O endoceptivo consiste em um dispositivo plástico em forma de T que apresenta um reservatório de esteroide ao redor da haste vertical. Quando instalado na cavidade uterina, libera, lenta e progressivamente, levonorgestrel na dose de 20 μg/dia. A eficácia contraceptiva é mantida durante 5 anos. Após esse período, o material deve ser retirado e um novo produto inserido. Durante o puerpério, a utilização do dispositivo exige critérios, já que nessa fase o útero se encontra aumentado de volume, em involução. Pode ser inserido desde o pós-parto imediato, entretanto, essa opção se associa a uma maior taxa de expulsão e perfuração uterina.

O efeito contraceptivo ocorre principalmente pela ação progestogênica no endométrio e no muco cervical. Ciclos ovulatórios ocorrem em 45 a 85% das usuárias, mas a maioria permanece em amenorreia devido à ausência de proliferação endometrial.

As taxas de gravidezes em vários estudos com mais de 3 anos de uso, variam de 0 a 0,3 por 100 mulheres/ano. Trata-se de método contraceptivo seguro e bem tolerado.

Apesar de constituir um método anticoncepcional de longa duração, a recuperação da fertilidade ocorre de forma imediata, após a remoção do sistema.

DISPOSITIVOS INTRAUTERINOS (DIU)

Os dispositivos intrauterinos constituem uma peça de material plástico, em geral com o formato da letra T, envolto por peça metálica constituída de cobre. São utilizados há muito tempo, mas a difusão do método ocorreu na década de 60. No mundo existem, hoje, cerca de 100 milhões de usuárias, sendo que 50% delas encontra-se na China. No Brasil, o número de usuárias ainda não é significativo, devido a falta de conhecimento e disponibilidade do método. Estudos multicêntricos internacionais têm mostrado que o DIU é um método seguro e efetivo, apresentando taxa de continuação mais elevada que contraceptivos hormonais orais, *condons*, diafragmas, espermaticidas e métodos naturais.

O mecanismo de ação do DIU de cobre se baseia na produção de uma reação tipo corpo estranho na cavidade uterina, com infiltração celular e alterações bioquímicas intracavitárias que afetam a capacidade de migração do espermatozoide e/ou implantação ovular. Estudos sobre o risco de aumento de cobre no metabolismo materno e a sua influência no leite, demonstram que não há risco de alteração da qualidade do leite da nutriz. O DIU pode ser inserido no pós-parto imediato, sendo que, nesse momento, a aplicação se associa a uma maior taxa de expulsão. A colocação do dispositivo pode ser realizada tanto após um parto vaginal, quanto após uma cesariana. O período ideal para a inserção do DIU no pós-parto é 4 semanas após o parto normal e após 8 a 12 semanas após o parto cesárea. Após esse intervalo, a taxa de complicações associadas é significativamente menor.

As complicações mais frequentes são a perfuração uterina, que ocorre em 1,22 a cada 100 inserções, e a dismenorreia, que tende a melhorar após o terceiro mês. A taxa de expulsão varia de 1 a 7%. A incidência de gravidez ectópica é de 1,5 por 1.000 mulheres/ano. A taxa de falha do método varia entre 0,3 e 0,8%.

ESTERILIZAÇÃO CIRÚRGICA

Na mulher, a esterilização cirúrgica pode ser realizada com laqueadura tubária ou com o auxílio da histeroscopia. A laqueadura tubária pode ser realizada por várias técnicas, sendo a mais comum a de Pommeroy, que consiste na ligadura de uma pequena alça tubária com fios cirúrgicos, seguida de ressecção de segmento do órgão. Trata-se de método anticoncepcional altamente eficaz, com um índice de falhas em 10 anos de uso inferior a 1%. O procedimento pode ser realizado por meio de laparotomia, laparoscopia ou culdotomia (menos utilizada). A esterilização histeroscópica consiste na colocação de um dispositivo metálico na luz tubária, que causará fibrose e obstrução. É procedimento moderno e ainda pouco difundido no Brasil. Há poucos dados sobre a utilização desse método no puerpério.

Segundo a legislação brasileira em vigor, não é permitida a esterilização cirúrgica da mulher no pós-parto imediato, mesmo quando submetida a uma cesariana. A exceção se dá nos casos em que há benefícios comprovados por questões médicas, em situações em que uma gravidez subsequente caracterize risco aumentado para a saúde da mulher. Um exemplo comum ocorre quando a paciente apresenta sucessivas cesarianas. Durante o pré-natal, se a mulher manifestar vontade de ser submetida à esterilização, ela deverá ser encaminhada para o serviço de planejamento familiar para que receba orientação e algum método que seja adequado, antecedendo à esterilização.

BIBLIOGRAFIA CONSULTADA

Aldrighi JM, Petta CA. Anticoncepção: aspectos contemporâneos. Editora Atheneu 2005; 224p.

Cunha ACR et al. Intrauterine device and maternal cooper metabolism during lactation. Contraception 2001; 63:37-39.

Davidson WD, Durhom NC. A brief history of infant feeding. J Pediatrics 1953; 43:74.

Diaz S et al. Fertility regulation in nursing women living in an urban setting. J Biosoc Sci 1982; 14:329-341.

Family Health International. Barrier methods 1996; 1-34.

Gray RH et al. Risk of ovulation during lactation. The Lancet 1990; 335:125-29.

Hatcher RA, Trussel J, Stewart F et al. Contraceptive technology, 16 ed. New York: Irvington Publisher Inc 1994; 79-83.

Heikkila M. Puerperal insertin of a cooper-releasing and levonorgestrel – releasing intrauterine contraceptive device. Contraception 1982; 25:561-572.

Kennedy KI, Kotelchuck M. Policy consideration, introduction and promotion of the Lactation Amenorrhae Method; advantages and disadvantages of LAM. J Health Care 1998; 14(3):191-203.

Makarainen L et al. Ovarian function during the use of a single contraceptive implant : Implanon® compared with Norplant®. Fertilsterility 1998; 69:714-21.

McCon MF, Porter LS. Progestin-only contraception; a comprehensive review. Contraception 1994; 50(suppl. 1):51-198.

Nilsson CG. Fertility after discontinuation of levonorgestrel releasing intrauterine devices. Contraception 1982; 25:273-278.

Pekonen F et al. Intrauterine progestin induces continuous insulin-like growth factor-binding protein 1 production in the human endometrium. J Clin Endocrinol Metabol 1992; 75:660-64.

Perez A, Lobbok M, Queenan JT. Clinical study of the lactational amenorrhea method for family planning. Lancet 1992; 333:968-70.

Reproductive Health and Research. World Health Organization (WHO). Improving access to quality care in family planning. Medical Eligibility Criteria for Contraceptive Use, 2000.

Rice CF et al. A comparison of the inhibition of ovulation achieved by desogestrel 75µg and levonorgestrel 30 µg daily. Human Reprod 1999; 14:982-5.

Short R. Human Reproduction in on Evolutional Context. The New York Academy of Science 1994; 416-425.

Speroff L. A Clinical Guide for contraception 1996; 187-199.

Stratton P, Alexander NJ. Prevention of sexually transmitted infections. Physical and chemical barrier methods. Infect Dis Clin North AM 1993; 7:840-854.

Xiao B et al. Pharmacokinetic and pharmacodynamic studies of levonorgestrel releasing intrauterine device. Contraception 1990; 41:353-362.

Alimentação Complementar Oportuna e Saudável: o Cuidado na Forma de Comida

22

Myrian Coelho Cunha da Cruz
Márcia Regina Mazalotti Teixeira

INTRODUÇÃO

A saúde e nutrição adequadas na infância são determinantes para as condições de vida e acarretam repercussões em todas as suas etapas. Diante das transformações ocorridas no padrão alimentar e nutricional da população brasileira, esse capítulo se propõe a contribuir com orientações para que mães, famílias, profissionais de saúde e demais envolvidos nos cuidados com a criança possam proporcionar uma alimentação infantil adequada, voltada à satisfação desse direito humano.

Os alimentos possuem funções sociais e culturais essenciais. Os atos de alimentar e alimentar-se replicam ideias, valores, símbolos e experiências vividas por um povo, preservando o interesse comum pela segurança alimentar e pela sobrevivência coletiva. No plano biológico, o equilíbrio entre o suprimento de nutrientes (consumo/ingestão alimentar) e o gasto ou necessidade do organismo repercute no estado nutricional. Relaciona-se às condições de saúde e à capacidade do organismo em utilizar adequadamente os nutrientes dos alimentos.

Como determinantes da vida, as necessidades de alimentação e nutrição configuram-se em um direito universal inalienável que está assegurado pela Constituição Brasileira. Sua realização reflete a disponibilidade de alimentos saudáveis, seguros e produzidos de forma sustentável, assim como a inserção no processo de construção da capacidade de alimentar e nutrir a si próprio e a sua família, com dignidade. A má nutrição, por carências ou excessos, seria uma faceta de um mesmo processo social e biológico da complexidade das relações humanas. Nesta, articulam-se acesso, transporte, armazenamento e transformação de alimentos, práticas e hábitos alimentares, condições de habitação, prestação de cuidados especiais a grupos vulneráveis, existência e acesso a serviços de promoção, de atenção à saúde e de controle de qualidade dos alimentos, entre outras. Violações contra o direito humano à alimentação adequada decorrem de inadequações na realização de qualquer uma destas dimensões.

As transformações sociais e econômicas experimentadas pela população brasileira têm acarretado em rápidas mudanças nos padrões de consumo alimentar e de saúde. Embora seja observada significativa diminuição da desnutrição, constata-se o aumento vertiginoso da obesidade em todas as camadas da população. Na perspectiva alimentar, embora características da alimentação tradicional ainda predominem na população brasileira, o consumo de frutas e hortaliças mantém-se reduzido enquanto se observa o aumento no consumo de alimentos processados e ultraprocessados, que têm como matéria-prima ingredientes de baixo valor nutricional. São produtos alimentícios que possuem elevados teores de gorduras, sódio e açúcar, com altos conteúdos calóricos e pobres em vitaminas e minerais. Tal realidade já é observada na mais tenra idade.

As práticas alimentares adequadas à alimentação infantil devem fornecer alimentos de qualidade e em quantidade suficientes para suprir as necessidades nutricionais. Envolvem desde o início da amamentação até a introdução de novos alimentos, mas é sempre importante chamar a atenção para esse momento não ser encarado como um processo de desmame, mas sim de complementação para preencher as necessidades aumentadas a partir dos 6 meses de vida.

Os hábitos alimentares saudáveis resultam do primeiro contato com os sabores vindos da alimentação materna na gestação e de como e quando os alimentos foram apresentados à criança. Os primeiros anos de vida são determinantes de práticas e hábitos alimentares saudáveis e adequados.

AMAMENTAÇÃO COMO PRÁTICA ALIMENTAR

As práticas alimentares refletem as relações de sociabilidade presentes nos atos de se alimentar, de alimentar o outro, e de ser alimentado. Associam os alimentos às representações coletivas, ao imaginário social, às crenças do grupo e as suas práticas culturais, envolvendo partilha e experiência sensorial.

No universo das práticas alimentares, a amamentação possui importância especial e fundamental. Ao mesmo tempo em que nutre e protege a saúde, a composição extremamente dinâmica do leite materno permite o contato precoce da criança com a diversidade de sabores presentes na alimentação materna. Tendendo a preparar sua aceitação futura, amamentar, portanto, como prática alimentar, vincula o filho à cultura alimentar de sua mãe e de seu meio.

Ao ser reafirmado que o leite materno possui todos os nutrientes que a criança precisa, inclusive água, até completar 6 meses de vida, assume-se que, além de desnecessária, a oferta de água, chás ou outro alimento pode ser prejudicial nessa fase. Uma vez que a capacidade gástrica do bebê é muito reduzida, ou seja, seu estômago comporta pequenos volumes, cada refeição é muito importante para satisfazer às necessidades da criança. Logo, ao oferecer outro alimento, substitui-se o leite materno, opção mais completa mesmo nos dias mais quentes, por outro não tão completo, e expõe-se a criança a agentes patogênicos e alergênicos. A fim

Alimentação Complementar Oportuna e Saudável: o Cuidado na Forma de Comida **CAPÍTULO 22**

de que a amamentação se estabeleça de modo pleno, técnicas importantes são ensinadas nos Capítulos 8 e 9 deste livro.

Com o crescimento, ampliam-se as necessidades nutricionais da criança. A exposição a fatores ambientais se torna cada vez maior: coloca objetos na boca, engatinha e começa a andar. O momento de introdução da alimentação complementar ocorre enquanto o sistema imunológico da criança não está totalmente estabelecido, tornando o amamentar ainda fundamental nessa fase. Além disso, o leite materno satisfaz parcela importante das necessidades diárias de energia das crianças de países industrializados ou em desenvolvimento: entre 6 e 8 meses, supre em torno de 60%; entre 9 e 11 meses, são 45% e, no 2º ano de vida, 30%.

Logo, devem ser realizadas adequações no cotidiano da mãe, de sua família, de outros cuidadores, de profissionais de saúde, de instituições (empresas, escolas, creches etc.) favoráveis à manutenção dessa prática alimentar até os dois anos ou mais de vida da criança. Orientações para mães, familiares, demais cuidadores e profissionais de saúde sobre como manter a amamentação nos momentos em que a mãe não estiver presente, como no retorno ao trabalho, seguem ao final desse capítulo. Também ao final são abordados os cuidados quando a amamentação chega ao fim.

A INTRODUÇÃO DE NOVOS ALIMENTOS: UM POUCO DE HISTÓRIA

A fim de serem compreendidas algumas condutas relativas à alimentação infantil que são adotadas atualmente, apresentamos um breve histórico descrito na literatura científica sobre o tema.

No século XIX, embora não amamentar fosse considerado um caminho para a depravação moral e desagregação da família, a oferta de mingaus "feitos com fécula de farinha e um corpo gorduroso" e o uso de leite de vaca eram percebidos como um costume "que têm quase todas as mães" (Camarano, 1884:23) em substituição ao leite materno. O leite condensado (já industrializado) era um dos recursos utilizados na época e condenado por Camarano, reconhecendo possuir poucos elementos nutritivos e muito açúcar. A mesma restrição era feita em relação à adição de farinha láctea, considerada "perigosa e inconveniente" (Camarano, 1884:25).

Em 1872, inicia-se a adoção de formulações individuais calculadas para cada idade da criança. A possibilidade de evaporar o leite de cabra, em 1883, considerado adequado por muitas mães, foi mais um passo na direção da alimentação artificial, embora a defesa do aleitamento materno predominasse no discurso médico. Essa premissa foi abalada em 1885, fase de supervalorização das proteínas, com a descoberta do menor teor de proteínas no leite materno em relação ao leite de vaca.

Até o final da década de 1930, verificou-se a falta de padronização das condutas: citava-se a superioridade da amamentação, mas apontava-se a necessidade de oferecer outros alimentos. A década de 1940 foi marcada, no Brasil, pela implantação de indústrias produtoras de alimentos infantis e pela ascensão das escolas de pediatria norte-americanas sobre a brasileira.

CAPÍTULO 22 Alimentação Complementar Oportuna e Saudável: o Cuidado na Forma de Comida

Aos alimentos não lácteos (água, chás, sucos, sopas) já se atribuiu o papel de suporte à regulação de número e horários de mamadas ou à cessação do aleitamento materno, caracterizando-os como *alimentos de desmame*. Sua introdução seguia a lógica da prescrição medicamentosa, determinando a introdução de alimentos específicos a cada mês. Muitas vezes divergentes entre os autores, as orientações alimentares não consideravam a cultura alimentar local, o custo, a disponibilidade regional ou a sazonalidade de alimentos. Geravam dependência de eletrodomésticos para o seu preparo, com destaque para o liquidificador, e de utensílios especiais, entre os quais a mamadeira. Seguiam-se os padrões alimentares norte-americanos, tornando a alimentação infantil misteriosa às mães, às famílias e aos profissionais de saúde. Enquanto isso, a adoção de alimentos industrializados, estimulada por estratégias de *marketing*, associava seu uso a ideias de segurança e praticidade.

Aos esforços para o resgate da prática da amamentação, os conceitos em torno da introdução de novos alimentos são revistos. Com a noção de complementaridade, introduzida pela OMS em 1991, o alimento oferecido à criança amamentada passa a ser tratado como um elemento presente na amamentação e não como uma estratégia para seu encerramento, contida na expressão "alimentos de desmame".

Ampla revisão de literatura internacional para a elaboração de Guias Alimentares para as Crianças Brasileiras é realizada por Giugliani & Victora (1997). Destacando a relevância de possíveis estratégias para prevenção de doenças crônicas não transmissíveis (obesidade, hipertensão, diabetes e câncer) a partir da alimentação infantil, os pesquisadores concluem: "Avanços recentes em nossos conhecimentos sobre a dieta ideal para crianças menores de 2 anos tornaram obsoletas muitas recomendações que, ainda hoje, constam na prática pediátrica." (Giugliani & Victora 1997:5.)

Outra publicação importante se refere às Políticas e Ações para a Prevenção do câncer no Brasil. Produzida pelo Instituto Nacional do Câncer, com base no Relatório sobre Alimentação e Câncer do WCRF/AICR, essa publicação destaca a proteção conferida pela amamentação contra o câncer das mães e seus filhos, assim como o consumo de frutas, verduras e legumes. Por outro lado, são apontados como importantes fatores de risco para o câncer o consumo excessivo de sal e de alimentos ultraprocessados, ricos em açúcar refinado, amido ou gordura e relativamente pobres em vitaminas e minerais, tais como produtos com alta densidade energética (doces, macarrão instantâneo, biscoitos recheados, salgadinhos etc.), bebidas açucaradas (refrigerantes, sucos industrializados) e carnes ultraprocessadas (salsicha, hambúrguer, empanados, presunto, mortadela etc.).

Os Dez Passos para a Alimentação Saudável para Crianças Menores de Dois Anos sintetizam, de forma prática, as orientações oficiais sobre alimentação infantil para crianças brasileiras.

Tendo em vista a relevância da alimentação infantil para a saúde da criança e ela repercussão que esta pode vir a ter sobre a alimentação de sua família, esses trabalhos são a base das orientações sobre alimentação complementar apresentados a seguir.

368

O BEBÊ COMPLETOU 6 MESES: CHEGA O MOMENTO DE OFERECER NOVOS ALIMENTOS

A partir dos 6 meses, é chegada a hora de dar novos alimentos à criança, pois é quando começa a expressar sua *prontidão física* para receber novos alimentos. O reflexo de protrusão da língua, de fazer movimentos que empurrariam o alimento para fora da boca, começa a desaparecer; enquanto isso, seu corpo se prepara para digerir os alimentos produzindo as enzimas necessárias. A criança já consegue se sentar e sustentar a cabeça, o que possibilita a oferta de alimentos com colher e de líquidos com o copo.

As gengivas estão suficientemente endurecidas devido à aproximação dos dentes, possibilitando a trituração complementar de alimentos mais espessos. A oferta de alimentos na consistência de papas ou purês estimula o reflexo da mastigação e o desenvolvimento de movimentos com a língua, que joga os alimentos para os dentes trituradores.

Além da redução do reflexo de expulsão (protrusão) e do endurecimento da gengiva, são indicativos de maturidade para o início da introdução dos alimentos: a erupção dos dentes que também costuma se iniciar nessa fase, o aumento da destreza manual e da secreção da amilase intestinal.

Dessa forma, além de receber alimentos caloricamente mais adequados às suas necessidades de crescimento e desenvolvimento, a criança estará se preparando para aceitar, aos 8 meses, a alimentação da família. Vale salientar que sopas, comidas moles e sucos de frutas não são preparações adequadas para uma refeição; além de não suprirem as necessidades calóricas da criança, não favorecerem o aprendizado da mastigação.

Essa conjugação, leite materno e alimentos complementares, pode ser mantida como forma de alimentar a criança até os 2 anos ou mais.

ALIMENTAÇÃO COMPLEMENTAR: O QUE OFERECER

A partir dos 6 meses de idade, a criança precisa receber além do leite materno, alimentação complementar baseada em:

- Frutas raspadas ou bem amassadas;
- Papas salgadas, preparadas com cereais e/ou tubérculos + leguminosas + hortaliças (legumes e verduras) e frutas + carnes, vísceras ou ovos.
- *Cereais e tubérculos* são a base da alimentação brasileira, presentes em maiores quantidades e que são ricos em carboidratos (fonte de energia). Exemplos: arroz, aipim, batata-doce, batata, mandioca, inhame, batata-baroa (mandioquinha), cará, milho. Ao usar farinhas de milho/fubá, de arroz, de mandioca ou de trigo, preferir as fortificadas com ferro.
- *Leguminosas* são ricas em proteína vegetal, carboidratos, ferro inorgânico e fibras. Devem ser servidas bem cozidas, os grãos e o caldo. Exemplos: feijões, lentilha, ervilha seca, grão de bico, soja.
- *Frutas e hortaliças* (compreendem os legumes e as verduras) são alimentos ricos em vitaminas, minerais e fibras. Exemplos: abóbora, cenoura, abobrinha,

folhas verdes, tomate, quiabo, vagem, beterraba, chuchu, banana, mamão, laranja, manga, melancia, abacate, caju, goiaba, limão, abacaxi etc.

* *Carnes, miúdos e ovos* são fontes de proteínas de origem animal e de ferro de alta biodisponibilidade, prevenindo a anemia (para mais informações, veja o item "Alguns nutrientes em destaque na infância", ao final desse capítulo).

As carnes, sem restrições quanto ao tipo (desde que não sejam provenientes de produtos ultraprocessados, como salsichas e linguiças), devem ser bem cozidas e macias, com a extração das partes gordurosas; dos frangos, também retirar as peles. Os peixes devem ser servidos sem espinhas. Ovos cozidos (clara e gema) podem ser introduzidos a partir dos 6 meses, sendo importante que, para seu uso, seja avaliada a história familiar de alergias alimentares e considerada sua presença na composição de outros alimentos oferecidos à criança. Miúdos também são excelentes fontes de proteínas e ferro. Exemplos: fígado (bovino ou de frango), coração e moela.

Em um mesmo grupo, os alimentos são fontes de diferentes nutrientes. A oferta de refeições com alimentos variados tende a garantir a satisfação das necessidades nutricionais da criança. Não existem restrições a nenhuma fruta ou hortaliça, tubérculo ou leguminosa, assim como a suas variedades: todas podem ser oferecidas. Sempre que possível, oferecer dois tipos diferentes de frutas em um mesmo dia, especialmente as ricas em pró-vitamina A, como as amareladas ou alaranjadas (veja também "Alguns nutrientes em destaque na infância", ao final desse capítulo).

Os alimentos da época são a melhor opção, uma vez que são mais nutritivos, saborosos, facilmente encontrados e mais baratos. As preparações devem ser simples, minimamente salgadas (usar sal iodado). O termo "papa salgada" é para diferenciar da papa de frutas e não para referenciar uma alimentação salgada. Utilizar temperos naturais (cebola, alho, salsa, manjericão, cebolinha, entre outros, usando-os diversificadamente), sem a adição de temperos ou condimentos industrializados (massa/molho de tomate, temperos concentrados, molhos prontos, maionese, catchup etc.) ou picantes. Não usar enlatados ou carnes já temperadas, pois contêm sódio em excesso e outros condimentos que podem irritar a mucosa gástrica do bebê. O óleo vegetal poderá ser utilizado no preparo das papas salgadas, pois é fonte de ácidos graxos essenciais e energia. Mas, não oferecer frituras, o óleo é só para o cozimento dos alimentos.

A quantidade de água para cozimento deve ser suficiente para cozinhar bem o alimento, sobrando pouca água. Iniciar o preparo com as carnes, adicionar as hortaliças quando a água já estiver fervendo e deixar a panela tampada. São cuidados que ajudam a preservar nutrientes como as vitaminas hidrossolúveis e alguns minerais.

Não adicionar açúcar às frutas ou às preparações salgadas, pois este mascara o sabor original dos alimentos, não favorecendo a formação de hábitos saudáveis. O açúcar deve ser evitado nos primeiros dois anos de vida, ao passo que o mel é totalmente contraindicado no primeiro ano de vida devido ao risco de contaminação por *Clostridium botulinum.*

O preparo das papas não requer a adição de leite ou margarina. Temperos e condimentos industrializados não são adequados para a saúde de crianças ou de adultos, uma vez que são ricos em sódio, aumentando os riscos ou agravando a hipertensão; mas podem ser substituídos por temperos naturais. Uma vez que a criança desenvolve seus hábitos em família, é interessante que todos busquem promover mudanças alimentares saudáveis.

Alguns alimentos devem ser evitados, mesmo quando o *marketing* os apresenta como próprios para a criança (queijo *petit swiss*, biscoitos recheados, achocolatados, iogurtes industrializados, sucos prontos, bebidas lácteas, entre outros) ou quando são consumidos pela família (macarrão instantâneo, frituras, refrigerantes, café, chás, sorvetes, salsicha, presunto, enlatados, bebidas alcoólicas etc). Caso a família tenha dificuldades em mudar seus hábitos, compartilhar somente as opções saudáveis, sendo que as demais precisarão ser preparadas separadamente. Os rótulos dos produtos infantis devem ser lidos, a fim de que a aquisição de alimentos com corantes ou conservantes seja evitada. As datas de validade também merecem atenção e devem ser verificadas antes das compras. Após a abertura das embalagens o tempo de validade é alterado e as embalagens costumam vir com a recomendação de quanto tempo permanecerá próprio para o consumo.

Uma vez iniciada a introdução de novos alimentos, a criança passa a precisar de água filtrada e fervida, a ser oferecida no copo.

QUANDO E COMO OFERECER A ALIMENTAÇÃO COMPLEMENTAR

A partir dos 6 meses, inicialmente oferecer os alimentos uma vez por dia, até que a criança receba 3 refeições. Começar com 2 papas de frutas (lanche da manhã e da tarde) e 1 salgada (almoço). A comida, nessa fase, deverá ser preparada exclusivamente para a criança e servida na consistência de papa ou purê.

Ao colocar os alimentos no prato, amassá-los com um garfo até que fiquem com a consistência pastosa; não usar a peneira. Não misturar os alimentos: arrumá-los lado a lado, a fim de que a criança possa visualizá-los e saboreá-los separadamente. Dessa forma, é proporcionado à criança o aprendizado de diferentes aromas, sabores e texturas.

A utilização do liquidificador é totalmente contraindicada, pois as transformações que esse utensílio provoca são inadequadas à experimentação dos novos alimentos. Essa prática também é prejudicial ao desenvolvimento da musculatura da face e da mastigação, pois não estimula a aprendizagem do movimento de lateralidade da língua para o ato de mastigar.

Aos poucos, modificar a oferta até que a criança receba, ao completar 7 meses, 2 papas de frutas e 2 papas salgadas (almoço e jantar). Nas demais refeições, a criança receberá leite materno, seja por meio da amamentação ou pela oferta de leite ordenhado, no copo ou xícara.

A partir dos 8 meses, deve-se, gradativamente, apresentar à criança os alimentos da família amassados, triturados ou picados em pequenos pedaços. Algumas preparações comuns a todos da casa podem ser oferecidas, tais como arroz, feijão (grãos e caldo), carnes e legumes cozidos, desde que, na preparação, não contenham temperos picantes, bacon, banha, linguiça ou partes gordurosas de carnes ou frango. Usar alho, cebola, tomate, cebolinha, salsa, manjericão, manjerona, alecrim, tomilho, orégano ou outros produtos da pequena horta que pode ser feita em casa.

TABELA 22.1. *Rotina alimentar da criança, de acordo com a refeição e a idade*

HORÁRIOS	REFEIÇÕES			
	A PARTIR DOS 6 MESES	A PARTIR DOS 7 MESES	9 A 11 MESES	12 A 24 MESES
Início da manhã	Leite materno	Leite materno	Leite materno	Leite materno + cereal ou fruta
Meio da manhã	Papa de fruta	Papa de fruta	Fruta	Fruta
Final da manhã	Papa de sal	Papa de sal	Almoço	Almoço
Meio da tarde	Papa de fruta	Papa de fruta	Fruta	Leite materno + cereal ou fruta
Final da tarde	Leite materno	Papa de sal	Jantar	Jantar
Antes de dormir	Leite materno	Leite materno	Leite materno	Leite materno

*Adaptado do Ministério da Saúde. Dez passos para uma alimentação saudável: Guia alimentar para crianças menores de dois anos: um guia para o profissional de saúde na atenção básica. Ministério da Saúde, Secretaria de Atenção à Saúde, Departamento de Atenção Básica. 2 ed. Brasília: Ministério da Saúde, 2010 e Protocolo de Alimentação Saudável para Crianças Menores de 2 anos. SMSDC/SUBPAV/SPS. Instituto de Nutrição Annes Dias.

Os alimentos devem ser oferecidos no prato, com colher e os líquidos no copo, que são fáceis de limpar e não desestimulam a sucção do seio materno, interferindo no processo de amamentação. O prato deve ser separado e montado unicamente para a criança. Além de ser mais higiênico, as quantidades aceitas poderão ser facilmente observadas.

As consistências e quantidades serão abordadas a seguir.

A Quantidade da Alimentação Complementar

A capacidade gástrica após os 6 meses ainda é pequena, de 20 a 30 mL/kg de peso. As crianças aceitam volumes maiores ou menores de refeição. Uma vez que a criança está aprendendo a conhecer novos alimentos, sabores e texturas, a aceitação inicial será de pequenos volumes.

Algumas crianças aceitarão volumes maiores ou menores por refeição, sendo importante respeitar os sinais de fome e saciedade.

Entretanto, a oferta de volume de alimentos maior que a capacidade gástrica da criança resulta na recusa do alimento e consequente aumento na ansiedade dos pais ou cuidadores em torno do momento da refeição.

As crianças amamentadas desenvolvem o autocontrole sobre o consumo dos alimentos segundo suas necessidades por meio das sensações fisiológicas de fome e de saciedade. É importante que sejam preservados intervalos entre as refeições, sem que sejam dados outros alimentos além de água. Permitir que a criança tenha a sensação de fome colabora para o desejo da experimentação. Contudo, as refeições

TABELA 22.2. *Quantidade e textura de alimentos por refeição, de acordo com a idade da criança*

IDADE	TEXTURA	QUANTIDADE A CADA REFEIÇÃO
A partir dos 6 meses	Papa pastosa, alimentos bem amassados	Iniciar com 2 a 3 colheres de sopa, aumentando gradativamente conforme aceitação
A partir dos 7 meses	Alimentos bem assados	2/3 de uma xícara ou tigela de 250 mL (cerca de 6 colheres de sopa)
9 a 11 meses	Alimentos bem cortados ou levemente amassados	¾ de uma xícara ou tigela de 250 mL (cerca de 7 colheres de sopa)
12 a 24 meses	Alimentos bem cortados	Uma xícara ou tigela de 250 mL (cerca de 9 colheres de sopa)

*Adaptado do Manual do Curso de Aconselhamento em alimentação de lactentes e crianças de primeira infância: um curso integrado. Guia do facilitador, OMS/2005, adaptado por Teresa Toma em 2006, pp. 468.

precisam ser oferecidas tão logo a criança demonstrar esse sentimento. Isso é importante para o desenvolvimento do autocontrole sobre a escolha dos alimentos.

A oferta da alimentação deverá ocorrer em ambiente calmo e a criança não deverá estar com sono ou com muita fome, pois poderá ficar irritada e recusar a refeição. Não há necessidade de acontecer em um horário rígido, mas é importante que o intervalo entre as refeições seja regular. Ofereça quando a criança estiver tranquila e demonstrando apetite para que a atividade ocorra de maneira agradável e prazerosa. Principalmente nos primeiros contatos com o alimento é importante que a criança e o adulto estejam prontos para as novidades: outros sabores, texturas, consistências, uso do prato e da colher.

A criança pode manusear o alimento e tentar comer sozinha, mas sempre com a supervisão de um adulto. Auxiliar a criança sempre que necessário, evitando que coloque uma quantidade muito grande de alimentos na boca ou que não se distraia.

A atenção da criança precisa estar disponível para perceber o que está comendo ou bebendo. Refeições feitas coletivamente, em família ou mesmo em grupos de crianças nas creches, em ambiente agradável, criam condições favoráveis à socialização e ao desenvolvimento da sensação de pertencimento da criança. A TV deve estar desligada; outras possibilidades de distração podem ser afastadas, a fim de que todos possam partilhar desse momento.

A alimentação oferecida deve estar com uma boa apresentação, quanto mais colorida maior a variedade de nutrientes e mais atrai a atenção da criança. Verificar sempre a temperatura dos alimentos antes de oferecer. É aconselhável que o adulto prove o alimento que será oferecido para verificar se o sabor está adequado. Mas, deve lembrar que a alimentação da criança deverá ter um tempero mais suave do que talvez esteja acostumado. É importante que o sabor seja agradável.

Caso a criança manifeste desejo, a refeição poderá ser finalizada com a alimentação ao seio ou, caso a mãe não esteja presente, com leite materno ordenhado, servido no copo ou xícara.

Ao final do primeiro ano, a criança deverá passar a consumir a refeição da família, mas com todos os cuidados recomendados acima.

QUANDO E COMO OFERECER A ALIMENTAÇÃO COMPLEMENTAR PARA A CRIANÇA NÃO AMAMENTADA NO PRIMEIRO ANO DE VIDA

As crianças que não estão sendo amamentadas ao peito e quando não há possibilidade de reverter essa situação, ou seja, quando esgotadas todas as possibilidades de relactação da mãe e analisados caso a caso. O leite de vaca integral fluido ou em pó não é recomendado para criança menor de 1 ano. O consumo de leite de vaca no Brasil é elevado nos 6 primeiros meses de vida e é necessário se conhecer como e até quando o mesmo deverá ser diluído em função do excesso de proteína e eletrólitos que sobrecarregam o rim da crianças.

A diluição do leite integral fluído deverá ser de 2/3 (10%) de leite fluido + 1/3 de água fervida e filtrada. Como há deficiência de energia e ácido linoleico é necessário acrescentar 3% de óleo (1 colher de chá para cada 100 mL = 27 calorias) para melhorar o aporte energético. Não é recomendado acrescentar açúcares e farinhas, que não são recomendados para crianças menores de 24 meses.

Após os 4 meses não há necessidade de diluir o leite e nem acrescentar o óleo. Se a criança estiver recebendo fórmula infantil o preparo deverá seguir as orientação da embalagem.

TABELA 22.3. *Rotina alimentar da criança não amamentada ao seio, de acordo com a refeição e a idade*

HORÁRIOS	REFEIÇÕES		
	DE 4 A 8 MESES	APÓS COMPLETAR 8 MESES	APÓS COMPLETAR 12 MESES
Início da manhã	Leite	Leite	Leite + cereal ou fruta
Meio da manhã	Papa de fruta	Fruta	Fruta
Final da manhã	Papa de sal	Papa de sal ou refeição da família	Almoço
Meio da tarde	Papa de fruta	Fruta	Cereal ou fruta ou tubérculo
Final da tarde	Papa de sal	Papa de sal ou refeição da família	Jantar
Antes de dormir	Leite	Leite	Leite

*Adaptado do Ministério da Saúde. Dez passos para uma alimentação saudável: Guia alimentar para crianças menores de dois anos: um guia para o profissional de saúde na atenção básica. Ministério da Saúde, Secretaria de Atenção à Saúde, Departamento de Atenção Básica. 2 ed. Brasília: Ministério da Saúde, 2010 e *Protocolo de Alimentação Saudável para Crianças Menores de 2 anos. SMSDC/SUBPAV/SPS. Instituto de Nutrição Annes Dias

Observar os cuidados descritos acima sobre consistências, quantidades e como oferecer os alimentos conforme a criança amamentada ao seio materno. A família deverá ser alertada sobre os benefícios do aleitamento materno diante da necessidade da introduzir outro leite a criança.

A ACEITAÇÃO DOS NOVOS ALIMENTOS

É normal que a criança estranhe as primeiras ofertas, uma vez que tudo é novo para ela. Isso, porém, não deve ser entendido como rejeição definitiva. Naturalmente, algumas se adaptam mais rapidamente a essa fase, enquanto outras levam mais tempo. Um alimento recusado deve ser oferecido novamente em outras refeições. Em média, as crianças precisam ser apresentadas 8 a 10 vezes ao alimento para que a rejeição se confirme.

Algumas crianças precisam ser estimuladas a comer, nunca forçadas. Por outro lado, deve-se evitar substituir frequentemente a refeição por mamada ou por outro alimento inadequado para o período do dia (p. ex., substituir papa de sal por papa de frutas). Jamais devem ser aplicadas práticas coercitivas ou punitivas, de premiação ou de castigo, uma vez que são nocivas à formação de hábitos alimentares saudáveis. A criança tende a não gostar de alimentos quando o adulto utiliza como recurso a chantagem, coação ou premiação. É uma atitude que interfere no processo fome e saciedade autorregulada pela criança.

Horários rígidos de alimentação prejudicam o desenvolvimento natural da capacidade de autocontrole do apetite. Dificuldades em se distinguir a manifestação do desconforto da fome de outras causadas por sede, fraldas sujas, calor ou frio podem fazer com que sejam oferecidos alimentos à criança mesmo quando não tem fome. As consequências dessa inabilidade são agravadas quando alimentos não saudáveis são oferecidos.

Refeições mais volumosas e consistentes tendem a estar associadas a maiores intervalos entre as refeições. Entretanto, crianças que consomem refeições diluídas ou que são oferecidas sem regularidade de horários, mesmo que tendam a mamar com mais frequência para compensar suas necessidades nutricionais, estão sujeitas a prejuízos no ganho de peso e no crescimento.

CUIDADOS HIGIÊNICOS NO PREPARO E NA OFERTA DOS ALIMENTOS COMPLEMENTARES

A introdução de novos alimentos, embora necessária ao crescimento e desenvolvimento, quando alguns cuidados não são seguidos, também expõe a criança a riscos de infecções, entre as quais destacamos a diarreia, importante causa de adoecimento e mortes na infância.

Os riscos de contaminação do alimento se associam fortemente ao uso de mamadeira, seja pelas dificuldades para limpeza e higienização adequadas, seja pela possibilidade de atraírem insetos.

Outros fatores de risco merecem atenção:

CAPÍTULO 22 Alimentação Complementar Oportuna e Saudável: o Cuidado na Forma de Comida

- Higiene das mãos: lavar bem as mãos em água corrente e sabão antes de preparar e oferecer alimentos, inclusive água, para a criança, assim como sempre que usar ou levar a criança ao banheiro, trocar fraldas, manipular alimentos ou mexer no lixo;

- Contaminação da água de beber e usada no preparo das refeições: para evitá-la, utilizar água tratada, filtrada e fervida;

- Armazenamento de alimentos: guardá-los sempre em recipientes limpos e secos, tampados/cobertos, em local fresco e longe do contato com moscas e outros insetos, animais e poeira;

- Conservação de alimentos preparados: a contaminação ocorre pela proliferação de microrganismos, caso permaneçam em temperatura ambiente por mais de 6 horas antes de oferecidos à criança ou serem guardados na geladeira;

- Temperatura do refrigerador: a temperatura adequada é em torno de 4°C e 5°C. Recomenda-se que o mesmo não seja aberto com frequência e verificar as condições de vedação da porta para não ocorrer variações na temperatura. Caso o refrigerador não seja acessível ou não esteja em condições para garantir temperatura adequada, preparar os alimentos para a criança próximos à refeição;

- Sobras de refeições e de leite materno servidos no copo devem ser desprezados;

- As frutas e hortaliças (legumes e verduras) devem ser lavadas em água corrente antes de serem descascadas ou mesmo quando consumidas com casca, nesse caso requerem uma higienização com produtos a base de cloro.

A OFERTA DE LEITE MATERNO NA AUSÊNCIA DA MÃE

Nem sempre a mãe está presente para poder amamentar seu filho, seja em função do retorno ao trabalho, aos estudos, ou outro motivo. Nesse caso, a oferta de leite materno extraído da mama (ordenhado) pelos cuidadores da criança (familiares, babás, amigos, profissionais das creches) permite manter a amamentação.

O retorno ao trabalho ou aos estudos é um momento de grande angústia para muitas mães, especialmente para as que experimentam a amamentação de forma prazerosa. Esse momento pode justificar, muitas vezes, a interrupção não desejada dos estudos ou do trabalho por parte da mãe/mulher.

Atualmente, diversos estados e municípios brasileiros modificaram sua legislação, ampliando a licença-maternidade de 120 para 180 dias às servidoras públicas. No caso das empresas privadas, tal ampliação é possível desde que o empregador faça adesão ao Programa Empresa Cidadã, da Receita Federal. Uma das possibilidades de se aumentar o prazo, seja de 120 ou de 180 dias, é o gozo das férias logo após esse período. Caso a mulher ou a criança apresentar algum problema de saúde, mais 15 dias podem ser concedidos mediante apresentação de atestado médico. A Constituição Federal também prevê a licença-paternidade, de 5 dias, para trabalhadores com carteira assinada.

376

Alimentação Complementar Oportuna e Saudável: o Cuidado na Forma de Comida **CAPÍTULO 22**

O horário do trabalho e o tempo gasto com deslocamento precisam ser considerados. Vale lembrar que a CLT (Seção V, art. 396) garante dois intervalos de 30 minutos cada durante o horário de trabalho, até a criança completar 6 meses. Esse intervalo pode ser negociado nos horários de entrada e saída.

O Estatuto da Criança e de Adolescente protege as mães adolescentes e seus filhos, ao definir que, a partir do oitavo mês de gestação e durante 3 meses após o parto, a estudante ficará assistida pelo Decreto-Lei nº 1044/1969.

Para maiores detalhes, veja o Capítulo 31 – Proteção Legal ao Aleitamento Materno: uma Visão Comentada.

A mãe pode começar a preparar essa nova etapa com alguma antecedência, sugerindo-se que seja de duas semanas. É importante que quem dividir os cuidados com a criança seja preparado(a) para dar continuidade à amamentação e que, ao mesmo tempo, participe do início da oferta de alimentos complementares de forma adequada. Esperamos que esse capítulo seja útil para apoiar as mães nessa preparação, tornando-a um momento agradável, menos estressante. Os profissionais de saúde são atores fundamentais nesse processo, devendo ser preparados para compreender as dificuldades maternas, assim como as dos demais cuidadores da criança.

A mãe pode oferecer o seio antes de sair e no retorno a casa, oferecendo o seio quando a criança quiser, principalmente durante a noite. Mesmo nessas situações, a oferta das refeições complementares às crianças maiores de 6 meses precisa ser respeitada, não sendo substituída por mamadas.

Através de ordenha manual, o leite materno poderá ser extraído para ser oferecido na ausência da mãe. Deve-se armazenar em cada frasco a quantidade suficiente para uma mamada, uma vez que o leite ordenhado não poderá ser reaproveitado. O leite materno ordenhado pode ser armazenado por 12 horas na geladeira e por 15 dias no congelador ou *freezer*. Deve ser descongelado em banho-maria. Jamais usar micro-ondas ou ferver o leite. Servi-lo com um copo ou xícara pequenos, preferencialmente após a oferta do alimento complementar. Dessa forma, a criança não precisa ser forçada a aceitar mamadeira e a mãe mantém os estímulos necessários para a produção de leite materno, mesmo quando afastada da criança. As técnicas de ordenha manual, de armazenamento e de oferta à criança são detalhadas nos Capítulos 8 e 20. A Caderneta de Saúde da Criança, instrumento importante para o acompanhamento da saúde da criança, poderá também ser consultada.

Recomenda-se que a ordenha do leite materno seja feita também durante o período em que estiver trabalhando ou estudando, a fim de manter o estímulo para a produção de leite e de evitar ingurgitamento mamário. O leite deve ser extraído em local limpo, com os mesmos cuidados usados na ordenha feita em casa, e guardado em geladeira até a hora de voltar para a casa. Recomenda-se transportá-lo com gelo em isopor ou bolsa térmica bem fechada.

A fim de que seja adquirida confiança de que o leite materno, água e outros líquidos que podem ser oferecidos no copo ou xícara à criança, é importante que a mãe seja apoiada para desenvolver essa habilidade e que esta se certifique de que

CAPÍTULO 22 Alimentação Complementar Oportuna e Saudável: o Cuidado na Forma de Comida

essa técnica também é do domínio de outros cuidadores da criança. Esse conhecimento é essencial, a fim de que seja evitada, na ausência materna, a oferta de líquidos em mamadeira, aumentando as chances de a criança deixar o seio.

Para receber o leite materno e outros líquidos, a criança deverá estar sentada. Deve-se tocar o copo ou xícara nos lábios da criança, inclinando levemente, para que possa tomar o líquido, em pequenos goles.-

A CRIANÇA QUE VAI PARA A CRECHE

Caso a criança vá para a creche, é importante que a mãe se certifique sobre como são desenvolvidas as práticas alimentares nesse lugar, destacando os procedimentos para a oferta de leite materno ordenhado (armazenamento, conservação e de oferta, não utilização de mamadeira, não reaproveitamento etc.), o cardápio, a maneira como as preparações são oferecidas (horário, ambiente etc.).

O leite materno ordenhado e transportado para ser oferecido na creche deverá sempre ser etiquetado com informações como o nome da criança, data e horário da coleta.

Ao conhecer a creche que a criança frequentará, a família deverá ficar atenta se possui lactário e verificar as instalações com cuidado, observando a higiene do ambiente, a presença de refrigerador exclusivo no lactário e sua limpeza, profissionais devidamente uniformizados e qual a formação dos mesmos. Deverá solicitar ver os utensílios que serão utilizados para oferecer a alimentação para a criança.

Algumas creches possuem um local para a mãe que desejar amamentar no seu horário de almoço ou qualquer outro disponível. Deverá entrar em acordo com a equipe para combinar a rotina alimentar do dia. A creche deverá ser um espaço de apoio e de incentivo à amamentação.

Na entrevista inicial com o nutricionista, o psicólogo e o pediatra da creche, a família deve relatar informações sobre a gestação, amamentação e como está a rotina alimentar no momento do ingresso. São informações importantes para que a equipe possa conhecer a criança que está recebendo.

Uma informação diária importante é qual será a última refeição realizada em casa antes de ir para a creche, o horário e a quantidade. Isso possibilitará aos profissionais calcularem o intervalo necessário para a próxima refeição. Nem sempre a criança aceita a alimentação no horário em que lhe é oferecida. Mas é importante lembrar que é sempre mais fácil para a família se adaptar aos horários da creche do que o contrário.

As rotinas alimentares da creche e de casa deverão ser similares, pois caso a criança apresente alguma alergia ou intolerância alimentar será mais fácil identificar o alimento responsável. Para tanto é necessário que a creche divulgue o cardápio diário.

A mãe deve reservar alguns dias antes de voltar ao trabalho para realizar a adaptação da criança na creche. O tempo necessário varia de uma criança para outra, mas em média 15 dias são suficientes. A carga horária deverá ser aumentada progressivamente e nos primeiros dias a permanência não deverá incluir nenhuma refeição,

378

pois a criança estará conhecendo o ambiente e as pessoas. É importante que esteja mais segura e confortável no ambiente antes de realizar a primeira refeição no local.

Alimentos novos que a criança ainda não tenha experimentado devem ser preferencialmente oferecidos pela família e em casa antes de serem oferecidos na creche.

ALGUNS NUTRIENTES DE GRANDE RELEVÂNCIA PARA A SAÚDE DA CRIANÇA

Vitamina A

Quando a criança é amamentada exclusivamente, ou seja, recebe apenas o leite materno, sem nenhum outro alimento, chá ou água, o leite materno satisfaz as necessidades de vitamina A nos 6 primeiros meses. As quantidades são suficientes para garantir a saúde, permitir crescimento normal e saudável, e para a manutenção dos estoques dessa vitamina no fígado. Dada sua relevância, os alimentos ricos em vitamina A merecem cuidado na alimentação complementar.

A vitamina A é um micronutriente encontrado em fontes de origem animal (retinol) e vegetal (provitamina A). Entre os alimentos de origem animal, as principais fontes são: leite humano, fígado, gema de ovo e leite. A provitamina A é encontrada em vegetais folhosos verdes (como espinafre, couve, bertalha, mostarda, entre outros), vegetais amarelos (como abóbora e cenoura) e frutas amarelo-alaranjadas (como manga, caju, goiaba, mamão e caqui), além de óleos e frutas oleaginosas (buriti, pupunha, dendê e pequi), que são as mais ricas fontes de provitamina A. Um benefício das provitaminas é a conversão em vitamina A ativa e a ação como potentes antioxidantes.

Mulheres que amamentam e crianças a partir dos 6 meses possuem maiores necessidades de vitamina A que os demais grupos populacionais. Sua deficiência pode se manifestar por meio da xeroftalmia, caracterizada por problemas no sistema visual, com diminuição da sensibilidade à luz até cegueira parcial ou total. A manifestação subclínica é caracterizada por baixas concentrações de vitamina A, que contribuem para a ocorrência de agravos à saúde, como diarreia e problemas respiratórios. À medida que as reservas do corpo diminuem, aumentam as consequências da deficiência; a suplementação com vitamina A pode reverter a condição subclínica e impedir o avanço da deficiência para a forma clínica.

O Ministério da Saúde implantou o Programa Nacional de Suplementação de Vitamina A, que consiste na suplementação profilática medicamentosa para crianças de 6 a 59 meses de idade e mulheres no pós-parto. Para maiores informações, procure uma Unidade Básica de Saúde.

Ferro

A anemia por deficiência de ferro é definida como a condição na qual a concentração de hemoglobina no sangue está abaixo do normal. Associa-se ao retardo no desenvolvimento neuromotor, diminuição da imunidade e da capacidade intelectual e motora. Acomete principalmente crianças menores de dois anos de idade e gestantes. É um grave problema de saúde pública no Brasil em virtude das altas

CAPÍTULO 22 Alimentação Complementar Oportuna e Saudável: o Cuidado na Forma de Comida

prevalências e da estreita relação com o desenvolvimento das crianças. No mundo, é a carência nutricional de maior magnitude, com elevada prevalência em todos os segmentos sociais.

Estudos comprovam que crianças que apresentaram anemia durante os primeiros anos de vida, mesmo quando tratadas, possuem maior probabilidade de baixo rendimento escolar em idades posteriores. A anemia na infância também está relacionada com a baixa produtividade de adultos no trabalho, o que contribui para a transmissão intergeracional da pobreza com sérias implicações para o desenvolvimento de um país.

A anemia pode ser determinada por diversos fatores. Cerca de 50% dos casos acontecem em função da deficiência de ferro, determinada pela dieta insuficiente. Outras causas são deficiências de ácido fólico, vitamina B12, vitamina A, inflamação crônica, infecções parasitárias e doenças hereditárias.

O leite materno, apesar de apresentar pouca quantidade de ferro, quando oferecido exclusivamente é capaz de suprir plenamente as necessidades desse nutriente nos primeiros 4 a 6 meses de vida. A partir dessa fase, a alimentação complementar deverá ser rica nesse micronutriente. Além da quantidade de ferro presente no alimento, deve-se levar em conta sua biodisponibilidade.

O ferro do leite materno é o mais bem absorvido (50%). O ferro de origem animal (ferro orgânico) tem aproveitamento de até 22%, enquanto o de alimentos origem vegetal (ferro inorgânico) é de 1 a 6%. O aproveitamento do ferro contido em vegetais e em outros alimentos como no feijão e outras leguminosas é aumentado na presença de pequenas porções de alimentos que contêm ferro orgânico, de alto valor biológico, como carnes e vísceras. Compor a refeição com alimentos ricos em vitamina C (goiaba, mamão, couve, agrião, salsinha, tangerina, brócolis, repolho, laranja, limão, caju, banana etc.) que, combinados com o ferro inorgânico de cereais, ovos, vegetais e leguminosas, facilita a absorção do ferro. Recomenda-se oferecer 1 vez por semana fígado bovino.

A Política Nacional de Alimentação e Nutrição estabelece ações de prevenção e controle da anemia por deficiência de ferro no âmbito do SUS. Além da promoção à alimentação saudável, destacam-se o Programa Nacional de Suplementação de Ferro (PNSF) e a Estratégia de Fortificação da Alimentação Infantil com micronutrientes (NutriSUS), esta última a ser aplicada em creches públicas do Programa de Saúde na Escola. Maiores informações podem ser obtidas em uma Unidade Básica de Saúde ou no próprio site do Ministério da Saúde (www.saude.gov.br).

Zinco

O aleitamento materno exclusivo preenche as necessidades no primeiro semestre de vida da criança, porém apesar da boa disponibilidade do zinco presente no leite materno, a partir dos 6 meses a criança precisa receber quantidades por meio da alimentação complementar para suprir as necessidades. A deficiência de zinco é relevante para países em desenvolvimento, devido aos hábitos alimentares que se caracterizam por baixo conteúdo de proteína animal e alto teores de fitatos na alimentação da população. Os fitatos associados a alguns minerais, como o zinco, formam compostos insolúveis e diminuem a sua biodisponibilidade. Os produtos

380

de origem vegetal costumam ter menores teores de zinco, além de um menor aproveitamento ou menor eficiência na utilização metabólica, particularmente em cereais e legumes com altas concentrações de fitatos.

A oferta de produtos de origem animal, principalmente as carnes e órgãos (como o fígado) e gema de ovo fornecem as quantidades necessárias.

A ALIMENTAÇÃO DA CRIANÇA DOENTE

O adoecimento da criança merece bastante atenção também na perspectiva nutricional. O cuidado inadequado fragiliza a saúde da criança, tornando-a mais susceptível a novas infecções. Episódios repetitivos de diarreia, por exemplo, provocam perdas gastrointestinais de energia e micronutrientes (vitamina A, zinco e ferro). Quando duradouros, também afetam a integridade da mucosa intestinal, afetando a capacidade de aproveitamento de lactose e outros nutrientes. Episódios frequentes de infecção podem levar a atrasos no crescimento e desenvolvimento.

Recomendações importantes:

- Se a criança estiver em aleitamento exclusivo, aumentar a oferta no seio. Quando abocanha a mama sem sugar, estimular a sucção ao seio com toques leves em seu rosto;
- Oferecer os alimentos de preferência da criança, em pequenas quantidades, porém com maior frequência, uma vez que o apetite da criança doente encontra-se reduzido. Se apenas um tipo de preparação for aceito, mantê-lo até que, com sua recuperação, a criança volte a aceitar preparações variadas;
- Alimentos complementares pastosos ou em forma de purê podem ser mais bem aceitos;
- A fim de aumentar o teor energético da refeição, repondo a energia necessária à recuperação da criança, acrescentar óleo (do tipo comumente utilizado) às preparações salgadas: uma colher de sobremesa para crianças menores de um ano e uma colher de sopa para crianças maiores de um ano;
- Crianças febris e/ou com diarreia precisam de uma oferta maior de água e líquidos, a ser feita nos intervalos ou após as refeições. Evitar oferecer antes da refeição, para não comprometer a aceitação da comida;
- Estar presente às refeições, mesmo quando a criança come sozinha, a fim de que se sinta protegida e estimulada;
- Atenção a quanto à criança consegue comer. No entanto, não forçar a criança a comer. Esse comportamento estressa a todos, especialmente a criança, diminuindo seu apetite e comprometendo sua recuperação.

O FIM DE UMA FASE: O DESMAME OPORTUNO

Amamentar é uma escolha materna, assim como a duração em que será praticada. Algumas crianças deixam o seio "no seu tempo", naturalmente, sem terem vivenciado a confusão de bicos por mamadeiras ou chupetas. Outras vezes, o desmame é uma opção materna, também "do seu tempo".

CAPÍTULO 22 Alimentação Complementar Oportuna e Saudável: o Cuidado na Forma de Comida

Aos poucos, as mamadas das refeições da manhã e da noite deverão ser substituídas por outras refeições, oferecidas no copo ou colher. Esse processo faz parte do crescimento e desenvolvimento da criança, devendo ser vivido de forma lúdica e positiva. Algumas crianças terão mais dificuldades em aceitar essa mudança quando a refeição for oferecida pela mãe. Nesse caso, a ajuda de outras pessoas adultas da relação da criança pode ajudar.

O importante é que a amamentação não seja suspensa repentinamente, a fim que a produção de leite comece a diminuir e que o desmame aconteça tranquilamente, sem traumas para a mãe e seu filho.

ALGUMAS RECEITAS PARA A ALIMENTAÇÃO COMPLEMENTAR

FEIJÃO, ARROZ, FRANGO COM CENOURA E BRÓCOLIS

INGREDIENTES	QUANTIDADE	MEDIDA CASEIRA
Feijão cozido e amassado	50 g	3 colheres de sopa
Arroz cozido (papa)	50 g	3 colheres de sopa
Frango (sem gordura e sem pele)	50 g	1 pedaço pequeno
Cenoura picada	50 g	1 unidade pequena
Brócolis picado	20 g	1 buquê pequeno
Cebola ralada	5 g	1 colher de chá
Alho	2 g	1 colher de chá nivelada
Óleo	3 g	1 colher de café
Sal	0,5 g	1 colher de café nivelada
Água	200 mL	3/4 de copo de requeijão

Modo de preparo:
1. Separar os ingredientes e utensílios que serão utilizados. Aqueça a água;
2. Em uma panela pequena, aqueça o óleo e refogue a cebola e o alho;
3. Acrescentar o frango, o sal e misture bem, até que o frango comece a cozinhar;
4. Acrescentar a cenoura e os brócolis. Misture bem e acrescente a água;
5. Cozinhar por 15 minutos;
6. Desfiar o frango e retorná-lo para a panela com os vegetais;
7. Servir o frango e os vegetais arrumados no prato, separadamente, com o arroz papa e o feijão amassado.

Valor nutricional: Energia: 478,03 kcal; Proteína: 13,3 g; Carboidrato: 26,7 g; Lipídeos: 12,3 g; Fibra: 6,6 g; Vitamina A: 404,5 mcg EAR; Ferro: 1,436 mg; Vitamina C: 9,4 mg; Cálcio: 41,5 mg; Zinco: 1,4 mg; Sódio: 228,72 mg.

FÍGADO COM REPOLHO, ARROZ E FEIJÃO

INGREDIENTES	QUANTIDADE	MEDIDA CASEIRA
Arroz cozido (papa)	50 g	3 colheres de sopa
Feijão cozido e amassado	50 g	3 colheres de sopa
Fígado bovino	60 g	3 colheres de sopa
Alho	2 g	1 colher de chá nivelada
Cebola	5 g	1 colher de chá
Óleo	3 g	1 colher de café
Repolho branco picado	10 g	1 colheres de sopa
Salsa picada	2 g	1 colher de sobremesa
Sal	0,5 g	1 colher de café nivelada

Modo de preparo:
1. Separar os ingredientes e utensílios que serão utilizados;
2. Tirar a pele do fígado. Em uma panela pequena, aquecer o óleo, refogue a cebola e o alho e acrescente o fígado;
3. Acrescentar o repolho;
4. Cozinhar por 10 minutos.
5. Destampar a panela, acrescentar a salsa picadinha mexer bem e apagar o fogo.
6. Servir com arroz e feijão.

Valor nutricional: Energia: 434,49 kcal; Proteína: 16,4 g; Carboidrato: 22,5 g; Lipídeos: 6,7 g; Fibra: 5,174 g; Vitamina A: 4779,9 mcg EAR; Ferro: 4,4 mg; Vitamina C: 3,1 mg; Cálcio: 26,46 mg; Zinco: 2,8 mg; Sódio: 242,16 mg.

JARDINEIRA DE LEGUMES

INGREDIENTES	QUANTIDADE	MEDIDA CASEIRA
Carne moída (*)	60 g	3 colheres de sopa
Batata em cubos	50 g	3 colheres de sopa
Cenoura em cubos	50 g	3 colheres de sopa
Chuchu em cubos	50 g	3 colheres de sopa
Alho picado	2 g	1 colher de chá nivelada
Cebola ralada	5 g	1 colher de chá
Óleo	3 g	1 colher de café
Salsa bem picada	2 g	1 colher de sobremesa
Sal	0,5 g	1 colher de café nivelada

(*) Patinho ou alcatra ou coxão mole ou pá ou acém ou músculo

Modo de preparo:

1. Separar os ingredientes e utensílios que serão utilizados;
2. Em uma panela pequena, aqueça o óleo e refogue a cebola e o alho;
3. Acrescentar a carne e misture bem;
4. Cobrir com água e adicional o sal e cozinhar até a carne ficar macia;
5. Acrescentar a cenoura, a batata e o chuchu, nessa ordem, com intervalo de 3 minutos entre os legumes;
6. Deixar cozinhar;
7. Por fim, acrescentar a salsa bem picada e misturar bem.

Valor nutricional: Energia: 196,6 kcal; Proteína: 14,9 g; Carboidrato: 14,3 g; Lipídeos: 8,4 g; Fibra: 2,584 g; Vitamina A: 350,7 mcg EAR; Ferro: 1,7 mg; Vitamina C: 24,5 mg; Cálcio: 21,4 mg; Zinco: 1,9 mg; Sódio: 231,3 mg.

ANGU COM FEIJÃO, FRANGO E VAGEM

INGREDIENTES	QUANTIDADE	MEDIDA CASEIRA
Feijão cozido e amassado	50 g	3 colheres de sopa
Fubá	40 g	2 colheres de sopa cheias
Frango (sem gordura e sem pele)	50 g	1 pedaço pequeno
Vagem	50 g	3 unidades
Alho picado	2 g	1 colher de chá nivelada
Cebola ralada	5 g	1 colher de chá
Óleo	3 g	1 colher de café
Sal	0,5 g	1 colher de café nivelada
Água	400 mL	2 xícaras de chá

Modo de preparo:

1. Separar os ingredientes e utensílios que serão utilizados;
2. Dissolver o fubá na água e acrescente o sal. Levar ao fogo brando, mexendo sempre, por 30 minutos. Se precisar, colocar, aos poucos, mais água quente;
3. Em uma panela pequena, aqueça o óleo e refogue a cebola e o alho;
4. Acrescentar o frango picado e misture bem;
5. Acrescentar a vagem cortada em pequenos pedaços;
6. Deixar cozinhar;
7. Por fim, acrescentar a salsa bem picada e misturar bem.
8. Servir com feijão amassado (grão e caldo).

Valor nutricional: Energia: 343,9 kcal; Proteína: 14,5 g; Carboidrato: 42,8 g; Lipídeos: 12,6; Fibra: 8,9 g; Vitamina A: 19,1 mcg EAR; Ferro: 2,3 mg; Vitamina C: 3,0 mg; Cálcio: 67,18 mg; Zinco: 1,5 mg; Sódio: 227,3 mg.

PURÊ DE INHAME E FEIJÃO COM CARNE MOÍDA E COUVE

INGREDIENTES	QUANTIDADE	MEDIDA CASEIRA
Feijão cozido e amassado	50 g	3 colheres de sopa
Carne moída ou picada (*)	60 g	3 colheres de sopa
Inhame cru	40 g	2 colheres de sopa
Couve picada	20 g	1 folha pequena
Alho picado	2 g	1 colher de chá nivelada
Cebola ralada	5 g	1 colher de chá
Óleo	3 g	1 colher de café
Salsa picada	2 g	1 colher de sobremesa
Sal	0,5 g	1 colher de café nivelada

(*) Patinho ou alcatra ou coxão mole ou pá ou acém ou músculo.

Modo de preparo:
1. Separar os ingredientes e utensílios que serão utilizados;
2. Colocar o inhame, cobrir com água e cozinhar até ficar macio. Amassar bem e separar;
3. Em uma panela pequena, aqueça o óleo e refogue a cebola e o alho;
4. Acrescentar a carne ao refogado, mexendo sempre, até a carne ficar macia. Se necessário, acrescentar, aos poucos, água quente;
5. Acrescentar a couve bem picada;
6. Cozinhar até a couve ficar macia;
7. Servir com feijão cozido e amassado e o purê de inhame.

Valor nutricional: Energia: 221,8 kcal; Proteína: 16,6 g; Carboidrato: 18,2 g; Lipídeos: 8,7 g; Fibra: 5,7 g; Vitamina A: 68,8 mcg EAR; Ferro: 2,4 mg; Vitamina C: 22,8 mg; Cálcio: 51,9 mg; Zinco: 2,2 mg; Sódio: 233,0 mg.

PEIXE COM BATATA, ABÓBORA E SALSINHA

INGREDIENTES	QUANTIDADE	MEDIDA CASEIRA
Batata	50 g	3 colheres de sopa
Peixe (sem espinhas)	50 g	1 posta média
Abóbora	40 g	3 colheres de sopa
Alho picado	2 g	1 colher de chá nivelada
Cebola ralada	5 g	1 colher de chá
Óleo	3 g	1 colher de café
Salsa bem picada	2 g	1 colher de sobremesa
Sal	0,5 g	1 colher de café nivelada

Modo de preparo:

1. Separar os ingredientes e utensílios que serão utilizados;
2. Descascar a batata e a abóbora, cortando-as em pequenos cubos;
3. Levar ao fogo a batata com água o suficiente para cobri-la e o sal, cozinhando até ficar macia. Amassar bem e separar;
4. Aquecer o óleo e refogar a cebola e o alho;
5. Acrescentar o peixe e cozinhar. Desfiar o peixe e separar;
6. Cozinhar a abóbora com pouca água. Adicionar a salsa, misturar e apagar o fogo;
7. Servir o purê de batata e o peixe com abóbora.

Valor nutricional: Energia: 123,8 kcal; Proteína: 9,8 g; Carboidrato: 10,8 g; Lipídeos: 4,1 g; Fibra: 1,8 g; Vitamina A: 73,04 mcg EAR; Ferro: 0,6 mg; Vitamina C: 17,6 mg; Cálcio: 20,16 mg; Zinco: 1,1 mg; Sódio: 234,6 mg.

MACARRÃO COLORIDO

INGREDIENTES	QUANTIDADE	MEDIDA CASEIRA
Carne moída cozida(*)	60 g	3 colheres de sopa
Macarrão argolinha	60 g	2 colheres de sopa
Cenoura em cubos	20 g	1 colher de sopa
Brócolis	26 g	1 colheres de sopa
Beterraba	30 g	2 colheres de sopa
Óleo	3 g	1 colher de café
Sal	0,5 g	1 colher de café nivelada

(*) Patinho ou alcatra ou coxão mole ou pá ou acém ou músculo

Modo de preparo:

1. Separar os ingredientes e utensílios que serão utilizados. Aqueça a água;
2. Quando a água começar a ferver colocar o macarrão argolinha para cozinhar. Acrescente uma pequena pitada de sal na água;
3. Verifique se está cozido e escorra a água.
4. Acrescente a cenoura, o brócolis e a beterraba previamente cozidos e coloque um fio de azeite.
5. Sirva o macarrão com a carne moída.

Valor nutricional: Energia: 407,94 kcal; Proteína: 23,30 g; Carboidrato: 50,64 g; Lipídeos: 11,44 g; Fibra: 3,35 g; Ferro: 2,37 mg; Vitamina C: 11,28 mg; Cálcio: 36,76 mg; Zinco: 6,02 mg; Sódio: 165,86 mg.

FRANGO COZIDO E DESFIADO COM ESPINAFRE REFOGADO E CENOURA COZIDA

INGREDIENTES	QUANTIDADE	MEDIDA CASEIRA
Arroz cozido (papa)	50 g	3 colheres de sopa
Feijão cozido e amassado	50 g	3 colheres de sopa
Frango cozido(*)	60 g	3 colheres de sopa
Espinafre refogado	50 g	1 xícara de chá
Cenoura em cubos	20 g	1 colher de sopa
Óleo	6 g	2 colheres de café
Alho	4 g	2 colheres de chá
Cebola	5 g	1 colher de chá
Sal	1 g	2 colheres de café nivelada

(*) Peito de frango sem pele

Modo de preparo:

1. Separar os ingredientes e utensílios que serão utilizados. Aqueça a água;
2. Em uma panela pequena, aqueça o óleo e refogue a cebola e o alho;
3. Acrescentar o frango, o sal e misture bem, até que o frango comece a cozinhar.
4. Acrescente a cenoura
5. Cozinhar por 15 minutos.
6. Refogar o espinafre em outra panela com o óleo e alho.
7. Servir o frango com cenoura, espinafre refogado arrumados no prato, separadamente, com o arroz papa e o feijão amassado.

Valor nutricional: Energia: 236,86 kcal; Proteína: 21,12 g; Carboidrato: 25,83 g; Lipídeos: 5,29 g; Fibra: 7,05 g; Ferro: 1,31 mg; Vitamina C: 2,885 mg; Cálcio: 81,4 mg; Zinco: 1,43 mg; Sódio: 279,17 mg.

PEIXE COZIDO E DESFIADO COM BATATA BAROA E VAGEM PICADINHA

INGREDIENTES	QUANTIDADE	MEDIDA CASEIRA
Feijão cozido e amassado	50 g	3 colheres de sopa
Arroz cozido (papa)	50 g	3 colheres de sopa
Peixe cozido	60 g	2 colheres de sopa
Batata-baroa	50 g	2 colheres de sopa
Vagem picadinha	20 g	2 unidades
Óleo	6 g	2 colheres de café
Alho	4 g	2 colheres de chá
Cebola	5 g	1 colher de chá
Sal	1 g	2 colheres de café nivelada

Modo de preparo:

1. Separar os ingredientes e utensílios que serão utilizados;
2. Em uma panela pequena, aqueça o óleo e refogue a cebola e o alho;
3. Acrescentar o peixe, o sal e misture bem, até que o peixe comece a cozinhar;
4. Acrescente a vagem picadinha;
5. Cozinhar por 15 minutos.
6. Cozinhe a batata-baroa colocando água suficiente para cobrir, não precisa colocar muita água. Tempere com o sal e deixe cozinhar até que fique macia. Retire da água e amasse com um garfo até formar um purê;
7. Servir o peixe com vagem e o purê de batata-baroa arrumados no prato, separadamente e com o feijão amassado e o arroz papa.

Valor nutricional: Energia: 256,65 kcal; Proteína: 13,72 g; Carboidrato: 33,16 g; Lipídeos: 7,9 g; Fibra: 6,78 g; Ferro: 1,242 mg; Vitamina C: 0,235 mg; Cálcio: 37,95 mg; Zinco: 1,43 mg; Sódio: 299,07 mg.

Observação: As Medidas Caseiras visam facilitar a confecção da preparação em casa. É importante saber distinguir a colher de sopa (colher maior, usada para comer), da colher de sobremesa (um pouco menor que a colher de sopa, usada para consumir sobremesa), assim como a colher de chá (maior, entre as colheres pequenas) e a colher de café (a menor de todas). Para uma medida feita na colher nivelada, deve-se colocar o alimento na colher e passar levemente o lado não afiado da faca sobre sua borda. Para os profissionais de saúde, recomendamos atenção para o tipo de utensílio disponível no domicílio das famílias, em especial os usuários das Unidades Básicas de Saúde que são beneficiários de programas sociais. Para esses, recomendamos que sejam feitos ajustes experimentais às medidas, tomando por base a colher de sopa e, sempre que possível, realizando demonstrações sobre como utilizá-las.

CONSIDERAÇÕES FINAIS

Este capítulo foi escrito visando subsidiar as mães que amamentam a introduzir seus filhos no mundo dos novos alimentos, cumprindo uma etapa crucial no crescimento e desenvolvimento da criança, assim como na formação de seus hábitos alimentares, cuja repercussão se dará ao longo de toda a vida.

As orientações para a alimentação infantil, que hoje são evidenciadas como equivocadas, foram, ao longo das últimas décadas, adaptadas e incorporadas à cultura alimentar direcionada para as crianças brasileiras. O reconhecimento do processo histórico da construção das práticas alimentares inadequadas pode ser um passo importante, a fim de que, de forma dialogada, profissionais de saúde e famílias possam transformá-las, reconstruindo práticas saudáveis e, ao mesmo tempo, saborosas, acessíveis, alinhadas à cultura local e sustentáveis.

Mesmo as mães que possuem apoio para o exercício da maternidade, com plena autonomia, precisam lidar com a insegurança em relação ao cuidado com seu filho. As famílias elaboram seus próprios padrões de prática alimentar para a infância e apresentam-nos para as mães e os pais, indicando referências entre seus membros a serem seguidas como modelo de padrões negativos e positivos. Para promover práticas alimentares saudáveis na infância, os profissionais de saúde precisam fortalecer o diálogo com as mães e suas famílias, da mesma forma que o setor saúde deve buscar a integração com demais setores que lidam com crianças e mães, em qualquer ambiente de assistência e de cuidado.

Contudo, cabe à mãe decidir amamentar ou não. E, uma vez que amamentar é a conduta esperada, nem sempre é dada a devida atenção para as maneiras que a mãe expressa seu desejo contrário. Nesse caso, é fundamental orientar as alternativas possíveis às condições maternas e da família, a fim de que seja oferecida a opção mais acessível para a família e segura para criança.

Diante da relevância da alimentação infantil, outras questões merecem ser observadas. A disponibilidade local de alimentos, as condições em que são produzidos e comercializados, assim como a maneira como são oferecidos à criança também emergem como dimensões fundamentais para a garantia do direito humano à alimentação saudável e adequada.

Tanto o ato de amamentar como a introdução de novos alimentos para a crianças são experiências intensas e enriquecedoras para a mãe e a família. É um momento muito prazeroso, mas que em determinados momentos suscitam inseguranças. O desejo de oferecer da melhor maneira, alimentos preparados de forma adequada, preparações saborosas, saudáveis e atraentes para a criança são questões que permeiam o cotidiano, mas à medida que vão sendo superadas fortalecem o vínculo familiar e proporcionam a formação de um hábito alimentar saudável e adequado a partir de práticas alimentares recomendadas.

BIBLIOGRAFIA CONSULTADA

Accioly E. Nutrição em obstetrícia e pediatria, 2 ed. Rio de Janeiro: Cultura Médica: Guanabara Koogan, 2009.

CAPÍTULO 22 Alimentação Complementar Oportuna e Saudável: o Cuidado na Forma de Comida

Almeida JAG. Amamentação: um híbrido de natureza e cultura. Rio de Janeiro: Editora Fiocruz, 1999.

Barata FA. Da alimentação em pediatria. [Tese de Doutorado]. Faculdade de Medicina do Rio de Janeiro, 1921.

Burton B. Nutrição Humana. São Paulo: McGraw-Hill, 1979.

Camarano JBC. Da alimentação nas primeiras idades: estudo crítico sobre os diferentes methodos de aleitamento [Tese de Doutorado]. Rio de Janeiro: Faculdade de Medicina do Rio de Janeiro, 1884.

Canesqui AM, Garcia RWD. Uma introdução à reflexão sobre a abordagem sociocultural da alimentação. In: Canesqui AM, Garcia RWD, org. Antropologia e nutrição: um diálogo possível. Rio de Janeiro: Fiocruz 2005; 9-19.

Canesqui AM. Os estudos de antropologia da saúde/doença no Brasil na década de 1990. Ciência & Saúde Coletiva 2003; 8(1):109-124.

Engstron EM, Silva DO, Zaborowski EL, Barros DC, Monteiro KA. SISVAN: Instrumento para o combate aos distúrbios nutricionais em serviços de saúde. Diagnóstico Nutricional. Rio de Janeiro: Editora Fiocruz, 1998.

Giugliani ERJ, Victora CG. Alimentação complementar. J Pediatr 2000; 76(Supl. 3):s253-s62.

Giugliani ERJ, Victora CG. Normas alimentares para crianças brasileiras menores de dois anos: bases científicas. Brasília: DF, OPAS/OMS, 1997.

Institute of Medicine. Dietary reference intakes: applications in dietary assessment. Washington: National Academy Press, 2000.

Khare R. La investigación internacional sobre alimentos y nutrición: consideraciones básicas. In: Harrison GA et al. Carencia alimentaria: una perspectiva antropológica. Barcelona: Ediciones del Serbal/UNESCO 1988; 16-29.

Maciel ME. Cultura e alimentação ou o que tem a ver os macaquinhos de Hoshima com Brillat-Savarim? Horiz Antropol 2001; 7(16):145-156.

Ministério da Saúde. Instituto Nacional do Câncer. Políticas e Ações para prevenção do câncer no Brasil: alimentação, nutrição e atividade física. Rio de Janeiro: INCA, 2009.

_____ Secretaria de Atenção à Saúde. Departamento de Atenção Básica. Dez passos para uma alimentação saudável para crianças menores de dois anos: um guia para o profissional da saúde na atenção básica. Brasília: Ministério da Saúde, 2010.

_____ Manual de condutas gerais do Programa Nacional de Suplementação de Vitamina A. Brasília: Ministério da Saúde, 2013.

_____ Secretaria de Atenção à Saúde. Programa Nacional de Suplementação de Ferro: manual de condutas gerais. Brasília: Ministério da Saúde, 2013.

Ministério da Saúde. Política Nacional de Alimentação e Nutrição. Brasília: Ministério da Saúde, 2012. (Série B. Textos Básicos de Saúde)

_____ Secretaria de Atenção à Saúde. Estratégia de fortificação da alimentação infantil com micronutrientes em pó (NutriSUS). Em http://dab.saude.gov.br/portaldab/nutrisus.php (acessado em 06/04/2014).

Mitchell HS, Rynbergen HJ, Anderson L, Dibble MV. Nutrição. Rio de Janeiro: Interamericana, 1978.

Pereira AO. Normas para a alimentação do lactente. Rio de Janeiro: Cultura Médica, 1979.

Rea MF. Substitutos do leite materno: passado e presente. Rev Saúde Públ 1990; 24(3):241-9.

Silva AAM. Amamentação: fardo ou desejo? Estudo histórico-social dos saberes e práticas sobre aleitamento na sociedade brasileira. [Dissertação de Mestrado]. Ribeirão Preto: Pós-graduação em Medicina Preventiva. Faculdade de Medicina de Ribeirão Preto, Universidade de São Paulo, 1990.

Silva M, Silva MA. Aspectos nutricionais de fitatos e taninos. Campinas: Rev Nutr 1999 jan/abr; 12(1):5-19.

Souza LMBM, Almeida, JAG. História da Alimentação do Lactente no Brasil: do leite fraco à biologia da excepcionalidade. Rio de Janeiro: Revinter, 2005.

Tonial SR. Desnutrição e obesidade. Faces contraditórias na miséria e abundância. Recife: Instituto Materno-infantil de Pernambuco, 2001.

Valente FLS. Segurança alimentar e nutricional: transformando natureza em gente. In: Valente FLS. Direito Humano à Alimentação – desafios e conquistas. São Paulo: Cortez Editora 2002; 103-136.

Woiski JR. Dietética pediátrica. Rio de Janeiro: Atheneu, 1981.

World Health Organization (WHO). Guideline: daily iron and folic acid supplementation in pregnant women. Geneva: WHO, 2012.

Aleitamento Materno: um Ato Ecológico

23

Rosa Maria Negri Alves

INTRODUÇÃO

As mulheres têm capacidade de produzir leite para alimentar seus próprios filhos. Entretanto, poderosas organizações, como a dos fabricantes de alimentos artificiais para crianças, parecem não estar de acordo com isso. No Brasil e em quase todo o mundo, pesados investimentos em propaganda conseguiram quebrar a confiança das mães na sua capacidade de nutrir seus próprios bebês.

Essa intervenção prejudicou as condições de saúde dos recém-nascidos e aumentou as taxas de mortalidade infantil. Pesquisas realizadas no Brasil indicam que as crianças que são alimentadas por mamadeira têm cerca de 25 vezes mais probabilidade de adoecer do que as que mamam no peito. O leite materno é o único leite que confere imunidade e numerosos outros benefícios para a saúde do consumidor, como o combate a desnutrição e a obesidade infantil. Sua produção também beneficia a saúde da produtora, pela melhor recuperação no pós-parto, pela redução do câncer de mama e ovário e pelo espaçamento entre as gestações. Indaga-se ainda sobre o efeito da amamentação na redução da incidência de osteoporose.

É necessário um grande esforço para que o hábito da amamentação seja retomado. Para amamentar, as mães necessitam de apoio da família, da comunidade, dos serviços de saúde e do trabalho. E por isso as inúmeras vantagens do aleitamento materno precisam ser levadas ao conhecimento de todos.

Um dos aspectos menos conhecido é o ecológico. O leite materno é talvez o único alimento produzido e entregue ao consumidor sem poluir, sem provocar desperdícios e sem precisar de embalagem. Ele é um recurso renovável e extremamente benéfico, do ponto de vista da preservação da natureza. Os alimentos artificiais para bebês, por sua vez, agridem o meio ambiente, esgotam os recursos naturais não renováveis e provocam danos em cada estágio da sua produção, distribuição e uso.

CAPÍTULO 23 Aleitamento Materno: um Ato Ecológico

As indústrias de alimentos infantis promovem a destruição de áreas cobertas com vegetação natural. Continuam no desperdício da energia elétrica durante o processo de fabricação dos alimentos industriais e no imenso consumo de metais para confecção de latas, papelão, papel, cola e plástico usados nas suas embalagens. Prosseguem no combustível queimado pelos veículos, durante seu transporte, e terminam em consumir gás, lenha, eletricidade e água em milhões de lares, em todo o mundo, na preparação doméstica das mamadeiras.

É necessário melhorar a consciência sobre os riscos de contaminação do meio ambiente, incluindo os provocados pela produção e uso de fórmulas infantis e pelo uso de mamadeiras.

POLUENTES ORGÂNICOS PERSISTENTES

Os Poluentes Orgânicos Persistentes (ou POPs) são substâncias químicas sintéticas de difícil degradação, altamente tóxicas que se acumulam na cadeia alimentar e podem ser encontradas no tecido humano e de outros organismos vivos ao redor do mundo. Os POPs podem contaminar o ar, a água, o solo e os alimentos. Eles têm uma série de características danosas que combinadas conferem a essas substâncias um efeito devastador no ambiente global, são extremamente tóxicos mesmo em concentrações muito baixas e se acumulam no meio ambiente podendo levar décadas ou séculos para se decomporem.

A Convenção de Estocolmo sobre Poluentes Orgânicos Persistentes proíbe a produção e a utilização de vários compostos. Essa proibição tem como objetivo propiciar um mundo livre de resíduos químicos. Inicialmente, eram 12 POPs, mas esse número é revisado periodicamente em função da evidência de danos. Alguns países aplicaram um controle rigoroso de emissão de poluentes no ar, solo e água e obtiveram uma redução progressiva de sua carga no meio ambiente, segundo a última pesquisa coordenada pela Organização Mundial de Saúde.

Há evidências crescentes de que os POPs estão causando danos à saúde humana, como:

- Cânceres e tumores múltiplos;
- Distúrbios no aprendizado;
- Alterações no sistema imunológico;
- Problemas na reprodução, como infertilidade;
- Lactação diminuída em mulheres em período de amamentação;
- Uma série de doenças como endometriose;
- Alterações endócrinas.

SUBSTÂNCIAS TÓXICAS NO LEITE MATERNO

As dioxinas e os furanos são os POPs mais importantes na questão do aleitamento materno. São criados e liberados no meio ambiente através de processos industriais químicos que incluem a produção de pesticidas e herbicidas. São também produzidos pelos incineradores de lixo, depósitos de lixo perigoso, fumo, gasolina

394

azul e indústrias farmacêuticas, químicas e de plásticos. Têm sido descritos como substâncias altamente tóxicas e a única maneira efetiva de lidar com eles é evitar sua produção.

As dioxinas e os furanos são encontradas no ar, água e solo e dificílimas de serem eliminadas quando entram na cadeia alimentar. Têm grande afinidade por gorduras (ocorrendo grande concentração em peixes gordurosos), mas também se depositam na superfície de plantas, frutas e vegetais, onde são ingeridas pelo homem e por animais, acumulando-se na gordura, o que explica sua presença no leite materno.

Em uma pesquisa realizada na Itália, com 94 mulheres, observou-se contaminação com dioxinas no leite materno, provavelmente devido à incineração de resíduos.

Bisfenol A

O bisfenol A (BPA) é um composto utilizado na produção de mamadeiras e recipientes de plástico de policarbonato, para o revestimento de latas e garrafas para alimentos e bebidas para lactentes. Como o composto se libera com facilidade, era com frequência detectado em fórmulas para lactentes. As indústrias começaram a fabricar produtos sem BPA, muito mais pela pressão dos consumidores, pelo medo da queda das vendas do que pela legislação proibitiva. A exposição pré-natal tem sido associada à ocorrência de câncer no trato reprodutivo e anormalidades fetais em seres humanos. O BPA entra facilmente na cadeia alimentar e pode ser encontrado na urina, sangue e leite materno. O BPA é um disruptor endócrino com ação estrogênica.

O leite materno, com frequência, é citado como um indicador da exposição do ser humano à contaminação ambiental. A explicação para isso é que os contaminantes solúveis em gordura são facilmente medidos no leite materno e não que o leite materno seja mais contaminado do que outras partes do corpo.

As organizações mundiais dedicadas ao aleitamento materno, como a IBFAN (Rede Internacional em Defesa do Direito de Amamentar), recomendam que os debates sobre os contaminantes persistentes não devem influenciar de forma indevida a decisão das mães de amamentar sob os seguintes argumentos:

- O leite materno proporciona uma nutrição ótima, incomparável e perfeitamente equilibrada para a criança;
- O leite materno oferece muitos benefícios insubstituíveis tanto para a saúde da mãe quanto da criança;
- O leite materno proporciona fatores imunológicos que podem reduzir o risco dos malefícios das toxinas;
- Gestantes e mães que amamentam devem ser alertadas sobre os problemas causados por contaminantes químicos.

Desistir de amamentar por causa dos níveis de POPs é inútil, pois os leites artificiais contêm altos níveis de alumínio e chumbo e muitos de seus ingredientes, tais como óleo de girassol e gordura animal, são suscetíveis de serem contaminados com dioxina, pesticidas e outras toxinas. Mais ainda, a decisão de usar a mamadeira levará ao aumento da poluição e dos níveis de dioxinas, como veremos mais adiante.

É importante ressaltar que, nas últimas 3 décadas, os níveis de dioxinas no meio ambiente e alimentos, incluindo o leite materno e fórmula infantil, têm diminuido, pelo menos nos países em que se aplicam as normas industriais da Convenção de Estocolmo. O que confirma que a alternativa não é a substituição do leite materno, mas sim a prevenção de dioxinas.

A FABRICAÇÃO DE LEITE E O CONSUMO DE RECURSOS NATURAIS

A transformação do leite de vaca em leite em pó exige um enorme consumo de energia, pois o leite precisa ser aquecido a temperaturas que chegam a 160°C. A fabricação do leite de soja também consome grande quantidade de energia. Depois disso, vem o desperdício de matéria-prima. Nos EUA, por exemplo, se todo bebê recebesse mamadeira, quase 86.000 toneladas de alumínio seriam utilizadas nas 550 milhões de latas de alimentos para crianças. As embalagens que as envolvem também utilizam grande quantidade de metais, papéis, plásticos, papelões etc. Embora algumas latas sejam reutilizadas, grande parte do metal e papel seria jogada fora e raramente reciclada.

Mamadeiras, bicos e outros acessórios também utilizam plásticos, borracha, vidro etc. Para se ter uma ideia da quantidade desses objetos que são fabricados todos os anos, em 1987 foram vendidos 4,5 milhões de mamadeiras somente no Paquistão.

O leite materno é produzido na temperatura em que será consumido. Para fabricá-lo, as mães necessitam apenas de uma pequena quantidade extra de energia, que pode ser conseguida apenas da camada adiposa de reserva (mesmo mães subnutridas podem produzir leite suficiente para nutrir seu bebê).

Ele não precisa de embalagem e vem na quantidade certa para cada criança.

AS INDÚSTRIAS DE ALIMENTOS INFANTIS PROVOCAM POLUIÇÃO DO PLANETA

A indústria leiteira contribui para a formação da chuva ácida. A amônia dos currais reage com o dióxido de enxofre (presente no ar) produzindo sulfato de amônia, que ataca as folhas e se converte em ácidos nítricos e sulfúricos quando atinge o solo. Criação intensiva de gado exacerba esse problema.

O gado produz 100 milhões de toneladas de gás metano por ano, 20% do total. Esse gás, proveniente do flato e das fezes das vacas, tem importante papel no fenômeno estufa.

Os fertilizantes nitrogenados usados na produção de ração para vacas leiteiras, muito solúveis, podem contaminar os lençóis de água. Um milhão e meio de pessoas na Grã-Bretanha bebem água com níveis de nitrato acima dos estipulados. Sua decomposição consome todo o oxigênio da água, causando mau cheiro e matando a vida existente. Estima-se que o custo para limpar águas poluídas por nitrato, de apenas uma região da Grã-Bretanha, será de 200 milhões de libras.

As indústrias de leite em pó provocam poluição significativa da água se não houver um tratamento prévio de seus despejos líquidos antes do lançamento.

Os restos de materiais utilizados nas embalagens dos alimentos industrializados e na fabricação de mamadeiras e bicos são incinerados ou são jogados em "lixões" depois de usados. A incineração, principalmente de plásticos, lança gases tóxicos no ar, e a fumaça assim produzida contém dioxinas e outras perigosas substâncias. As dioxinas se acumulam na gordura, destroem o sistema imunológico, causam câncer e atuam nos cromossomos. Os restos jogados nos lixões poluem os mananciais de água subterrâneos.

À medida que a criança em aleitamento materno exclusivo adoece menos, consome menos medicações. Portanto, o aleitamento materno contribui para minorar a poluição provocada pelas indústrias farmacêuticas, não só pelo despejo de seus produtos, como também pela poluição proveniente das embalagens.

Já o resíduo proveniente do leite materno é totalmente biodegradável, pois são as fezes dos bebês.

OS DESPERDÍCIOS PROVOCADOS PELA PREPARAÇÃO DE MAMADEIRAS

A água é escassa em muitas regiões. Nos lares onde a alimentação artificial é utilizada, consome-se grande quantidade de água por dia. Não só para o seu preparo, como também para a esterilização dos utensílios. Um bebê de 3 meses alimentado por mamadeira necessita de um litro de água por dia para adicionar ao leite e outros dois para ferver bicos e mamadeiras, o que equivale a mais de uma tonelada de água por ano. Além disso, nos locais onde não há saneamento, costuma ser de difícil obtenção e quase sempre está poluída e contaminada.

O leite materno está sempre pronto para ser usado, na temperatura ideal, não precisa ser esterilizado e não agride a natureza.

RISCO DE CONTAMINAÇÃO DOS ALIMENTOS INDUSTRIAIS

Os europeus perderam a confiança em tudo que colocam no carrinho de supermercado. Depois das "vacas loucas", que contaminaram muita gente que se alimentou de suas carnes, agora é a vez dos temíveis poluentes orgânicos persistentes. Os alimentos infantis industriais são fórmulas químicas que passam por vários processos de adição e manipulação de substâncias até que o leite de vaca seja convertido em pó. É impossível garantir que não haverá contaminação em todo esse processo e que esses produtos são absolutamente saudáveis. Os metais pesados, como chumbo, alumínio, cádmio e mercúrio, resíduos químicos de pesticidas e fertilizantes vêm sendo encontrados em alimentos comerciais infantis. As fórmulas infantis são constantemente retiradas dos mercados devido a contaminação industrial e por bactérias. Vejam exemplos de contaminação desses alimentos:

- 1997 – Inglaterra. Vendas de Milumil suspensas depois desse produto ser relacionado com infecção por salmonela;
- 1996 – Inglaterra. Encontrados filatos em 9 tipos de leite em pó, dos mais vendidos. Nos laboratórios se comprovou que essa substância provoca danos ao sistema reprodutivo dos ratos;

- 1996 – Inglaterra. O óleo de amendoim foi retirado da composição dos leites para crianças após ser comprovado que ele pode causar severas reações alérgicas em alguns bebês. Entretanto, continua sendo usado em outros países;
- 1995 – Índia. A Nestlé foi acusada de adulterar leite em pó, nele incluindo sabão;
- 1994 – Sri Lanka. A alfândega reteve um grande carregamento de leite em pó Nestlé, importado da Polônia, por estar contaminado com partículas radioativas;
- 1993 – EUA. Foi encontrado vidro partido no leite Nutramigen;
- 1993 – EUA. Descobertas salmonelas no Soyalac;
- 1992 – Índia. Vermes e insetos vivos foram encontrados num pacote de Lactogen;
- 1988 – EUA. Descobriu-se que o leite em pó contém 100 vezes mais alumínio do que o leite materno;
- 1987 – Malásia. Seis tipos de leite apresentaram teores de chumbo maiores do que o permitido pelo padrão nacional de segurança;
- 1986 – Sri Lanka. Autoridades descobriram que 68 toneladas de leite holandês importado estavam contaminadas pela radiação nuclear, após o desastre de Chernobyl;
- 1986 – EUA. Fábricas de leite infantis foram fechadas em razão de uma persistente contaminação por salmonela, que não pôde ser eliminada;
- 1984 – EUA. Uma embalagem fechada de Enfamil continha *Enterobacilos cloacae*;
- 1983 – EUA. Descobertos tricloroetilenos carcinogênicos e percloroetilenos nos leites Similac e Isomil.

Para o preparo do leite artificial é necessária a utilização de água. Sabemos que a água tem valor cada vez mais questionável, não só pela contaminação microbiológica, mas também pela poluição química. Estes contaminantes químicos podem modificar a cor e o sabor da água e, pior, podem trazer consequências danosas ao organismo. Alguns exemplos:

- Bário: hipertensão arterial;
- Cádmio: irritante gastrointestinal;
- Chumbo: saturnismo e morte;
- Fluoretos: alteram a estrutura óssea;
- Nitratos: metaemoglobulinemia;
- Selênio: carcinogênico.

O leite materno é produzido especialmente para o bebê. As modificações que ocorrem com o leite materno, ao longo das mamadas, são de acordo com as necessidades da criança. Quando a mãe é exposta a patógenos do seu meio, seu organismo produz anticorpos para combatê-los, e ela os transmite através do leite para o seu bebê.

A Organização Mundial de Saúde preconiza leite materno exclusivo até 6 meses; portanto, durante esse período, não é necessária a oferta de água e também não a utilizamos no preparo de mamadeira.

MANIPULAÇÕES NA NATUREZA AMEAÇAM NOSSA SAÚDE

Na criação de gado, os animais costumam receber vários tipos de medicamentos e rações quimicamente tratadas, visando acelerar seu crescimento e a produção de leite. O leite de vaca costuma conter resíduos de hormônios e antibióticos que são administrados aos animais.

As indústrias alimentícias, em busca de mais lucros, estão sempre fazendo experiências com os alimentos. E nós, consumidores, estamos sujeitos às consequências disto. A amamentação é o melhor meio de reduzir esse tipo de risco para as crianças.

USO INADEQUADO DO SOLO

Um dos responsáveis pela deterioração dos solos é a criação de gado. Para criar pastagens é necessário haver o desmatamento que, associado ao pisoteio excessivo, contínuo e extensivo, provoca erosão e desertificação. Os recursos da Terra são frequentemente explorados e ecossistemas destruídos na busca do ganho financeiro de alguns gananciosos.

O vale Awash, na Etiópia, foi desmatado: 22% da terra agora é dedicado à plantação de cana.

A produção de leite é um modo não econômico de utilização do solo: 10 acres sustentam duas pessoas quando se cria gado, enquanto podemos sustentar 24 pessoas se plantarmos trigo.

A soja é a base de vários leites artificiais para bebê e é também utilizada nas rações de gado. No Brasil, o cerrado é desmatado e queimado para que se plante soja, que representa 10% da exportação de grãos no Brasil.

O Rio Grande do Sul exibe uma situação dramática e alarmante, contando com 6.000 hectares de desertos já plenamente caracterizados, ao lado de manchas esparsas que perfazem um total de 473.000 hectares de solos, de várias formações, em processo adiantado de desertificação, embora aquelas áreas do Sul do Brasil recebam precipitações pluviométricas anuais entre 1.500 e 1.600 mm, indicando que, em tais circunstâncias, o papel do homem no desencadeamento dos processos de desertificação supera as condições climáticas regionais.

CONCLUSÃO

Quanto mais crianças são alimentadas com mamadeira, mais desmatamento, erosão, poluição, mudanças climáticas e desperdício de materiais ocorre.

As indústrias de alimentos infantis se utilizam do *marketing* para promover uma demanda de leite artificial e com isso provocar o desmame. O Código Internacional para Comercialização de Substitutos do Leite Materno e A Norma Brasileira para

Comercialização de Alimentos para Lactentes procuram encorajar e proteger a amamentação, regulamentando as práticas comerciais utilizadas para vender alimentos artificiais, mas frequentemente elas são violadas.

Promover o desmame é destruir um recurso natural e se assemelha à pesca predatória ou à destruição de florestas. Quanto maior a ganância comercial, maior o desrespeito à ecologia. Para manter seus mercados, as indústrias de leite precisam de mais bebês desmamados. Quanto maior a venda das indústrias de alimentos infantis, maior a catástrofe ecológica. Apesar de todo o avanço científico e dos esforços de diversos organismos nacionais e internacionais, as taxas de aleitamento materno no Brasil, em especial as de amamentação exclusiva, estão bastante aquém do recomendado. Pesquisa realizada pelo Ministério da Saúde mostra que houve melhora dos índices de aleitamento materno no Brasil, com prevalência de aleitamento materno exclusivo em menores de 6 meses de 41%, duração mediana de aleitamento materno exclusivo de 54,1 dias e duração mediana de aleitamento maternos de 11,2 meses. Entretanto, ainda temos que melhorar esses índices e observamos uma grande heterogeneidade entre as diversas regiões do país.

O solo é um recurso muito importante, pois dele depende a sobrevivência dos vegetais e de todos os seres vivos. A sua formação pode levar milhares ou milhões de anos, enquanto a sua destruição, pela ação antrópica, pode ocorrer em pouco tempo.

A água é um recurso natural necessário às diversas atividades do homem, sendo indispensável à sua sobrevivência. O seu manejo deve ser feito de forma a sempre garantir a preservação da quantidade e da qualidade necessárias aos seus múltiplos usos.

Um dos Objetivos do Milênio é assegurar sustentabilidade do ambiente e não há dúvida que a amamentação contribui muito para isto, pois há menor desperdício da indústria de leite, menor desperdício de plástico e alumínio e reduz o uso de gás e demais combustíveis. Cada um milhão de bebês alimentados com fórmulas infantis consomem 150 milhões de latas de produtos, na sua maioria com destino final nos aterros sanitários.

O aleitamento materno oferece numerosos efeitos positivos para a saúde da mãe e de seu filho, apresenta também vantagens econômicas para a família, comunidade e sistema de saúde. O leite materno é o alimento mais completo e ecologicamente seguro para os lactentes. A amamentação é um ato ecológico, pois, por tudo o que já foi exposto, contribui com o meio ambiente de forma a promover, para as gerações atuais e futuras, um ambiente que lhes proporcione indispensável qualidade de vida.

BIBLIOGRAFIA CONSULTADA

Alves C et al. Exposição ambiental a interferentes endócrinos com atividade estrogênica e sua associação com distúrbios puberais em crianças. Cad Saúde Pública 2007; 23(5):1005-1014.

Botlle feeding: a waste of money, a waste of natural resoures, a waste of time, Fighting for infant survival. IBFAN information, 1989.

Braile PM. Manual de tratamento de águas residuárias industriais, 1 ed. São Paulo: CETESB 1979; 5-29.

Dieterich CM et al. Breastfeeding and health outcomes for the mother-infant dyad. Pediatrc Clin N Am 2013; 60:31-48.

GIFA. The Infant Feeding Association. Lidando com o medo da poluição química do leite materno Atualidades em Amamentação. Nº 26, Dez 2001.

Greenpeace. Greenpeace inicia Expedição das Américas por um continente livre de contaminantes. Disponível em www.greenpeace.org. Acesso em 12 de fevereiro de 2014.

Grupo Origem. Amamentação On Line. Disponível em www.aleitamento.org.br/. Acesso em fevereiro de 2014.

IBFAN. Declaración de IBFAN sobre la alimentación de lactentes, niñas y niños pequeños – y los contaminantes químicos. Disponível em.www.ibfan.org. Acesso em 20 de agosto de 2014.

International Code of Marketing of Breast milk Substitutes. Geneva: World Health Organization, 1981.

Kennedy KI, Visness CM. Contraceptive efficacy of lactational amenorrhoea. Lancet 1992; 339:227-230.

Ministério da Saúde, Secretaria de Políticas de Saúde, Área de Saúde da Criança. II Pesquisa de Prevalência de aleitamento materno nas capitais brasileiras e no Distrito Federal. Brasília: Ministério da Saúde, 2009.

Morley D, Lovel H. My name is today. London: MacMillan, 1986.

Mota S. Introdução à engenharia ambiental, 1 ed. Rio de Janeiro: ABES 1997; 2-37.

Norma Brasileira para Comercialização de Alimentos para Lactentes. Ministério da Saúde, 1992.

Radford A. O Impacto da Alimentação por mamadeira. IBFAN – Brasil, ECO 92.

Rivezzi G et al. A general model of dioxin contamination in breast milk: results from a study on 94 woman from the Caserta and Naples areas in Italy. Int J Environ Res Public Health 2013; 10:5953-5970.

Rosenblatt KA et al. Lactation and risk of epithelial ovarian cancer. Inter J Epid 1993; 22(2):192-197.

Secretariat of the Stockolm Convention on POPs. The Stockholm Convention on POPs. Disponível em www.pops.int. Acesso em 15 de agosto de 2014.

Smail E. Veganism and the greenhouse effect. The Vegan 1990; 6(2):6-7.

Toma T, Rea M. Benefícios da amamentação para a saúde da mulher e da criança: um ensaio sobre as evidências. Rio de Janeiro: Cad Saúde Pública 2008; 24(Sup. 2):S235-S246.

UNICEF. The state of the world's children, 1991, OUP. Oxford, 1991.

United Kingdom National Case-Control Study Group. Breast feeding and risk of breast cancer in yong women. BMJ 1993 Jul; 307(6895):17-20.

Bancos de Leite Humano

24

João Aprígio Guerra de Almeida
Franz Reis Novak

INTRODUÇÃO

A Sociedade Brasileira de Pediatria, o Ministério da Saúde e a Organização Mundial de Saúde, definem como "padrão-ouro" a prática do aleitamento materno exclusivo até o sexto mês de vida e complementado até os 2 anos ou mais.

A mortalidade por infecções respiratórias e diarreicas, após o período neonatal é importante e poderia ser evitada, em grande parte, pela amamentação. Portanto, o incentivo, a promoção e o apoio ao aleitamento materno exclusivo é sem dúvida uma das intervenções de baixo custo e alto impacto para diminuir tais problemas.

Sob o ponto de vista fisiológico o leite humano é muito mais do que uma coleção de nutrientes, é uma substância viva de grande complexidade biológica, capaz de estimular o desenvolvimento do sistema imunológico do RN, além de conter elevadas quantidades de fatores de proteção.

Portanto, a natureza dotou o leite humano de mecanismos de proteção, que funcionam como suplementos imunológicos, que se manifestam através dos componentes solúveis e celulares. Os componentes solúveis são dirigidos a inúmeros microrganismos com os quais a nutriz tenha entrado em contato, em algum momento de sua vida, representando uma memória de seu repertório imunológico, que assegura a proteção para o neonato, durante sua relativa incompetência imunológica.

O leite humano apresenta elevados níveis de anticorpos contra os patógenos causadores de infecções respiratórias e gastrointestinais. A efetividade da ação protetora conferida pelo leite humano guarda relação direta entre "dose-resposta", ou seja, quanto maior o número de mamadas e duração da amamentação, maior será a proteção.

Sob o ponto de vista físico-químico, o leite humano funciona como uma mistura composta por 3 frações: 1) emulsão: que contém a maior parte dos glóbulos de gordura; 2) suspensão: onde se encontram as micelas de caseína e, 3) solução: composta pelos constituintes hidrossolúveis do leite humano.

Além disto, sua composição pode variar em função do tempo de lactação (colostro, leite de transição e leite maduro); do horário da mamada e de algumas situações específicas (como na prematuridade, por exemplo). Curiosamente, todas estas modificações parecem vir de encontro às necessidades fisiológicas dos lactantes.

A prática do aleitamento materno oferece inúmeros benefícios para o crescimento e desenvolvimento dos lactentes, por suas propriedades nutricionais únicas, uma vez que contém proporções adequadas de todos os nutrientes necessários, e por apresentar digestão facilitada, mesmo para o trato gastrointestinal dos RN.

Em virtude de todos esses benefícios, a amamentação se torna a forma ideal para se alimentar RN, por proporcionar combinação única de carboidratos, proteínas, lipídeos, minerais, vitaminas, enzimas e anticorpos e células de defesa. Portanto, nos primeiros meses de vida, o leite humano é o único alimento que apresenta todas as características desejáveis.

Embora a superioridade do aleitamento materno seja reconhecida mundialmente, muitos RN prematuros se vêm impossibilitados de receberem o leite de suas mães. Nesses casos, os BLH fornecem LHO pasteurizado com qualidade certificada com objetivo de atender às necessitadas nutricionais e imunológicas de tais pacientes, conforme critérios de prioridade previamente estabelecidos pelo Ministério da Saúde.

Atualmente, o Brasil conta com a maior rede de bancos de leite humano do mundo, constituída por 213 unidades. Para o alcance dessa meta, foi aprovado pela Agência Nacional de Vigilância Sanitária o Regulamento Técnico, intitulado resolução RDC nº 171/2006, que estabelece os requisitos para a instalação e funcionamento de BLH, bem como para Postos de Coleta de Leite Humano (PCLH), em todo território nacional.

As boas práticas na manipulação de leite humano ordenhado constituem os procedimentos necessários para garantir a sua qualidade, desde a coleta até a distribuição.

A seguir, apresentaremos as condições operacionais para que os bancos de leite humano possam processar e distribuir leite humano ordenhado pasteurizado, com qualidade certificada.

ASPECTOS OPERACIONAIS

Definições e Conceitos

- Banco de Leite Humano é um centro especializado obrigatoriamente vinculado a um hospital materno e/ou infantil, sendo responsável pela promoção do incentivo ao aleitamento materno e execução das atividades de coleta, processamento e controle de qualidade de colostro, leite de transição e leite humano maduro, para posterior distribuição, sob prescrição de médico ou de nutricionista.

Bancos de Leite Humano **CAPÍTULO 24**

- Banco de Leite de Referência é uma unidade destinada a desempenhar funções comuns nos Bancos de Leite – treinar, orientar e capacitar recursos humanos, desenvolver pesquisas operacionais, prestar consultoria técnica e dispor de um laboratório credenciado pelo Ministério da Saúde.

- Posto de Coleta é a unidade destinada à divulgação do aleitamento materno; à coleta de colostro, leite de transição e do leite maduro, dispondo de área física e de todas as condições técnicas necessárias, podendo ser fixo ou móvel, mas obrigatoriamente vinculado a um Banco de Leite Humano.

- Colostro Humano é o primeiro produto da secreção láctica da nutriz, obtido em média até 7 dias após o parto.

- Leite Humano de Transição é o produto intermediário da secreção láctica da nutriz, entre colostro e leite maduro, produzido entre o sétimo e o 15º dia pós-parto, em média.

- Leite Humano Maduro é o produto de secreção láctica da nutriz, livre de colostro, obtido a partir do 15º dia pós-parto, em média.

- Produtos Crus são os produtos acima descritos e assim denominados quando não recebem qualquer tratamento.

- Produtos Processados são os produtos que passam a ser assim denominados quando submetidos a tratamento térmico, seguidos ou não de liofilização.

- Doadoras são as nutrizes sadias que apresentam secreção láctica superior às necessidades de seu filho e que se dispõem a doar o excesso, clinicamente comprovado, por livre e espontânea vontade.

- Consumidores (ou receptores) são lactentes que necessitam dos produtos do Banco de Leite.

- Coleta é a denominação dada à extração do excesso de secreção láctica das nutrizes.

- Embalagem é o recipiente no qual o produto é assepticamente acondicionado e que garante a manutenção de seu valor biológico.

- Pasteurização é o tratamento aplicado ao leite, que visa à inativação térmica de 100% das bactérias patogênicas e 99,99% de sua flora saprófita, através de um binômio temperatura-tempo de 62,5% com 30 minutos ou equivalente, calculado de modo a promover equivalência a um tratamento 15D para inativação térmica da *Coxiella burnetti*.

- Liofilização diz respeito ao processo e à conservação aplicáveis aos produtos descritos nessas Normas, através da redução do seu teor de água, por sublimação, até uma unidade final de 4 a 5%.

- Reconstituição é a reincorporação de água dos produtos liofilizados, de modo a atingir o nível original do produto *in natura*.

- Pré-estocagem representa a condição temporária na qual o produto é mantido sob congelamento, antes de chegar ao Banco de Leite.

- Estocagem diz respeito às condições sob as quais o produto, devidamente acondicionado, é mantido até o momento do consumo.

- Período de Estocagem é o limite de tempo em que o produto será armazenado, sob condições preestabelecidas.
- Normas higiênico-sanitárias são regras estabelecidas para orientar e padronizar procedimentos, tendo por finalidade assegurar a qualidade do processo, sob o ponto de vista da saúde pública.
- Aditivo é toda e qualquer substância adicionada ao produto, de modo intencional ou acidental.
- Microbiota é formada por microrganismos presentes nos produtos aqui descritos, sendo considerada primária aquela decorrente da contaminação do interior das mamas, e secundária a que se origina de agentes externos.
- Adulteração é considerada quando os produtos aqui descritos contiverem substâncias tóxicas ou deletérias, acima dos níveis de tolerância estabelecidos pelo órgão de saúde pública.
- Sanitização é a aplicação de um método efetivo de limpeza, visando à destruição de elementos patogênicos e de outros organismos.
- *Pool* significa um produto resultante da mistura de doações.
- Rótulo é a identificação impressa ou litografada, bem como os dizeres pintados ou gravados, por pressão ou decalcação, aplicados sobre a embalagem.

Coleta

A coleta representa a primeira etapa na manipulação do leite humano ordenhado e é composta por elenco de atividades que vão desde a massagem e ordenha até a pré-estocagem do produto. A coleta pode ser realizada manualmente ou com auxílio de bombas, manuais ou elétricas, em salas ou recintos apropriados, localizados nos Bancos de Leite, em enfermarias, nos postos de coleta ou nas residências.

As coletas realizadas em enfermarias e domicílios demandam um maior rigor quando comparadas às efetuadas em recinto apropriado e exclusivo para esse fim, tendo em vista as diferentes formas de contaminação e a maior dificuldade de controle.

Os funcionários do Banco de Leite Humano devem ser devidamente treinados e as doadoras previamente orientadas dentro dos padrões técnicos e higiênico-sanitários detalhados a seguir.

Ambiente – Local

- Deve possuir piso, paredes, teto e divisórias revestidos com material impermeável, de modo a facilitar as operações de limpeza e sanitização;
- Estar localizado de forma adequada, afastado de outras dependências que possam causar prejuízos à obtenção higiênica do leite. Nesse caso particular, é importante evitar os cruzamentos de fluxos.
- Ser limpo e sanitizado rigorosamente antes de cada turno de trabalho.
- Tratando-se de coleta domiciliar, orientar a doadora a procurar um local tranquilo, evitando aqueles que tragam risco à qualidade microbiológica

do LHO, à semelhança de sanitários e/ou dependências onde se encontrem animais domésticos.

- Com referência às enfermarias, recomenda-se que todos os princípios observados para a coleta no BLH e no domicílio sejam observados, na medida do possível, para essas unidades.

Ordenha

- Dispor sobre a mesa o material esterilizado;
- Colocar a tampa do frasco na mesa com a parte estéril para cima;
- Desprezar os primeiros jatos em um pequeno frasco ou em um pano limpo, para reduzir os contaminantes microbianos e assim melhorar a qualidade do leite humano ordenhado;
- Após o término da ordenha, fechar e identificar o frasco de acordo com os critérios de rotulagem utilizados;
- Quando forem utilizadas bombas manuais, cuidar para que, toda vez que o receptáculo estiver cheio, seja vertido o leite para o frasco, pressionando sempre a pera de borracha para evitar que o leite entre em contato direto com a mesma.

Ordenha no Domicílio

Essa operação deve ser encarada com rigor absoluto, no sentido de garantir a qualidade sanitária do produto, devido às diferentes formas de contaminação que podem ocorrer:

- Fazer higienização das mãos com água e sabão e a escovação das unhas imediatamente antes de cada ordenha. Explicar à doadora que essa conduta evita o risco de contaminação do leite;
- Secar as mãos e mamas com toalha limpa;
- Evitar conversar durante a ordenha e utilizar uma fralda sobre o nariz. Isso se torna obrigatório se a mãe estiver resfriada;
- Ao promover nova coleta, para completar o volume de LHO no frasco utilizado, empregar um copo de vidro previamente submerso em água fervente por 15 minutos e resfriado, colocando o leite recém-coletado sobre aquele que estiver sendo mantido no interior do congelador;
- Explicar a maneira correta de pré-estocar o leite e seu prazo de validade, ou seja: refrigerador, por 12 horas; congelador da geladeira ou *freezer*, por 15 dias;
- Salientar que o frasco deverá estar bem vedado para evitar que o leite absorva odores e outros voláteis nocivos.

Ordenha nas Enfermarias

Como foi visto anteriormente, as coletas realizadas em enfermarias e domicílios demandam cuidados adicionais quando comparadas às efetuadas em recinto

CAPÍTULO 24 Bancos de Leite Humano

apropriado e exclusivo para esse fim. Isso advém das diferentes formas de contaminação e à maior dificuldade de controle aí existentes.

O ideal seria que em todas as enfermarias de puérperas existisse uma pequena sala para atendimento às intercorrências da lactação e coleta de LHO. Como na maioria dos hospitais não se consegue um espaço para essa atividade, o que se recomenda é que todos os princípios observados para a coleta no BLH e no domicílio sejam observados também no interior das enfermarias.

Equipamentos e Utensílios

Todos os materiais, utensílios e equipamentos que entram em contato com o leite devem ser previamente lavados e esterilizados, antes da utilização, para serem entregues a cada doadora.

Doadora

As doadoras são, por definição, mulheres sadias que apresentam secreção láctica superior às exigências de seus filhos e que se dispõem a doar o excedente por livre e espontânea vontade. A fim de garantir a qualidade do leite que será ordenhado, é necessário:

- Colher a história e o exame físico da doadora para levantar os aspectos clínicos relevantes. Serão inaptas para a doação, a critério médico, as nutrizes que sejam portadoras de moléstias infectocontagiosas ou que se encontrem em risco nutricional.
- Orientar a doadora para que retire a blusa, sutiã, anéis, pulseiras, relógios etc., visando reduzir a contaminação microbiana.
- Instruir a doadora para calçar ou não sapatilha ou correlatos, de acordo com a regulamentação da instituição. Trata-se de uma conduta facultativa, porém, recomendada visando manter a higienização do ambiente.
- Solicitar à doadora para lavar as mãos e antebraços e usar escovas de unha individuais para remover as sujidades, fazendo escovação cuidadosa com uso de sabão e sob água corrente. Se possível, a doadora deverá manter as unhas aparadas durante o período da doação.
- Solicitar à doadora para secar as mamas e mãos com toalha individual, fechar a torneira com a própria toalha, evitando assim a recontaminação das mãos a partir da torneira.

Observação: ao lavar as mamas e os mamilos não utilizar sabão, pois este resseca os mamilos, predispondo-os a fissuras.

Funcionários

Os funcionários que trabalham em Bancos de Leite Humano devem ser submetidos a exames periódicos de saúde, cujo intervalo de tempo deve ser estabelecido pela equipe de saúde do BLH, ouvida a autoridade sanitária competente.

A ação fiscalizadora, sob esse item, será exercida pela Secretaria de Saúde, através da Vigilância Sanitária responsável pela localidade onde se encontra o BLH.

Os funcionários devem lavar cuidadosamente as mãos com água e sabão, escovando as unhas e friccionando álcool a 70% durante 30 segundos, a fim de reduzir a carga microbiana de suas mãos após o enxágue. Poderão vestir o avental ou não, de acordo com a regulamentação da instituição, bem como colocar gorro e máscara.

Por uma questão de risco biológico, devido ao problema das doenças infecto-contagiosas, o uso de luvas de procedimento pelos funcionários faz-se obrigatório.

Transporte do Leite

Do Local de Coleta para o BLH

- Os produtos devem ser transportados do local de coleta ao Banco de Leite em embalagens adequadas e específicas para essa finalidade.
- Colocar os frascos em caixas isotérmicas, preferencialmente revestidas com PVC, contendo "gelo reciclável" em quantidade proporcional ao número de frascos de LHO.
- O gelo comum só deverá ser utilizado quando o leite estiver fluido, pois representa uma fonte de calor para o leite congelado. O "gelo reciclável" propicia temperatura mais baixa, o que garante a manutenção do leite congelado.

Ao manter o leite em cadeia de frio, abaixo de 5°C, estaremos evitando a proliferação de microrganismos, resultando em um produto de melhor qualidade.

Do BLH para Local de Consumo

- Na impossibilidade de se dispor de "gelo reciclável", o leite congelado deve ser transportado na caixa isotérmica sem gelo.
- O produto transportado deve chegar ao consumidor com as mesmas características que possuía ao sair do BLH.

Processamento

Seleção e Classificação

O produto cru, ao chegar ao BLH, deve ser imediatamente submetido à seleção, à classificação e ao tratamento de conservação específico; caso contrário, deverá ser estocado cru, mas nas mesmas condições a que foi submetido desde a coleta, pelo menor tempo possível.

O funcionário deverá avaliar as condições de conservação em que o leite se encontra no momento da recepção, verificando se a embalagem é adequada sob o ponto de vista de vedação, tipo de material etc. Passar álcool a 70% na parte externa dos frascos. Esse procedimento tem a função de reduzir a presença de contaminantes nos *freezers* e geladeiras.

Acondicionamento e Embalagem (Reenvase)

- Certificar-se de que os frascos para reenvase foram corretamente esterilizados. Descartar os que apresentarem sujidades no interior, observando ainda o prazo de validade da esterilização.

- Os produtos que chegarem congelados devem ser submetidos a degelo prévio.
- Acender o campo de chama, evitando dessa forma a contaminação do produto.
- Proceder ao reenvase em campo de chama, segundo volumes adotados pelo BLH.

Pasteurização

- Regular o banho-maria à temperatura de pasteurização. A temperatura do banho-maria deverá ser suficiente para aquecer o LHO a 62,5°C.
- Certificar-se de que o banho-maria estabilizou-se à temperatura adotada, através de um termômetro.
- Colocar os frascos no interior do banho-maria. O nível da água deve ser superior ao do produto no interior dos frascos. Recomenda-se pasteurizar, ao mesmo tempo, frascos que contenham volumes aproximados.
- Aguardar o tempo de preaquecimento, que deverá ser preestabelecido em função das condições de processamento. O tempo de preaquecimento varia em função do número de frascos e do volume de LHO.
- Marcar 30 minutos imediatamente após o término do preaquecimento;
- Retirar os frascos do banho-maria e promover o resfriamento;
- Coletar amostras para o controle de qualidade microbiológico.

Resfriamento

- O resfriamento dos frascos deverá ser feito por imersão em água a mais ou menos 5°C (água + gelo) ou em resfriador. Esse procedimento visa cessar as perdas do produto pelo calor residual.

Rotulagem

- Todo produto processado/estocado será obrigatoriamente rotulado;
- Os rótulos deverão conter as seguintes informações: classificação, local e data de coleta, condições de pré-estocagem, identificação da doadora, dados sobre o RN e validade. No caso de informatização, o rótulo poderá conter apenas localizadores que permitam identificar essas informações.

Estocagem no BLH

- É vedada a estocagem de LHO junto com outros produtos hospitalares;
- O tipo clássico de estocagem, após o tratamento de pasteurização, é o congelamento por até 6 meses em *freezers*;
- É preciso efetuar rigoroso controle de temperatura dos *freezers* para evitar flutuações prejudiciais à manutenção da qualidade do produto.

Distribuição

- O LHO deve ser distribuído de acordo com os critérios estabelecidos pela RDC171 da ANVISA;
- Normalmente são selecionados como receptores os lactentes que apresentam uma ou mais das indicações entre as que se seguem:
  - Prematuros e RN de baixo peso que não sugam;
  - RN infectados, especialmente com enteroinfecções;
  - Portadores de deficiências imunológicas;
  - Portadores de diarreia persistente;
  - Portadores de alergia a proteínas heterólogas;
  - Casos excepcionais, a critério médico;

Controle de Qualidade

A qualidade dos produtos processados, estocados e distribuídos pelos Bancos de Leite deve ser fruto de um esforço inteligente e constante em todas as etapas, até a distribuição. Assim, a qualidade do leite humano ordenhado pode ser definida como uma grandeza que resulta da avaliação conjunta de uma série de parâmetros, que incluem as características nutricionais, imunológicas, químicas e microbiológicas.

O controle de qualidade pode assumir um caráter preventivo ou retrospectivo. O controle preventivo é o mais importante sob o ponto de vista operacional, uma vez que dele depende o comportamento do produto oferecido ao consumo. O controle retrospectivo objetiva determinar as origens de qualquer problema relacionado à qualidade do produto, quando não é mais passível de controle. As informações, obtidas pelo controle retrospectivo, são utilizadas para evitar futuros problemas, uma vez que permitem a identificação das causas.

A adoção de um sistema preventivo e dinâmico de controle de qualidade assume particular importância para os Bancos de Leite, pois reduz os riscos operacionais. Esse controle é realizado ao longo de todo o processo e se baseia no emprego de técnicas adequadas em nível de preparo de material (lavagem, esterilização ou sanitização, controle das condições higiênico-sanitárias); funcionários (controle de saúde, capacitação técnica); doadoras (controle de saúde, orientação sobre cuidados higiênico-sanitários); condições higiênicas; orientação técnica sobre a condição de coleta; coleta; seleção e classificação; processamento; estocagem; distribuição e transporte.

A proteção e os cuidados dispensados ao leite humano devem ter início no planejamento do Banco, onde a localização e o projeto de engenharia (*layout*, localização de portas e janelas, cruzamento de fluxo, tipo de piso e de parede, localização dos equipamentos etc.) podem influir de maneira significativa na qualidade dos produtos.

Controle Sanitário do LHO

Há muita controvérsia com relação aos microrganismos mais indicativos ou representativos da qualidade sanitária do leite humano ordenhado. O cultivo dos indicadores deve ser simples, economicamente viável e seguro, minimizando a possibilidade de resultados falso positivos. De acordo com esses critérios, os melhores indicadores de contaminação de origem fecal, direta ou indireta, têm sido os coliformes totais, coliformes termotolerantes e *E. coli*.

Controle Físico-químico

A utilização de indicadores físico-químicos para controlar a qualidade do leite humano ordenhado representa uma alternativa capaz de compatibilizar o custo operacional do controle com as exigências nutricionais dos consumidores. Entre as características que definem o valor nutricional do LHO, destacam-se o teor de gordura e o conteúdo energético.

A técnica do crematócrito determina a quantidade de creme e de gordura presentes no leite, e, consequentemente, o seu valor calórico.

Tal procedimento tem grande aplicação na seleção de leites para os prematuros, com pouca capacidade gástrica e grande necessidade calórica.

Lavagem, Preparo e Esterilização dos Materiais Utilizados

Material

- Deixar o material utilizado de molho em solução detergente, preparada sob diluição e tempo de permanência estabelecidos pelo fabricante;
- Lavar o material com escova apropriada;
- Enxaguar bem o material em água corrente;
- Separar os materiais de acordo com o tipo de esterilização;
- Promover a secagem do material.

Esterilização

- Preparar, segundo o tipo de material, para a esterilização, colocando data, nome de quem preparou e todas as demais informações que forem utilizadas na rotina do Serviço;
- As bombas tira-leite, os acopladores de mamas, os frascos destinados ao acondicionamento dos produtos, após a lavagem, devem ser embalados individualmente e autoclavados a 121 °C por 15 minutos.

BIBLIOGRAFIA CONSULTADA

Akré J. Alimentação infantil: bases fisiológicas. São Paulo: IBFAN Brasil/Instituto de Saúde 1994; 97p.

Almeida JAG. Amamentação: um híbrido natureza-cultura. Rio de Janeiro: Editora Fiocruz 1999; 120p.

Araújo WP, Yuzawa HCY, Libera AMMPD. Efeito do tempo e da temperatura de conservação sobre o número de bactérias, de células somáticas e características físico-químicas de amostras de leite. Rio de Janeiro: Revista Brasileira de Medicina Veterinária 1999; 21(3):104-107.

Brasil. Agência Nacional de Vigilância Sanitária. Banco de leite humano: funcionamento, prevenção e controle de riscos. Agência Nacional de Vigilância Sanitária. Brasília: ANVISA 2007; 156 p.

Carbonare SB, Carneiro-Sampaio MMS. Composição do leite humano – aspectos imunológicos. In: Rego JD. Aleitamento materno, 1 ed. São Paulo: Atheneu 2001; 83-97.

Dunda FFE. Cooperação Internacional em Saúde: o caso dos bancos de leite humano. Seminário Brasileiro de Estudos Estratégicos Internacionais – SEBREEI. Integração Regional e Cooperação Sul-Sul no Século XXI. 20 a 22 de junho de Porto Alegre/RS, Brasil, 2012.

Giugliani ERJ. O aleitamento materno na prática clínica. Rio de Janeiro: Jornal de Pediatria 2000 dez; 76:238-252.

Giugliani ERJ. Rede Nacional de Bancos de Leite Humano do Brasil: tecnologia para exportar. J Pediatria 2002; 78:3.

Goldman AS. The immune system of human milk: antimicrobial, anti-inflammatory and immunomodulating properties. Ped Infect Dis J 1993; 12(8):664-671.

Grassi MS, Costa MTZ, Vaz FA. Fatores imunológicos do leite humano. São Paulo: Pediatria 2001; 23(3):258-263.

Guimarães V, Almeida JAG, Novak FR. Normas técnicas REDEBLH-BR para bancos de leite humano – BLH/IFF [on line], 2004; 1-46. Disponibilidade em: http/www.reblh. fiocruz.br. Acessado em: 28 jul. 2014.

Lourenço D, Bardini G, Cunh L. Perfil das doadoras do banco de leite humano do Hospital Nossa Senhora da Conceição. Tubarão/SC: Arq Catarin Med 2012; 41(1):22-27.

Maia PRS, Almeida JAG, Novak FR, Silva DA. Rede Nacional de Bancos de Leite Humano: gênese e evolução. Recife: Rev Bras Saúde Matern Infant 2006 jul/set; 6(3):285-292.

Maia PRS, Novak FR, Almeida JAG. Bases conceituais da gestão do conhecimento na Rede Nacional de Bancos de Leite Humano. Rio de Janeiro: RAP 2004 mar/abr; 38(2): 287-306.

Neves LS, Guardia Mattar MJ, Moreira Sá MV, Galisa MS. Doação de leite humano: dificuldades e fatores limitantes. São Paulo: O Mundo da Saúde 2011; 35(2):156-161.

Novak FR, Almeida JAG, Silva RS. Casca de banana: uma possível fonte de infecção no tratamento de fissuras mamilares. Rio de Janeiro: J Pediatr 2003 mai/jun; 3(79):221-226. Disponível em: http://www.lilacs.br. Acessado em: 12 ago. 2014.

Novak FR, Junqueira AR, Dias MSPC, Almeida JAG. Análise sensorial do leite humano ordenhado e sua carga microbiana. Rio de Janeiro: J Pediatr 2008 mar/abr; 2(84):181-184. Disponível em: http://www.lilacs.br. Acessado em: 17 jul. 2014.

Ramos CV, de Almeida JAG, Alberto NSMC, Teles JBM, Saldiva SRDM. Diagnóstico da situação do aleitamento materno no Estado do Piauí, Brasil. Rio de Janeiro: Cad Saúde Pública 2008 ago; 24(8):1753-1762.

Rodrigues DP, Conceição CS, Alves VH et al. Qualidade assistencial do banco de leite: percepção de usuárias. UFPE on line. Recife: Rev Enferm 2013 maio; 7(5):1271-8.

Vieira GO, Almeida JAG. Leite materno como fator de proteção contra as doenças do trato digestivo. In: Urgências Clínicas e Cirúrgicas em Gastroenterologia e Hepatologia Pediátricas. Silva LR. Editora Guanabara Koogan, dois volumes, 2004.

A Iniciativa Hospital Amigo da Criança no Brasil

25

Joel Alves Lamounier
Júlio César Veloso
Fernanda Ramos Monteiro

INTRODUÇÃO

A estratégia Iniciativa Hospital Amigo da Criança (IHAC), considerada uma iniciativa global da Organização Mundial de Saúde (OMS) e do Fundo das Nações Unidas para a Infância (UNICEF) foi idealizada com objetivo de promover, proteger, e apoiar o aleitamento materno. Além disso, uma forma de sensibilizar profissionais de saúde e funcionários de hospitais e maternidades para mudanças em rotinas e condutas para prevenção do desmame precoce. Após o parto, garante o contato pele a pele da mãe com o recém-nascido e amamentação na primeira hora, importantes no começo e manutenção do aleitamento materno. Por outro lado, desestimula práticas desfavoráveis para amamentação.

Em 1990 a OMS e o UNICEF, em encontro realizado em Florença Itália no Spedale degli Innocenti estabeleceram ações de estímulo, promoção e apoio ao aleitamento materno. O Brasil foi um dos participantes do encontro, no qual foi produzido o documento "Aleitamento Materno na Década de 90: Uma Iniciativa Global", um conjunto de metas chamado Declaração de Innocenti, que resgatava o direito da mulher de aprender e praticar a amamentação com sucesso. O conjunto de medidas e ações para atingir as metas contidas nessa declaração foi denominado "Dez Passos para o Sucesso do Aleitamento Materno". No documento, foi enfatizado o aleitamento materno exclusivo até os 6 meses de idade, complementado com outros alimentos até os 2 anos para crescimento e desenvolvimento normal da criança. Os dez passos consistem de um elenco de medidas com objetivo de informar as gestantes os benefícios do leite humano e o correto manejo da amamentação. As mães devem ser informadas sobre a importância e vantagens da amamentação e conscientizadas das desvantagens do uso de substitutos do leite materno. Inclui também orientações sobre fisiologia da lactação, produção do leite e soluções para problemas na amamentação (Quadro 1).

CAPÍTULO 25 A Iniciativa Hospital Amigo da Criança no Brasil

QUADRO 1. Dez Passos para o Sucesso do Aleitamento Materno

PASSO	DESCRIÇÃO
1	Ter uma política de aleitamento materno escrita que seja rotineiramente transmitida a toda equipe de cuidados de saúde
2	Capacitar toda a equipe de cuidados de saúde nas práticas necessárias para implementar esta política
3	Informar todas as gestantes sobre os benefícios e o manejo do aleitamento materno
4	Ajudar as mães a iniciar o aleitamento materno na primeira meia hora após o nascimento*
5	Mostrar às mães como amamentar e como manter a lactação mesmo se vierem a serem separadas dos filhos
6	Não oferecer a recém-nascidos bebidas ou alimentos que não sejam o leite materno, a não ser que haja indicação médica
7	Praticar o alojamento conjunto – permitir que mães e bebês permaneçam juntos – 24 horas por dia
8	Incentivar o aleitamento sob livre demanda
9	Não oferecer bicos artificiais ou chupetas a crianças amamentadas
10	Promover a formação de grupos de apoio à amamentação e encaminhar as mães a esses grupos na alta da maternidade

*Manter os bebês em contato pele a pele com suas mães na primeira hora de vida e encorajar as mães a reconhecer quando seus bebês estão prontos para serem amamentados, oferecendo ajuda quando necessário.

Essa iniciativa começou em 12 países que assumiram o compromisso formal de tornar os Dez Passos uma realidade em seus hospitais e maternidades. Em 1992, o Ministério da Saúde e o Grupo de Defesa da Saúde da Criança, com o apoio do UNICEF e da Organização Pan-Americana de Saúde iniciou a IHAC no Brasil. A estratégia com os Dez Passos foi então implementada em hospitais e maternidades, uma ação conjunta com o Programa Nacional de Incentivo ao Aleitamento Materno do Ministério da Saúde. O reflexo desta política mundial de incentivo ao aleitamento materno foi o numero de instituições credenciadas no mundo. Em 2013 existiam mais de 20.000 instituições credenciadas em mais de 140 países. Esse aumento também ocorreu no Brasil em todos estados e Distrito Federal.

A partir de então, mais de 15.000 instituições IHAC foram credenciadas em 134 países, com reflexo no aumento das taxas de amamentação. Outra contribuição observada foi a melhora nas condições de saúde das crianças. O Ministério da Saúde, em 2014, modificou as normas que regem a IHAC. Foram redefinidos os critérios de habilitação para credenciamento de instituições, conforme portaria

N° 153 de 22 de maio de 2014. A IHAC foi reconhecida como importante estratégia de promoção, proteção e apoio ao aleitamento materno e à saúde integral da criança e da mulher, no âmbito do Sistema Único de Saúde (SUS).

CARACTERÍSTICAS DA INICIATIVA HOSPITAL AMIGO DA CRIANÇA

A Coordenação Geral de Saúde da Criança e Aleitamento Materno – CGSCAM do Ministério da Saúde, em 2012, numa ação conjunta com o Comitê Nacional de Aleitamento Materno, constituiu um Grupo de Trabalho com a proposta de revitalizar as ações da IHAC no Brasil. Foi proposta nova redação de portaria de habilitação na IHAC que inclui o Cuidado Amigo da Mulher, como Critério global da IHAC. Entre 2007 e 2011 dados do UNICEF mostram que 70 países adotaram o cuidado amigo da mulher. Em 20% deles foram adotadas essas práticas como critério para certificação. Nas Américas esse número era de 50%.

No Brasil, o processo de credenciamento de hospitais na IHAC envolveu além do cumprimento dos Dez Passos, a obediência de mais 5 critérios estabelecidos pelo Ministério da Saúde. Em 2004, a portaria N° 756/2004 ampliou as exigências de portarias anteriores, sendo incluídos mais 5 itens, totalizando 10 critérios. Posteriormente foi publicada a portaria N° 80 de 24 de fevereiro de 2011 alterando os critérios estabelecidos anteriormente.

O Cuidado Amigo da Mulher visa adotar práticas adequadas de parto e nascimento, com base nas evidências científicas recomendadas pela Organização Mundial de Saúde e o Ministério da Saúde do Brasil em 1996. Em 2014 a portaria incluiu o cuidado amigo da mulher, a garantia de permanência da mãe ou pai, junto ao recém-nascido internado em Hospitais Amigos da Criança, durante as 24 horas, e livre acesso a ambos ou na falta destes, do responsável legal, além do incremento do recurso financeiro aos hospitais IHAC.

No passo 2 da IHAC existe a preocupação de capacitar os profissionais de saúde e o próprio estabelecimento de saúde para prestarem informações corretas sobre a amamentação, bem como adotarem práticas e rotinas que favoreçam o aleitamento. Os hospitais habilitados como "Amigos da Criança" podem funcionar como Polos Regionais no Brasil e atuam como multiplicadores para outros hospitais, além de ser referência regional. Assim, uma vez qualificados, as instituições IHAC, passam a atuar como local de treinamento de equipes multiprofissionais da área da saúde, considerados referência em aleitamento materno e no atendimento humanizado ao recém-nascido em nível local ou regional.

As ações visando estimular os hospitais e maternidades no país a se tornarem IHAC são coordenadas pela Coordenação Geral de Saúde da Criança e Aleitamento Materno do Ministério da Saúde, Secretaria de Atenção à Saúde, e desenvolvidas em conjunto com o UNICEF e Coordenações Estaduais e Municipais de Saúde da Criança e Aleitamento Materno. O hospital para se tornar Hospital Amigo da Criança, precisa ser submetido a avaliações, tendo como base o cumprimento dos critérios globais de cada um dos Dez Passos para o sucesso do aleitamento materno.

No Brasil, a habilitação dos hospitais cresceu muitos no período de 1992 a 2004 (Tabela 25.1). Entretanto, após esse período não houve novos credenciamentos.

CAPÍTULO 25 A Iniciativa Hospital Amigo da Criança no Brasil

TABELA 25.1. *Hospitais IHAC no período de 1992 a 2004**

ANO	NÚMERO
1992	1
1993	4
1994	8
1995	26
1996	39
1997	16
1998	20
1999	26
2000	33
2001	29
2002	57
2003	38
2004	12
Total	307

*2005-2014 não há registro.

Isso pode ser em parte devido a critérios adicionais adotados pelo Ministério da Saúde que dificultaram o processo de credenciamento. A inclusão da taxa de cesárea pode ser um exemplo. Embora tenham ocorrido avanços pelos hospitais para cumprir os Dez Passos no aumento dos índices de amamentação e no cuidado com o recém-nascido, permaneciam com práticas inadequadas na obstetrícia. Com a melhoria das praticas no parto e nascimento, a taxa de cesárea foi retirada das exigências para credenciamento. Outro fator que dificultou a habilitação de hospitais era a obrigatoriedade de garantir o registro civil de pelo menos 70% dos recém-nascidos. Essas exigências resultaram na redução do número de hospitais credenciados, bem como de futuros candidatos à IHAC.

Para o estabelecimento de saúde receber a placa comemorativa de IHAC é um grande desafio em função de suas realidades, muitas vezes parecendo difícil de ser conseguido à primeira vista. É um convencimento coletivo que não depende apenas do diretor do hospital ou de chefia, mas de uma equipe que entenda a importância de se tornar IHAC pela qualidade no atendimento ao binômio mãe -bebê. Algumas maternidades levaram até 10 anos de trabalho para receberem o reconhecimento ao título. Portanto, o ingresso de um hospital na IHAC significa um reconhecimento ao trabalho desenvolvido pela instituição, passando a constituir um ponto de referência não só para a comunidade como também para outros hospitais e servir de local de estágios e treinamentos de equipes multiplicadoras. No caso de o hospital não atingir o mínimo necessário no processo de pré-avaliação ou avaliação global, são estabelecidos prazos para que as metas sejam alcançadas e assim corrigir e adequar rotinas deficientes. Uma nova reavaliação é feita a cada 3 anos, tendo como ênfase verificar se o hospital mantém o cumprimento dos critérios estabelecidos. Anualmente o hospital preenche em um sistema de monitoramento do Ministério da Saúde de autoavaliação. Assim, reconhecer os critérios que não estão sendo cumpridos permite a correção de problemas ou falhas. O monitoramento não é punitivo, mas uma forma do Ministério da Saúde apoiar os hospitais com estratégias para manutenção do título de HAC. Entretanto, não cumprindo os requisitos, o hospital poderá ser descredenciado, e isso ocorreu ao longo dos últimos anos.

A inclusão do cuidado amigo da mulher garante o cuidado com a criança antes do nascimento. A mulher tem garantia de um parto humanizado com a escolha da posição mais confortável e a participação de seu companheiro ou acompanhante. O parto humanizado permite que a mulher sinta-se tranquila, segura, propicia o contato pele a pele e a primeira mamada ainda na sala de parto (Quadro 2).

Os Hospitais credenciados recebem incentivo financeiro, descrito na Portaria GM/MS N° 1.153 de 22 de maio de 2014. A portaria definiu os seguintes critérios para credenciar estabelecimentos de saúde públicos e privados:

1. Cumprir os "Dez Passos para o Sucesso do Aleitamento Materno", proposto pela OMS e pelo UNICEF como ilustrado no Quadro 1;

2. Cumprir a Lei n° 11.265, de 03 de janeiro de 2006, e a Norma Brasileira de Comercialização de Alimentos para Lactentes e Crianças na Primeira Infância (NBCAL);

3. Garantir permanência da mãe ou do pai junto ao recém-nascido 24 horas por dia e livre acesso a ambos ou, na falta desses, ao responsável legal, devendo o estabelecimento de saúde ter normas e rotinas escritas a respeito, que sejam rotineiramente transmitidas a toda equipe de cuidados de saúde;

4. Cumprir o critério global Cuidado Amigo da Mulher ilustrado no Quadro 2. O critério global Cuidado Amigo da Mulher deverá estar contido em normas e rotinas escritas a respeito, que sejam rotineiramente transmitidas a toda equipe de cuidados de saúde.

A OMS e o UNICEF consideram critérios globais obrigatórios e opcionais para Hospitais Amigos da Criança de todo mundo os seguintes:

- Obrigatórios: Cumprir os Dez passos para o sucesso do aleitamento materno e o Código Internacional de Comercialização de Substitutos do Leite Materno.
- Opcionais: Apoio às mães com teste HIV positivo e Cuidado Amigo da Mãe

HISTÓRICO DOS HOSPITAIS AMIGO DA CRIANÇA NO BRASIL

Em 1983, foi instituída norma pelo extinto INAMPS do alojamento conjunto imediato após o parto, garantindo a permanência da mãe com o bebê 24 horas por dia. Essa norma foi também adotada em 1987 pelo MEC nos hospitais

QUADRO 2. Critérios Globais Cuidado Amigo da Mulher

DESCRIÇÃO

Garantir à mulher, durante o trabalho de parto, parto e pós-parto, um acompanhante de sua livre escolha, que lhe ofereça apoio físico e/ou emocional;

Ofertar à mulher, durante o trabalho de parto, líquidos e alimentos leves

Incentivar a mulher a andar e a se movimentar durante o trabalho de parto, se desejar, e a adotar posições de sua escolha durante o parto, a não ser que existam restrições médicas e isso seja explicado à mulher, adaptando as condições para tal

Garantir à mulher, ambiente tranquilo e acolhedor, com privacidade e iluminação suave

Disponibilizar métodos não farmacológicos de alívio da dor, tais como banheira ou chuveiro, massageadores ou massagens, bola de pilates, bola de trabalho de parto, compressas quentes e frias, técnicas que devem ser informadas à mulher durante o pré-natal

Assegurar cuidados que reduzam procedimentos invasivos, tais como rupturas de membranas, episiotomias, aceleração ou indução do parto, partos instrumentais ou cesarianas, a menos que sejam necessários em virtude de complicações, sendo tal fato devidamente explicado à mulher

Caso seja da rotina do estabelecimento de saúde, autorizar a presença de Doula comunitária ou voluntária em apoio à mulher de forma contínua, se for da sua vontade

---

universitários. Durante a Segunda Reunião de Cúpula do Pacto pela Infância, em julho de 1993, governadores de 24 estados brasileiros assumiram compromissos, entre os quais o de elevar em 30% os índices de aleitamento materno exclusivo. Outros pontos foram aumentar a duração da mediana do aleitamento materno de 134 para 174 dias, adotar as Normas Brasileiras de Comercialização de Alimentos para Lactentes e implementar o programa Iniciativa Hospital Amigo da Criança.

Em 1992, o primeiro estabelecimento de saúde a receber a placa de Hospital Amigo da Criança foi o Instituto Materno-infantil de Pernambuco, de Recife e no ano seguinte o Hospital Guilherme Álvaro na cidade de Santos (SP). Posteriormente foram credenciados a Maternidade Escola Assis Chateaubriand em Fortaleza (CE), Hospital Regional de Taguatinga (DF) e Hospital Clériston Andrade em Feira de Santana (BA). Esse número cresceu ao longo dos anos. Dados da Coordenação-Geral de Saúde da Criança e Aleitamento Materno do Ministério da Saúde, de dezembro de 2013, revelam 323 instituições habilitadas nas seguintes regiões: 126 no Nordeste, 80 no Sudeste, 55 no Sul, 36 no Centro-Oeste e 26 no Norte (Tabela 25.1). Todas as unidades da federação contam com hospitais amigos da criança. A distribuição por estados mostra a maior parte (39%) na região Nordeste. Com relação à categoria, 192 são públicos e 130 são privados. Dos públicos, 98 são municipais, 78 são estaduais, e 16 são federais (Tabelas 25.2 e 25.3). Importante observar que os números podem mudar em função do descredenciamento de hospitais. Em

TABELA 25.2. *Distribuição de HIAC por região no Brasil*

REGIÃO	NÚMERO	%
Nordeste	126	39%
Sudeste	80	25%
Sul	55	17%
Centro-Oeste	36	11%
Norte	26	8%
Total	323	100

Fonte: Ministério da Saúde, maio/2014.

2014, dados do Ministério da Saúde mostram 323 instituições credenciadas nos diversos estados e Distrito Federal (Fig. 25.1).

No Brasil, em 2004, havia 3384 hospitais da rede SUS que realizavam partos. Na época 323 instituições eram credenciadas como IHAC, correspondendo a 9,5% do total de hospitais. Porém, se considerarmos o total de hospitais no país, esse número representa apenas 4,4% (Tabela 25.4). Importante ressaltar que esse é ainda um número muito pequeno de hospitais credenciados, considerando que no mundo existem 20.000 hospitais nos diversos países. Essa iniciativa, importante para melhoria e humanização da atenção ao binômio mãe-filho, deve ser priorizada em todas as áreas de governo para ampliar o número de Hospitais Amigo da Criança.

FIG 25.1. *Distribuição instituições HIAC por regiões e estados.*

TABELA 25.3. *Distribuição de HIAC por estados e regiões no Brasil*

ESTADO	REGIÃO	NÚMERO
São Paulo	Sudeste	42
Rio Grande do Norte	Nordeste	26
Ceará	Nordeste	25
Paraná	Sul	22
Minas Gerais	Sudeste	22
Paraíba	Nordeste	18
Goiás	Centro-oeste	18
Maranhão	Nordeste	17
Santa Catarina	Sul	17
Rio Grande do Sul	Sul	16
Rio de Janeiro	Sudeste	13
Pernambuco	Nordeste	12
Pará	Norte	12
Piauí	Nordeste	11
Distrito Federal	Centro-oeste	11
Bahia	Nordeste	9
Amazonas	Norte	7
Alagoas	Nordeste	6
Mato Grosso do Sul	Centro-oeste	4
Espírito Santo	Sudeste	3
Mato Grosso	Centro-oeste	3
Tocantins	Norte	3
Sergipe	Nordeste	2
Acre	Norte	1
Amapá	Norte	1
Roraima	Norte	1
Rondônia	Norte	1
TOTAL		323

Fonte: Ministério da Saúde, maio/2014.

TABELA 25.4. *IHAC em relação a hospitais por região Brasil, 2004*

REGIÃO	NÚMERO HOSPITAIS*	NÚMERO HIAC**	HIAC % REGIÃO
Nordeste	2150	143	6,7
Centro-oeste	783	37	4,7
Sul	1229	50	4,1
Norte	564	17	3.0
Sudeste	2331	60	2,6
TOTAL	7057	307	4,4

*Viacava.
**Ministério da Saúde, dezembro/2004.

IMPACTO DA IHAC NO ALEITAMENTO MATERNO

A II Pesquisa de Prevalência de Aleitamento Materno nas Capitais Brasileiras e DF de 2008 mostrou melhores indicadores de Aleitamento Materno em Hospitais Amigos da Criança. A duração média do Aleitamento Materno Exclusivo (AME) em crianças que nasceram nesses hospitais foi de 60,2 dias comparado com 48,1 dias em crianças nascidas em hospitais não credenciados. As crianças que nascem em HAC aumentam a chance em 9% para a amamentação na primeira hora de vida.

Outros dados mostram que no total das crianças analisadas, 67,7% mamaram na primeira hora de vida, variando de 58,5% em Salvador BA a 83,5% em São Luís MA. A prevalência do AME em menores de 6 meses foi de 41,0% no conjunto das capitais brasileiras e Distrito Federal. O comportamento desse indicador foi bastante heterogêneo, variando de 27,1% em Cuiabá (MT) a 56,1% em Belém (PA). Constatou-se aumento da prevalência de AME em menores de 4 meses de 35,5% em 1999 para 51,2% em 2008. A comparação entre as regiões revelou aumento expressivo no Sudeste, Norte e Centro-Oeste. Em crianças na faixa etária de 9 a 12 meses também ocorreu aumento. O percentual de crianças amamentadas entre 1999 e 2008 passou de 42,4% para 58,7%. Outro dado foi redução do uso de chupeta de 57,7% para 42,6% no período.

Estudos mostram o impacto e a eficiência do programa IHAC pelo aumento na duração do aleitamento materno. No Chile um programa constituído de treinamento de profissionais de saúde, educação no pré-natal e no puerpério de uma clínica de aleitamento materno elevou as taxas de amamentação exclusiva de 32% para 67%. Em hospital com os Dez Passos para o Sucesso do Aleitamento Materno comparado com hospital tradicional, a prevalência do aleitamento materno exclusivo nos primeiros 6 meses foi de 66,8% *versus* 23,3% no hospital tradicional. Os hospitais eram semelhantes, diferindo apenas no programa de incentivo ao aleitamento materno.

No Brasil, estudo comparando o programa do Hospital Guilherme Álvaro, em Santos (SP), com outro hospital com as mesmas características (controle), sem o programa de incentivo ao aleitamento materno, mostrou que a média de amamentação com leite materno exclusivo foi de 75 dias *versus* 22 dias. Isto representa um benefício de 53 dias de amamentação se o programa fosse instituído no hospital-controle. A probabilidade de aleitamento materno exclusivo para um mês foi de 0,64 e 0,39 no hospital com o programa *versus* o controle, respectivamente. Aos 3 meses, a probabilidade foi de 0,46 contra 0,20, respectivamente, no hospital com o programa e controle. Fazendo-se a diferença (0,64-0,39) e dividindo-se por 1.000, calcula-se que 250 seria o número adicional de mulheres que proporcionariam aleitamento materno exclusivo no primeiro mês, comprovando-se assim a eficiência do programa desenvolvido no Hospital Amigo da Criança.

A adoção dos Dez Passos e o trabalho de incentivo ao aleitamento materno têm resultado em significativo aumento dos índices de amamentação em alguns locais no Brasil. Em Fortaleza, no Ceará, na Maternidade Assis Chateaubriand, pesquisa realizada no período de junho de 1993 a junho de 1994 revelou uma prevalência de aleitamento materno exclusivo de 73% no primeiro mês, 62% aos 2 meses, 51% aos 3 meses, 44% aos 4 meses e de 38% entre 5 e 6 meses. Em Joinville, Santa Catarina, como resultado do trabalho realizado pela Maternidade Darcy Vargas, os índices de aleitamento materno exclusivo no período de 4 a 6 meses foi de 22%, superior ao da média nacional, em torno de 3%, conforme mostrou uma pesquisa realizada na cidade.

Para que as mudanças nas rotinas hospitalares e os dez passos sejam implantados, é preciso que os mesmos sejam apoiados e divulgados pela direção dos hospitais. Compete aos pediatras e demais profissionais de saúde acreditar nos dez passos para o sucesso do aleitamento materno, e se empenhar para que os mesmos sejam executados. O uso de bicos e chupetas e a presença de mamadeiras no berçário podem significar a pouca convicção dos próprios pediatras em promover o aleitamento materno. Nesse caso, além de contribuir para o desmame, poderem ser vistos pela mãe como uma alternativa fácil ao primeiro obstáculo que encontrar após a saída do hospital. Na experiência dos Hospitais Amigos da Criança, as dificuldades para cumprir os dez passos existem, variando de local para local. Porém, os resultados demonstram que o esforço é válido, pela humanização do atendimento materno-infantil, e aumento das taxas de aleitamento materno exclusivo. A Sociedade Brasileira de Pediatria apoia a IHAC como uma maneira eficiente de promover o aleitamento materno. Informações sobre IHAC dirigidas para pediatras e classe médica em geral têm sido publicadas nos últimos anos, destacando a importância desse programa para o incentivo ao aleitamento materno.

O treinamento e capacitação de equipes de profissionais da saúde sob forma de cursos tem sido importantes para melhora dos indicadores de aleitamento materno. A prevalência do aleitamento materno nas crianças aos 6 meses no Brasil urbano passou de 22% em 1975 para 69% em 1999, segundo um estudo feito pelo Ministério da Saúde. Esses resultados refletem o trabalho desenvolvido ao longo dos anos pelos profissionais da saúde nas diversas estratégias para promoção, incentivo e apoio ao aleitamento materno. Assim, sem dúvida a IHAC pode ser considerada uma estratégia positiva, com aumento do aleitamento materno.

No Brasil, já está bem documentada a influência positiva da IHAC nas taxas de prevalências de AM. Outras experiências bem-sucedidas devem ser consideradas para complementar ações da IHAC. A iniciativa Centro de Saúde Amigo da Criança consiste em utilizar uma estrutura semelhante, inspirada em passos seguindo o modelo da IHAC. Assim, complementam o trabalho desenvolvido no hospital e maternidade após alta hospitalar da mãe na rede de saúde publica.

BIBLIOGRAFIA CONSULTADA

Araújo MFM, Schmitz BAS. Doze anos de evolução da Iniciativa Hospital Amigo da Criança no Brasil. Rev Panam Salud Publica 2007; 22(2):91-9.

Braun MLG, Giugliani ERJ, Soares MEM, Giugliani C, Oliveira AP, Danelon CMM. Evaluation of the impact of the baby-friendly hospital initiative on rates of breastfeeding. Am J Public Health 2003; 93(8):1277-9.

Brodribb W, Kruske S, Miller YD. Baby-friendly hospital accreditation. In: Hospital care practices, and breastfeeding. Pediatrics 2013; 131;685-692.

Caldeira AP, Gonçalves E. Avaliação de impacto da implantação da Iniciativa Hospital Amigo da Criança. J Pediatr 2007; 83(2):127-132.

Caldeira AP, Gonçalves E. Avaliação de impacto da implantação da Iniciativa a Hospital Amigo da Criança. Arch Pediatr Urug 2009; 80(2):144-149.

Correa AMS. Evaluación del impacto de las actividades de promoción de la lactancia materna: Hospital Guilherme Alvaro. USAID/LAC, fevereiro de 1994.

Delli-Fraine J, Langabeer J, Williams JF, Gong AK, Delgado RI, Gill SL. Cost comparison of baby friendly and non-baby friendly hospitals in the United States. Pediatrics 2011; 127(4):e989-994.

Fairbank L, O'Meara S, Renfrew MJ, Woolridge M, Sowden AJ, Lister-Sharp D. A systematic review to evaluate the effectiveness of interventions to promote the initiation of breastfeeding. Health Technol Assess 2000; 4(25):172.

Lamounier JA, Bouzada MCF, Janneu MAS, Maranhão AGK, Araújo MFM, Vieira GO, Vieira TO. Iniciativa Hospital Amigo da Criança, mais de uma década no Brasil: repensando o futuro. Rev Paul Pediatr 2008; 26(2):161-9.

Lamounier JA, Lana APB. Centro de Saúde Amigo da Criança: referência em aleitamento materno. Belo Horizonte: Revista Médica de Minas Gerais 2001; 11(4):235-241.

Lamounier JA. Experiência iniciativa Hospital Amigo da Criança. Rev Ass Med Brasil 1998; 44(4):319-24.

Lamounier JA. Promoção e incentivo ao aleitamento materno: Iniciativa Hospital Amigo da Criança. J Pediatr 1996; 72(6):363-368.

Lamounier JA. Tendências do aleitamento materno no Brasil. Revista Médica de Minas Gerais 1999; 9(2):59-65.

Lana APB, Lamounier JA. Saúde da Família. Centro de Saúde Amigo da Criança. 1 ed. Belo Horizonte: Coopmed, 2009.

Lutter C, Escamilla RP, Segall A, Sanghvi TG, Teruya K, Rivera A. El efecto de programas hospitalarios de promoción del amamantamiento sobre la lactancia materna exclusiva em três países de America Latina. USAID/LAC Informe nº 9, julho de 1994.

Mallik S, Dasgupta U, Naskar S, Sengupta D, Choudhury K, Bhattacharya SK. Knowledge of breast feeding and timely initiation of it amongst post natal mothers: an experience from a baby friendly teaching hospital of a metropolitan city. IOSR Journal of Dental and Medical Sciences (IOSR-JDMS) 2013; 4(1):25-30.

Ministério da Saúde. II Pesquisa de Prevalência de Aleitamento Materno nas Capitais Brasileiras e Distrito Federal. Ministério da Saúde, Secretaria de Atenção à Saúde, Departamento de Ações Programáticas e Estratégicas. Brasília: Editora do Ministério da Saúde, 2009.

Perez A, Valdez V. Santiago breastfeeding promotion program: preliminary results of an intervention study. Am J Obstet Gynecol 1991; 165:2039-2044.

PNIAM/INAN/UNICEF. Boletim Nacional Iniciativa Hospital Amigo da Criança, nº 14, outubro/1995 e março/1996.

PNIAM/INAN/Unicef. Boletim Nacional Iniciativa Hospital Amigo da Criança, nº 10, outubro-novembro/1994.

Silva MM. Contato precoce e aleitamento na sala de parto na concepção de profissionais de saúde. Tese Mestrado. Escola de Enfermagem Ribeirão Preto, USP 2014; 124 p.

Valdez V, Perez A, Labbok, M, Pugin E, Zambrano I, Catalan S. The impact of a hospital and clinic-based breastfeeding promotion programme in a middle class urban environment. J Trop Pediatr 1993; 39:142-151.

Venancio SI, Saldiva SRDM, Escuder MML, Giugliani ERJ. The Baby-Friendly Hospital Initiative shows positive effects on breastfeeding indicators in Brazil. J Epidemiol Community Health 2012; 66(10):914-8.

Verma M, Srivastava RK, Divakar B. Persuade mothers in post natal ward for timely initiation of breastfeeding. National Journal of Community Medicine 2011; 2(3):366-370.

Viacava F, Bahia L. Hospitais e unidades mistas. Assistência médico-sanitária. Os serviços de saúde segundo o IBGE. Fiocruz, Radis 1996; 20:24-28.

WHO/Unicef. Innocenti Declaration on the protection, promotion and support of breastfeeding. Meeting "Breastfeeding in the 1990s: A global initiative". Co-sponsored by the United States Agency for International Development (AID) and the Swedish International Development Authority (SIDA), held at the Spedale degli Innocenti, Florence, Italy, on 30 July 1 August, 1990.

WHO/Unicef. Protecting, promoting and supporting breastfeeding. Geneva: WHO, 1989.

World Health Organization. UNICEF. Baby-friendly hospital initiative: revised, updated and expanded for integrated care. Section 3, Breastfeeding promotion and support in a baby-friendly hospital: a 20-hour course for maternity staff. Geneva: WHO/UNICEF, 2009.

Iniciativa Unidade Básica Amiga da Amamentação: Chegamos a 100!

26

Maria Inês Couto de Oliveira
Rosane Valéria Viana Fonseca Rito

INTRODUÇÃO: SURGIMENTO DA IUBAAM

A Iniciativa Unidade Básica Amiga da Amamentação (IUBAAM) surgiu de uma necessidade concreta de estímulo e apoio à amamentação na atenção primária.

A Iniciativa Hospital Amigo da Criança (IHAC) foi lançada no começo dos anos 90 pela OMS/UNICEF e endossada pelo Ministério da Saúde em 1992, como ação do Programa Nacional de Incentivo ao Aleitamento Materno. A IHAC traz uma proposta de capacitação dos profissionais de saúde nos "Dez Passos para o Sucesso do Aleitamento Materno", mas esse treinamento compreende ações hospitalares, como a ajuda ao aleitamento materno ainda na sala de parto, não adequadas à atenção básica.

O Estado do Rio de Janeiro conta com um conjunto de profissionais de saúde que militam pela causa do aleitamento materno: representantes de entidades de classe, de Hospitais Amigos da Criança, do Centro de Referência em Bancos de Leite Humano e membros de organizações não governamentais (ONG), entre outros. Esse conjunto, denominado "Grupo Técnico Interinstitucional de Incentivo ao Aleitamento Materno" (GTIIAM) é coordenado pela Secretaria de Estado de Saúde do Rio de Janeiro e se reúne mensalmente há mais de 20 anos, colaborando com o planejamento, execução e avaliação das ações de aleitamento materno em todo o Estado. Foi esse Grupo Técnico que em 1997 levantou a questão: promovemos muitos cursos de HAC, e já conseguimos credenciar vários hospitais que estão cumprindo os "Dez Passos", mas esses hospitais recebem mulheres não preparadas durante o pré-natal para a amamentação, que passam apenas um a dois dias internadas para o parto, e após a alta recebem muita pressão: de familiares, de amigos, dos locais de trabalho, que podem levar ao desmame. Precisamos capacitar a rede básica para proporcionar um apoio contínuo a essas mulheres.

CAPÍTULO 26   Iniciativa Unidade Básica Amiga da Amamentação: Chegamos a 100!

Percebeu-se que os grupos de apoio à amamentação, que vinham sendo formados em vários Hospitais Amigos da Criança para substituir os grupos voluntários de mães, preconizados pelo Passo 10 da IHAC, poderiam estar sendo desenvolvidos na rede primária de saúde, cujas unidades são mais próximas às residências das gestantes e mães. A rede básica de saúde é pública, gratuita, de acesso universal, e se constitui na principal responsável por acompanhar as gestantes durante o pré-natal e o binômio mãe-filho nos primeiros anos de vida do bebê. Ela poderia, portanto, desempenhar um papel importante no restabelecimento do hábito cultural da amamentação.

No final dos anos 90 o GTIIAM passou a desenvolver treinamentos para profissionais de unidades básicas de saúde, pela necessidade de articular as ações da rede primária de saúde com as da rede secundária, visando uma atuação integrada de promoção, proteção e apoio à amamentação. Porém, ainda não havia uma proposta clara de atuação na rede básica de saúde. Foi então que a Coordenadora do GTIIAM, que iniciava um curso de doutorado na Escola Nacional de Saúde Pública/FIOCRUZ, passou a desenvolver uma revisão sistemática para apreensão da evidência científica disponível quanto às ações conduzidas na atenção primária à saúde com efetividade na extensão da duração da amamentação. Com base nessa revisão sistemática, foram definidos os "Dez Passos para o Sucesso da Amamentação da IUBAAM", que constam a seguir:

QUADRO 1. Iniciativa Unidade Básica Amiga da Amamentação: Dez passos para o sucesso da amamentação

Todas as unidades básicas com serviço pré-natal e de pediatria/puericultura devem:

1	Ter uma norma escrita quanto à promoção, proteção e apoio ao aleitamento materno que deverá ser rotineiramente transmitida a toda a equipe da unidade de saúde
2	Capacitar toda a equipe da unidade de saúde para implementar essa norma
3	Orientar as gestantes e mães sobre seus direitos e as vantagens do aleitamento materno, promovendo a amamentação exclusiva até os 6 meses e complementada até os 2 anos de vida ou mais
4	Escutar as preocupações, vivências e dúvidas das gestantes e mães sobre a prática de amamentar, apoiando-as e fortalecendo sua autoconfiança
5	Orientar as gestantes sobre a importância de iniciar a amamentação na primeira hora após o parto e de ficar com o bebê em alojamento conjunto
6	Mostrar às gestantes e mães como amamentar e como manter a lactação, mesmo se vierem a ser separadas de seus filhos
7	Orientar as nutrizes sobre o Método da Amenorreia Lactacional e outros métodos contraceptivos adequados à amamentação
8	Encorajar a amamentação sob livre demanda
9	Orientar gestantes e mães sobre os riscos do uso de fórmulas infantis, mamadeiras e chupetas, não permitindo propaganda e doações desses produtos na unidade de saúde
10	Implementar grupos de apoio à amamentação acessíveis a todas as gestantes e mães, procurando envolver os familiares

Foi então estruturada uma metodologia de avaliação do cumprimento desses passos pelas unidades básicas. Esse processo de desenvolvimento dos "Dez Passos para o Sucesso da Amamentação da IUBAAM", consolidando os achados da revisão sistemática, e de criação da metodologia de avaliação e de sua validação através de um estudo de campo, contou com o apoio logístico e financeiro do UNICEF.

No Seminário de Abertura da VIII Semana Mundial de Amamentação, ocorrido em outubro de 1999, a Iniciativa Unidade Básica Amiga da Amamentação foi lançada no Estado do Rio de Janeiro. No final de 1999 o GTIIAM promoveu um *workshop* que contou com a participação da Coordenadora de Ações de Aleitamento Materno da Área de Saúde da Criança do Ministério da Saúde, dra. Maria de Fátima Moura de Araújo, de membros do meio acadêmico, de sociedades de classe, e de diversas ONGs, em que a representante do Ministério da Saúde assumiu o compromisso de envidar esforços para tornar a IUBAAM uma iniciativa nacional. No ano seguinte foi constituída pelo Ministério da Saúde uma equipe para o desenvolvimento da iniciativa, composta pela dra. Keiko Miayasaki Teruya, do Centro de Lactação de Santos, pela dra. Ivis Emília de Oliveira Souza, da Universidade Federal do Rio de Janeiro, pela dra. Sonia Maria Salviano Matos de Alencar, Coordenadora de Bancos de Leite Humano da Secretaria de Saúde do Distrito Federal e pela dra. Evangelia Kotzias Atherino dos Santos, da Universidade Federal de Santa Catarina, sob a coordenação técnica da dra. Maria Inês Couto de Oliveira, pela Secretaria de Estado de Saúde do Rio de Janeiro.

CAPACITAÇÃO DE PROFISSIONAIS DE SAÚDE NA IUBAAM

Foi definida como primeira estratégia a elaboração de material instrucional para capacitação de profissionais de saúde na Iniciativa Unidade Básica Amiga da Amamentação. A partir de março de 2001, essa equipe passou a se reunir mensalmente no Ministério de Saúde, para elaboração do "Manual de Capacitação de Multiplicadores e Equipes de Saúde na Iniciativa Unidade Básica Amiga da Amamentação". Colaboraram também na elaboração desse material a pesquisadora da Universidade Federal do Ceará Márcia Maria Tavares Machado, a nutricionista da Área de Saúde da Criança do Ministério da Saúde Ana Flávia Nascimento e a psicóloga Maria Auxiliadora Gomes de Andrade, consultora do Ministério da Saúde em Atenção Humanizada ao Recém-Nato de Baixo Peso.

A metodologia utilizada para o desenvolvimento do curso foi a problematizadora, que permite ao participante construir o seu conhecimento a partir da reflexão e análise de sua prática assistencial em aleitamento materno. Essa metodologia parte do princípio que novos conhecimentos devem estar relacionados aos conhecimentos prévios que o participante já possui; que as experiências prévias do participante sobre o conteúdo devem ser o ponto de partida para a aprendizagem e que deve haver uma interação, na estrutura cognitiva do participante, entre as ideias já existentes e as novas informações. Problematizar é buscar relacionar um novo conjunto de conceitos e informações ao conhecimento do participante diante de uma situação que envolve múltiplas possibilidades ou alternativas de solução. O problema pede uma solução, exigindo informação, espírito crítico, reflexão e

CAPÍTULO 26 — Iniciativa Unidade Básica Amiga da Amamentação: Chegamos a 100!

planejamento, que representam a aquisição das competências expressas nos objetivos estabelecidos ao início de cada sessão do curso.

O curso de capacitação na IUBAAM foi estruturado com uma carga horária de 24 horas: 20 horas de conteúdo teórico, trabalhado através de técnicas de dramatização, demonstração, dinâmica de grupo, aula interativa, e oficinas, e 4 horas de conteúdo prático, conduzido no interior de uma unidade básica de saúde em atividades de aconselhamento e em grupo com gestantes e mães com bebês. O curso compreende um total de 29 sessões organizadas em 6 módulos, de 4 horas cada: "Apresentando a IUBAAM"; "Manejo da amamentação e processo da parentalidade"; "Abordagem de apoio à amamentação"; "Assistência à mulher e bebê na unidade básica de saúde"; "Parte prática de aquisição de habilidades em aconselhamento em grupo e individual e no manejo da amamentação"; "Proteção à amamentação e construção do plano de ação".

Cada curso tem como público-alvo cerca de 24 participantes, para que todos tenham a oportunidade de interagir no processo de construção de conhecimento. Atua na condução do curso uma equipe de 3 a 4 instrutores, na proporção de 1 instrutor para cada 6 a 8 participantes, pois em várias dinâmicas e na parte prática do Curso o coordenador da sessão precisa do apoio de outros instrutores para o desenvolvimento das dinâmicas com os participantes. Cada sessão tem um coordenador, cuja função é orientar, conduzir o processo, estimular a dúvida e moderar o debate. O processo de avaliação da construção do conhecimento é uma preocupação constante, sob a responsabilidade de ambos: coordenador e participante e propicia que o participante, através da consciência crítica, imprima uma direção às suas ações nos contextos em que se situam.

A aplicação desse material instrucional foi testada em dois cursos realizados em 2002. O primeiro foi conduzido em Taguatinga, DF, junto a equipes de unidades básicas de saúde. Para o segundo curso foi elaborado um CD com os objetivos e o conteúdo teórico de cada sessão, que foi utilizado juntamente com o Manual em um curso de capacitação de multiplicadores da IUBAAM realizado no Rio de Janeiro, que foi atualizado e publicado em 2006.

METODOLOGIA DE AVALIAÇÃO E ESTRATÉGIA DE IMPLANTAÇÃO DA IUBAAM

A partir de 2002, a equipe de consultores da IUBAAM, que se reunia mensalmente no Ministério da Saúde, acrescida da pesquisadora da Universidade Federal do Ceará, Márcia Maria Tavares Machado, passou a aprimorar os critérios e os questionários de avaliação global e a desenvolver os demais instrumentos de avaliação global para credenciamento de unidades básicas de saúde na Iniciativa Unidade Básica Amiga da Amamentação. Foram desenvolvidos os seguintes instrumentos:

- Questionário de Autoavaliação: permite que a equipe de profissionais de saúde da unidade básica de saúde compare as práticas vigentes com os Critérios Globais estabelecidos pela IUBAAM
- Guia de Avaliadores Externos: orienta todo o processo de avaliação e credenciamento de unidades básicas de saúde na IUBAAM

Iniciativa Unidade Básica Amiga da Amamentação: Chegamos a 100! **CAPÍTULO 26**

- Questionário de Avaliação Global: utilizado pela equipe de avaliadores externos à unidade de saúde a ser avaliada, tanto na pré-avaliação, como na avaliação global. É composto do Guia I – Informação Geral da Instituição; Guia II – Serviço de Pré-natal; Guia III – Serviço de Pediatria.

- Folhas Resumo: oferecem orientações aos avaliadores externos e às autoridades estadual e nacional, para determinar se a unidade básica de saúde cumpriu os Critérios Globais para ser credenciada como "Unidade Básica Amiga da Amamentação".

Esses instrumentos de avaliação global foram testados em unidades básicas de saúde de Brasília e do Rio de Janeiro. Foi desenvolvido também um Curso de Formação de Avaliadores da IUBAAM, com 15 sessões sobre o processo de avaliação, capacitação prática na aplicação dos instrumentos junto a profissionais de saúde, gestantes e mães em uma unidade básica de saúde e posterior consolidação dos dados. O Curso de Formação de Avaliadores foi testado no Rio de Janeiro em 2002, e, posteriormente, aperfeiçoado no Rio Grande do Sul em 2003.

A IUBAAM estabeleceu uma estratégia de implantação horizontal, pois a quantidade de unidades básicas de saúde a serem capacitadas e avaliadas é muito superior à de hospitais. O Ministério da Saúde ficou responsável pela normatização da iniciativa, e o Estado por capacitar multiplicadores e avaliadores em cada regional de saúde, que atuaria na capacitação de equipes de multiplicadores em cada município. Essas equipes assessorariam as unidades básicas nas capacitações locais.

Ao final do processo de capacitação local e de aprimoramento das rotinas, a unidade de saúde preenche o questionário de autoavaliação da IUBAAM, que é enviado à Secretaria Municipal de Saúde correspondente. Caso a autoavaliação seja positiva, é designado um avaliador municipal ou regional para proceder a uma pré-avaliação da unidade de saúde. Se essa pré-avaliação sinalizar o cumprimento dos "Dez Passos para o Sucesso da Amamentação" pela unidade de saúde, a Secretaria Municipal de Saúde solicita à Secretaria Estadual de Saúde uma avaliação global, que é conduzida por um avaliador estadual e um avaliador regional. O credenciamento da unidade se dá mediante uma placa concedida pela Secretaria Estadual de Saúde, onde consta o nome da unidade básica de saúde e o ano de credenciamento.

No Estado do Rio de Janeiro foram criados Polos Regionais de Aleitamento Materno nas 10 regionais: Capital, Metropolitana I, Metropolitana II, Baixada Litorânea, Norte, Noroeste, Serrana, Centro Sul Fluminense, Médio Paraíba e Baía da Ilha Grande. Em cada um desses Pólos foi sendo criada uma equipe de multiplicadores, que passou a atuar na capacitação de multiplicadores municipais, para atuação nos cursos voltados para os profissionais das unidades básicas de saúde. Foram capacitados também avaliadores em todos os Polos Regionais do Estado.

UNIDADES BÁSICAS CREDENCIADAS NA IUBAAM

A demanda por avaliações globais surgiu ainda em 2001. A primeira unidade primária de saúde credenciada na IUBAAM foi uma unidade de pequeno porte, a Unidade de Saúde da Família Mariana Torres, situada em Volta Redonda. A

CAPÍTULO 26 Iniciativa Unidade Básica Amiga da Amamentação: Chegamos a 100!

cerimônia de entrega do título ocorreu em abril de 2001 e contou com a presença da dra. Ana Gorete Maranhão, representante do Ministério da Saúde, e do Secretário de Estado de Saúde do Rio de Janeiro, dr. Gilson Cantarino. A segunda unidade básica credenciada, em setembro de 2001, foi de grande porte, o Centro Materno-infantil de Teresópolis, e a terceira, uma unidade de médio porte, o Posto de Saúde dr. Harvey Ribeiro de Souza Filho, situado na capital, em março de 2003.

As reuniões mensais da equipe de consultores da IUBAAM no Ministério da Saúde foram descontinuadas com a mudança do governo federal em 2003. No entanto, como a IUBAAM já estava pronta para ser lançada e muita expectativa havia sido criada em torno dela, a equipe de consultores passou a receber solicitações de várias Secretarias de Saúde interessadas na implantação dessa estratégia, com vistas à redução da morbimortalidade infantil.

A Secretaria de Estado de Saúde do Paraná promoveu em setembro de 2003 um Curso de Multiplicadores da IUBAAM em Curitiba, e em novembro de 2003, a Secretaria de Estado de Saúde do Rio Grande do Sul promoveu o Curso de Multiplicadores e Avaliadores da IUBAAM em Porto Alegre. Vários Cursos de Multiplicadores da IUBAAM foram realizados para a rede básica de saúde de Santos, São Paulo, nos anos de 2003 e 2004. Foram também realizados Cursos de Multiplicadores da IUBAAM em Maceió, Alagoas; e em Marília, São Carlos e na capital de São Paulo em 2005. Em 2006 foram realizados Cursos de Multiplicadores da IUBAAM em Maringá, Paraná; e em Uberlândia, Minas Gerais, e no ano de 2007, em Vitória, Espírito Santo.

No final do ano de 2003, um município do interior do Estado do Rio de Janeiro, Piraí, passou a ter todas as unidades básicas de saúde certificadas como "Amigas da Amamentação", sendo também certificado o hospital dessa cidade como "Hospital Amigo da Criança" na mesma época. Piraí passou a se constituir no único município brasileiro com toda a rede de saúde credenciada na promoção, proteção e apoio à amamentação.

Em 2004, o Grupo Técnico Interinstitucional de Aleitamento Materno (GTIAM) foi atualizado através da Resolução SES/RJ nº 2410 de 10 de maio de 2004, sendo incorporados formalmente ao GTIAM os Pólos Regionais de Aleitamento Materno. A função desses Polos passou a ser não só coordenar a IUBAAM regionalmente, promovendo capacitações e realizando avaliações da IUBAAM, como também desenvolver as demais ações de promoção, proteção e apoio ao aleitamento materno, desempenhando um papel primordial na descentralização dessas ações no Estado do Rio de Janeiro. Esses Polos colaboraram na capacitação de profissionais na IHAC, e assim hospitais do interior, situados em Nova Friburgo, Volta Redonda, Cabo Frio, Piraí, Vassouras, e Resende foram auxiliados no processo de credenciamento como Hospitais Amigos da Criança.

A Iniciativa Unidade Básica Amiga da Amamentação foi regulamentada no Estado do Rio de Janeiro através da Resolução SES-RJ de 2 de março de 2005. Essa iniciativa já havia sido preconizada em 2002 pelo Plano Estadual de Saúde para todas as unidades primárias de saúde – como Centros de Saúde, Postos de Saúde e Módulos de Saúde da Família – que dispõem de serviço pré-natal e de pediatria/puericultura.

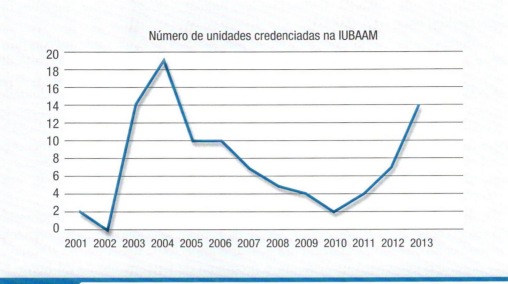

FIG 26.1. *Número de unidades credenciadas por ano na Iniciativa Unidade Básica Amiga da Amamentação, Estado do Rio de Janeiro.*

A evolução dos credenciamentos na IUBAAM não tem sido homogênea ao longo do tempo, nem entre as regiões do Estado. Existe uma maior concentração (57%) de unidades credenciadas na Região Médio Paraíba, em especial nos municípios de Barra Mansa, Volta Redonda, Piraí e Pinheiral. A segunda maior concentração se dá na capital do Estado (27%) e a terceira maior na Região Serrana (9%). Há também unidades credenciadas nas regiões Noroeste (3%), Centro-Sul (2%) e Metropolitana II (2%). No início de 2014 houve mais dois credenciamentos de unidades na capital, atingindo 100 Unidades Básicas Amigas da Amamentação no Estado do Rio de Janeiro (Fig. 26.1).

EFETIVIDADE DA IUBAAM

Passados quinze anos do lançamento da IUBAAM, é importante perceber que impacto essa iniciativa vem alcançando junto às crianças e suas mães. Os primeiros estudos que avaliaram a efetividade da IUBAAM foram conduzidos ao longo da elaboração dessa proposta, para validação da mesma. Oliveira e cols. (2003, 2005), por meio de estudo transversal, avaliaram a efetividade da prática dos Dez Passos para o Sucesso da Amamentação da IUBAAM na duração do aleitamento materno exclusivo (AME) em 24 unidades básicas de saúde de diversas regiões do Estado do Rio de Janeiro. Na avaliação do cumprimento dos Dez Passos, 13 unidades apresentaram um desempenho regular e 11 unidades um desempenho fraco. A prevalência de AME em menores de 6 meses foi maior no bloco de unidades de desempenho regular (38,6%) do que no bloco de desempenho fraco (23,6%) ($p <$ 0,001). A satisfação das gestantes e mães com o apoio recebido para amamentar foi de 61,9% nas unidades de desempenho regular e de 31,4% nas unidades de desempenho fraco (p < 0,0001).

Cardoso e cols. (2008) compararam as prevalências de AME e das queixas principais nas consultas de puericultura em uma unidade primária da Zona Oeste do município do Rio de Janeiro, nos períodos pré-certificação (maio de 2001 a maio de 2002) e pós-certificação (maio de 2003 a maio de 2004) na Iniciativa Unidade Básica Amiga da Amamentação. A prevalência do AME em menores de 4 meses elevou-se no período de 68% para 88%, e entre a idade de 4 a 5,9 meses de 41% para 82% (p < 0,001). Ao serem analisadas os desfechos de saúde nos menores de 4 meses, observou-se um aumento das consultas de rotina (assintomáticos) e uma redução das consultas cuja queixa era a diarreia (de 11,0% para 3,4%) após o recebimento do título da UBAAM (p < 0,05).

Caldeira e cols. (2008) realizaram em 2006 um estudo de intervenção controlado em 20 equipes de Programa de Saúde de Família selecionadas aleatoriamente no município de Montes Claros, para avaliar o impacto da IUBAAM. As 10 unidades do grupo intervenção receberam o programa de treinamento de 24 horas. O grupo-controle recebeu orientações habituais sobre o aleitamento materno. Antes do início das atividades educativas foram realizadas entrevistas com todas as mães de crianças menores de dois anos residentes nas áreas de abrangência das unidades de saúde selecionadas. Doze meses após o treinamento, entrevistas com as mães foram novamente realizadas. A duração mediana da amamentação exclusiva passou de 104 dias para 125 dias no grupo intervenção (p = 0,001) e de 106 para 107 dias no grupo-controle.

A Coordenadora de Aleitamento Materno da Secretaria Municipal de Saúde do Rio de Janeiro (SMS-RJ) dedicou seu doutorado à avaliação do grau de implantação da IUBAAM na rede básica de saúde desse município, e sua repercussão na prevalência de AME. Conduziu um estudo transversal em amostra representativa de 56 unidades básicas de saúde desse município. A avaliação do grau de cumprimento dos Dez Passos da IUBAAM foi realizada por entrevista a profissionais, gestantes e mães, e os escores de desempenho gerados foram classificados em tercis. Para conhecer o tipo de aleitamento praticado, foi aplicado um formulário de coleta de dados às mães de crianças menores de 6 meses que demandaram essas unidades em novembro de 2007. A prevalência de AME encontrada foi de 47,6%. Na análise multivariada, o tercil superior de desempenho no cumprimento dos Dez Passos da IUBAAM apresentou uma prevalência de AME 34% maior (RP = 1,34; IC95%: 1,24-1,44), e o segundo tercil, 17% maior (RP = 1,17; IC95%: 1,08-1,27) que o tercil inferior.

Foi conduzido um estudo em Barra Mansa, município do interior do Rio de Janeiro, que utilizou dados dos inquéritos sobre práticas alimentares no primeiro ano de vida conduzidos na campanha de vacinação de 2003, antes da implantação da IUBAAM, e de 2006, quando mais de um quarto das crianças do município já eram acompanhadas por unidades básicas amigas da amamentação. Desses inquéritos, foram selecionadas as crianças menores de 6 meses, em número de 589 em 2003 e de 707 em 2006. A prevalência do aleitamento materno exclusivo aumentou de 30,2% em 2003 para 46,7% em 2006, e o uso de chupetas nesse período caiu de 50,9% para 43,6% (p < 0,01). Na análise multivariada, o acompanhamento do bebê por unidade credenciada na Iniciativa Unidade Básica Amiga da Amamentação aumentou a prevalência de AME em 19,0% (RP = 1,19; IC95%: 1,020-1,395).

Em todas essas investigações, conduzidas em diferentes cenários, a IUBAAM se mostrou efetiva em estender a prevalência ou a duração do aleitamento materno exclusivo. Alguns estudos mostraram também repercussões dessa iniciativa na queda do uso de chupetas, na redução do adoecimento por diarreia, e em maior satisfação da clientela de gestantes e mães com o apoio recebido para amamentar.

O PROCESSO DE CREDENCIAMENTO NA IUBAAM CONTRIBUINDO PARA A QUALIFICAÇÃO DO CUIDADO

Vários atributos da IUBAAM podem favorecer a melhoria do cuidado. Os "Dez Passos da IUBAAM" e todo o processo de desenvolvimento e avaliação dessa iniciativa servem como norteadores para a revisão e estabelecimento de novos rumos do processo de trabalho em relação à amamentação. Contudo, deve ser valorizado que nada se dá de forma isolada e, mais uma vez ressalta-se que os aspectos normativos e técnicos relativos à amamentação devem ser considerados integrados ao contexto mais amplo ligado à promoção da saúde da mulher e da criança.

Tendo como exemplo o município do Rio de Janeiro, pode-se destacar a importância da consolidação de uma rede em prol da amamentação, que foi reconhecida com a conquista do Prêmio Bíbi Vogel, concedido pelo Ministério da Saúde em 2011. Atores de diferentes níveis de gestão dos serviços (central, regional e local), assumiram o desafio de melhorar os índices de amamentação como ação estratégica para a valorização do cuidado.

A Gerência de Programas de Saúde da Criança e o Instituto de Nutrição Annes Dias, da Secretaria Municipal do Rio de Janeiro (SMS-RJ), realizam o planejamento e a avaliação das ações de promoção da amamentação e da alimentação complementar saudável, tendo o papel de articular essas ações junto a demais instâncias municipais. O resultado dessas parcerias vai sendo desdobrado e ganhando características próprias nos territórios. Vale ressaltar que o município do Rio de Janeiro é organizado em dez Áreas de Planejamento em Saúde e foi possível verificar que o processo de implantação da IUBAAM nessa cidade ocorre de forma bastante heterogênea, o que reflete a complexidade territorial, política, estrutural, a qual cada uma está relacionada.

Nessa estrutura, o papel desempenhado pelas dez coordenações de área de planejamento (CAP) para a disseminação da IUBAAM vem sendo de fundamental importância. Por meio das CAP é possível, entre outras ações: estimular a integração da IUBAAM ao conjunto das ações voltadas para a atenção à saúde da mulher e da criança; amplificar o número de cursos de 24 horas; valorizar a educação continuada; acompanhar os processos das unidades para implantação dos "Dez Passos", estimulando a avaliação dos dados locais de prevalência de aleitamento materno e as reuniões de planejamento das equipes; solicitar as pré-avaliações das unidades a serem providenciadas pelo o nível central da

SMS-RJ; organizar junto às unidades as cerimônias para recebimento do Título da IUBAAM; manter o acompanhamento dos processos de trabalho, estando atento à rotatividade dos profissionais, tendo em vista as reavaliações dessa iniciativa; promover a troca de experiências entre os gestores locais; identificar profissionais a serem indicados para os cursos de avaliadores dessa Iniciativa retroalimentando todo o processo.

Ao longo de vários anos acompanhando a implantação dessa Iniciativa, observou-se que conforme o processo de mobilização da unidade para o credenciamento vai se intensificando, além da capacidade técnica, os profissionais e as equipes de apoio passam a se identificar com uma proposta de trabalho, um projeto comum que se fortalece por meio das discussões, reflexões e troca de experiências entre os integrantes da unidade.

Esse movimento pode favorecer a construção de um ambiente de trabalho que, segundo Ronzani e Silva (2008), valoriza o desenvolvimento de certos atributos pessoais entre os trabalhadores (como atenção, disponibilidade, humildade, sensibilidade) e interesse pessoal pelo trabalho, que influenciará diretamente o processo de promoção da amamentação na unidade de saúde, que para além da capacidade técnica, demanda criatividade, iniciativa e vocação para trabalhos comunitários e em grupo.

Em consonância com os princípios e diretrizes do Sistema Único de Saúde, as ações de promoção, proteção e apoio à amamentação extrapolam os muros das unidades de saúde. Tendo como referência Franco (2006), nesse movimento, pode se observar o funcionamento das redes de cuidado. O autor destaca que se o profissional da equipe identifica uma situação problema, ele tem condições de estabelecer um projeto resolutivo, e vai a partir dele multiplicar sua rede nos processos de trabalho que virão em seguida. Haverá a articulação de diversas unidades e equipes, saberes, fazeres, subjetividades, singularidades, atuando de modo correlato para fazer com que o cuidado se realize.

A organização e o amadurecimento dessa rede de cuidado à saúde da mulher e da criança vêm permitindo o estreitamento das relações entre as unidades da atenção primária e as maternidades, especialmente pela implantação da Rede Cegonha, que na cidade do Rio de Janeiro é articulada através do programa "Cegonha Carioca". Fortalecimento do vínculo com a Rede Rio de Bancos de Leite Humano por meio da implantação da Rede de Postos de Recebimento de Leite Humano.

Além dessas, são inúmeros os exemplos de parceria que vem acontecendo entre a unidade e a comunidade, que muitas vezes se iniciam com as comemorações da Semana Mundial da Amamentação e passam a fazer parte do cotidiano das comunidades: Parcerias com as creches e escolas, que para além da promoção efetiva da amamentação, tem como objetivo difundir a cultura da amamentação junto às crianças; ação junto à empresas do entorno da unidade na tentativa de fortificar as ações voltadas para as "Mães Trabalhadoras que Amamentam"; participação dos profissionais em espaços de divulgação como rádios comunitárias; igrejas; escolas de samba. Esses são alguns exemplos de ações criativas divulgadas, especialmente nos blogs e redes sociais das unidades de saúde.

IUBAAM: CONQUISTAS E DESAFIOS

Apesar de todas essas conquistas de melhoria na qualidade da assistência em aleitamento materno na rede básica, que repercutem no aumento da prática da amamentação exclusiva, muitos desafios ainda se colocam para a IUBAAM.

Um deles é a grande rotatividade de profissionais observada nas unidades, especialmente nas integrantes da Estratégia de Saúde da Família (ESF), que vem sendo apontada por gestores como um entrave para ao desenvolvimento dos processos de trabalho. Diversos fatores são apontados, como a ausência de formação prévia compatível com o modelo proposto pela ESF. Situação que certamente dificulta o processo de capacitação dos profissionais de saúde, fundamental para a implantação da IUBAAM nos municípios.

Outro desafio é o monitoramento da manutenção do cumprimento dos Dez Passos para o Sucesso da Amamentação pelas unidades credenciadas. O único instrumento de monitoramento interno disponível é o questionário de autoavaliação, que tem sido mais utilizado por unidades em processo de credenciamento do que por aquelas que já dispõem do título de Unidade Básica Amiga da Amamentação. A avaliação externa é conduzida por dois avaliadores externos, utilizando o questionário de avaliação global e as folhas resumo, mas tem sido aplicada apenas em unidades credenciadas há mais de 4 anos, e mediante sorteio. Os Polos Regionais de Aleitamento Materno têm colaborado neste monitoramento, mas alguns apresentam atuação irregular, por conta de flutuações em seus representantes, principalmente por volta das eleições municipais.

Também importante, no cenário atual, é uma maior articulação entre a IUBAAM e a Estratégia Amamenta e Alimenta Brasil, lançada recentemente pelo Ministério da Saúde, visando sensibilizar os profissionais de saúde da rede básica para pactuar ações de aleitamento materno e alimentação complementar saudável e melhorar o processo de trabalho dessas unidades na assistência às gestantes, mães e seus filhos. A rede primária de saúde é extensa e diversificada, e está sob a égide das Secretarias Municipais de Saúde, que têm diferentes níveis de envolvimento com as ações de saúde da mulher e da criança. Levando em conta essa realidade, acreditamos que a "Estratégia Amamenta e Alimenta Brasil" possa mobilizar os profissionais de saúde para a promoção do aleitamento materno. Essa mobilização futuramente deve ser acompanhada de ações de capacitação das equipes que atuam nas unidades básicas de saúde, para a qualificação de sua atuação na promoção, proteção e apoio à amamentação.

BIBLIOGRAFIA CONSULTADA

Alves ALN, Oliveira MIC, Moraes JR. Iniciativa Unidade Básica Amiga da Amamentação e sua relação com o aleitamento materno exclusivo. Rev Saúde Pública 2013; 47(6): 1130-1040.

Caldeira AP, Fagundes GC, Aguiar GN. Intervenção educacional em equipes do Programa de Saúde da Família para promoção da amamentação. Rev Saúde Publica 2008; 42(6):1027-1033.

Cardoso LO, Vicente AST, Damião JJ, Rito RVV. Impacto da implementação da Iniciativa Unidade Básica Amiga da Amamentação nas prevalências de aleitamento materno e nos motivos de consulta em uma unidade básica de saúde. J Pediatr 2008; 84(2):147-153.

Franco TB. As redes na micropolítica do processo de trabalho em saúde. In: Pinheiro R, Matos RA. Gestão em Redes. Rio de Janeiro: LAPPIS-IMS/UERJ-ABRASCO, 2006.

http://www.unicef.org/brazil/pt/activities_9998.htm. Acessado em 19 de junho de 2014.

Mendonça HM, Martins MIC, Giovanella L, Escorel S. Desafios para gestão do trabalho a partir de experiências exitosas de expansão da Estratégia de Saúde da Família. Ciência & Saúde Coletiva 2010; 15(5):2355-2365.

Ministério da Saúde. Institui a Estratégia Nacional para Promoção do Aleitamento Materno e Alimentação Complementar Saudável no Sistema Único de Saúde (SUS). Estratégia Amamenta e Alimenta Brasil. Portaria nº 1.920, de 5 de setembro de 2013.

Oliveira MIC, Camacho LAB, Souza IEO. Promoção, proteção e apoio à amamentação na atenção primária à saúde no Estado do Rio de Janeiro. Brasil: uma política de saúde pública baseada em evidência. Cad Saúde Pública 2005; 21(6):1901-1910,

Oliveira MIC, Camacho LAB, Tedstone AE. A method for the evaluation of primary care unit's practice in the promotion, protection, and support of breastfeeding: results from the State of Rio de Janeiro, Brazil. Journal of Human Lactation 2003; 19(4):365-373.

Oliveira MIC, Camacho LAB, Tedstone AE. Extending breastfeeding duration through primary care: a systematic review of prenatal and postnatal interventions. Journal of Human Lactation 2001; 17(4):326-343.

Oliveira MIC, Teruya KM, Souza IEO, Alencar SMSM, Santos EKA. Manual de capacitação de multiplicadores na Iniciativa Unidade Básica Amiga da Amamentação. Secretaria de Estado de Saúde do Rio de Janeiro, 2006.

Rito RVVF, Castro IRR, Trajano AJB, Gomes MASM, Bernal RTI. Breastfeeding-Friendly Primary Care Initiative: application of an instrument for the evaluation. Rev Nutrição (Camp) 2013; 26(4):385-395.

Rito RVVF, Oliveira MIC, Brito AS. Degree of compliance with the ten steps of the Breastfeeding-Friendly Primary Care Initiative and its association with the prevalence of exclusive breastfeeding. J Pediatr 2013; 89(5):477-84.

Ronzani TM, Silva CM. O Programa Saúde da Família segundo profissionais de saúde, gestores e usuários. Ciência & Saúde Coletiva 2008; 13(1):23-34.

Secretaria de Estado de Saúde do Rio de Janeiro. Plano Estadual de Saúde 2001-2004. Diário Oficial do Estado do Rio de Janeiro, Ano XXVIII, nº 63 A, Parte 1, pág. 42, publicado em 6/04/2002.

Secretaria de Estado de Saúde do Rio de Janeiro. Resolução nº 837, de 30 de março de 1993. Compõe o Grupo Técnico Interinstitucional de Incentivo ao Aleitamento Materno do Estado do Rio de Janeiro. Diário Oficial do Estado do Rio de Janeiro, Ano XIX, nº 66, Parte 1, 12/04/1993.

Silva DGV, Prado ML, Dias LP, Reibnitz KS. Metodologia problematizadora no processo de ensino-aprendizagem. In: Souza ML, Horr L, Reibnitz K (org). Fazendo a diferença: profissionalização em auxiliar de enfermagem no Estado de Santa Catarina. Florianópolis: NFR/SPB – UFSC 1977; 5:111-119. Série Auxiliar de Enfermagem.

World Health Organization/The United Nations Children's Fund. The global criteria for the Baby-Friendly Hospital Initiative. Geneva: WHO, 1992.

Semana Mundial de Aleitamento Materno

27

Siomara Roberta de Siqueira
Tereza Setsuko Toma
Fabiana Swain Müller

A WABA – WORLD ALLIANCE FOR BREAST-FEEDING ACTION

Em 1º de agosto de 1990, organizações não governamentais e representantes de governos de 40 países, incluindo o Brasil, reunidos em Florença, Itália, firmaram a Declaração de Innocenti. Os signatários se comprometeram, dessa forma, a promover o aleitamento materno exclusivo nos primeiros 4 a 6 meses de vida e a continuidade da amamentação até os 2 anos de idade ou mais.

Para implementar essa meta pensou-se que seria importante estabelecer uma rede que interligasse as diferentes organizações que já vinham realizando ações de incentivo ao aleitamento materno, tais como La Leche League International (LLL), International Baby Food Action Network (IBFAN), International Lactation Consultants Association (ILCA), entre outras.

Em 14 de fevereiro de 1991, após um encontro de Organizações Não Governamentais (ONG), organizado pelo Fundo das Nações Unidas para a Infância (UNICEF), criou-se a WABA, uma aliança mundial para desenvolver ações de promoção, proteção e apoio à amamentação. Portanto, a WABA é uma "rede guarda-chuva" que abriga organizações, indivíduos e outras redes que defendem a amamentação como um direito de todas as mulheres e crianças.

Com o compromisso de estimular o aleitamento materno, a WABA idealizou a Semana Mundial de Aleitamento Materno, pensando ser esta uma estratégia para provocar, todos os anos no mesmo período, uma grande mobilização da sociedade e a disseminação de informações em âmbito mundial.

A SMAM – SEMANA MUNDIAL DE ALEITAMENTO MATERNO

Com o objetivo de unificar as ações, a cada ano a WABA estabelece um tema relevante relacionado ao aleitamento materno. Em torno de cada tema estabelece-se

CAPÍTULO 27 Semana Mundial de Aleitamento Materno

um eixo central que ajuda a nortear as atividades para sensibilização de profissionais da área de saúde, população, órgãos governamentais e não governamentais, empresas, governos e demais setores da sociedade. A mobilização das organizações é feita mediante informações divulgadas pelo Folheto para Ação da SMAM, o qual é elaborado por um grupo de consultores de acordo com o tema estabelecido. Esse folheto produzido em inglês tem sido traduzido para várias línguas*.

Desde o seu início, em 1992, a Semana vem contando com a adesão crescente de pessoas e organizações do mundo inteiro e já utilizou os seguintes temas como fonte de mobilização:

1992 – Iniciativa Hospital Amigo da Criança

1993 – Mulher, trabalho e amamentação

1994 – Faça o código funcionar

1995 – Amamentar fortalece a mulher

1996 – Amamentação: uma responsabilidade de todos

1997 – Amamentar é um ato ecológico

1998 – Amamentar é um barato... o melhor investimento!

1999 – Amamentar é educar para a vida

2000 – Amamentar é um direito humano

2001 – Amamentação na era da informação

2002 – Amamentação: mães e bebês saudáveis

2003 – Amamentação: promovendo a paz em um mundo globalizado

2004 – Amamentação exclusiva: satisfação, segurança e sorrisos

2005 – Amamentação e alimentos complementares

2006 – Código Internacional – 25 anos de proteção ao Aleitamento Materno.

2007 – Amamentação na primeira hora: proteção sem demora!

2008 – Se o assunto é amamentar, apoio à mulher em primeiro lugar

2009 – Amamentação, a segurança alimentar nas emergências

2010 – Amamentação: dez passos fundamentais para um bom começo. Vamos revitalizar a IHAC!

2011 – Fale comigo! Amamentação uma experiência em 3D

2012 – Entendendo o passado e planejando o futuro: celebrando os 10 anos da Estratégia Global para a Alimentação de Lactentes e Crianças de Primeira Infância

2013 – Apoio às mães que amamentam – Próximo, contínuo e oportuno!

2014 – Aleitamento materno: uma vitória para toda a vida!

SMAM 1992 – Iniciativa Hospital Amigo da Criança (Fig. 27.1)

A Iniciativa Hospital Amigo da Criança (IHAC), lançada em 1992 pelo UNICEF e pela Organização Mundial de Saúde (OMS), estabelece um padrão-ouro para os

---

*As edições estão disponíveis em http://worldbreastfeedingweek.org

440

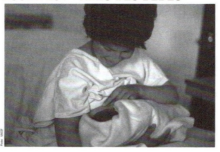

FIG 27.1. SMAM 1992.

serviços de maternidade – Dez Passos para o Sucesso da Amamentação – com o objetivo de oferecer às crianças o melhor começo possível para suas vidas. O Brasil foi um dos primeiros 12 países a implementar a iniciativa.

A meta da SMAM foi divulgar a IHAC. Um dos resultados desta primeira campanha foi o reconhecimento da importância do aleitamento materno por mais de 70 países.

SMAM 1993 – Mulher, Trabalho e Amamentação (Fig. 27.2)

Partindo do princípio de que toda mãe é uma mulher trabalhadora e sendo imprescindível que toda mulher possa exercer com tranquilidade seu direito de amamentar, a Semana estabeleceu os seguintes objetivos: oferecer informações às mulheres sobre amamentação e direitos legais de maternidade; assegurar que as legislações que protegem o direito de amamentar da mulher trabalhadora fossem colocadas em prática; despertar a consciência pública sobre as vantagens da amamentação para as mães, os bebês e a sociedade em geral; incentivar os sindicatos e os grupos de trabalhadores a lutar pelos direitos das mulheres trabalhadoras que amamentam; promover em toda parte a criação de locais de trabalho com apoio às mulheres que amamentam; defender as práticas comunitárias que apoiam a amamentação para mulheres que trabalham fora ou em casa.

O objetivo das medidas de proteção da maternidade consiste em proteger a saúde e o bem-estar das mães e de seus filhos e impedir que a mulher que trabalha seja punida pelo fato de ser mãe. Dar à luz e amamentar não devem ser objeto de discriminação em nenhum aspecto. Essa era a mensagem que se procurou disseminar com a SMAM em 1993.

O Brasil tem uma legislação relativamente avançada no que se refere à proteção da maternidade. A Constituição Brasileira e a Consolidação das Leis Trabalhistas (CLT) garantem uma série de direitos às mulheres – as trabalhadoras da cidade e do campo têm direito à licença-maternidade de 120 dias, sem prejuízo do emprego e do salário; os pais têm direito à licença-paternidade de 5 dias úteis após o nascimento do(a) filho(a) recebendo salário integral; a gestante não pode ser demitida sem justa causa; a gestante pode mudar de função na empresa caso a função que exerça possa prejudicar o bebê; em caso de aborto involuntário, a mulher tem direito a 2 semanas de licença remunerada integralmente; a mulher que está amamentando, durante os 6 primeiros meses, tem direito a duas pausas de meia hora para amamentar durante a jornada de trabalho.

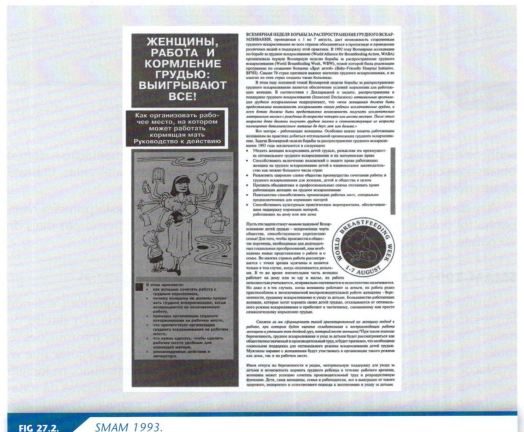

FIG 27.2. SMAM 1993.

SMAM 1994 – Faça o Código Funcionar (Fig. 27.3)

"Ao longo dos anos, as empresas produtoras e comercializadoras de alimentos infantis, mamadeiras e chupetas têm divulgado belas imagens, têm realizado campanhas muito convincentes e distribuído muitas amostras grátis e brindes a mães e profissionais de saúde. Tudo para passar a ideia de que dar mamadeira é uma alternativa moderna e segura, e até melhor, do que dar o peito. E vêm obtendo excelentes resultados com isso...".

O ano de 1994 foi também o Ano Internacional da Família, por isso o tema da SMAM procurou enfocar as maneiras de proteger a prática de amamentar e a importância de eliminar a propaganda e outras práticas nocivas de mercadização de produtos que competem com a amamentação.

Os objetivos propostos no Folheto para Ação foram: divulgar o Código Internacional, seus propósitos e potencial; relembrar aos governantes as metas estabelecidas na Declaração de Innocenti; estimular pessoas, movimentos, organizações e instituições a participar da divulgação e fiscalização do cumprimento do Código.

O Código Internacional de Comercialização de Substitutos do Leite Materno, da OMS e UNICEF, foi aprovado em 1981 com 118 votos a favor e apenas um voto

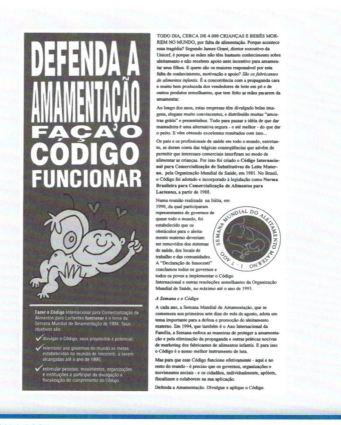

FIG 27.3. *SMAM 1994.*

contrário, o dos Estados Unidos. No Brasil, as disposições estabelecidas no Código Internacional foram incorporadas à legislação nacional mediante Resolução do Conselho Nacional de Saúde, recebendo a denominação de Norma Brasileira para Comercialização de Alimentos para Lactentes (NBCAL). Aprovada em 1988, a Norma foi revisada em 1992 e novamente em 2001-2002. É um instrumento importante, que tem propiciado um ambiente mais favorável para a implementação de outras ações necessárias para a recuperação da prática de amamentar em nosso país. Desde a aprovação da NBCAL, a IBFAN Brasil vem realizando anualmente o monitoramento das práticas de *marketing*.

SMAM 1995 – Amamentar Fortalece a Mulher (Fig. 27.4)

Por meio da amamentação, a mulher adquire benefícios à sua saúde e melhora sua autoestima. No entanto, para que a prática de amamentar se efetive é fundamental que as mulheres sejam apoiadas e estejam conscientes de suas capacidades e de seus direitos. Por isso, é importante o compromisso da sociedade e dos governos com a proteção da mulher nesse período em que seu corpo tem o poder de produzir um alimento único e insubstituível para as crianças.

FIG 27.4. SMAM 1995.

Em 1995, a Semana enfatizou a necessidade de a promoção do aleitamento materno ser mais clara e voltada para as barreiras que dificultam sua prática, uma vez que são ineficientes as mensagens que apenas idealizam a amamentação ou que exageram os seus benefícios. Mesmo mensagens apropriadas podem ser contraproducentes se as mulheres não contam com uma retaguarda de apoio, pois podem criar expectativa inatingível e levar à frustração.

O tema discutiu a importância do empoderamento da mulher e nos fez recordar que as mães com facilidade se sentem pressionadas a amamentar e são criticadas quando sentem dificuldades ou quando essa prática não lhes dá prazer. Nessa fase da vida é frequente que sofram influência de todos os lados e que recebam informações e conselhos diferentes de parentes, amigos e profissionais de saúde. Somam-se a isso as pressões da sociedade de consumo, seja por uma facilidade de aquisição de produtos que competem com a amamentação – leites infantis, mamadeiras, chupetas – seja por um apelo excessivo para o uso de artefatos para amamentar: cremes e pomadas, intermediários de mamilo e até mesmo bombas de extração de leite.

Enxergar a mulher como a principal personagem na arte da amamentação, em torno da qual todos nós devemos trabalhar para seu melhor desempenho, foi o eixo condutor da SMAM: "Os elaboradores de políticas precisam compreender que a provisão de uma corrente de calor humano para a amamentação é tão valiosa quanto a provisão de uma cadeia de frio para as vacinas e, assim como essa última, requer recursos adequados. Governos e agências financiadoras precisam convencer-se de que esse investimento vale a pena".

SMAM 1996 – Amamentação: uma Responsabilidade de Todos
(Fig. 27.5)

"A mulher tem o direito de escolher a melhor forma de alimentar sua criança e esta decisão deve ser respeitada. A família, os profissionais de saúde, os meios de comunicação, as instituições religiosas, o trabalho e a própria formação da mulher, com mitos e tabus que carrega desde a infância, são fatores que influenciam diretamente nessa decisão. Na grande maioria das vezes, a mulher não decide dar mamadeira, mas é levada a isso pela falta de apoio e orientação adequados por parte de toda a sociedade. A amamentação não deve ser sinônimo de privação e sofrimentos. A sociedade deve garantir à mulher o direito de trabalhar, estudar, divertir-se, passear, namorar e continuar amamentando por quanto tempo quiser. Em todos os níveis – família, amigos, bairro, cidade, estado, país – deve haver o comprometimento para que a mulher possa amamentar com tranquilidade e prazer. As mulheres se sentem seguras quando a comunidade as ajuda a superar as dificuldades, oferece espaços para que possa amamentar no local de trabalho e quando os profissionais de saúde têm uma posição ética em relação à promoção de substitutos do leite materno e usam seus conhecimentos para ajudar as mães a amamentar".

Ao chamar a atenção para esses aspectos, a Semana nos deu a oportunidade para observar nossas atitudes e de todos os segmentos que influenciam a decisão da mulher de amamentar.

FIG 27.5. SMAM 1996.

Algumas das sugestões propostas diziam respeito a: incluir o tema do aleitamento materno nos currículos escolares, apoiar a estudante que está amamentando nas escolas e universidades, tornar as práticas dos serviços de saúde favoráveis à amamentação, preparar as equipes de saúde para apoiar a mãe que deseja amamentar.

SMAM 1997 – Amamentar é um Ato Ecológico (Fig. 27.6)

A SMAM 1997 procurou divulgar as vantagens da amamentação para o meio ambiente e os danos causados à natureza pelo sistema de alimentação artificial. O leite materno, sendo um recurso natural e renovável, serviu para relembrar que devemos cada vez mais nos preocupar com o impacto de nossas ações sobre o planeta. A amamentação é uma prática que não agride o meio ambiente na medida em que reduz a necessidade da produção de outros tipos de alimentos, evita desperdício de matérias-primas e outras formas de poluição. O uso do leite em pó e de outros alimentos industrializados para bebês, por sua vez, causa problemas ecológicos em cada estágio da sua produção, distribuição e uso. A produção industrial de alimentos implica aumento do consumo energético, são adicionadas

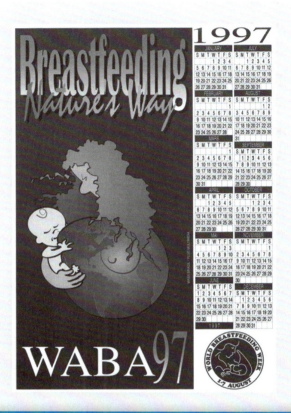

FIG 27.6. SMAM 1997.

substâncias químicas, utilizam latas e embalagens plásticas. Além do mais, desde a produção até chegar às mãos do consumidor, os alimentos industrializados são vulneráveis à contaminação por bactérias, produtos químicos indesejáveis e corpos estranhos, entre outros.

SMAM 1998 – Amamentar é um Barato... O Melhor Investimento!
(Fig. 27.7)

Além de ser um direito da mulher e da criança, a amamentação também é um fator de economia, não só para a família, mas também para o setor de saúde, a sociedade e a nação. As metas da SMAM 1998 incluíam: aumentar a consciência pública sobre o valor econômico da amamentação em contraposição ao alto custo da alimentação por mamadeira; oferecer informação sobre as vantagens econômicas da amamentação; ajudar os elaboradores de políticas a reconhecer o valor econômico da amamentação e a necessidade de incluir programas de apoio à amamentação nos orçamentos de saúde pública.

Entre os benefícios para as famílias foram divulgados: economia no consumo de leites industrializados e mamadeiras, economia de tempo para preparo do alimento,

FIG 27.7. SMAM 1998.

redução de gastos com a saúde, redução de custos na compra de anticoncepcionais e absorventes do fluxo menstrual. Os benefícios para os empregadores seriam consequência do fato de as trabalhadoras que amamentam faltarem menos ao trabalho e apresentarem maior produtividade. O país como um todo se beneficiaria devido à economia de divisas com a redução da importação e distribuição de leites artificiais, assim como à economia nos custos do setor de saúde com a prevenção de doenças agudas e crônicas.

SMAM 1999 – Amamentar é Educar para a Vida (Fig. 27.8)

Um dos objetivos foi o de transmitir o significado da amamentação para o desenvolvimento humano e para a qualidade de vida das famílias. Sabe-se que existe uma lacuna nos currículos escolares, em que mesmo as aulas de biologia raramente abordam o assunto lactação. E, além disso, é frequente que os livros didáticos relacionem alimentação infantil com o uso de mamadeira, excluindo os humanos da classe dos mamíferos e reforçando a cultura da alimentação artificial.

A ênfase foi dada aos aspectos de nutrição, saúde e desenvolvimento emocional do bebê – o papel dos ácidos graxos do leite humano no desenvolvimento ótimo

FIG 27.8. SMAM 1999.

do sistema nervoso e no melhor desempenho escolar e nos testes de inteligência entre crianças amamentadas.

As metas da SMAM 1999 foram: aumentar a consciência pública sobre a importância da proteção, promoção e apoio ao aleitamento materno; estimular o ensino de práticas apropriadas de alimentação infantil em todos os níveis da educação formal e informal; melhorar o currículo nas escolas de medicina, de enfermagem e outras, nos centros hospitalares e de educação comunitária; envolver alunos nas atividades da Semana; fomentar a integração de experiências e práticas de amamentação nos materiais escolares e jogos infantis; reforçar a importância da amamentação exclusiva até o sexto mês de vida e sua continuidade, após a introdução de alimentos complementares, até os 2 anos de idade.

SMAM 2000 – Amamentar é um Direito Humano (Fig. 27.9)

Nesse ano, a Semana Mundial se concentrou no aleitamento materno como um direito humano. Não é possível que as crianças e suas mães alcancem uma ótima saúde se não forem criadas as condições que permitam às mulheres exercer seu direito à amamentação exclusiva por 6 meses e à continuidade da amamentação

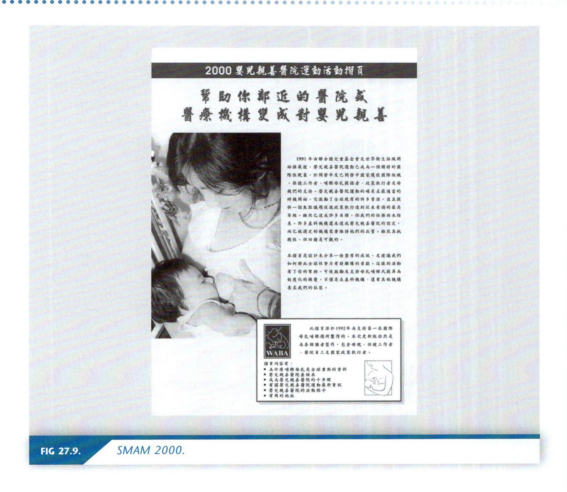

FIG 27.9.   SMAM 2000.

depois que os bebês começam a comer outros alimentos. O aleitamento materno deve ser visto como um direito da mulher que contribui para o exercício do direito da criança a uma alimentação segura, à saúde e cuidados apropriados.

As metas em 2000 foram: aumentar a consciência pública sobre o fato de que o aleitamento materno é um direito; oferecer informações sobre os mecanismos internacionais, formais e legais relacionados à proteção do direito humano; estimular mudanças na opinião pública para que este direito seja protegido, respeitado, facilitado e exercido nos lares, comunidades e níveis governamentais. Os direitos humanos são premissas básicas sem as quais as pessoas não podem viver com dignidade. Alguns aspectos dos instrumentos disponíveis para garantir os direitos humanos, e em especial aqueles voltados para os direitos da mulher e da criança, foram relembrados pela SMAM. Os exemplos incluíam Convenção sobre os Direitos da Criança, que diz que é direito de todo menino e menina desfrutar de plena saúde, que os governos devem assegurar o fornecimento de alimentos nutritivos e que as famílias e as crianças devem estar informadas sobre nutrição e as vantagens do leite materno; Pacto Internacional sobre Direitos Econômicos, Sociais e Culturais, que enfatiza o direito à alimentação e à saúde, devendo ser tomadas medidas para manter, adaptar e fortalecer a diversidade na dieta, o consumo apropriado e padrões de alimentação, incluindo o aleitamento materno; Convenção para a Eliminação de Todas as Formas de Discriminação contra as Mulheres, que diz que todas as mulheres devem ter serviços apropriados em relação à gravidez e ao aleitamento materno; Convenções da Organização Internacional do Trabalho (OIT) para a Proteção da Maternidade nº 3 (1919) e nº 103 (1952) dizem que as mulheres devem gozar ao menos de 12 semanas de licença-maternidade pagas e intervalos pagos para amamentar, durante seus horários de trabalho, depois de retornar a seus empregos; o Código Internacional de Comercialização de Substitutos do Leite Materno, que limita as formas como os alimentos e artefatos que competem com a amamentação e com o leite materno podem ser comercializados, bem como assinala as responsabilidades dos profissionais de saúde em promover o aleitamento materno. No Brasil, desde 1988, as provisões do Código fazem parte da legislação sanitária por meio da Norma Brasileira para Comercialização de Alimentos para Lactentes, já referida anteriormente.

Em 2000, a Organização Internacional para o Trabalho (OIT) se reuniu para rever diversos pontos. Após intenso debate internacional, decidiu-se estimular a adoção de 4 meses de licença-maternidade para os países ainda sem uma legislação nacional e a ampliação para 6 meses nos países que já cumprem a Convenção 103. Em 2005, no Brasil, teve início a campanha "Licença-maternidade. Seis meses é melhor!" liderada pela Sociedade Brasileira de Pediatria e a Senadora Patrícia Saboya. Desde então, 24 estados já adotaram essa medida sendo que, em 2008, foi aprovada a Lei 11.770/08 que cria o programa Empresa Cidadã, destinado a prorrogação por 60 dias da licença-maternidade mediante concessão de incentivo fiscal.

Outro ponto favorável ao aleitamento relacionado ao trabalho é a legislação que trata da sala de amamentação nos locais de trabalho regulamentada em 2010 pelo Ministério da Saúde e ANVISA. Também foram relembradas a Declaração de Innocenti (1990) e as Declarações que emergiram de Conferência Internacional sobre Nutrição (1992), Conferência sobre População e Desenvolvimento (1994), Quarta Conferência Mundial sobre a Mulher (1995) e Fórum Mundial sobre Alimentação (1996).

SMAM 2001 – Amamentação na Era da Comunicação (Fig. 27.10)

O tema foi bastante oportuno, considerando-se a rápida expansão alcançada pelos meios de comunicação na última década com as redes de televisão a cabo e a internet. O acesso à informação é uma necessidade para a tomada de decisões em matéria de educação, de modos de vida e também de aleitamento materno. Por outro lado, isso implica em lidar com o excesso, a velocidade e a qualidade da informação.

A SMAM 2001 focalizou a informação e a comunicação que ao longo do tempo moldaram os conhecimentos, as atitudes e as condutas relacionadas com o aleitamento materno. Estabeleceu como metas: apresentar informações chaves sobre aleitamento materno, destacar a variedade de formas e métodos de comunicação e as maneiras efetivas de utilizá-las para proteger, promover e apoiar o aleitamento materno.

Aspectos relevantes da comunicação pessoa a pessoa e da comunicação de massas foram abordados. Sabe-se que a relação pessoal, a comunicação direta, é de extrema importância na situação de uma mãe que enfrenta dúvidas ou dificuldades com a amamentação. Entretanto, as trocas sociais, econômicas e as comunicações de massa têm afetado a maneira como o aleitamento materno tem sido transmitido, aprendido e praticado. As tecnologias e redes de comunicação, como os periódicos, revistas, rádio, televisão e internet, diminuíram as influências sociais e de aprendizagem do reino interpessoal da família, da comunidade em volta, passando-se para uma relação externa entre meios de comunicação centralizados e a pessoa isolada.

A SMAM chamou a atenção para os desafios a serem enfrentados na era da comunicação, em face das dificuldades reais, tais como a situação de mães HIV soropositivas e a crescente preocupação com a contaminação do solo e suas implicações para as mulheres lactantes. A necessidade de fortalecer as ações de proteção, promoção e apoio ao aleitamento materno trouxe à baila a importância do Código Internacional de Comercialização de Substitutos do Leite Materno e da Iniciativa Hospital Amigo da Criança. No Brasil, a legislação de proteção do aleitamento materno passava por sua segunda revisão, sendo publicada em novembro

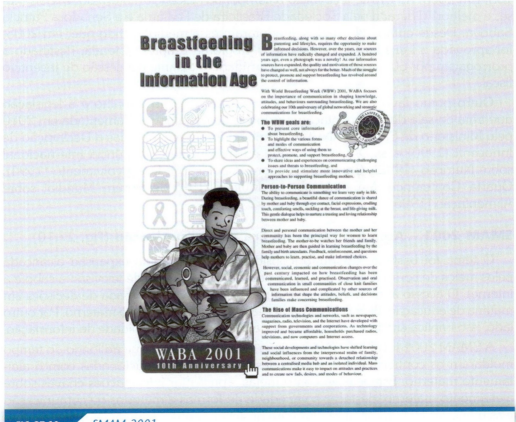

FIG 27.10. *SMAM 2001.*

de 2001 como Portaria do Gabinete do Ministro da Saúde nº 2051 – Norma Brasileira de Comercialização de Alimentos para Lactentes e Crianças de Primeira Infância, Bicos, Chupetas e Mamadeiras. A Portaria foi complementada, em agosto de 2002, com a publicação das Resoluções RDC 221 (relativa a bicos, chupetas, mamadeiras, protetores de mamilo) e 222 (alimentos para lactentes e crianças de primeira infância), da ANVISA – Agência Nacional de Vigilância Sanitária. Algumas mudanças realizadas na última revisão foram: ampliação da abrangência, com a inclusão dos produtos destinados a crianças de primeira infância (1 a 3 anos de idade) e os aditivos do leite humano (conhecidos como fortificantes do leite materno), assim como maior clareza nas definições dos termos utilizados e nas frases de advertência exigidas nos rótulos dos produtos. A NBCAL estabelece regras para a comercialização de fórmulas infantis, leites em geral, alimentos complementares, mamadeiras, bicos, chupetas e protetores de mamilo, envolvendo tanto os aspectos da promoção via meios de comunicação de massa e nos pontos de venda, quanto a rotulagem dos produtos e a relação empresas-profissionais e serviços de saúde.

SMAM 2002 – Amamentação: Mães e Bebês Saudáveis (Fig. 27.11)

A amamentação é reconhecida como fundamental para promover a saúde dos bebês e crianças pequenas. Pesquisas indicam que o leite materno possibilita o melhor desenvolvimento do cérebro do bebê, melhora suas condições fisiológicas e é um fator vital na prevenção de doenças, especialmente diarreia e infecções do trato respiratório (incluindo pneumonia e otite) e urinário. O ato de amamentar libera o hormônio de crescimento, promove a saúde bucal e estabelece, mais facilmente, a relação afetiva entre a mãe e o bebê. A amamentação exclusiva até o sexto mês de vida da criança reduz os riscos de desnutrição, alergias e sensibilidade a alguns alimentos.

Entretanto, menos divulgados, são os benefícios que a amamentação pode trazer para as mulheres. Além de ser uma continuidade psicológica fundamental da gravidez e do parto, a amamentação precoce diminui o risco de hemorragia no pós-parto e anemia. A amamentação exclusiva por 6 meses ajuda a economizar recursos financeiros, energia e tempo, além de estimular o sistema imune da mulher, contribuir para retardar uma nova gravidez e reduzir a necessidade de insulina, em mães diabéticas. A amamentação, em longo prazo, pode ajudar a mulher a prevenir osteoporose, câncer de mama e de ovário.

A SMAM focalizou a promoção, apoio e defesa da saúde e bem-estar das mulheres e seus bebês por meio da amamentação. Os objetivos foram: reintroduzir a amamentação como parte integrante da saúde e ciclo reprodutivo das mulheres; aumentar a consciência em relação ao direito das mulheres a práticas humanas e não abusivas de parto e promover a Iniciativa Mundial de Grupos de Apoio à Mãe na Amamentação.

Para alcançar esses objetivos, a ênfase foi sobre os aspectos relacionados ao direito das mulheres – "O direito das meninas, garotas e mulheres às melhores condições de saúde inclui o direito à informação completa e confiável; o direito à escolha e decisão quanto aos cuidados com sua saúde, reprodução e alimentação infantil; direito à privacidade e confidencialidade e a condições saudáveis no local

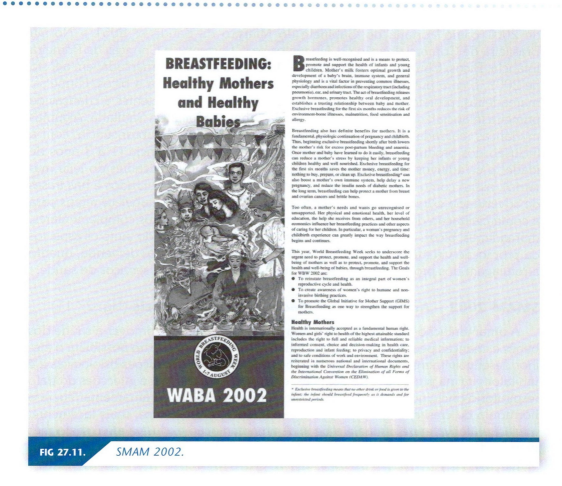

FIG 27.11. SMAM 2002.

de trabalho e ambiente em que vivem ou estudam. Mulheres em boas condições de saúde têm maior chance de ter bebês saudáveis, podem dar à luz e amamentar seus bebês sem problemas. As mulheres necessitam, em todos os momentos do seu ciclo reprodutivo, de apoio e cuidados para ela mesma e suas famílias. E durante a amamentação todas as mães devem ter um apoio ainda maior, para que possam garantir ótimas condições de saúde para si mesmas e para que possam dar aos seus bebês o presente maior: o leite materno."

O tema da SMAM 2002 promoveu a aproximação entre profissionais e organizações que no dia a dia costumavam atuar separadamente, embora suas áreas de interesse sejam tão entrelaçadas – a humanização do parto e do nascimento e a amamentação.

SMAM 2003 – Amamentação: Promovendo a Paz em um Mundo Globalizado (Fig. 27.12)

Em 2003, o tema criou a oportunidade de se fazer uma reflexão acerca dos obstáculos e das vantagens da globalização para a promoção do aleitamento materno como um símbolo da paz e da justiça.

FIG 27.12. SMAM 2003.

O fôlder de ação trouxe informações fundamentais para a compreensão dos efeitos da globalização ou mundialização sobre nossas vidas. Em poucas palavras, conseguiu-se expressar os aspectos essenciais, aqui transcritos na íntegra:

"A globalização é um termo frequentemente usado para descrever o processo que vem ocorrendo nos últimos anos de imposição de regras harmonizadoras do livre comércio e fluxo financeiro em todo o mundo. Impulsionada por grandes corporações e mercados financeiros, a globalização transforma-se em instrumento para maximizar os lucros. Em um ambiente no qual os acordos comerciais e os interesses econômicos de corporações transnacionais frequentemente precedem os direitos de soberania das nações, as necessidades de mães e crianças são facilmente deixadas em segundo plano. A expansão mundial das privatizações no setor saúde colocam os lucros antes das pessoas. Dessa forma, as práticas da amamentação podem ser perdidas enquanto o uso de leites artificiais cada vez mais torna-se a norma.

Entretanto, outros aspectos da globalização podem ser usados para reforçar a cultura da amamentação e para proteger este ato vital para a nutrição de nossas crianças. Nosso trabalho em prol da amamentação tem como princípio a criação

CAPÍTULO 27 Semana Mundial de Aleitamento Materno

de um mundo melhor para mães e crianças, para o meio ambiente, para a paz e a justiça com todas as pessoas. As comunicações via internet e correio eletrônico ajudaram a conectar a comunidade da amamentação de todo o mundo ao proporcionar acesso instantâneo à nossa rede de associações, programas, alianças e instituições. Por meio dessas redes, mães, pais, grupos de mulheres, profissionais de saúde, instituições e redes de proteção do meio ambiente têm encontrado novos e criativos caminhos para garantir que a saúde de bebês e crianças seja protegida pela amamentação."

Ao se discutir a globalização e seus efeitos, novamente surgem como ações importantes a serem reforçadas o Código Internacional, a Iniciativa Hospital Amigo da Criança e a Convenção de Proteção da Maternidade. A preocupação com a expansão do HIV/AIDS na população feminina, com a interferência da ajuda humanitária por meio de programas de distribuição de leites artificiais, com a disseminação dos produtos geneticamente modificados e com a contaminação do meio ambiente ganham importância também entre os defensores da amamentação.

SMAM 2004 – Amamentação Exclusiva: Satisfação, Segurança e Sorrisos (Fig. 27.13)

Amamentação exclusiva, o padrão-ouro da alimentação infantil, foi o foco em 2004. As comemorações em todo o mundo adotaram a Campanha do Laço Dourado como símbolo. Cada detalhe do laço tem um significado – a cor dourada é o padrão de máximo valor, uma das voltas do laço é a mãe e a outra o bebê, enquanto o apoio do pai, da família e da sociedade é representada pelo nó; uma das pontas ressalta a alimentação complementar oportuna após os 6 meses de amamentação exclusiva e a outra ponta a importância do planejamento familiar e o espaçamento entre as gestações.

A amamentação exclusiva é o caminho seguro, saudável e sustentável para alimentar as crianças durante os 6 primeiros meses de vida. Mas é importante a continuidade da amamentação após esse período, acompanhada de alimentos complementares apropriados. A Organização Mundial da Saúde e o Fundo das Nações Unidas para a Infância recomendam que amamentação seja mantida até os 2 anos de idade ou mais.

No Brasil, o Ministério da Saúde recomendava a amamentação exclusiva por 6 meses, porém o consenso mundial apenas foi alcançado na Assembleia Mundial de Saúde de 2001. Amamentação exclusiva significa que a criança recebe somente leite materno, de sua própria mãe ou de um banco de leite humano, e nenhum outro alimento ou bebida, exceto medicamentos quando necessários.

Apesar da importância da amamentação exclusiva para a saúde da mãe e da criança, sua prática ainda é rara em muitos países. A SMAM abordou os aspectos relacionados a uma amamentação bem-sucedida – início precoce na sala de parto, alojamento conjunto, amamentação sob livre demanda, técnica apropriada com ênfase sobre posicionamento e pega adequados, não uso de bicos artificiais. Nesse sentido, sobressaem-se ações como a Iniciativa Hospital Amigo da Criança, Método Mãe Canguru, Banco de Leite Humano, creche no local de trabalho, controle do

456

FIG 27.13. SMAM 2004.

marketing de produtos que competem com a amamentação e capacitação de profissionais de saúde em manejo da lactação e aconselhamento.

SMAM 2005 – Amamentação e Alimentos Complementares
(Fig. 27.14)

Como fazer a transição do leite de peito para a alimentação da família? O foco da SMAM 2005 foi reforçar a importância dos 6 meses de amamentação exclusiva e discutir a vulnerabilidade da criança durante o período de transição, em que é necessária a ingestão gradual de outros alimentos.

O desafio é como agregar outros alimentos e contribuir com a riquíssima fonte nutricional de leite materno. O leite materno continua sendo uma importante fonte de nutrientes depois dos 6 meses de amamentação exclusiva. A continuidade da amamentação pode fornecer cerca de 70% das necessidades energéticas às crianças de 6-8 meses, 55% aos 9-11 meses e 40% aos 12-33 meses. Além disso, o leite materno continua sendo a principal fonte de proteínas, vitaminas, minerais e ácidos graxos essenciais.

FIG 27.14. SMAM 2005.

O momento foi oportuno para a ampliar a divulgação da Estratégia Global sobre Alimentação de Lactentes e Crianças de Primeira Infância, da OMS e UNICEF, que reafirma os compromissos firmados pelos governantes na Declaração de Innocenti.

SMAM 2006 – Código Internacional: 25 Anos de Proteção ao Aleitamento Materno (Fig. 27.15)

Em 2006 foram abordados os aspectos básicos do Código, sua importância, exemplos de sucesso e ideias para as ações. Para a maioria dos bebês, a amamentação exclusiva durante os 6 primeiros meses de vida e a amamentação continuada por 2 anos ou mais, em conjunto com alimentos complementares nutritivos, são fundamentais à saúde. Praticamente todas as mulheres são capazes de amamentar se receberem apoio para manter a autoconfiança e conhecerem as boas técnicas. As práticas promocionais debilitam tais habilidades por meio de truques publicitários sutis e informações incorretas para profissionais da saúde, mães e suas famílias. A implementação do Código pode dar um fim a esta situação.

Aspectos como explorar o prestígio médico, confundir o consumidor, forçar o uso de bicos, chupetas e mamadeiras, presentear os profissionais de saúde, são

FIG 27.15. SMAM 2006.

algumas das estratégias de *marketing* que costumam ser invisíveis ao público em geral, mas as empresas investem nisso porque é eficiente. Os profissionais de saúde podem estar tão acostumados à cultura dos presentes e ao patrocínio financeiro das empresas que veem isso como "normal". Pesquisas mostram que isso influencia as decisões dos profissionais. O Código proíbe os presentes ou brindes.

A falta de informação, a capacitação inadequada dos profissionais de saúde, a negligência e o desrespeito aos direitos da mulher contribuem para as práticas insatisfatórias de alimentação infantil. Os efeitos danosos decorrentes da promoção de produtos pioram ainda mais a situação. A cada vez que um profissional de saúde é convencido a recomendar um produto, crescem os lucros da empresa. A cada vez que uma mãe é convencida de que deve usar um produto comercial, aumentam os riscos de seu filho vir a adoecer. O Código foi elaborado para acabar com esse tipo de promoção persuasiva.

Alguns elementos centrais das Resoluções da Assembleia Mundial de Saúde (AMS) sobre a alimentação de lactentes e crianças de primeira infância, de 1984 a 2005, foram adotadas em 11 resoluções sobre alimentação infantil para esclarecer alguns pontos e fortalecer o Código, bem como para lidar com novos desafios.

CAPÍTULO 27 Semana Mundial de Aleitamento Materno

Foram incluídas recomendações como: fórmulas de seguimento são desnecessárias, doação ou suprimentos subsidiados de substitutos do leite materno não devem ser distribuídos em qualquer parte do sistema de atenção à saúde; os governos devem garantir que o apoio financeiro e outros incentivos a profissionais que atuam na atenção à saúde de lactentes e crianças de primeira infância não criem conflitos de interesse e garantir também que o monitoramento do Código e das resoluções subsequentes ocorra de maneira independente; o período ideal para a amamentação exclusiva é de 6 meses; as pesquisas sobre HIV e alimentação infantil devem ser independentes de interesses comerciais; os alimentos complementares não devem ser promovidos de forma a prejudicar a amamentação exclusiva e continuada; renovação do compromisso por meio da Estratégia Global sobre a alimentação de lactentes e crianças de primeira infância; informar nos rótulos das fórmulas infantis sobre a possibilidade de sua contaminação intrínseca; regulamentar as alegações sobre nutrição e saúde.

No Brasil, em 4 de janeiro de 2006, foi publicada a Lei nº 11.265 que tem como objetivo contribuir para a adequada nutrição dos lactentes e das crianças de primeira infância por intermédio da regulamentação da promoção comercial e o do uso apropriado dos alimentos para lactentes e crianças de primeira infância, além de bicos, chupetas e mamadeiras. Embora esse tema seja regulado pela ANVISA, por meio das Resoluções RDC 221/02 e 222/02, esperava-se que a publicação da Lei fortalecesse ainda mais as ações de proteção ao aleitamento materno; entretanto, ainda não foi regulamentada.

SMAM 2007 – Amamentação na Primeira Hora: Proteção sem Demora! (Fig. 27.16)

O tema de 2007 abordou como iniciar a amamentação na primeira hora de vida, com algumas iniciativas, das quais destacamos: propiciar que as mães sejam acompanhadas durante o parto por pessoas adequadas, sensíveis e apoiadoras; incentivar medidas não farmacológicas durante o trabalho de parto (massagem, aromaterapia, imersão na água, movimentação); permitir que o parto ocorra na posição preferida pela mulher; enxugar rapidamente o bebê conservando seu vérnix, um creme natural que protege a pele da criança; colocar o bebê em contato pele a pele com a mãe; permitir que o bebê busque a mama, deixando a mãe estimulá-lo com seu toque; ajudar a posicioná-lo próximo ao bico da mama, sem forçar o bebê a fazê-lo; manter mãe e bebê em contato pele a pele até a ocorrência da primeira mamada e enquanto a mãe assim o desejar; propiciar o contato pele a pele precoce também para as mulheres com partos cirúrgicos; retardar procedimentos invasivos ou estressantes (procedimentos como medir, pesar e administrar medicamentos preventivos devem ser postergados para depois da mamada); não dar líquidos ou alimentos pré-lácteos, a menos que haja uma indicação clínica justificável.

O contato pele a pele após o nascimento e a amamentação na primeira hora de vida são importantes devido a muitos aspectos, dentro os quais o fato de que corpo da mãe ajuda a manter o bebê adequadamente aquecido. O bebê fica menos estressado, mais calmo e com as frequências respiratória e cardíaca mais

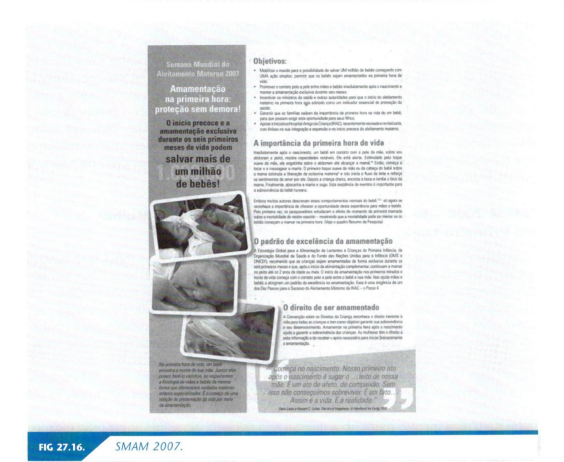

FIG 27.16. SMAM 2007.

estáveis. O bebê é exposto em primeiro lugar às bactérias da mãe que costumam ser menos agressivas e contra as quais o leite materno possui fatores de proteção. As bactérias maternas passam a habitar o intestino e a pele do bebê, competem com as bactérias mais nocivas dos trabalhadores da saúde e do ambiente hospitalar e, desta forma, evitam a ocorrência de infecções. O bebê recebe colostro durante as primeiras mamadas – "ouro líquido", às vezes chamado de dádiva da vida. O colostro é rico em células imunologicamente ativas, anticorpos e proteínas protetoras. Funciona como a primeira vacina para a criança. Protege contra várias infecções e ajuda a regular o próprio sistema imunológico em desenvolvimento. Contém fatores de crescimento que ajudam o intestino a amadurecer e a funcionar de forma eficiente. Isso dificulta a entrada dos microrganismos e alérgenos. É rico em vitamina A que ajuda a proteger os olhos e a reduzir as infecções. Estimula os movimentos intestinais para que o mecônio seja rapidamente eliminado, e isso ajuda na prevenção da icterícia. Vem em volumes pequenos, de acordo com a capacidade gástrica de um recém-nascido. A mãe também se beneficia com a amamentação precoce. Tocar, abocanhar e sugar a mama estimula a liberação de ocitocina. A ocitocina faz com que o útero se contraia, contribuindo para a saída da placenta e para a redução do sangramento materno após o parto. A ocitocina

CAPÍTULO 27 Semana Mundial de Aleitamento Materno

estimula outros hormônios que dão à mãe uma sensação de calma, relaxamento e a fazem "apaixonar-se" por seu filho, o hormônio do amor. A ocitocina estimula o fluxo de leite da mama. As mulheres costumam apresentar uma incrível sensação de felicidade no primeiro encontro com o bebê! E os pais geralmente compartilham esse sentimento. E assim começa o processo do vínculo entre a mãe e o bebê. Acima de tudo, o contato pele a pele e a amamentação precoces estão associados à redução da mortalidade no primeiro mês de vida. Também estão relacionados com o aumento da exclusividade e duração do aleitamento materno nos meses seguintes, contribuindo, portanto, para um melhor padrão de saúde e para a redução da mortalidade tardia.

SMAM 2008 – Se o Assunto é Amamentar, Apoio à Mulher em Primeiro Lugar (Fig. 27.17)

A WABA aproveita a oportunidade para pedir mais apoio às mães que travam batalhas diárias para atingir um padrão ideal na alimentação de seus filhos pequenos. As regras de ouro no apoio ao aleitamento materno são as recomendadas no aconselhamento: tratar a situação de cada mãe e bebê como individual e única; ser sensível às necessidades da mãe que amamenta; escutar com empatia para conhecer as preocupações maternas; evitar falar, a não ser para esclarecer; oferecer informações e sugestões para que as mães façam as próprias escolhas; não dar ordens. Além disso, é importante garantir que pais e familiares estejam bem informados para que possam apoiar a mulher que amamenta; responsabilizar governos, locais de trabalho e sociedade pela criação de um ambiente em que toda mulher possa optar pelo aleitamento materno e manter sua decisão; acreditar que a mãe é capaz de amamentar com sucesso e dizer isso a ela; reconhecer quando uma mulher pode precisar de mais ajuda do que aquela que você pode oferecer; conhecer e divulgar a Iniciativa Hospital Amigo da Criança onde a mãe pode amamentar logo após o parto; não há separação desnecessária entre mãe e bebê; a mãe recebe orientação e ajuda para facilitar a amamentação; não são dados outros leites, mamadeiras e chupetas, que prejudicam a amamentação e a saúde da criança.

Outra estratégia apontada foi o Método Mãe Canguru para o cuidado dos bebês nascidos com baixo peso. Conhecer e divulgar esse método é fundamental, pois a mãe e os familiares podem participar do cuidado do bebê. O contato pele a pele faz com que o bebê receba mais amor, calor e leite materno, e se recupere mais rápido.

Também é relevante divulgar e apoiar os grupos de mães. As mulheres não só recebem apoio de várias pessoas, como também garantem e oferecem apoio a outras mulheres. Participar de um grupo de mães ajuda a aumentar e manter a autoconfiança. Outra vertente são as leis trabalhistas de proteção à maternidade. Toda mulher trabalhadora deve ter direito a garantia do emprego, licença-maternidade remunerada, pausas para amamentar, creches no local de trabalho ou nas proximidades, proteção contra a discriminação, horários flexíveis. Conhecer e divulgar a Norma Brasileira de Comercialização de Alimentos para Lactentes e Crianças de Primeira Infância, Bicos, Chupetas e Mamadeiras (NBCAL) ajuda a proteger as mães contra as propagandas e outras estratégias comerciais que podem enfraquecer o sucesso na amamentação.

FIG 27.17. SMAM 2008.

SMAM 2009 – Amamentação, a Segurança Alimentar nas Emergências (Fig. 27.18)

Nenhum lugar está completamente livre de situações de emergência. Independente do tipo de situação (de terremotos a conflitos, de enchentes a pandemias de gripe) a experiência mostra que amamentar salva vidas. Em situações de emergência, bebês e crianças pequenas são especialmente vulneráveis à desnutrição, doenças e morte. A mortalidade infantil durante situações de emergência ultrapassa em muito as taxas de períodos normais, variando de 12 a 53%. A alimentação de lactentes e crianças pequenas em situações de emergência tem como foco a proteção e o apoio à alimentação segura e adequada de lactentes e crianças pequenas. Assim, os objetivos da SMAM 2009 foram: reforçar o papel vital da amamentação em resposta a situações de emergência em todo o mundo; chamar a atenção para a importância de proteger e apoiar ativamente o aleitamento materno antes e durante as emergências; informar mães, defensores do aleitamento materno, comunidades, profissionais da saúde, governos, agências de ajuda, doadores e mídia sobre como oferecer apoio ativo à amamentação, antes e durante as emergências. A Semana chamou a atenção para a mobilização e a

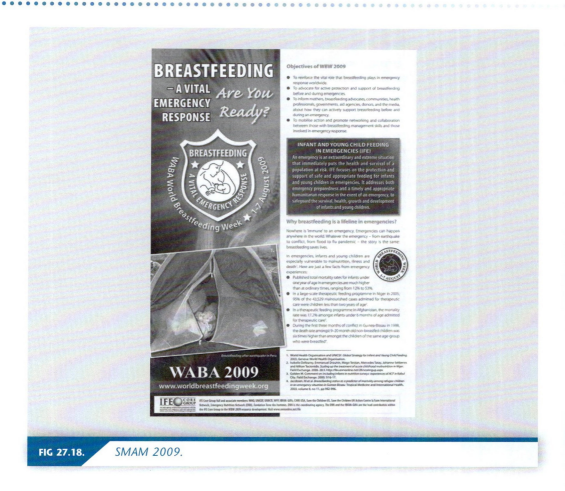

FIG 27.18. SMAM 2009.

ação, promover redes e cooperação entre os que têm habilidades para o manejo da amamentação e os envolvidos na resposta às emergências. O impacto de uma emergência sobre as crianças é influenciado pela prevalência das práticas alimentares, pela saúde e estado nutricional das mulheres e crianças, pelos recursos disponíveis e natureza da resposta humanitária. Em situações de emergência, há desafios operacionais para se garantir uma alimentação segura e adequada aos bebês, e para colocar em prática a política como superar ideias erradas, riscos da alimentação artificial e das doações.

A indústria de alimentos infantis pode encarar as emergências como "oportunidades" de entrar nos mercados e fortalecê-los, ou como exercício de relações públicas. As pessoas e as organizações não governamentais (ONGs), com base num real desejo de ajudar e por desconhecer os riscos à saúde, também costumam doar fórmulas infantis, outros alimentos que substituem o leite materno e itens para alimentação infantil. As agências humanitárias e outras podem receber e distribuir doações sem saber do aumento nos riscos à saúde e sobrevida das crianças.

Muitas violações ao Código, associadas às doações de fórmulas infantis e itens para alimentação infantil, foram registradas em situações de emergência. Estas violações foram perpetradas por ONGs internacionais e nacionais, governos, militares e outras pessoas.

Proteger, promover e apoiar o aleitamento materno no dia a dia é a melhor forma de se preparar para o enfrentamento das situações de emergência. Todo esforço deve ser feito para implementar, no cotidiano, a Iniciativa Hospital Amigo da Criança, o Método Mãe Canguru, o Banco de Leite Humano, a NBCAL e Lei 11265/2006, as leis de proteção da maternidade, assim como os grupos de apoio na comunidade.

SMAM 2010 – Amamentação: Dez Passos Fundamentais para um Bom Começo. Vamos Revitalizar a IHAC! (Fig. 27.19)

A SMAM 2010 destacou a contribuição dos Dez Passos da Iniciativa Hospital Amigo da Criança ao melhoramento das taxas do aleitamento materno. Os aspectos discutidos foram: renovar a ação em todos os sistemas e instituições de saúde e nas comunidades, para que o aleitamento materno seja de fácil escolha; informar o público sobre os perigos da alimentação artificial, a importância do aleitamento materno para o desenvolvimento e a saúde das crianças, e também para a saúde das mães; possibilitar que as mães possam usufruir de um apoio completo ao aleitamento materno nos sistemas de saúde, e também em outros espaços.

Estudos recentes mostram que quanto mais Passos são cumpridos maior sucesso terão as mães nas suas intenções de amamentar. Cada maternidade deve lutar para aumentar o número de Passos que cumprem, mesmo quando não possam imediatamente cumprir os Dez Passos.

Algumas propostas para a evolução do caminho da IHAC são: 1. Ajudar colegas, amigos e comunidades a conhecerem os Dez Passos – independente de seu envolvimento com as famílias, em organizações religiosas, em escolas ou no sistema de saúde, você pode estimular discussões e atividades que promovam os Dez Passos; 2. Defender mudanças no sistema de saúde (descobrir a situação da IHAC em seu país, quem é responsável por ela e tentar fazer contato com essa pessoa) para que todos os Dez Passos sejam a prática padrão nos hospitais, centros de saúde e programas de atenção primária; 3. Criar mudanças localmente, por exemplo, descobrir o que acontece às mães depois que saem da maternidade, e com as pessoas que têm os filhos em casa – há parteiras comunitárias, amigas, conselheiras, ou grupos de aleitamento materno em apoio a essas mães? Os centros de saúde locais dão aconselhamento pró-aleitamento materno? O que acontece com as mães quando voltam a trabalhar?; 4. Defender aperfeiçoamentos nacionais e globais – ir além do sistema de saúde e envolver pessoas em todos os níveis na promoção de políticas, práticas e legislação em apoio aos Dez Passos; 5. Agir em prol da existência de pessoas de contato com agências globais que defendam ser este o momento de capacitar todas as mães no aleitamento materno, ajudar todas as crianças a atingir seu potencial e a criar um futuro que inclua saúde para todos.

CAPÍTULO 27 Semana Mundial de Aleitamento Materno

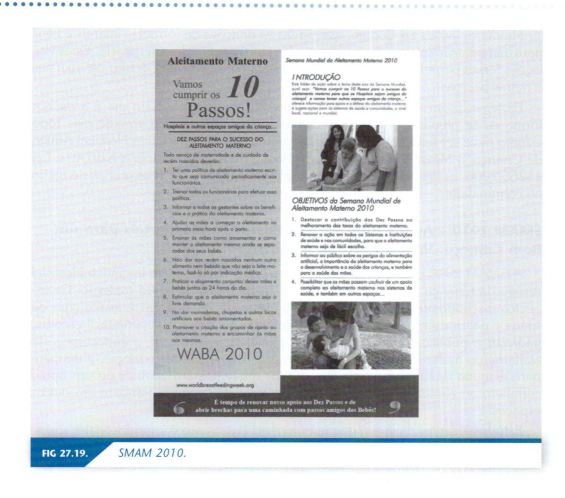

FIG 27.19.   SMAM 2010.

SMAM 2011 – Fale Comigo! Amamentação, uma Experiência em 3D
(Fig. 27.20)

O propósito dessa semana foi ampliar o olhar para o processo de amamentação para além das lentes da saúde, incluindo os jovens, as questões de gênero e direitos procurando promover e interligar a comunicação entre os diversos setores da sociedade como parte fundamental para a promoção e o apoio à amamentação.

E por que a amamentação pode ser considerada uma experiência 3D?

Quando se fala em apoio à amamentação, a tendência é pensar em duas dimensões, a primeira sobre o tempo da gravidez ao desmame e a segunda sobre o lugar que acontece, ou seja, a casa, a comunidade. Entretanto, para que esta experiência ocorra há um espaço que é pela comunicação, sendo considerada a terceira dimensão e parte essencial na proteção, promoção e apoio à amamentação. Na atualidade, novas formas de comunicação estão sendo desenvolvidas e podemos utilizar estes canais de informação não só para ampliar as possibilidades de promoção, proteção e apoio à amamentação como também para empoderamento

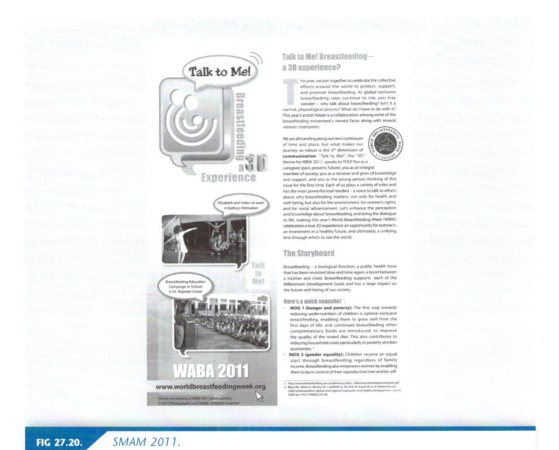

FIG 27.20. SMAM 2011.

das mulheres que amamentam. O desafio é encontrar mensagens criativas que possamos incluir e conectar outros grupos além dos profissionais da saúde.

Como metas de trabalho para essa semana foi proposto o uso de novas tecnologias para atingir o maior número de pessoas com informações sobre amamentação e alertá-los sobre os conflitos de interesse que possam surgir com a indústria; propiciar o alcance do ativismo em prol da amamentação, envolvendo grupos que geralmente demonstram menor interesse (p. ex., jovens, homens, ativistas de planejamento familiar); desenvolver e melhorar a orientação de técnicas de comunicação em amamentação e capacitação em saúde buscando a participação ativa dos jovens; criar e ampliar canais de comunicação entre diferentes setores da sociedade, para que a informação e retroalimentação em amamentação possam ser acessadas e intensificadas; encorajar especialistas em amamentação e comunicadores experientes a tornarem-se mentores de novos ativistas; explorar, apoiar, reconhecer e implementar comunicações inovadoras com criatividade a fim de aproximar e proporcionar um espaço para que as pessoas desenvolvam suas ideias.

SMAM 2012 – Entendendo o Passado e Planejando o Futuro: Celebrando os 10 Anos da Estratégia Global para a Alimentação de Lactentes e Crianças de Primeira Infância (Fig. 27.21)

A Semana Mundial do Aleitamento Materno em 2012 comemorou o seu vigésimo aniversário e teve como principal objetivo dar visibilidade para os resultados alcançados com a Estratégia Global para a Alimentação de Lactentes e Crianças de Primeira Infância, que foi adotada pela OMS e UNICEF em 2002 visando reafirmar as 4 metas da Declaração de Innocenti de 1995 e outros novos objetivos.

A Estratégia Global identifica claramente a necessidade de praticar a "alimentação ótima" para reduzir a desnutrição e a pobreza, baseada num enfoque de direitos humanos e faz um chamado para que se desenvolvam políticas integrais para a alimentação de lactentes e de crianças pequenas. Em outras palavras, a Estratégia Global é um guia sobre como proteger, promover e apoiar o aleitamento materno exclusivo até os 6 meses, seguida da amamentação por 2 anos ou mais combinada com uma alimentação complementar adequada e apropriada a partir de alimentos locais. Como forma de monitorar os resultados da Estratégia Global, a Rede Internacional em Defesa do Direito de Amamentar (IBFAN) lançou em

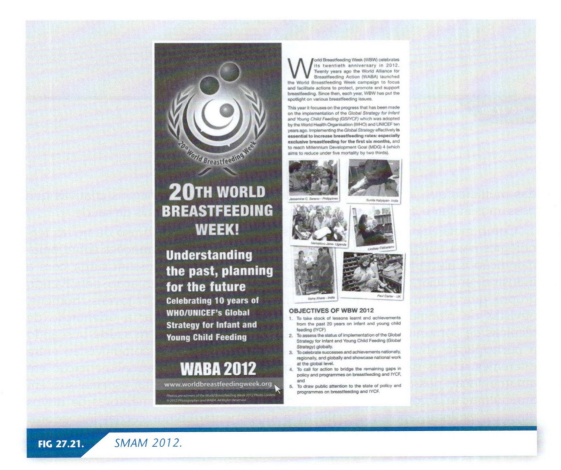

FIG 27.21. SMAM 2012.

2004-2005 a Iniciativa Mundial sobre Tendências da Amamentação (WBTi) para seguir, avaliar e monitorar a execução da Estratégia Global. Segundo os dados do UNICEF de 2011, dos 136,7 milhões de bebês que nascem anualmente no mundo, somente 32,6% recebem amamentação exclusiva durante os primeiros 6 meses de vida. De acordo com as avaliações da pesquisa WBTi de 40 países, a maioria não conta com uma política efetiva de alimentação do lactente e da criança pequena com propostas adequadas que permitam a sua execução. Para conseguir aumentar as taxas de aleitamento materno é importante avaliar as políticas e programas e desenvolver as ações pertinentes.

Sendo assim, os objetivos da Semana da Amamentação em 2012 foram: fazer um balanço com os resultados e lições aprendidas sobre a alimentação infantil nos últimos 20 anos; avaliar a implementação da Estratégia Global para a Alimentação de Lactentes e Crianças de Primeira Infância em todo o mundo; comemorar os sucessos e resultados alcançados nos níveis nacional, regional e mundial; mostrar o trabalho/sucesso nacional para o mundo; demandar ações para preencher as lacunas nas políticas e programas de lactação e alimentação de lactentes e crianças de primeira infância; atrair a atenção do público sobre as políticas e programas de lactação e alimentação de lactentes e crianças de primeira infância.

SMAM 2013 – Apoio às Mães que Amamentam: Próximo, Contínuo e Oportuno! (Fig. 27.22)

Muitas mães desistem de amamentar exclusivamente os seus bebês, ou param de amamentar, nas 6 semanas após o parto, ainda que o parto tenha ocorrido em um Hospital Amigo da Criança. Compreende-se que este é um período que pode ser difícil para as mães irem consultar o profissional de saúde, portanto o apoio na comunidade local é essencial. Tradicionalmente as mulheres mais velhas da família e da comunidade são consideradas um importante pilar para o apoio à amamentação. No entanto, com as mudanças das sociedades e, em particular com a crescente urbanização, faz-se necessário que os círculos de apoio à amamentação sejam ampliados. Tal ampliação pode ser contemplada por profissionais de saúde capacitados, conselheiros em amamentação, líderes da comunidade ou mulheres/ amigas que também são mães e pelos pais ou companheiros.

Desta forma, a SMAM 2013 trouxe a reflexão e aprendizado sobre a importante tarefa que o Programa de Aconselhamento de Pares desempenha para que mais mães amamentem. Aconselhamento de Pares é entendido como mães apoiando mães e, portanto, parte vital do apoio, promoção e proteção da amamentação. As mulheres se identificam com outras mulheres com quem elas compartilham experiências semelhantes de vida, especialmente quando essas experiências se relacionam com os filhos. O Aconselhamento de Pares tem como objetivo incentivar e apoiar as gestantes e mães, para ajudá-las a ganhar confiança na sua capacidade de amamentar e, para tanto, há necessidade de pessoal capacitado tanto em aspectos práticos da amamentação como também nas habilidades do aconselhamento. A maioria dos aconselhadores são mães com experiência em amamentar, mas em alguns programas são mulheres mais jovens, pais e pessoas ativas da comunidade que são interessadas e dispostas a ajudar. O apoio de pares pode ser adaptado a diferentes contextos socioeconômicos e culturais e pode ser feito em grupos de mães, bem como individualmente. Dependendo do público-alvo, os métodos utilizados no aconselhamento de pares podem incluir grupos de apoio a uma comunidade local; atendimento sem agendamento na comunidade ou na unidade básica de saúde para as mães com problemas; visitas a domicílio; por ligação telefônica, envio de texto (SMS) para celular ou "bate papo" (*chat*) pela internet, envio de *e-mail*, grupo de gestantes e grupo de pais de serviços ligados a hospitais, centros de saúde e serviços de saúde na comunidade. A coordenação de aconselhadores por profissional de saúde, cujas mães podem ser encaminhadas, se necessário, é particularmente valiosa pelo fato de contribuir para a continuidade de cuidados da maternidade na comunidade.

O foco da Semana teve como ponto de partida a afirmação: "A chave para uma boa prática de amamentação é ter apoio diário permanente em casa e na comunidade."

As reflexões advindas da SMAM 2013 apontam para que os serviços de saúde devam, além de prover ações baseadas na percepção das mulheres sobre o apoio à amamentação, estabelecer uma parceria com a mulher, sua rede familiar e com

FIG 27.22. SMAM 2013.

os aparelhos sociais disponíveis. Tal necessidade apresenta-se como um desafio para o profissional de saúde que busca superar a sua práxis em direção à construção de competências lhe possibilitem acolher dúvidas, preocupações, dificuldades das mães e seus familiares, por meio de escuta ativa, que revele disponibilidade, empatia e percepção para propor ações factíveis e congruentes ao contexto de vida da mulher que amamenta.

SMAM 2014 – Aleitamento Materno: uma Vitória para Toda a Vida!
(Fig. 27.23)

O tema proposto para a SMAM 2014 nos convida a pensar em metas e reafirma a importância de incrementar e dar suporte às ações de proteção, promoção e apoio à amamentação, dentro dos planos para atingir os Objetivos do Desenvolvimento do Milênio (ODM) em 2015 e para sua continuidade nos anos subsequentes. Muito foi realizado em prol do cumprimento dos objetivos do milênio sendo que a pobreza, a desnutrição e a mortalidade infantil diminuíram. Entretanto, o sobrepeso, outro tipo de má nutrição, está se tornando cada vez mais comum e metade das mulheres têm dado à luz em maternidades que não estão preparadas para cuidar de maneira

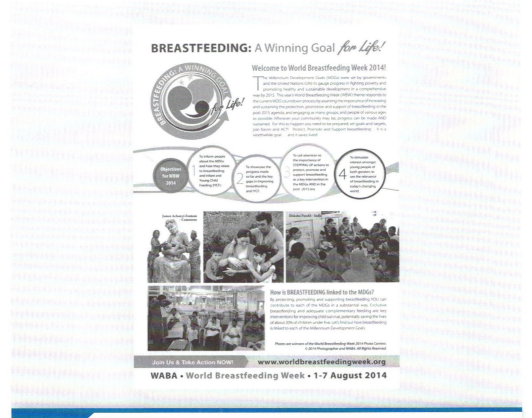

FIG 27.23. SMAM 2014.

adequada de mães e bebês. Ao proteger, promover e apoiar o aleitamento materno é possível contribuir com cada um dos ODM de maneira substancial. O aleitamento materno exclusivo e a alimentação complementar adequada e oportuna são intervenções essenciais para melhorar a sobrevivência infantil, podendo salvar por volta de 20% das meninas e meninos menores de 5 anos. Os objetivos da SMAM 2014 trazem a importância de conhecer os Objetivos de Desenvolvimento do Milênio e como eles se relacionam com a "Alimentação Infantil Ótima; conhecer os indicadores de Amamentação e Alimentação Complementar a fim de se traçar metas para atingir a Alimentação Infantil Ótima para todas as crianças pequenas; priorizar as ações de proteção, de promoção e de apoio da Alimentação Infantil Ótima para atingir os ODM em 2015 e nos anos subsequentes; estimular o interesse dos jovens, mulheres e homens pela amamentação, para que compreendam a sua importância para o mundo de hoje e do futuro.

AS ATIVIDADES DA SEMANA MUNDIAL DE ALEITAMENTO MATERNO NO BRASIL

Muitas atividades têm sido pensadas e realizadas de maneira bastante criativa durante as Semanas Mundiais de Aleitamento Materno no Brasil. Como resultado, inúmeros materiais de divulgação e literatura científica relevante também têm sido distribuídos ou colocados à disposição para profissionais de saúde e público em geral.

Aqui estão relacionadas as principais atividades realizadas por grupos, pessoas, secretarias de saúde e outras organizações governamentais e não governamentais de todo o país**:

- Apresentação de fitas de vídeos sobre amamentação em maternidades, escolas, indústrias, igrejas;
- Confecção de broches, bonés, camisetas, canetas, adesivos, balões, chaveiros, ímã de geladeira etc., com o tema da Semana;
- Confecção de cartilhas para gestantes e para crianças;
- Criação de música tema da SMAM e *jingle* para as rádios;
- Confecção de textos sobre o tema da Semana;
- Criação de objetos artísticos sobre o tema e exposição dos trabalhos durante a Semana;
- Criação de um "disque amamentação", número de telefone para o qual as mães podem ligar para tirar dúvidas;
- Discussão do tema da Semana com mães e profissionais de saúde;
- Distribuição da NBCAL para profissionais de saúde, empresas, supermercados, estudantes;
- Distribuição de cartazes para serem afixados em pontos de grande circulação de pessoas;
- Distribuição de cartões contendo orientação sobre aleitamento materno na pós-consulta e na sala de vacinas;

**Dados obtidos de relatórios locais e nacionais das Semanas Mundiais de Aleitamento Materno.

- Distribuição de desenhos alusivos ao tema da SMAM para serem pintados por crianças atendidas nas unidades básicas de saúde, creches ou pré-escolas;
- Distribuição de folhetos para a população alusivos à Semana ou com informações importantes, tais como a IHAC, os direitos trabalhistas, como retirar o leite do peito e armazená-lo, os endereços e telefones do banco de leite humano da região ou outros locais onde a nutriz possa receber orientação e apoio para amamentar;
- Envio de matéria para ser publicada em jornais, concessão de entrevistas em rádio e televisão;
- Envio de textos sobre o tema para rádios, emissoras de televisão e jornais locais, solicitando a divulgação da SMAM e as ações que serão desenvolvidas;
- Fechamento da Semana com sarau de poesias;
- Formação de grupos de mães orientadoras sobre aleitamento materno na comunidade;
- Montagem de painéis com fotos de bebês que mamam exclusivamente no peito nos hospitais e unidades básicas de saúde;
- Organização de passeio ciclístico ou em trenzinhos e caminhada de confraternização da SMAM;
- Organização de visitas de estudantes a bancos de leite humano para conhecer o sistema de processamento;
- Orientação de professores e diretores sobre o trabalho a ser realizado nas escolas e creches;
- Produção e colocação de faixas de divulgação sobre a SMAM nas ruas centrais da cidade;
- Realização de "pedágios" nas principais ruas (ou nas barcas) para distribuição dos impressos;
- Realização de campanhas para coleta de frascos de vidro para bancos de leite humano em locais como escolas, faculdades, hospitais;
- Realização de concurso de desenhos em escolas com premiação dos melhores trabalhos;
- Realização de concursos de escultura, contar de histórias, cartuns, fotografias;
- Realização de contatos com equipes de teatro para elaboração de *performance* teatral sobre o tema da SMAM;
- Realização de eventos na praia, em centros comerciais, em área de reserva ecológica;
- Realização de homenagem às mães que participaram de programa de aleitamento materno, às mães doadoras de leite materno;
- Realização de monitoramento do cumprimento da NBCAL em supermercados, farmácias e serviços de saúde;
- Realização de mutirão para captar doadoras para o banco de leite humano;
- Realização de palestras e apresentação de fitas de vídeo em salas de espera de consulta médica;

CAPÍTULO 27 Semana Mundial de Aleitamento Materno

- Realização de palestras sobre amamentação para funcionários de hospitais, centros de saúde, creches;
- Realização de plantão tira-dúvidas sobre aleitamento materno com profissionais da saúde em locais públicos como *shoppings*, metrô, feiras de saúde, feira agropecuária;
- Realização de visitas a empresas para distribuir folhetos e dar orientação sobre a importância da amamentação e sobre os direitos da mulher que trabalha;
- Capacitação e atualização dos profissionais da saúde;
- Solicitação a empresas para que se insira a frase da SMAM nos boletos de pagamento dos funcionários, nos extratos bancários e contas a pagar;
- Solicitação a supermercados da região para que insiram a estampa e a frase da SMAM nos sacos plásticos utilizados pelos clientes;
- Solicitação para que um vereador elabore um projeto de lei que institua a semana municipal de aleitamento materno no calendário de eventos da cidade;
- Treinamento de funcionários ligados diretamente ao atendimento às gestantes e puérperas;
- Treinamento de profissionais da vigilância sanitária e estudantes do ensino médio sobre a NBCAL.
- Iluminação de monumentos e pontos importantes da cidade na cor dourado;
- Uso de laço dourado que representa o padrão-ouro da amamentação.

A SMAM É UM SUCESSO NO BRASIL

A SMAM foi divulgada no Brasil primeiramente por meio de pessoas ligadas à IBFAN – International Baby Food Action Network (Rede Internacional em Defesa do Direito de Amamentar), as quais começaram a desenvolver ações locais. Denise Arcoverde, do Grupo Origem, de Recife, coordenou as atividades da SMAM, como ponto focal da WABA no Brasil, do final de 1992 até 1997, o que levou à expansão da rede, no início envolvendo pessoas, depois grupos de apoio à amamentação, chegando às Secretarias Estaduais de Saúde. Neste período, os cartazes, cartilhas e demais materiais foram financiados em grande parte pelo UNICEF, sendo realizados dois Encontros Nacionais de Coordenadores da Semana Mundial de Amamentação. Nesses encontros eram debatidos exaustivamente o tema da Semana, a abordagem, as estratégias de ação e os possíveis parceiros. Posteriormente, Lígia Duarte, também do Grupo Origem, coordenou então a SMAM durante um ano e Siomara Siqueira, do Instituto de Saúde, São Paulo, de 1998 a 2000. Desde então, a coordenação tem sido da Área de Aleitamento Materno do Ministério da Saúde.

Embora mundialmente a SMAM seja celebrada de 1 a 7 de agosto, muitos locais adotaram outros períodos de acordo com seus interesses e prioridades.

A SMAM teve um esplêndido crescimento em nosso país. As ações passaram a ser coordenadas em conjunto com o Ministério da Saúde, o que tem possibilitado um maior engajamento das Secretarias Estaduais e Municipais de Saúde.

Alguns municípios aprovaram projetos de lei criando a Semana Municipal de Aleitamento Materno, que passa a fazer parte do calendário de datas comemorativas desses municípios.

O engajamento da Sociedade Brasileira de Pediatria tem propiciado a divulgação da amamentação nos meios de comunicação de massa, campanha que conta todos os anos com a participação de artistas cujos bebês estão sendo amamentados, conforme referido em capítulo anterior desta publicação.

O SENAC – Serviço Nacional de Aprendizagem Comercial, também entrou na campanha a partir de 1995, contribuindo de maneira efetiva com a produção de material educativo para as mães e com a realização de seminários e videoconferências. Se, por um lado, muitas vezes parece ser difícil manter as parcerias, por outro, o compromisso conjunto de organismos não governamentais e governamentais com a Semana Mundial de Aleitamento Materno tem obtido resultados bastante profícuos no Brasil.

BIBLIOGRAFIA CONSULTADA

Black RE, Victora CG. Optimal duration of exclusive breastfeeding in low income countries. BMJ 2002; 325:1252-3.

Brasil. Agência Nacional de Vigilância Sanitária, Ministério da Saúde. Sala de Apoio à Amamentação em Empresas. Nota técnica 01/2010. Brasília, 2010. [acessado em 05 de Setembro de 2014]. Disponível em: http://bvsms.saude.gov.br/bvs/saudelegis/anvisa/2010/prt0193_23_02_2010.html

Brasil. Agência Nacional de Vigilância Sanitária. Diretoria Colegiada. Resolução – RDC nº 221, de 5 de Agosto de 2002. Diário Oficial da União, Brasília, 06 ago. 2002. Seção 1. [acessado em 05 de Setembro de 2014]. Disponível em: http://portal.anvisa.gov.br/wps/wcm/connect/48418b804745973b9f88df3fbc4c6735/rdc_221.pdf?MOD=AJPERES

Brasil. Agência Nacional de Vigilância Sanitária. Diretoria Colegiada. Resolução – RDC nº 222, de 5 de Agosto de 2002. Diário Oficial da União, Brasília, 06 ago. 2002. Seção 1. [acessado em 05 de Setembro de 2014]. Disponível em: http://portal.anvisa.gov.br/wps/wcm/connect/6b6c3b004745973b9f89df3fbc4c6735/rdc_222.pdf?MOD=AJPERES

Brasil. Lei nº 11.770, 09 de setembro de 2008. Cria o Programa Empresa Cidadã, destinado à prorrogação da licença-maternidade mediante concessão de incentivo fiscal, e altera a Lei nº 8.212, de 24 de julho de 1991. Diário Oficial da União, Brasília, 10 set. 2008. Seção 1. [acessado em 05 de Setembro de 2014]. Disponível em: http://www.planalto.gov.br/ccivil_03/_ato2007-2010/2008/lei/l11770.htm

Brasil. Ministério da Saúde. Gabinete do Ministro. Portaria nº 2.051, de 8 de Novembro de 2001. Diário Oficial da União, Brasília, 09 nov. 2001. Seção 1. [acessado em 05 de Setembro de 2014]. Disponível em: http://bvsms.saude.gov.br/bvs/publicacoes/legislacao_marketing_produtos_amamentacao.pdf

Colameo AJ et al. Alimentação de lactentes e crianças pequenas em situação de emergências: manual de orientações para a comunidade, profissionais de saúde e gestores de programas de assistência humanitária. IBFAN Brasil e SENAC, 2009. [acessado em 18 de Agosto de 2014]. Disponível em: http://www.ibfan.org.br/smam/pdf/doc-401.pdf

Food and Agricultural Organization & World Health Organization. Joint FAO/WHO Workshop on Enterobacter sakazakii and Other Microorganisms in Powdered Infant Formula.

Executive Summary, February 2004. [acessado em 18 de Agosto de 2014]. Disponível em: http://files.ennonline.net/attachments/40/enterobacter-sakazakii-summary.pdf

International Baby Food Action Network (IBFAN). Marketing de produtos que competem com a amamentação: relatório do monitoramento da Norma Brasileira de Comercialização de Alimentos para Lactentes e Crianças de Primeira Infância, Bicos, Chupetas e Mamadeiras, 2012. [acessado em 18 de Agosto de 2014]. Disponível em: http://www.ibfan.org.br/monitoramento/pdf/doc-758.pdf

Monte CMG, Giugliani ERJ. Recomendações para a alimentação complementar de criança em aleitamento materno. J Pediatr 2004; 80(5 Supl):S131-S141. [acessado em 18 de Agosto de 2014]. Disponível em: http://www.scielo.br/pdf/jped/v80n5s0/v80n5s0a04

Organização Mundial da Saúde e Fundo das Nações Unidas para a Infância. Estratégia Global para a Alimentação de Lactentes e Crianças de Primeira Infância. São Paulo, 2005. [acessado em 05 de Setembro de 2014]. Disponível em http://www.ibfan.org.br/site/wp-content/uploads/2014/09/IBFAN-estrategia-global.pdf

Organização Pan-Americana da Saúde. Normas Alimentares para Crianças Brasileiras Menores de Dois anos (Bases Científicas). Brasília, 1997. http://www.livrosgratis.com.br/arquivos_livros/op000011.pdf

Rea MF. A mulher trabalhadora e a prática de amamentar. In Amamentação: bases científicas para a prática profissional. Marcus Renato de Carvalho e Raquel N. Tamez (org.). Guanabara-Koogan, 2001.

Sokol EJ. Em Defesa da Amamentação: manual para implementar o Código Internacional de Mercadização de Substitutos do Leite Materno. São Paulo: IBFAN Brasil 1999; 284p.

Toma TS, Monteiro CA. Avaliação da promoção do aleitamento materno em maternidades públicas e privadas do município de São Paulo. Rev Saúde Pública. 2001; 35(5):409-14. [acessado em 18 de Agosto de 2014]. Disponível em: http://www.scielo.br/pdf/rsp/v35n5/6577.pdf

Toma TS, Rea MF. Benefícios da amamentação para a saúde da mulher e da criança: um ensaio sobre as evidências. Cad Saúde Pública 2008; 24(supl. 2):S235-46. [acessado em 18 de Agosto de 2014]. Disponível em: http://www.scielo.br/pdf/csp/v24s2/09.pdf

UNICEF. 1990-2005 Celebrating the Innocenti Declaration on the protection, promotion and support of breast-feeding, November 2005. [acessado em 18 de Agosto de 2014]. Disponível em: http://www.unicef-irc.org/publications/pdf/1990-2005-gb.pdf

United Nations for Children's Fund (UNICEF). BFHI News: The Baby-Friendly Hospital Initiative Newsletter, july-august 2000.

World Alliance for Breastfeeding Action. Baby-Friendly Hospital Initiative, 1992. [acessado em 18 de Agosto de 2014]. Disponível em: http://worldbreastfeedingweek.net/webpages/1992.html

World Alliance for Breastfeeding Action. Breastfeeding and Family Foods: Loving & Healthy – Feeding other foods while breastfeeding is continued, 2005. [acessado em 18 de Agosto de 2014]. Disponível em: http://worldbreastfeedingweek.net/webpages/2005.html

World Alliance for Breastfeeding Action. Breastfeeding in a Globalised World, 2003. [acessado em 18 de Agosto de 2014]. Disponível em: http://worldbreastfeedingweek.net/webpages/2003.html

World Alliance for Breastfeeding Action. Breastfeeding in the Information Age, 2001. [acessado em 18 de Agosto de 2014]. Disponível em: http://worldbreastfeedingweek.net/webpages/2001.html

World Alliance for Breastfeeding Action. Breastfeeding support: close to the mothers, 2013. [acessado em 18 de Agosto de 2014]. Disponível em: http://worldbreastfeedingweek. org/2013/

World Alliance for Breastfeeding Action. Breastfeeding: A Community Responsibility, 1996. [acessado em 18 de Agosto de 2014]. Disponível em: http://worldbreastfeedingweek. net/webpages/1996.html

World Alliance for Breastfeeding Action. Breastfeeding: a vital emergency response, 2009. [acessado em 18 de Agosto de 2014]. Disponível em: http://www.worldbreastfeedingweek.net/wbw2009/index.htm

World Alliance for Breastfeeding Action. Breastfeeding: a winning goal for life!, 2014. [acessado em 18 de Agosto de 2014]. Disponível em: http://worldbreastfeedingweek.org/

World Alliance for Breastfeeding Action. Breastfeeding: Education for Life, 1999. [acessado em 18 de Agosto de 2014]. Disponível em: http://worldbreastfeedingweek.net/webpages/1999.html

World Alliance for Breastfeeding Action. Breastfeeding: Empowering Women, 1995. [acessado em 18 de Agosto de 2014]. Disponível em: http://worldbreastfeedingweek.net/webpages/1995.html

World Alliance for Breastfeeding Action. Breastfeeding: Healthy Mothers and Healthy Babies, 2002. [acessado em 18 de Agosto de 2014]. Disponível em: http://worldbreastfeedingweek.net/webpages/2002.html

World Alliance for Breastfeeding Action. Breastfeeding: It's Your Right, 2000. [acessado em 18 de Agosto de 2014]. Disponível em: http://worldbreastfeedingweek.net/webpages/2000.html

World Alliance for Breastfeeding Action. Breastfeeding: just 10 steps, 2010. [acessado em 18 de Agosto de 2014]. Disponível em: http://worldbreastfeedingweek.org/2010/

World Alliance for Breastfeeding Action. Breastfeeding: Nature's Way, 1997. [acessado em 18 de Agosto de 2014]. Disponível em: http://worldbreastfeedingweek.net/webpages/1997.html

World Alliance for Breastfeeding Action. Breastfeeding: the 1st hour, 2007. [acessado em 18 de Agosto de 2014]. Disponível em: http://www.worldbreastfeedingweek.net/wbw2007/index.htm

World Alliance for Breastfeeding Action. Breastfeeding: The Best Investment, 1998. [acessado em 18 de Agosto de 2014]. Disponível em: http://worldbreastfeedingweek.net/webpages/1998.html

World Alliance for Breastfeeding Action. Code Watch – 25 Year of Protecting Breastfeeding, 2006. [acessado em 18 de Agosto de 2014]. Disponível em: http://worldbreastfeedingweek.net/webpages/2006.html

World Alliance for Breastfeeding Action. Exclusive Breastfeeding: the Gold Standard, 2004. [acessado em 18 de Agosto de 2014]. Disponível em: http://worldbreastfeedingweek. net/webpages/2004.html

World Alliance for Breastfeeding Action. Mother support: going to the gold, 2008. [acessado em 18 de Agosto de 2014]. Disponível em: http://www.worldbreastfeedingweek.net/wbw2008/index.htm

World Alliance for Breastfeeding Action. Mother-Friendly Workplace Initiative, 1993. [acessado em 18 de Agosto de 2014]. Disponível em: http://worldbreastfeedingweek.net/webpages/1993.html

World Alliance for Breastfeeding Action. Protect Breastfeeding: Making the Code Work, 1994. [acessado em 18 de Agosto de 2014]. Disponível em: http://worldbreastfeedingweek.net/webpages/1994.html

World Alliance for Breastfeeding Action. Talk to me! Breastfeeding, a 3D experience, 2011. [acessado em 18 de Agosto de 2014]. Disponível em: http://worldbreastfeedingweek.org/2011/

World Alliance for Breastfeeding Action. The birth of WABA. [acessado em 18 de Agosto de 2014]. Disponível em: http://worldbreastfeedingweek.net/webpages/1991.html

World Alliance for Breastfeeding Action. Understanding the Past-Planning the Future: Celebrating 10 years of WHO/UNICEF's Global Strategy for Infant and Young Child Feeding, 2012. [acessado em 18 de Agosto de 2014]. Disponível em: http://worldbreastfeedingweek.org/2012/

World Breastfeeding Trends Initiative [Internet]. New Delhi; 2011-2014 [atualizado citado em 2014 ago. 24] Disponível em: http://www.worldbreastfeedingtrends.org/

As Amigas do Peito: a Importância dos Grupos de Apoio no Incentivo ao Aleitamento Materno

28

Claudia Orthof Pereira Lima

INTRODUÇÃO

No início da década de 1980, enfatizou-se muito a importância de divulgar conhecimento e informação para que se elevasse o então baixíssimo índice de aleitamento materno e o quase desconhecido aleitamento materno exclusivo até os 6 meses. Foi então promovida pelas sociedades médicas a popularização de conhecimentos incentivadores de aleitamento materno.

Ainda que essas atitudes tenham sido fundamentais, faltava alguma coisa: o envolvimento ativo dos principais personagens dessa história: mães e bebês. E, mais tarde, fomos vendo que esse elo se ligava a outros fundamentais: pais, avós, irmãos, família, pediatras, obstetras, educadores, sociedade. Uma corrente cada vez mais ampla em que todos têm a ver com tudo. Lembrando o nosso saudoso Betinho, uma sociedade em que cada um faça a sua parte. Lutar por amamentação é também lutar por uma sociedade mais justa, solidária, ecológica e "mamífera".

Os primeiros Grupos de Apoio, anteriores aos anos 1980, eram bastante hierarquizados. O La Leche League (LLL), grupo norte-americano, e o Ñuñu, grupo argentino, tinham consultores médicos que avalizavam as informações repassadas. Nós, Amigas do Peito, nos baseamos no modelo argentino de Ñuñu e só conhecemos LLL algum tempo depois.

Nesse sentido, fomos inovadoras. Começamos a reivindicar o direito de decidirmos o que era melhor para nós, nossos filhos, nossas famílias e nossas vidas. Sempre tivemos dentro do grupo uma organização de autogestão. Sempre tivemos com a sociedade médica e a sociedade em geral um relacionamento em pé de igualdade. Ainda que algumas de nós sejamos profissionais de saúde, sempre priorizamos nossa atuação no grupo em nossa experiência de mães que amamentamos. Ou seja, é natural que um grupo como esse atraia mães profissionais de saúde.

É importante que a teoria seja experimentada na prática. E é exatamente porque vivemos a experiência de amamentar que valorizamos cada pessoa que chega ao grupo, pelo que é, alguém que deseja experimentar, apoiar, ou compreender mais a arte de amamentar.

JUSTIFICATIVAS

Amigas do Peito pensam que os grupos de apoio devem estar permanentemente refletindo sobre sua prática, suas realidades, suas ações e sua ideologia. É o que procuramos fazer, quinzenalmente, em nossa sede, em assembleias abertas a qualquer participante de atividades como os *grupos de mães* (atualmente temos 4 grupos de apoio), o Disque-Amamentação (serviço telefônico de apoio) ou dos nossos encontros AmamentArte (eventos abertos em locais públicos, com atividades artísticas apoiando a amamentação).

Em nosso caso, atualmente, procuramos ser o mais independentes possível, o que não quer dizer isoladas. Ao contrário, estamos em constante troca com outros grupos de apoio, com movimentos nacionais e internacionais de apoio ao aleitamento materno. Participamos de todas as Semanas Mundiais de Amamentação, de encontros, fóruns e congressos relativos ao tema, mas nunca esquecemos que nosso compromisso maior é, como nosso nome diz, com as mães. Essa é a nossa identidade. Nossa comunicação é de mães para mães, sem intermediários. Comunicação direta entre mulheres que se compreendem porque vivemos na prática a experiência de amamentar, na doença e na saúde, na escassez e na fartura, na dor e na alegria. Assumimos em nossas mãos e em nossos peitos a decisão de recuperar um elo rompido. Radicalismo? Não. Ou, pelo menos, só quando necessário.

Acreditamos que podem haver diferentes modelos de grupos de apoio, mas que é importante que os participantes saibam quais são as regras. Aqui vão algumas regras das *Amigas do Peito,* por agora, pois isso está sempre em processo de transformação.

- Amigas do Peito podem ser participantes ou coordenadoras. Participante é qualquer mãe (isto é o que o nome diz: um grupo de mães) que participe de qualquer atividade do grupo. Coordenadoras são sempre participantes ativas, com experiência pessoal de aleitamento materno, se possível exclusivo, por mais de 6 meses, que se comprometem com a organização e o destino do grupo.

- Os grupos de mães e todas as atividades das Amigas do Peito são abertos a pessoas que desejem trocar experiências sobre amamentação: pais, irmãos, avós, profissionais etc.

- Nosso nome é registrado e só pode ser usado em nossas atividades. Ainda que tenhamos apoiado a criação de diversos outros grupos, acreditamos que cada um deva procurar seu nome, sua identidade e suas próprias regras, mesmo que com base em nosso modelo.

- Nosso trabalho é voluntário e a maioria de nossas atividades é gratuita. Quando há o envolvimento de pagamento ou doação em dinheiro, isso se restringe ao custeio de nossa sede e aos serviços prestados através dela. Nossos grupos de mães são sempre gratuitos.

- Não temos opiniões rígidas sobre técnicas de aleitamento materno, soluções para problemas de saúde, tempo de amamentação ou época adequada para o desmame. Pretendemos exclusivamente proporcionar um espaço de discussão e troca de experiências, onde relatamos situações vividas por nós ou por outras Amigas do Peito, que possam ajudar cada mãe a decidir o que é melhor para si própria e seu filho.
- Sempre que possível estamos dispostas a trocar essas experiências, de forma mais ampla, com a sociedade, através de encontros sociais ou científicos e através da mídia.
- Recebemos apoio e doações de instituições e pessoas idôneas, que queiram colaborar com a continuidade de nosso trabalho. Temos regras rígidas sobre esses apoios e as decisões são votadas em nossas assembleias.
- Acreditamos que cada mãe pode descobrir a sua própria forma de amamentar, o seu melhor possível, dentro de sua realidade pessoal, familiar, social e profissional. Respeitamos a decisão de não amamentar e, ainda assim, participar de nossas atividades.
- Respeitamos o direito ao sigilo quanto à participação em nossas atividades, assim como o uso de imagens, depoimentos e histórias.
- Respeitamos opiniões diferentes e em nossas reuniões todos têm o direito de se expressar livremente.
- Amigas do Peito não dão conselhos, receitas, opiniões ou leite materno. Amigas do Peito dão apoio, compreensão e estímulo para que cada mãe acredite que é capaz de amamentar seu próprio filho.
- Amigas do Peito trabalham voluntariamente e esperam retorno: colaboração, apoio, indicação, participação, crédito, respeito e, eventualmente, doações materiais com clareza de destino.

Para melhor refletir sobre outras maneiras de se organizar e manter grupos de apoio, peço licença para reproduzir um trecho do capítulo Grupos de Amamentação: Peito de Mãe, Fonte de Vida, escrito por mim para o livro *Grupo e Corpo*, listado na bibliografia:

"Técnica:

Ainda que diversas técnicas diferentes possam ser utilizadas, tendo em vista o estímulo ao aleitamento materno, precisamos estar atentos a alguns conceitos teóricos. Em geral, o modelo de grupo escolhido é muito mais uma adaptação a uma realidade institucional do que um livre-arbítrio de se fazer o melhor. Geralmente, nos adaptamos a fazer o que é possível, dentro da realidade de nosso ambiente profissional ou social.

Cabe à coordenação apresentar aos participantes, o mais sinceramente possível, os objetivos propostos. Cabe principalmente refletir sobre alguns pontos a seguir:

– Que tipo de grupo se pretende? Aberto a participantes diferentes a cada reunião e sem tempo definido para participação, podendo-se ir a uma só reunião ou

participar por longo período; ou fechado, com tempo de duração predeterminado e restrito a quem tenha feito uma inscrição prévia?

– Quais os seus objetivos? Conversar e trocar experiências sobre amamentação ou aumentar os índices de aleitamento materno institucionais?

– Qual a frequência das reuniões? Diárias, semanais, quinzenais, mensais, eventuais? Há expectativa ou não de continuidade?

– Existe alguma forma de contato no intervalo entre as reuniões? Os participantes se encontram em outros locais ou podem se telefonar?

– Espera-se algum tipo de retorno? É gratuito ou pago? Deseja-se conhecer o desenvolvimento das histórias acompanhadas? Espera-se que os participantes tragam outras pessoas ao grupo? Espera-se que deem qualquer outro tipo de colaboração? Existe vinculação entre a participação no grupo e qualquer outro tipo de ganho para a participante, como poder se inscrever na assistência pré-natal ou receber enxoval para o bebê etc.?

– É feito algum tipo de registro? Atas, relatórios, fotografias ou gravações? Há permissão dos participantes para eventual uso público desse material?

– Qual a origem do grupo? É um grupo profissional, de ajuda mútua, ligado a algum tipo de instituição social, política ou religiosa? A participação no grupo de amamentação abre portas para outros tipos de atividades, como acesso a bibliotecas ou grupos de estudos ou de recreação infantil?

– Que tipo de clientela é pretendida? Nutrizes e gestantes? Acompanhantes e família, como companheiros, pais, avós, irmãos e babás são bem-vindos? Bebês, crianças, adolescentes e idosos são aceitos e bem-vindos? As condições do local da reunião dão um mínimo de conforto para todos? Há acesso para carrinhos de bebê, ventilação adequada, foram eliminados os riscos de objetos perigosos e janelas desprotegidas para crianças e os ruídos excessivos para recém-nascidos?

– Como os participantes chegam ao grupo? Propaganda através de folhetos e cartazes? Indicação de profissionais de saúde? Indicação de participantes antigos ou atuais do grupo? Reportagens em revistas, jornais ou televisão? Como complementação integrada a algum outro serviço, como atendimento pré-natal ou pediátrico, ou serviço telefônico de ajuda à amamentação?

– Como é feita a coordenação do grupo? Existe experiência pessoal de amamentar? Existe disponibilidade de trocar essa experiência? Existe uma supervisão do trabalho? Participa de grupos de estudo? Está ligada de algum modo a redes internacionais de apoio à amamentação e informada de novos conhecimentos nessa área? Tem contatos interdisciplinares?

Essas são algumas questões a se refletir, e existem muitas outras, sobre o trabalho prático com amamentação. A questão interdisciplinar, por exemplo, é muito atual. O que antes era visto como um assunto de mães e pediatras se tornou um assunto de toda a sociedade. Não só de mães, mas de toda a família. Não só de pediatras, mas de muitas especialidades médicas, envolvendo profissionais de bancos de leite, imunologistas (nas alergias precoces), gastroenterologistas pediátricos (nas alergias alimentares do desmame e nos casos de refluxo gástrico), neonatologistas (nas internações em CTI neonatal), clínicos (na administração de drogas alternativas compatíveis com o aleitamento), obstetras (na preparação da gestante para a amamentação e no atendimento pós-parto em casos de mastite e fissuras de mamilo). Não só de médicos, mas de uma gama enorme de profissões não só nas áreas de saúde e educação, como enfermagem, fonoaudiologia, odontologia, psicologia e pedagogia, mas também no direito de família e do trabalho, envolvendo cada vez mais áreas do conhecimento humano. O enfoque multidisciplinar enriquece e aprofunda o trabalho em amamentação e facilita a prática da prevenção em saúde."

HISTÓRIAS VIVAS

Grupo de Mães

Este é o relato resumido de um grupo de mães na Zona Sul do Rio de Janeiro, ao ar livre, no jardim de uma universidade, às 9 horas de uma calorenta manhã de março. Os nomes são fictícios, as histórias reais. Agradecemos a todas o uso de suas histórias, suas emoções e seu leite materno.

Esse foi um grupo em que todas as participantes eram mulheres, o que tem sido raro nesse grupo. Todas vinham pela primeira vez, o que também é raro, exceto Sônia, que chegou atrasada, e ficou à parte, ainda que atenta, tomando conta de dois filhos pequenos. Nossas cadeiras estavam dispostas em círculo.

Éramos 10 pessoas: uma coordenadora, 6 participantes, 2 crianças (2 e 4 anos) e um bebê (5 meses). Das 7 mulheres, uma estava amamentando o bebê, uma era gestante de primeira vez, duas eram gestantes e tinham filhos já crescidos, uma estava desmamando o filho de 2 anos, uma não tinha filhos e era profissional (babá), uma tinha filhos adultos amamentados mais de 1 ano.

As profissões eram variadas e os níveis sociais também. As idades variavam entre 28 e 43 anos. Uma professora de educação física, uma psicóloga, uma babá, uma do lar, uma empregada doméstica diarista, uma médica, uma comerciante. Todas casadas.

Clara: Meu nome é Clara, sou coordenadora deste grupo das Amigas do Peito. Vamos começar a reunião fazendo uma rodada em que nos apresentamos. A reunião tem duas horas. Na primeira, eu vou contar um pouco do nosso trabalho, o que é Amigas do Peito. Depois eu gostaria que cada uma dissesse seu nome, se tem filhos, nome e idade deles e se amamentou, se está grávida, para quando é o bebê e, se já souber, o sexo e o nome, profissão, idade, com quem mora, como chegou ao grupo e por que veio aqui hoje. Eu sei que é muita coisa, mas eu sou curiosa e vou ajudar, e vocês só precisam contar o que quiserem. Na segunda metade da reunião, a gente vai tentar conversar sobre o que trouxe vocês aqui e se tiverem algum problema mais urgente, a gente vai tentar ajudar vocês a pensar sobre isso e poder decidir o que é melhor.

Ema: (chegando) Desculpe o atraso! Me perdi aqui dentro. É tão bonito esse bosque, mas o rapaz daqui do prédio disse que hoje não tinha reunião. Fui telefonar pra sede das Amigas e a Mônica, a secretária das Amigas, disse que tinha sim, que você nunca falta.

Clara: É, a gente procura não faltar porque é uma reunião aberta e não tem como avisar, a gente não sabe quem vem e isso é o que eu mais adoro nesse trabalho: a surpresa. Estamos há 7 anos aqui e sempre é diferente. Vocês vão ver se voltarem de outras vezes, o que eu espero que aconteça. Tem vezes que é tranquilo, outras é uma confusão, às vezes é engraçado, outras a gente sai triste com alguma história. Estou no Grupo há tanto tempo e não me canso de ver como sempre é diferente. Quer dizer, pra ser sincera, às vezes me canso sim, às vezes a gente faz um esforço para vir por qualquer motivo e fica aqui sozinha...

Ema: Mas ficar sozinha neste lugar deve ser bom...

Clara: Tá vendo como o grupo ajuda? Da próxima vez que ficar sozinha vou lembrar de você. Vou aproveitar em vez de ficar reclamando... Bom, a gente está começando a se apresentar. Vou mostrar como é. Sou Clara, tenho 43 anos. Tenho dois filhos, de 20 e 18 anos. A Maria nasceu junto com as Amigas do Peito e foi com ela que comecei a participar das reuniões e depois fundamos as Amigas do Peito. Ela mamou até um pouco depois do primeiro aniversário, o que naquela época, 1980, era pouco comum. Depois veio o Fred, e foi com ele que aprendi que podia dar de mamar só no peito até os 6 meses.

Bia: Sem mais nada? Nem água, nem chá, nem suquinho?

Clara: Sem mais nada. A primeira vez que ele comeu, foi engraçado. Eu estava almoçando com meu marido, daquele jeito que dava, com a Maria fazendo bagunça e o Fred no peito, sentado no meu colo. Eu espetei um pedaço de melão no garfo e fiquei falando com meu marido. Daí o Fred soltou o peito e abriu a boca e mordeu o melão. Meu marido começou a rir e disse que já era hora da amiga do peito liberar o melão pra criancinha comer.

Sara: E vitamina, ferro, essas gotinhas...

Clara: Se na época da Maria a gente já soubesse disso... Coitada, ela teve tanta cólica cada vez que tomava o ferro em gotinhas. Meu marido achava que devia parar de dar, mas eu ficava com medo da anemia. Hoje a gente sabe que o neném nasce com reserva de ferro, não precisa. O leite materno é o melhor alimento para o bebê até os 6 meses de idade, e se for possível, deve ser o único. E você, quem é?

Sara: Sou Sara, professora de educação física, 38 anos, e essa é Lara, minha primeira filha, que está com 5 meses e meio. Estou muito nervosa, acho que não tenho leite. Essa é Luiza, minha babá, quer dizer, babá de Lara. (Todas riram). É um pouco isso, Luiza tem sido meu braço direito e o esquerdo também, e se bobear as duas pernas. Tenho estado muito nervosa, meu marido estava desempregado, eu estou sem trabalhar e sou autônoma. Ele começou a trabalhar ontem. O vizinho está fazendo obras, um barulho danado, acabou quebrando o teto do meu banheiro.

Clara: O teto caindo na sua cabeça... Quase todo mundo se sente assim...

Sara: (meio rindo, quase chorando) Pois é. Eu sou muito agitada e a Lara não fica fora do colo nunca. É botar no carrinho ou no berço e começa o choro, não é, Luiza? Luiza está aí pra não me deixar mentir.

Clara: (brincando) Fala, Luiza!

Luiza: É verdade, mas a Sara é muito nervosa. Problema a gente tem, mas ficar agitada assim faz mal.

Clara: Luiza, você tem filhos? Tem experiência de amamentação? Se apresenta também...

Luiza: Não, ainda não. Experiência só de trabalho. E minha mãe, que amamentou 8 filhos. Tenho 37 anos. Tô tentando ajudar a Sara, a gente se apega muito nesse trabalho.

Sara: Ela tá pensando em ter filho agora...

Clara: Como vocês ficaram sabendo do grupo?

Sara: Ah, foi difícil. Saber a gente sabe, mas não consegui o telefone. Na lista telefônica, achei por acaso, em Disque Amamentação, liguei e soube do grupo. Já tinha visto na televisão, mas não sabia como encontrar. Quando fui furar a orelha da Lara, comentei na farmácia meu problema e a moça do balcão falou de vocês. Mas foi difícil. Tudo tá difícil pra mim. A Lara não pega meu bico direito. Outro dia tava falando no telefone e amamentando e ela chorava e soltava o bico, era o cara da obra do banheiro, eu não sabia o que fazer.

Bia: Você dá de mamar falando no telefone?

Sara: Na minha casa o telefone toca muito. Eu faço tudo interrompendo, acho que é isso que me estressa.

Clara: Vamos voltar a falar disso mais tarde. E você, quem é? Nós já nos conhecemos de vista, mas se apresenta...

Bia: Sou Bia, a gente se conhece do clube, eu faço hidroginástica e a Clara nada. Ela viu meu barrigão e me deu um papelzinho das Amigas do Peito. Me interessei porque com a minha primeira filha foi um desastre. Tenho 40 anos e uma filha de 14, Sabrina. Agora estou grávida da Daniela, que vai nascer em julho. Tenho tanta pena da Sabrina, eu era muito nova, nova não, imatura, eu tinha 25 anos, mas não tinha cabeça. Me sentia presa, sufocada. Com 2 meses deixei minha filha com a babá e a avó e fui viajar com meu marido. Ele também não entendia, achava que o bebê estava bem cuidado.

Clara: Parece que o desastre não foi só com a amamentação. Você quis fugir de tudo, como você disse, se sentia sufocada. Muitas de nós nos sentimos às vezes sufocadas. E agora, você se sente mais preparada?

Bia: Eu mudei muito.

Clara: Mudou de marido também? Tanto tempo depois está grávida de novo, é outro casamento?

Bia: Não. O mesmo marido. E ele não mudou nada, continua o mesmo. Mas hoje eu sei o que quero, o que é melhor pra minha filha. Mas me preocupa uma coisa: eu coloquei prótese mamária. Quando fiz 30 anos me dei uma geral, fiz plástica, emagreci, fazia muita ginástica, só pensava nisso. Achava meu peito pequeno, coloquei prótese de silicone. Será que vai atrapalhar?

Clara: Bia, o melhor é você saber do médico que fez a sua cirurgia se ele se preocupou com isso na época. Só ele pode dizer que tipo de cirurgia foi feito. Você pode ter contato com ele? Teria como perguntar?

Bia: Tenho, sim. Vou telefonar para ele.

Clara: Então, na próxima reunião conta prá gente o que ele disse. Espero que tudo dê certo. Hoje em dia é mais comum esse tipo de cirurgia de implante de silicone na mama. Eu não tenho experiência sobre isto, mas quem sabe você vai poder ajudar outras pessoas?

Ema: Sou Ema, tenho 29 anos. Estou grávida do meu primeiro filho e quero muito ser uma boa mãe. Já estou conhecendo as Amigas pelo Disque Amamentação, faz tempo. Falo sempre com a Rosa e a Mônica é minha amiga...

Clara: Você é amiga da Mônica, nossa secretária?

Ema: Nem conheço ela, mas já me sinto amiga. Falo sempre com ela no telefone. É que eu recebi um panfleto de vocês, uma vizinha lá da Rocinha me deu. Adorei quando descobri que era aqui perto a reunião. Às vezes as coisas boas estão ao lado e a gente nem sabe. Meu marido também está desempregado. Mas a gente tem uma lavanderia dessas automáticas, então vamos levando. Estou com 20 semanas de gravidez, meu filho é para agosto. Tenho lido revistas, quero me preparar para amamentar. Passo creme nas mamas para evitar estrias. Ai, eu quero muito amamentar...

Clara: Como você faz?

Ema: Passo creme depois do banho, puxo bem o bico.

Clara: Que bom que você está querendo se preparar já durante a gravidez. Depois de terminar a rodada de apresentação, vamos voltar nisso. Hoje temos 3 grávidas aqui.

Rejane: Sou Rejane, a senhora já me conhece. Trabalho na casa da sua amiga Lia. Sou doméstica, tenho 34 anos. Tenho um filho de 9 anos, Geraldo, que teve meningite. Não pude amamentar. Agora estou grávida do Getúlio, vai nascer em julho e a dona Lia me deu o papel das reuniões. Aí ela me explicou que era aqui e me liberou pra vir aqui hoje.

Clara: Desculpa, Rejane. Não te reconheci. Faz muito tempo que a gente não se vê. Quando fui as últimas vezes na casa da Lia, de noite, você não estava lá. Mas semana passada nos falamos e a Lia me disse que você viria aqui. Por favor, não me chama de senhora. Sou Clara, e sou você. Estou contente que tenha vindo.

Sônia: Sou Sônia, já participo há muito tempo do grupo. Esses são meus dois filhos: Ilan e Ivo, de 4 e 2 anos. O menor está desmamando e não está sendo nada fácil. Tenho 28 anos e sou psicóloga. Não dá para ficar aí sentada com vocês, fico daqui ouvindo, porque tenho que tomar conta deles.

Clara: Agora que todas já se apresentaram, vamos tentar dar uma conversada sobre as coisas que foram trazidas. Pensei em começar pelas gestantes, temos 3 grávidas no grupo. E podemos nos preparar para amamentar, como a Ema já começou a falar. Só que é bom lembrar que quando se passa creme no peito, não se deve passar no mamilo. Alguém sabe por quê?

Ema: Tô passando creme no peito todo, ai, meu Deus!

Clara: Calma, Ema, dá para resolver isso, mas o importante é entender por quê. Senão a gente fica só obedecendo e fazendo tudo o que os outros falam. É importante a gente decidir.

Ema: É mesmo, nunca recebi tanto palpite na vida como agora...

Clara: Pois é. A gente quer fazer o melhor, mas é importante pensar se quem está dando palpite, ou conselho, sobre peito e amamentação, se é uma pessoa que teve experiência de dar de mamar. Se sabe, na prática, do que está falando. As pessoas podem ter boa vontade e, ainda assim, não ajudar.

Ema: Eu não tive a sorte da Luiza, uma mãe que amamentou 8 filhos. Lá em casa a gente não tem ninguém para ajudar. Por isto estou aqui e converso tanto por telefone com as Amigas.

Clara: Bom, a ideia é calejar os mamilos durante a gravidez para quando o bebê nascer e começar a sugar, não doer. A gente pode pegar sol direto no peito, esfregar uma toalha seca nos mamilos e passar creme só nas mamas. Pode, às vezes, torcer os mamilos um pouquinho pra cada lado... para alongar. Essas coisas fazem muita diferença.

Sara: Eu fiz isso e realmente não senti dor, mas tenho amigas que quase choravam nos primeiros dias. Mas e o meu problema?

Clara: (rindo) Não te esqueci não, Sara. Vamos lá. Você acha que teu leite está acabando? Como é que você dá de mamar?

(Neste momento Lara está choramingando. Sara põe a filha no peito falando agitada que ela não pega, enquanto a filha abre a boca e perde o mamilo algumas vezes.)

Clara: Sara, tenta encostar a barriga da Lara na tua. Assim. Não precisa segurar o teu peito. Às vezes a gente segura o peito e aperta o canal de saída do leite, dificultando. Você vai se ajeitar melhor quando não tiver tanta gente olhando.

(A mamada foi interrompida e ela pediu a ajuda de Luiza, que pegou Lara...)

Sara: Viu? Acho que não tenho mesmo leite. (Mostra o peito sem sutiã).

Clara: Posso te mostrar uma coisa? Posso pegar no teu peito?

Sara: Claro!

(Clara ordenha o peito e, ainda bem, sai um chuveirinho de leite. Todas ficam agitadas olhando e falando ao mesmo tempo. Sara se emociona e tenta aprender a ordenha. No início não consegue, mas logo aprende e fica muito satisfeita. Luiza sorri, cúmplice.)

Daí em diante o grupo prossegue com muita participação de todas, cada uma querendo falar mais que ouvir. Sônia fala do desmame difícil, Ema quer saber mais sobre tudo: banho, umbigo, fralda, peito, parto. Bia mostra a mama com a cicatriz da cirurgia plástica, mas diz que tem um bom bico. Luiza sorri com Lara no colo falando do nervoso de Sara. Rejane fica mais calada e retraída, mas no fim do grupo sorri e diz: "Obrigada, Clara, até o mês que vem!"

Clara explica um pouco da organização das Amigas, distribui panfletos e pede que todas passem adiante. Diz o dia da próxima reunião e finaliza, agradecendo e se despedindo de cada uma, dizendo alguma coisa especial. Se despede das crianças, todas se beijam e se despedem. Já no fim da reunião chega Maria, filha de Clara, e cumprimenta o grupo brincando com as crianças. Clara, orgulhosa e contente com a surpresa, apresenta a filha, dizendo que "esse era o meu bebê que agora estuda nesta universidade..."

Reflexões (Algumas...)

Poderíamos analisar muitas coisas nesse grupo. Como a vida, o grupo tem sempre dor e alegria, ansiedade, emoção. Há coisas que estão acima da nossa capacidade de mudar, momentos de constrangimento, como quando a injustiça social de uma sociedade ainda baseada em classes faz com que Rejane chame a coordenadora de dona Clara. Ou quando conta de seu filho que teve meningite. Ao mesmo tempo, é interessante ver como nesse grupo se fala de coisas tão diferentes quanto a meningite de um filho ou a prótese de silicone. Rejane e Bia estão muito distantes na escala social, e, no entanto, ambas não puderam amamentar seus primeiros filhos e muitos anos depois estão ali por um mesmo motivo: desejam amamentar o segundo.

Luiza chegou calada, como cabe a uma babá, mas logo se sentiu à vontade até para criticar Sara, que não pareceu se ofender e reconheceu que era ansiosa mesmo. O momento da ordenha foi emocionante e Sara chegou a chorar ao ver o próprio leite.

Os homens não estavam presentes nesse grupo, mas foram muito mencionados tanto em sua função paterna (o marido de Clara preferia que não desse ferro à filha, foi ele quem viu o filho começar a comer melão) como em seus papéis de companheiros/maridos (Bia disse que não mudou de marido e que ele não mudou, mas ela sim. Ema e Sara se referem ao desemprego dos maridos.)

As mães/avós são sempre lembradas nesses grupos (Ema lamenta que seu filho não terá avó por perto, e Luiza conta que sua mãe amamentou 8 filhos).

As dificuldades dos grupos abertos aparecem quando Ema se atrasa por ter recebido uma informação errada de um novo funcionário do local que nos abriga. Depois do grupo, Clara procurou o rapaz para evitar que isso voltasse a acontecer.

Sara conta como foi difícil encontrar o grupo e vemos como pessoas comprometidas com sua profissão, seja ela qual for, podem ajudar. É interessante ver a história da moça balconista da farmácia indicando as Amigas do Peito. E Luiza, que continuará sua carreira de babá, certamente se lembrará dessa reunião em outras situações de sua vida profissional, além de ter mencionado o desejo de ser mãe e amamentar. É o que chamamos de *militância profissional*.

Precisamos lembrar que esse é um grupo em que quase todas as pessoas eram desconhecidas e que, mesmo assim, houve uma troca bastante interessante, que certamente será mais intensa à medida que as pessoas retornem outras vezes, o que costuma acontecer.

Lembramos que os caminhos que levaram ao grupo foram diferentes para cada uma: Sara não encontrava o grupo quando procurou, e quando não pensava nisso a moça da farmácia a encaminhou. Luiza veio trazida por circunstâncias profissionais, o fato de ser babá. Rejane veio indicada por sua patroa, amiga de Clara, que inclusive a liberou no horário de trabalho. Ema veio pelo atendimento do Disque-Amamentação. Sônia veio porque sua psicoterapeuta foi uma antiga integrante do grupo há 18 anos. Bia recebeu um panfleto de Clara na piscina do clube que ambas frequentam. Tantas são as pessoas que poderiam ter vindo a um grupo como esse e não vieram.

Precisamos sempre valorizar as pessoas que vêm e também aquelas que facilitam a vinda de alguém, de algum modo. Nosso grupo tem sido muito apoiado por ajudas anônimas, que nunca poderemos agradecer individualmente, e por isso sempre nos lembramos de agradecer coletivamente.

Podemos pensar ainda em quantos preconceitos podem ser repensados quando vemos pessoas com realidades tão diferentes se encontrando: quatro eram moradoras da Zona Sul da cidade, uma moradora de uma favela, duas moravam em subúrbios tão distantes de seus trabalhos que precisavam frequentemente dormir no trabalho pela dificuldade de transporte. Quatro mulheres tinham nível universitário de educação, duas tinham o curso fundamental incompleto e uma tinha terminado o segundo grau. Das 6 mulheres trabalhadoras, só 2, as empregadas domésticas, tinham vínculo e carteira assinada. As profissionais autônomas são maioria nesse grupo, assim como na sociedade em geral, justamente para poder tentar, como diz uma de nossas companheiras, "conciliar o inconciliável": maternidade e profissão.

Por último, podemos pensar que estamos conseguindo não só conciliar o inconciliável, como abrir caminho para que este seja um caminho sem volta: o de nos reconciliarmos com nossa condição de mamíferos. Amamentar é bem mais que alimentar nossos filhos com o que temos de melhor. Amamentar é lutar por uma sociedade mais justa e solidária. É entregar aos nossos filhos e netos a vida que recebemos de nossas mães, nossos pais e avós, sentindo que tentamos fazer a nossa parte. Não é tudo, mas é muito.

AMIGAS DO PEITO, UM GRUPO DE APOIO QUE CRESCEU E VIROU ONG

Amigas do Peito – Quem Somos Nós

Amigas do Peito – Grupo de Mães surgiu em 1980, por iniciativa da atriz Bibi Vogel, que, juntamente com outras mulheres, percebeu o quão importante seria compartilhar suas dificuldades, expectativas e sucessos vividos com a amamentação.

É uma organização não governamental, formada por mulheres de áreas e profissões diferentes que acreditam na importância da amamentação, e que trabalham de forma voluntária para a proteção, promoção e apoio à amamentação. Não temos vínculo com instituições governamentais, partidos políticos ou grupos religiosos. O Grupo é constituído juridicamente, possui estatuto, CGC, tem sua marca e logotipo registrados no INPI e é regido por um Conselho de Curadoras.

Essa organização vem desenvolvendo, nestes 20 anos, inúmeras atividades junto à comunidade, tais como:

- Grupos de apoio mútuo;
- Disque – Amamentação;
- Caixa Postal e Correio Eletrônico;

- Projeto AmamentArte;
- Projeto Educativo/Comunidade;
- Boletim Peito Aberto;
- Biblioteca;
- Videoteca;
- Bonecas e Bichinhos Artesanais que amamentam;
- Cartilha;
- Oficinas de Amamentação
- Palestras

Grupos de Apoio

Desde o início, os grupos de apoio têm sido a base do nosso trabalho. Esses grupos são abertos a todas as pessoas interessadas no tema, e se reúnem em locais fixos e públicos. Ao longo desses 20 anos, o Grupo de Mães Amigas do Peito atuou em diversos locais no Rio de Janeiro, e em outras cidades do Brasil. Atualmente existem, grupos de apoio na cidade do Rio de Janeiro e Niterói que mantêm relações diretas de trabalho entre si.

Disque-Amamentação (55) (21) 2285-7779

É um serviço diário de atendimento telefônico, através do qual conversamos com pessoas das mais diversas localidades de nosso país. O objetivo desse serviço é esclarecer as dúvidas mais urgentes, com informações honestas e palavras de apoio. Esse serviço foi implantado em 1993 e atende uma média de 10 ligações por dia, de todas as regiões do Brasil, e inclusive do exterior (mães brasileiras que moram fora do Brasil).

Caixa Postal e Correio Eletrônico

Esse é o serviço mais antigo das Amigas do Peito, juntamente com os grupos de apoio. Recebemos e respondemos cartas de pessoas com dúvidas ou interessadas em amamentação.

AmamentArte

Esse projeto do Grupo de Mães Amigas do Peito foi implementado a partir de 1990, com o apoio do grupo Ammehjelpen, da Noruega. O objetivo desse projeto é veicular a prática da amamentação através da expressão artística. O AmamentArte conta com a participação da "Mamalu", uma boneca de dois metros de altura, que amamenta sua filha "Lumama", com as quais encenamos situações do cotidiano da amamentação, despertando grande interesse entre crianças e adultos. Também é apresentado no AmamentArte o Bloco Carnavalesco Peito na Rua, com seu samba-enredo *Felicidade*.

Temos apresentado *esse* trabalho em praças públicas de várias cidades, como também em escolas, atingindo populações de diversos segmentos sociais.

Projeto Educativo na Comunidade

É o nosso projeto mais recente. Foi desenvolvido pela primeira vez de 1996 a 1998 na Creche Maria Luiza Sampaio, localizada no Morro do Preventório, em Niterói, Estado do Rio de Janeiro. Os objetivos do projeto são conjugar a educação e a vivência da prática da amamentação, visando ao seu resgate; assessorar grupos de apoio e fazer um acompanhamento sobre a situação da amamentação nessa comunidade. Os resultados foram tão expressivos que resolvemos manter esse projeto em atividade nessa mesma creche e também levá-lo para outra creche – Dom Orione, localizada em São Francisco, Niterói.

Esse projeto teve o apoio inicial da Ammehjelpen e está buscando novos apoios, visando à sua expansão a outras creches localizadas em comunidades diversas.

Palestras, Eventos, Congressos e Mídia

O Grupo de Mães Amigas do Peito participa ativamente de eventos e congressos nacionais e internacionais. Na mídia também está sempre presente, quer em programas de rádio e TV, quer em jornais e revistas.

Foi o nosso grupo o organizador do Primeiro Encontro Nacional de Aleitamento Materno, em 1991, em Niterói, e atualmente faz parte da comissão organizadora dos referidos encontros.

Livrete

O *Livrete* surgiu logo no início do Grupo, quando sentimos a necessidade de um material informativo sobre a amamentação, feito a partir da vivência das mulheres que amamentavam.

As Amigas do Peito distribuem esse livreto em reuniões, encontros, palestras, AmamentArtes e pelo Disque-Amamentação. Cerca de 35.000 exemplares já foram distribuídos. Atualmente, o *Livrete* está sendo revisado para a sua 15ª edição.

Boletim Peito Aberto

O Boletim Peito Aberto teve sua primeira edição em 1988, com tiragem trimestral. Em 1991 teve suas atividades temporariamente paralisadas por falta de verba, tendo sido resgatado em 1995, porém com periodicidade semestral. Através do *Boletim*, abrimos um canal de comunicação direto com a mídia e com pessoas interessadas em atualidades sobre o tema. Publicamos depoimentos de mães que viveram situações diversas na amamentação, e atualidades científicas numa linguagem informal e abrangente, onde valorizamos o papel da amamentação.

Bonecas e Bichinhos Artesanais que Amamentam

No início das nossas atividades, dentro de casa e nos grupos de mães, percebemos que uma boneca que amamentasse seria de grande valor. Adaptamos uma boneca que paria, colocando em seus peitos colchetes de pressão macho e na boca de seu bebê a fêmea do colchete de pressão. Nossa primeira boneca é do ano de

CAPÍTULO 28 As Amigas do Peito: a Importância dos Grupos de Apoio no Incentivo ao Aleitamento Materno

1984. Desde então, temos brincado com nossas crianças que vivenciam na vida e na brincadeira a amamentação. Usamos esse "brincar de bonecas" em nosso Projeto Educativo na Comunidade.

Camisetas, Cartões, Adesivos

Camisetas com dizeres ligados à amamentação foram confeccionadas para adultos, crianças e bebês (por exemplo, um bebê dizendo que é "movido a leite materno", ou "amamente, seu filho prefere você", ou "leite de mãe, fonte de vida").

20 Anos de Peito Aberto

Em 2000, celebramos nosso 20º Aniversário com o Projeto "20 Anos de Peito Aberto", que consistiu em 38 atividades relativas à amamentação, desenvolvidas durante 5 semanas, no Museu da República, no Rio de Janeiro. A mais importante foi a "1ª Exposição Brasil – Argentina de Humor Gráfico sobre Amamentação".

BIBLIOGRAFIA CONSULTADA

Amigas do Peito, Livreto do Grupo de Mães, Edições independentes (fone 021-2857779), 10 ed. Rio de Janeiro, 1995.

Badinter E. Um amor conquistado – o mito do amor materno. Rio de Janeiro: Nova Fronteira, 1985.

Cavalcanti MLF. Conhecimentos, atitudes e práticas de pessoal de saúde sobre aleitamento materno. Tese de Doutorado. São Paulo: Fac Saúde Pública, USP, 1982.

Debray R. Bebês e mães em revolta. Porto Alegre: Artes Médicas, 1988.

King FS. Como ajudar as mães a amamentar. Londrina: Ed. Universidade Estadual de Londrina, 1991.

La Leche League International. El arte femenino de amamantar, 6 ed. Illinois: Interstate Printers and Publishers, 1980.

Langer M. Maternidade e sexo. Porto Alegre: Artes Médicas, 1981.

Maldonado MT. Maternidade e paternidade – preparação com técnicas de grupos. São Paulo: Atheneu, 1982.

Martins Filho J. Como e por que amamentar. São Paulo: Sarvier, 1984.

Mello J. Grupo e Corpo, psicoterapia de grupo com pacientes somáticos. Capítulo 11: Grupos de Amamentação: "Peito de Mãe, Fonte de Vida", de Claudia Orthof Pereira Lima. Porto Alegre: Artes Médicas, 2000.

Midlemore M. Mãe e filho na amamentação – uma analista observa a dupla amamentar. São Paulo: Ibrex, 1974.

Varella CB. A arte de amamentar seu filho. Petrópolis: Vozes, 1981.

Vinha VHP. Amamentação materna: incentivo e cuidados. 2 ed. São Paulo: Sarvier, 1987.

A Atenção Humanizada ao Recém-nascido de Baixo peso (Método Canguru) e a Amamentação. Quinze Anos de Mudanças no Cuidado Perinatal Brasileiro

29

Nelson Diniz de Oliveira
Marinice Midlej Joaquim

INTRODUÇÃO

Decorridos quinze anos desde a sua publicação a Norma de Atenção Humanizada ao Recém-nascido de Baixo Peso, Método Canguru, Ministério da Saúde, continua não só revolucionando a atenção perinatal de qualidade no país, mas realizando um trabalho constante na implementação desse tipo de cuidado em novos serviços de saúde. Trabalho idêntico ocorre também com a reoxigenação dos serviços nos quais ela está presente, para dessa forma continuar a impactar positivamente na atenção perinatal brasileira. Mas, por que a necessidade de um trabalho constante? Como e por que reoxigenar uma prática já inserida em vários serviços do país e como realizar essa façanha? Onde a amamentação se insere como um dos pilares para o sucesso dessa prática e como cada vez mais podemos incentivá-la?

Talvez para entendermos isso, devemos trabalhar com o conceito de mudança de paradigmas, mudança dos hábitos anteriormente considerados pétreos na atenção perinatal e de mente aberta ao conhecimento, lançar um olhar para novos conceitos e novos desafios. E para que esses conceitos e desafios não se percam no tempo, respaldá-los com evidências científicas e com busca constante do seu aprimoramento para que não envelheçam e continuem sempre atuais.

Neste capítulo, procuraremos trazer parte da história e dos pilares da Norma de Atenção Humanizada ao Récem-nascido de Baixo Peso. Alguns desses aspectos já foram relatados nas duas edições anteriores desse livro, mas essa reapresentação é importante para que possamos ressaltar quão desafiadora e inovadora foi a sua concepção e como ainda norteia todos os movimentos de uma atenção perinatal de qualidade. Procuraremos também mostrar alguns dos passos atuais desse movimento forte e crescente e ressaltar em quais aspectos ele pode impactar na melhoria dos indicadores de saúde perinatal e especificamente nos índices de amamentação de uma população de recém-nascidos de baixo peso ao nascer.

O QUE DIZ A NORMA

Em junho de 1999, após quase um ano de pesquisas e observações, a Área Técnica da Saúde da Criança, da Secretaria de Políticas de Saúde do Ministério da Saúde (SPS/MS), constituiu um grupo de trabalho, composto por representantes de diversas entidades como a Sociedade Brasileira de Pediatria, a Organização Panamericana da Saúde (OPAS), o UNICEF, a Federação Brasileira de Ginecologia e Obstetrícia, representantes de universidades brasileiras (Universidade de Brasília (UnB), Universidade Federal do Rio de Janeiro (UFRJ), Instituto Materno e Infantil de Pernambuco (IMIP), além de profissionais das secretarias de saúde do Governo do Distrito Federal e do Estado de São Paulo e da Área da Mulher da SPS/MS, para elaborar a Norma de Atenção Humanizada ao Récem-nascido de Baixo Peso (Método Canguru). Essa norma foi oficialmente apresentada em seminário realizado no Rio de Janeiro, patrocinado pelo Banco Nacional de Desenvolvimento Econômico e Social (BNDES) no dia 8 de dezembro de 1999. No dia 2 de março de 2000, o Ministério da Saúde publica a portaria número 72: "Norma de Orientação para a Implantação do Projeto Canguru", regulamentando a remuneração para essa modalidade de atendimento no Sistema de Internações Hospitalares do Sistema Único de Saúde (SIH/SUS). No dia 5 de julho de 2000, sob o número 693, o projeto é publicado na sua íntegra no diário oficial da União.

O Método Canguru como preconizado no modelo brasileiro é diferente do tradicional modelo idealizado na Colômbia no final da década de 1970, pois o modelo nacional visa uma mudança no paradigma da atenção ao recém-nascido de baixo peso, a sua mãe e a sua família. Olhar importante também é dado ao grupo de profissionais da saúde envolvidos nessa atenção, trazendo para o cerne dessa proposta uma abordagem interdisciplinar, humanizada, caracterizada por forte conhecimento das questões psicoafetivas e biológicas que envolvem a gestação, o nascimento e o cuidado pós-natal de um bebê de baixo peso. Assim, a humanização do cuidado se inicia no oferecimento do que há de melhor em tecnologia da atenção perinatal, reforçada por um forte conhecimento de todas as particularidades sociais, psicológicas, de cuidados propriamente ditos, necessários para essa delicada situação de vida. Sendo assim, em nenhum momento foi considerado como "alternativo, de baixo custo ou contrário a tecnologia".

O IMPACTO NA AMAMENTAÇÃO

O método brasileiro foi estabelecido para ser desenvolvido em 3 etapas, intimamente interligadas, de modo que o sucesso da etapa seguinte está pautado no adequado trabalho ocorrido na etapa anterior.

Na Primeira Etapa

A primeira etapa começa previamente ao nascimento, com a identificação das gestantes com risco de darem a luz a uma criança de baixo peso. Nessa situação a futura mamãe recebe orientações específicas sobre os cuidados a serem tomados com ela e com o bebê. Apoio com orientações psicológicas, também deve ser realizado. Logo após o nascimento e havendo a necessidade dessa criança permanecer em uma unidade de terapia intensiva neonatal e/ou de cuidados intermediários, especial foco é dado não somente à criança, com o que deve haver de mais moderno e adequado para o suporte de vida com qualidade, mas também dar continuidade ao processo de apoio interdisciplinar a essa gestante e a sua família, iniciado antes do nascimento. Especial atenção é oferecida ao se estimular a entrada dos pais na unidade, sempre assistidos por um profissional, fornecimento de explicações sobre o tipo de cuidado disponibilizado, estado de saúde da criança, esclarecimento de dúvidas que porventura a família possa ter e, tão logo as condições clínicas de saúde da criança assim o permitam e seja de interesse dos pais, estimular o toque e o contato pele a pele de forma crescente até poder evoluir para a posição canguru sobre o peito materno.

Esses passos iniciais são extremamente importantes para se estimular o apego, a segurança dos pais com a equipe que cuida do bebê e empoderar a mãe, ressaltando o seu papel no processo de recuperação do seu filho(a). Para isso, aproveita-se o momento também para explicar a importância do aleitamento materno, ensinar e estimular a ordenha do leite. Esse colostro deverá ser utilizado sempre que possível como a primeira dieta do bebê de muito baixo peso. Esse *priming* com o leite de sua própria mãe propiciará ao prematuro um melhor desenvolvimento gastrointestinal, imunológico e menor predisposição a processos alérgicos. Nas dietas seguintes o leite coletado deve ser sempre oferecido, na maioria das vezes por sonda oro ou nasogástrica até que a criança possa ir ao seio. A permanência da mãe na unidade hospitalar por pelo menos 5 dias que se seguem ao parto, permite que esse trabalho possa ser bem realizado. Isso promove uma apojadura adequada e oferece grandes chances para que a amamentação se processe após a alta hospitalar.

Após esse período de 5 dias e havendo a necessidade da criança permanecer hospitalizada, a mãe recebe alta. Para que não haja ruptura desse vínculo e perda de todo o trabalho iniciado, há o estímulo e oferecimento de condições (p. ex., passes de ônibus, tickets refeição, estar nas dependências hospitalares) para que ela venha à unidade diariamente. Durante a sua permanência no serviço, ela continua ordenhando leite para o seu filho e pode participar de alguns dos cuidados básicos prestados a sua criança enquanto progride o contato pele a pele direto. Sabe-se que o volume de leite ordenhado está relacionado diretamente com a frequência e a qualidade da ordenha, dessa forma, no domicílio, as mães são orientadas a fazerem coletas com técnica e armazenamento adequados. Esse leite, posteriormente trazido ao hospital será processado e oferecido ao seu próprio filho.

A internação prolongada de alguns prematuros sem possibilidade de sucção nutritiva em curto prazo, muitas vezes contribui para que o leite obtido somente por ordenha, diminua. Nessas situações, é importante que técnicas de relaxamento, massagem periódica das mamas possam ser feitas nos intervalos das colheitas. Feher e cols. demonstraram um incremento substancial na produção de leite por parte de mães de prematuros quando técnicas de relaxamento foram utilizadas. O uso de alguns lactogos, muitas vezes naturais tem sido recomendado por alguns grupos.

Quanto ao contato pele a pele precoce, mesmo que ainda não realizado na posição canguru, esse beneficia de sobremaneira mãe e criança e é responsável também por aumento na produção de leite. Whitelaw e cols. observaram em média que mulheres que haviam realizado contato pele a pele com seus filhos, lactaram 4 semanas a mais do que aquelas que não o fizeram. Evidências tem demonstrado também que esse contato pele a pele favorece, por parte da mãe, a produção de anticorpos, notadamente contra germes entéricos. Esses anticorpos passariam para o leite protegendo o recém-nascido que recebe leite da sua própria mãe.

Kavanaugh e cols. estudando 20 mães de recém-nascidos prematuros, observaram que a possibilidade oferecida à elas de participarem do cuidado de suas crianças enquanto internadas e de oferecerem o seu leite ordenhado, contribuiu significativamente para melhor satisfação dessas mães e a real sensação de estariam contribuindo para a recuperação de seus filhos.

Na Segunda Etapa

Após esse primeiro período, com a criança estável e não necessitando de cuidados intensivos, a díade, se assim for de desejo materno, é transferida para um sistema de alojamento conjunto (quarto ou enfermaria, mantendo-se o suporte profissional contínuo) onde a posição canguru deve ser realizada pelo maior tempo possível.

Durante essa fase, a permanência do bebê na posição canguru, além dos aspectos benéficos, concernentes à estabilização térmica da criança, maior estimulação tátil, maior desenvolvimento do apego e maior familiaridade da mãe com o seu próprio filho, facilita uma leitura melhor do seu comportamento. A sucção vai gradualmente sendo trabalhada, evoluindo de um padrão inicialmente não nutritivo para um padrão nutritivo e de eficiência crescente. Ajudas podem ser realizadas, quando o bebê ainda com sonda e de maneira simultânea à amamentação, é feito a oferta do leite materno por aquele dispositivo, estabelecendo-se um processo de trans-lactação. A eficácia da sucção deve ser auxiliada sempre se utilizando do mamilo materno para estimular o processo de busca e depois encorajarmos uma pega adequada. Posições que favoreçam a melhor sucção dos prematuros também devem ser ensinadas.

De maneira geral, a característica comum das técnicas utilizadas para uma amamentação efetiva do prematuro se baseia no posicionamento e sustentação adequada da cabeça e do pescoço além da pega correta envolvendo a maior parte possível de aréola. Assim, as posições com a criança "a cavaleiro, suporte da mama com mão de bailarina", a utilização do seio homolateral ao braço que sustenta a criança, a chamada posição invertida, e o uso de suportes que estabilizam o corpo da criança, enquanto a mãe fica com os braços e mãos livres para manusear mama e criança, são exercitados.

Com o progresso da amamentação, o objetivo da equipe de saúde é avaliar se as mamadas estão sendo adequadas para alimentar a criança e se a mãe, após um determinado tempo, está apta para continuar os cuidados no domicílio na terceira etapa.

Na Terceira Etapa

A terceira etapa é a que ocorre após a alta hospitalar, quando a criança permanece na posição canguru até um peso em torno de 2.500 g. O sucesso da amamentação nessa fase dependerá fundamentalmente de 3 aspectos: do trabalho executado nas fases anteriores, da disponibilidade da equipe de saúde de saúde em manter as portas da instituição sempre abertas para qualquer apoio ou atendimento que se faça necessário e do suporte familiar.

Um fator importante nessa fase é que as crianças nem sempre são amamentadas por livre demanda. Por isso as mães são estimuladas a amamentarem seus filhos em intervalos não maiores que 3 horas. Como essa situação foi trabalhada na fase anterior, a possibilidade de sucesso é real.

CONSOLIDAR E REOXIGENAR O PROCESSO

Desde o início, para que esse sofisticado processo de assistência fosse implementado no país, utilizou-se da estratégia de elaboração de um Manual de Assistência ao Récem-nascido de Baixo Peso – Método Canguru. A partir desse manual a concepção de cursos de capacitação, para que profissionais de diferentes áreas, responsáveis por essa atenção perinatal pudessem estar aptos para trabalhar a metodologia e fundamentalmente, difundi-la. Esses cursos, inicialmente com a duração de 40 horas, feitos para pequenos grupos compostos por trinta profissionais (entre médicos pediatras/neonatologistas, enfermeiros, fisioterapeutas, terapeutas ocupacionais, psicólogos, fonoaudiólogos e assistentes sociais) permitiu a organização de centros de referências em diversas regiões do pais, denominados Centros de Referência Nacionais. O papel desses centros é de difundir o Método, atuando como polos de capacitação de novos profissionais e formação de centros regionais nas suas áreas de abrangência

Atualmente existem 5 centros nacionais, sendo um localizado em São Luis, Maranhão que é o Hospital da Universidade Federal do Maranhão; um localizado no Recife, Pernambuco, que é o Instituto Materno-infantil de Pernambuco – Professor Fernandes Figueira (IMIP); outro em São Paulo, no Hospital Geral de Itapecerica da Serra (HGIS); outro em Florianópolis, Santa Catariana, que é o Hospital Universitário de Santa Catarina e o último que se encontrada no Estado do Rio de Janeiro e que é formado por um conjunto de Hospitais da Secretaria Municipal de Saúde do Rio de Janeiro.

Para haver mais agilidade e abrangência do processo, cursos de menor tempo de duração são estimulados e realizados nos contextos regionais.

A estratégia de formação de grupos de consultores nacionais, permite a realização de reuniões periódicas de capacitação e de formatação de estratégias para consolidação e ampliação do método.

Mais recentemente, foram formados 5 grupos de trabalho, compostos pelos consultores nacionais, com o objetivo de fortalecer e reoxigenar a estrutura de trabalho. Esses grupos são: Ensino e Capacitação, Avaliação e Monitoramento, Revisão e Publicação de Material Técnico e, Pesquisa e Publicação. Além disso, as distâncias entre consultores, Centros Nacionais e Centros Regionais, foram encurtadas de modo que reuniões por teleconferências são feitas com frequência.

EVIDÊNCIAS CIENTÍFICAS

Várias evidências têm surgido em publicações indexadas, avaliando positivamente o Método Canguru, principalmente no que diz respeito à promoção do aleitamento materno em prematuros. Trabalhos de Venancio e Almeida em 2008 e Lamy Filho e colaboradores em 2008, mostram esses resultados. Mais recentemente, Conde Agudelo e Dias Rosselo 2014, mostram em revisão sistemática da Cochrane Library o impacto positivo do Método Canguru na promoção do aleitamento materno.

Durante muito tempo não tínhamos um descritor em português para o Método Canguru. Depois quando foi colocado o descritor era Método Mãe Canguru, um viés para os autores nacionais para identificarem seus trabalhos analisando o Método preconizado no Brasil. No entanto atualmente encontramos no DeCS Método Canguru, o que compatibiliza aquilo que realizamos com a literatura produzida a esse respeito.

Outro aspecto importante é a inclusão da Norma de Atenção Humanizada em vários hospitais universitários brasileiros, a realização de cursos de capacitação entre residentes e o projeto para a inclusão do tema no currículo de graduação.

CONCLUSÃO

Existe um consenso de que a amamentação é um fato benéfico ao prematuro. Para que essa prática ocorra de maneira adequada é importante que tanto as particularidades biológicas quanto as questões psíquicas e sociais que envolvem esse contexto sejam bem compreendidas e trabalhadas. A Norma de Atenção Humanizada ao Récem-nascido de Baixo Peso – Método Canguru, do Ministério da Saúde, traz a proposta de mudança do paradigma da atenção perinatal. Uma mudança onde a humanização do atendimento, a qualidade do cuidado técnico oferecido, que também é humanização e sucesso na amamentação para os récem-nascidos de baixo peso, constituem objetivos fundamentais. Atingir essas metas passa a ser um compromisso de todo o profissional engajado em promover o bem-estar do récem-nascido, de sua mãe e de sua família.

BIBLIOGRAFIA CONSULTADA

Conde-Agudelo A, Diaz-Rossello JL. Kangoroo mother care to reduce morbidity and mortality in low birth weight infants. Cochrane Database of Systematic Reviews 2014, issue 4. Art. Nº CD002772. DOI:10.1002/14651858.CD00271.pub3.

Daly SE, Kent JC, Owens RA et al. Frequency and degree of milk removal and the short-term control of human milk synthesis. Exp Physiol 1996; 81:861-875.

DeCarvalho M, Anderson DM, Giangreco A et al. Frequency of milk expression. And milk production by mothers of non nursing premature neonates. Am J Dis Chil 1985; 13:483-485.

Ehrenkranz RA, Ackerman BA. Metoclopramide effect on faltering milk production by mothers of premature infants. Pediatrics 1986; 78:614-620.

Feher DK, Berger LR, Johnson D et al. Increasing breast mil production form premature infants with a relaxation/image audiotape. Pediatrics 1989; 83:57-60.

Furman L, Kennell J. Breastmilk and skin-to-skin kangoroo care for premature infants. Acta Paediatr 2000; 89:1280-1283.

Hale T. Medications and mothers milk, 6 ed. Amarillo: Pharmacy Medical Publishing, 1977.

Hurst N, Valentine C, Renfro L et al. Skin-t-skin holding in the neonatal care influences maternal milk volume. J Perinatol 1997; 17:213-217.

Kavanaugh K, Mead L, Meire P et al. Getting enough mothers concern about breastfeeding a premature infant after discharge. J Obst Gynec Neon Nurs 1995; 24:23-32.

Lamy-Filho F, Silva AAM, Lamy ZC et al. Evaluation of the neonatal outcomes of the kangoroo mother method in Brazil. J Pediatr 2008; 84(5).

Lawrence RA. The manegement of lactation as a physiologic process. Clin Perinatol 1987; 14(1):1-10.

Miczak M. Herbs and healthy lactation. Mothering 1996; 78:60-63.

Ministério da Saúde. Gabinete do Ministro Portaria nº 693 GM. Diário Oficial da União 2000; 129-E (seção 1):15-16.

Ministério da Saúde. Secretaria de Assistência a Saúde. Portaria nº 72. Diário Oficial da União 2000; 45-E (seção 1):26.

Ray ES, Martinez HG. Manejo racional del niño prematuro. In: Curso de Medicina Fetal. Bogotá, Colombia: Universidad Nacional. 1983.

Saadeh R, Akre J. Ten steps to successful breastfeeding: a summary of the rationale and scientific evidence. Birth 1996; 23:154.

Schanler RJ, Hurst NM. The use of human milk and breastfeeding in premature infants. Clin Perinatol 1999; 26(2):379-398.

Venancio SI, Honorina A. Método Mãe Canguru: aplicação no Brasil, evidências científicas e impacto sobre o aleitamento materno. J Pediatr 2004; 80(Supl):S173-S180.

Whitelaw A, Heisterkamp , Sleath K et al. Skin-to-skin contact for very low birth weight infants and their mothers. Arch Dis Chil 1988; 63:1377-1381.

Mudanças no Modelo de Atenção ao Parto e Nascimento no Brasil: Implicações para a Promoção do Aleitamento Materno

José Dias Rego
Marcos Augusto Bastos Dias
Maria Auxiliadora de S. Mendes Gomes

INTRODUÇÃO

Muitos autores têm escrito sobre a importância do momento do parto e do nascimento como momentos únicos na vida das mulheres e de seus bebês. Segundo os mesmos, e todos sabemos, os aspectos afetivos e sociais são a parte central dessa experiência humana e a maneira como são vivenciados esses momentos que podem marcar para sempre, a vida da mulher e do bebê.

O esperado encontro entre a mãe e o seu bebê, ainda não tão bem conhecido, (embora Winnicot afirme que "o bebê real nunca é um total desconhecido para sua mãe") o "bebê fantasmático", o "bebê imaginário" sempre serão diferentes do, agora, "bebê real". Assim, esse momento é de suma importância para a continuidade e fortalecimento do vínculo afetivo e para o sucesso do aleitamento materno.

A ligação entre a mãe e o bebê é um fenômeno comum a todos os mamíferos e o afeto que se desenvolve é consequência complexa de programação comportamental, secreção de substâncias neuroendócrinas e da ativação de dispositivos sensoriais, além da amamentação que, contudo, desempenha um papel fundamental. A separação do recém-nascido de sua mãe nos momentos iniciais de sua vida pode alterar a resposta biológica ao estresse, atrapalhar o aprendizado comportamental e levar a desordens biológicas e comportamentais na vida adulta.

O risco de maior morbidade e mortalidade neonatal associadas com o não estabelecimento do aleitamento materno é ressaltado em diferentes estudos e o torna ainda mais relevante para a promoção do encontro entre a mãe e o bebê.

ACOMPANHAMENTO DA EQUIPE DE SAÚDE

O principal objetivo da equipe de saúde na assistência ao parto e nascimento em todas as gestações, em especial nas de baixo risco, é a promoção da fisiologia desses eventos garantindo a segurança da mulher e do bebê durante todo o processo. Esse objetivo pode ser alcançado através da garantia da privacidade, de uma ambiência adequada e do uso apropriado de tecnologia com segurança, respeitando os desejos da mulher. Para que isso aconteça é fundamental que todos os profissionais que atuam nas salas de parto/nascimento, respeitem esse momento da vida e não atuem como se este fosse apenas mais um procedimento do plantão. É preciso que a equipe de saúde conheça, valorize e respeite os aspectos afetivos e sociais propiciando um nascimento tranquilo, garantindo que o encontro entre a mãe e bebê aconteça da melhor maneira possível.

O contato pele a pele na sala de parto tem, nesse ambiente facilitador, muito mais chance de acontecer com a mãe estimulada para receber o bebê e este, por sua vez, em melhores condições para colocar em prática as competências que vão garantir sua sobrevivência.

O impacto dessa intervenção está bem estabelecido com efeito positivo no aleitamento no primeiro e quarto mês de vida, duração total do AM, maior estabilidade respiratória para os prematuros tardios (frequentes em cesarianas eletivas antes da 39ª semana) e maiores níveis de glicemia nos primeiros 75 a 90 minutos de vida do RN (OPAS).

Para a maioria das gestantes o trabalho de parto e o parto acontecem sem intercorrências que possam prejudicar esse encontro e a vivência dos aspectos afetivos desse momento pela mulher e sua família. Mesmo para mulheres que apresentam intercorrências clinicas ou obstétricas, sempre que as condições maternas e do recém-nascido permitirem, a equipe deve favorecer esse encontro no menor tempo possível.

A decisão de não promover o encontro entre a mãe e o recém-nascido deve obrigatoriamente ter uma boa justificativa e ser sempre bem avaliada. Entretanto, no cotidiano da assistência hospitalar nem sempre a equipe de saúde que presta assistência à mulher no trabalho de parto e parto e, em seguida, ao binômio mãe-bebê está atenta para a importância desses aspectos.

POLÍTICAS PÚBLICAS PARA O PARTO E NASCIMENTO NO BRASIL: ASPECTOS ATUAIS

A mudança do modelo de atenção ao parto e nascimento tem apontado, pelo Ministério da Saúde, profissionais e pesquisadores, como núcleo central das ações propostas diante do desafio de melhorar indicadores de saúde materna e perinatal em nosso país. Em março de 2011, o MS lançou a estratégia denominada Rede Cegonha como uma das 5 Redes de Atenção à Saúde prioritárias para o sistema de saúde brasileiro.

A qualificação da atenção às mulheres para o planejamento reprodutivo, pré-natal, parto e nascimento, aborto, puerpério, e às crianças até 2 anos, ampliando o acesso, fortalecendo o trabalho em rede e mudando as práticas de cuidado é objetivo central da Rede Cegonha. Essa estratégia, elaborada e implementada sob a perspectiva das diretrizes da Política Nacional de Humanização – PNH, congrega um conjunto de ações que já estavam sendo desenvolvidas, com novas propostas e metodologias, e com apoio e incentivo para que as mudanças desejadas aconteçam.

Nesse processo se destacam:

- Garantia do acolhimento da gestante no serviço de saúde com avaliação e classificação de risco e vulnerabilidade, ampliação do acesso e melhoria da qualidade do pré-natal;

- Garantia de vinculação da gestante à unidade de referência para o parto e ao transporte seguro evitando a peregrinação de gestantes e o risco de complicações;

- Garantia das boas práticas e segurança na atenção ao parto e nascimento favorecendo o encontro entre a mãe e o bebê, o contato pele a pele e o início do aleitamento materno;

- Direito a acompanhante de livre escolha da mulher para que ela se sinta mais segura e tranquila tendo ao seu lado alguém de suas relações afetivas;

- Adequação de espaços no referencial da Ambiência* (Ambiência na saúde é definida como um espaço físico, social, profissional e de relações interpessoais que deve estar relacionado a um projeto de saúde). Especificamente em relação à sala de parto, temos feito, no Brasil, um grande esforço para rever ambiência, trazer mais serenidade e respeito à fisiologia, utilizar mais métodos não farmacológicos para promover o parto normal e o início da mamada na primeira hora de vida.

Para garantir a efetivação das diretrizes da Rede Cegonha, o Ministério da Saúde tem utilizado a estratégia do Apoio Institucional, que dispara e sustenta intervenções nos processos de trabalho em saúde e promove a cooperação e corresponsabilização entre as 3 instâncias do Sistema Único de Saúde (União, Estados e Municípios) na qualificação das Redes de Atenção à Saúde (RAS).

Todas essas iniciativas convergem para favorecer a ocorrência de mudanças no modelo de atenção ao parto e nascimento e proporcionar o melhor parto para a mulher e um nascimento fisiológico e saudável para o bebê.

A valorização dos aspectos sociais e afetivos do parto e nascimento não implica, entretanto, em deixar de garantir às mães e bebês o acesso às tecnologias, quando adequadas e temporalmente bem utilizadas, que possam podem impedir agravos a saúde de ambos.

REFLEXÕES SOBRE O PARTO E NASCIMENTO NO BRASIL

O modelo hegemônico de assistência ao parto vigente no Brasil é, de uma forma geral, responsável pela fragmentação do cuidado, por valorização ainda insuficiente das boas práticas e por um excesso de intervenções, muitas vezes sem indicações clínicas precisas, que são utilizadas de forma rotineira desconsiderando a subjetividade de cada situação. Segundo Diniz, essa rotina de intervenções faz com que muitas vezes a experiência do trabalho de parto seja vivenciada pela mulher como um sofrimento extenuante comprometendo inclusive o bem-estar materno e fetal.

Para podermos melhor analisar algumas situações vejamos o perfil das mulheres que chegam às Maternidades para o parto: não desejaram gestação atual = 30%;

CAPÍTULO 30 Mudanças no Modelo de Atenção ao Parto e Nascimento no Brasil...

insatisfeitas com a gravidez = 9%; tentaram interromper a gestação = 2,3%; início tardio (> 12 sem.) = 60% e sem o mínimo de 6 consultas (MS) = 25%.

Seja no serviço público, seja no privado, esse modelo tem sido responsável por um excesso de cesarianas, e hoje cerca de 55% das crianças brasileiras são extraídas cirurgicamente, uma taxa 3 vezes maior do que a recomendada pela Organização Mundial de Saúde.

Publicação recente mostrou que 62% de todos os partos foram cesáreas, aumentando, no setor privado, para 88%. No entanto, 70% das mulheres que acorreram ao pré-natal, manifestavam desejo de ter um parto vaginal no início da gravidez. Isso sugere que a orientação no pré-natal pode estar induzindo a maior aceitação da cesariana.

Concluimos que "quase 1 milhão de mulheres, todos os anos, são submetidas a cesarianas sem indicação obstétrica adequada, perdendo a oportunidade de ser protagonistas do nascimento dos seus filhos sendo expostas com eles a maiores riscos de morbimortalidade, aumentando, desnecessariamente, recursos gastos com Saúde." Chamamos a atenção da "epidemia de nascidos entre 37 e 38 semanas", que é, em parte, explicada pelo número elevado de cesarianas agendadas antes do início do trabalho de parto, especialmente no setor privado. Em verdade, essa epidemia é "silenciosa" pois esses bebês, em geral, recebem alta sem nenhuma complicação grave aparente, o que pode dar a falsa impressão de que nascer antes de 39 semanas não trará nenhum impacto negativo. Contudo, sabemos todos, que esses bebês são mais frequentemente admitidos em Unidades de Terapia Intensiva, necessitando de maior suporte ventilatório, com maior risco de morbimortalidade.

Recentemente, a Agência Nacional de Saúde Suplementar – Diretoria Colegiada, através de uma Resolução Normativa – RN 368 de 6 de janeiro de 2015 "dispõe sobre o direito de acesso a informação das beneficiárias aos percentuais de cirurgias cesáreas e de partos normais, por operadora, por estabelecimento de saúde e por médico e sobre a utilização do partograma, do cartão da gestante e da carta de informação a gestante no âmbito da saúde suplementar". Assim, saberemos de antemão, a proporção de partos normais e cirurgias cesáreas por serviço/ano. Isso pode ser um desestímulo à epidemia silenciosa da cesárea.

Na pequena fatia de parto vaginal observou-se a predominância de um modelo de atenção extremamente medicalizado que ignora as melhores evidências científicas disponíveis recomendadas. Dos 48% de partos vaginais, apenas 5% o foram sem intervenções (no Reino Unido, são 40%) enquanto 43% o foram com intervenções sem indicação clínica, que causam dor e sofrimento desnecessário não sendo recomendados pela OMS como procedimentos de rotina. A medicalização do parto é uma prática disseminada por todo o país.

RECOMENDAÇÃO: AS 3 PRÁTICAS SIMPLES DE ATENÇÃO AO PARTO E NASCIMENTO

A atenção ao parto e ao nascimento mais recomendada é aquela dividida de forma quantitativa no que diz respeito à sobrevivência dos dois componentes do binômio mãe-bebê durante o parto e puerpério imediato, uma oportunidade crucial para implementarmos práticas simples, capazes de afetar, no longo prazo, a nutrição e a saúde da mãe e do RN: o clampeamento tardio do cordão umbilical, o contato imediato pele a pele e o início da amamentação exclusiva, 3 práticas simples que, além de proporcionar benefício instantâneo ao RN, podem ter impacto a longo prazo na nutrição e na saúde da mãe e do bebê, que afetam o desenvolvimento da criança muito além do período neonatal e puerpério.

Assim, devem ser seguidas as Práticas Integradas de Atenção ao Parto, Benéficas para a Nutrição e a Saúde de Mães e Crianças, da OPAS/M. Saúde 2011, únicas, na medida em que superam a linha divisória entre a atenção materna e neonatal, dessa maneira, contribuindo para o objetivo da atenção contínua às mães e recém-nascidos. Todos sabemos que o parto e o período pós-parto imediato são períodos de especial vulnerabilidade tanto para a mãe, quanto para o recém-nascido.

Em função disso, as práticas de atenção ao parto e ao pós-parto imediato eram, principalmente dirigidas aos problemas maternos, deixando a atenção ao RN concentrada em condições que afetam sua sobrevida depois do período neonatal (depois dos primeiros 28 dias de vida).

Momento Adequado para Realizar-se o Clampeamento do Cordão

Após o nascimento o bebê a termo, ativo, reativo e sem líquido meconial, é secado com compressa aquecida e colocado em decúbito ventral sobre o abdome materno, onde fica coberto por uma compressa seca e aquecida. O momento ideal para o clampeamento do cordão umbilical de todos os recém-nascidos, independente de sua idade gestacional, é quando a circulação umbilical cessa, o cordão fica achatado e sem pulsar (entre 1 e 3 minutos do nascimento).

Durante um certo período de tempo após o nascimento, ainda existe circulação entre o RN e a placenta: durante cerca de 1-3 minutos a veia umbilical continua a enviar sangue para o RN. Esse volume é de aproximadamente 40 mL/kg, o que representa cerca de 50% da volemia do RN.

Tal conduta já vem sendo adotada, também para RN prematuros, até para os com menos de 34 semanas, mantidos adequados cuidados, como por exemplo, diminuir o tempo de espera para a laqueadura para entre 30 e 60 segundos.

O que tem a ver o retardo do clampeamento do cordão com a amamentação na sala de partos?

O contato com o colo materno é feito ao término dos 1 a 3 minutos, com um RN em melhores condições volêmicas e, consequentemente, cardiopulmonares, para se adaptar ao admirável mundo novo que é o meio extrauterino, agora, com reforço do calor, do tato, da voz, e do odor de sua mãe. Isso sem falarmos da desnecessária sensação de "corpo livre" no espaço, uma vez sem útero e sem colo, sendo aspirado e manipulado, muitas vezes, também desnecessariamente. Documento brasileiro, já citado anteriormente, denuncia práticas consideradas inadequadas, aos recém-nascidos saudáveis e a termo, e ainda praticadas, como a aspiração de vias aéreas superiores (70%), aspiração gástrica (42%), bem como o uso de O_2 inalatório e de incubadoras de "rotina".

CAPÍTULO 30 Mudanças no Modelo de Atenção ao Parto e Nascimento no Brasil...

Tal orientação no parto, aguardar 1 a 3 minutos antes de fazer a laqueadura do cordão umbilical, já está inclusive cristalizada em diretrizes para a organização da atenção integral e humanizada ao recém-nascido no Sistema Único de Saúde (SUS, maio 2014) onde se lê que "o clampeamento do cordão umbilical do recém-nascido, deve ser feito após cessadas as pulsações do mesmo (aproximadamente de 1 a 3 minutos), exceto em casos de mães isoimunizadas ou HIV/HTLV positivas, em que o clampeamento deve continuar sendo feito de imediato".

Contato Pele a Pele entre Mãe e Bebê

O contato pele a pele entre a mãe e seu bebê imediatamente após o parto, colocando o bebê sem roupa, de bruços sobre o tórax ou abdome desnudo da mãe, cobrindo-os com um campo aquecido, ajuda na adaptação do RN à vida extrauterina. Tal prática promove a amamentação logo após o parto, pois aproveita o "primeiro minuto de alerta e de comportamento inato do bebê" no qual ele inicia movimentos de busca e sucção espontânea, seguidos de localização da mama, abocanhamento do mamilo começando a mamar na primeira hora de vida, geralmente sem requerer nenhuma ajuda em particular. Devido à importância do aleitamento materno exclusivo logo após o parto para a sobrevivência neonatal e para a manutenção da amamentação, as práticas e condições que permitam a amamentação imediata exclusiva são essenciais. O contato pele a pele logo após o parto também traz benefícios adicionais a curto e longo prazos, além do estabelecimento da amamentação, incluindo o controle da temperatura corpórea e o vínculo mãe-filho.

Os RN que tem contato pele a pele logo após o parto, com suas mães, já no primeiro minuto de vida, continuando a mamar no peito, levam menos tempo para ter uma amamentação efetiva, quando comparados àqueles que haviam sido envolvidos em mantas e colocados "perto" das mães (muitas vezes entre as suas pernas, por cima de lençóis), de acordo com os procedimentos de rotina do hospital. Como a produção de leite é determinada pela frequência com a qual o bebê suga e esvazia o peito, a sucção iniciada o mais cedo possível, frequente e efetiva, é importante para estabelecer a produção de leite e prevenir perda excessiva de peso neonatal. Como "pouco leite" e perda de peso do RN são razões muito frequentes de abandono da amamentação ou do início de suplementação com fórmulas, o efeito do contato pele a pele para estabelecer a amamentação efetiva logo após o parto tem implicações óbvias na evolução da amamentação a curto e longo prazo. A suplementação prematura com fórmula ou outros líquidos reduz a frequência da sucção podendo iniciar um círculo vicioso potencial, em que a suplementação deve ser aumentada continuadamente em virtude da diminuição da produção do leite materno.

O contato pele a pele logo após o parto também traz benefícios para a mãe e seu bebê, independentemente do seu papel no estabelecimento da amamentação. A regulação térmica é um componente essencial para a prevenção da morbidade e o contato pele a pele provê um método barato, seguro e efetivo para a manutenção da temperatura do recém-nascido. Recém-nascidos colocados em contato pele a pele com suas mães atingem temperatura corporal significantemente maior que a dos bebês colocados em berços, possivelmente, como resposta térmica à temperatura da pele materna, intermediada pela ocitocina, em resposta ao contato pele a pele com seu bebê.

Uma revisão, recentemente atualizada, sobre tais efeitos, mostrou melhoria das condutas de afeto e apego, tanto a curto prazo (36 a 48 h após o parto), como a longo prazo (1 ano de idade), embora o efeito do contato pele a pele nesses desfechos se atenue com o tempo (Tabelas 30.1 e 30.2).

Início do Aleitamento Materno Exclusivo Logo após o Parto

Depois do parto, devemos adiar, pelo menos durante a primeira hora de vida, qualquer procedimento rotineiro de atenção ao recém-nascido que separe a mãe de seu bebê, com o objetivo de permitir o contato pele a pele ininterrupto entre a mãe e o bebê. Essa prática incentiva e promove o início da amamentação durante a primeira hora de vida. Importante também, oferecer apoio qualificado às mães durante a primeira mamada, quando necessário, também nas mamadas seguintes, para assegurar que o bebê tenha um boa sucção e mame efetivamente. Tal apoio deve ser oferecido de maneira apropriada e encorajadora e ser sensível ao desejo de privacidade da mãe. Devem-se evitar práticas que demonstraram ser prejudiciais para a amamentação, como separação da mãe de seu bebê, uso de fórmulas lácteas, uso de mamadeira, chucas e chupetas e realização desnecessária de avaliações séricas, e seriadas, de glicose para verificar "se a mãe está com leite suficiente".

TABELA 30.1. *Resumo dos benefícios imediatos e no longo prazo do contato pele a pele da mãe e seu recém-nascido após o parto*

BENEFÍCIOS IMEDIATOS		BENEFÍCIOS NO LONGO PRAZO	
LACTENTE	MÃE	LACTENTE	MÃE
Melhora a efetividade da primeira mamada e reduz o tempo de obtenção da sucção efetiva	Melhoram os comportamentos de afeto e vínculo da mãe	Existe associação positiva de aleitamento materno nos primeiros 4 meses pós-parto e maior duração de amamentação	Melhoram os comportamentos de afeto e apego da mãe
Regula/mantém a temperatura corporal	Diminui a dor causada pelo ingurgitamento mamário		
Melhora a estabilidade cardiorrespiratória*			

*Recém-nascidos prematuros.

TABELA 30.2. *Resumo dos benefícios imediatos e no longo prazo do aleitamento materno para a mãe e o lactente*

BENEFÍCIOS IMEDIATOS*		BENEFÍCIOS NO LONGO PRAZO	
LACTENTE	MÃE	LACTENTE	MÃE
Previne a morbidade e a mortalidade neonatais	Estimula a liberação da ocitocina, que provoca a contração uterina	Diminui os riscos de: • Otite média aguda • Gastroenterite inespecífica • Hospitalização por infecção do trato respiratório inferior • Dermatite atópica • Obesidade • Diabetes tipos 1 e 2 • Leucemia da infância • Síndrome da morte súbita infantil • Enterocolite necrosante	A amenorreia lactacional ajuda a postergar futuras gestações e protege as reservas de ferro materno
O aleitamento materno logo após o parto está associado a maior duração da amamentação	Possível efeito protetor nos transtornos do estado de ânimo materno		Diminui o risco de: • Diabetes tipo 2 • Câncer de ovário • Câncer de mama
O aleitamento materno logo após o parto está associado a maior duração do aleitamento materno exclusivo		Melhor desenvolvimento motor	Perda mais rápida de peso após gravidez

*Benefícios imediatos do início da amamentação exclusiva o mais cedo possível.

BENEFÍCIOS IMEDIATOS DO ALEITAMENTO MATERNO EXCLUSIVO E INICIADO APÓS O PARTO

A mãe ajuda seu bebê nessa tarefa: é como se fosse um ímã para reorganizar as limalhas de ferro, dispersas, do comportamento do pequeno ser.

Evidência disso é o fato de que o bebê aumenta progressivamente o tempo em "estado de alerta" quando em contato íntimo com sua mãe: no primeiro dia, apenas 25%; após o terceiro dia, 52% de seu tempo, denunciando o rico e profícuo contato com sua mãe, do qual aproveita, cada vez mais, com os olhos abertos, para dançar no compasso de sua fala ou movimentos.

O odor da mãe também tem impacto sobre o bebê. Em torno do quinto dia de vida, bebês amamentados podem discriminar o odor do leite de suas próprias mães do de leites de outras mulheres. Isso tem grande aplicação prática, levando-nos a recomendar que as mulheres não usem cremes ou óleos em seu colo ou mamas para não atrapalhar essa via olfativa de reconhecimento da mãe, com papel essencial no apego a ela. Sabemos hoje que, no amadurecimento dos sentidos do pequeno bebê, há uma gênese facilitatória e que o olfato bem estimulado facilita o desenvolvimento do paladar e, finalmente, da visão.

Lembramos, mais uma vez, que o primeiro flavor (odor e paladar) percebido pelo feto, é o do líquido amniótico (que ele deglute durante toda a gravidez). O leite materno parece ter paladar e odor semelhante ao do líquido amniótico, assim o nosso agora bebê, foi "treinado" desde feto a reconhecer o odor e o sabor do leite humano.

Um dos Dez Passos da Iniciativa Hospital Amigo da Criança, "ajudar as mães a iniciar o aleitamento na primeira meia hora após o nascimento", não deve ser pensado, programado ou colocado em prática sem que a equipe responsável por esse processo, especialmente os pediatras, reflita sobre a estreita relação desse momento com as práticas que cercam a atenção ao parto e nascimento em nosso meio.

A recepção do recém-nascido na sala de parto, fator crucial para facilitar o início do aleitamento materno, deve priorizar fundamentalmente o contato pele a pele com a mãe logo após o nascimento. De forma semelhante, a ligadura tardia do cordão umbilical (1 a 3 minutos após o nascimento ou quando parar de pulsar) de recém-nascidos também é prática que traz benefícios à saúde do bebê sem apresentar maiores riscos. Ela está associada a um maior peso do recém-nascido, a maior concentração de hemoglobina nas primeiras 48 h de vida e a um menor risco de anemia, e para os bebês prematuros ainda reduz o risco de hemorragia intracraniana, a necessidade de transfusões sanguíneas e o risco de sepse tardia.

Propomos as seguintes medidas abordadas no Documento da OPAS-2011 a "Integração dos passos essenciais para a sobrevivência materna, neonatal e infantil, saúde e nutrição (OPAS-2011):

1. Após o parto, seque imediatamente o recém-nascido. Se a criança estiver reativa, coloque-a deitada de bruços sobre o abdome da mãe. Mantenha o bebê coberto com um campo aquecido.

2. Administre ocitocina 10 UI logo após o parto.

3. Aguarde aproximadamente 1 a 3 minutos após o parto, quando as pulsações do cordão umbilical cessam e o clampeie. Aí coloque o bebê no seio da mãe.

   No Brasil, temos recomendação formal para tal procedimento, através Portaria do Ministério da Saúde – Portaria de 9 de maio de 2014.

   "Recomenda que o clampeamento do cordão umbilical deva ser feito após cessadas as pulsações do recém-nascido (aproximadamente de 1 a 3 minutos), exceto em casos de mães isoimunizadas ou HIV/HTLV positivas, em que o clampeamento deve continuar sendo feito de imediato.

   Em sequência:

4. Coloque o bebê diretamente sobre o abdome materno, deitado de bruços, em contato pele a pele, com sua mãe. Cubra ambos com um campo aquecido e seco para evitar perda de calor. Coloque um gorro ou touca na cabeça do bebê.

   Também aqui, temos recomendação formal do Ministério da Saúde (MS, Portaria de 8 de maio de 2014) que: "Recomenda o aleitamento materno

CAPÍTULO 30 Mudanças no Modelo de Atenção ao Parto e Nascimento no Brasil...

na primeira hora de vida do bebê, exceto em casos de mães HIV ou HTL positivas".

Para reforçar nossa atuação no seguimento da fisiologia do parto/acolhimento do RN, temos a "Portaria nº 1153, de 22 de maio de 2014 – Redefine critérios de habilitação da Iniciativa Hospital Amigo da Criança (IHAC)" que em seu Capítulo III – da Habilitação da IHAC, nos diz em seu Artigo 7º. Para serem habilitadas à IHAC pelo código 14.16, os estabelecimentos de saúde públicos e privados deverão atender aos seguintes critérios:

– Cumprir os "Dez Passos para o Sucesso do Aleitamento Materno", propostos pela Organização Mundial de Saúde (OMS) e pelo Fundo das Nações Unidas para a Infância (UNICEF)

– Ao mesmo tempo temos que ter conhecimento da Portaria nº 1153, de 22 de maio de 2014 que "Redefine os critérios de habilitação da Iniciativa Hospital Amigo da Criança (IHAC)"

– Passo 4: Ajudar as mães a iniciar o aleitamento materno na primeira hora após o nascimento, conforme nova interpretação, e colocar os bebês em contato pele a pele com suas mães, imediatamente após o parto, por pelo menos uma hora, e orientar a mãe a identificar se o bebê mostra sinais que está querendo ser amamentado, oferecendo ajuda, se necessário.

5. Remoção da placenta por tração controlada do cordão umbilical e contrapressão sobre o útero.

6. Massagear o útero, pelo abdome, após remoção da placenta.

7. Continuar apalpando o útero a cada 15 minutos, por duas horas, para verificar se está firme e monitorar o volume do sangramento vaginal.

8. Procure protelar os procedimentos de rotina (pesagem e banho) por, pelo menos, uma hora para que o bebê e a mãe possam ficar em contato ininterrupto, pele a pele, e para que comece a amamentação. Se necessário, ofereça-se para ajudar a mãe durante a primeira mamada, sendo sensível à sua necessidade de contato íntimo.

Portaria do Ministério da Saúde – (Portaria de 08 de maio de 2014): "Recomenda que o exame físico, pesagem e vacinação, do recém-nascido, entre outros procedimentos, sejam feitos apenas depois da primeira hora de vida"

Essas práticas, sequenciais, promovem a amamentação logo após o parto, pois aproveitam o primeiro "período de alerta" e seu "comportamento pré-alimentar" inato e organizado, com movimentos de busca e sucção espontâneos. O bebê localiza a mama, abocanha o mamilo e começa a sugar durante a primeira hora de vida, sem requerer ajuda em particular.

PALAVRAS FINAIS

Hoje, sabemos sobejamente, que os primeiros 1.000 dias da vida – da concepção ao 2º ano de vida – vão determinar quão saudável ou inteligente será o bebê para o resto de sua vida, por isso a importância da amamentação para o crescimento e desenvolvimento adequado para a criança.

Pesquisas nos mostram que há cerca de 50 substratos químicos no cérebro ou neurotransmissores que são afetados pela ingestão dos alimentos e micronutrientes nos primeiros 1.000 dias de vida, incluindo aqui os 280 dias de gravidez. O impacto de uma nutrição inadequada durante esse período pode ser duradouro ou irreversível com efeitos além da saúde física, podendo afetar o desenvolvimento cognitivo da criança.

A "programação metabólica e nutricional para a criança – os 1.000 dias: 280 no útero, e 720 no colo materno", inclusive, mamando ao seio, portanto, deve ser perseguida pelos profissionais que cuidam da *unidade* mãe-filho, da gestação, passando pelo parto/nascimento e os demais anos de vida.

Em verdade, já, e há muito isso intuíamos, através o dito popular:

"A mãe carrega o filho no útero, por nove meses,
No colo, por dois anos,
No coração, por toda a vida"
(autor desconhecido)

BIBLIOGRAFIA CONSULTADA

Boccolini CS, Carvalho ML, Oliveira MI, Pérez-Escamilla R. Breastfeeding during the first hour of life and neonatal mortality. J Pediatr 2013 Mar-Apr; 89(2):131-6.

Boccolini CS, Carvalho ML, Oliveira MI, Vasconcellos AG. Factors associated with breastfeeding in the first hour of life. Rev Saúde Pública 2011 Feb; 45(1):69-78.

Bystrova K, Ivanova V, Edhborg M, Matthiesen AS, Ransjö-Arvidson AB, Mukhamedrakhimov R, Uvnäs-Moberg K, Widström AM. Early contact versus separation: effects on mother-infant interaction one year later. Birth 2009 Jun; 36(2):97-109.

Chen DC, Nommsen-Rivers L, Dewey KG, Lönnerdal B. Stress during labor and delivery and early lactation performance. Am J Clin Nutr 1998 Aug; 68(2):335-44.

Dageville C, Casagrande F, De Smet S, Boutté P. The mother-infant encounter at birth must be protected. Arch Pediatr 2011 Sep; 18(9):994-1000.

Datasus – Sistema informação de nascidos vivos. Acessível em http://www2.datasus.gov.br/DATASUS/index.php?area=0205&VObj=http://tabnet.datasus.gov.br/cgi/deftohtm.exe?sinasc/cnv/nv.

Diniz SG. Gênero, saúde materna e o paradoxo perinatal. Rev Bras Crescimento Desenvolv Hum 2009; 19(2):313-326.

Ekstrom A, Nissen E. A mother's feelings for her infant are strengthened by excellent breastfeeding counseling and continuity of care. Pediatrics 2006; 118(2):e309-e314.

Garofalo M, Abenhaim HA. Early versus delayed cord clamping in term and preterm births: a review. J Obstet Gynaecol Can 2012 Jun; 34(6):525-31.

Gibbons L, Belizán JM, Lauer JA, Betrán AP, Merialdi M, Althabe F. The global numbers and costs of additionally needed and unnecessary caesarean sections performed per year: overuse as a barrier to universal coverage. In: World Health Report 2010. World Health Organization, editor. Geneva: World Health Organization, 2010.

Grajeda R, Pérez-Escamilla R. Stress during labor and delivery is associated with delayed onset of lactation among urban Guatemalan women. J Nutr 2002 Oct; 132(10):3055-60.

Hutton EK, Hassan ES. Late vs early clamping of the umbilical cord in full-term neonates: systematic review and meta-analysis of controlled trials. JAMA 2007 Mar 21; 297(11):1241-52.

Jordan B. Birth in four cultures – a crosscultural investigation of childbirth in Yucatan, Holland, Sweden and the United States. 4 ed. Prospect Heights: Waveland Press, 1993.

Lamberti LM, Fischer Walker CL, Noiman A, Victora C, Black RE. Breastfeeding and the risk for diarrhea morbidity and mortality. BMC Public Health 2011 Apr 13; 11(Suppl 3):S15.

Leal MC, Gama SGM. Nascer no Brasil – inquérito nacional sobre parto e nascimento. Fiocruz, 2014.

Leal MC. SGNGAMA - Fundação Oswaldo Cruz – Nascer no Brasil – inquérito nacional sobre parto e nascimento. Rio de Janeiro, 2014.

McDonald SJ, Middleton P, Dowswell T, Morris PS. Effect of timing of umbilical cord clamping of term infants on maternal and neonatal outcomes. Cochrane Database Syst Rev. 2013 Jul 11; 7:CD004074. doi:10.1002/14651858.CD004074.pub3.

Moore ER, Anderson GC, Bergman N, Dowswell T. Early skin-to-skin contact for mothers and their healthy newborn infants. Cochrane Database Syst Rev 2012 May 16; 5:CD003519. doi: 10.1002/14651858.CD003519.pub3.

MS OPAS. Além da sobrevivência: práticas integradas de atenção ao parto, benéficas para a nutrição e a saúde de mães e crianças – Série F: Comunicação e Educação em Saúde. Brasília – DF, 2011.

Vogt SE et al. Características da assistência ao trabalho de parto e parto em três modelos de atenção no SUS, no Município de Belo Horizonte, Minas Gerais, Brasil. Cad Saúde Pública [online]. 2011; 27(9):1789-1800 [cited 2014-05-25].

World Health Organization, Department of Reproductive Health & Research. Care in normal birth: a practical guide. Geneva: 1996. Available from: http://whqlibdoc.who.int/hq/1996/WHO_FRH_MSM_96.24.pdf.

Proteção Legal ao Aleitamento Materno: uma Visão Comentada

31

José Dias Rego
Maria da Conceição Monteiro Salomão
Sonia Maria Salviano Matos de Alencar

INTRODUÇÃO

Durante longos anos pensou-se que amamentar era um ato instintivo e natural. Pôr o bebê no peito era o suficiente para o leite fluir e saciar a fome. Na última metade do século XX, mitos, tabus e práticas inadequadas de profissionais e dos serviços de saúde respondem pelas profundas mudanças na cultura da alimentação infantil, nos primeiros anos de vida e no comportamento da mulher frente à amamentação.

Inúmeras são hoje as evidências científicas da prática da amamentação, validando as crescentes formas de resgate do aleitamento natural e duradouro.

Praticamente todas as mulheres podem produzir leite em quantidade suficiente para um ou mais bebês (Fig. 31.1), desde que haja sucção efetiva, amamentação sob livre demanda, apoio de familiares, serviços e de profissionais capacitados no manejo da amamentação.

A história do aleitamento materno no Brasil registra que a propaganda abusiva de produtos que interferem negativamente na amamentação, e de utensílios usados para administrar alimentos ou para estimular a sucção, foi e continua sendo uma estratégia eficiente de controle do saber médico. Por muitos anos, apropriou-se da vanguarda científica que, consorciada com a rapidez e objetividade dos meios de comunicação de massa, fez e continua fazendo com que as mulheres troquem conceitos e valores por práticas equivocadas, ditas seguras e eficazes.

Adicionados à saída da mulher para o mercado de trabalho e a urbanização, estes fatores levaram a prática da amamentação aos mais baixos índices registrados no Brasil e no mundo.

A Organização Mundial de Saúde (OMS) e o Fundo das Nações Unidas para a Infância (Unicef), reconhecendo a superioridade do leite humano sobre os demais

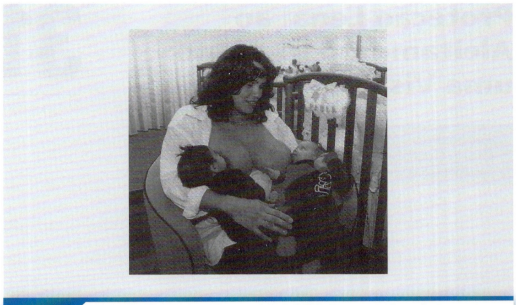

FIG 31.1. Foto de trigêmeas nascidos em abril de 1999. Amamentadas exclusivamente no peito durante 6 meses e complementadas até 2 anos.

leites e as repercussões positivas sobre a saúde infantil, e também preocupados com a influência das práticas comerciais adotadas para a indução de venda dos produtos que interferem na amamentação, em 1979 promovem reunião conjunta sobre nutrição infantil. Nessa oportunidade, acordo é assinado com a proposta de alerta para as consequências do desmame precoce e a valorização do aleitamento materno. Com base em princípios éticos, cria um conjunto de normas que passam a servir como guia para o *marketing* dos produtos ditos substitutivos do leite humano. De 1979 a 1981 a OMS e o Unicef, com apoio de governos e de organizações não governamentais, desenvolvem e aprimoram o Código Internacional de Comercialização de Alimentos para Lactentes, aprovado em 1981 pela Assembleia Mundial de Saúde (AMS) com 118 votos a favor e 1 contra (EUA). O Código foi adotado como anexo à Resolução 34.22 da AMS de 1981. Como Resolução, os Estados-membros são conclamados a "dar apoio pleno e unânime à implementação".

Após a assinatura e aprovação do Código Internacional de Substitutos do Leite Materno, a promoção da amamentação no Brasil tem sido priorizada. No ano de 1981 foi criado o Programa Nacional de Incentivo ao Aleitamento Materno (PNIAM) do Ministério da Saúde, hoje, inserido na Área de Saúde da Criança da Secretaria de Políticas de Saúde do Ministério da Saúde (MS).

Dados do MS revelam que o desmame precoce constituiu um dos mais sérios problemas de saúde pública do final da década de 1970. Registros mostram que a mortalidade infantil no Brasil atingiu a cifra de 88 por 1.000 no final dessa década, chegando a 124 por 1.000 no Nordeste brasileiro. A diarreia, a desidratação e a desnutrição compõem o mais sério conjunto de agravos à saúde infantil nas

Proteção Legal ao Aleitamento Materno: uma Visão Comentada **CAPÍTULO 31**

crianças privadas da amamentação no peito de suas mães e praticamente 48% da população brasileira eram vitimadas pela desnutrição crônica.

Não existem dados sobre a tendência da amamentação no Brasil até esse período.

Do final dos anos 1970 para o início dos anos 1980, o Brasil inicia um processo de reversão do desmame precoce, como resposta aos altos índices de morbidade e mortalidade infantil. A partir de então, o impacto das ações de promoção, proteção e apoio ao AM nas últimas décadas é confirmado nos dados sobre amamentação, disponíveis nos inquéritos nacionais. A análise dos dados provenientes das Pesquisas Nacionais sobre Demografia e Saúde (PNDS) mostra que a prevalência da amamentação exclusiva em crianças menores de 6 meses passou de 3,6%, em 1986, para 38,6% em 2006. A informação coletada na PNDS de 1996 não será aqui considerada para a análise de tendência da amamentação exclusiva, uma vez que foram incluídas nessa categoria todas as crianças cujas mães responderam que davam "somente leite materno", não sendo checado o uso de água e chá, o que pode ter levado à superestimação da prevalência obtida (40%). A evolução favorável da amamentação exclusiva é confirmada quando são comparadas as duas Pesquisas de Prevalência do Aleitamento Materno nas Capitais Brasileiras e Distrito Federal (PPAM), realizadas durante as campanhas de vacinação em 1999 e 2008 pelo Ministério da Saúde: a prevalência do AM exclusivo passou de 26,7%, em 1999, para 41% aos 6 meses, em 2008. As duas pesquisas (I PPAM, em 1999, e a II PPAM, em 2008) revelam que houve significativo aumento na prevalência (0-4 meses: 35,6% em 1999 e 51% em 2008) e duração da amamentação (10 meses em 1999 e 11,2 em 2008). Assim, políticas públicas são elaboradas e implementadas com a participação dos mais diversos seguimentos da sociedade, elevando o Brasil à posição de destaque no cenário mundial, sendo hoje considerado modelo pela multiplicidade de ações responsáveis pelo resgate do aleitamento materno. Aumentar a prevalência do aleitamento materno exclusivo nos 6 primeiros meses de vida (II PPAM-2008: 41%), sem uso de chás, água ou qualquer outro alimento, tem sido um desafio para o Brasil e todo o mundo.

As políticas de promoção, proteção e apoio à amamentação têm como objetivo básico o retorno ao hábito comum aos animais mamíferos. Alimentar bebês com leite humano garante melhor desenvolvimento físico e emocional, além de reduzir os índices de morbidade e mortalidade infantil. Estima-se que o aleitamento materno poderia evitar 13% das mortes em crianças menores de 5 anos em todo o mundo, por causas preveníveis (Jones e cols., 2003). Nenhuma outra estratégia isolada alcança o impacto que a amamentação tem na redução das mortes de crianças menores de 5 anos. Segundo a Organização Mundial da Saúde (OMS) e o Unicef, em torno de 6 milhões de vidas de crianças estão sendo salvas a cada ano por causa do aumento das taxas de amamentação exclusiva.

O declínio da taxa de mortalidade infantil no Brasil pode ser medido pela comparação dos dados entre 1980 e 2010 do Instituto Brasileiro de Geografia e Estatística. Há 3 anos, eram registrados 16,7 óbitos de crianças menores de 1 ano para cada 1.000 nascidos vivos. Antes, em 1980, eram verificadas 69,1 mortes de crianças que ainda não tinham completado nem 1 ano de vida para cada 1.000 nascidos. Isso indica uma retração de 52,4% na taxa de mortalidade infantil brasileira em um período de 30 anos, como publicado em 2 de agosto de 2013, pelo IBGE.

O leite materno é a fonte ideal de nutrientes e fatores de defesa, reunindo em sua composição elementos capazes de atender às necessidades próprias de cada bebê.

O Ministério da Saúde do Brasil recomenda atualmente que os bebês sejam amamentados, exclusivamente, no peito durante os 6 primeiros meses de vida. Completados os 6 meses, todos devem ter acesso a alimentos complementares saudáveis e apropriados para a idade, devendo a amamentação no peito continuar até os 2 anos de idade ou mais.

De acordo com a pesquisa realizada pelo MS, em 1999, as mulheres brasileiras amamentam seus filhos exclusivamente no peito por 33,7 dias em média. O melhor índice foi observado na região Sul, com 53,1 dias, seguido da região Nordeste, com 38,2 dias. A mesma pesquisa aponta que as capitais da região Sudeste têm o pior índice, de 17,2 dias.

Embora a promoção do aleitamento materno constitua uma ação de saúde simples e barata, o uso exclusivo do leite humano em unidades hospitalares, principalmente em unidades neonatais, na atualidade, ainda é uma prática pou-co utilizada (Fig. 31.2). Talvez em virtude do desconhecimento dos atributos de qualidade que conferem ao leite humano adequação às necessidades da criança, independentemente da idade gestacional e do peso de nascimento, como também pelo desconhecimento da legislação que reconhece a criança, a partir do dia do seu nascimento, como um cidadão com direitos que devem ser respeitados.

Proteção legal ao aleitamento materno é, portanto, um tema que a maioria dos profissionais de saúde e o público em geral desconhecem ou simplesmente ignoram. Neste capítulo, discorreremos sobre os principais dispositivos legais que favorecem a amamentação.

CONVENÇÃO DOS DIREITOS HUMANOS

Na Convenção dos Direitos Humanos, especificamente na Convenção dos Direitos da Criança, de 1989, o artigo 24 descreve o seguinte: "Os estados-parte assegurarão que todos os setores da sociedade, e em especial os pais e as crianças, conheçam os princípios básicos de saúde e nutrição das crianças, as vantagens da amamentação, da higiene e do saneamento ambiental e das medidas de prevenção de acidentes, e tenham acesso à educação pertinente e recebam apoio para a aplicação desses conhecimentos."

Na verdade, este artigo define claramente, em outras palavras, que os pais devem ser educados e receber orientações corretas e seguras quanto à alimentação saudá-vel e apropriada para os seus filhos. Embora na legislação nacional e internacional sobre Direitos Humanos não se encontre nenhuma norma especificamente ligada à amamentação, não há dúvida de que este direito está implícito em vários outros direitos relacionados à mulher e à criança. Partindo dos princípios dos direitos re-lacionados à mulher que amamenta, esses direitos envolvem os seguintes direitos:

- Direito à liberdade – garantia de sua privacidade e autonomia;

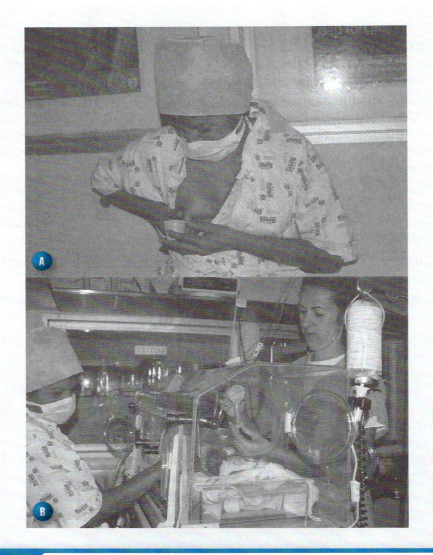

FIG 31.2. **A)** *Mãe de bebê prematuro de muito baixo peso realizando ordenha manual do leite.* **B)** *Bebê internado em Unidade de Cuidado Intensivo Neonatal recebendo leite de sua própria mãe através de sonda orogástrica.*

- Direito à informação – garantia de acesso às vantagens da amamentação, bem como às consequências precoces e tardias do desmame inadequado. Este direito frequentemente, é negligenciado por profissionais da área de saúde quando, antes dos 6 meses de idade, interrompem o aleitamento materno exclusivo na primeira dúvida surgida ou até mesmo quando da introdução da alimentação complementar, por não zelar pela manutenção da forma de administração que não permita a modificação na cinética da amamentação;

- Direito ao trabalho – garantia do exercício profissional quando estiver amamentando;
- Direito a não ser discriminada – garantia de poder amamentar em público, no trabalho ou em qualquer outro lugar, podendo manter nos primeiros 6 meses de vida do filho a amamentação sob livre demanda;
- Direito à saúde – garantia de um pré-natal com qualidade, com acesso às informações adequadas de como o leite é produzido e chega ao bebê, dos cuidados com a mama, das técnicas da amamentação e da legislação pertinente à maternidade. Garantia também de cuidados humanizados no parto e puerpério (Fig. 31.3), no planejamento familiar e outros.

Quando tratamos a amamentação como um direito da criança, devemos inicialmente nos comprometer com os complexos direitos relacionados à mulher e buscar entender esses direitos. Em janeiro de 2000, na Consultation on Humam Rights and Infant Nutrition, Kent descreve 7 princípios básicos relativos a este direito:

1. Crianças têm direito a serem livres da fome e de gozar do melhor padrão possível de saúde.
2. Crianças têm direito à alimentação, serviços de saúde e cuidados adequados.

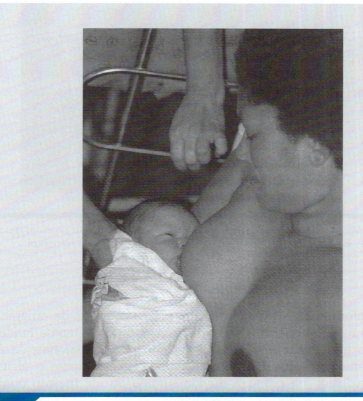

FIG 31.3. *Foto de bebê com 40 minutos de vida, nascido de parto cesáreo, em Alojamento Conjunto e mamando no peito.*

3. O Estado e outros são abrigados a respeitar, proteger e facilitar a relação nutridora entre a mãe e a criança.

4. As mulheres têm direitos a condições sociais, econômicas, de saúde e outras, que sejam favoráveis para que elas amamentem ou para oferecer leite materno às suas crianças de outras maneiras. Isto significa que as mulheres têm direito a:
   - Bons cuidados pré-natais;
   - Informação básica sobre a saúde da criança, sobre a nutrição, sobre as vantagens da amamentação, sobre os princípios da boa amamentação e de formas alternativas de prover o leite materno (Fig. 31.4);
   - Proteção da desinformação sobre alimentação infantil;
   - Apoio na prática da amamentação;
   - Legislação sobre a maternidade para proteger e melhorar as oportunidades das mulheres empregadas para a nutrição de suas crianças;
   - Instalações de saúde amigáveis para as crianças.

5. Mulheres e crianças têm direito à proteção contra fatores que possam impedir ou constranger a amamentação, em acordo com:
   - Convenção sobre direitos da criança;
   - Código Internacional de Publicidade de Substitutos do Leite Materno e resoluções relacionadas da OMS;
   - Convenção para Proteção da Maternidade – Convenção 103 da Organização Internacional do Trabalho (OIT) e suas revisões subsequentes;
   - Declaração de Innocenti sobre Proteção, Promoção e Apoio da Amamentação.

6. Os estados, representados por seus governos, têm a obrigação de:
   - Proteger, manter e promover a amamentação através de atividades públicas educacionais;
   - Facilitar as condições para a amamentação;
   - Assegurar que as crianças tenham acesso seguro ao leite materno.

7. Nenhuma mulher deve ser impedida de amamentar.

Certamente, aqui desencadeamos uma reflexão acerca do direito humano à amamentação. Esperamos que cada cidadão reflita profundamente sobre as responsabilidades e passe a zelar e a denunciar as infrações a este direito universal.

CONSTITUIÇÃO DA REPÚBLICA FEDERATIVA DO BRASIL

Desde a Constituição promulgada em 1934, observa-se uma preocupação com a proteção à maternidade.

A Constituição promulgada em 1988 estabelece igualdade de direitos entre homens e mulheres, respeitando os diferentes papéis desempenhados pelos mesmos na reprodução humana. O artigo 7º, inciso XVIII, garante à mulher trabalhadora direito à licença-gestante de 120 dias, sem prejuízo do emprego e do salário. Este

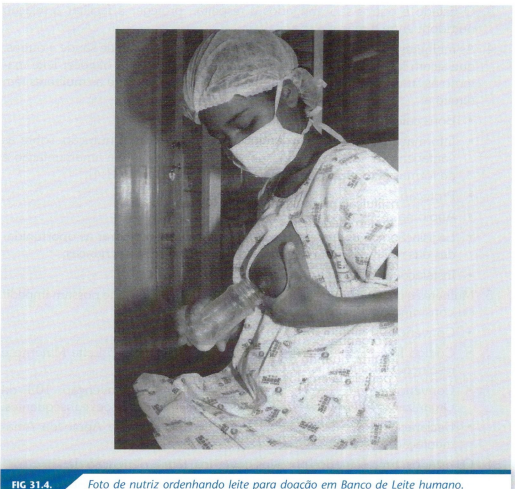

FIG 31.4. *Foto de nutriz ordenhando leite para doação em Banco de Leite humano.*

avanço foi conseguido graças à união e ampla mobilização de setores do governo e organizações não governamentais que também conseguiram incluir o direito da nutriz, quando do retorno ao trabalho, a uma pausa de uma hora, podendo ser parcelada em dois períodos de meia hora, para amamentar o seu próprio filho até os 6 meses de idade. O artigo 196 declara que: "Saúde é um direito de todos e dever do Estado, garantido mediante políticas sociais e econômicas que visem à redução dos riscos de doença e de outros agravos, e ao acesso universal e igualitário às ações e serviços para a sua promoção, proteção e recuperação".

Artigo 227 afirma que: "É dever da família, da sociedade e do Estado, assegurar à criança e ao adolescente, com absoluta prioridade, o direito à vida, à saúde, à alimentação, ao lazer, à profissionalização, à cultura, à dignidade, ao respeito, à liberdade e à convivência familiar e comunitária, além de colocá-los a salvo de toda forma de negligência, discriminação, exposição, violência, crueldade e opressão"

Licença-paternidade

CF: artigo 7º, parágrafo XIX, ADCT, artigo 10 §1º O trabalhador tem direito a 5 dias de licença-paternidade. Durante o afastamento do pai, o empregador deverá pagar seu salário integral.

A mulher que trabalha e a manutenção da amamentação

CLT: artigo 369

A mulher tem direito a dois descansos especiais, de meia hora cada, durante sua jornada de trabalho, para amamentar seu filho até 6 meses de idade. Esse período pode ser ampliado se a saúde da criança assim exigir, mediante atestado médico.

CLT: artigo 392

Em casos excepcionais, os períodos antes e depois do parto poderão ser aumentados de mais 2 semanas cada um, mediante atestado médico.

CLT: artigo 389

Toda empresa é obrigada:

§1º Os estabelecimentos em que trabalharem 30 ou mais mulheres com mais de 16 (dezesseis) anos de idade, terão local apropriado, onde seja permitido às empregadas guardar sob vigilância e assistência os seus filhos no período de amamentação.

§2º A exigência do §1º poderá ser suprida por meio de creches distritais, mantidas diretamente ou mediante convênios com outras entidades públicas ou privadas, pelas próprias empresas em regime comunitário ou a cargo do SESI, do SESC da LBA ou de entidades sindicais.

Portanto, se não houver creche na empresa, o empregador tem a obrigação a manter creche próxima ao local de trabalho ou poderá fazer convênio com outra entidade pública ou privada, ou ainda adotar o sistema de reembolso creche à empregada.

Mulher detenta

Lei nº 7210, de 11 de julho de 1984 – Institui a Lei de Execução Penal

Capítulo 1 Artigo 83

§2º Os estabelecimentos penais destinados a mulheres serão dotados de berçário, onde as condenadas possam amamentar seus filhos.

Capítulo 2 Artigo 89

Além dos requisitos referidos no artigo anterior, a penitenciária de mulheres poderá ser dotada de seção para gestante e parturiente, e de creche com a finalidade de assistir ao menor desamparado cuja responsável esteja presa.

Mãe estudante

Lei n. 6202, de 17 de abril de 1979

Artigo 1º A partir do oitavo mês de gestação e durante 3 meses após o parto, a estudante em estado de gravidez ficará assistida pelo regime de exercícios domiciliares instituído pelo Decreto-Lei nº 1044 de 31 de outubro de 1969 (a gestante ou mãe pode receber o conteúdo das matérias escolares em casa).

§ único O início e o fim do período em que é permitido o afastamento são determinados por atestado médico a ser apresentado à direção da escola.

Artigo 2º Em casos excepcionais, devidamente comprovados por atestado médico, poderá ser aumentado o período de repouso, antes e depois do prazo.

§ único Em qualquer caso, é assegurado às estudantes em estado de gravidez o direito à prestação dos exames finais (a gestante ou mãe não precisa fazer as provas na escola, podendo seu aproveitamento ser aferido mediante trabalhos feitos em casa).

CÓDIGO INTERNACIONAL DE COMERCIALIZAÇÃO DE SUBSTITUTOS DO LEITE MATERNO

Adotado em 1981, como anexo à Resolução 34.22 da AMS, reafirma o direito de toda criança a receber alimentação adequada como forma de obter e manter a saúde. Reconhece que a saúde dos lactentes e crianças pequenas não pode ser isolada da saúde da mulher, da alimentação e das condições socioeconômicas. Reconhece também a superioridade do leite humano e as repercussões da amamentação sobre a saúde da mulher e da criança. Considera a existência de um espaço para o uso de fórmulas infantis quando o aleitamento materno não for praticado, ou for parcialmente praticado. Que esses produtos não devem ser comercializados ou distribuídos de modo que interfiram na promoção e proteção da amamentação. Reconhece ainda que a alimentação inadequada leva a um significativo aumento de morbidade e mortalidade infantil no mundo como um todo, e que técnicas de comercialização de substitutos do leite materno e produtos usados como veículos para administração destes produtos, ou para estimular a sucção, podem resultar em sérios agravos à saúde, podendo também se transformar em verdadeiras catástrofes na saúde pública. Observa que os sistemas de saúde, os profissionais e pessoal de saúde exercem importante papel na educação de hábitos alimentares.

O objetivo do código está explícito no seu artigo 1º:

"O objetivo deste código é contribuir com o fornecimento de nutrição segura e adequada aos lactentes por meio da proteção e promoção do aleitamento materno e assegurando o uso apropriado de substitutos do leite materno, quando estes forem necessários, com base em informações adequadas e por meio de comercialização e distribuição apropriadas."

Portanto, regulamenta as práticas de comercialização relacionadas à informação e à educação de profissionais e pessoal de saúde, nutrizes e público em geral, doação de materiais, produtos e equipamentos, assim como define padrões de qualidade e rotulagem dos produtos.

No artigo 11º, responsabiliza os governos a tomarem medidas para a implementação dos objetivos do código adequando-o às suas estruturas sociais e legislativas. Sugere a adoção de legislação ou regulamento nacional.

NORMA BRASILEIRA PARA COMERCIALIZAÇÃO DE ALIMENTOS PARA LACTENTES

Após as diretrizes emanadas pela Assembleia Mundial de Saúde de 1981, o governo brasileiro criou o Programa Nacional de Incentivo ao Aleitamento Materno. No início, o programa trabalhou com comitês específicos, sendo um deles responsável pela adequação do Código Internacional à realidade do país. Em 1988, foi oficializada a Norma Brasileira para Comercialização de Alimentos para Lactentes (NBCAL), com a resolução do Conselho Nacional de Saúde de número 05 (CNS-05), posteriormente revisada e promulgada pelo Conselho Nacional de Saúde, em outubro de 1992 (Resolução CNS 32). Em 2000/2001 acontece a 2ª Revisão da NBCAL, com as publicações da PORTARIA – GM nº 2.051/2001 e as Resoluções ANVISA nº 221 e 222/2002, já como Norma Brasileira de Comercialização de Alimentos para Lactentes e Crianças de Primeira Infância, Bicos, Chupetas e Mamadeiras. Finalmente, em 2006 a fusão da portaria com as duas resoluções da ANVISA se transforma em Lei Federal nº 11.265 e acrescenta produtos de puericultura e correlatos (ainda não regulamentada)

ESTATUTO DA CRIANÇA E DO ADOLESCENTE

O Estatuto da Criança e do Adolescente, Lei Federal nº 8.069, de 13 de julho de 1990, é o reflexo dos avanços obtidos de acordos internacionais em favor da infância e da juventude. Representa parte dos esforços do país, em sintonia com comunidades internacionais, na garantia dos direitos humanos. Reconhece a criança e o adolescente como sujeitos de direitos, pessoas em condições especiais de desenvolvimento e em condições de receber cuidados com prioridade absoluta. Em seu artigo 9º afirma que: "O poder público, as instituições e os empregadores propiciarão condições adequadas ao aleitamento materno, inclusive aos filhos de mães submetidas a medida privativa de liberdade."

Já o artigo 12º esclarece que os estabelecimentos de atendimento à saúde deverão proporcionar condições para permanência em tempo integral de um dos pais ou responsável nos casos de internação da criança ou do adolescente.

Estes dois artigos nos fazem interrogar por que os bebês prematuros, internados em unidades neonatais, são privados do aconchego permanente de seus pais (Fig. 32.5) e dos benefícios do leite de suas mães, principalmente se ordenhado próximo do horário da dieta. Na verdade, toda criança quando nasce, independente de peso ou idade gestacional, adquire direitos concedidos pela legislação.

LEI Nº 454/93 DO DISTRITO FEDERAL

O Distrito Federal foi a primeira unidade da Federação a estabelecer lei específica de proteção ao aleitamento materno. A Lei nº 454/93, em seu artigo 3º, determina que: "Toda maternidade pública ou privada do Distrito Federal deverá ter condição de atender às práticas de aleitamento materno, mesmo em situações de risco do recém-nascido."

Esta lei é o resultado das políticas públicas de promoção da amamentação na capital federal e faz com que hoje o uso exclusivo de leite humano nas unidades neonatais seja uma realidade. Todos os hospitais públicos com maternidade são reconhecidos como Hospital Amigo da Criança e possuem unidade de banco de leite humano que, junto com 4 bancos da rede privada, coletaram no ano 2000 quase 18.000 litros de leite humano.

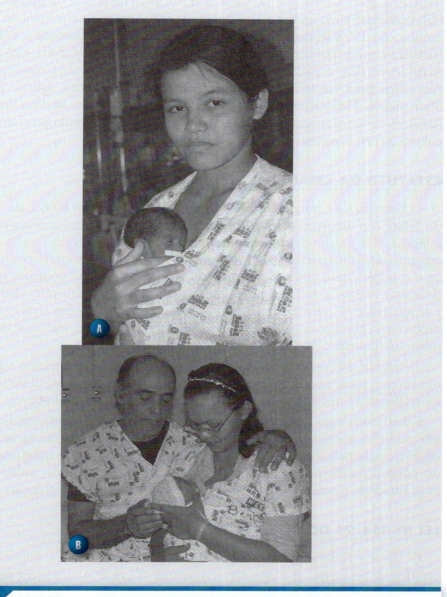

FIG 31.5. **A)** Bebê prematuro em contato pele a pele com a mãe. **B)** Bebê prematuro e contato com os pais.

ACORDOS INTERNACIONAIS E DOCUMENTOS GOVERNAMENTAIS

Com o intuito de proteger e promover o aleitamento, muitos são os dispositivos legais governamentais e internacionais disponíveis. A seguir, destacaremos os que exercem maior impacto e influência:

1. Acordo Mundial entre OMS, Unicef e a Associação Internacional de Fabricantes de Alimentos – assinado em 1991 com o objetivo de cessar o fornecimento gratuito de leites artificiais em hospitais e maternidades.

2. Declaração de Innocenti – assinada em Florença, na Itália, em 1991, pelo Brasil e diversos outros países. Esta declaração determina que as crianças devem ser alimentadas exclusivamente com leite materno, do nascimento até os primeiros 4 a 6 meses de vida, permanecendo com o aleitamento materno até os 2 anos de idade ou mais, ao mesmo tempo em que são introduzidos alimentos adequados à criança. Vale ressaltar que, diferentemente do que muitos profissionais pensam e falam, a recomendação de exclusividade do aleitamento materno até 4 a 6 meses não faz nenhuma alusão aos 120 dias ou 4 meses de licença-maternidade garantida na Constituição brasileira. Este limite foi estabelecido em função dos baixos índices de amamentação no mundo como um todo, e por se considerar a extensão até os 4 meses como importante meta a ser cumprida. Hoje, em função dos avanços alcançados no Brasil, o MS propôs à OMS mudança da recomendação para 6 meses de idade. Esta proposta será discutida e votada na 54ª Assembleia Mundial da Saúde que acontecerá em maio de 2001 em Genebra, na Suíça.

3. Reunião Mundial em Favor da Infância – estabelece o compromisso de promover o planejamento familiar responsável, o espaçamento entre os partos, o aleitamento materno e a maternidade sem riscos. Esta reunião foi realizada em1990, em Nova Iorque, e elaborou metas para serem cumpridas até o ano 2000. A meta estabelecida para o aleitamento materno no Brasil era a de garantir que todas as mulheres amamentassem seus filhos durante 4 a 6 meses e continuassem a amamentação, com adição de alimentos complementares, até o segundo ano de vida. Em médio prazo, isto é, até 1995, pensava-se garantir o término de distribuição gratuita de sucedâneos de leite materno nos serviços de saúde e também garantir que 50% dos hospitais que atendiam 1.000 ou mais partos por ano fossem reconhecidos como Hospitais Amigo da Criança. Conforme dados atuais do MS estas metas não foram cumpridas, apesar dos esforços impetrados pelo governo brasileiro. A pesquisa de prevalência do aleitamento materno realizada nas capitais brasileiras, excetuando o Rio de Janeiro, em 1999, buscava dados para subsidiar esta meta. Em junho de 2000, durante a realização do I Congresso Internacional e II Congresso Brasileiro de Bancos de Leite humano, realizado na cidade de Natal – RN, dados preliminares foram apresentados, sendo que até abril de 2001 oficialmente os dados ainda não foram disponibilizados. Buscando avaliar o término da distribuição gratuita de leites infantis nas maternidades o MS, a Rede Internacional em Defesa do Direito de Amamentar (REDE IBFAN), a Agência Nacional de Vigilância Sanitária, as Secretarias Estaduais e Municipais de Saúde, o Ministério Público e a Promotoria de Defesa do Consumidor (PROCON) realizaram monitoramento do cumprimento da Resolução nº 31/92 do CNS em várias

CAPÍTULO 31 Proteção Legal ao Aleitamento Materno: uma Visão Comentada

capitais brasileiras. Esse monitoramento foi dividido em duas etapas, sendo a primeira de junho a dezembro de 1999, sendo caracterizada pela busca de infrações em várias capitais brasileiras, quando da realização de cursos de treinamento para todos os estados brasileiros. A segunda etapa foi desenvolvida de junho a setembro de 2000, caracterizando-se pela busca intencional de infrações. Todas as infrações detectadas foram documentadas e constituem documento oficial que se encontra em fase final de elaboração para publicação.

4. 55ª Assembleia Mundial da Saúde de 18 de maio de 2002:

A 55ª Assembleia Mundial da Saúde, tendo examinado a proposta de estratégia mundial para a alimentação do lactente e da criança pequena;

Profundamente preocupada com o grande número de lactentes e crianças pequenas que ainda são alimentados de forma inadequada, com consequente comprometimento de seu estado nutricional, crescimento e desenvolvimento, saúde e sua própria sobrevivência;

Consciente de que a cada ano até 55% das mortes de lactentes devidas a doenças diarreicas e infecções respiratórias agudas podem ser resultado de práticas inapropriadas de alimentação, de que menos de 35% dos lactentes de todo o mundo são alimentados exclusivamente com leite materno por pelo menos 4 meses de vida, e de que, com frequência, as práticas de alimentação complementar são inoportunas, inapropriadas e inseguras;

Alarmada com o grau no qual as práticas inapropriadas de alimentação do lactente e da criança pequena contribuem para a taxa mundial de doenças, incluindo a má nutrição e suas consequências, tais como a cegueira e a mortalidade por carência de vitamina A, os problemas de desenvolvimento psicomotor devidos à carência de ferro e à anemia, as lesões cerebrais irreversíveis resultantes da carência de iodo, os enormes efeitos da má nutrição proteicocalórica sobre a morbimortalidade, e as consequências da obesidade infantil para as etapas avançadas da vida;

Reconhecendo que a mortalidade dos lactentes e das crianças pequenas pode ser reduzida por meio da melhoria do estado nutricional das mulheres em idade fértil, especialmente durante a gravidez, e mediante amamentação exclusiva durante os 6 primeiros meses de vida, assim como por meio de uma alimentação complementar sadia e apropriada do ponto de vista nutricional propiciada pelo uso de quantidades adequadas de alimentos do local preparados de forma tradicional, ao mesmo tempo em que se mantém a amamentação até os 2 anos de idade ou mais;

Consciente das dificuldades impostas pelo número cada vez maior de pessoas afetadas por situações de emergência, a pandemia de HIV/AIDS e a complexidade dos modos de vida modernos, associados a uma contínua divulgação de mensagens contraditórias com relação à alimentação do lactente e da criança pequena;

Ciente que as práticas inapropriadas de alimentação e suas consequências dificultam enormemente o desenvolvimento socioeconômico sustentável e a redução da pobreza;

Reafirmando que as mães e os bebês formam uma unidade biológica e social inseparável, e que a saúde e a nutrição de um não pode ser separada da saúde e a nutrição do outro;

Recordando que a Assembleia da Saúde aprovou em sua totalidade (Resolução WHA33.32) a declaração e as recomendações formuladas pela Reunião conjunta OMS/UNICEF sobre alimentação do lactente e criança pequena, em 1979; adotou o Código Internacional de Comercialização de Substitutos do Leite Materno (Resolução WHA34.22) no qual ressalta que a adoção e a observância do Código são um requisito mínimo; acolheu a Declaração de Innocenti sobre a proteção, o fomento e o apoio da amamentação como a base para as políticas e atividades internacionais de saúde (Resolução WHA44.33); recomendou o incentivo e o apoio para que todas as instituições de saúde públicas e privadas que prestam serviços de maternidade sejam "amigas da criança" (Resolução WHA45.34); recomendou a ratificação e cumprimento da Convenção sobre os Direitos da Criança como veículo para o desenvolvimento da saúde da família (Resolução WHA46.27); e aprovou em sua totalidade a Declaração Mundial e Plano de Ação para a Nutrição adotados pela Conferência Internacional sobre Nutrição (Resolução WHA46.7);

Recordando também as resoluções WHA35.26, WHA37.30, WHA39.28, WHA41.11, WHA433, WHA45.34, WHA46.7, WHA473, WHA49.15 e WHA54.2 sobre a nutrição do lactente e da criança pequena, as práticas apropriadas de alimentação e outras questões relacionadas;

Reconhecendo a necessidade de adotarem-se políticas nacionais amplas sobre a alimentação do lactente e da criança pequena, com a inclusão de diretrizes para assegurar a alimentação adequada do lactente e da criança pequena em circunstâncias excepcionalmente difíceis;

Convencida de que chegou o momento dos governos renovarem seu compromisso de proteger e promover uma alimentação ótima do lactente e da criança pequena,

1. APROVA a estratégia mundial para a alimentação do lactente e da criança pequena;

2. INSTA os Estados-membros a que, em caráter de urgência:

1) Adotem e implementem a estratégia mundial levando em conta as circunstâncias nacionais, respeitando as tradições e os valores locais, no marco de suas políticas e programas globais sobre nutrição e saúde infantil, a fim de assegurar uma alimentação ótima de todos os lactentes e crianças pequenas e de reduzir os riscos associados à obesidade e a outras formas de má nutrição;

2) Fortaleçam as estruturas existentes, ou criem novas, para a aplicação da estratégia mundial por meio do setor saúde ou outros setores pertinentes, para vigiar e avaliar sua efetividade e para orientar a inversão e a gestão de recursos de tal forma a melhorar a alimentação do lactente e da criança pequena;

3) Definam, para esse fim, de acordo com as circunstâncias nacionais: a) metas e objetivos nacionais; b) prazos realistas para seu logro; c) indicadores mensuráveis de processo e de resultados que permitam uma vigilância e uma avaliação precisas das medidas adotadas e uma resposta rápida às necessidades identificadas;

4) Assegurem que a introdução de intervenções relacionadas com micronutrientes e a comercialização de suplementos nutricionais não substituam a amamentação exclusiva e a alimentação complementar ótima e não menosprezem o apoio às práticas sustentáveis dessa natureza;

CAPÍTULO 31   Proteção Legal ao Aleitamento Materno: uma Visão Comentada

5) Mobilizem recursos sociais e econômicos dentro da sociedade e os façam participar ativamente na aplicação da estratégia mundial e na obtenção de seus fins e objetivos em conformidade com o espírito da Resolução WHA49.15;

3. EXORTA outras organizações e organismos internacionais, em particular a OIT, a FAO, o UNICEF, o UNI-1CR, o FNUAP e o UNAIDS, dentro de seus respectivos mandatos e programas e de conformidade com as diretrizes relativas aos conflitos de interesses, a dar alta prioridade de apoio aos governos na aplicação desta estratégia mundial, e convida os doadores a proporcionarem financiamento adequado para as medidas necessárias;

4. PEDE à Comissão do Coclex Alimentarius que continue levando em conta, no marco de seu mandato operativo, as medidas que poderiam ser adotadas para melhorar as normas de qualidade dos alimentos preparados para lactentes e crianças pequenas e promover um consumo seguro e adequado desses alimentos em uma idade apropriada, inclusive mediante uma rotulagem adequada, de forma coerente com as políticas da OMS, em particular o Código Internacional de Comercialização de Substitutos do Leite Materno, a Resolução WHA54.2 e outras resoluções pertinentes da Assembleia de Saúde;

5. PEDE à Diretora Geral:

1) que preste apoio aos Estados-membros, que o solicitarem, na aplicação desta estratégia e na vigilância e na avaliação de seu impacto;

2) que continue elaborando, à luz da escala e frequência das grandes situações de emergência em todo o mundo, informação específica e desenvolva material de treinamento destinados a assegurar que sejam atendidas as necessidades alimentares de lactentes e crianças pequenas em circunstâncias excepcionalmente difíceis;

3) que intensifique a cooperação internacional com outras organizações do sistema das Nações Unidas e com organismos bilaterais de desenvolvimento para promover uma alimentação adequada do lactentes e da criança pequena;

4) que promova uma cooperação contínua com todos os grupos de interesse para a aplicação da estratégia mundial, assim como entre elas.

Nona sessão plenária, 18 de maio de 2002

5. Compromisso internacional assumido pelo Brasil na Declaração do Milênio, quanto ao cumprimento dos Objetivos de Desenvolvimento do Milênio, em especial a Meta 4, de reduzir em dois terços, até 2015, a mortalidade de crianças menores de 5 anos, e a meta 5, de reduzir em três quartos, até 2015, a taxa de mortalidade materna.

6. Portaria GM/MS nº 18/83 e Portaria/MS nº 1.016/93 – tratam da obrigatoriedade da implantação de alojamento conjunto nos hospitais conveniados com o SUS.

7. Portaria MS nº 1.113/94 e Portaria da Secretaria de Assistência à Saúde/MS (SAS) nº 155/94 – regulamentam a Iniciativa Hospital Amigo da Criança. Estas Portarias propõem mudanças de rotinas hospitalares através da adequação dos Dez Passos para o sucesso do aleitamento materno. Revisada em 2004, como Portaria MS nº 756, em 2011, como Portaria MS nº 80 (Vide item 22).

8. Portaria SAS nº 97/95 – regulamenta as questões relativas entre a amamentação e a Aids. Atualizada no Manual Normativo para Profissionais de Saúde das Maternidades da Iniciativa Hospital Amigo da Criança – Referência para Mulheres HIV Positivas e Outras que não Podem Amamentar, de maio de 2004.

9. Portaria MS nº 50/1999 – institui na Secretaria de Políticas de Saúde a Comissão Nacional de BLH com finalidade de prestar assessoramento técnico na direção e coordenação federal das ações de BLH em todo o território nacional.

10. Portaria nº 698/GM de 9 de abril de 2002 – define a estrutura e as normas de atuação e funcionamento dos Bancos de Leite Humano.

11. Portaria GM/MS nº 1.893 de 2003 – institui o dia 1º de outubro como o Dia Nacional de Doação do Leite Humano.

12. Resolução RDC nº 171 de 2003 – dispõe sobre o regulamento técnico para o funcionamento de Bancos de Leite Humano.

13. Portaria GM/MS nº 2.193 de 2006 – define a estrutura e funcionamento dos Bancos de Leite Humano.

14. Lei 10.421 de 15 de abril de 2002 – que estende à mãe adotiva o direito à licença-maternidade e ao salário-maternidade.

15. Lei nº 11.108 de 7 de abril de 2005 – que garante às parturientes o direito à presença de acompanhante durante o trabalho de parto, parto e pós-parto imediato no âmbito do Sistema Único de Saúde.

16. Lei nº 11.265, de 3 de janeiro de 2006 – que regulamenta a comercialização de alimentos para lactentes e crianças de primeira infância e também a de produtos de puericultura correlatos.

17. Lei nº 11.634, de 27 de dezembro de 2007 – que dispõe sobre o direito da gestante ao conhecimento e à vinculação à maternidade onde receberá assistência no âmbito do SUS.

18. Portaria nº 1.459/GM/MS, de 24 de junho de 2011 – que institui, no âmbito do SUS, a Rede Cegonha.

19. Portaria nº 930/GM/MS, de 10 de maio de 2012 – que define as diretrizes e os objetivos para a organização da atenção integral e humanizada ao recém-nascido grave ou potencialmente grave e os critérios de classificação e habilitação de leitos de Unidade Neonatal no âmbito do SUS.

20. Portaria nº 1.020/GM/MS, de 29 de maio de 2013 – que institui as diretrizes para a organização da Atenção à Saúde na Gestação de Alto Risco e define os critérios para a implantação e habilitação dos serviços de referência à Atenção à Saúde na Gestação de Alto Risco, incluída a Casa de Gestante, Bebê e Puérpera (CGBP), em conformidade com a Rede Cegonha.

21. Portaria nº 1.920/GM/MS, de 5 de setembro de 2013 – que institui a Estratégia Nacional para Promoção do Aleitamento Materno e Alimentação Complementar Saudável no SUS – Estratégia Amamenta e Alimenta Brasil.

22. Portaria nº 1.920/GM/MS, de 5 de setembro de 2013 – que institui a Estratégia Nacional para Promoção do Aleitamento Materno e Alimentação Complementar Saudável no SUS – Estratégia Amamenta e Alimenta Brasil.

CAPÍTULO 31 Proteção Legal ao Aleitamento Materno: uma Visão Comentada

23. Portaria nº 650/SAS/MS, de 5 de outubro de 2011 – que dispõe sobre os Planos de Ação regional e municipal da Rede Cegonha.

24. Lei nº 11.770, de 9 de setembro de 2008 – cria o Programa Empresa Cidadã, destinado à prorrogação da licença-maternidade mediante concessão de incentivo fiscal, e altera a Lei nº 8.212, de 24 de julho de 1991.

25. Portaria nº 193, de 23 de fevereiro de 2010 – Nota Técnica Conjunta nº 01/2010 ANVISA e Ministério da Saúde, conforme anexo, que tem por objetivo orientar a instalação de salas de apoio à amamentação em empresas públicas ou privadas e a fiscalização desses ambientes pelas vigilâncias sanitárias locais.

26. Portaria MS – GM nº 1.153 de 29 de maio de 2014 – Redefine os critérios de habilitação da Iniciativa Hospital Amigo da Criança (IHAC), como estratégia de promoção, proteção e apoio ao aleitamento materno e à saúde integral da criança e da mulher, no âmbito do Sistema Único de Saúde (SUS).

27. Portaria MS nº 618 de 2006 – Institui o Comitê Nacional de Aleitamento Materno do Ministério da Saúde.

28. Portaria GM/MS nº 2.160 de 2007 – Altera a composição do Comitê Nacional de Aleitamento Materno, instituído pela Portaria nº 618, de 23 de março de 2006.

BIBLIOGRAFIA CONSULTADA

Almeida JAG. Amamentação: Repensando o Paradigma. Tese de Doutorado, Rio de Janeiro: Instituto Fernandes Figueira – Fundação Osvaldo Cruz, 1998.

Bases para Discussão sobre a Política Brasileira de Promoção, Proteção e Apoio ao Aleitamento Materno.

Constituição da Republica Federativa do Brasil 1988. Brasília: Câmara dos Deputados, Coordenação de Publicações,1996.

Convenção dos Direitos Humanos.

Estatuto da Criança e do Adolescente – Lei nº 8.069, de 13 de julho de 1990. 3 edição atualizada. São Paulo: Sindicatos dos Trabalhadores em Entidades de Assistência ao Menor e à Família (SITRAEMFA), Centro Brasileiro para a Infância e Adolescência (CBIA)/Ministério da Ação Social, 1991.

França Júnior I. Amamentação e Direitos Humanos. Palestra proferida no II Seminário da Semana Mundial da amamentação. Brasília: Ministério da Saúde, 2000.

Kent ML. HIV/Aids, Infant Nutrition and Humanan Rights, (www2.hawaii.edu/~kent/HIVNUTRTS.doc), 2000.

Ministério da Saúde – II Pesquisa Nacional de Prevalência de Aleitamento Materno. Brasília, 2008

Ministério da Saúde – Nota Técnica 2012. Brasília, 2012.

Ministério da Saúde. Saúde da Criança: Nutrição Infantil, Aleitamento Materno e Alimentação Infantil. Caderno de Atenção Básica nº 23, Brasília-DF, 2009.

Ministério da Saúde. Metas da Reunião de Cúpula em Favor da Infância – Avaliação de Meia Década 1990-1995. Brasília, 1997.

Ministério da Saúde. Relatório do Monitoramento da Norma Brasileira para Comercialização de Alimentos para Lactentes. Brasília, 2001.

Santos Júnior LA. A mama no ciclo grávido puerperal. São Paulo: Editora Atheneu, 2000.

Sokol EJ. Em Defesa da Amamentação – Manual para implementar o Código Internacional de Mercadização de Substitutos do Leite Materno. São Paulo: Rede Internacional em Defesa do Direito de amamentar – REDE IBFAN. Brasil, 1999.

Unicef – Situação da Infância Brasileira 2001. Brasília, 2001.

Política Nacional de Aleitamento Materno no Brasil

32

Elsa Regina Justo Giugliani
Paulo Vicente Bonilha Almeida
Fernanda Ramos Monteiro

INTRODUÇÃO

A preocupação com os baixos índices de aleitamento materno (AM) no Brasil é antiga. Já no final da década de 1960, a Sociedade Brasileira de Pediatria reuniu um pequeno grupo de pediatras preocupados com as práticas alimentares das crianças pequenas da época. Como resultado, foram publicadas as primeiras recomendações sobre amamentação no Jornal de Pediatria. O governo, por sua vez, incluiu o incentivo ao AM entre os objetivos do Programa Nacional de Saúde Materno-infantil, criado em 1975. No entanto, foi somente em 1981 que foi instituído o Programa Nacional de Incentivo ao Aleitamento Materno (PNIAM). Nessa época, já se conhecia a triste realidade das práticas do AM no Brasil (mediana de AM de 2,5 meses apenas) e crescia o movimento global de reabilitação da "cultura da amamentação", iniciado na década de 1970, em resposta às denúncias contra o uso disseminado de leites artificiais e ao surgimento de inúmeros trabalhos científicos mostrando a superioridade do leite materno sobre outros tipos de leite para a saúde da criança. Esse programa obteve destaque no âmbito internacional pela diversidade de ações visando à promoção (campanhas publicitárias veiculadas pelos meios de comunicação de massa e treinamento de profissionais de saúde), proteção (criação de leis trabalhistas de proteção à amamentação e controle de *marketing* e comercialização de leites artificiais) e apoio ao AM (elaboração de material educativo, criação de grupos de apoio à amamentação na comunidade e aconselhamento individual). Até a extinção do Instituto Nacional de Alimentação e Nutrição (INAM), em 1998, as ações públicas em prol do AM eram coordenadas por esse órgão. A partir de então, essas ações passaram a ser coordenadas pela Área Técnica de Saúde da Criança e Aleitamento Materno, do Ministério da Saúde (MS), atual Coordenação Geral de Saúde da Criança e Aleitamento Materno.

CAPÍTULO 32 Política Nacional de Aleitamento Materno no Brasil

Desde o início da década de 1980, portanto, diversas estratégias visando à promoção, proteção e apoio ao AM vêm sendo implementadas nas 3 esferas de gestão do Sistema Único de Saúde (SUS): federal, estadual e municipal. A Tabela 32.1 lista os principais avanços na promoção, proteção e apoio AM no Brasil.

TABELA 32.1. *Marcos na promoção, proteção e apoio ao aleitamento materno no Brasil*

1982	Obrigatoriedade do alojamento conjunto nas unidades hospitalares públicas
1985	Regulamentação da instalação e funcionamento dos Bancos de Leite Humano
1988	Instituição das Normas para Comercialização de Alimentos para Lactentes (NCAL), uma adaptação do Código Internacional de Comercialização de Substitutos do Leite Materno às necessidades brasileiras
1988	Direito da mulher trabalhadora a 120 dias de licença-maternidade, direito ao pai de 5 dias de licença-paternidade e direito das mulheres privadas de liberdade de permanecer com seus filhos durante o período de amamentação (Constituição Federal)
1992	Primeiro hospital a receber a placa de Hospital Amigo da Criança (HAC) – Instituto Materno-infantil de Pernambuco
1992	Comemoração da primeira Semana Mundial do Aleitamento Materno
1991	Primeira revisão da NCAL, melhorando aspectos de rotulagem e assumindo a denominação Norma Brasileira para Comercialização de Alimentos para Lactentes (NBCAL)
1998	Criação da Rede Brasileira de Bancos de Leite Humano
1999	Primeira Pesquisa de Prevalência de Aleitamento Materno nas Capitais Brasileiras e Distrito Federal
1999	Lançamento do Programa Carteiro Amigo
2000	Adoção do Método Canguru como política pública
2000	Primeiro Congresso Internacional de Banco de Leite Humano
2002	Lançamento do projeto Bombeiro Amigo da Criança
2003	Instituição do Dia Nacional de Doação de Leite Humano – 1º de outubro
2005	Segundo Congresso Internacional de Banco de Leite Humano
2006	Instituição do Comitê Nacional de Aleitamento Materno, o qual tem como objetivo assessorar e apoiar o Ministério da Saúde na implementação das ações de promoção, proteção e apoio ao AM
2006	Primeiro Seminário Nacional de Políticas Públicas em Aleitamento Materno
2006	Criada a Lei 11.265, que regulamenta a promoção comercial e dá orientações do uso apropriado de alimentos para crianças de até 3 anos
2007	Segundo Seminário Nacional de Políticas Públicas em Aleitamento Materno

Continua

534

Política Nacional de Aleitamento Materno no Brasil **CAPÍTULO 32**

TABELA 32.1. *Marcos na promoção, proteção e apoio ao aleitamento materno no Brasil*

2008	Lançamento da Rede Amamenta Brasil
2008	Segunda Pesquisa de Prevalência de Aleitamento Materno nas Capitais Brasileiras e Distrito Federal
2009	Segundo Seminário Nacional de Políticas Públicas em Aleitamento Materno
2009	Terceiro Seminário Nacional de Políticas Públicas em Aleitamento Materno
2010	Normatização para Salas de Apoio à Amamentação, em parceria com a ANVISA
2010	I Fórum de Cooperação Internacional em Bancos de Leite Humano
2011	Quarto Seminário Nacional de Políticas Públicas em Aleitamento Materno
2011	Lançamento da Rede Cegonha
2012	Lançamento da Estratégia Amamenta e Alimenta Brasil – Integração da Rede Amamenta Brasil e Estratégia Nacional para Alimentação Complementar Saudável (ENPACS)
2012	Publicada portaria com nova composição do Comitê Nacional de Aleitamento Materno com 14 instituições envolvidas
2013	Certificação das primeiras empresas com salas de apoio à amamentação
2013	Quinto Seminário Nacional de Políticas Públicas em Aleitamento Materno
2013	Publicada portaria que inclui e altera valores dos procedimentos relacionados aos Bancos de Leite Humano
2013	Publicada portaria que institui a Estratégia Nacional para Promoção do Aleitamento Materno e Alimentação Complementar Saudável no Sistema Único de Saúde (SUS) – Estratégia Amamenta e Alimenta Brasil
2014	Publicada a portaria que redefine os critérios de habilitação da Iniciativa Hospital Amigo da Criança (IHAC)

As políticas públicas de promoção, proteção e apoio ao AM no Brasil foram se fortalecendo à medida que os conhecimentos científicos sobre os benefícios do AM avançavam. Suas ações passaram a ser vistas como importantes estratégias para o Brasil ter alcançado, já em 2012, com 3 anos de antecedência portanto, o cumprimento da meta do quarto Objetivo do Desenvolvimento do Milênio, ou seja, o compromisso de reduzir em 2/3 as mortes de crianças menores de 5 anos. Atualmente, as ações de incentivo ao AM dão corpo à Política Nacional de Aleitamento Materno (PNAM), cujos objetivos estão em consonância com os objetivos da Rede Cegonha, quer seja, o de garantir o atendimento de qualidade, seguro e humanizado para todas as mulheres, desde a confirmação da gravidez, passando pelo acompanhamento pré-natal, parto e puerpério, e para as crianças nos seus dois primeiros anos de vida.

A ATUAL POLÍTICA NACIONAL DE ALEITAMENTO MATERNO

Embora o setor público venha atuando ativamente na promoção, proteção e apoio ao AM desde a década de 1980, modificando, fortalecendo e implementando novas estratégias, não existe, até o momento, uma política oficial que tenha sido discutida e aprovada pela Comissão Intergestores Tripartite e pelo Conselho Nacional de Saúde. No entanto, já existe um documento que deverá nortear a discussão da PNAM, contendo os pressupostos e princípios, as diretrizes gerais, os objetivos, as responsabilidades institucionais e os seus componentes.

A gestão e articulação da PNAM é coordenada, no nível federal, pela Coordenação Geral de Saúde da Criança e Aleitamento Materno, do MS, com a assessoria e apoio do Comitê Nacional de Aleitamento Materno, formado por representantes do Departamento de Atenção Básica (MS), da Coordenação-Geral de Saúde das Mulheres (MS), da Rede Brasileira de Bancos de Leite Humano (rBLH), da Sociedade Brasileira de Pediatria (SBP), da Federação Brasileira de Ginecologia e Obstetrícia (FEBRASGO), da Associação Brasileira de Obstetrizes e Enfermeiros Obstetras (ABENFO), do Conselho Federal de Nutricionistas (CFN), da Rede Internacional em Defesa do Direito de Amamentar IBFAN-Brasil, da academia e da sociedade civil, por intermédio de grupos de mães.

O MS conta, ainda, com importantes parceiros, dentro e fora do governo. Não poderiam deixar de ser citados a Sociedade Brasileira de Pediatria (SBP), o Fundo das Nações Unidas para a Infância (UNICEF), a Organização Pan-Americana da Saúde (OPAS), a Empresa Brasileira de Correios e Telégrafos, o corpo de bombeiros, a IBFAN (International Baby Food Action Network), entre outros.

PRESSUPOSTOS, PRINCÍPIOS E DIRETRIZES

A PNAM segue os mesmos pressupostos e princípios do SUS, quais sejam: a *universalidade* – garantia de atenção à saúde por parte do sistema a todo e qualquer cidadão; a *equidade* – direito a atendimento, sem discriminação ou privilégios, de acordo com as necessidades dos indivíduos; e a *integralidade* – conjunto articulado e contínuo das ações e serviços preventivos e curativos, individuais e coletivos, exigidos para cada caso em todos os níveis de complexidade do sistema.

As diretrizes que norteiam o funcionamento do SUS se aplicam à PNAM: a *descentralização* – transferência de responsabilidades de gestão para os municípios; a *hierarquização* – organização dos serviços de saúde segundo a complexidade e das ações desenvolvidas; a *regionalização* – as ações de saúde devem ser dispostas numa área geográfica delimitada e com a definição da população a ser atendida; e a *participação dos cidadãos* – garantia constitucional de que a população, por meio de suas entidades representativas, participe do processo de formulação das políticas de saúde e do controle da sua execução, em todos os níveis, dede o federal até o local.

As características particulares da experiência relacionada à prática da amamentação, a qual envolve determinantes biológicos, étnicos, emocionais e socioculturais, pressupõe a necessidade de trabalho intersetorial articulado para que as intervenções sejam exitosas. Assim, são necessários: envolvimento de setores

Política Nacional de Aleitamento Materno no Brasil **CAPÍTULO 32**

governamentais, legislativos, sociedade civil e setor produtivo; estratégias integradas, considerando as perspectivas físicas, psicológicas e sociais; acompanhamento longitudinal, da gestação ao crescimento e desenvolvimento infantil; necessidade da remoção de obstáculos, permitindo não só a disponibilidade dos serviços que desenvolvem ações em AM, mas o seu uso no momento que dele precisar e o respeito à autonomia e privacidade da mulher e sua família com relação à adesão ou não à amamentação; linha do cuidado com vistas à atenção integral, envolvendo o acolhimento às necessidades das mulheres e suas famílias, com escuta qualificada, independente do local onde as ações são desenvolvidas, desde a Atenção Básica à Saúde até as unidades terciárias.

Por fim, a promoção de práticas alimentares saudáveis, incluindo o AM por dois anos ou mais e de forma exclusiva nos primeiros 6 meses, como preconizado pela Organização Mundial da Saúde (OMS) e MS, deve ser tratada como uma ação intersetorial e transversal a ser incorporada em programas, projetos e ações que tratem da promoção, proteção e recuperação da saúde, compondo uma rede de compromissos e corresponsabilidade.

OBJETIVOS

Visando diminuir a morbimortalidade infantil e melhorar a qualidade de vida e de saúde da população, em especial das crianças, a PNAM tem como objetivo geral aumentar a prevalência do AM exclusivo (AME) nos primeiros 6 meses de vida e do AM nos primeiros dois anos de vida ou mais em todo o território nacional. Para alcançar esse objetivo, a PNAM propõe:

- Integrar e otimizar atividades relacionadas ao incentivo ao AM;
- Garantir, por meio de legislação, o direito da mulher de amamentar seu filho;
- Proteger a amamentação quanto ao *marketing* não ético de produtos que competem com essa prática;
- Fomentar ações de promoção, proteção e apoio ao AM nos âmbitos da atenção primária, secundária e terciária;
- Garantir leite de banco de leite humano de qualidade a crianças privadas da amamentação ou impossibilitadas de sugar todo o leite materno de que necessitam;
- Produzir e difundir conhecimentos em AM;
- Monitorar e avaliar os componentes da PNAM e seu impacto;
- Desenvolver estratégias de divulgação, mobilização social e premiações relativas ao AM.

COMPONENTES

Ao longo do tempo, as políticas públicas de incentivo ao AM vem sendo modificadas, expandidas e novas estratégias são incorporadas, de acordo com as demandas e necessidades socioculturais determinadas nas diversas localidades do País. Ou seja, a PNAM vem sendo constantemente redesenhada, buscando expressar o estágio de desenvolvimento alcançado pelas ações de incentivo ao AM no País.

537

CAPÍTULO 32 Política Nacional de Aleitamento Materno no Brasil

Atualmente, as diversas estratégias podem ser agrupadas em um dos seguintes componentes: Estratégia Amamenta e Alimenta Brasil; Iniciativa Hospital Amigo da Criança; Método Canguru; Banco de Leite Humano; proteção legal ao AM e apoio à mulher trabalhadora; educação, comunicação e mobilização social; e monitoramento e avaliação. Esses componentes, integrados e articulados, apresentam características de intervenções complexas, com elevado grau de interdependência entre si.

Para fins didáticos, os diversos componentes da PNAM serão abordados separadamente, muito embora eles sejam interdependentes e articulados.

ESTRATÉGIA AMAMENTA E ALIMENTA BRASIL

A Rede Amamenta Brasil, criada em 2008, veio preencher uma lacuna nas políticas públicas de AM, pois até então não havia uma política nacional voltada à Atenção Básica. Em 2011, essa rede passou a chamar-se Estratégia Amamenta e Alimenta Brasil, após integração com a Estratégia Nacional para a Promoção da Alimentação Complementar Saudável (ENPACS), tendo sido oficializada em 2013, por meio da Portaria 1.920 de 5 de setembro de 2013, que instituiu a Estratégia Nacional para Promoção do Aleitamento Materno e Alimentação Complementar Saudável no Sistema Único de Saúde (SUS) – Estratégia Amamenta e Alimenta Brasil. O objetivo dessa estratégia é fortalecer as equipes de saúde no desenvolvimento das ações de promoção, proteção e apoio ao AM e alimentação complementar saudável, no âmbito da Atenção Básica. Com isso, pretende contribuir para a redução de práticas desestimuladoras do AM por dois anos ou mais e do AME nos primeiros 6 meses; para a adoção de práticas saudáveis de alimentação complementar; para a formação de hábitos alimentares saudáveis desde a infância; e, consequentemente, para a melhoria do perfil de nutrição das crianças, com diminuição das prevalências de deficiências de micronutrientes, baixo peso e excesso de peso. Para alcançar esses objetivos, a estratégia mobiliza os profissionais de saúde que atuam na Atenção Básica, desenvolvendo nesses profissionais competências e habilidades para a promoção do AM e da alimentação complementar saudável. Utilizando metodologia crítico-reflexiva, promove discussão do processo de trabalho em relação às ações de promoção, proteção e apoio ao AM e alimentação complementar saudável, em busca de soluções a partir da realidade local. A estratégia prevê a realização de uma oficina inicial com toda a equipe das Unidade Básicas de Saúde (UBS) e acompanhamento das UBS por um tutor da estratégia, capacitado para incentivar e apoiar a unidade na promoção, proteção e apoio ao AM e alimentação complementar saudável em sua área de abrangência. Para serem certificadas nessa estratégia, as UBS necessitam preencher os seguintes critérios: 1) desenvolver ações sistemáticas individuais ou coletivas para a promoção do AM e alimentação complementar saudável; 2) monitorar os índices de AM e alimentação complementar; 3) dispor de instrumento de organização do cuidado à saúde da criança (fluxograma, mapa, protocolo, linha de cuidado ou outro) para detectar problemas relacionados ao AM e alimentação complementar saudável; 4) cumprir a Norma Brasileira de Comercialização de Alimentos para Lactentes e Crianças de Primeira Infância, Bicos, Chupetas e Mamadeiras – NBCAL e Lei 11.265/06 – e não distribuir "substitutos" do leite materno nas UBS; 5) contar

538

com a participação de pelo menos 85% da equipe de Atenção Básica nas oficinas desenvolvidas; e 6) cumprir pelo menos uma ação de incentivo ao AM e uma de alimentação complementar saudável pactuadas no plano de ação.

Uma vez certificadas, as equipes das UBS devem ser acompanhadas de forma periódica e permanente por meio de instrumentos incluídos na avaliação do Programa Nacional de Melhoria do Acesso e da Qualidade da Atenção Básica (PMAQ – AB) ou, quando a unidade não aderiu a esse programa, por meio do sistema de gerenciamento da estratégia.

INICIATIVA HOSPITAL AMIGO DA CRIANÇA, MÉTODO CANGURU E BANCOS DE LEITE HUMANO

Esses componentes, de âmbito hospitalar, associam e potencializam ações voltadas para o êxito da política nesse nível de atenção.

A Iniciativa Hospital Amigo da Criança, existente no Brasil desde o seu lançamento no nível mundial, está inserida na Estratégia Global para Alimentação de Lactentes e Crianças de Primeira Infância da OMS e do UNICEF e tem por objetivo resgatar o direito da mulher de aprender e praticar a amamentação com sucesso por meio de mudanças nas rotinas nas maternidades para o cumprimento dos Dez Passos para o Sucesso do Aleitamento Materno. Essa estratégia, ao longo de mais de duas décadas, vem sendo constantemente revisada e reformulada. Recentemente, com a publicação da Portaria 1.153 de 22 de maio de 2014, o Brasil passou a incorporar como critérios de avaliação para habilitação como Hospital Amigo da Criança, o "Cuidado Amigo da Mulher" e a garantia do direito do recém-nascido internado em Unidade Neonatal contar com a permanência de sua mãe, pai ou responsável legal durante todo o período em que estiver no hospital.

O Método Canguru, um modelo de assistência perinatal voltado para o cuidado humanizado do recém-nascido de baixo peso e suas mães, busca favorecer o AM por meio do apoio e assistência na amamentação, tanto na maternidade quanto no acompanhamento das crianças em nível ambulatorial. Essa estratégia, implantada no Brasil como política pública em 2000, vem sendo fortalecida em todo o território nacional com a criação de centros estaduais de referência para o Método Canguru. Entre as principais estratégias da PNAM figura a Rede Brasileira de Bancos de Leite Humano (rBLH), a maior e mais complexa do mundo, com mais de 300 unidades (BLH e postos de coleta) espalhadas por todo o País. Além de coletar, processar e distribuir leite humano com segurança a crianças privadas da amamentação ou que não conseguem sugar todo o leite de que necessitam de suas mães, os bancos de leite prestam assistência clínica à mulher, criança e sua família, sendo, em última instância, um importante apoio ao AM. A rBLH também é responsável por uma das maiores agendas de cooperação internacional do Brasil, tendo apoiado, por meio da Rede Ibero-Americana de BLH, a criação de BLH na quase totalidade dos países da América Latina e Caribe.

Maiores detalhes sobre a Iniciativa Hospital Amigo da Criança, Método Canguru e Bancos de Leite Humano encontram-se nos capítulos específicos sobre os temas neste livro.

PROTEÇÃO LEGAL AO ALEITAMENTO MATERNO E APOIO À MULHER TRABALHADORA

O componente "Proteção Legal ao AM" abrange proposição e monitoramento de legislações que garantam o direito da mulher de amamentar seu filho e protejam a amamentação quanto ao *marketing* não ético de produtos que competem com essa prática.

A legislação de proteção ao AM do Brasil é uma das mais avançadas do mundo. O País foi um dos primeiros a adotar o Código Internacional de Substitutos do Leite Materno na sua totalidade. A partir do Código, criou a Norma Brasileira de Comercialização de Alimentos para Lactentes, em 1988, e revisada dez anos depois; e, em 2006, foi criada a Lei 11.265, que regulamenta a promoção comercial e dá orientações do uso apropriado de alimentos para crianças de até 3 anos (aguardando regulamentação).

Além da proteção contra o *marketing* indevido dos substitutos do leite materno, outros direitos da mulher que protegem direta ou indiretamente o AM são: licença-maternidade de 120 (obrigatório) ou 180 dias (opcional para as empresas); garantia do emprego desde a confirmação da gravidez até 5 meses após o parto; creche em todo estabelecimento que empregue mais de 30 mulheres com mais de 16 anos de idade, onde seja permitido às empregadas guardar sob vigilância e assistência os seus filhos no período de amamentação, podendo ser creche conveniada; pausas para amamentar nos primeiros 6 meses de vida do bebê, podendo esse período ser dilatado quando a saúde do filho exigir; licença-paternidade de 5 dias; direito da mulher privada de liberdade de permanecer com seu filho durante 6 meses para amamentação.

O apoio à mulher trabalhadora que amamenta é uma estratégia relativamente nova da PNAM. Em 2010, em parceria com a ANVISA, foram publicadas as normas técnicas para as salas de apoio à amamentação; e, desde 2011, o MS vem desenvolvendo estratégias para apoiar a mulher trabalhadora na manutenção do AM, incentivando e apoiando a criação de salas de apoio à amamentação nas empresas e locais de trabalho. Estão sendo realizadas, em vários locais do País, oficinas para capacitar profissionais para realizar sensibilização e orientação/apoio aos gestores de instituições públicas ou privadas que tenham mulheres em idade fértil, para a criação da sala de apoio à amamentação e sensibilização para a adesão à licença-maternidade de 6 meses e outros.

As salas de apoio à amamentação são destinadas à extração do leite materno em local tranquilo e seguro durante a jornada de trabalho e estocagem desse leite, de maneira que a mulher possa levá-lo para casa e alimentar o seu filho com o próprio leite em sua ausência. Não só a dupla mãe-criança se beneficia com a sala de apoio à amamentação; as empresas também se beneficiam com o menor absenteísmo das funcionárias, na medida em que as crianças amamentadas adoecem menos; com maior adesão e valorização do emprego, ao oferecer maior conforto e valorização das necessidades das mulheres; além de melhorar sua imagem perante os funcionários e a sociedade.

Política Nacional de Aleitamento Materno no Brasil **CAPÍTULO 32**

Além de conhecer e divulgar os instrumentos de proteção da amamentação, é importante que o profissional de saúde respeite a legislação e monitore o seu cumprimento, denunciando as irregularidades. Mais detalhes sobre a proteção legal do AM são encontrados em capítulo específico deste livro.

EDUCAÇÃO, COMUNICAÇÃO E MOBILIZAÇÃO SOCIAL

Esse componente da PNAM tem como objetivo desenvolver competências, difundir conhecimento, incentivar e induzir à mobilização social em torno do AM.

O MS tem desenvolvido diversos materiais educativos, tanto para profissionais de saúde quanto para as mães e população em geral. Dentre esses materiais destacam-se os seguintes documentos de uso geral: Saúde da criança: nutrição infantil. Aleitamento materno e alimentação complementar – Caderno de Atenção Básica nº 23; Saúde da criança: crescimento e desenvolvimento – Caderno de Atenção Básica nº 33; A legislação e o *marketing* de produtos que interferem na amamentação: um guia para o profissional de saúde; Amamentação e uso de medicamentos e outras substâncias; Atenção humanizada ao recém-nascido de baixo peso: Método Canguru; Além da sobrevivência: práticas integradas de atenção ao parto, benéficas para a nutrição e à saúde de mães e crianças; Cartilha para a mãe trabalhadora que amamenta.

Além de material impresso, o Ministério da Saúde dispõe, para distribuição, 3 vídeos abordando o AM: Amamentação: muito mais do que alimentar a criança; Sala de apoio à amamentação; e Iniciativa Hospital Amigo da Criança.

É interessante comentar que a Caderneta de Saúde da Criança dedica várias páginas de orientação aos cuidadores da criança sobre a amamentação.

Esses materiais estão disponíveis gratuitamente no site do MS.

Entre as ações de mobilização social da PNAM destacam-se as campanhas e comemorações da Semana Mundial do Aleitamento Materno. Essa semana é comemorada desde 1992 no Brasil e foi coordenada pela WABA (World Alliance for Breastfeeding Action – Aliança Mundial para Ação em Aleitamento Materno) até 1998; a partir de 1999, o MS assumiu a coordenação das comemorações dessa semana no nível nacional. Em 2009, o Ministério da Saúde publicou a Portaria nº 2.394, que institui a Semana Mundial da Amamentação (SMAM) no Brasil e estabelece a parceria entre o Ministério da Saúde e a Sociedade Brasileira de Pediatria nas comemorações.

Mais informações sobre essa importante estratégia de promoção do AM pode ser obtida no capítulo específico sobre o tema neste livro.

Outra importante ação de mobilização social é o Dia Nacional de Doação de Leite Humano, comemorado no dia 19 de maio, com o objetivo de aumentar o volume de leite humano doado no País. Além do Brasil, outros países do Mercosul e da União das Nações Sul-Americanas (Unasul) também comemoram essa data. Esse dia foi definido durante o V Congresso Brasileiro de Bancos de Leite Humano e o I Fórum de Cooperação Internacional em Bancos de Leite Humano, realizados 2010, em Brasília. O dia 19 de maio foi escolhido pelo reconhecimento da primeira

541

CAPÍTULO 32 Política Nacional de Aleitamento Materno no Brasil

Carta de Brasília, assinada em 19 de maio de 2005, como marco histórico e pedra fundamental da criação de uma rede de bancos de leite humano dos países signatários.

A PNAM conta com muitos parceiros que contribuem para a mobilização social. Um exemplo é o Corpo de Bombeiros, por meio do Projeto Bombeiro Amigo da Criança, iniciado em 2002. Esse projeto visa aumentar os estoques de leite nos bancos de leite humano, com os bombeiros das e o acompanhamento buscando leite doado nas residências das doadoras e inclusive apoiando as mães no manejo da amamentação.

Fazem parte do componente "Educação, Comunicação e Mobilização Social" da PNAM os diversos eventos financiados e coordenados pelo setor público tais como os Seminários Nacionais de Políticas Públicas em Aleitamento Materno (5, desde 2006), Encontros Nacionais do Método Canguru, Encontros Nacionais da Iniciativa Hospital Amigo da Criança, Encontro Nacional de Aleitamento Materno, Congressos Nacionais e Internacionais de Bancos de Leite Humano, entre outros.

MONITORAMENTO E AVALIAÇÃO

Esse componente da PNAM é fundamental e destina-se a acompanhar a situação dos indicadores do AM no País e avaliar as intervenções relacionadas à Política, além de incentivar e apoiar pesquisas sobre o tema.

Para o monitoramento das práticas de AM nos serviços de saúde, o MS utilizou, até 2007, o Sistema de Informação da Atenção Básica (SIAB). Devido a problemas com esse sistema, tais como a limitação do tempo de AME em 4 meses, a ausência de perguntas de confirmação para assegurar que o AM é de fato exclusivo e a ausência de informações individuais, gerando multiplicidade de acompanhamentos para os períodos, a partir de 2008 o Sistema de Vigilância Alimentar e Nutricional (Sisvan) passou a ser a fonte de informações sobre o estado nutricional e o consumo alimentar na Atenção Básica, incluindo os indicadores de AM. É um sistema com acompanhamento individualizado, cobrindo todas as faixas de idade e contemplando questões de confirmação para o AME. Atualmente, está em implantação um sistema de informação individualizado para a Atenção Básica à Saúde no Brasil, o e-SUS AB, que incorporará o monitoramento dos indicadores do AM.

Além do monitoramento permanente dos indicadores de AM por meio dos sistemas de informação da Atenção Básica, a PNAM prevê inquéritos populacionais de âmbito nacional. Sob a coordenação do MS, já ocorreram dois inquéritos nacionais realizados no dia da campanha nacional de vacinação contra poliomielite, o primeiro em 1999 e o segundo em 2008. A mudança no calendário vacinal em 2012, com a exclusão de crianças menores de 6 meses das campanhas, impossibilitou a obtenção de indicadores das práticas da amamentação por essa metodologia. Assim, houve a necessidade de se buscar métodos alternativos para os inquéritos. Atualmente, encontra-se em fase de teste a realização de inquéritos telefônicos.

A Pesquisa Nacional de Demografia e Saúde, realizada a cada 10 anos, também investiga as práticas de AM, assim como inquéritos regionais, tais como a Chamada

542

Neonatal, realizada na Amazônia Legal e Nordeste em 2010. Graças a essas pesquisas, é possível acompanhar as tendências dos principais indicadores de AM.

PRINCIPAIS OBSTÁCULOS E DESAFIOS

Entre os principais obstáculos da PNAM podemos citar:

- Dimensões continentais do País, com importantes diferenças regionais.
- Insuficiente valorização do AM: apesar das ações do componente "Educação, Comunicação e Mobilização Social", ainda existe dificuldade para atingir/ mobilizar os profissionais quanto à importância da promoção do AM, incluindo gestores (responsáveis de pela execução/coordenações de ações nos níveis federal, estadual, municipal, institucional etc.) e profissionais de saúde (devido, entre outros, à inadequação dos currículos nos ensinos de graduação e residência médica). Essa dificuldade também é encontrada na população em geral, devido à manutenção da "cultura da mamadeira".
- Recursos humanos e orçamentários insuficientes.
- Inexistência de comitês estaduais de AM instituídos em todos os estados para apoiar a implantação da PNAM.
- Escassez, ainda vigente, de sistemas de informação e pesquisas mais frequentes sobre indicadores do AM no País, para permitir o monitoramento, avaliação e tomada de decisões de gestão sobre a PNAM.
- Licença-maternidade de 180 dias para todas as mulheres trabalhadoras, independente do seu local de trabalho.
- Falta de periodicidade do monitoramento da Norma Brasileira de Comercialização de Alimentos para Lactentes e Crianças de Primeira Infância, Bicos, Chupetas e Mamadeiras e da Lei 11.265 que regulamenta a comercialização de alimentos para lactentes e crianças de primeira infância e também a de produtos de puericultura correlatos.
- Pouca capilarização da Iniciativa Hospital Amigo da Criança, que se encontra concentrada nas capitais.
- Sensibilização de empregadores para a importância de apoiar a amamentação das mulheres que retornam ao trabalho, disponibilizando condições adequadas para a garantia do sucesso da amamentação.
- Insuficiência de materiais produzidos para a divulgação das campanhas de mobilização social.

À medida que os indicadores de AM melhoram no País, torna-se cada vez mais difícil a tarefa de aumentar as prevalências dessa prática. A comparação das duas pesquisas de prevalência de AM nas capitais brasileiras revelou claramente que houve maior incremento nas taxas de AM nas capitais com pior situação em 1999 e, por outro lado, avanços mais discretos ou mesmo retrocessos em locais onde a situação era mais favorável. Esse cenário evidencia a necessidade de revisão contínua da PNAM, com modificação e acréscimo de novas estratégias/componentes, para que os indicadores de AM atinjam patamares mais elevados. Esse é o grande desafio.

BIBLIOGRAFIA CONSULTADA

ABC do SUS. Doutrinas e princípios. Disponível na internet: http://www.foa.unesp.br/inclu-de/arquivos/foa/pos/files/abc-do-sus-doutrinas-e-principios.pdf

Alencar SMSM, Dias Rego J. As Sociedades Médicas e o incentivo ao aleitamento materno. In: Aleitamento materno. Dias Rego J (ed.). São Paulo: Atheneu 2001; 409-20.

Brasil. Ministério da Saúde, Secretaria de Atenção à Saúde, Sociedade Brasileira de Pediatria. Amamentação: muito mais do que alimentar a criança. 1 DVD (22:00 min), color. Em português e espanhol.

Brasil. Ministério da Saúde. Caderneta de Saúde da Criança. 8 ed. Brasília: Ministério da Saúde, 2005.

Brasil. Ministério da Saúde. Iniciativa Hospital Amigo da Criança. 1 DVD (15:40 min), color. Em português e inglês.

Brasil. Ministério da Saúde. Norma Brasileira de Comercialização de Alimentos para Lactentes e Crianças de Primeira Infância, Bicos, Chupetas e Mamadeiras. Disponível na Internet: http://www.aleitamento.com/upload%5Carquivos%5Carquivo1_203.pdf

Brasil. Ministério da Saúde. Sala de apoio à amamentação. 1 DVD (12:56 min), color.

Brasil. Ministério da Saúde. Secretaria de Atenção à Saúde. Área Técnica de Saúde da Criança e Aleitamento Materno. Gestão e gestores de políticas públicas de atenção à saúde da criança: 70 anos de história. Brasília: Ministério da Saúde, 2011.

Brasil. Ministério da Saúde. Secretaria de Atenção à Saúde. Área Técnica de Saúde da Criança e Aleitamento Materno. Rede Amamenta Brasil: os primeiros passos (2007-2010). Brasília: Ministério da Saúde, 2011.

Brasil. Ministério da Saúde. Secretaria de Atenção à Saúde. Departamento de Ações Programáticas Estratégicas. Atenção humanizada ao recém-nascido de baixo peso: Método Canguru. 2 ed. Brasília: Editora do Ministério da Saúde, 2011.

Brasil. Ministério da Saúde. Secretaria de Atenção à Saúde. Departamento de Ações Programáticas Estratégicas. Cartilha para a mãe trabalhadora que amamenta. Brasília: Ministério da Saúde, 2010.

Brasil. Ministério da Saúde. Secretaria de Atenção à Saúde. Departamento de Atenção Básica. Saúde da criança: nutrição infantil. Aleitamento materno e alimentação complementar. Caderno de Atenção Básica nº 23. Brasília: Editora do Ministério da Saúde, 2009.

Brasil. Ministério da Saúde. Secretaria de Atenção à Saúde. Departamento de Ações Programáticas Estratégicas. A legislação e o *marketing* de produtos que interferem na amamentação: um guia para o profissional de saúde. Brasília: Editora do Ministério da Saúde, 2009.

Brasil. Ministério da Saúde. Secretaria de Atenção à Saúde. Departamento de Ações Programáticas Estratégicas. Amamentação e uso de medicamentos e outras substâncias. 2 ed. Brasília: Editora do Ministério da Saúde, 2010.

Brasil. Ministério da Saúde. Secretaria de Atenção à Saúde. Departamento de Ações Programáticas Estratégicas. Além da sobrevivência: práticas integradas de atenção ao parto, benéficas para a nutrição e à saúde de mães e crianças. Brasília: Ministério da Saúde, 2011.

Brasil. Ministério da Saúde. Secretaria de Atenção à Saúde. Departamento de Ações Programáticas e Estratégicas. II Pesquisa de Prevalência de Aleitamento Materno nas

Capitais Brasileiras e Distrito Federal [Internet]. 1 ed. Brasília: Ministério da Saúde 2009; 108 p. Disponível em: http://editora.saude.gov.br/.

Brasil. Ministério da Saúde. Secretaria de Ciência, Tecnologia e Insumos Estratégicos. Departamento de Ciência e Tecnologia. Avaliação da atenção ao pré-natal, ao parto e aos menores de um ano na Amazônia Legal e no Nordeste, Brasil, 2010. Brasília: Editora Ministério da Saúde, 2013.

Brasil. Ministério da Saúde. Secretaria de Políticas de Saúde. Área de Saúde da Criança. Prevalência de Aleitamento Materno nas Capitais Brasileiras e no Distrito Federal. Brasília: Ministério da Saúde 2001; 25 p.

Brasil. Secretaria de Atenção à Saúde. Departamento de Atenção Básica. Saúde da criança: crescimento e desenvolvimento. Caderno de Atenção Básica nº 33. Brasília: Ministério da Saúde, 2012.

FIOCRUZ. Rede de Bancos de Leite Humano. http://www.redeblh.fiocruz.br.

Giugliani ERJ. Aleitamento materno: aspectos gerais. In: Medicina ambulatorial: condutas de atenção primária baseadas em evidências. 4 ed. Duncan BB, Schmidt MI, Giugliani ERJ, Duncan MS, Giugliani C (ed.). Porto Alegre: ArtMed 2013; 235-54.

Lei 11.256 de 03 de janeiro de 2006. Disponível na Internet: http://www.brasilsus.com.br/legislacoes/leis/16109-11625.html

Ministério da Saúde. Portaria Nº 1.459, de 24 de junho de 2011. Disponível na Internet: http://bvsms.saude.gov.br/bvs/saudelegis/gm/2011/prt1459_24_06_2011.html

Portaria 1.153 de 22 de maio de 2014. Disponível na internet: http://bvsms.saude.gov.br/bvs/saudelegis/gm/2014/prt1153_22_05_2014.html

Portaria 1.920 de 5 de setembro de 2013. Disponível na Internet: http://bvsms.saude.gov.br/bvs/saudelegis/gm/2013/prt1920_05_09_2013.html

Portaria 193 de 23 de fevereiro de 2010. Disponível na Internet: http://bvsms.saude.gov.br/bvs/saudelegis/anvisa/2010/prt0193_23_02_2010.htm

Rea MF. Substitutos do leite materno: passado e presente. Rev Saúde Publ 1990; 24(3):241-249.

Venancio SI, Monteiro CA. A tendência da prática da amamentação no Brasil nas décadas de 70 e 80. Revista Brasileira de Epidemiologia 1998; 1:40-49.

World Health Organization. Global strategy for infant and young child feeding. Geneva, World Health Organization, 2003.

World Health Organization. International Code of Marketing of breast-milk substitutes. Geneva, World Health Organization, 1981.

Consultor Internacional em Lactação pelo IBLCE: um Selo de Qualidade no Atendimento de Mães, Bebês e Famílias em Aleitamento Materno

33

Roberto Mario Silveira Issler
Elsa Regina Justo Giugliani

INTRODUÇÃO

Com todo o conhecimento adquirido nas últimas décadas reafirmando a prática do aleitamento materno (AM) como ideal para o crescimento e desenvolvimento adequados dos bebês e crianças pequenas, houve a necessidade de melhor capacitação e preparo dos profissionais de saúde para auxiliar as mães, seus bebês e suas famílias a lidar com diversas situações práticas no dia a dia da amamentação.

Assim, abriu-se espaço para o surgimento de um novo profissional na equipe de saúde materno-infantil, agregando-se aos já tradicionalmente presentes. Esse profissional é o Consultor Internacional em Lactação, que se diferencia tanto por sua prática clínica como por seus conhecimentos técnicos e habilidades para enfrentar as diversas situações vivenciadas pelas mães que amamentam.

Este capítulo aborda esse profissional, sua história e atuação, além de conter informações de como outras pessoas, tanto profissionais da área de saúde como aquelas envolvidas em trabalho voluntário com mães que amamentam, podem se habilitar para obter a certificação de consultor internacional em lactação.

Ao final do capítulo, encontram-se informações adicionais e links sobre o tema abordado neste capítulo.

QUEM É O CONSULTOR EM LACTAÇÃO?

O Consultor Internacional em Lactação (da sigla em inglês IBCLC – International Board Certified Lactation Consultant) é um especialista preparado para atender as necessidades da dupla mãe-bebê em amamentação e prevenir, reconhecer e auxiliar na resolução das suas dificuldades.

HISTÓRICO

A atividade do consultor em lactação tem sua origem a partir do grupo de mães chamado "La Leche League", criado há quase 60 anos nos Estados Unidos. Durante um piquenique, em julho de 1956, num local chamado "Wilder Park", na cidade de Elmhurst, estado de Illinois, duas mulheres que amamentavam seus filhos com tranquilidade e sem problemas, Mary White e Marian Leonard Tompson, observavam outras mães em dificuldades no preparo de fórmulas infantis para oferecer, por mamadeira, a seus bebês. A conversa entre essas duas mães que amamentavam foi a motivação para organizar um grupo de mães com a finalidade de trocar experiências entre elas. Após alguns dias, essas duas mulheres convidaram para fazer parte do grupo mais 5 mães que também estavam amamentando. Reuniram-se na casa de Mary White para trocar ideias sobre como poderiam ajudar outras mulheres a experimentarem a alegria e o prazer de amamentar seus filhos. No início pretendiam ajudar apenas as mães de sua vizinhança e de sua comunidade. A reunião daquelas mulheres visionárias viria a ser o encontro inaugural da La Leche League Internacional. A difusão da filosofia dessa organização pelo mundo – mães ajudando outras mães a amamentar – provocou um impacto altamente positivo nas práticas e nas orientações relacionadas à amamentação, efeito esse que felizmente continua exercendo sua influência até os dias atuais.

Tempos depois, na década de 70 do século passado, começaram a surgir publicações de grande impacto na área da saúde, chamando a atenção para a necessidade de se resgatar a amamentação como a prática natural de alimentação dos bebês e crianças pequenas. Começa um movimento de valorização da amamentação para um início de vida saudável, além de alertar para o impacto altamente negativo na morbimortalidade infantil pelo uso de fórmulas infantis na alimentação de bebês pequenos, especialmente nos países em desenvolvimento.

Nessa época, a orientação sobre AM para as mães que amamentavam era feita em bases voluntárias, já que os profissionais de saúde, especialmente médicos e enfermeiros, não davam a devida atenção à promoção do AM e à solução das dificuldades mais frequentes.

O surgimento do consultor em lactação certificado pelo IBLCE (International Board of Lactation Consultant Examiners) foi precedido por alguns movimentos dos grupos que atuavam voluntariamente com as mães na resolução de problemas e dificuldades na amamentação. Segundo esses movimentos, o consultor em lactação deveria ser um profissional com habilidades clínicas para manejar as diversas situações relacionadas à amamentação e conhecimentos técnicos e científicos nas áreas de anatomia, fisiologia, farmacologia, interpretação de publicações científicas, ética e relações interpessoais e transculturais.

"Enquanto eu saia do hospital naquela noite... foi como se uma luz acendesse na minha cabeça. Então me dei conta que havia escurecido e eu devo ter caminhado até uma luz, um poste de luz, bem no momento que tive a ideia, e foi como se fosse da escuridão para a luz. Nós precisamos de um novo aliado entre os profissionais de saúde! Um que esteja focado apenas na mama que amamenta e então nós podemos conquistar confiança... Nós precisávamos de um programa de capacitação do nível de mestrado, e nós precisávamos saber muito sobre diferentes áreas – nutrição, bioquímica, toxicologia, anatomia – para podermos ser capazes de fazer o que precisava ser feito. Para promover mudança, para tornar-se uma cultura de amamentação. E até que nós tivéssemos esse tipo de massa crítica de profissionais de saúde cuidando da mama que amamenta, e que estabelecêssemos protocolos para a mama que amamenta e a mãe e seu bebê, nós nunca teríamos uma cultura de amamentação. La Leche League sozinha não conseguiria fazer isso. La Leche League ainda era muito vista como uma organização alternativa e eu sabia que nós não poderíamos ser alternativas. Eu estava muito envolvida na comunidade médica. Eu sabia que a comunidade médica pensava em alternativas. Eu sabia que nós deveríamos ser como uma fonoaudióloga, uma fisioterapeuta, uma terapeuta ocupacional. Assim, eu peguei a Ellen Shell, minha colíder, pelos cabelos e disse: "Eu tive essa ideia brilhante e você tem que estar comigo nessa!"... E assim, depois de muito pensar sobre todas as possibilidades... nós criamos o Instituto de Lactação... o que foi desde o momento inicial projetado para ser o modelo da área de atuação do consultor em lactação". (Chele Marmet)

Assim, o Instituto de Lactação, constituído em 1979 na cidade de Los Angeles, Estados Unidos, surgiu, como disse Chele Marmet, uma de suas criadoras, do sentimento de que os cuidados na amamentação deveriam ir além do trabalho voluntário da La Leche League e suprir a carência de profissionais de saúde – médicos e enfermeiras, especialmente – que tivessem os conhecimentos, a capacitação e, acima de tudo, a sensibilidade para lidar com as mães em diversas situações associadas à amamentação.

Poucos anos depois da criação do Instituto de Lactação, esse sentimento começou a existir dentro da própria La Leche League. Em 1982, foi criado o Departamento de Consultor em Lactação, que ficaria responsável por estabelecer padrões de competência e áreas de atuação clínica para consultores em lactação, criando as bases para sua prática e qualificação profissional. A partir desse departamento e da discussão entre suas participantes, lideradas pelo entusiasmo e a visão de Joanne Scott, o caminho natural foi a criação de uma certificação acreditada internacionalmente e de uma organização, independente da La Leche League, que administrasse e organizasse a aplicação desse exame.

Assim, em março de 1985 foi criado o IBLCE. No grupo de trabalho que liderou a criação do exame e do IBLCE, considerou-se que essa nova organização, desde o seu início, tinha que ser internacional, tanto para a certificação quanto para a própria atuação do IBLCE e dos consultores em lactação. Como disse Marsha Walker, participante dessa equipe, *"todos os bebês tem as mesmas necessidades, não importando de onde eles são"*.

Nesse mesmo ano, em julho, com grande esforço e capacidade de trabalho da equipe inicial, já foi possível promover a realização do primeiro exame, em dois locais: Washington, DC, EUA e Melbourne, Austrália.

Logo após o exame, nesse mesmo ano, foi também fundada a ILCA – International Lactation Consultant Association, que é a organização profissional internacional dos consultores em lactação. Na mesma linha de raciocínio, suas mentoras

CAPÍTULO 33 Consultor Internacional em Lactação pelo IBLCE: um Selo de Qualidade no Atendimento...

viam a necessidade de criar outra associação independente, tanto da La Leche League, quanto do IBLCE, que viesse a congregar os consultores internacionais em lactação.

Ainda em 1985 foi lançado o primeiro número do Journal of Human Lactation (JHL), a revista científica da ILCA, com Kathleen Auerbach como editora. A publicação de uma revista científica possibilitou um canal de divulgação e de incentivo à pesquisa de diversos temas relacionados ao AM, dando assim maior respeitabilidade à profissão que se iniciava.

O CONSULTOR INTERNACIONAL EM LACTAÇÃO NO BRASIL

A primeira profissional brasileira a obter a certificação internacional em lactação foi Elsa Regina Justo Giugliani, médica pediatra e atualmente professora titular de Pediatria da Faculdade de Medicina da Universidade Federal do Rio Grande do Sul. Elsa Giugliani fez o exame em 1993, em Washington D.C. enquanto realizava seu pós-doutorado nos Estados Unidos. A partir do seu incentivo e com o apoio do IBLCE, o exame passou a ser oferecido no Brasil, em Português, a partir de 1998. Inicialmente era realizado a cada dois anos e desde 2008 vem sendo oferecido anualmente.

Em um levantamento realizado em 2010, existiam 67 consultores em lactação no Brasil, dos quais 55% eram médicos e 61% trabalhavam em hospitais. Nesse mesmo ano, em outubro, a coordenadora do IBLCE para as Américas e Israel e sua secretária executiva vieram pela primeira vez ao Brasil para participar de eventos e reuniões nas cidades de São Paulo e Porto Alegre. Naquela oportunidade, encontraram consultores brasileiros e outros profissionais de saúde, em atividades que visavam promover e valorizar a certificação no Brasil.

Acompanhando o desenvolvimento da tecnologia da comunicação, desde 2012 os candidatos do Brasil e de alguns países selecionados realizam o exame em centros de informática credenciados em praticamente todas as capitais brasileiras e também em cidades do interior de alguns estados (Paraná, Santa Catarina e São Paulo). O IBLCE futuramente irá oferecer o exame on-line para todos os candidatos ao redor do mundo (aproximadamente 6.000 a cada exame). Também em 2012 foi criada uma página em um site de mídia social para divulgar a certificação e proporcionar troca de informações entre os consultores certificados.

Em setembro de 2013, Porto Alegre sediou uma das reuniões bissemestrais do conselho diretivo e da equipe administrativa do IBLCE, com participantes de 9 países, representando todos os continentes. Além dos assuntos administrativos do IBLCE, o grupo teve encontros com consultores brasileiros e outros profissionais para discutir estratégias de valorização e divulgação da certificação, não só no Brasil, mas também em outros países da América Latina. Também visitaram um hospital escola (Hospital de Clínicas de Porto Alegre, certificado na Iniciativa Hospital Amigo da Criança) quando puderam conhecer o trabalho da equipe multiprofissional daquela instituição em relação ao AM. Durante essa reunião alguns consultores brasileiros se reuniram para discutir a criação da Associação Brasileira de Consultores em Lactação, ainda em planejamento.

Atualmente (2014) o Brasil possui cerca de 80 profissionais certificados como consultores internacionais em lactação, incluindo dentistas, enfermeiras, fonoaudiólogas, médicos, nutricionistas e psicólogas.

ATUAÇÃO DO CONSULTOR EM LACTAÇÃO – QUAL O SEU IMPACTO?

O consultor em lactação pode exercer sua prática clínica em diversos locais. Alguns atuam em clínicas privadas, tanto individualmente como com outros profissionais (médicos gineco-obstetras, pediatras, nutricionistas, fonoaudiólogas). Outros trabalham em hospitais da rede pública ou privada, como membro da equipe de cuidados de gestantes, nutrizes, recém-nascidos saudáveis em alojamento conjunto e bebês de alto risco em unidades de internação neonatal. Também podem atuar na rede de atenção primária, tanto no atendimento individual de mães e seus bebês como na organização de serviços voltados para a promoção e cuidados em amamentação.

Alguns profissionais também atuam na organização de blogs e informações em redes sociais, bem como no atendimento domiciliar, quando solicitados.

Em 2015, a certificação de consultor em lactação vai completar 30 anos de existência. A presença do consultor em lactação no atendimento de gestantes, nutrizes, bebês e suas famílias é, pois, relativamente recente. Mesmo assim, algumas publicações já mostram o impacto positivo de sua atuação e o reconhecimento de seu papel na equipe de saúde, como mostrado a seguir.

Pré-natal e Pós-natal

- A presença do consultor em lactação em consultório obstétrico orientando gestantes sobre amamentação enquanto aguardavam por suas consultas pré-natais resultou em aumento nas taxas de AM.
- A participação do consultor em lactação em visitas pré e pós-natais, com supervisão dos cuidados pré-natais, também resultou em aumento da frequência de AM aos 3 meses de vida do bebê, quando comparado com um grupo de atendimento usual.
- A orientação individual de um consultor em lactação em dois atendimentos pré-natais, uma visita hospitalar e/ou domiciliar e contatos telefônicos posteriores resultou em aumento da duração e intensidade do AM até o final do primeiro ano de vida da criança.
- A taxa de amamentação exclusiva ou qualquer amamentação na alta hospitalar foi maior entre mulheres que tiveram bebês em hospitais que possuíam consultores em lactação em suas equipes do que naqueles sem esses profissionais.

UTI Neonatal

- O emprego de consultores em lactação em unidades de tratamento intensivo neonatal aumentou a percentagem de bebês nascidos em outros locais e transferidos para essas unidades de, na alta, estar recebendo leite humano.

Atendimento de Puericultura com Pediatra

- A realização da primeira consulta após a alta dos bebês amamentados por um consultor em lactação, sob supervisão e em consultório pediátrico, aumento a frequência e duração do AM, efeito esse que persistiu até o nono mês de vida da criança.

- A presença do consultor em lactação em unidade de tratamento intensivo neonatal junto com outra pessoa para aconselhar a mãe teve impacto positivo no aumento da prevalência do AM de bebês prematuros.

Programas de Saúde Pública de Atendimento de Mães e Bebês e Atendimento Institucional

- A participação de um consultor em lactação em grupos de gestantes aumentou a probabilidade de as mulheres iniciarem a amamentação quando comparado com grupos em que esse profissional não atuava.

- Grupo de gestantes adolescentes exposto a uma intervenção educativa e apoio de um consultor em lactação a partir do terceiro semestre de gestação até a quarta semana após o nascimento apresentou maiores taxas de duração do AM (mas não início ou AM exclusivo) quando comparado com um grupo-controle.

- Na Islândia, mães e bebês que tiveram acesso ilimitado a um consultor de lactação tiveram uma introdução mais lenta de alimentação complementar no período recomendado do que as mães que recebiam o atendimento de puericultura de rotina.

- Em 2011, o Ministério da Saúde dos Estados Unidos (U.S. Department of Health and Human Service) destacou a existência e a formação desse profissional qualificado por exame específico para o manejo clínico do AM. Uma das estratégias propostas por esse órgão para aumentar a prevalência da amamentação foi assegurar o acesso das gestantes, mães e seus filhos ao atendimento proporcionado por consultores em lactação, frisando que "um melhor acesso aos cuidados proporcionados por consultores internacionais em lactação – IBCLC – pode ser obtido com a sua participação como membros essenciais das equipes de saúde e criando-se oportunidades para formar e capacitar mais consultores de grupos de minorias raciais e étnicas que não estão adequadamente representados nessa profissão".

O EXAME

Atualmente, o exame do IBLCE é oferecido em diversos locais do mundo, em 18 idiomas, incluindo o Português. É realizado sempre no mesmo período, na última semana do mês de julho de cada ano. Em breve o exame será oferecido duas vezes por ano.

O exame é constituído de 175 questões de escolha múltipla. A primeira parte do exame, com 75 questões, trata de conhecimentos teóricos e práticos de diversas situações associadas à amamentação: manejo clínico, orientação e resolução de dificuldades na amamentação, uso de medicamentos durante a lactação, interpretação de pesquisas sobre amamentação, ética da atividade do consultor e questões sobre aspectos emocionais e culturais no atendimento de gestantes, nutrizes, seus filhos e suas famílias. A segunda parte do exame, com 100 questões, é baseada em fotos, figuras, desenhos e gráficos, ou seja, imagens e outras representações de assuntos relacionados à amamentação.

Requisitos de Elegibilidade para o Exame

Existem 3 categorias de elegibilidade para realizar o exame. Na primeira encaixam-se os profissionais de saúde com formação superior (enfermeiro, médico, nutricionista, dentista etc.) e com experiência clínica e educação em lactação; na segunda categoria inserem-se outros profissionais que cumprem um currículo mínimo de conteúdos diversos relacionados à amamentação; e na terceira, voluntários de grupos que trabalham na promoção, apoio e proteção ao AM, além das horas de prática clínica supervisionadas por um consultor em lactação e os conteúdos de educação em lactação. O anexo 1 descreve em detalhes cada um dos grupos e os requisitos de elegibilidade necessários, além dos conteúdos de educação em AM.

Lista de Conteúdos

Os conteúdos do exame do IBLCE são bastante detalhados e procuram cobrir diversas áreas de conhecimento relativas à amamentação: anatomia; fisiologia e endocrinologia; nutrição e bioquímica; imunologia e doenças infecciosas; patologia; farmacologia e toxicologia; psicologia, sociologia e antropologia; parâmetros de crescimento e marcos do desenvolvimento; interpretação de pesquisa; questões ético-legais; equipamentos e tecnologia em amamentação; técnicas; e saúde pública. Também há uma divisão pelos períodos cronológicos de vida da criança. O anexo 2 mostra a lista de conteúdos e os períodos cronológicos em detalhe.

A inscrição pode ser feita diretamente online no site do IBLCE ou por meio do representante do IBLCE no Brasil (preferível). O exame tem um custo financeiro, havendo 3 faixas de valores de acordo com os indicadores econômicos dos países. O Brasil pertence ao grupo 2, intermediário. O pagamento é feito com cartão de crédito habilitado para débito internacional.

CONSIDERAÇÕES FINAIS

A certificação internacional em lactação, obtida por exame coordenado pelo IBLCE, irá completar 30 anos em 2015.

Atualmente, existem cerca de 26.500 consultores internacionais certificados, em 96 países. Desde 1988 a certificação é acreditada pela Comissão Nacional de Agências Certificadoras dos Estados Unidos (NCCA – National Commission of Certifying Agencies). A acreditação é um selo de qualidade em programas de certificação naquele país, onde está a sede do escritório internacional do IBLCE.

Por ser uma certificação internacional, com um código de conduta para todos os consultores, independente do país onde atuam, as pessoas certificadas podem exercer sua prática clínica em qualquer país onde sua atuação seja reconhecida, respeitando as prerrogativas legais do exercício profissional de cada país.

No Brasil e também na América Latina o número de profissionais com a certificação em lactação pelo IBLCE ainda é pequeno (Fig. 33.1). Com certeza, temos um grande número de profissionais de saúde e de pessoas com atuação em grupos de apoio a gestantes e nutrizes com condições plenas de elegibilidade – e aprovação! – no exame.

A presença desses profissionais em equipes multidisciplinares, em diversos locais – ambulatórios, hospitais, instituições de ensino, clínicas privadas e em atendimento domiciliar – irá qualificar o atendimento de gestantes, nutrizes, seus filhos e suas famílias, com impacto na qualidade e prevalência do AM, como já foi observado em outros países.

Para valorizar a atuação profissional de consultores em lactação certificados, o IBLCE e a ILCA oferecem um prêmio de reconhecimento para os hospitais, maternidades e unidades de atendimento comunitário que contratam consultores em lactação certificados. Em 2010, o Hospital de Clínicas de Porto Alegre, RS, foi a primeira instituição na América Latina a receber esse reconhecimento (recertificado para o período 2013-2015), seguido pelo Hospital Centenário de São Leopoldo, RS (2011) e Hospital Israelita Albert Einstein, São Paulo, SP (2012). Em 2014, o Centro de Incentivo ao Aleitamento Materno – CIAAM, de São Paulo, também recebeu esse prêmio.

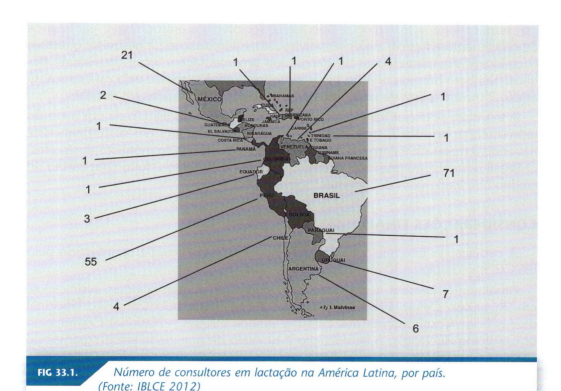

FIG 33.1. *Número de consultores em lactação na América Latina, por país. (Fonte: IBLCE 2012)*

BIBLIOGRAFIA CONSULTADA

Bass CA, Rodgers M, Baker H. Can placing a lactation consultant in the obstetric office magically increase exclusive breastfeeding rates? J Obstet Gynecol Neonatal Nurs 2014; S1:S52.

Bonuck K, Stube A, Barnett J, Labbock MH, Fletcher J, Bernstein PS. Effect of primary care intervention on breastfeeding duration and intensity. Am J Public Health. 2014 Feb; 104(Suppl 1):S119-27.

Bonuck KA, Trombley M, Freeman K, McKee D. Randomized, controlled trial of a prenatal and postnatal lactation consultant intervention on duration and intensity of breastfeeding up to 12 months. Pediatrics 2005; 116:1413-1426.

Castrucci BC, Hoover KL, Lim S, Maus KC. A comparison of breastfeeding rates in an urban birth cohort among women delivering infants at hospitals that employ and do not employ lactation consultants. J Public Health Manag Pract 2006; 12:578-585.

Chetley A. The baby killer scandal – a War on Want investigation into the promotion and sale of powdered baby milks in the Third World. London: War on Want, 1979.

Dweck N, Augustine M, Pandya D, Valdes-Greene R, Visintainer P, Brumberg HL. NICU lactation consultant increases percentage of outborn versus inborn babies receiving human milk. J Perinatol 2008; 28:136-140.

Eden A. The profissionalization and practice of lactation consulting: medicalized knowledge, humanistic care. Tese de doutorado/mestrado. University of South Florida, USA, 2013. Disponível em: http://scholarcommons.usf.edu/cgi/viewcontent.cgi?article=5674&-context=etd. Acessado em 13 de setembro de 2014.

IBLCE History. Disponível em: http://iblce.org/about-iblce/history/. Acessado em 13 de setembro de 2013.

IBLCE. Health science education guide, 2013. Disponível em: http://iblce.org/wp-content/uploads/2013/08/health-sciences-education-guide.pdf. Acessado em 13 de setembro de 2014.

Jelliffe DB, Jelliffe EFP. Human milk in the modern world. Oxford and New York: Oxford University Press, 1978.

Jonsdottir OH, Fewtrell MS, Gunnlaugsson G, Kleinman RE, Hibberd PL, Jonsdottir JM et al. Initiation of complementary feeding and duration of total breastfeeding: unlimted access to lactation consultant versus routine care at the well-baby clinics. Breastfeed Med 2014; 9:196-202.

La Leche League International. Biographical information for all seven Founders. Disponível em: http://www.llli.org/docs/founders_bio1.pdf. Acessado em 13 de setembro de 2014.

Mannel R, Martens PJ, Walker M. Core Curriculum for Lactation Consultant Practice, 3 ed. Burlington: Jones & Bartlett Learning, 2013.

Oza-Frank R, Bhatia A, Smith C. Combined peer counselor and lactation consultant support increases breastfeeding in the NICU. Breastfeed Med 2013; 8:509-10.

Riordan J, Wambach K. Breastfeeding and human lactation, 4 ed. Massachusets: Jones and Bartlett Publishers, 2010.

U.S. Department of Health and Human Services 2011. The Surgeon General's Call to Action to Support Breastfeeding. Washington, DC: U.S. Department of Health and Human Services, Office of the Surgeon General. Disponível em: http://www.surgeongeneral. gov/library/calls/breastfeeding/calltoactiontosupportbreastfeeding.pdf. Acessado em 13 de setembro de 2014.

Wambach KA, Aaronson L, Breedlove G, Momian EW, Rojjanasrirat W, Yeh HW. A randomized controlled trial of breastfeeding support and education for adolescent mothers. West J Nurs Res 2011; 33:486-505.

Witt AM, Smith S, Mason MJ, Flocke AS. Integrating routine lactation consultant support into a pediatric practice. Breastfeed Med 2012 Feb; 7(1):38-42.

Yun S, Liu Q, Mertzlufft K, Kruse C, White M, Fuller F, Zhu B-P. Evaluation of the Missouri WIC (Special Supplemental Nutrition Program for Women, Infants, and Children) breast-feeding peer counselling programme. Public Health Nutrition 2010; 13:229-237.

Outras leituras sugeridas e fontes de informação

Página oficial do IBLCE (International Board of Lactation Consultant Examiners): http://www.iblce.org

Páginas no Facebook:

IBLCE Brasil: https://www.facebook.com/groups/505368252824410/

IBLCE Internacional: https://www.facebook.com/pages/International-Board-of-Lactation-Consultant-Examiners-IBLCE/421698360053?fref=ts

Página do IBCLC Care Award: http://www.ibclccare.org//

Página da ILCA (International Lactation Consultant Assocation): http://www.ilca.org/i4a/pages/index.cfm?pageid=1

Página da La Leche League International: https://www.llli.org/

Pagina da La Leche League Brasil: https://www.llli.org/brasil.htmll

Página da IBFAN Brasil (International Baby Food Action Network Brasil): http://www.ibfan.org.br/

Página da WABA International: http://www.waba.org.my/

Tributo a JoAnne Scott – LLLI: http://www.lalecheleague.org/llleaderweb/lv/lvjanfeb-mar07p15.html

O Título de Especialista em Pediatria da Sociedade Brasileira de Pediatria e o Incentivo ao Aleitamento Materno – Perguntas e Respostas Comentadas

34

Antonio Carlos de Almeida Melo
Hélcio Villaça Simões
José Dias Rego

INTRODUÇÃO

Por que inserir em um livro sobre aleitamento materno um capítulo relacionado ao Título de Especialista em Pediatria e o Incentivo ao Aleitamento Materno?

O papel do profissional da área de saúde no incentivo ao aleitamento materno é de grande importância. Embora atualmente mais conscientizados do seu papel, um número significativo de pediatras ainda hoje não se conduz adequadamente na sua prática diária, com dificuldades de orientar as mães a respeito do aleitamento materno.

A Sociedade Brasileira de Pediatria, dentro de sua luta em defesa dos direitos da criança e do adolescente, tem participado desse incentivo por meio de várias atuações. Uma delas é a colocação de perguntas referentes ao tema aleitamento materno em suas provas para a obtenção do Título de Especialista em Pediatria.

Fizemos uma revisão, comentada, das perguntas realizadas pela Comissão Executiva do Título de Especialista em Pediatria nos últimos 24 anos. Que elas sirvam de aferição de conhecimentos a todos que estiverem lendo este livro.

PERGUNTAS

1. O leite da mãe do pré-termo contém, quando comparado ao leite da mãe do a termo:
   (A) Mais proteína, mais sódio, mais calorias e menos lactose
   (B) Mais proteína, mais sódio, mais cálcio e mais fósforo
   (C) Menos proteína, mais sódio, mais cálcio e mais fósforo
   (D) Menos proteína, menos sódio, mais calorias e mais lactose
   (E) Menos proteína, menos sódio, mais cálcio e mais fósforo

2. Dentre as vantagens do alojamento conjunto mãe e filho excluem-se:
   (A) Ser mais econômico, natural e tranquilizador
   (B) Diminui a intensidade de icterícia e a necessidade de fototerapia
   (C) Favorece o aleitamento materno e o contato mãe-filho
   (D) Diminui o risco de infecção hospitalar para o neonato, favorece o contato médico-paciente-família e a educação em saúde

3. São contraindicações à amamentação materna, por parte da mãe, *exceto*:
   (A) Fissura de mamilo
   (B) Febre amarela
   (C) Febre tifoide
   (D) Hepatite B

4. A mulher desnutrida, ao amamentar, oferece o melhor alimento possível ao seu filho. Das eventuais carências que esse filho poderá apresentar, as de manifestações mais precoces serão as de:
   (A) Energia
   (B) Proteínas
   (C) Vitaminas
   (D) Minerais

5. O leite materno do RN pré-termo comparativamente com o do RN a termo é mais rico em:
   (A) Proteínas e IgA
   (B) Proteínas e lactose
   (C) Gorduras e IgA
   (D) Gorduras e lactose

6. Assinale o *correto* em relação à realimentação na diarreia aguda:
   (A) O uso de leite de soja deve ser recomendado pelo seu baixo custo e pela inexistência de intolerância à sua proteína
   (B) O leite humano, pelo seu alto teor de lactose, deve ser suspenso nas primeiras 12 horas de tratamento
   (C) O uso de dietas elementares, como o Pregestimil, deve ser precoce a fim de evitar complicações
   (D) A fórmula de frango deve ser iniciada após o terceiro ou quarto dia de doença pela sua baixa antigenicidade e boa tolerância
   (E) O uso de dietas restritivas é, em geral, desnecessário, devendo-se manter apenas um bom estado de hidratação

7. Quanto à icterícia do leite materno é correto afirmar:
   (A) Incide em 1 a 2% dos RN amamentados ao seio
   (B) Os níveis séricos de bilirrubina aumentam com a frequência das mamadas
   (C) Geralmente os níveis séricos de bilirrubina persistem acima de 18 mg% por 3 a 4 semanas
   (D) A incidência é maior em RNs macrossômicos, filhos de mães diabéticas
   (E) A interrupção temporária da amamentação e administração de leite humano ordenhado durante 24 a 48 horas resulta em queda dos níveis séricos de bilirrubina

O Título de Especialista em Pediatria da Sociedade Brasileira de Pediatria e o Incentivo ao Aleitamento Materno... **CAPÍTULO 34**

8. O colostro apresenta todas as características abaixo, *exceto*:
   (A) Reação ácida
   (B) Densidade *entre* 1.040 e 1.060
   (C) Rico em lisozima
   (D) Tem mais proteínas do que o leite "maduro"
   (E) Tem mais glicídeos do que o leite "maduro"

9. Assinale o *errado* em relação ao relacionamento afetivo mãe-RN:
   (A) Recomenda-se o retardo do Credé até que haja o primeiro contato ocular mãe-RN
   (B) A mãe do prematuro é frequentemente tomada por sentimentos de frustração e de luto precoce
   (C) A diminuição da ansiedade materna aumenta a produção de ocitocina, um dos hormônios envolvidos na lactogênese
   (D) O alojamento conjunto favorece o contato mãe-RN e, com isso, aumenta a produção da prolactina, responsável pela "descida do leite"
   (E) A conduta atualmente preconizada pela OMS é de que o RN normal sugue o seio materno ainda na sala de parto

10. É sabido que a composição do leite materno se altera no transcorrer de cada mamada, no evoluir da amamentação e, inclusive, de acordo com o tempo de gestação em que se deu o parto. Sob este aspecto, a composição do leite da mãe de um RN pré-termo:
    (A) É mais rico em proteína e IgA
    (B) É mais rico em IgM
    (C) Tem baixo teor de glicose
    (D) Tem uma relação de Ca:P de 6:5

11. Não é contraindicação do aleitamento materno o uso pela nutriz de:
    (A) Ácido nalidíxico
    (B) Carbonato de lítio
    (C) Sulfato de isoniazida
    (D) Sulfato de vincristina

12. É *errado* afirmar, em relação ao alojamento conjunto, que:
    (A) Favorece maior entrosamento *entre* os profissionais de saúde
    (B) Favorece maior entrosamento *entre* mãe e recém-nascido
    (C) Tem que ser bem planejado, segundo área física própria, determinada pela Organização Mundial de Saúde
    (D) Deve ser imediato: logo após o parto até a alta da dupla mãe e filho
    (E) Diminui a incidência de hipogalactia

13. Das 5 opções abaixo relacionadas, assinale aquela em que devemos concentrar nossa atenção para, em curto prazo, melhorarmos o relacionamento mãe-recém-nascido e, portanto, estimular o aleitamento materno.
    (A) Práticas culturais
    (B) Comportamento dos profissionais de saúde

CAPÍTULO 34 O Título de Especialista em Pediatria da Sociedade Brasileira de Pediatria e o Incentivo ao Aleitamento Materno...

(C) Relação da mãe com o marido e seus familiares
(D) Eventos ocorridos durante a atual gestação
(E) Cuidados recebidos, pela mãe, de sua própria genitora

14. Lactente com 9 meses de idade chega ao ambulatório de Pediatria com a queixa principal de surtos diarreicos repetidos. Sua mãe informa que seu companheiro está desempregado e que ela sustenta a casa com eventuais serviços avulsos. Tem 5 filhos vivos e 2 falecidos, um de coqueluche e outro de desidratação por diarreia. O nosso paciente foi amamentado ao seio exclusivamente até o 15º dia de vida, quando iniciou complementação alimentar com leite em pó integral diluído a 5%. A partir do 40º dia de vida deixou de ser amamentado e continuou só com a alimentação artificial. Já esteve internado 2 vezes por causa de diarreia. Fica sentado com apoio dos braços e ainda não engatinha. Foi imunizado contra a poliomielite. Está doente há 2 dias, com cerca de 8 dejeções líquidas ao dia. Vomitou uma mamadeira hoje e está tomando soro de reidratação oral, administrado pela mãe e recomendado por agente de saúde de sua comunidade. Pesa 5.000 g e está com temperatura axilar de 37,5°C e apresenta mau estado geral. Pergunta-se:
Considerando-se a classificação de Gomes (estado nutricional), qual seria a opção correta?
(A) É uma criança desnutrida do 1º grau
(B) É uma criança desnutrida do 2º grau
(C) É uma criança desnutrida do 3º grau
(D) A classificação não pode ser usada pois falta a estatura
(E) A classificação não pode ser usada, pois além da estatura faltam dados bioquímicos

15. A introdução da mamadeira na alimentação desta criança foi desastrosa para o seu desenvolvimento. Das 5 opções abaixo, apenas uma não expressa o dano provocado pelo uso da mesma. Assinale-a.
(A) Condiciona modificações na fisiologia de sucção-deglutição
(B) Transforma-se facilmente em objeto transicional (como o ursinho, a fraldinha etc.)
(C) Favorece a instalação de infecção intestinal
(D) Favorece o afastamento entre mãe e filho
(E) Favorece o uso de leite diluído

16. É errado afirmar, em relação ao aleitamento materno, que:
(A) Drogas como o lítio e os antimetabólitos podem contraindicar a alimentação ao seio
(B) O leite posterior tem um teor calórico maior e o teor proteico menor do que o leite anterior
(C) O leite estocado em bancos de leite é inadequado ao prematuro, pois se apresenta depletado de fatores de defesa, com baixo teor de gordura e alto teor de lactose
(D) Nos lugares frios, deve-se acrescentar à dieta da criança alimentada exclusivamente ao seio vitamina D na dose de 400 UI/dia

(E) Nos países do Terceiro Mundo há um aumento dos elementos de defesa contra o vírus da hepatite B, o que não contraindica a alimentação natural nesses casos

17. É *errado* afirmar, em relação aos fatores que facilitam maior oportunidade de relacionamento mãe e filho, que:
(A) O alojamento conjunto facilita o contato precoce, a sucção precoce e o aparecimento da apojadura
(B) O reflexo de produção da ocitocina é meramente somático, independendo do bom relacionamento mãe e filho; deixando-se a criança sugar, o leite descerá mais rápido
(C) O toque corporal entre mãe e recém-nascido é capaz de aumentar de 3 a 7 vezes o nível sérico de prolactina
(D) O sistema de autodemanda favorece um mais precoce e intenso contato físico e, consequentemente, emocional
(E) Aqueles que geram ansiedade materna inibem a ocitocina

18. A mãe de um recém-nascido normal, com 7 dias de vida, tem diagnóstico de tuberculose pulmonar com escarro positivo para BK e inicia tratamento em casa. Qual a atitude do pediatra?
(A) Vacinar a criança com BCG intradérmico imediatamente
(B) Fazer o PPD na criança
(C) Prescrever esquema tríplice para a criança
(D) Iniciar quimioprofilaxia com isoniazida para a criança
(E) Aguardar a criança completar 1 mês para fazer PPD e vacinar

19. Menino com 4 anos de idade é trazido ao Posto com os diagnósticos de desnu-trição e diarreia. Na história pregressa apurou-se que a mãe tem 20 anos, com a menarca aos 15 anos; a gestação foi a termo, tendo o recém-nascido pesado 2.400 g e medido 47 cm. Em virtude de estar fazendo esquema tríplice para tratamento de tuberculose (diagnosticada no oitavo mês de gestação e inician-do o tratamento imediatamente), a amamentação materna foi contraindicada. Os pesos e comprimentos até o momento foram os seguintes: 6 meses – 5 kg e 60 cm; 12 meses – 8,5 kg e 73 cm; 18 meses – 10,5 kg e 84 cm; 24 meses – 11 kg e 87 cm; 3 anos – 11 kg e 92 cm.
A respeito da amamentação dessa criança, escolha a opção correta:
(A) Não deveria amamentar, pois se trata de mãe tuberculosa
(B) Não deveria amamentar se realmente estivesse desnutrida
(C) Não deveria amamentar, pois os medicamentos para a tuberculose saem no leite
(D) Poderia amamentar porque após 1 mês de tratamento correto a mãe não é mais bacilífera
(E) Só deveria amamentar após a aplicação do BCG intradérmico na criança

20. As indústrias alimentícias tentam copiar as características do leite humano quando modificam o leite de vaca para uso nos prematuros. Qual é o ami-noácido presente no leite humano que é importante para o desenvolvimento cerebral e para o fluxo biliar?

(A) Taurina
(B) Tirosina
(C) Cisteína
(D) Carnitina
(E) Glutamina

21. Qual dos seguintes antimicrobianos abaixo, quando usado pela mãe, indica a suspensão do aleitamento materno por 12 a 24 horas, por suas propriedades mutagênicas *in vitro*?
(A) Sulfas
(B) Penicilina
(C) Metronidazol
(D) Nitrofurantoína
(E) Cefalospoprinas

22. Assinale a afirmativa *mais correta* em relação ao aleitamento materno:
(A) Cerca de 80% do leite é sugado pelo recém-nascido nos primeiros 3 minutos de sucção
(B) A mamada deve ser iniciada no seio oposto ao último sugado
(C) Mães adotivas não podem amamentar seus filhos
(D) As mamadas devem ser limitadas a 10 minutos em cada seio
(E) No primeiro mês de vida, recém-nascidos devem ser amamentados de 3 em 3 horas

23. A mãe de um recém-nascido amamentado no peito com 10 dias de vida, pesando 3,5 kg, procura o pediatra com queixa de "leite fraco". Após a consulta, o pediatra prescreve: 1) leite de vaca integral; 2) adição de mucilagem de arroz (7%); 3) dextrinomaltose (3%); 4) óleo de milho (2%); 5) oferecer 100 mL desta dieta intercalada com a alimentação ao seio.
Quantos erros você identifica na prescrição deste pediatra?
(A) 1
(B) 2
(C) 3
(D) 4
(E) 5

24. Mãe primípara, em aleitamento materno exclusivo, traz seu filho com 1 semana de vida para consulta. Sua queixa principal é: "Meu bebê está com diarreia. Toda vez que mama evacua e isto já aconteceu mais de 4 vezes hoje." Qual é a conduta adequada?
(A) Suspender o leite, dar soro oral e solicitar que a mãe retorne para nova consulta em 24 horas
(B) Trocar o leite para um isento de lactose e tranquilizar a mãe
(C) Trocar o leite para leite de vaca diluído ao meio, engrossado com creme de arroz
(D) Manter o aleitamento e dar soro oral no intervalo das mamadas
(E) Manter o aleitamento e dizer para a mãe que esta situação é normal

O Título de Especialista em Pediatria da Sociedade Brasileira de Pediatria e o Incentivo ao Aleitamento Materno... **CAPÍTULO 34**

25. Você é chamado para examinar um recém-nascido no alojamento conjunto de seu hospital. Trata-se de um paciente a termo, com 48 horas de vida e mamando exclusivamente ao leite materno. A mãe se queixa de que tem pouco leite e relata que seu filho é "meio preguiçoso para mamar". O exame é normal, embora o paciente esteja ictérico (++/4+) e tenha perdido 8% do peso de nascimento.
Sua conduta diante deste caso é:
(A) Continuar com o aleitamento materno exclusivo e pesar o recém-nascido antes e após cada mamada
(B) Continuar com o aleitamento materno exclusivo e orientar a mãe a levar ao seio mais frequentemente
(C) Continuar com aleitamento materno e introduzir soro glicosado a 5% no intervalo das mamadas
(D) Continuar com aleitamento materno e introduzir complemento de leite artificial
(E) Continuar com o aleitamento materno e introduzir complemento de leite humano

26. O gasto energético necessário para a metabolização do leite de vaca é superior ao do leite humano. Este fato deve-se ao:
(A) Menor teor de vitamina C
(B) Maior teor de lactose
(C) Menor teor de lactoalbumina
(D) Menor teor de proteína
(E) Menor teor de vitamina D

27. Segundo o conceito atual, desmame é:
(A) Parada total e definitiva da amamentação
(B) Utilização de outros leites industrializados
(C) Introdução de papa de frutas e sopa de legumes
(D) Suspensão do uso de mamadeiras de leite de vaca
(E) Introdução de outro alimento além do leite materno

28. Na fase de desmame, segundo o Instituto de Alimentação e Nutrição do Ministério da Saúde (INAM/MS), as dietas devem ser constituídas de um alimento básico principal que é:
(A) Fruta ou legumes
(B) Cereal ou tubérculo
(C) Proteína animal
(D) Hortaliça
(E) Gema de ovo

29. A causa mais frequente de hematêmese e melena nas primeiras 72 horas de vida é:
(A) Enterocolite necrosante
(B) Sangue materno deglutido
(C) Trauma por sonda nasogástrica

(D) Anomalia anorretal

(E) Doença hemorrágica do RN

30. Um lactente de 6 meses de idade, desnutrido, não alimentado ao seio por apresentar diarreia de difícil controle, foi deixado em "repouso alimentar" (dieta zero) durante 5 dias. Em uma discussão clínica, foram emitidas diversas opiniões sobre esta conduta. Assinale a correta:

(A) O "repouso alimentar" favorece a translocação bacteriana

(B) A hipotrofia da mucosa entérica poderia ser evitada com a administração de suporte nutricional por via endovenosa

(C) A nutrição com dieta elementar está contraindicada devido à sua elevada osmolaridade

(D) O leite humano pasteurizado, por ser alimento hipocalórico, não é alternativa válida para a realimentação inicial

(E) A não ingestão de alimento na fase aguda reduz o número e o volume das dejeções, melhorando a enterite

31. Um recém-nascido amamentado exclusivamente ao seio e que está apresentando 8 evacuações diárias com fezes líquidas e explosivas deverá estar apresentando:

(A) Enterocolite necrosante

(B) Infecção intestinal aguda

(C) Reflexo gastrocólico exacerbado

(D) Deficiência transitória de lactase

(E) Intolerância à proteína do leite materno

32. O leite estagnado sobre os dentes predispõe ao aparecimento da chamada "cárie da mamadeira". Esta situação é agravada durante o sono porque ocorre:

(A) Queda do nível de flúor local

(B) Aumento da salivação

(C) Redução do fluxo salivar na boca

(D) Predomínio da respiração bucal

(E) Diminuição da frequência da deglutição

33. O medicamento em uso por uma nutriz que obriga à suspensão temporária da amamentação é:

(A) Carbamazepina

(B) Lorazepan

(C) Cefalexia

(D) Acetaminofeno

(E) Tinidazol

34. Qual a conduta em recém-nascido cuja tuberculose bacílifera ainda não iniciou o tratamento?

(A) Manter aleitamento materno e vacinar com BCG intradérmico

(B) Manter aleitamento materno e iniciar isoniazida

(C) Manter aleitamento materno, vacinar com BCG intradérmico e iniciar isoniazida

(D) Suspender aleitamento materno temporariamente e iniciar isoniazida

(E) Suspender aleitamento materno e vacinar imediatamente com BCG intradérmico

35. Recém-nascido a termo, em amamentação exclusiva, apresenta-se ictérico no 5º dia de vida. O exame físico é normal e a perda de peso desde o nascimento é de 15%. O nível sério de bilirrubina total é de 12 mg% e o grupo sanguíneo do recém-nascido é do tipo "O" Rh negativo. A conduta mais adequada neste caso é:

(A) Observar o paciente e repetir a dosagem sérica de bilirrubina 24 horas após

(B) Iniciar fototerapia e repetir a dosagem sérica de bilirrubina 24 horas após

(C) Administrar água nos intervalos das mamadas e repetir a dosagem sérica de bilirrubina 24 horas após

(D) Interromper temporariamente a amamentação e repetir a dosagem sérica de bilirrubina 24 horas após

(E) Fazer estímulo retal com supositório de glicerina 4 vezes por dia e repetir a dosagem sérica de bilirrubina 24 horas após

36. É surpreendentemente bom o padrão de crescimento durante os 6 primeiros meses de vida de um lactente alimentado exclusivamente no seio de uma mãe, mesmo desnutrida. No entanto, este lactente ingere leite com baixo teor de:

(A) Lactose

(B) Gordura

(C) Proteína

(D) Vitaminas hidrossolúveis

(E) Minerais (cálcio e fósforo)

37. Quando o aleitamento materno exclusivo está sendo insuficiente para o desenvolvimento da criança durante os 4 primeiros meses de vida, a melhor conduta é:

(A) Suplementação com fórmulas lácteas

(B) Suplementação com suco de frutas

(C) Suplementação com suco de frutas e papa de frutas

(D) Introdução de sopa de legumes

(E) Introdução gradual da comida da casa na forma líquido-pastosa, às colheradas

38. Um lactente com 5 meses de idade, nascido a termo, 3 kg, sem intercorrências patológicas até o momento, vem à primeira consulta. Está em aleitamento materno exclusivo. No exame você nota peso no percentil 8 e altura no percentil 5. Sua orientação é:

(A) Suplementar o aleitamento materno com fórmula láctea

(B) Suplementar o aleitamento materno com sopa de legumes ou papa de frutas

(C) Solicitar cultura de urina

(D) Manter em aleitamento materno exclusivo e observar até a próxima consulta

(E) Encaminhar a um programa de atenção a crianças desnutridas

CAPÍTULO 34 O Título de Especialista em Pediatria da Sociedade Brasileira de Pediatria e o Incentivo ao Aleitamento Materno...

39. A mãe de um recém-nascido com 15 dias de vida procura o pediatra porque seu filho está evacuando 10 vezes ao dia fezes semilíquidas amareladas, às vezes esverdeadas e explosivas. Mama bem ao seio, não apresenta febre, molha de 10 a 12 fraldas por dia. Às vezes, logo após as mamadas, ou no intervalo entre elas, chora muito e se contorce parecendo estar com dor. Em relação a esses fatos, é correto afirmar que:
    (A) Esse padrão de evacuação é normal para uma criança que mama ao seio
    (B) Trata-se de hipolactasia primária o leite materno por leite sem lactose
    (C) O pediatra deve solicitar um exame hematológico completo e coprocultura, pois diarreia no período neonatal traduz alto risco
    (D) Trata-se de história compatível com cólica do lactente que deverá ser tratada com antiespasmódico
    (E) A perda hídrica que está ocorrendo é devida ao excesso de lactose do leite humano. É recomendável a hidratação entre as mamas

40. A conduta em relação à alimentação de um recém-nascido em boas condições de vitalidade, com idade gestacional de 34 semanas e pesando 2.400 g, é:
    (A) Leite artificial modificado oferecido por gavagem
    (B) Leite artificial modificado oferecido no copinho
    (C) Leite da própria mãe oferecido por gavagem
    (D) Leite da própria mãe oferecido no copinho
    (E) Amamentação ao seio materno

41. Mãe leva seu primeiro filho de 30 dias à primeira consulta no Posto de Saúde. Relata ao pediatra que a criança "praticamente só toma mamadeira". Para tentar reverter o quadro, o pediatra inicia a consulta com uma anamnese criteriosa. A situação que pode ter prejudicado o aleitamento exclusivo é:
    (A) A mãe foi orientada a amamentar em livre demanda
    (B) A mãe foi orientada a alternar os seios a cada mamada
    (C) O recém-nascido foi levado ao seio materno logo após o nascimento
    (D) A mãe foi orientada a fazer a higiene dos seios antes de cada mamada
    (E) O recém-nascido foi levado para o alojamento conjunto com 3 horas de vida

42. Recém-nascido com 14 dias, em aleitamento materno exclusivo, é levado ao ambulatório para revisão, sem nenhuma intercorrência. Durante o exame, observa-se que está pesando 12% menos em relação ao peso de nascimento. A primeira medida a ser tomada é:
    (A) Tranquilizar a mãe e agendar retorno em 15 dias
    (B) Prescrever complementação com leite artificial
    (C) Solicitar EAS, urinocultura e antibiograma
    (D) Solicitar hemograma completo e glicemia
    (E) Avaliar a pega e a posição da mamada

43. Nos Estados Unidos, a proporção de mães que têm alta da maternidade é menor do que 75% e no Brasil é maior do que 95%. As metas a serem alcançadas na melhoria das práticas de aleitamento e os indicadores mais adequados para

O Título de Especialista em Pediatria da Sociedade Brasileira de Pediatria e o Incentivo ao Aleitamento Materno... **CAPÍTULO 34**

avaliá-las são, portanto, diferentes nos dois países. No Brasil, o indicador mais adequado para avaliar o sucesso das estratégias de incentivo empreendidas é a proporção de:

(A) Mães que têm alta amamentando
(B) Crianças em aleitamento exclusivo entre 0 e 6 meses de idade
(C) Crianças em aleitamento materno exclusivo entre 0 e 4 meses de idade
(D) Recém-nascidos que têm alta da maternidade em uso de aleitamento misto
(E) Recém-nascidos que têm alta da maternidade em uso exclusivo de fórmula

44. A diminuição da produção do leite materno ocorre em mães que fazem uso de:
(A) Diuréticos
(B) Antifúngicos
(C) Sulfonamidas
(D) Anti-inflamatórios
(E) Broncodilatadores

45. O leite materno ordenhado pode ser guardado com segurança no congelador (*freezer*) por um período de até:
(A) 24 horas
(B) 72 horas
(C) 6 dias
(D) 9 dias
(E) 15 dias

46. Caso comentado nº 1.
Você recebe no ambulatório uma jovem mãe com seu bebê de 1 mês. É o primeiro filho de um casal que vivia no interior com a família e mudou-se para esta capital recentemente. A mãe é bancária e está de licença-maternidade; o pai é operário especializado de grande fábrica de automóveis. Vivem sem luxos, mas sem dificuldades financeiras. O bebê nasceu de parto normal, a termo, com 3 kg, apresentando um índice de Apgar de 9 aos 5 minutos. Saiu da maternidade em aleitamento materno exclusivo; recebeu nas primeiras 12 horas solução glicosada dada em mamadeira, como de rotina nesta maternidade. Segundo a mãe, com 10 dias de vida começou a chorar muito, particularmente à noite, incomodando o pai que "tem que pegar pesado de manhã cedo todo dia" e a vizinha do lado. Esta, com base na sua experiência, aconselhou-a a oferecer mamadeira. Nessa época, a mãe, que estava com uma rachadura no mamilo esquerdo, vinha seguindo a orientação da maternidade de fazer higiene no seio antes e depois da mamada, e a vizinha lhe disse para passar uma pomada. Ela resolveu comprar o mesmo leite que havia visto no berçário da maternidade onde o bebê ficou, e seguiu as instruções da lata. O bebê aceitou 60 mL da primeira mamadeira e dormiu bem. O marido disse que agora achava que o bebê ia sossegar e que ele poderia dormir à noite. A partir de então a mãe passou a dar 1 ou 2 mamadeiras por dia, depois do peito, sempre que julga que o bebê não está satisfeito. Ao exame do bebê, você observa que seu peso é de 3.400 g e o exame físico é normal. A mãe vem à consulta de rotina, mas quer saber se deve engrossar o leite com maisena, conforme sugestão da vizinha.

Com base nos dados apresentados, e de forma objetiva:
1. Analise a influência de rotina da maternidade na decisão da mãe de interrupção do aleitamento exclusivo.
2. Descreva a sua conduta e orientação à mãe quanto:
   - à rachadura do mamilo;
   - à alimentação do bebê;
   - à atitude do pai.

47. Caso comentado nº 2
    Lactente de 40 dias é levado ao posto de saúde com história de dificuldade para mamar ao seio, o que levou a mãe, na última semana, a oferecer uma mamadeira de leite de vaca engrossado por dia. O exame físico é normal e a criança ganhou 120 g nos últimos 10 dias. Você decidiu observar como a mãe amamenta, já que ela informa que a criança está com fome no momento da consulta. As Figuras 1 e 2 mostram o momento da mamada.
    1. Julgue a adequação da técnica de amamentação, descrevendo pelo menos 8 elementos presentes nas figuras que justifiquem sua avaliação.
    2. Com base na história e observação clínicas, discrimine as orientações adequadas a serem dadas à mãe.

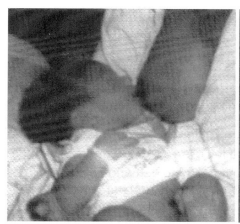 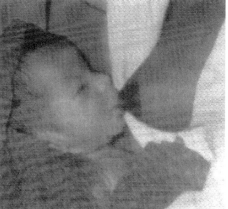

48. Considere que, no caso apresentado abaixo, o pediatra está diante de um lactente de 40 dias de vida em aleitamento materno exclusivo, cuja mãe procura o serviço com as seguintes queixas: Há 4 semanas o lactente vem apresentando 8 a 10 episódios diários de evacuações líquidas, amareladas, que são eliminadas de forma ruidosa. Ao exame: bom estado geral, sem alterações clínicas. Crescimento e desenvolvimento normais.
    Em relação ao caso cite:
    (A) Hipótese diagnóstica mais provável
    (B) Orientação a ser dada aos pais em relação às queixas apresentadas
    (C) Prescrição medicamentosa, se houver, ou justificativa para não indicá-la.

49. Recém-nascido de 7 dias é trazido para consulta de revisão. A mãe informa que a criança está mamando exclusivamente ao seio, aproximadamente a

cada 3 horas, por 15 a 20 minutos. Ela está preocupada porque seu filho está eliminando "fezes pretas". A conduta indicada no primeiro momento é:

(A) Suspender o leite de vaca da dieta materna por suspeita de intolerância à proteína do mesmo no recém-nascido

(B) Avaliar clinicamente o recém-nascido para descartar a possibilidade de sangramento gastrointestinal

(C) Prescrever fórmula láctea para aumentar o aporte calórico a ser oferecido ao recém-nascido

(D) Orientar medidas que aumentem a produção de leite materno por tratar-se de hipogalactia

(E) Tranquilizar a mãe por tratar-se de eliminação de mecônio própria desta faixa etária

50. Na consulta de puericultura do primeiro mês, um lactente em amamentação exclusiva está com 300 g acima do seu peso de nascimento. A mãe relata que ele é uma criança inquieta. Depois de um exame clínico rigoroso, você certificou-se de que se trata de um lactente aparentemente normal, em bom estado geral, hidratado, ativo e responsivo. A conduta inicial a ser tomada é:

(A) Prescrever fórmula láctea como complementação calórica

(B) Agendar consulta para pesagem do lactente em 1 semana

(C) Tranquilizar a mãe por se tratar de lactente com crescimento lento

(D) Solicitar exames complementares básicos para descartar infecção

(E) Certificar-se de que o lactente está sendo amamentado corretamente

51. A mãe de um recém-nascido de 15 dias, levado para consulta de revisão, queixa-se de que seus mamilos estão muito doloridos e que seu filho "passa o dia todo no peito". Ao exame verifica-se uma pequena fissura na aréola direita e que a pega e a posição são adequadas. O recém-nascido apresenta ganho ponderal de 300 g em relação ao peso do nascimento. A orientação neste caso é:

(A) Limitar o tempo de mamada em cada seio

(B) Estimular a amamentação em posições diferentes

(C) Complementar as mamadas com leite artificial oferecido na colher

(D) Recomendar o início da amamentação sempre na mama esquerda

(E) Prescrever a aplicação de cremes à base de nistatina nos mamilos

52. Recém-nascido com 72 horas de vida, Apgar de 5 e 8, idade gestacional de 31 semanas e peso de 1.300 g ao nascimento, apresenta-se estável clinicamente, com abdome flácido e sem resíduo gástrico. A melhor conduta dentre as abaixo, em termos de alimentação neste momento, é oferecer:

(A) Leite da própria mãe por sonda orogástrica

(B) Leite de banco por sonda orogástrica

(C) Fórmula para prematuros por sucção

(D) Aleitamento materno ao seio

(E) Leite de banco por sucção

53. A mãe de um lactente de 4 meses procura o serviço de saúde, pois ela está amamentando seu filho exclusivamente ao seio e não sabe como proceder

em relação ao retorno ao trabalho. Ela é empregada de uma pequena firma comercial que tem 5 funcionárias com contrato de trabalho regidos pela CLT. A orientação a ser dada, neste caso, é:

(A) Exigir do empregador a manutenção de creche no local de trabalho ou, como alternativa, o pagamento de auxílio-creche

(B) Retornar ao emprego, iniciando aleitamento artificial complementar para o lactente durante o período em que estiver no trabalho

(C) Procurar perícia médica para demonstrar que está mantendo aleitamento exclusivo e solicitar 15 dias de licença-amamentação

(D) Apresentar ao empregador atestado médico de que está mantendo aleitamento materno exclusivo a fim de solicitar 30 dias de licença-amamentação

(E) Retornar ao emprego, mantendo o aleitamento materno com o leite ordenhado nos 2 períodos de repouso garantidos pela lei, durante a jornada de trabalho

54. No atendimento perinatal de um recém-nascido cuja mãe é HBsAg positivo, além da necessidade de aplicação de imunoglobulina específica e de vacina anti-hepatite B, a conduta preconizada quanto à amamentação é:

(A) Não permitir que a mãe amamente a criança até que a criança receba a vacina anti-hepatite B

(B) Permitir a amamentação logo após o parto, independentemente de a criança ter recebido vacina e imunoglobulina

(C) Não permitir que a mãe amamente a criança até que a criança receba a imunoglobulina específica anti-hepatite B

(D) Permitir a amamentação logo após o parto, desde que a criança receba vacina e imunoglobulina dentro de 2 horas

(E) Não permitir que a mãe amamente a criança até que a criança receba a vacina e a imunoglobulina específica anti-hepatite B

55. (TEP 2007) Gestante vegetariana, que não ingere produtos animais, o procura porque quer saber se há algum problema em amamentar o bebê. A orientação pertinente é que o filho deva receber suplementação de:

(A) Zinco

(B) Cálcio

(C) Vitamina A

(D) Vitamina C

(E) Vitamina B12

56. (TEP 2007) Puérpera apresenta exames de pré-natal compatíveis com diagnóstico de citomegalia aguda. A orientação a ser dada em relação a seu filho, nascido a termo, é alimentá-lo:

(A) Com fórmula láctea

(B) Diretamente ao seio

(C) Com leite da própria mãe, após congelamento a −20°C

(D) Com leite da própria mãe, após processo de pasteurização

(E) Com leite da própria mãe, após processo de pasteurização e congelamento a −20°C

O Título de Especialista em Pediatria da Sociedade Brasileira de Pediatria e o Incentivo ao Aleitamento Materno... **CAPÍTULO 34**

57. (TEP 2007) Lactente de 2 meses, em aleitamento materno exclusivo, apresenta evacuações com fezes líquidas, explosivas, de coloração esverdeada, logo após as mamadas. Exame físico: normal. Peso mantido no percentil 25. A conduta é:
    (A) Iniciar SRO
    (B) Prescrever leite de soja
    (C) Manter o leite materno exclusivamente
    (D) Prescrever fórmula láctea sem lactose
    (E) Suspender temporariamente o leite materno

58. (TEP 2008) Recém-nascido de 31 semanas de gestação, parto cesáreo, peso ao nascer de 1.200 g, está com 3 semanas de idade. Vem ganhando de 5 a 10 g/dia na última semana, através de gavagem de 120 mL/kg/dia de leite ordenhado de sua mãe. A conduta indicada neste momento é:
    (A) Manter leite ordenhado, pois a evolução está adequada
    (B) Usar leite de banco de leite para aumentar a densidade calórica
    (C) Retornar à nutrição parenteral parcial para se aumentar o ganho diário
    (D) Fazer aditivação do leite materno ordenhado para adequar à necessidade do prematuro
    (E) Usar fórmula láctea para recém-nascido a termo, a qual é mais calórica que a de prematuros

59. (TEP 2009) Recém-nascido a termo, parto normal, pesando 3.600 g. Exame físico: normal. Os exames pré-natais indicaram infecção em atividade pelo citomegalovírus no final da gestação. A recomendação em relação à alimentação é:
    (A) Indicar aleitamento materno em regime de livre demanda
    (B) Contraindicar a amamentação e prescrever fórmula láctea
    (C) Contraindicar a amamentação e prescrever fórmula láctea e aciclovir
    (D) Indicar aleitamento materno com leite ordenhado após congelamento
    (E) Indicar aleitamento materno com leite ordenhado após pasteurização

60. (TEP 2010) Primípara procura o posto de saúde porque está apresentando, ao amamentar, "dor no bico do peito" desde a 2ª semana pós-parto. No exame da mama, o pediatra identifica fissura mamilar. A conduta mais importante neste caso é:
    (A) Amamentar em diferentes posições
    (B) Avaliar a mamada e corrigir a técnica de amamentar
    (C) Passar o próprio leite nos mamilos após as mamadas e secar ao ar livre
    (D) Usar, na aréola e nos mamilos, produtos (cremes ou pomadas) cicatrizantes
    (E) Manter os mamilos secos, trocando com frequência os forros absorventes usados

61. (TEP 2011) Recém-nascido de termo, Apgar 9 e 10, com peso de nascimento de 3.600 g, em aleitamento materno exclusivo, apresentou icterícia, necessitando fototerapia no 3º dia de vida, quando apresentava peso de 3.100 g. Os exames laboratoriais afastaram a hipótese de infecção, incompatibilidade sanguínea e deficiência de G6PD. A conduta indicada é:

571

(A) Introduzir fórmula láctea
(B) Iniciar hidratação venosa
(C) Estimular o aleitamento materno
(D) Suspender o aleitamento materno
(E) Oferecer solução glicosada a 5% por via oral

62. (TEP 2011) Recém-nascido a termo de parto cesáreo, filho de mãe HIV[+], apresenta boas condições de vitalidade e, após receber a primeira dose de zidovudina ainda na sala de parto, é encaminhado ao alojamento conjunto. A conduta adequada em relação a este recém-nascido consiste em:
(A) Manter aleitamento materno desde que a carga viral da mãe seja indetectável
(B) Suspender a profilaxia com zidovudina após o 15º dia de vida do recém-nascido
(C) Postergar a aplicação da BCG até que a infecção do recém-nascido tenha sido descartada
(D) Iniciar a profilaxia com sulfametoxazol-trimetoprim contra pneumocistose a partir de 6 semanas de vida, independente da contagem de linfócitos T-CD4[+]
(E) Solicitar de imediato a quantificação do RNA viral plasmático do recém-nascido a fim de descartar a possibilidade de infecção ainda no primeiro mês de vida

63. (TEP 2011) Adolescente de 17 anos, grávida de 39 semanas, dá entrada na maternidade em franco trabalho de parto. Anamnese: G:1, P:0, realizou 8 consultas de pré-natal, sem intercorrências durante a gestação. Sorologias para sífilis, HIV, toxoplasmose e rubéola: não reatoras. Exame físico: máculas eritematosas, pápulas, vesículas e algumas pústulas na face, tronco e abdome. Segundo a paciente, essas lesões surgiram há 2 dias e são muito pruriginosas. Em função da doença materna, a conduta em relação ao recém-nascido é isolamento de contato dos demais recém-nascidos:
(A) Aleitamento artificial e administrar aciclovir IV
(B) Manter aleitamento materno e administrar aciclovir IV
(C) Manter leite materno e administrar imunoglobulina para varicela-zóster até 96 horas de vida
(D) Isolar da mãe, administrar leite artificial e imunoglobulina para varicela-zóster até 96 horas de vida
(E) Manter aleitamento materno, administrar aciclovir IV e imunoglobulina para varicela-zóster até 96 horas de vida

64. (TEP 2011) Recém-nascido de 4 dias de vida, em aleitamento materno exclusivo, apresenta quadro de apatia, dificuldade para mamar, alguns episódios de vômitos e taquipneia. Deu entrada na emergência com quadro de acidose metabólica, sendo transferido, em algumas horas em coma, para o CTI. A mãe informa que, por sugestão de uma amiga, fez dieta vegetariana, pois não queria seu filho contaminado com "carne de bichos mortos de forma cruel". O quadro descrito é secundário à carência de:

(A) Biotina
(B) Sarcosina
(C) L-carnitina
(D) Cobalamina
(E) Hidroxifolato

65. (TEP 2012) Uma nutriz apresentou lesões vesiculares localizadas na comissura labial no 5º dia após dar à luz um recém-nascido saudável. A conduta recomendada pela Sociedade Brasileira de Pediatria é:
(A) Prescrever leite humano pasteurizado de banco de leite e isolar o recém-nascido de sua mãe até a fase de crostas
(B) Orientar leite materno ordenhado, isolar o neonato de sua mãe até a fase de crostas e administrar aciclovir ao recém-nascido
(C) Contraindicar o aleitamento materno temporariamente, oferecer fórmula láctea e isolar o recém-nascido de sua mãe até a fase de crostas
(D) Manter o aleitamento materno ao seio, com lavagem de mãos, uso de máscara e proteção das lesões do contato direto com o recém-nascido
(E) Manter o aleitamento materno ao seio, com lavagem de mãos, uso de máscara e proteção das lesões do contato direto com o recém-nascido e administrar VZIG ao mesmo

66. (TEP 2012) Para a nutrição normal de um escolar, as preparações com soja atendem ao conteúdo necessário de aminoácidos, sendo então consideradas uma fonte de proteína de alto valor nutricional. Entretanto, se for usada uma fórmula de soja para substituir integralmente o aleitamento materno exclusivo, esta fonte só será de alto valor nutricional se houver a adição do aminoácido:
(A) Asparagina
(B) Metionina
(C) Alanina
(D) Serina
(E) Glicina

67. (TEP 2013) Puérpera jovem e primípara, com seu recém-nascido de termo de 2 dias, foi avaliada no alojamento conjunto apresentando colostro de cor amarronzada. Ao exame, as mamas estavam cheias e os mamilos íntegros. Não havia dor nem presença de nódulos. A conduta, neste caso é:
(A) Suspender a amamentação, e encaminhar para investigação com mamografia e ecografia mamária, por suspeita de carcinoma intraductal
(B) Manter a amamentação, pois isto pode ser fisiológico pelo aumento da vascularização e proliferação epitelial dos ductos
(C) Manter a amamentação, pois os casos de fissuras mamilares decorrentes de pega incorreta cursam com sangramento
(D) Manter a amamentação, pois em casos de mastite puerperal por *S. aureus* não há contraindicação do aleitamento materno
(E) Suspender a amamentação por suspeita de ectasia ductal

CAPÍTULO 34 O Título de Especialista em Pediatria da Sociedade Brasileira de Pediatria e o Incentivo ao Aleitamento Materno...

68. (TEP 2013) Lactente de 1 mês é levado para consulta de puericultura. A lactante refere que o bebê é muito "bonzinho" e mama de 4 em 4 horas. Está em aleitamento materno (AM) exclusivo. Nasceu pesando 3.000 g e medindo 50 cm. Testes de triagem neonatal sem alterações. Exame físico: normal; P: 3.450 g, C: 53 cm. A mãe está assustada, pois acha que o bebê não engordou bem. A conduta adequada neste caso é:
   (A) Manter o AM, complementando com fórmula infantil no copinho, já que ganhou pouco peso e cresceu pouco em 30 dias
   (B) Manter o AM de forma exclusiva, orientar a técnica correta de amamentação e reavaliar o ganho de peso do bebê em 3 dias
   (C) Manter o AM de forma exclusiva, sem complementos, verificando a técnica de amamentação na próxima consulta, em 15 dias
   (D) Manter o AM exclusivo, mas solicitar exames laboratoriais de urgência, pois o mais provável é que este lactente apresente infecção urinária
   (E) Manter o AM, complementando com suco de frutas no copinho, para não atrapalhar a amamentação e favorecer maior ganho de peso

RESPOSTAS

1. Resposta correta: **A**
   Comentário: A Natureza é sábia quando promove modificações adaptativas no leite da mãe do pré-termo a fim de tentar suprir suas necessidades nutricionais específicas, de acordo com as limitações impostas pela prematuridade. O leite da própria mãe tem a melhor composição para seu recém-nascido pré-termo, contendo concentrações maiores de proteína, sódio, cloro, calorias e menos lactose do que o leite da mãe do recém-nascido a termo. Estas diferenças persistem durante o primeiro mês de lactação.

2. Resposta correta: **B**
   Comentário: A icterícia neonatal tem várias causas, algumas relacionadas a adaptações fisiológicas e outras a doenças que afetam o recém-nascido. O alojamento conjunto por si só não afeta a intensidade de icterícia e a necessidade de fototerapia. No entanto, é bom lembrar que, por favorecer a amamentação sobre livre demanda, com aumento da ingesta de colostro e da eliminação de mecônio, diminui a reabsorção de bilirrubina, reduzindo a circulação êntero-hepática da mesma.

3. Resposta correta: **A**
   Comentário: A fissura de mamilo ocorre principalmente por erro de pega ao seio. Com apoio e orientação da equipe de saúde, o problema é solucionado de forma relativamente fácil e não representa uma contraindicação ao aleitamento materno. Lembrar que na hepatite B a criança deve ser vacinada logo após o nascimento para prevenir a transmissão vertical e, desde que seja tomada a conduta profilática correta, não é necessário interromper a amamentação.

4. Resposta correta: **C**
   Comentário: A mãe com desnutrição leve normalmente produz leite em volume adequado e de boa qualidade. Quando a desnutrição é grave há redução

das vitaminas hidrossolúveis, vitaminas C, B1 e B12, pois sua presença no leite depende da ingesta materna. Como a proteína, gordura e carboidrato são derivados, primariamente, de síntese endógena, não ocorre grande alteração de sua proporção no leite materno, mas o volume produzido é menor. É um círculo vicioso em que cada nova geração recebe no início da vida uma quantidade insuficiente de calorias, proteínas e micronutrientes que nunca consegue ser completamente compensada. O único meio de quebrar este ciclo de desnutrição é assegurar que as adolescentes iniciem sua vida fértil em bom estado nutricional, estimular e apoiar o aleitamento materno e garantir um desmame adequado para a criança.

5. Resposta correta: **A**
Comentário: Tal composição vai de encontro à maior necessidade de ingestão de proteínas pelo prematuro, além de sua vulnerabilidade frente aos agentes infecciosos. As vantagens de o pré-termo ser alimentado com o leite de sua própria mãe são variadas: defesa imunológica, digestão e absorção de nutrientes, maturação gastrointestinal, desenvolvimento neuropsicomotor e bem-estar emocional da mãe.

6. Resposta correta: **E**
Comentário: Nas crianças em aleitamento materno dificilmente ocorre diarreia aguda infecciosa, mas quando acontece está indicado manter a amamentação, com intervalos curtos entre as mamadas, o que garante um bom aporte calórico e sob livre demanda, além de assegurar a ingestão de vários fatores de defesa contra a infecção gastrointestinal.

7. Resposta correta: **A**
Comentário: A incidência da icterícia associada ao leite materno varia de acordo com o autor consultado de menos de 1 a 4%. É um diagnóstico de exclusão e raramente atinge níveis séricos de bilirrubina indireta que coloquem em risco o recém-nascido, com pico entre 5 e 15 dias e declinando até o final da 3ª semana de vida, raramente persistindo até o segundo ou terceiro mês. A criança está em bom estado geral, vigorosa e ganhando peso adequadamente; portanto, não é correto interromper a amamentação, mesmo que temporariamente, devido a todos os riscos que o desmame precoce pode acarretar.

8. Resposta correta: **E**
Comentário: Comparado com o leite "maduro" o colostro tem mais proteína, IgA secretora, sódio e cloro, mas tem menor quantidade de lactose e gordura. Tais características facilitam o processo adaptativo pelo qual passa o recém-nascido nos primeiros dias de vida.

9. Resposta correta: **D**
Comentário: A prolactina, produzida na hipófise anterior, é o hormônio responsável pela secreção (produção) de leite. A ocitocina, secretada pela hipófise posterior, promove a ejeção (descida) do leite. O estímulo das terminações nervosas do mamilo e aréola (sucção) é o desencadeante desse processo endócrino, mas a ansiedade materna diminui a produção de ocitocina. A ligação

CAPÍTULO 34 O Título de Especialista em Pediatria da Sociedade Brasileira de Pediatria e o Incentivo ao Aleitamento Materno...

mãe-bebê-pai é uma relação complexa e as primeiras 12 horas, em especial a primeira hora, são críticas para o estabelecimento dessa ligação (apego). Daí a importância de se promover o contato físico (aconchego) entre eles o mais cedo possível após o nascimento.

10. Resposta correta: **A**
Comentário: O leite da própria mãe tem a melhor composição para seu recém-nascido pré-termo, contendo concentrações maiores de proteína, IgA, sódio, cloro, calorias e menos lactose do que o leite da mãe do recém-nascido a termo. Tal composição vai de encontro à maior necessidade de ingestão de proteínas pelo prematuro, além de sua vulnerabilidade frente aos agentes infecciosos. As vantagens de o pré-termo ser alimentado com o leite de sua própria mãe são variadas: defesa imunológica, digestão e absorção de nutrientes, maturação gastrointestinal, desenvolvimento neuropsicomotor e bem-estar emocional da mãe.

11. Resposta correta: **C**
Comentário: A isoniazida, assim como as demais drogas usadas no tratamento da tuberculose, pode ser administrada à nutriz sem problemas aparentes para o bebê. O ácido nalidíxico oferece risco apenas nos casos de deficiência de glicose-6-fosfato-desidrogenase. As drogas para tratamento de neoplasias (vincristina) e o lítio não podem ser utilizados durante a amamentação.

12. Resposta correta: **C**
Comentário: Na verdade, um bom planejamento e a utilização de área física adequada são pré-requisitos desejáveis, mas, mesmo em condições adversas, o alojamento conjunto deve ser sempre a prática de eleição devido a todas as vantagens que proporciona para o recém-nascido, a mãe, a família e a equipe de saúde.

13. Resposta correta: **B**
Comentário: O profissional de saúde desinformado ou que não se mostra engajado com o incentivo e a promoção do aleitamento materno é um dos principais responsáveis pelo desmame precoce ou inadequado. No pré-natal, na maternidade, nos ambulatórios de puericultura e pediatria, em qualquer local e a todo o momento, é nossa obrigação estimular, promover e apoiar a manutenção do aleitamento exclusivo até em torno de 6 meses e associado a alimentos complementares adequados dos 6 meses aos 2 anos de idade.

14. Resposta correta: **C**

15. Resposta correta: **B**
Comentário: Esta família apresenta várias doenças: pobreza, privação nutricional, más condições ambientais, levando a infecções e hospitalizações frequentes, desemprego, negligência, baixo nível educacional e cultural, morte infantil e falta de apoio institucional por parte do Estado. Esse conjunto de fatores adversos conduziu ao desmame precoce, ao uso de leite artificial com diluição incorreta, enfim, ao ciclo vicioso da desnutrição, com suas trágicas

O Título de Especialista em Pediatria da Sociedade Brasileira de Pediatria e o Incentivo ao Aleitamento Materno... **CAPÍTULO 34**

consequências. Segundo os critérios de Gomez, trata-se de um desnutrido de 3º grau, com déficit ponderal maior do que 40% em relação à média para a idade. A introdução da mamadeira representa apenas o símbolo concreto dos agravos sociais a que esta criança foi submetida e, apesar de ser citado um aspecto "positivo" da mesma, deve-se evitar a sua introdução como utensílio para administração de qualquer tipo de alimento à criança.

16. Resposta correta: **D**
Comentário: Não é necessário qualquer tipo de suplemento (vitaminas, minerais, água) para a criança que está em aleitamento exclusivo. Quando é iniciado o desmame e são introduzidos de forma correta os alimentos complementares, deve-se garantir uma dieta variada e de boa qualidade, para que continue sendo desnecessária a suplementação de micronutrientes.

17. Resposta correta: **B**
Comentário: A secreção de ocitocina pela hipófise posterior está condicionada a estímulos somáticos (sucção do mamilo e aréola), mas também sofre influências do estado emocional da nutriz. A prolactina, produzida na hipófise anterior, é o hormônio responsável pela secreção (produção) de leite. A ocitocina promove a ejeção (descida) do leite. O estímulo das terminações nervosas do mamilo e aréola (sucção) é o desencadeante desse processo endócrino, mas a ansiedade materna diminui a produção de ocitocina. A ligação mãe-bebê-pai é uma relação complexa e as primeiras 12 horas, em especial a primeira hora, são críticas para o estabelecimento dessa ligação (apego). Daí a importância de se promover o contato físico (aconchego) entre eles o mais cedo possível após o nascimento.

18. Resposta correta: **D**
Comentário: De acordo com o Manual de Normas para o Controle da Tuberculose de 1995, do Ministério da Saúde, está indicada a quimioprofilaxia primária, com isoniazida, já que se trata de recém-nascido de mãe bacilífera. A vacinação com BCG não protegeria o recém-nascido e o esquema tríplice não se aplica, pois não é caso de doença, mas sim de risco de infecção da criança que poderia posteriormente adoecer. Após 3 meses de profilaxia, deve-se realizar o teste tuberculínico. Se for reator, manter a profilaxia por mais 3 meses. Se não reator, interromper a isoniazida e fazer a vacinação com BCG. Manter e apoiar a amamentação, podendo-se orientar o uso de máscara pela mãe durante o período em que permanecer bacilífera.

19. Resposta correta: **D**
Comentário: Mais uma situação em que a falta de informação precipita o desmame precoce de forma totalmente infundada, com todas as suas consequências desastrosas. Após a utilização de esquema tríplice pelo período de 1 mês a paciente é considerada não bacilífera e, portanto, não representaria perigo de contaminação para seu recém-nascido. Lembrar que, mesmo no caso da mãe bacilífera no momento do parto, não está indicada a suspensão da amamentação, mas sim a quimioprofilaxia primária com isoniazida.

CAPÍTULO 34 O Título de Especialista em Pediatria da Sociedade Brasileira de Pediatria e o Incentivo ao Aleitamento Materno...

20. Resposta correta: **A**
Comentário: O aminoácido taurina é encontrado em altas concentrações no leite humano e está virtualmente ausente no leite de vaca. Seu papel na fisiologia humana está relacionado à conjugação dos ácidos biliares e parece ser um neurotransmissor ou neuromodulador na retina e no cérebro.

21. Resposta correta: **C**
Comentário: Apesar de seus efeitos sobre o lactente serem desconhecidos, devido a suas propriedades mutagênicas *in vitro*, o aleitamento deve ser descontinuado por 12 a 24 horas quando for necessária a utilização de metronidazol pela nutriz. A grande questão é: não seria possível indicar droga alternativa que não ofereça risco para a criança?

22. Resposta correta: **A**
Comentário: As crianças variam as durações das mamadas. Muitas terminam em 5 a 10 minutos e outras em 30 minutos. Pesquisas recentes mostram que as crianças que mamam devagar conseguem a mesma qualidade de leite que aquelas que mamam mais depressa e que cerca de 80% do leite são sugados nos primeiros 3 minutos.
As opções B, C, D e E caracterizam erros grosseiros no manuseio da prática do aleitamento materno.

23. Resposta correta: **E**
Comentário: Esta questão veicula princípios fundamentais e evidencia erros grosseiros muito comuns na prática dietética infantil, que amiúde criam intenso desconforto, quando não doença diarreica e desnutrição nos pacientes. É fundamental excluir a abominável e falsa consideração de que possa existir leite materno "fraco". Os equívocos são facilmente enumerados: 1) a aceitação por parte do pediatra atende à queixa materna de "leite fraco", à vista de uma criança que, provavelmente, está ganhando peso, incluindo a prescrição do leite de vaca, com potencial desmame precoce; 2) o leite de vaca, sem diluição, acrescenta uma carga osmolar renal e salina 3 vezes maior do que o leite materno, com risco iminente e constante de hipernatremia; 3) a adição de mucilagem é imprópria para o RN (pelo menos até os 3 meses de idade), devido à baixa atividade de amilase que apresenta, fisiologicamente, no fluido pancreático. A concentração a 7% é, de qualquer modo, excessiva. Tal prática é causa comum de diarreia osmolar. A adição de dextrinomaltose, isoladamente, pode ser feita; mas, no presente caso, soma carga osmolar ao lume entérico; 4) o acréscimo de óleo de milho só se justificaria caso o leite fosse diluído; parece ter havido a intenção de prescrever um "leite forte"; 5) o volume de 100 mL é excessivo para a criança e veiculado 1,25 kcal/mL, coibiria qualquer necessidade de alimentação natural e o desmame seria inevitável.
Oferecer o leite de modo intercalado, além de incitar ao abandono do seio, pressupõe definir um horário pré-fixado para a alimentação, procedimento também não recomendável.

24. Resposta correta: **E**

Comentário: O quadro descrito configura o que chamamos de reflexo gastro-cólico exaltado, muito comum (normal) em lactentes aleitados ao seio.

No entanto, devemos "conversar" mais com a mãe. O que para nós, técnicos em saúde infantil, é normal, poderá ser uma coisa preocupante para uma mãe inexperiente. Se não conversarmos o suficiente, tranquilizando-a, a ansiedade materna poderá ser suficiente para diminuir a produção de ocitocina, diminuir a produção de leite e assim induzir ao aleitamento artificial.

25. Resposta correta: **B**

Comentário: A hiperbilirrubinemia é mais comum em recém-nascidos ama-mentados no seio. Esta hiperbilirrubinemia precoce, que parece ser uma exacerbação da icterícia fisiológica, acredita-se, está ligada à frequência das mamadas e ao aporte calórico. A história de ser o RN "meio preguiçoso para mamar" caracteriza redução do tempo de sucção, diminuição da quantidade de prolactina produzida, redução do reflexo gastrocólico, redução da elimina-ção de mecônio, aumento da reabsorção de bilirrubina conjugada através da circulação êntero-hepática e hiperbilirrubinemia.

Explique à mãe que "ficar no peito não é sugar o peito". Explique que a perda de peso (8%) é considerada normal.

Desaconselhe as sugestões das opções C, D, E (introduzir glicose a 5%, com-plemento de leite artificial e/ou humano), que são desnecessárias e nocivas, pois interferem na amamentação.

Desaconselhe, também, a pesada diferencial (antes e após as mamadas) que, por levar à ansiedade, inibe a ocitocina, diminui a "descida" do leite e facilita o desmame.

26. Resposta correta: **D**

Comentário: A síntese de proteína exige o mínimo de 4 ligações de fosfato de alta energia (ATP) por aminoácido incorporado à molécula de proteína, o que significa 0,75 kcal/g de proteína sintetizada. Então, como o metabolismo pro-teico se caracteriza por maior atividade funcional nos processos de oxidação (gliconeogênese e ureiagênese) e de síntese (reciclagem), este compõe o maior fator (25%) da ação dinâmica específica dos nutrientes (ADE) em relação aos carboidratos e lipídeos.

27. Resposta correta: **E**

Comentário: No Dicionário Aurélio da Língua Portuguesa desmamar significa apartar do leite ou fazer deixar de mamar. Havia vários conceitos para des-mame no meio pediátrico, até bem pouco tempo, o que muitas vezes gerava uma série de erros de interpretação e com isso um equívoco que levava à interrupção precoce da amamentação.

Dentro das Normas de Atenção Integral à Saúde da Criança, através do Manual de Aleitamento Materno e Orientação Alimentar para o Desmame do Ministério da Saúde, conceitua-se "desmame" como a introdução de qual-quer outro tipo de alimento além do leite materno, incluindo chás, água etc. É interessante observar que 80% dos candidatos acertaram esta questão e uma parcela pequena (10%) assinalou o item A, mas atualmente o correto é considerar a criança "desmamada" quando ocorre a suspensão total do leite materno.

28. Resposta correta: **B**

No Manual de Aleitamento Materno e Orientação Alimentar para o Desmame do Ministério da Saúde encontramos um item que aborda criteriosamente os componentes da dieta de desmame. A dieta deve ser equilibrada e formada pelos seus diversos componentes. As dietas de desmame devem ser constituídas de um alimento básico e um ou mais alimentos complementares.

Alimento básico + Alimento complementar

O alimento básico deve ser um tubérculo ou cereal de consumo tradicional na região e os alimentos complementares devem ser uma leguminosa, proteína de origem animal ou ambas.

Leguminosa
Tubérculo
ou   +   *Leguminosa*
Cereal   *Proteína origem animal*
Hortaliça

29. Resposta correta: **B**

Comentário: A comprovação da deglutição de sangue materno pode ser feita com o teste de Apt, que bem caracterizará a presença de hemoglobina materna no material sanguinolento.

A enterocolite necrosante, opção A, não é a causa frequente da hematêmese. É até oportuno lembrar que, na enterocolite, a hemorragia pode faltar ou ser achado tardio.

Inadmissível pensar-se em trauma por sonda nasogástrica como a causa mais comum.

A doença hemorrágica do RN, praticamente desaparecida dos serviços de neonatologia pelo uso profilático da vitamina K1, é opção incorreta. Importante ressaltar, aqui, que a vitamina K1 deve ser aplicada no músculo, em doses de 0,5 a 1 mg, dentro da 1ª hora de vida.

Não existe, ainda, um conselho sobre a dose ótima a ser administrada via oral, e, portanto, não é ainda plenamente recomendada essa via.

30. Resposta correta: **A**

Comentário: O "repouso alimentar" (dieta zero) prolongado é uma prática abominável na situação considerada, responsável por desastrosos agravos nutricionais, metabólicos e infecciosos. A questão aceita a possibilidade cada vez mais demonstrada de que a hipotrofia da mucosa entéria, do peristaltismo, a desnutrição resultante da não ingestão de alimentos, além do uso de antiespasmódicos e de antibióticos de amplo espectro (uma associação "terapêutica", por desgraça muito frequente) favorecem ou induzem a translocação bacteriana de germes entéricos para o sistema e, por consequência, à septicemia.

O Título de Especialista em Pediatria da Sociedade Brasileira de Pediatria e o Incentivo ao Aleitamento Materno... **CAPÍTULO 34**

31. Resposta correta: **C**
Comentário: Através do grande número de candidatos que acertaram esta questão (83,8%) observamos, felizmente, que os pediatras estão bastante atentos para a questão da amamentação. Caracteristicamente, os recém-nascidos apresentam uma exacerbação do reflexo gastrocólico e, muitas vezes, isso causa uma ansiedade na família que pode ser desastrosa em relação à interrupção precoce do aleitamento materno. As doenças diarreicas infecciosas são improváveis em recém-nascidos durante a amamentação exclusiva, já que o leite materno contém inúmeros fatores de defesa, tais como imunoglobulinas, linfócitos, lisozima e fator bífido.

32. Resposta correta: **C**
Comentário: É muito importante que o pediatra dê orientação sobre a higiene oral do lactente desde muito cedo. O problema dental da criança, em geral, relaciona-se à ausência de uma higiene oral apropriada e à nutrição inadequada. Os dentes devem ser limpos tão logo apareçam na boca e após cada refeição. Existe grande número de crianças com cáries múltiplas avançadas, vítimas da ignorância familiar sobre as chamadas "cáries de mamadeira", as quais aparecem pelo hábito de mamar antes de dormir. O leite fica na cavidade oral e, como durante o sono há uma redução do fluxo salivar, torna-se desta maneira ideal para a placa bacteriana.

33. Resposta correta: **E**
Comentário: Existem drogas cujos efeitos sobre o lactente são desconhecidos, mas pelos achados *in vitro* merecem preocupação. Este é o caso do metronidazol e do tinidazol, que têm efeitos mutagênicos *in vitro*.
Deve-se interromper o aleitamento durante o período de 12 a 24 horas, até que o tinidazol tomado em dose única possa ser excretado.

34. Resposta correta: **B**
Comentário: A questão exemplifica a principal indicação da quimioprofilaxia primária: recém-nascido cuja mãe é tuberculosa bacilífera. Deve ser iniciada isoniazida por 3 meses e ao final deste período realiza-se teste tuberculínico (PPD). Se este for não reator, indica que a criança não se infectou e deve ser feita a vacinação BCG; se o PPD for reator, é sinal de que mesmo com o uso de isoniazida foi infectado e, sendo assim, a quimioprofilaxia deve ser mantida por mais 3 meses.

35. Resposta correta: **A**
Comentário: Este recém-nascido não está doente, ele está apenas ictérico!
O paciente encontra-se no 5º dia de vida, com bilirrubina sérica de 12 mg% de causa provavelmente associada (e não causada) ao aleitamento materno.
A perda de peso de 15% é um pouco acima do esperado para os primeiros 5 dias de vida. O grupo sanguíneo do tipo "O" descarta a possibilidade de uma incompatibilidade sanguínea do tipo ABO ou Rh.
O quadro clínico descrito é sugestivo de icterícia fisiológica. A conduta mais adequada neste caso é observar o paciente.

581

36. Resposta correta: **D**
 Comentário: A composição do leite humano pode sofrer alterações de acordo com o tipo de alimentação materna. Embora diferente da mãe bem nutrida, o leite da mulher desnutrida consegue cumprir seu papel nutritivo. Isto pode ser explicado porque os macronutrientes e o conteúdo energético são derivados, primariamente, de fontes endógenas de síntese.
 Já com relação às vitaminas, sua presença no leite materno depende da ingesta materna, pois elas passam inalteradas diretamente do sangue para o lúmen alveolar de tecido mamário.

37. Resposta correta: **A**
 Comentário: As fórmulas lácteas são a melhor opção quando o aleitamento materno não consegue os melhores resultados. Práticas nutricionalmente adequadas, se corretamente preparadas, preenchem as necessidades nutricionais de um lactente até o quarto mês de vida.
 O uso de sucos, sopas etc. não estão adequados, pois a criança nesta idade não tem ainda postura ou reflexos coordenados para a deglutição de alimentos semipastosos, além de aumentar-se muito a chance de expor a criança a alérgenos alimentares muito precocemente.

38. Resposta correta: **D**
 Comentário: A interpretação correta do crescimento de uma criança depende, de um modo muito importante, do seguimento evolutivo deste crescimento. Assim, do ponto de vista antropométrico, uma única anotação de peso, por exemplo, não significa necessariamente carência nutricional. Consultas subsequentes poderão mostrar que 8 é o percentil de crescimento normal de nossa criança. Nenhuma avaliação do peso pode ser feita sem correlação com a estatura. Estar no percentil 5 nos tranquiliza. Qualquer interferência nutricional, porque o peso está no percentil 8 em uma criança alimentada exclusivamente ao seio materno, se constitui em conduta errônea.
 A solicitação de urocultura não procede, pois não há história nem comprometimento comprovável no desenvolvimento desta criança.

39. Resposta correta: **A**
 Comentário: Esta é uma situação comum no atendimento aos recém-nascidos. O alto índice de acertos nesta questão – 90,4% – nos tranquiliza e nos permite pensar que não mais se comete o grave erro de considerar o reflexo gastro-cólico, normalmente exacerbado nessa idade, como diarreia, intolerância à lactose ou outros diagnósticos absurdos. Cabe ao pediatra mostrar à família que o recém-nascido está clinicamente bem e que este é um evento filosófico e passageiro.

40. Resposta correta: **E**
 Comentário: Um recém-nascido com 34 semanas de idade gestacional já possui desenvolvimento neurológico necessário para sugar o seio materno, coordenando sua sucção com a deglutição. Além disso, avolumam-se as evidências científicas de que o leite materno, além de ter composição adequada para

O Título de Especialista em Pediatria da Sociedade Brasileira de Pediatria e o Incentivo ao Aleitamento Materno... **CAPÍTULO 34**

o desenvolvimento do prematuro, oferece a este vantagens adicionais, como uma adequada proteção contra infecções nosocomiais e enterocolite necrosante, além de estreitar o vínculo mãe-filho, o que diminui significativamente a incidência de maus-tratos na infância, de que os neonatos prematuros são população de risco.

41. Resposta correta: **D**
Comentário: A higiene das mamas antes de cada mamada, além de desnecessária, é contraindicada por favorecer o aparecimento de fissuras.
As outras práticas descritas nas respostas favorecem o aleitamento materno.

42. Resposta correta: **E**
Comentário: Um recém-nascido com 14 dias de vida já deveria ter atingido ou estar perto de atingir o peso de nascimento. Na maioria das vezes, quando isto não se verifica, trata-se de um problema simples e de solução igualmente simples. A primeira medida nestes casos é verificar a adequação da pega e da posição avaliando uma mamada no ambulatório. Caso estas estejam inadequadas, a correção dos erros encontrados poderá garantir um ganho suficiente de peso. A conduta comum de prescrever complementos para estas crianças, além de ser inadequada, é um fator que colabora com o desmame e, portanto, com o aumento da mortalidade e morbidade na infância.

43. Resposta correta: **C**
Comentário: As estratégias de incentivo ao aleitamento materno do Ministério da Saúde têm como objetivo garantir a amamentação exclusiva ao seio materno até o quarto mês de vida da criança, o que representa uma diminuição significativa da morbidade e mortalidade infantil.

44. Resposta correta: **A**
Comentário: A sucção do mamilo pelo bebê estimula, através de impulsos sensoriais, a liberação de prolactina pela hipófise anterior. A prolactina vai por via sanguínea para a mama e estimula as células secretoras a produzirem leite. Algumas drogas, como diuréticos, ergotamina e estrógenos (incluindo contraceptivos), não devem ser usadas em mulheres que estão amamentando, pois podem determinar inibição da prolactina, acarretando, consequentemente, a diminuição da produção de leite materno e por isso, em caso da necessidade de uso, devem ser usadas outras alternativas.

45. Resposta correta: **E**
Comentário: O leite materno pode ser guardado na geladeira (refrigerador), na vasilha em que foi colhido, tampada, podendo ser oferecido até 24 horas após a coleta. Quando a casa tem congelador (*freezer*), o leite pode ser guardado com segurança por até 15 dias. A mãe só deve fazer isto quando for orientada por pessoal de saúde capacitado. Antes de oferecer ao bebê, descongelar o leite em banho-maria ou retirar e deixar em temperatura ambiente para descongelar. Agitar e oferecer quando estiver em temperatura ambiente, usando colherinha ou copinho, jogando fora o que sobrar.

46. Caso comentado nº 1

Comentários

1. Influência da rotina da maternidade:
   - o bebê esteve em berçário, embora saudável, e não em alojamento conjunto; recebeu soro glicosado (aumentou a saciedade) nas primeiras 12 horas de vida;
   - foi utilizada mamadeira (confusão de bicos) nas primeiras 12 horas;
   - a mãe recebeu orientação de higiene do seio antes e depois da mamada, o que pode ter contribuído para as rachaduras de mamilo;
   - a maternidade permite a exposição de latas com rótulos de fórmula infantil à visão das usuárias, o que pode influenciar a mãe, na medida em que representa um endosso ao produto escolhido pela instituição.
2. Conduta e orientação à mãe quanto:
   - *À rachadura do mamilo*
     - observar a pega e o posicionamento;
     - desaconselhar a higiene específica e frequente da mama;
     - desaconselhar o uso de pomadas;
     - repousar a mama mais afetada, começando a mamada pelo seio menos machucado;
     - expressão manual para evitar ingurgitamento;
     - sugerir mudanças de posição do bebê ao seio;
     - evitar o uso de sutiã de náilon.
   - *À alimentação do bebê*
     - possibilidade de manter aleitamento materno exclusivo: o ganho ponderal é compatível com a normalidade (perda fisiológica + recuperação, há ganho de aproximadamente 20 g/dia); é possível que ela possa continuar em aleitamento materno exclusivo, se quiser; ou seja, se não estiver interessada no processo de introdução da mamadeira;
     - estimular a sucção ao seio com maior demanda;
     - manejo das mamadas: manter a criança em uma mama única até o fim da mamada e só trocar de mama na próxima mamada. As diferenças entre leite anterior, do início da mamada (mais aquoso, menos calórico) e leite posterior, do final da mamada (mais rico em gordura) devem ser levadas em conta para o manejo deste problema. É possível que esta criança chore por estar mamando pouco a cada vez e, assim, mais leite pouco calórico, mantendo-se insatisfeita;
     - não utilizar mamadeira, podendo usar copinho ou colher até que passe a produzir novamente leite que cubra a necessidade do bebê nas 24 horas;
     - tranquilizar a mãe, reassegurando sua capacidade de produção de leite, reforçando a importância de ter confiança nela, com atitudes e palavras positivas.
   - *À atitude do pai*
     - oferecer-se para conversar com o pai;
     - solicitar o comparecimento do pai;

O Título de Especialista em Pediatria da Sociedade Brasileira de Pediatria e o Incentivo ao Aleitamento Materno... **CAPÍTULO 34**

- reforçar para a mãe os aspectos relativos ao manejo do problema para ajudar o diálogo com o marido;
- reforçar a importância de sua contribuição para o sucesso do aleitamento, apoiando sua esposa;
- informar da importância do aleitamento materno para o bem-estar do seu filho;
- informar quanto às técnicas de aleitamento e fisiologia da lactação;
- informar sobre o comportamento do bebê nos primeiros meses de vida, tranquilizando-o.

47. Caso comentado nº 2
    1. A técnica de amamentação está incorreta:
       - o queixo não está tocando o seio;
       - a boca não está bem aberta;
       - o lábio inferior não está voltado para fora;
       - a aréola não está completamente envolvida pela boca;
       - o pescoço da criança está torcido;
       - o corpo da criança não está voltado para o corpo da mãe;
       - o corpo da criança está longe do corpo da mãe;
       - a criança não está completamente sustentada;
       - partes iguais da aréola são visíveis acima e abaixo da boca da criança.
    2. Quanto à pega (A, B, C, D, I):
       - quanto à retirada do bebê (E, F, G, H)
       - quanto à retirada do complemento

48. Respostas e comentários:
    A) A hipótese diagnóstica mais provável é de reflexo gastrocólico, considerado normal em lactentes desta idade. A elevada concentração de lactose no leite humano (7 g/dL) parece ser um dos fatores responsáveis pela presença de fezes semilíquidas ou líquidas, principalmente nas primeiras semanas de vida. O crescimento adequado praticamente afasta a possibilidade de doença do tubo digestivo.
    B) A conduta é tranquilizar os pais, esclarecendo que se trata de um processo fisiológico.
    C) Não há necessidade de prescrição de qualquer tipo de medicação.

49. Resposta correta: **B**
    Comentário: A eliminação de fezes escuras em um recém-nascido ao final da 1ª semana de vida deve sempre alertar para a possibilidade de hemorragia digestiva. É importante lembrar que o mecônio (que também se caracteriza por sua cor escura) em geral é eliminado logo após o nascimento (primeiras 12 horas de vida) e começa a ser substituído pelas fezes de transição em torno do 4º a 5º dias de vida, sendo virtualmente ausente ao final da 1ª semana de vida. O sangue deglutido devido a trauma mamilar também pode gerar confusão diagnóstica, pois pode ocasionar fezes escuras ou com sangue vivo e vômitos com sangue, sendo necessária a utilização de teste laboratorial para diferenciar entre sangue de origem materna ou do lactente.

CAPÍTULO 34 O Título de Especialista em Pediatria da Sociedade Brasileira de Pediatria e o Incentivo ao Aleitamento Materno...

50. Resposta correta: **E**
Comentário: Estamos diante do caso de um lactente com ganho ponderal abaixo do esperado para o período (em torno de 700 g). Antes de optar pela prescrição de complemento (quase sempre de forma intempestiva e sem indicação real), o mais importante é avaliar se a amamentação está se desenvolvendo de maneira adequada. Realizar uma boa anamnese dirigida para o aleitamento materno, procurando escutar atentamente o que a mãe tem a dizer. Examinar as mamas à procura de alterações que possam estar dificultando a amamentação e, o mais importante, observar a mamada, avaliando cuidadosamente a posição e a pega. Muitas vezes, pequenos problemas são identificados e sua solução é capaz de promover o sucesso do aleitamento materno.

51. Resposta correta: **B**
Comentário: A amamentação em posições diferentes muda o ponto onde o lactente aplica maior pressão no mamilo, dando oportunidade para que áreas mais fragilizadas possam "repousar", diminuindo desta forma o atrito e a dor, facilitando a ejeção do leite. Devemos recomendar às mães que se queixam de dor na amamentação ou apresentem fissuras visíveis ao exame da aréola que alternem a posição de levar o lactente ao seio a cada mamada até que a situação se resolva. A complementação com o leite artificial é sempre prejudicial.

52. Resposta correta: **A**
Comentário: O melhor alimento para o recém-nascido, inclusive o pré-termo, é o leite de sua própria mãe. O leite de mulheres que tiveram seus filhos antes do termo, comparado ao leite de mães cujo parto ocorreu a termo, tem maiores concentrações de proteína e eletrólitos, indispensáveis para o crescimento acelerado destes recém-nascidos, além das outras inúmeras vantagens nutricionais, imunológicas e afetivas do leite materno. Somente por volta de 34 semanas de idade gestacional é que o bebê está apto a sugar e coordenar a sucção-deglutição-respiração; portanto, no caso em questão está indicada a alimentação por sonda orogástrica, que permite o início gradual da alimentação e a avaliação do resíduo gástrico, reduzindo o risco de vômitos e distensão abdominal. Lembrar que, devido ao risco aumentado de enterocolite necrosante nos prematuros, é da maior importância a progressão cuidadosa da dieta enteral.

53. Resposta correta: **E**
Comentário: Esgotado o período de afastamento legal da gestante (120 dias), reassumindo sua condição de trabalhadora, procura a lei dar proteção e assistência à criança.Determina o artigo 396 da CLT: "Para amamentar o próprio filho, até que este complete 6 meses de idade, a mulher terá direito durante a jornada de trabalho, a 2 descansos especiais, de meia hora cada um. Parágrafo único: Quando o exigir a saúde do filho, o período de 6 meses poderá ser dilatado, a critério da autoridade competente." Já os artigos 389, 397 e 400 da mesma CLT tratam da obrigatoriedade de toda empresa com mais de 30 mulheres com idade acima de 16 anos de oferecer creche para seus filhos.

54. *Resposta correta:* **B**
Comentário: O risco maior de transmissão do vírus da hepatite B da mãe para seu filho é durante o trabalho de parto e no parto pela exposição ao sangue materno. Apesar da detecção do vírus no leite humano e do risco de deglutição de pequenas quantidades de sangue materno durante a amamentação devido a lesões mamilares, estudos científicos têm demonstrado que o aleitamento materno em mães soropositivas para o HbsAg não aumenta significativamente a possibilidade de contaminação do recém-nascido. O uso da vacina e da imunoglobulina aplicadas até 12 horas de vida em sítios de injeção diferentes está indicado para evitar a transmissão vertical do vírus da hepatite B.

55. Resposta correta: **E**
Comentário: Uma dieta vegetariana que exclui todos os produtos de origem animal é deficiente em vitamina B12. Suplemento dessa vitamina tomado pela mãe suprirá as necessidades de vitamina B12 do bebê através do leite materno.

56. Resposta correta: **B**
Comentário: A amamentação é permitida e encorajada nos casos de recém-nascidos a termo, filhos de mães soropositivas para CMV. O CMV pode ser excretado de forma intermitente na saliva, urina, trato genital e leite humano por vários anos após a primoinfecção e na ocorrência de reativação de suas formas latentes. Entretanto, infecções sintomáticas ou sequelas tardias não têm sido observadas nos bebês, provavelmente pela passagem de anticorpos maternos específicos transferidos de forma passiva, protegendo o lactente contra a doença sistêmica. Bebês prematuros com concentrações baixas de anticorpos maternos transferidos por via transplacentária ao CMV podem desenvolver doença sintomática com sequelas, por adquirirem o CMV através do leite materno.

57. Resposta correta: **C**
Comentário: Lactente em aleitamento materno exclusivo pode apresentar evacuações líquidas após as mamadas por exacerbação do reflexo gastrocólico. O aleitamento deve ser mantido, pois trata-se de processo fisiológico.

58. Resposta correta: **D**
Comentário: O leite materno ordenhado recentemente é indispensável ao recém-nascido prematuro pois apresenta qualidades insuperáveis, além de manter o vínculo entre a mãe e o bebê. Apresenta maior densidade energética e conteúdo de proteína. No entanto, a função glandular mamária tende a amadurecer antes da retomada de crescimento pleno do recém-nascido e o leite maduro não atende plenamente as altas exigências do prematuro. A retirada do leite, transporte e distribuição por depósitos de plástico ou vidro o faz perder especialmente gordura. Torna-se menos suficiente quanto ao total calórico e proteico gerando baixo ganho ponderal, como o do caso. O leite de banco de leite é uma opção valiosa, porém tem ainda menos calorias, por perda de gordura na manipulação e redução de fatores tróficos e cofatores termoinstáveis quando comparado ao leite fresco. Hoje, há consenso de que a

aditivação tenha um papel fundamental na melhoria da composição corporal final desses recém-nascidos.

59. Resposta correta: **A**
Comentário: A amamentação é permitida e encorajada no caso de recém-nascidos a termo filhos de mães soropositivas para o citomegalovírus. Infecções sintomáticas ou sequelas tardias não tem sido observadas nos lactentes que nascem a termo, provavelmente pela passagem de anticorpos maternos específicos transferidos de forma passiva para o recém-nascido, protegendo o mesmo contra a doença sistêmica. Em recém-nascidos de mães soronegativas para o CMV que soroconvertem durante a lactação e em recém-nascidos prematuros com concentrações baixas de anticorpos maternos transferidos por via transplacentária contra o CMV, a amamentação estaria contraindicada, pois os mesmos podem desenvolver doença sintomática com sequelas por adquirirem o CMV através o leite humano.

60. Resposta correta: **B**
Comentário: O trauma mamilar (fissura) é a dificuldade mais frequente enfrentada pelas nutrizes no período pós-parto imediato. Acredita-se que a causa mais comum de dor e trauma mamilar seja técnica inadequada de amamentação. Estudos ultrassonográficos mostram que, quando o recém-nascido tem pega adequada, o mamilo fica posicionado na parte posterior do palato, protegido da fricção e compressão, prevenindo traumas mamilares. Por conseguinte, existe consenso de que a base da prevenção e tratamento das dores e trauma dos mamilos é a correção da técnica de amamentação.

61. Resposta correta: **C**
Comentário: Trata-se de caso clássico de icterícia do aleitamento materno que tem entre seus mecanismos fisiopatológicos o aumento na circulação êntero-hepática de bilirrubina. Nesses casos, a conduta indicada é o estímulo ao aleitamento materno.

62. Resposta correta: **D**
Comentário: De acordo com as normas do Ministério da Saúde, a seguinte conduta está indicada nos casos de exposição vertical ao HIV:
1) Contraindicar o aleitamento materno e prescrever fórmula láctea de partida para a alimentação do recém-nascido;
2) Prescrever profilaxia com zidovudina durante as primeiras 6 semanas de vida (42 dias), sendo a 1ª dose administrada preferencialmente ainda na sala de parto;
3) Aplicar, o mais precocemente possível, a BCG intradérmica;
4) Iniciar profilaxia contra o *Pneumocystis jiroveci* com sulfametoxazol-trimetoprim a partir de 6 semanas de idade independentemente da contagem de linfócitos TCD4$^+$, pois no 1º ano de vida a contagem de linfócitos TCD4$^+$ não é marcadora de risco de pneumocistose.

O 1º teste de detecção de RNA viral no plasma (carga viral) deve ser realizado a partir de 1 mês de vida e a criança menor de 18 meses só poderá ser considerada não infectada se apresentar 2 amostras de carga viral abaixo do limite de detecção e teste de detecção de anticorpos anti-HIV não reagente após os 12 meses de idade.

63. Resposta correta: **C**
Comentário: O vírus VZ não passa através do leite humano e, portanto, o leite pode ser ordenhado e oferecido ao recém-nato ao longo da vigência da doença materna. Indica-se a imunoglobulina humana antivírus VZ (VZIG) para recém-nato cuja mãe teve varicela dentro de 5 dias antes ou até 48 horas após o parto.

64. Resposta correta: **D**
Comentário: A base teórica fundamentada da situação de carência causada pelo vegetarianismo não conduzido por profissional, como é o caso proposto na questão. A fonte exclusiva da vitamina B12 (cobalamina) é animal e dietas vegetarianas não acompanhadas causam consequências sérias, inclusive com baixa excreção no leite materno, podendo por isso, não ser incomum lactentes serem gravemente afetados por esta carência alimentar materna. Por outro lado a vitamina B12, como adenosil-cobalamina, é cofator específico de duas mutases (enzimas) no metabolismo de aminoácidos. Essas, quando inativas (mutases), são causadoras de defeitos bioquímicos que darão origem secunda-riamente a acidemia metilmalônica. Na evolução de um quadro de acidemia metilmalônica secundária poderá ocorrer letargia, dificuldades para mamar, vômitos, taquipneia (devido a acidose) e hipotonia nos primeiros dias de vida, que quando não corretamente tratada evolui para coma e morte.

65. Resposta correta: **D**
Comentário: A infecção da comissura labial pelo vírus do herpes simples transmite-se para o recém-nascido apenas pelo contato direto com a lesão. Assim sendo, o uso de proteção que impeça tal contato é capaz de evitar a transmissão garantindo os benefícios do aleitamento materno.

66. Resposta correta: **B**
Comentário: As chamadas proteínas de alto valor biológico são aquelas que têm os aminoácidos essenciais à espécie humana. Para adultos e crianças acima de 6 meses estes aminoácidos são: fenilalanina, triptofano, valina, leu-cina, isoleucina, metionina, treonina e lisina. Os condicionalmente essenciais incluem arginina, histidina, tirosina, glutamina, glicina e a cisteína. As fontes animais são quase sempre completas mas, por vezes, as proporções contidas é que são variáveis, fazendo com que as quantidades mínimas de aminoácidos essenciais dependam da quantidade total da proteína ingerida. Fontes vegetais são mais problemáticas, e as leguminosas como soja, lentilhas e feijões, não têm o aminoácido metionina, sendo consideradas inadequadas quando não completadas com outras fontes deste aminoácido. No lactente, que é alimenta-do de forma monótona com uma única fonte (seio materno ou fórmulas arti-ficiais) o atendimento quanto a essencialidade é de fundamental importância. O mesmo não ocorre em quem tem acesso a várias fontes alimentares.

67. Resposta correta: **B**

Comentário: A presença de sangue no colostro, podendo este ter cor amarronzada, é mais comum em primíparas durante a gravidez ou no início da lactação, e não está associado a dor ou desconforto. É decorrente de sangramento por aumento da vascularização e proliferação epitelial dos canais mamários. Não é doença.

68. Resposta correta: **B**

Comentário: Este bebê cresceu 3 cm em 30 dias. Esse excelente crescimento já é, por si, um indicador de que a amamentação deva estar correta. Além disso, é preciso lembrar que um bebê, normalmente, pode perder até 10% de seu peso de nascimento, recuperando essa perda em até 14 dias de vida. Dessa forma, esse bebê pode ter engordado 450 g nos últimos 16 dias, e não em 30 dias. O mais sensato é verificar a técnica de amamentação, pois pode se tratar ou não de um bebê "dorminhoco" pelo tempo de intervalo de amamentação. Marcar retorno em um curto período (no caso em 3 dias) e verificar se o ganho de peso se mostrou adequado. Neste caso, que é o mais provável, bastará tranquilizar a mãe e manter o aleitamento materno exclusivo.

Aleitamento Materno em Versos

35

Maria Sidneuma Melo Ventura
Miriam Vasconcelos

PORQUE ENSINAMENTOS DE SAÚDE EM VERSOS

A ideia nasceu no Projeto PAPOCO, projeto da Universidade Federal do Ceará, voltado à atenção da saúde de famílias de uma comunidade de Fortaleza, coordenado pela dra. Miriam Vasconcelos. Influenciada pela cultura nordestina absorvida ao longo da vida no convívio da fazenda de tios, e ciente do interesse que o cordel despertava naqueles que eram pouco habituados à leitura, foi a forma que a dra. Miriam vislumbrou, para melhor transmitir conhecimentos de saúde imprescindíveis àquela gente. Assim, vários folhetos foram escritos, entre eles *Dê de Mamar ao Seu Filho*, que compõe esta obra desde a sua 1ª edição, graças à sensibilidade do seu autor, dr. José Dias Rego. Nesta 3ª edição, foi reescrito com novo título: Aleitamento Materno em Versos.

Atenção, caros leitores
Para o que vamos falar
Todos devem ter ciência
Do valor de amamentar
Para o benefício próprio
Ou para alguém ajudar

Criança que mama ao seio
Cresce sadia e forte
Dificilmente adoece
Muito raro sofre a morte
Porque o leite materno
Pode dar este suporte

Como a natureza é sábia
Nada nela é contestado
E o leite da própria mãe
É o alimento indicado
Para nutrir com saúde
Cada filho que é gerado

O aleitamento materno
Enlaça dois corações
Alimenta com amor
E afasta as infecções
Do nariz, boca e garganta
Intestinos e pulmões

Tudo isso é garantido
Pela sua competência
De matar certos micróbios
Que possam causar ofensas
Como vírus e bactérias
Causadoras de doenças

Rico em ferro e vitaminas
Corretamente dosado
Direto do seio à boca
Não sendo manipulado
Assegura a proteção
E seu dinheiro é poupado

Criança que mama ao seio
Será sempre inteligente
Na idade de estudar
Aprende mais facilmente
Pois desenvolve o cérebro
De maneira eficiente

Ambiente acolhedor
Na hora de amamentar
O neném deve sentir
Seu olho no dele olhar
Esse momento de amor
Bom caráter formará

A criança alimentada
Com o leite maternal
Terá ossos e dentes fortes
E crescimento normal
Ama o lar e tem melhor
Equilíbrio emocional

Manter o neném mamando
Só ao seio todo dia
Evita a obesidade
Nutre com mais energia
Aumenta suas defesas
E previne a alergia

O leite materno supera
Qualquer alimentação
É um alimento completo
Impede a desnutrição
Retém água e a criança
Não tem desidratação

As histórias de leite fraco
Salgado ou inexistente
De neném que não quer peito
Nada disso é pertinente
Natural é amamentar
Você não é diferente

Para estimular a mama
A mais leite produzir
Não dê outro alimento
Que é certo inibir
Essa fonte natural
Que foi feita pra fluir

O prazer de amamentar
Que só a mãe experimenta
Ao sentir o seu bebê
O leite no peito aumenta
É a conexão perfeita
Que o aconchego fomenta

Uma cadeia de estímulos
Hormônios e muito amor
O contato pele a pele
Parto natural sem dor
Ligam boca, peito e cérebro
Estudos isso provou

Mamar na primeira hora
Que se segue ao nascimento
Cria laços para sempre
E promove o aleitamento
Pelo tempo necessário
De manter esse alimento

Nas mães de primeiro filho
O leite demora a descer
Mas há colostro nas mamas
Para alimentar o bebê
Que deve mamar no peito
Desde a hora que nascer

Aleitamento Materno em Versos **CAPÍTULO 35**

O colostro antecede o leite
Após qualquer nascimento
As evidências comprovam
E nos dão conhecimento
Bebê que mama colostro
Otimiza o crescimento

Mamar em horários livres
Sem tempo determinado
O bebê deve mamar
Até ficar saciado
E para cada mamada
Tem um tempo variado

É preciso ter cuidado
Para os seios esvaziar
Pois ficando sempre resto
O leite tende a secar
Ao menos um cada vez
O neném tem que esgotar

Para não ficar em dúvida
Por qual seio começar
Na mamada que se segue
O neném deve mamar
No seio que ficou resto
Ou não precisou mamar

Além da necessidade
De manter a produção
Tem no leite terminal
Gordura na proporção
Ideal para a criança
Ter uma boa nutrição

O aleitamento exclusivo
Até seis meses de vida
É uma recomendação
Para ser obedecida
E até dois anos a mama
Na dieta é mantida

Há crendices populares
E coisas fundamentadas
De alimentos da mãe
Que passam pela mamada
Causando cólicas intensas
Na criança amamentada

Alimentação saudável
Isso sim é que é a meta
Não existe protocolo
Para excluir da dieta
Alimentos que a mãe
Come de forma correta

Algumas dificuldades
Às vezes podem ocorrer
Rachaduras nos mamilos
Ou mastite acontecer
Supere esses obstáculos
Para o aleitamento manter

Aleitamento Materno em Versos **CAPÍTULO 35**

Se a mãe por algum motivo
Antibiótico tomar
Não fique preocupada
Seu filho pode mamar
Mesmo passando no leite
Mal algum irá causar

Outra dúvida bem frequente
É o anticoncepcional
Mas há pílulas indicadas
Ao neném não fazem mal
E permitem que o leite
Tenha a produção normal

A mulher que não menstrua
Quando está amamentando
Raramente ela engravida
É a natureza atuando
Principalmente se o neném
Só no peito está mamando

Todos esses benefícios
De conhecida evidência
Somam-se a laços de amor
Explica a neurociência
Formando seres melhores
Para a nossa descendência

Colostroterapia

36

Jefferson Pereira Guilherme

> "Uma gotinha na boca. Que poder. (...)
> Uma gota. Um prematurinho. Uma equipe entusiasmada.
> E a vida, naquela gota, mandando ver." (Luis Alberto Mussa)

INTRODUÇÃO

Quanto mais prematuro o recém-nascido, mais imaturo seu trato gastrointestinal. Devido a isso e à instabilidade clínica, em ambiente de terapia intensiva neonatal é comum postergar o início da alimentação, sobretudo nos recém-nascidos de muito baixo peso (RNMBP). Isso implica retardar o início da amamentação ou desprezar sua fase colostral, que são práticas associadas a aumento da mortalidade no recém-nascido a termo. Edmond e cols. demonstraram que retardar o início da amamentação em um dia entre recém-nascido (RN) de baixo peso, aumenta em até 3 vezes sua chance de morrer. É provável que haja desfecho semelhante nos RNMBP. Mesmo assim, no ambiente de terapia intensiva neonatal o prematuro acaba ficando impedido de receber o colostro nos primeiros dias.

A imunidade do RNMBP é deficiente devido à fragilidade da pele, à carência dos produtos de ativação do sistema complemento e à reduzida quimiotaxia dos neutrófilos, entre outros. Além disso, frequentemente o parto prematuro ocorre devido a infecção materna que ocasiona sepse no neonato. A sobrevivência de prematuros cada vez menores tem elevado a incidência de infecção nosocomial. Sepse e meningite chegam a ser 4 vezes mais frequentes nesse grupo que no RN a termo. Isso explica porque o nascimento de um RNMBP prematuro caracteriza uma urgência imunológica e iniciar os antibióticos endovenosos tem demonstrado não ser medida suficiente. O paradigma de assistência neonatal privilegia a urgência cardiopulmonar em detrimento da urgência imunológica.

De forma a contemplar e valorizar a urgência imunológica do RNMBP, tem-se utilizado o colostro com um fim diferente do nutricional, interessando sua condição de imunoterápico. Em nosso meio tem aumentado o interesse pelo assunto por profissionais de saúde, fato demonstrado pela inserção do tema em mesas redondas de Congressos e Encontros científicos nacionais, o que tem favorecido a divulgação dessa prática. Recente publicação realizada por consultores técnicos do Ministério da Saúde (MS) divulga como estratégia do Método Canguru o uso da colostroterapia e do leite materno no maior volume possível. Assim, já há relatos de que a colostroterapia esteja sendo praticada em alguns serviços sob forma de protocolo clínico. Tem-se postulado que nas primeiras horas de vida do RN, é oportuno enxergar o colostro não como alimento, mas como importante arma do arsenal terapêutico da neonatologia, um veículo de substratos que guarda em sua essência substâncias que protegem e promovem a adaptação da mucosa intestinal ao novo ambiente.

ASPECTOS FISIOLÓGICOS

Evidências evolucionistas sugerem que a primeira função do colostro sempre foi proteger. Entre os mamíferos, são os humanos que têm proporcionalmente uma duração maior de alimentação colostral. Isso certamente tem um motivo. Como consequência de uma gestação relativamente mais rápida de que em outros mamíferos, ao nascer, os humanos são muito mais frágeis e indefesos do que qualquer outro mamífero, incluindo os primatas. Assim, do ponto de vista evolucionista, mesmo o recém-nascido a termo da espécie humana nasce bastante imaturo, sobretudo seu sistema imunológico e seu sistema nervoso. Em contrapartida, a evolução da espécie humana garantiu um sistema que completa as deficiências imunes da espécie: o leite humano, principalmente em sua fase colostral.

O colostro é mais denso que o leite maduro, mais viscoso, quase um gel, devido a maior quantidade de proteínas, e amarelado, devido à grande quantidade de betacaroteno. Tem efeito laxativo, favorecendo a eliminação de mecônio e é produzido em quantidades pequenas, cerca de 15 mL nas primeiras 24 horas pós-parto. No Brasil, chama-se de colostro a secreção láctea das mamas da nutriz que ocorre antes do parto e nos primeiros 7 dias pós-parto.

Entre os constituintes do colostro, alguns são de especial interesse para a colostroterapia: seus componentes solúveis, como a Imunoglobulina A secretora (SIgA), a lactoferrina, além de peptídeos bioativos, como os fatores de crescimento epitelial; e componentes celulares, como fagócitos e linfócitos. A IgA se liga aos microrganismos e impede sua aderência às superfícies mucosas, dificultando a ligação de patógenos ao epitélio. Seus níveis diminuem à medida que o leite se torna maduro, variando de 28,3 mg/mL no 1º dia a 1,29 mg/mL no 4º dia, chegando a 0,75 mg/mL a partir de 15 dias. Embora a concentração varie bastante entre os estudos, provavelmente por diferença de técnica de análise e coleta de amostras em momentos diferentes da lactação, a tendência de queda na concentração de IgA é observada em todos os estudos. Livros e textos clássicos consideram a concentração de 1 g por litro no leite maduro. A lactoferrina é a maior proteína do soro

Colostroterapia **CAPÍTULO 36**

do leite e suas características multifuncionais tem mostrado sua importância na prevenção de infecção. Na presença de anticorpo IgA e bicarbonato, a lactoferrina prontamente se liga ao ferro entérico e assim previne que organismos patogênicos, como a *Escherichia coli e Candida albicans*, obtenham o ferro necessário para sua sobrevivência. Manzoni e cols. demonstraram redução de sepse tardia em prematuros utilizando suplementação de lactoferrina bovina. Da mesma forma que os anticorpos IgA estão mais concentrados no colostro, assim também ocorre com diversos fatores de crescimento e citocinas. De fato, é inversamente proporcional à duração da gestação a concentração dos fatores imunológicos no colostro humano.

Os enterócitos, um dos alvos das substâncias colostrais, estão, continuamente, em processo de proliferação, diferenciação e maturação. Os fatores de crescimento epitelial desempenham um importante papel nesse processo e sob condições de injúria de mucosa intestinal, eles contribuem com o reparo e proteção dessas células epiteliais. Os fatores de crescimento mais estudados são o IGF-1 (*insulin like grow factor*), EGF (*ephitelial grow factor*) e TGF-β (*transforming grow factor-beta*). Suas funções e modo de ação ainda estão sendo elucidados, mas parece haver uma ação sinérgica entre eles para promover o crescimento e induzir a maturação epitelial da mucosa intestinal. Juntos com outras citocinas, como a IL-10 e eritropoietina, eles podem suprimir a resposta inflamatória no intestino neonatal imaturo, prevenindo enterocolite necrosante (ECN).

Deve-se considerar que os RNMBP perdem o benefício da exposição continua da mucosa intestinal ao líquido amniótico (LA) rico em fatores tróficos (devido ao nascimento prematuro) o que determina uma maior necessidade de colostro do que o bebê a termo. Uma vez privado das funções tróficas do LA, resta à mucosa intestinal do prematuro expor-se ao colostro, de forma a garantir a melhor adaptação do TGI imaturo ao novo ambiente.

Apesar de estarem em maior quantidade no colostro que no leite maduro, os fatores anti-infecciosos, como IgA e lactoferrina, sofrem rápida diminuição nas primeiras 72 horas de vida, conforme mostra a Figura 36.1. Neville e cols. demonstraram a queda da concentração de IgA e lactoferrina do colostro humano nos primeiros dias de vida. Fica claro que há um período crítico em que devemos coletá-lo. O colostro secretado por mães cujos filhos nasceram pré-termos extremos, é ainda mais concentrado em fatores protetores, quando comparado com o colostro de gestações mais avançadas, sobretudo nos primeiros dias. Esse colostro representa um suplemento imunológico ou imunoterápico com a mais alta concentração de anticorpos, sintetizado enquanto as *tight junctions* do epitélio do alvéolo mamário permanecem abertas, permitindo o transporte paracelular de muitos componentes imunológicos derivados da circulação materna.

Ainda de importância clínica é a destruição, pelos fagócitos do colostro, de bactérias recobertas por IgA. O colostro também possui mais leucócitos que o leite maduro; predominam os macrófagos (40-50%) e os neutrófilos polimorfonucleares (40-50%) sobre os linfócitos (5-10%), mas ambos parecem desempenhar atividades protetoras para o neonato.

Especula-se se diversas destas substâncias bioativas, como as citocinas, seriam absorvidas pela mucosa oral ou gástrica, via MALT (*mucosal associated lymphoid*

601

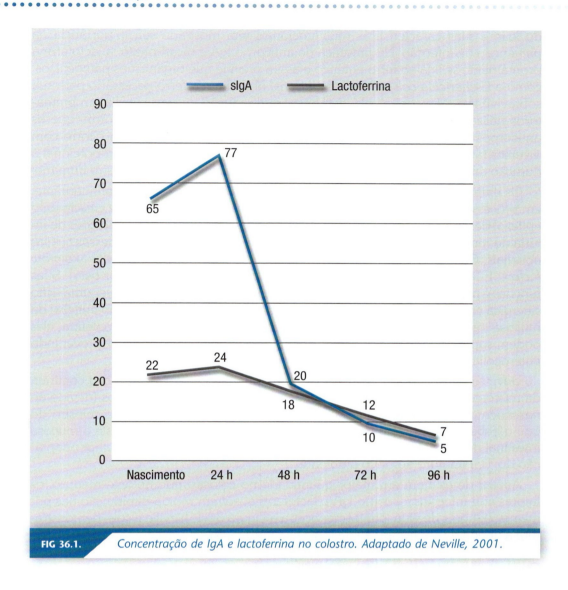

FIG 36.1. Concentração de IgA e lactoferrina no colostro. Adaptado de Neville, 2001.

tissue), promovendo maturação e ativação do sistema imune com consequências imediatas e duradouras. Evidências sugerem que mínimas concentrações de citocinas, como as encontradas nas gotas colostrais, podem ser extremamente potentes.

Muitos componentes do colostro podem reduzir a resposta inflamatória, como o TGF-β, IL-10, eritropoietina e lactoferrina. Os prematuros costumam expressar uma resposta inflamatória desmedida, o que deve contribuir com o aumento da incidência de ECN. O epitélio intestinal imaturo não consegue distinguir os patógenos das bactérias comensais, e reage a ambos com resposta inflamatória. O colostro apresenta à mucosa suas substâncias anti-inflamatórias, adequando a resposta aos diversos antígenos ao mesmo tempo em que regula o sistema imune e ajusta a resposta inflamatória exagerada do RN.

ASPECTOS CLÍNICOS

O colostro deve ser uma fonte de proteção aos prematuros. Para que isso realmente ocorra, é desejável que ele chegue ao intestino antes das bactérias patogênicas. Contudo, o ambiente da terapia intensiva neonatal e a imaturidade fisiológica do trato gastrointestinal não favorecem essa ordem preferencial de ocorrência dos fatos. Outra dificuldade é a rápida redução de IgA e de lactoferrina no colostro nas primeiras 72 horas, o que determina um período crítico para utilizá-lo. Maneiras seguras e eficazes para administrar o colostro em prematuros extremos e de muito baixo peso tem sido objeto de estudo, como veremos adiante.

Enquanto estratégia clínica, a colostroterapia propõe a utilização do colostro não como veículo de nutrientes, mas como veículo de substâncias imunológicas, anti-inflamatórias e imunomoduladoras, que promovem proteção, amadurecem a mucosa do trato gastrointestinal e modulam a resposta do sistema imune, respectivamente.

Assim, o principal objetivo do uso precoce do colostro é permitir que a mucosa seja revestida pela IgA (o que impedirá a adesão de germes patogênicos) e ofertar citocinas e fatores de crescimento epitelial, bem como outros produtos bioativos, que irão promover, em última análise, proteção da mucosa e ativação do sistema imune com consequências imediatas e duradouras. Além disso, espera-se que a colostroterapia interfira a favor de uma colonização bacteriana caracterizada por uma flora saprófita, o que dificultará o supercrescimento bacteriano e a translocação, dificultando quadros infecciosos. Nos últimos anos, evidências sobre a microbiota intestinal tem apontado seu importante papel na maturação da mucosa e na modulação do sistema imunológico do trato digestivo, afinal, o trato intestinal tem sido apontado como o maior órgão imunológico do corpo humano.

Parece haver um padrão de microbiota saudável, uma colonização desejável no intestino dos prematuros de MBP que lhes conferiria aparente proteção contra sepse e enterocolite. O colostro e o leite humano favorecem uma colonização saudável. Contudo, os prematuros costumam ter uma população microbiana de diversidade limitada, com altos níveis de *Enterobacteriaceae* e *Enterococcus* e baixos níveis de Bifidobacterias. Novak e cols. ao analisarem microbiologicamente 70 amostras de colostro ordenhado, constataram a ocorrência de grupos clássicos de microrganismos potencialmente benéficos, como Bifidobacterias e Lactobacilos; sugeriram que o colostro, quando disponibilizado para os recém-nascidos nos primeiros dias pós-parto, poderia funcionar como uma fonte natural de probióticos. A tentativa de manipular a microflora intestinal via colostroterapia é uma ação potencialmente preventiva de sepse nosocomial. O colostro da própria mãe ajuda o sistema imune intestinal a responder apropriadamente a diversidade de antígenos presentes na microbiota.

O estabelecimento da microbiota intestinal em prematuros é um evento importante, que pode se associar a desfechos e morbidades ruins, como a sepse tardia e a ECN. O frequente uso de antibióticos de amplo espectro, o retardo do início da dieta, o modo de parto e o nascimento prematuro são fatores que determinam um padrão de microflora intestinal indesejável. Embora tradicionalmente a microbiota de pretermos seja caracterizada por diminuição de *Bifidobacterium* e *Bacteroides*, com aumento na população de *Clostridium e Staphilococcus*, recentes estudos sugerem que cada prematuro pode ter seu próprio padrão de colonização, uma vez que se tem notado uma ampla variação de colonização entre os pré-termos, sugerindo uma microbiota indivíduo-específica.

A colonização de microrganismos na orofaringe dos RNs se dá de forma diferente da natural se lhes é passada uma sonda orogástrica (SOG). Quando o colostro é administrado diretamente no estômago, através da SOG, parece não ocorrer proteção da colonização de microrganismos patogênicos no trato gastrointestinal (TGI) alto e em vias respiratórias. A administração orofaríngea de colostro tem o potencial de selar a porta de entrada de dois sistemas fisiológicos – o digestório e o respiratório – comumente associados a quadros infecciosos nosocomiais, através da instalação de uma flora saprófita, que competiria com a flora patogênica hospitalar.

A preocupação com a colonização do trato gastrointestinal do RNMBP se justifica pela frequência com que esses bebês se infectam, desenvolvendo sepse tardia, entidade clínica nosológica associada a diversas morbidades. Relatório da Rede Brasileira de Pesquisas Neonatais em 2013 aponta que cerca de dois terços dos RNMBP (internados nas unidades de terapia intensiva de seus 20 serviços de referência) apresentaram o diagnóstico de infecção e 73% destes desenvolveram sepse tardia. Um terço dos trabalhos de parto prematuros, particularmente os que ocorrem nas idades gestacionais mais precoces, está associado à infecção, com a frequência de detecção de corioamnionite histológica podendo chegar a 70% entre 24 e 28 semanas. As unidades neonatais frequentemente têm problemas com infecção hospitalar e os germes mais frequentemente implicados na sepse tardia são o estafilococo, as enterobactérias e a *Candida sp.* Já foi demonstrado que o colostro e o LH impedem a aderência da *E. coli* e outras enterobactérias no epitélio do TGI. Da mesma forma foi evidenciado que existem fatores de proteção contra o estafilococo e contra a *Candida*. Todo o esforço deve ser feito para que o RNPT não seja colonizado e invadido exclusivamente por germes nosocomiais. Na admissão da UTI neonatal, 2% dos pacientes de UTI neonatal abrigam *Klebsiella pneumoniae, Enterobacter spp* ou *Citrobacter spp*. Após 15 dias de internação, 60% das crianças estão colonizadas por esses patógenos e com 30 dias essa proporção eleva-se para 91%. Tem-se demonstrado a utilização precoce do LH (leite materno cru ou pasteurizado) como medida imunológica adjunta no controle da sepse neonatal. Para tal as unidades neonatais devem ter protocolos escritos sobre o uso precoce de colostro e devem difundi-los para toda a equipe multidisciplinar. Os pais devem ser informados sobre a importância de executar e participar do procedimento. A confecção de folhetos explicativos aumenta a adesão dos pais e familiares, assim como a utilização de cartazes que promovam o colostro como "medicamento" podem ajudar a difundir esse conceito.

Ninguém deseja introduzir propositalmente bactérias patogênicas no intestino de recém-nascidos, mas isso é exatamente o que pode ocorrer se o colostro for mal manejado. As medidas higiênico-sanitárias preconizadas pela Rede Brasileira de Bancos de Leite devem ser seguidas, de forma a garantir a oferta de colostro de alta qualidade aos recém-nascidos. Enfatiza-se a higiene comum das mamas, como a que se faz durante o banho e imediatamente antes da ordenha do colostro,

TABELA 36.1. *Regras para uso do colostro na Unidade Neonatal*

1. O colostro deve ser o primeiro alimento recebido pelo recém-nascido.

2. O colostro deve ser utilizado para alimentação trófica, mas também deve ser usado de forma segura, com fins imunoterápicos, diretamente na mucosa oral ou gástrica do RN.

3. Colostro deve ser ofertado na ordem em que foi ordenhado, mesmo que tenha sido refrigerado ou congelado.

4. Nas primeiras 72 horas, período crítico em que se deve utilizar o colostro, deve-se permitir sua ordenha a beira do leito.

5. Colostro pode ser estocado em pequenos frascos de vidro estéreis, como aqueles que se usam para realizar a coleta de líquor, ou em seringas de 1 mL.

6. Quando houver mais de um frasco de colostro da mesma mãe, eles devem estar numerados na ordem da coleta, para facilitar a escolha do frasco pelo técnico de nutrição ou de enfermagem.

7. Quando o volume coletado no frasco for muito pequeno a ponto de não ser possível recolhê-lo, pode-se acrescentar algumas gotas de agua estéril com esse fim. A diluição de colostro não é admitida por nenhum outro motivo.

8. Colostro não deve ser misturado a fortificantes ou fórmulas.

9. Até que surjam novas evidências o colostro deve ser ordenhado utilizando-se técnica manual durante os primeiros 3 dias.

10. Com fins de colostroterapia não se admite o uso de fórmulas, obviamente.

Adaptado de Meyer PP, 2012.

passa-se uma gaze umedecida com soro fisiológico ou água destilada sobre o complexo mamilo-areolar. Devido ao diminuto volume expresso, não é necessário desprezar as primeiras gotas ou jatos de leite. Também é fundamental garantir que doenças infectocontagiosas, sabidamente transmitidas pelo leite, sejam afastadas através de testes sorológicos maternos (TORCHS) e *screening* infeccioso, quando for o caso. Assim, espera-se evitar que mães HIV positivas transmitam a doença via colostro. Não menos importante é a preocupação que se deve ter com os componentes do *kit* da colostroterapia: o frasco contagotas de vidro e a colher coletora das gotas colostrais devem ser devidamente esterilizados, de preferência em autoclave.

Tanto quanto seja possível, a ordenha do colostro pode ocorrer à beira do leito. Assim, o colostro cru é oferecido imediatamente ao seu bebê. Mães com sorologia positiva para HIV, HTLV e CMV IgM positiva nos menores de 32 semanas, não devem utilizar o colostro cru para a colostroterapia, obviamente.

Deve-se incentivar a ordenha em recipientes estéreis. A estratégia de utilizar frascos de vidro pequenos ou colheres, podem deixar de frustrar e inibir a mãe que ordenha apenas algumas gotas nos primeiros dias. O volume diminuto poderá ser recolhido ou aspirado por um conta-gotas de vidro, que impede a adesão de

CAPÍTULO 36 Colostroterapia

células às suas paredes ou por uma seringa de 1 mL. Ambos facilitam a aplicação posteriormente, evitando possíveis desperdícios de gotas tão preciosas. Sempre que possível, o pai ou a mãe deverão ser envolvidos na aplicação do colostro.

EVIDÊNCIAS CIENTÍFICAS

É incipiente na literatura a demonstração dos benefícios ao RNMBP do uso precoce do colostro como substância imunoterápica. A possibilidade de impacto na redução da mortalidade desses pequeninos tem motivado diversos ensaios ao redor do mundo. Na Índia, em 1983, Indira Narayanan utilizou colostro (10 mL, 3 vezes ao dia) em um grupo de RNBP internados na UTIN e constatou em média, 5 vezes menos quadros de infecção quando comparados com o grupo-controle, que não utilizou colostro.

Mas foi só no início deste século que se fez referência claramente ao uso do colostro como terapia imune. Em 2005, no livro-texto de neonatologia de Elisabeth Avery: Bases Fisiopatológicas e Manejo do Recém-nascido, a expressão *"colostrum care"* é explicada como o cuidado que se deve ter com a mucosa oral ao se higienizar a boca do prematuro. Sugere-se que ao invés de utilizar água destilada para limpar a boca do RN, utilize-se colostro. O Manual de Boas Práticas para o Manuseio de Leite Humano da Associação Norte-americana de Banco de Leite Humano em 2006, já recomendava como estratégia que melhora a produção láctea da mãe, o uso de colostro nos cuidados de higiene oral. Em 2007, Patel e cols. demonstraram a eficácia da lavagem gástrica feita com colostro, a partir de 4 horas de vida entre RNMBP e compararam seus resultados com um grupo-controle que permaneceu em jejum. O grupo que recebeu colostro reduziu o número de dias de fluidos parenterais e iniciou mais precocemente a dieta enteral. Concluíram que a lavagem gástrica com colostro é segura e benéfica entre prematuros doentes, mesmo naqueles com algum sangramento gástrico.

Rodriguez, em 2008, especulou se diante da imaturidade do trato gastrointestinal e da instabilidade clínica dos pré-termos extremos, não se deveria utilizar a rota orofaríngea para administrar o colostro fresco da própria mãe. Fatores de crescimento e citocinas presentes no colostro poderiam ser absorvidos pela mucosa oral e ativariam o sistema linfoide associado as mucosas, promovendo proteção contra infecções. Cumpre esclarecer que a administração orofaríngea é diferente da administração oral. Nesta fica pressuposta a deglutição da substância com passagem para o estômago e absorção gastrointestinal. Naquela, administra-se pequenas quantidades do medicamento e espera-se que haja absorção local, através da mucosa oral.

No Brasil, durante o Congresso Internacional de Bancos de Leite, em 2010, Guilherme e Mattar utilizaram o termo colostroterapia para designar o uso do colostro como terapia imunológica e não como terapia nutricional para o prematuro de muito baixo peso. Para tanto, indicaram a aplicação do colostro utilizando-se das 3 maneiras de administração: o cuidado oral feito com colostro, a administração orofaríngea de colostro e a lavagem gástrica feita com colostro, uma vez que é provável que aumentando o volume de colostro utilizado, mas respeitando as limitações intrínsecas à prematuridade, pode-se potencializar o efeito, já que é provável que os benefícios da colostroterapia sejam dose-dependentes, tal qual a proteção conferida pelo leite materno e enfatizaram a importância de se iniciar o cuidado canguru precocemente, ainda no ambiente da terapia intensiva.

Montgomery e cols. avaliando a possibilidade de ofertar colostro a 56 RNMBP nascidos em seu serviço num período de um ano (0,2 mL a cada 3 horas), desde o primeiro dia de vida, percebeu que invariavelmente a primeira dose de colostro era disponibilizada apenas com quase 48 horas de vida e assim, apenas 75% das aplicações planejadas puderam ser executadas de fato. Relato pessoal de neonatologistas e consultores de lactação com ampla experiência em UTI confirmam que, apenas quando a equipe está empenhada em conseguir as amostras de colostro, realizando a coleta à beira do leito da mãe, sobretudo nos 2 primeiros dias, é que de fato se viabiliza a colostroterapia.

Com a intenção de determinar a segurança e a viabilidade da administração orofaríngea do colostro da própria mãe a prematuros extremos, Rodriguez e Meier em 2010, seguiram 5 pré-termos extremos (com IG média de 25,5 semanas e peso médio de 657 g); ofereceram a eles 0,2 mL de colostro, de 3 em 3 horas, por 48 horas consecutivas, iniciando com 48h de vida. Nenhum deles apresentou apneia ou bradicardia, nem mesmo hipotensão, durante a aplicação de colostro na orofaringe. Apesar da pequena amostra de sujeitos, pode-se concluir que a administração orofaríngea de colostro é de fácil execução e bem tolerada pelos pequeninos.

Thibeau e Boudreaux avaliaram o resultado da instituição do cuidado oral feito com colostro entre prematuros de MBP sob ventilação mecânica. O grupo intervenção recebeu o cuidado oral feito com colostro, mas não houve padronização do volume a ser utilizado e o *swab* foi realizado pelos pais, sempre que possível. O grupo-controle recebeu os cuidados orais com água destilada. Apesar de ter ocorrido diminuição nas taxas de hemocultura positiva na unidade e nas taxas de cultura de aspirado traqueal, essas diferenças não foram significativas estatisticamente. Da mesma forma, também não houve diferença nos dias de ventilação mecânica, nem no tempo de permanência hospitalar. O fato dessa unidade neonatal ter implantado previamente ao estudo boas práticas que previnem infecções nosocomiais e o tamanho da amostra ser relativamente pequeno, podem ter comprometido os resultados.

Seigel e cols. ofereceram 0,1 mL de colostro orofaríngeo em cada bochecha, a cada 4 horas, por 5 dias consecutivos, iniciando nas primeiras 48 horas de vida. O grupo intervenção pesou em média 240 g a mais que o grupo-controle (que não recebeu colostro), quando chegaram a 36 semanas de IG corrigida. Não houve diferenças quanto a mortalidade ou quanto a incidência de ECN.

Muito recentemente foram publicados os resultados do primeiro ensaio clínico randomizado, duplo-cego, para determinar os efeitos imunológicos da administração orofaríngea de colostro a prematuros extremos. Lee, Kim e cols., em Seul, determinaram que o grupo intervenção recebesse colostro na dose de 0,2 mL a cada 3 horas por 3 dias, iniciando após 48 horas de vida; enquanto o grupo-controle recebia placebo: água estéril. Quarenta e dois bebês participaram do estudo, 21 em cada grupo, com IG média de 26 semanas e peso de nascimento médio de 850 g em ambos os grupos. Não houve diferença na frequência de ECN, no tempo de hospitalização ou na mortalidade entre os grupos, mas a excreção de IgA na urina do grupo intervenção foi quase 5 vezes maior que no grupo-controle, com 2 semanas de vida. Uma significativa redução na incidência de sepse clínica foi notada no grupo colostro (50% *vs.* 92%). Por outro lado, a dosagem de IL-8, uma citocina pró-inflamatória, foi a metade daquela encontrada no grupo que recebeu placebo, reforçando o papel anti-inflamatório do colostro. Esse achado reforça a tese de modulação do sistema imunológico do prematuro extremo, induzida pelo contato, via administração orofaríngea de colostro, com as citocinas e outras substâncias colostrais. A eliminação de IgA secretória na urina confirma que parte da IgA do colostro deve ser absorvida, devido a permeabilidade da mucosa intestinal imatura do prematuro extremo. E ainda pode haver indução, via colostroterapia, de produção endógena de IgA e consequente eliminação urinária.

É plausível admitir que durante a prática da colostroterapia, algum colostro administrado pela via orofaríngea ou pela lavagem gástrica, de fato chegue ao intestino. Nesse caso, a colostroterapia cumpriria uma nova missão: a de estabelecer a dieta mínima de forma mais precoce.

Os benefícios da dieta enteral mínima já estão bem estabelecidos pela literatura e suas vantagens são incontestáveis: menor tempo de NPT, progressão precoce para enteral plena, melhor ganho de peso e menor tempo de hospitalização, além de menor incidência de intolerância alimentar e de colestase e menor risco de translocação bacteriana. O uso precoce de colostro, favorecendo a dieta enteral mínima de forma mais precoce, já determina vantagens para o bebê. Em unidades que possuem BLH e na ausência do leite da própria mãe, pode-se utilizar o leite pasteurizado para realizar esse primeiro *printing* intestinal. O Banco de Leite poderia distribuir o colostro em frasco/recipiente padronizado, próprio para pequenos volumes e com a garantia de manter ao máximo os componentes celulares e as substâncias bioativas, uma vez que alguns estudos apontam redução de IgA de até 48% e redução de lactoferrina variando entre 57-80%. Para tanto, em futuro próximo, será oportuno considerar outras técnicas de pasteurização, que preservem melhor os fatores protetores, como a IgA. Permanayer e cols. realizaram o processamento do leite através de alta pressão (400 MPa) e baixa

TABELA 36.2. *Concentração de IgA, lactoferrina e fagócitos no colostro*

1 mL de colostro (20 gotas) (RNT) oferece:	No 1º dia – 28,30 mg de IgA No 4º dia – 1,29 mg de IgA No 15º dia – 0,88 mg de IgA
1 mL de colostro (20 gotas) (RNPT) oferece:	No 1º dia – 232,3 mg de IgA No 4º dia – 22,8 mg de IgA No 15º dia – 7,23mg de IgA
1 mL de colostro (20 gotas) oferece:	5 a 6 mg de lactoferrina
1 gota de colostro oferece:	Entre 4.500 e 45.000 fagócitos

Adaptado de Quintal e Carbonare, 2004 e Araujo ED, 2005.

temperatura (12°C) por 5 minutos e conseguiram preservar 100% dos anticorpos IgA. Por outro lado, Czank e cols. pasteurizaram o LH a 57°C por 30 minutos e conseguiram preservar pelo menos 90% dos componentes imunológicos. Mesmo a pasteurização de Holder (método padrão de pasteurização na Rede Brasileira de Bancos de Leite Humano) conserva quantidade suficiente de citocinas e imunoglobulinas, o que permite que ele seja utilizado como veículo dessas substâncias, quando o colostro cru não puder ser utilizado, ou quando a quantidade coletada for insuficiente.

Relato pessoal do Coordenador da Rede Brasileira de Bancos de Leite, dr. João Aprigio Guerra de Almeida, apontou outra alternativa futura, utilizando o conceito de desestabilização do sistema lácteo humano, com o auxílio de técnicas de congelamento e centrifugação (que permite separar as fases do leite: fração emulsão, suspensão e solução). Isso permitirá que a lactoengenharia da Rede de BLH desenvolva um leite pasteurizado com predomínio da fração solução, já que nessa fração do leite as Imunoglobulinas estão mais concentradas. E por fim, cabe lembrar que o leite humano ordenhado e pasteurizado não é e não necessita ser estéril. A pasteurização deve eliminar os germes patogênicos, mas não a flora saprófita do leite, adquirida quando em contato com o sistema cutâneo da mãe.

CONSIDERAÇÕES FINAIS

A colostroterapia é uma estratégia clínica que tenta completar o paradigma moderno de assistência neonatal, uma vez que também põe em foco a urgência imunológica e não apenas a urgência cardiopulmonar. É provável que a colostroterapia tenha impacto na redução de infecções no ambiente neonatal, conferindo mais proteção ao prematuro de MBP, mas é provável que esse efeito seja dose-dependente. Pelo menos outros dois ensaios clínicos randomizados estão em andamento, comparando o uso precoce do colostro com placebo, mas os dados ainda não foram divulgados.

Também é provável que unidades que tenham um programa efetivo de controle de infecção hospitalar apresentem impacto menor com a colostroterapia quando comparadas com aquelas unidades que não possuam tal controle. Portanto, unidades de terapia intensiva neonatal (UTIN) de países em desenvolvimento poderão se beneficiar dessa promissora estratégia.

Em uma perspectiva de análise de custos da permanência do prematuro na UTIN, a colostroterapia poderá produzir grande impacto: ao diminuir taxas de infecção, ocorrerá diminuição do tempo de permanência e aumento da rotatividade de leitos. Essa prática simples, de fácil execução, de baixo custo, capaz de reverter taxas hospitalares indesejáveis deve ser no mínimo considerada em trabalhos futuros, bem desenhados, que comprovem os benefícios dessa nova estratégia clínica.

Descobrir a dose máxima de colostro, segura, que ofereça proteção sem aumentar os riscos inerentes da exposição precoce ao leite colostral, é um grande desafio sobre o qual os pesquisadores da lactação devem se debruçar. Abrir mão do uso precoce de colostro pode ser uma das causas de imunodeficiência no período neonatal.

A colostroterapia favorece e otimiza a utilização do colostro no ambiente da UTI neonatal, tem o potencial de impedir a adesão de patógenos à mucosa, graças a IgA, e permitir que as citocinas, os fatores de crescimento epitelial e agentes antioxidantes cumpram plenamente sua função no organismo desses bebês tão vulneráveis.

BIBLIOGRAFIA CONSULTADA

Agarwal S, Karmaus W, Davis S, Gangur V. Immune markers in breast milk and fetal and maternal body fluids: a systematic review of perinatal concentrations. J Hum Lact 2011; 27(2):171-186.

Altivo FMA, Beleza L, Margotto PR. Protocolo de Colostroterapia. Site de Paulo Roberto Margoto. Disponível em http://www.paulomargotto.com.br/busca_resultado.php?busca=colostroterapia&Submit=Buscar. Acessado em 23.07.2014.

Araujo ED, Goncalves AK, Cornetta M et al. Evaluation of the secretory immunoglobulin A levels in the colostrum and milk of mothers of term and preterm infants. Braz J Infect Dis 2005; 9:357-362.

Barret E, Kerr C, Murphy K et al. The individual-specific and diverse nature of the preterm infant microbiota. Arch Dis Child Fetal Neonatal 2013; 98(4):334-340.

Bentlin M, Rugolo L. Late-onset sepsis: epidemiology, evaluation and outcome. NeoReviews 2010; 11(8):426-434.

Berrington JE, Stewart CJ, Embleton ND, Cummings SP. Gut microbiota in preterm infants: assessment and relevance to health and disease. Arch Dis Child Fetal Neonatal 2012; 98(4):286-290.

Cilieborg M, Boye M, Sangild PT. Bacterial colonization and gut development in preterm neonates. Early Hum Dev 2012; 88(1):41-49.

Czanc C, Prime DK, Hartmann B et al. Retention of the immunological proteins of pasteurized human milk in relation to pasteurizer design and practice. Pediatr Res 2009; 66(4):374-379.

de Alencar SMSM. Ordenha e Coleta. In: Anvisa. Banco de leite humano: funcionamento, prevenção e controle de riscos. Brasília: Anvisa 2008; 92-97.

de Almeida JAG. Pasteurização. In: Anvisa Brasil. Banco de leite humano: funcionamento, prevenção e controle de riscos. Brasília: Anvisa 2008; 134-138.

Dvorak B. Milk epidermal growth factor and gut protection. J Pediatr 2010; 156:S31-35.

Edmond KM, Kirkwood B, Tawiah C, Agyei S. Impact of early infant feeding practices on mortality in low birth weight infants rom rural Ghana. J Perinatol 2008; 28:438-444.

Edmond KM, Kirkwood BR, Tawiah CA, Agyei SO. Delayed breastfeeding initiation increases risk of neonatal mortality. Pediatrics 2006; 117:380-386.

ENAM. XIII Encontro Nacional de Aleitamento Materno. Programa. Disponível em: http://www.enam.org.br/programacao/index.php" \l "topo. Acessado em 06.07.2014.

Espinosa-Martos L, Montilla A, de Segura AG et al. Bacteriological, biochemical, and immunological modifications in human colostrum after holder pasteurization. J Pediatr Gastroenterol Nutr 2013; 56(5):560-568.

Ewaschuk JB, Unger S, Harvey S et al. Effect of pasteurization on immune components of milk: implications for feeding preterm infants. Appl Physiol Nutr Metab 2011; 36(2): 175-182.

Fanaroff A. Obstetric management of prematurity. In Fanaroff A, Martin R. Fanaroff and Martin's Neonatal-Perinatal Medicine. St Louis: Elsevier Mosby, 2011.

Garofalo R. Cytokines in Human Milk. J Pediatr 2010; 156(2):36-40.

Gephart SM, Weller M. Colostrum as oral immune therapy to promote neonatal health. Adv Neonatal Care 2014; 14:44-51.

Goldman AS. Evolution of immune functions of the mammary gland and protection of the infant. Breastfeed Med 2012; 7:132-142.

Groer M, Duffy A, Morse S, Kane Bea. Cytokines, chemokines, and growth factors in banked human donor milk for preterm infants. Journal of Human Lactation 2014; 317-323.

Guilherme JP, do Nascimento MBR, Mattar MJG. O banco de leite humano na prática do pediatra. In: Manual de Aleitamento Materno. Santiago LB. Barueri: Manole: 2013; 257-284.

Guilherme JP, Mattar MJG, Batista TMC. Colostroterapia: uma proposta coerente de suplementação imunológica em recém-nascidos de muito baixo peso. In: Anais do V Congresso Brasileiro de Bancos De Leite Humano. Brasília: 2010; 70-71.

Hanson LA. Immunobiology of human milk: how breastfeeding protects babies. Amarillo: Pharmasoft Publishing, 2004.

Hassiotou F, Geddes DT, Hartmann PE. Cells in human milk: state of the science. J Hum Lact 2013; 29(2):171-182.

Hurrell E, Kucerova E, Loughlin M et al. Neonatal enteral feeding tubes as loci for colonization by members of the enterobacteciaceae. BMC Infect Dis 2009; 9:146.

Jacob CMA, Pastorino AC. Microbiota intestinal e desenvolvimento imunológico. In: PRORN – Programa de Atualização em Neonatologia. SBP, Procianoy RS, Leone CR (org.). Porto Alegre: Artmed/Panamericana 2014; 129-148.

Jones F, Tully MR. Feeding human milk in the intensive care nursery in jones f, tully mr best practice for expressing, storing and handling human milk. 3 ed. Human Milk Banking Association of North America 2011; 33-37.

Lawrence RA, Lawrence RM. Host resistance factors and immunologic significance of human milk. In: Breastfeeding: a guide for the medical profession. Lawrence RA, Lawrence RM. Maryland Heights: Elsevier Mosby 2011; 153-196.

Lee J, Kim HS, Jung YH et al. Oropharyngeal colostrum administration in extremely premature infants: an RCT. Pediatrics 2015; 135(2):357-66.

Lima G, da Silva R, Guinsburg R. Humanização na Assistência ao Recém-nascido. Programa de Atualização em Neonatologia. PRORN 2013; 10(3).

Madan JC et al. Gut microbial colonisation in premature neonates predicts neonatal sepsis. Arch Dis Fetal Neonatal 2012; 97(6):456-462.

Manzoni P et al. Bovine lactoferrin supplementation for prevention of late-onset sepsis in very low-birth-weight neonates. JAMA 2009; 302(13):1421-1428.

Marinetti KA, Hamelin K. Breastfeeding and the use of human milk in the neonatal intensive care unit. In: Avery's neonatology: pathophysiology & management of the newborn. MacDonald M, Seshia M, Mullet M (ed.). Philadelphia: Lippincott Williams and Wilkins 2005; p. 429.

Marodi L. Innate cellular immune responses in newborns. Clin Immunol 2006; 118:137-144.

McClellan HL, Miller SJ, Hartmann PE. Evolution of lactation: nutrition v. protection with special reference to five mammalian species. Nutrition Research Reviews 2008; 21:97-116.

Meier PP, Engstrom JL, Jegier BJ. Improving the use of human milk during and after the NICU Stay. Clin Perinatol 2010; 37:217-24.

Montgomery DP, Baer VL, Christensen RD. Oropharyngeal administration of colostrum to very low birth weight infants: results of a feasibility trial. Neonatal Intensive Care 2010 jan; 27-29.

Mussi-Pinhata MM, Rego MAC. Particularidades imunológicas do pré-termo extremo: um desafio para a prevenção da sepse hospitalar. J Pediatr 2005; 81(1):59-68.

Narayanan I, Prakash K, Verma RK, Gujral VV. Administration of colostrum for the prevention of infection in the low birth weight infant in a developing country. J Trop Pediatr 1983; 29(4):197-200.

Neville MC et al. Lactation and neonatal nutrition: defining and refining the critical questions. J Mammary Gland Biol Neoplasia 2012; 17:167-188.

Neville MC. Anatomy and physiology of lactation. Pediatr Clin North Am 2001; 48(1):13-34.

Novak FR, Almeida JAG, Vieira GO, Borba LM. Human colostrum: a natural source of probiotics? J Pediatr 2001; 77(4):265-270.

Patel AB, Shaikh S. Efficacy of breast milk gastric lavage in preterm neonates. Indian Pediatr 2007; 44(3):199-203.

Patel AL, Johnson TJ, Engstrom JL et al. Impact of early human milk on sepsis and health-care costs in very low birthj weight infants. J Perinatol 2013; 33(7):514-519.

Permanyer M, Castellote C, Ramírez-Santana C et al. Maintenance of breast milk immunoglobulin A after high-pressure processing. J Dairy Sci 2010; 93(3):877-883.

Quintal VS Carbonare SB. Imunobiologia do leite humano. PRORN SBP. Programa de Atualização em Neonatologia 2004; 9-51.

Quintal VS, Carbonare SB. Imunobiologia do Leite Humano. PRORN – Programa de Atualização em Neonatologia, 2004.

Rede Brasileira de Pesquisas Neonatais. Relatório Anual 2013. Rio de Janeiro: RBPN, 2014.

Riordan J. The Biological Specificity of Breastmilk. In: Breastfeeding and human lactation. Riordan J, Wambach K (ed.). Sudbury: Jones and Bartlett Publishers 2010; 117-160.

Rodriguez NA et al. A pilot study to determine the safety and feasibility of oropharyngeal administration of own mother's colostrum to extremely low-birth-weight infants. Adv Neonatal Care 2010; 10(4):206-212.

Rodriguez NA, Meier PP, Groer MW, Zeller JM. Oropharyngeal administration of colostrum to extremely low birth weight infants: theoretical perspectives. J Perinatol 2008; 29:1-7.

Rodriguez NA, Meier PP, Groer MW, Zeller JM. Oropharyngeal administration of colostrum to extremely low birth weight infants: theoretical perspectives. J Perinatol 2008; 29(1):1-7.

Rodriguez NA. Colostrum as a therapeutic for premature infants. In: Nutrition in infancy: Volume 1, Nutrition and Health. Watson RR, et al. New York: Springer Science + Business Media 2013; 145-155.

Santoro WJ, Martines FE, Ricco RG, Jorge SM. Colostrum ingested during the first day of life by exclusively breastfed healthy newborn infants. J Pediatr 2010; 156(1):29-32.

Seigel JK, Smith PB, Asheley PL et al. Early administration of oropharyngeal colostrum to extremy low birth weight infants. Breastfeed Med 2013; 8(6):1-5.

Sherman MP, Adamkin DH, Radmacher PG, Sherman J, Niklas V. Protective proteins in mammalian milks: lactoferrin steps forward. NeoReviews 2012; 13(5):293-300.

Sim K et al. The neonatal gastrointestinal microbiota: the foundation of future health? Arch Dis Child Fetal Neonatal 2013; 98(4):363-364.

Smith LJ. Biochemistry of human milk. In: Core curriculum for lactation consultant. Mannel R, Martens PJ, Walker M (ed.). Burlington: Jones & Bartlett Learning 2013; 355-369.

Spatz DL et al. Colostrum oral care. site da Nat Assoc Neonatal Nurses E-News; 2009. Available from: http://www.nann.org/pubs/enews/sept09.html.(22.03.2014)

Tarnow-Mordi W, Isaacs D, Dutta S. Adjuntive immunologic interventions in neonatal sepsis. Clin Perinatol 2010; 37(2):481-499.

Thibeau S, Boudreaux C. Exploring the use of mother's own milk as oral care for mechanically ventilated very low-birth-weight preterm infants. Adv Neonatal Care 2013; 13(3):190-197.

Underwood MA, Gilbert WM, Sherman MP. Fluid: not just fetal urine anymore. J Perinatol 2005; 25:341-348.

Viazis S, Farkas BE, Allen JC. Effects of high-pressure processing on immunoglobulin A and lysozyme activity in human milk. J Human Lact 2007; 23(3):253-261.

Vieira GO, de Alencar SMSM, Cunha MAA. Amamentação e doenças maternas. In: Banco de leite humano: funcionamento, prevenção e controle de riscos. Anvisa. B. Brasília: Anvisa 2008; 67-86.

Walker A. Breast milk as the gold standard for protective nutrients. J Pediatr 2010; 156(2):3-7.

Walker M. Influence of the biospecificity of human milk. In: Walker M. Breastfeeding management for the clinician – using the evidence. Burlington: Jones & Bartlett Learning 2014; 7-69.

Walter L, Hurley PKT. Perspectives on immunoglobulins in colostrum and milk. Nutrients 2011; 3:442-474.

A Mãe Contemporânea e a Amamentação

37

Jayme Murahovschi

Nas décadas de 1970-1980, no Brasil, nasciam muitas crianças.

De fato, a natalidade era de 5,6 filhos por mulher em idade fértil, e quanto mais pobre a região, maior era o número de filhos. Mas se nasciam muitas crianças, elas também morriam cedo. A mortalidade infantil chegava a ser 156 por 1.000 nascidos vivos. Essa mortalidade era maior no Norte-Nordeste do Brasil; nas regiões Sul e Sudeste era menor, mas ainda assim bastante alta.

E a longevidade em baixa, o limite médio de vida era em torno dos 60 anos.

E de que morriam nossas crianças?

De uma associação perversa entre desnutrição e infecções. A infecção mais comum era a diarreia.

Nas populações pobres, a criança era frequentemente desmamada cedo e recebia leite da vaca. Como as condições sanitárias eram ruins, o leite era facilmente contaminado com bactérias fecais e causava diarreia, outra diarreia, mais uma diarreia... desnutrição, enfraquecimento e morte.

Os jornais têm notificado, nos últimos meses, que a situação no Brasil melhorou muito. Não é ainda o ideal que todos nós gostaríamos, mas o fato é que melhorou bastante.

A mortalidade infantil agora é 15,6 por 1.000. Vejam que coisa interessante e até simbólica. Passou de 156 para 15,6: o mesmo número, a "única" diferença é a vírgula. Mas que diferença!

A desnutrição grave quase zerou e a longevidade agora atingiu a média de 75 anos, considerando o Brasil como um todo.

E agora o desmame precoce não aumenta mais a mortalidade, a não ser nas populações de muito baixo nível socioeconômico.

Então, a mulher moderna que mora em regiões mais favorecidas do Brasil, precisa amamentar? Para quê?

Estima-se que a geração que está nascendo agora vai viver até quase 100 anos. Portanto, a longevidade está garantida. Mas a qualidade de vida, não. Existem várias doenças que no futuro podem prejudicar a qualidade de vida das crianças de hoje.

Algumas dessas doenças têm base genética mas só se expressam na maturidade: obesidade, hipertensão, diabetes, arteriosclerose (enfarto, derrame cerebral). E como se diz por aí "a genética determina o destino e contra genética nada se pode fazer"!

Mas não é bem assim. Agora se dá destaque para a epigenética que é a influência do ambiente mudando a genética... para melhor ou pior.

Mas o que é epigenética?

É a influência do ambiente sobre a genética, é a interface entre genética e o ambiente.

Como atua a epigenética?

Ela não altera a estrutura dos genes, isto é, não altera a sequência dos aminoácidos do DNA, mas é capaz de modificar sua expressão, isto é, seu funcionamento com influência a longo prazo.

A epigenética atua sobre a cromatina que envolve os genes. Entre os mecanismos já conhecidos está a metilação (introdução de um radical metila) no DNA e a acetilação (introdução de um radical acetila) numa proteína especial chamada histona.

O que se entende por ambiente?

Tudo que envolve o organismo e que penetra nele. Isso inclui o sol, poluentes, ambiente psicossocial e afetivo em que a criança é criada e, particularmente, os nutrientes que penetram no organismo.

É evidente que o ambiente atua sobre toda a vida das pessoas, mas ele é mais importante, mais decisivo e mais duradouro na fase vulnerável do desenvolvimento que é exatamente a fase precoce da vida, isto é, o começo da vida.

Por isso, cada vez mais se valoriza o início da vida, os primeiros 1.000 dias de vida, incluindo os dias passados no útero, durante a gravidez.

Esses primeiros 1.000 dias vão modelar os 100 anos seguintes que a criança de hoje vai viver.

E o que tem importância?

Em primeiro lugar, os *nutrientes* que a criança recebe já durante a gravidez e depois nos primeiros meses de vida. Por isso, a alimentação da gestante e da mãe que amamenta deve ser adequada (veja o capítulo correspondente) e o recémnascido deve receber o alimento ideal e este é o *leite da própria mãe*. Ele contém os nutrientes essenciais e, na dose certa, que vão desencadear uma programação metabólica correta capaz de prevenir as doenças degenerativas futuras (exemplo arteriosclerose) próprias da civilização atual.

Ainda mais, a amamentação estabelece um *vínculo* mãe-filho que ajuda o desenvolvimento cerebral, tanto no sentido do melhor aproveitamento intelectual como garantindo a saúde mental no presente e no futuro.

Essa associação do *melhor alimento* e de *amor* expresso de uma maneira única que é o ato de amamentar torna a criança resilente, ou seja, capaz de superar as inevitáveis dificuldades da vida.

É óbvio que a amamentação deve ser seguida por um estilo de *vida saudável*, mas esta janela inicial é uma oportunidade única e que não se repete.

Em conclusão, *a mãe moderna deve amamentar seu filho* não só para uma infância mais saudável, mas para garantir uma boa qualidade de vida no futuro, uma vida longa que realmente valha a pena a ser vivida.

E o que acontece com a criança no começo da vida é fundamental para o futuro. Na prática, hoje é difícil enxergar a diferença entre amamentar e oferecer mamadeira, porque o verdadeiro benefício será visível no futuro. A amamentação é a semente, os frutos são colhidos adiante sob forma de um adulto saudável e feliz.

É o que toda mãe deseja.

Não deixe por menos! Comece com o insubstituível *leite materno*.

Índice Remissivo

A

Aleitamento materno em situações especiais da criança, 257
  bebê pré-termo, O, 258
  bebês com cardiopatia, 262
  bebês ictéricos, 260
  bebês múltiplos, 261
  criança com síndrome de Down, 267
  crianças com fenilcetonúria, 266
  crianças com fibrose cística, 266
  crianças com fissuras labiais e palatais, 264
  crianças com hipotireoidismo, 266
  crianças com problemas neurológicos, 263
  crianças com refluxo gastroesofágico, 265
  crianças hospitalizadas, 265
Aleitamento materno em versos, 591
  porque ensinamentos de saúde em versos, 591
Aleitamento materno: um ato ecológico, 393
  desperdícios provocados pela preparação, 397
  fabricação de leite e o consumo de recursos naturais, A, 396
  indústrias de alimentos infantis provocam poluição do planeta, As, 396
  poluentes orgânicos persistentes, 394
  substâncias tóxicas no leite materno, 394
    bisfenol A, 395
Aleitamento natural e infecção, 195
  doenças bacterianas, 196
  doenças parasitárias e fúngicas, 204
  doenças virais, 198
    citomegalovírus (CMV), 199

    hepatite A, 199
    hepatite B, 199
    hepatite C, 199
    hepatites virais, 198
    outros retrovírus: HTLV-1 e HTLV-2, 203
    outros vírus da hepatite, 199
    outros vírus, 203
    rubéola, 200
    varicela-zóster, 200
    vírus da imunodeficiência humana (HIV), 201
    vírus da raiva, 201
    vírus do herpes 6 e 7, 200
    vírus do herpes *simplex* (VHS), 200
  imunização materna, 204
Alimentação complementar oportuna e saudável: o cuidado na forma de comida, 365
  aceitação dos novos alimentos, A, 375
  algumas receitas para a alimentação complementar, 382
  alguns nutrientes de grande relevância para a saúde da criança, 379
    ferro, 379
    vitamina A, 379
    zinco, 380
  alimentação complementar: o que oferecer, 369
  alimentação da criança doente, A, 381
  amamentação como prática alimentar, 366
  bebê completou 6 meses: chega o momento de oferecer novos alimentos, O, 369
  criança que vai para a creche, A, 378

cuidados higiênicos no preparo e na oferta dos alimentos complementares, 375

fim de uma fase: o desmame oportuno, O, 381

introdução de novos alimentos: um pouco de história, A, 367

oferta de leite materno na ausência da mãe, A, 376

quando e como oferecer a alimentação complementar para a criança não amamentada no primeiro ano de vida, 373

quando e como oferecer a alimentação complementar, 371

quantidade da alimentação complementar, A, 372

Amamentando um prematuro, 291

descida do leite, 292

estratégias para a amamentação do prematuro, 297

aumentando o aporte calórico, 300

técnicas para facilitar a deglutição, 300

técnicas para facilitar a sucção, 299

estratégias para manter produção adequada de leite, 295

principais dificuldades encontradas, 293

aspectos socioculturais, 293

características do prematuro, 294

profissionais da saúde, 294

produção do leite, 291

sucção da mama, 292

Amigas do Peito: a importância dos grupos de apoio no incentivo ao aleitamento materno, As, 479

Amigas do Peito, um grupo de apoio que cresceu e virou ONG, 489

20 anos de Peito Aberto, 492

AmamentArte, 490

Amigas do Peito – quem somos nós, 489

Boletim Peito Aberto, 491

bonecas e bichinhos artesanais que amamentam, 491

caixa postal e correio eletrônico, 490

camisetas, cartões, adesivos, 492

Disque-Amamentação, 490

grupos de apoio, 490

palestras, eventos, congressos e mídia, livrete, 491

projeto educativo na comunidade, 491

histórias vivas, 483

grupo de mães, 483

justificativas, 480

Anatomia da mama e fisiologia da lactação, 41

anatomia da mama, 41

complexo areolopapilar, 42

glândula mamária, 43

mama, A, 41

pele, 42

anomalias, 45

drenagem linfática, 45

inervação, 46

vascularização da mama, 45

fisiologia da lactação, 46

controle neuroendócrino da ejeção do leite, 49

galactopoese, 50

regulação do volume de leite produzido ao nível alveolar, 50

preensão reflexa ou mordida fásica, 51

reflexo de busca ou procura, 51

reflexo de deglutição, 51

reflexo de extrusão, 51

reflexo de sucção, 51

secreção do leite, 46

Anticoncepção na nutriz, 355

dispositivos intrauterinos (DIU), 362

esterilização cirúrgica, 362

métodos de barreira, 358

métodos hormonais, 359

pílula progestínica, 360

endoceptivo (DIU de progestágeno), 361

injetável hormonal à base de progestágeno, 361

minipílulas, 360

Atenção humanizada ao recém-nascido de baixo peso (Método Canguru) e a amamentação, A, 493

consolidar e reoxigenar o processo, 497

evidências científicas, 498

impacto na amamentação, o, 494

620

Índice Remissivo

na primeira etapa, 494

na segunda etapa, 496

na terceira etapa, 497

que diz a norma, O, 494

B

Baixa produção de leite, 305

amamentação e padrões de crescimento, 305

aumentando a produção de leite, 310

discutindo a baixa produção de leite, 307

baixa produção de leite, 310

ganho de peso inadequado em crianças amamentadas, 309

iniciando a amamentação, 306

profissionais de saúde e a baixa produção de leite, Os, 313

questão do "choro de fome", A, 307

Bancos de leite humano, 403

aspectos operacionais, 404

coleta, 406

ambiente – local, 406

controle de qualidade, 411

controle físico-químico, 412

controle sanitário do LHO, 411

definições e conceitos, 404

distribuição, 411

doadora, 408

equipamentos e utensílios, 408

estocagem no BLH, 410

funcionários, 408

lavagem, preparo e esterilização dos materiais utilizados, 412

esterilização, 412

material, 412

ordenha, 407

nas enfermarias, 407

no domicílio, 407

pasteurização, 410

processamento, 409

acondicionamento e embalagem (reenvase), 409

seleção e classificação,409

resfriamento, 410

rotulagem, 410

transporte do leite, 409

do BLH para local de consumo, 409

do local de coleta para o BLH, 409

Bebês que recusam o peito, 315

que choram demais, 323

que não conseguem manter a pega, 318

que não conseguem pegar a aréola, 317

que não suga, 319

que recusa um peito, 322

que resistem às tentativas de serem levados ao seio, 316

C

Colostroterapia, 599

aspectos clínicos, 603

aspectos fisiológicos, 600

evidências científicas, 606

Composição do leite humano – aspectos imunológicos, 101

aleitamento materno na proteção contra infecções, 112

anticorpos IgA secretores, 102

efeito do aleitamento contra doenças inflamatórias na infância e fase adulta, 114

efeito protetor de longo prazo do aleitamento para a criança, 114

fatores bioativos do leite humano, 105

sistema imune comum de mucosas, 105

Composição do leite humano – fatores nutricionais, 55

composição do leite humano, 56

carboidratos, 60

lipídeos, 61

minerais e oligoelementos, 63

proteínas, 60

vitaminas, 62

leite humano e fórmulas lácteas, 68

leite humano e prematuridade, 67

leite humano em situações específicas, 65

anemia, 65

condição social, 65

idade materna, 66

infecção, 65

singularidades do aleitamento materno, 55

621

Índice Remissivo

Consultor internacional em lactação
pelo IBLCE: um selo de qualidade no atendimento de mães, bebês e famílias em aleitamento materno, 547
atuação do consultor em lactação – qual o seu impacto?, 551
    atendimento de puericultura com pediatra, 552
    exame, O, 552
    lista de conteúdos, 553
    pré-natal e pós-natal, 551
    programas de saúde pública de atendimento de mães e bebês e atendimento institucional, 552
    requisitos de elegibilidade para o exame, 553
    UTI neonatal, 551
atuação do consultor em lactação – qual o seu impacto?, 551
    pré-natal e pós-natal, 551
    UTI neonatal, 551
consultor internacional em lactação no Brasil, O, 550
histórico, 548
quem é o consultor em lactação?, 547

D

De mamadeiras, 397
manipulações na natureza ameaçam nossa saúde, 399
risco de contaminação dos alimentos industriais, 397
uso inadequado do solo, 399

E

Evolução do aleitamento materno no Brasil, 1

F

Fabricação de leite e o consumo de recursos naturais, A, 396

G

Gavagem, 277
contínua, 277
simples, 277

H

Hepatites, 199
A, 199
B, 199
C, 199
Hepatites virais, 198
Histórico dos Hospitais Amigo da Criança no Brasil, 419

I

Importância nutricional do leite materno, A, 75
importância da nutrição, 80
    leite fraco, 81
vínculo mãe-filho, 77
Iniciativa Hospital Amigo da Criança no Brasil, A, 415
características da iniciativa Hospital Amigo da Criança, 417
histórico dos Hospitais Amigo da Criança no Brasil, 419
impacto da IHAC no aleitamento materno, 423
Iniciativa Unidade Básica Amiga da Amamentação, 427
capacitação de profissionais de saúde na IUBAAM, 429
efetividade da IUBAAM, 433
introdução: surgimento da IUBAAM, 427
metodologia de avaliação e estratégia de implantação da IUBAAM, 430
processo de credenciamento na IUBAAM contribuindo para a qualificação do cuidado, O, 435
unidades básicas credenciadas na IUBAAM, 431

L

Leite materno e prematuridade, 271
boas práticas, 283
crescimento e desenvolvimento, 278
desenvolvimento e fisiologia do trato gastrointestinal, 272
    características do recém-nascido pré-termo, 272
    carboidrato, 273

Índice Remissivo

gordura, 274

motilidade, 272

nutrição trófica, 274

proteína, 273

dor, 282

Método Canguru, 283

métodos de alimentação, 276

alimentação transpilórica, 277

gavagem contínua, 277

gavagem simples, 277

sucção, 276

nutrição e enterocolite necrosante, 280

nutrição e imunologia, 281

problemas respiratórios, 278

trato gastrointestinal, 280

M

Mãe contemporânea e a amamentação, A, 615

Manejo da lactação, 137

a Constituição Brasileira – 1988, 141

Consolidação das Leis Trabalhistas (CLT), 141

dos direitos sociais, 141

normas brasileiras para comercialização de alimentos para lactentes, 143

como amamentar, 144

abocanhamento, 145

abocanhar, 148

parâmetros importantes a serem observados na avaliação da mamada, 150

amamentar, 144

até quando amamentar?, 155

completando a mamada, 151

escolhendo a posição, 145

pega do peito, A, 148

pega, 145

posição, 144

qual o intervalo entre as mamadas?, 154

quando e quanto amamentar?, 152

qual a duração da mamada?, 153

cuidados para com a mãe que amamenta, 139

Dez Passos para o Sucesso da Amamentação, 155

porque o recém-nascido não deve chupar mamadeira ou chupeta?, 156

preparando-se para amamentar, 138

reflexão, 155

riscos a curto prazo, 155

riscos a longo prazo, 155

Métodos especiais de alimentação: copinho, relactação, translactação e sonda-peito, 327

alimentação com copinho, 330

desvantagens, 330

esterilização, 332

objetivo, 330

procedimento, 331

vantagens, 330

relactação, 333

dificuldades, 334

material utilizado, 334

objetivo, 334

procedimento, 335

vantagens, 334

técnica sonda-peito, 339

objetivo, 339

procedimento, 339

translactação, 337

objetivo, 337

procedimento, 338

Momento do pediatra/pessoal de saúde com a mãe, 185

alojamento conjunto, 192

habilidades de ouvir e aprender, 186

comunicação não verbal útil, 186

empatia – mostrar que você entende como ela se sente, 188

evitar palavras que demonstrem julgamento, 188

fazer perguntas abertas, 187

repetir o que a mãe diz com suas palavras, 188

usar expressões e gestos que demonstrem interesse, 188

habilidades para aumentar a confiança e dar apoio, 188

aceitar o que a mãe pensa e sente, 189

Índice Remissivo

dar pouca e relevante informação, 190

dar uma ajuda prática, 189

reconhecer e elogiar o que a mãe estiver fazendo certo, 189

usar linguagem simples, 190

pré-natal, 190

sala de parto, 192

Mudanças no modelo de atenção ao parto e nascimento no Brasil: implicações para a promoção do aleitamento materno, 501

acompanhamento da equipe de saúde, 501

políticas públicas para o parto e nascimento no Brasil: aspectos atuais, 502

recomendação: as 3 práticas simples de atenção ao parto e nascimento, 504

benefícios imediatos do aleitamento materno exclusivo e iniciado após o parto, 508

contato pele a pele entre mãe e bebê, 506

início do aleitamento materno exclusivo logo após o parto, 507

momento adequado para realizar-se o clampeamento do cordão, 505

reflexões sobre o parto e nascimento no Brasil, 503

O

Ordenha de leite: como, quando e por que fazê-la?, 343

como ordenhar a mama lactante, 345

ordenha, 343

por que fazer a ordenha da mama puerperal?, 351

quando fazer a ordenha do leite, 348

higiene das mamas, 348

nascimento a termo e saudável, 350

nascimento prematuro com debilidade e ou adoecimento, 350

outras situações do cotidiano da mulher nutriz, 350

problemas com a mama lactante, 349

P

Política Nacional de Aleitamento Materno no Brasil, 533

atual política nacional de aleitamento materno, A, 536

componentes, 537

educação, comunicação e mobilização social, 541

Estratégia Amamenta e Alimenta Brasil, 538

Iniciativa Hospital Amigo da Criança, Método Canguru e bancos de leite humano, 539

monitoramento e avaliação, 542

objetivos, 537

pressupostos, princípios e diretrizes, 536

principais obstáculos e desafios, 543

proteção legal ao aleitamento materno e apoio à mulher trabalhadora, 540

Postura, posição e pega adequadas: um bom início para a amamentação, 159

como proporcionar a pega adequada?, 180

diversas possibilidades, As, 170

pega adequada, A, 178

postura e posição, 161

corpo do bebê está de frente para a mãe e próximo ao dela, 163

os dedos da mãe estão distantes da aréola, 167

que observar na posição da mãe e do bebê?, O, 163

se o bebê está chorando, 170

Problemas precoces e tardios das mamas: prevenção, diagnóstico e tratamento, 209

outros problemas, 221

amamentação e trabalho extradoméstico, 223

implantes de silicone e amamentação, 221

mamoplastia redutora, 222

problemas com as mamas, 216

abscesso mamário, 220

ductos lactíferos bloqueados, 216

galactoceles, 216

ingurgitamento mamário, 216

mastites, 219

problemas nos mamilos, 209

fissuras mamilares por *Candida spp*, 214

mamilos doloridos/fissuras mamilares, 211

mamilos planos, invertidos e compridos, 210

Promovendo o aleitamento materno no pré-natal, pré-parto e nascimento, 121

pré-natal, 123

amamentações anteriores, quando for o caso, 128

atividade assistencial, 127

anamnese, 127

atividade educativa, 124

atividade laborativa ou escolar, 128

doenças crônicas, 128

exame físico, 129

nascimento, 131

trabalho de parto, 130

patologia ou cirurgia mamária, 128

situação familiar, 128

Proteção legal ao aleitamento materno: uma visão comentada, 513

acordos internacionais e documentos governamentais, 525

Código Internacional de Comercialização de Substitutos do Leite Materno, 533

Constituição da República Federativa do Brasil, 519

Convenção dos Direitos Humanos, 516

Estatuto da Criança e do Adolescente, 523

Norma Brasileira para Comercialização de Alimentos para Lactentes, 523

S

Semana Mundial de Aleitamento Materno, 439

SMAM, 439

1992 – Iniciativa Hospital Amigo da Criança, 440

1993 – Mulher, trabalho e amamentação, 441

1994 – Faça o código funcionar, 443

1995 – Amamentar fortalece a mulher, 444

1996 – Amamentação: uma responsabilidade de todos, 445

1997 – Amamentar é um ato ecológico, 446

1998 – Amamentar é um barato... o melhor investimento!, 447

1999 – Amamentar é educar para a vida, 448

2000 – Amamentar é um direito humano, 449

2001 – Amamentação na era da comunicação, 451

2002 – Amamentação: mães e bebês saudáveis, 453

2003 – Amamentação: promovendo a paz em um mundo globalizado, 454

2004 – Amamentação exclusiva: satisfação, segurança e sorrisos, 456

2005 – Amamentação e alimentos complementares, 457

2006 – Código Internacional: 25 anos de proteção ao aleitamento materno, 458

2007 – Amamentação na primeira hora: proteção sem demora!, 460

2008 – Se o assunto é amamentar, apoio à mulher em primeiro lugar, 462

2009 – Amamentação, a segurança alimentar nas emergências, 463

2010 – Amamentação: dez passos fundamentais para um bom começo, 465

2011 – Fale comigo! Amamentação uma experiência em 3D, 466

2012 – Entendendo o passado e planejando o futuro: celebrando os 10 anos da Estratégia Global para a Alimentação de Lactentes e Crianças de Primeira Infância, 468

2013 – Apoio às mães que amamentam: próximo, contínuo e oportuno!, 469

2014 – Aleitamento materno: uma vitória para toda a vida!, 471

atividades da Semana Mundial de Aleitamento Materno no Brasil, As, 472

WABA – World Alliance for Breast-Feeding Action, A, 439

Sobrevivência infantil e aleitamento materno, 15

filho, 24

proteção contra doenças, 24

câncer de mama, de endométrio e de ovário, 26

doença de Hodgkin e leucemia, 27

infecção por *Helicobacter pylori* na idade futura, 30

neuroblastoma, 27

Índice Remissivo

proteção contra alergias, 24

alergias em geral, 24

asma, 25

dermatite atópica, 25

rinite alérgica, 24

proteção contra câncer, 26

proteção contra desnutrição, 27

desnutrição, 27

proteção contra diabetes melito, 28

proteção contra doença celíaca, 30

proteção contra doenças digestivas, 29

proteção contra doenças inflamatórias do intestino (Crohn e colite ulcerativa), 30

proteção contra enterocolite necrosante, 30

proteção contra enterovirose, 30

tumores de crescimento, 27

mãe, 16

aspectos econômicos, 23

economia, 23

praticidade, 24

aspecto fisiológico, 16

efeito contraceptivo, 16

efeito protetor contra anemia, 18

efeito protetor contra osteoporose e fraturas, 19

proteção contra câncer de mama, ovário e endométrio, 18

resumo da amenorreia lactacional, 17

aspectos psicológicos, 22

maior interação mãe-filho, 23

vínculo afetivo, diminuição da ansiedade e depressão pós-parto, 22

pesquisas que mostram efeito protetor da amamentação contra osteoporose e fraturas, 19

pesquisas que não mostram efeito protetor da amamentação contra osteoporose e fraturas, 20

amamentação reduz risco de doenças cardíacas, hipertensão, diabetes, hipercolesterolemia e acidente vascular cerebral, 22

melhor recuperação de peso pré-gestacional, 20

melhor transição parto/pós-parto, 22

por que é importante amamentar?, 15

que é este leite?, O, 15

T

Título de Especialista em Pediatria da Sociedade Brasileira de Pediatria e o incentivo ao aleitamento materno – perguntas e respostas comentadas, 557

U

Uso de medicamentos, drogas e cosméticos durante a amamentação, 227

critérios para o uso de medicamentos, 232

medicamentos e drogas contraindicados, 233

medicamentos seguros, 233

moderadamente seguros, 233

possivelmente perigosos, 233

farmacologia e lactação, 228

fármacos que podem alterar o volume do leite materno, 254

métodos de estimativa da exposição do lactente aos fármacos, 231

observações sobre alguns grupos de fármacos usualmente utilizados, 233

drogas de vício/abuso, 253

fármacos anti-infecciosos, 233

antibióticos, 235

antifúngicos, 239

antimaláricos, 233

antivirais, 237

tuberculostáticos, 239

fármacos oftálmicos, 239

fármacos que atuam na dor e na inflamação, 241

analgésicos e anti-inflamatórios não esteroides (AINEs), 241

analgésicos opiáceos, 241

anti-histamínicos, 241

corticosteroides, 241

fármacos que atuam no sistema cardiovascular, 242

anti-hipertensivos, 242

agonistas alfa 2 de ação central, 243

626

antagonista do receptor da angiotensina II, 243

antagonistas adrenérgicos de ação periférica, 243

antiarrítmicos usados no tratamento da bradiarritmia, 244

antiarrítmicos, 243

betabloqueadores, 242

bloqueadores de canais de cálcio, 242

Classe I. Fármacos estabilizantes de membrana, 244

Classe II. Betabloqueadores, 244

Classe III. Fármacos que prolongam o potencial de ação, 244

Classe IV. Bloqueadores seletivos do canal de cálcio, 244

diuréticos conservadores de potássio, 245

diuréticos de alça, 245

diuréticos osmóticos, 245

diuréticos, 244

inibidores da enzima de conversão da angiotensina (IECA), 242

inibidores da renina, 243

outros antiarrítmicos, 244

tiazídicos e compostos relacionados, 245

vasodilatadores diretos, 243

antilipêmicos, 245

fármacos que atuam no sistema digestório, 245

antieméticos e gastrocinéticos, 246

antissecretores e antiácidos, 245

laxantes, 246

fármacos que atuam no sistema endócrino, 246

antidiabéticos, 247

antitireoidianos, 247

contraceptivos, 246

fármacos que atuam no sistema nervoso central, 247

anticonvulsivantes (antiepilépticos), 247

antidepressivos e estabilizadores do humor, 248

antiparkinsonianos, 248

antipsicóticos (neurolépticos), 248

fármacos para enxaqueca, 249

hipnóticos e ansiolíticos, 248

fármacos que atuam no sistema respiratório, 249

antiasmáticos, 249

fármacos utilizados no diagnóstico por imagem, 250

uso de cosméticos pela nutriz, 253

vacinas, 249

vitaminas e minerais, 249

princípios gerais de prescrição de medicamentos e lactação, 231

W

WABA – World Alliance for Breast-Feeding Action, A, 439